DIE ENTSCHLÜSSELUNG
DES KORAN

anhand der Reflexionen um das Wissen um Allah

AHMED HULUSI

Copyright © 2020 **Ahmed Hulusi**

All rights reserved.

ISBN-13: 978-0-578-81437-7

DIE ENTSCHLÜSSELUNG
DES KORAN

anhand der Reflexionen um das Wissen um Allah

AHMED HULUSI

www.ahmedhulusi.org/de/

Übersetzt von TARIQ MIR

Vorwort des Übersetzers

Sehr geehrter Leser,

es handelt sich hier bei diesem Werk von Ahmed Hulusi um eine einzigartige Interpretation des Koran. Bisher hat es noch nie eine Übersetzung oder Interpretation des Koran aus der Perspektive des Sufismus gegeben.

Die Problematik dieses Werkes vom Türkischen ins Deutsche zu übersetzen, liegt vor allem an bestimmten Begrifflichkeiten. Viele Worte im Türkischen sind arabischen Ursprungs und bleiben deshalb genauso bestehen, wie sie im originalen Koran zu lesen sind.

Aber genau hier liegt auch das Problem des Verständnisses. Ein Begriff hat erst einmal seine wortwörtliche Bedeutung. Betrachten wir zum Beispiel das Wort **„Inzal"**, welches wortwörtlich herabsteigen bedeutet. Der Koran benutzt dieses Wort um den Vorgang der Offenbarung zu beschreiben, die Mohammed (Friede sei mit Ihm) empfangen hatte.

Aber wenn man das Wort wortwörtlich nimmt, dann denkt man, dass etwas von oben nach unten, also vom Himmel auf die Erde herabgesandt wurde. Dem ist aber nicht so, wenn der Mensch erst einmal fähig ist zu reflektieren und tief über die ganze Sache nachzudenken beginnt (worauf auch der Koran an vielen Stellen den Menschen dazu auffordert). Die Fähigkeit zu reflektieren kann erst dann beginnen, wenn der Mensch begreift, dass es sich bei der Definition von demjenigen, der Allah genannt wird, nicht um einen entfernten Gott handelt.

Hier liegt genau der Unterschied zwischen dieser Koranübersetzung und den unzähligen anderen, die übersetzt wurden. Bei den gängigen Koranübersetzungen werden die Wörter alle in ihrer wortwörtlichen Bedeutung verstanden und es wird so fehlgeschlagen zu verstehen, dass man eigentlich mit demjenigen, mit dem nichts zu vergleichen ist, etwas verglichen hat!

Nehmen wir zum Beispiel ein anderes Wort, welches sehr oft im Koran vorkommt. Das Wort **„Rabb"**, welches gewöhnlicherweise mit dem deutschen Wort **„Herr"** übersetzt wird.

Und was ist jetzt damit gemeint?

Lässt man eine Erklärung aus, denkt der Mensch an einen herrschenden Schöpfer. Aber über was wird geherrscht? Über alles? Hat der Mensch denn nicht auch das Gefühl zu herrschen? Herrschen der Herr und der Mensch gleichzeitig oder aber jeder über unterschiedliche Bereiche? Herrscht der Herr am Tag des jüngsten Gerichts und der Mensch herrscht hier und jetzt? Oder herrscht der Herr hier und jetzt und auch für immer in alle Ewigkeiten, d.h. im Diesseits und im Jenseits? Der Koran macht jedenfalls den Unterschied zwischen **„Herrn der Welten"** (Rabbul Alamin) und einfach dem Wort **„Rabb"**.

Aber um die Beziehung zwischen dem Menschen und dem „Rabbul Alamin" näher zu bringen, wird im Koran auf die Bedeutung des Buchstabens „B" hingewiesen. Da die meisten sich über diese Bedeutung nicht bewusst sind, stellt es im Sufismus ein Geheimnis dar. (Mehr dazu im Glossar).

Das arabische Wort „Rabb" kommt vom Wort „Tarbiyah" und das heißt erziehen, produzieren, disziplinieren, manifestieren und entwickeln....

Also wer erzieht, produziert, erschafft, manifestiert und entwickelt alles im Universum? Der Mensch oder doch jemand anderes? Diese Fragen stellt sich ein Mensch, der über die Realität der Existenz sich Gedanken macht. Der Koran lädt den Menschen dazu ein, tief nachzudenken über die Existenz (im Koran „Tafakkur" genannt).

„Tafakkur" ist genau das, was über die Jahrhunderte in der islamischen Welt verloren gegangen ist.

Die wortwörtliche Bedeutung, also nur die arabische Sprache zu kennen, ist nicht ausreichend, um den Koran zu verstehen. Es ist eine gute Voraussetzung, aber der Schlüssel fehlt immer noch, damit man nicht den Fehler begeht, alles wortwörtlich zu nehmen. Denn nimmt man alles wortwörtlich, dann begeht man den Fehler, dass man mit demjenigen, mit dem nichts verglichen werden kann (Allah), letztendlich doch etwas vergleichen wird! Und mit Allah etwas zu vergleichen, stellt laut dem Koran die größte Sünde dar!

Ich habe deshalb für die deutsche Übersetzung eine Klammer mit dem Vermerk „Anmerkung des Übersetzers" (A.d.Ü.) bei einigen Begriffen versehen, um dem Leser mehr Informationen geben zu können.

Die Basis jedenfalls um den Koran zu verstehen, bildet die Definition des Namens „Allah" (es herrscht kein externer Gott. Denn das würde heißen der Schöpfer ist ein begrenztes Wesen und nimmt seinen Platz, wie jedes andere Objekt auch, in Raum und Zeit ein! Das Fundament für dieses Verständnis bildet die Definition von Allah in der „Ikhlas" Sure).

Wenn dies verstanden wird, dann können auch Begrifflichkeiten wie „Rabb", „Hu", „Rasul" usw. auch besser verstanden werden.

Und so bekommt der Leser einen Schlüssel, um den Koran zu verstehen. Denn der Koran wird entschlüsselt anhand der Reflexionen um das Wissen um Allah.

Ich möchte mich ganz herzlich bei Gökhan Bekensir, Kader Haydaroglu, Türkan Gündüz und einigen anderen Freunden bedanken, die mich bei der Übersetzung dieses Werkes unterstützt haben.

Tariq Mir
2020

INHALT

EINLEITUNG ZUM VERSTÄNDNIS DES KORANS

Die originale Schrift dieses Werkes, welches du aufgehoben hast um zu LESEN, ist nicht ein Buch, das *die Befehle eines oben-im-Himmel-befindlichen-Gottes beinhalten, welches er offensichtlich seinem Postboten-Propheten auf der Erde offenbart hatte!*

Es ist die Enthüllung *des* **Wissens um die Realität** und **des Systems (Sunnatullah),** welches vom Herrn der Welten, von den dimensionalen Tiefen zum Bewusstsein des **Rasulallah,** *herabgesandt* und *offenbart* wurde durch den Vorgang der **Entfaltung (***Irsal***)**!

Lasst es von Anfang an betont sein, dass…

Dieses Buch weder eine Übersetzung ist, noch eine Interpretation des Korans. Es kann niemals den Koran ersetzen! Es ist nur ein Versuch ein oder zwei Aspekte der sehr facettenreichen Bedeutungen des Korans zu teilen!

Dieses Buch ist nur ein Fenster durch welches ein Diener Allahs, Ahmed Hulusi, von seinem Blickwinkel aus hindurchschaut. In der Tat ist es nur eine Reflexion von einem Teil einer Szene, die von diesem Fenster aus betrachtet wird!

Das Fundament des Blickwinkels von diesem Fenster ist mit folgendem Beispiel zu vergleichen:

Wenn beide Augen einer Person gesund und voll funktionstüchtig sind, dann ist der Blick klar und ganzheitlich. Diejenigen, die nicht klar sehen können, brauchen Brillen oder Kontaktlinsen. Der **Koran** ist wie eine Linse, welches von seitens **Allahs** gewährt wird, damit ein klarer und ganzheitlicher Blick von zwei Wahrheiten gewährt wird:

Das Buch, welches das Universum genannt wird und das **System** (*Sunnatullah*), damit beide korrekt **GELESEN** werden können.

Damit **die Realität** klar und als EINS gesehen werden kann, brauchen wir die Linsen der Einsicht (*Basirat*) und des Wissens, wobei der Buchstabe **„B"** eine Linse darstellt, und das Wissen des Absoluten EINEN, DER NICHTS BENÖTIGT (*Ahad us Samad*) die andere Linse darstellt.

Die erste Linse stellt den ersten Buchstaben im Koran dar; den Buchstaben „B". Seine Bedeutung wird in Mohammeds (Fsmi) Worten offenbart: **„Das Kleinste spiegelt das Ganze!"** Über diese holografische Realität habe ich ausführlich in meinem Buch **„Die Betrachtung des EINEN"** berichtet. Jeder Punkt, der in der Existenz als Teil oder Einheit betrachtet wird, beinhaltet die ganze *al-Asma* (die Namen) mit ihrem kompletten Potenzial.

Die zweite Linse, d.h. das Wissen des Absoluten Einen, der nichts benötigt, wurde am Ende des **Korans** eingebaut im Kapitel *Ikhlas.* Es ist die Betonung, dass Allah *Eins (Ahad)* ist und *absolut nichts benötigt (Samad).* Es ist **Hu**! Es gibt nichts „anderes" als **Hu**! As Samad bedeutet *„absolute autarke, nichts benötigende Einheit zu dem nichts hinzugefügt oder weggenommen werden kann."*

Falls diese beiden Wahrheiten nicht einen Blick hervorbringen, dann kann *die Seele des Korans und die Botschaft, welches es abzielt zu überbringen* niemals korrekt wahrgenommen werden! Die Wahrheit darüber, was der „Gott im Himmel und der Prophet auf der Erde und deine Beziehung dazu" darstellen, kann dann niemals erfahren werden.

In der Tat zielt dieses Werk darauf ab dem Leser die Möglichkeit zu geben die Zeichen im Koran richtig bewerten zu können gemäß der Wahrheit, dass derjenige, der Allah genannt wird, absolut Eins ist und nichts benötigt **(***Ahad* us *Samad***)**.

Soweit uns bewusst ist, gibt es kein anderes Buch, welches vergleichbar ist mit diesem Werk. Viele Werke wurden schon geschrieben, die oberflächliche und mehr geschichtliche Aspekte des Korans angesprochen haben als mehr die eigentliche Bedeutung und Tiefe zu übermitteln. Die meisten von ihnen haben auch verworrene und unklare Wörter benutzt, so dass viele eher abgeneigt waren es zu lesen. Haargenaue Versuche an der „wortwörtlichen" Übersetzung festzuhalten, haben dieses **zeitlose literarische Meisterwerk** zu einem unverständlichen Rätsel unserer Zeit gemacht.

Darüber hinaus werden Sie beim Lesen feststellen, dass dieses **literarische Meisterwerk** oft **verschiedene Beispiele und Metaphern** benutzt, um die vielen Wahrheiten, die es beinhaltet zu erklären; der Leser wird also gemahnt über die verschiedenen Bedeutungen nachzudenken….

Bedauerlicherweise hat das begrenzte Verständnis der Mehrheit dazu geführt die koranischen Metaphern **wortwörtlich und bildlich** zu nehmen und so wurden sie als **Gesetze** wiedergegeben, die den Glauben an ihren „oben-befindlichen-Gott", seinen Botschafter auf der Erde unten und ein himmlisches Buch, welches seine Befehle enthalten, nur gestärkt hatte.

Ich bin der Meinung, wenn die essentielle Idee dem Leser wieder gespiegelt werden kann, dann werden die Menschen eine ganz andere Annäherung und Verständnis zu diesem erhabenen **Wissen** entgegenbringen.

Und deshalb, bevor sie anfangen es zu **LESEN**, möchte ich ihnen die primäre Botschaft und ein paar der Konzepte dieses Buches (Wissens) übermitteln gemäß meinem Verständnis.

Das primäre Ziel des Korans ist den Menschen darüber behilflich zu sein **den Einen, der Allah genannt wird**, zu verstehen und zu kennen und so sie vor einem Gottesverständnis zu schützen, welches zum **Schirk (mit Allah etwas zu vergleichen, also Dualismus)** führt.

Wenn man an einen externen Gott glaubt, egal wie weit oder jenseits des Weltalls er sich befinden mag, dann ist dies eine explizite Befürwortung der Dualität (*Schirk*). Es werden also Ideen befürwortet, dass „andere" Wesen mit Kraft in der Existenz vorhanden sind neben Allah (das eigene Ego mit eingeschlossen!) und dies ist eine vorbehaltlose Förderung der Dualität.

Das Wissen (das Buch), welches herabgesandt wurde, um die Menschheit anzusprechen, warnt diejenigen, die es zu verstehen versuchen mit diesen Wörtern:

„Diejenigen, die ‚Dualität' befürworten (geteilte Existenz; die Annahme es gibt einen Gott UND alles andere) **sind unrein!"**

„Diejenigen, die sich nicht von der Verunreinigung (der Dualität; die Idee, dass es einen Gott gibt und auch mich) **ihres Selbst gereinigt haben, sollen es nicht anfassen** (das Wissen-Koran…, weil sie es so nicht verstehen werden!)."

„Wahrlich, Dualität (die Annahme, dass die Existenz der „Anderen" von demjenigen, der Allah genannt wird, getrennt sind) **ist eine große Grausamkeit!"**

„Dualität ist das einzige Vergehen, welches Allah gewiss nicht vergibt; alles andere vergibt Hu ganz wie Hu will!"

Diejenigen, die frei von Dualität sein möchten, werden aufgefordert an denjenigen zu glauben, der Allah genannt wird.

Der Koran erklärt den glauben an Allah in zwei Kategorien:

A) An Allah zu glauben (der Glaube an Allah, welches sich sogar innerhalb von *Schirk-Dualität* befindet)

B) An Allah zu glauben im Einklang mit der Bedeutung des Buchstaben „B".

Das Erste erläutert die Notwendigkeit sich vom expliziten Vorgehen der Dualität (das öffentliche Schirk) zu reinigen, welches von der Illusion eines externen Gottes resultiert.

Das Zweite beinhaltet den reinen Glauben, welches sogar frei von implizierter Dualität (versteckter Schirk) ist, welches die Tendenz hat Schirk zu begehen, indem das Ego eines Jemanden oder das Selbst Seite an Seite mit dem Selbst oder Ego des *Herrn* existiert (die Asma, d.h. die Namen, die die essentielle Wahrheit eines Jemanden bilden).

Nun lasst uns schauen wie das Wissen um die Realität im Sufismus erklärt wird, welches viele verspotten, und das Missverständnis um das versteckte Schirk (Dualität) erklärt wird.

Dies wurde direkt von Hamdi Yazirs Übersetzung entnommen. Achten Sie darauf, dass dieser Vers nicht die Vergangenheit anspricht, sondern direkt den Rasulallah Mohammed Mustafa (Friede sei mit Ihm) und die Leute, die um ihn herum waren, anspricht:

„Dies ist eine Nachricht vom *Ghayb* (das nicht Zusehende), welches wir Dir (Oh Mohammed) offenbaren. Und du warst nicht mit ihnen als sie den Komplott geschmiedet haben.

Und die meisten Leute, obwohl du danach strebst, sind keine Gläubige.

Und du verlangst von ihnen keine Vergütung. Es ist nur eine Erinnerung an die Welten.

Und wie viele Verse (Zeichen, Hinweise) **innerhalb der Himmel und der Erde kommen ihnen entgegen, aber sie drehen sich davon weg.**

Und die meisten von ihnen glauben nicht an Allah ohne gleichzeitig Dinge mit ihm zu assoziieren." (Koran 12:102-107)

Jetzt lasst uns an den sehr wichtigen Vers und die Warnung erinnern, welches mich veranlasst hat das Buch *„Verstand und Glaube (Akil ve Iman)"* zu schreiben. Die Sure Nisa (Kapitel 4), Vers 136 wurde Mohammed offenbart und ist zu den Gläubigen in seiner Umgebung gerichtet worden:

„Oh ihr die glaubt, „Aminu B'illahi", d.h. glaubt an/mit Allah im Einklang mit der Bedeutung des Buchstaben „B"." (A.d.Ü: wortwörtlich drückt der Buchstabe „B" die Bedeutung der Präposition „mit" aus.)

Also was heißt das jetzt genau?

Es bedeutet, dass alle Welten, die durch die Bedeutungen der Namen von Allah erschaffen worden sind und deine Realität, deine Wirklichkeit, Existenz und Wesen beinhaltet auch die Namen von Allah. Dein „Herr", deine wahre Existenz ist die *al-Asma* (die Namen). Deshalb sind weder du noch die Dinge um die herum nichts anderes als die Manifestationen dieser Namen. Also gehört nicht von denen, die fehlschlagen diese nicht-duale Realität zu sehen und die den Dingen eine getrennte Existenz (wie z.B. einen Gott) **geben. So ein Glaube ist ein „anderer" Glaube und solch eine Dualität wird nur mit einem „Brennen" enden, in diesem Leben und im nächsten.**

Jedoch der achte Vers des zweiten Kapitels im Koran (Bakarah) deutet die Unfähigkeit der Massen an diese Wahrheit als ihre Manifestation (als die Komposition der Namen) nicht intellektuell begreifen zu können:

„Und von den Leuten sind manche die sagen, ‚wir glauben an Allah (im Einklang mit dem Buchstaben „B") **und am letzten Tag,' aber sie sind keine Gläubige** (gemäß der Bedeutung des Buchstaben „B")."

Und so wurde diese hervorragende Bedeutung, welches durch den „B" Buchstaben ausgedrückt wird, abgelehnt. Es wurde der Bedeutung nicht genug Beachtung gegeben und deshalb hat sich das „versteckte" Schirk (Assoziation) etabliert. Daraus resultierte unausweichlich das Missverständnis des *„oben-befindlichen-Gottes und mich auf Erden"*, welches bis in unsere Zeit angekommen ist.

Wobei…

Die Ungültigkeit der Dualität wird gleich durch den allerersten Buchstaben im Koran offensichtlich; den **Buchstaben „B"** im ersten Vers, welches *„Basmalah"* genannt wird. Diese Wahrheit, welches von vielen Korangelehrten verschleiert blieb wegen der damaligen Konditionierungen, die sie bekommen haben in ihrem Studium, wurde durch Hazreti Ali vor ca. 1400 Jahren erklärt.

Hazreti Ali, der König unter den Erleuchteten (Schah-i Wilayat) hat diese Wahrheit, welches als Geheimnis in seiner Zeit angesehen wurde, mit folgenden Worten offenbart:

„Das Geheimnis des Korans ist in der Fatiha (erste Kapitel, wörtlich die Öffnung), **das Geheimnis der al Fatiha ist die B-ismillah, das Geheimnis der B-ismillah ist im Buchstaben B (ب), ich bin der PUNKT unter diesem „B" (ب)!"**

Diese Wahrheit, auf welches Hazreti Ali hingedeutet hatte, spielt eine Schlüsselrolle im Koran als ein Symbol der Warnung, ausgedrückt durch den Buchstaben **„B"**, dem ersten Buchstaben im ersten Vers **„B-ismillah"** und dann im ganzen Koran durchgehend.

Der verstorbene Hamdi Yazir, in **seiner Interpretation des Koran**; Ahmed Avni Konuk, in seiner Übersetzung des **Fusus-al Hikam** (Die Weisheit der Propheten von Ibn Arabi) und Abdulaziz Majdi Tolun, in seiner Interpretation des **Insan-i Kamil** (der Perfekte Mensch) haben alle adäquate Warnungen bezüglich dieser Wahrheit gegeben.

Ich habe auch zu meinem besten Wissen versucht die Verse dieses erhabenen Buches im Lichte dieser Wahrheit zu bewerten und in spezieller Betrachtung gezogen wo der Buchstabe „B" benutzt wurde und welche Bedeutung es im Zusammenhang hat in dieser besonderen Position.

Der Vers **„B-ismillah"** betont die Wichtigkeit der **LESUNG** des Korans mit der Bewusstheit der Bedeutungen, die durch den Buchstaben **„B"** ausgedrückt wird.

Der Buchstabe **„B"** deutet auf die Realität hin, dass alles Leid oder Freude, welches erfahren wird in einer Person, das Resultat der eigenen inneren Realität gemäß der Bedeutungen ist, die von der Essenz eines jeden projiziert werden. Der Buchstabe **„B"** sagt uns, dass die Erfahrung eines Jeden über Himmel oder Hölle das direkte Resultat der eigenen Taten sind, d.h. was in einem manifestiert wird, basierend auf die Namen, welches in einem innewohnend ist. Deshalb wird die *„B-ismillah"* am Anfang von jedem Kapitel wiederholt, damit wir uns an diese Wahrheit erinnern.

Gemäß meines Verständnisses ist *„B-ismillahirrahmanirrahim"* ein Kapitel für sich selbst.

Es ist unmöglich den **Koran** zu verstehen ohne zuerst die Absicht zu begreifen, welches durch die **Absolute Realität „Allah"** ausgedrückt wird, basierend auf dem Koran und die

Lehren des hervorragendsten Menschen, der jemals auf der Erde gelebt hatte, **Mohammed Mustafa** (FsmI).

Falls diese Absicht nicht erkannt wird, dann werden die falschen Denkansätze bezüglich des **Korans** genommen. Man denkt dann es ist ein historisches Buch, ein Buch zur guten Moral, ein soziales Gesetzbuch oder ein Buch, welches das Wissen des Universums beinhaltet etc.

Indessen die am meisten hervorstehende Wahrheit, welches dem LESER, der keine Vorurteile hat, präsentiert wird, sind die Hinweise, die es einem ermöglichen die duale Sichtweise zu verlassen und die Lehren und Wege wie das Bewusstsein durch diese Wahrheit gereinigt werden kann. Die **Menschen** sind aufgrund dessen wie sie erschaffen worden sind **unsterbliche Wesen**! Sie *kosten* nur den Tod und gehen durch verschiedene Stadien der *Auferstehung –Transformation* (Bais) und leben so ein ewiges Leben!

Der Tod ist der *Tag des jüngsten Gerichtes* (Kiyamat) einer Person, wo der Schleier des Körpers gelüftet wird und die Person ihre eigene Wahrheit betrachtet und dann anfängt die Konsequenzen zu erleben inwieweit die Person diese Realität in diesem irdischen Leben anwenden konnte. Sobald du anfängst zu **LESEN**, wirst du die verschiedenen Erläuterungen diesbezüglich im ganzen Buch sehen.

Deshalb…

Die Menschen müssen ihre **eigene Wahrheit** wissen und begreifen und dementsprechend leben, so dass sie ihre **Kräfte und Potenziale** benutzen können, welches von ihrer essentiellen Wahrheit heraus resultiert und so das **Paradies** verdienen …das geht natürlich nur, wenn ihr *Rab (wortwörtlich Herr =ihre Namenskomposition)* es ihnen ermöglicht hat!

Die Aktion sich zu seinem *Herrn* zu drehen, sollte nicht ein externer Akt sein, sondern ein interner, zur eigenen Essenz. Das ist die Bedeutung der **Hinwendung beim Beten** (*Salaat*) - ein internes Drehen zu der eigenen Essenz.

An diesem Punkt müssen wir folgendes beachten:

Gemäß meines Verständnisses (wie ich es in meinem Buch „Erneuere Dich" versucht habe zu erläutern) ist die Struktur der „Universen innerhalb von Universen" in Bezug ihrer Realität ein **multidimensionales einziges Bild** oder **„ein singuläres holografisches Wissen-ein Ozean von Energie"** mit all ihren Dimensionen. Der ganze Ozean ist in jedem seiner Tropfen vorhanden. Es ist **das Quantum Potential**! Wie der Rasulallah in seinen Wörtern erklärt hatte: **„Das Kleinste spiegelt das Ganze!"**

Wie ich es versucht habe in Detail in meinem Buch **„Allah, wie er von Hazreti Mohammed erklärt wird"** zu schildern, gibt es nichts „Anderes" (Konzept, Inhalt oder Form) in der Existenz, welches in irgendeiner Weise mit demjenigen, der Allah genannt wird, verglichen werden kann.

Wegen dieser Wahrheit haben alle erleuchteten Wesen, die von der Wissenskette von Hazreti Ali und Abu Bakr - der im Koran als **„*der Zweite von Zwei*"** genannt wurde- kamen, die gleiche Wahrheit bezeugt: **„Es gibt nur Allah, sonst nichts!"** Deswegen gehört das **Lob** (*HAMD*) nur Allah! Da es keinen Anderen gibt, **bewertet Allah nur sich selbst!**

Dualität (*Schirk*) ist eine ungültige und illusorische Auffassung! Es entsteht aus der Skepsis und dem Zweifeln heraus!

Die Menschheit kommt zu diesem trügerischen Urteil wegen ihrer **Skepsis (*Wahm*)**, indem sie die **wahre Einheit hinter der scheinbar multiplen Wahrnehmung der Dinge** verschleiern! Und deswegen leben die Menschen ihr Leben, indem sie glauben und <u>deswegen die Wahrheit abdecken (*kufr*</u>!), dass sie nur dieser materielle Körper sind, welches irgendwann stirbt und zur Nicht-Existenz entwertet wird oder sie nehmen an, es gibt einen externen Gott, entweder oben im Himmel oder in ihrem Selbst (*Schirk*)!

Aber gemäß der Leute von Allah (*Ahlullah*), die ihre Sichtweise auf den Koran und Rasulallah richten, ist der Kern der Angelegenheit folgendes:

„HU", außer dem nichts anderes existiert, beobachtet **Sein Wissen mit Seinem Wissen**, d.h. die Eigenschaften (Quantum Potential), die durch <u>die Schönen Namen (*Asma ul Husna*)</u> ausgedrückt werden, **in Seinem Wissen (die Dimension des Wissens)** ... Der Akt der Beobachtung hat weder ein Anfang noch ein Ende. HU ist jenseits davon durch das, was Hu beobachtet konditioniert oder begrenzt zu werden (Hu ist *Ghani*-unabhängig von den Welten.)

Folglich, **alle Welten und alles was sie beinhalten**, welche alle einmal **nicht-existent** waren, wurden **existent** durch die **Qualitäten der Namen (*Al Asma*)**, durch diesen **Akt der Beobachtung**!

Alle Dinge in der konzeptionellen Welt sind wie Manifestationen der verschiedenen Kompositionen der Namen von Allah, kurz **al Asma** genannt. Genauso wie die ca. 100 Atome die ganze materielle Welt beinhalten mit all ihren unzähligen Formen und Wesen.

Vielleicht können wir es auch so ausdrücken, dass das zeitlose, nicht-lokale Quantum Potential sich selbst beobachtet von der Sichtweise der Namen aus. Hazreti Alis Warnung: **„Das Wissen war ein einziger Punkt, aber die Ignoranten haben es vermehrt"**, betont die Realität, dass das **Quantum Potential ein einziger Punkt** ist, welches sich im Wahrnehmenden gemäß dem Wahrnehmenden manifestiert, wobei diese Wahrnehmenden **die Ignoranten** sind.

Wie dem auch sei, **die Schönen Namen-*Asma ul Husna*** wurden in der Anzahl generell als 99 im weitesten Sinne erklärt, aber in ihrem Detail sind sie grenzenlos.

Alle wahrgenommenen und nicht-wahrnehmbaren Dinge sind aus diesen Eigenschaften heraus entstanden, welche durch die **Namen (al-Asma)** bezeichnet werden. Folglich wurde dieser Akt der Schöpfung als **„Herr der Welten (*Rabbul Alamin*)"** bezeichnet. Das Wort **„Herr-*Rabb*"** ist die Namenskomposition, welches das wahrgenommene Individuum ausmacht.

Das Wort **„*Bi-izni Rabb*"**, welches wortwörtlich *„mit der Erlaubnis des Herrn-Rabb"* bedeutet, weist auf **die Angemessenheit der Namenskomposition zu diesem spezifischen Ereignis** hin.

Das Wort **„*Bi-iznillah*"**, welches *„mit der Erlaubnis von Allah"* bedeutet, kann je nach Kontext zwei Bedeutungen haben. Entweder kann es **die Angemessenheit oder die Tauglichkeit der Namenskomposition sein zum Zweck der Schöpfung der Welten** oder **die Angemessenheit der Namenskomposition zum Zweck der individuellen Existenz**. Da es kein „anderes" *Uluhiyyah* (Allah-Dasein) gibt außer dem **EINEN**.

Wegen dieser Einheit betont der Koran das Konzept der **Konsequenz (*Dschazaa*)** und bekräftigt, dass alle Individuen die Konsequenzen ihrer Taten ausleben werden. Deswegen gibt es die Wiederholung durchgehend im Koran, dass **„ein jeder die Konsequenzen seiner/ihrer Taten ausleben wird, da es keinen Gott gibt, der unterdrückt und grausam ist"**.

Die Vers „**jeder wird seine gebührenden Rechte bekommen**" bedeutet, dass dementsprechend das gegeben wird was auch immer notwendig ist zur Erfüllung des Zwecks der Existenz des Individuums.

Takwa wird generell als **Schutz** oder als „**Schutz vor dem Zorn von Allah**" verstanden. Was damit gemeint ist, ist der Schutz, den man davor nehmen sollte, um nicht schlechte Handlungen an den Tag zu legen, wodurch ungewollte Ausdrucksformen der Namen entstehen (d.h. wodurch man abgehalten wird die Wahrheit zu erleben), da jeder unausweichlich die Konsequenzen seiner Handlungen ausleben wird.

Wie ich vorher erwähnt habe, ist der <u>Koran nicht ein geschriebenes Buch</u>, welches von einem *oben-befindlichen-Gott* herunter gesandt wurde zu seinem *Postboten-Propheten* durch *behilfliche Wesen*. Es ist das **WISSEN um die Wahrheit/Realität (das wahre Selbst!)** und **das System (*Sunnatullah*), welches zu seinem Bewusstsein (dimensional) offenbart wurde, von seinem Rabb- Herrn, d.h. die Namen, die seine essentielle Wahrheit ausmachen.**

Aus der Sicht der **Weisen (*Ulul Albab*)** ist der Koran eine „**Bezeugung**" in der Erscheinung einer „**Empfehlung**".

Dieses Buch weist auf das **WISSEN**, welches auf **die Realität und das System (Sunnatullah)** hinweist.

Es offenbart die **Wahrheit/Realität** von <u>allem Wahrnehmbaren und Nicht-wahrnehmbaren</u>. Was das **Wissen um das System (*Sunnatullah*)** anbelangt, so erklärt es <u>die Mechanik des Systems und der Ordnung der Dimensionen, in welches die Individuen auf ewig anwesend sein werden.</u>

Der Mensch ist ein **Stellvertreter (*Kalif*)** auf der Erde. Dies kann beides als auf dem Planeten und als Körper verstanden werden. Denn ein Mensch ist mehr als nur ein Körper, und wenn der Mensch einmal seinen Körper verlassen hat, geht er durch eine unbegrenzte Fortsetzung der Existenz durch verschiedene Formen der **Auferstehung-Transformation (*Bais*)** hindurch.

Alle Empfehlungen, die an die Menschen gerichtet sind, zielen darauf ab, damit sie ihr wahres Selbst kennenlernen im Lichte ihrer Realität und die Voraussetzungen dafür zu leben, indem sie ihre intrinsischen Qualitäten entdecken und anwenden. Alle Verbote, auf der anderen Seite, sind dafür da, damit die Menschen davon abgehalten werden zu denken, dass sie nur dieser physische Körper sind und deshalb ihr Potenzial an egoistisches, körperliches Vergnügen verschwenden, welches nach dem Tod keine Relevanz mehr haben wird. Das gegenwärtige Potenzial wurde gegeben, damit die WAHRHEIT entdeckt werden kann und die Schönheiten in diesem und in jenseitigen Leben erreicht werden können.

Falls dieses Werk hilfreich ist den Koran besser zu verstehen, dann gebe ich meine Inkompetenz zu für solch einen Segen gebührend dankbar zu sein. Meine Werke sind die obligatorischen Notwendigkeiten meiner Dienerschaft. Erfolg entsteht nur mit Allahs Segen und Wohlwollen! Für Fehler und Unzulänglichkeiten entschuldige ich mich. Denn es ist unmöglich für einen Diener die Worte Allahs gebührend zu bewerten!

AHMED HULUSI
25 Oktober 2008
North Carolina, USA

EINE WICHTIGE ERKLÄRUNG BEZÜGLICH DES „SCHLÜSSEL ZUM KORAN"

Der Koran ist das **WISSEN** (Buch), welches aus der „Sicht von Allah *(Indallah)"* offenbart wurde. „**Aus der Sicht**" von Allah haben Wörter oder literarische Konzepte keine Gültigkeit. Vielleicht können wir auch den originalen Koran in der Sprache von Allah, praktisch als „*Allah-isch"* geschrieben, bezeichnen. Denn falls Mohammed (FsmI) den Koran geschrieben hätte, wie die heidnischen Araber der Meinung waren, dann könnten wir sagen, dass es im Originalen in der arabischen Sprache geschrieben worden war!

Wobei der Koran, im Originalen „*Allah-isch"*, durch den Engel Gabriel zu Mohammed (FsmI) in seiner eigenen Sprache, also Arabisch, offenbart wurde, damit die Menschen in dieser Region ihre Botschaft verstehen können.

Der Koran bezieht sich auf diese Wahrheit durch folgenden Vers:

> „**Und wir sandten keinen Rasul, außer dass wir sie in der Sprache ihrer Leute** (sprechen lassen) **senden, um für sie deutlich zu klären, und Allah lässt** (dadurch) **abweichen wen Er will und führt, wen Er will. Und Allah ist erhaben in Macht,** Weise (Aziz, Hakim)" (Koran 14:4)

Da der Koran, im Originalen aus der Sicht von Allah „**Allah-isch**" ist, aber in der sehr reichen Sprache des Arabisch offenbart wurde (also arabische Wörter benutzt werden), deckt es verschiedene Ebenen des Wissens zu unterschiedlichen Ebenen des Verständnisses auf. Alle Verse, in Bezug auf die Metaphern und Allegorien, welches sie beinhalten, deuten auf eine unterschiedliche Anzahl von Bedeutungen hin.

Wegen dieser profunden Tiefe im originalen Koran, welches uns mit arabischen Wörtern offenbart wurde, ist es unmöglich dieses hervorragende Buch gebührend und umfassend in einer anderen Sprache zu übersetzen und zu interpretieren!

Alle Übersetzungen und Interpretationen sind deshalb durch das Wissen und das Verständnis vom Vokabular des Übersetzers begrenzt. Daher sind all solche Werke nichts anderes als Auszüge von dieser hervorragenden Quelle des Wissens.

An diesem Punkt angelangt, möchte ich ihre Aufmerksamkeit auf ein sehr wichtiges Detail hinweisen.

Viele Sufi-Gelehrte, die auch als „*Awliya*" (ihre eigene Wahrheit kennengelernt haben) anerkannt sind, von **Hadschi Bektaschi Wali zu Muhyiddin ibn Arabi**, haben **perfektes Arabisch** gesprochen und sind zu der gleichen Erkenntnis angelangt basierend auf dem Wissen, welches sie vom Koran entnommen haben.... Auf der anderen Seite, Befolger der **wahhabitischen Ideologie**, die **ibn Arabi und die Anhänger der sufistischen Tradition als „*Kafir*"** (wortwörtlich die Abdeckenden, also nicht an die Wahrheit glauben, weil sie davon verschleiert sind, nicht wahre Informationen an sich heranlassen!) bezeichnen, besitzen auch **ein perfektes Verständnis der arabischen Sprache** und kommen zu ihrem Urteil gemäss dem was sie aus dem gleichen Koran verstehen.

Denken sie darüber nach!

Wie konnten hervorragende Gelehrte und Erleuchtete, Menschen **wie Abdul Kadir Jilani, Imam Ghazali, Shah Nakschband, Adbul-Karim Jili, Ahmed Rufai und Imam Rabbani** den Koran verstehen und anwenden? Und wie konnten andere, die auch perfektes Arabisch sprachen, behaupten, dass diese Erleuchtete „**Kafir" (Menschen, die in ihrem Gehirn keine wahren Informationen bzgl. des Systems eindringen lassen!)** sind, zu ihrem Urteil bezüglich eines *oben-befindlichen-Gottes kommen, der offensichtlich Hände und Füße besitzt und auf einem Thron sitzt im Himmel und Bücher auf die Erde herunterschickt, um die Menschheit zu führen?!*

Bedauerlicherweise viele der gegenwärtigen Übersetzungen des Korans, insbesondere die Englischen, wurden gemäß dem zweiten Verständnis übersetzt, während es nur ein paar seltene Exemplare gibt, die im Lichte des ersten Verständnisses übersetzt worden sind.

Dieser **„Schlüssel zum Koran"** möge vielleicht mehr als eine **„hinweisende Interpretation"** des Korans angesehen werden. Soweit mir bekannt ist, ist es das erste dieser Art in der Türkei. Es kann niemals so angesehen werden, dass es alle Bedeutungen des Korans beinhaltet. Gemäß meiner Beobachtung, kann es nur als etwas angesehen werden, dass eines der vielen Facetten dieses erhabenen Buches reflektiert. Eine andere Herangehensweise hätte auch gemacht werden können, wenn es erwünscht wäre, indem andere Facetten des Korans aufgedeckt worden wären.

Wegen dieser Begründung kann KEINE Übersetzung oder Interpretation des Korans als „der Türkische Koran" oder „der Englische Koran" angesehen werden. Man sollte diese Bücher mit der Bewusstheit lesen, dass sie nur Hilfsmittel sind, damit man den Koran verstehen kann.

AHMED HULUSI
21. Januar 2011

DER SCHLÜSSEL ZUM KORAN

Die Welt ist im Zeitalter des „Wassermann" eingetreten: Die Zeit für **Erneuerung** ist gekommen!

Dies in Betracht gezogen, habe ich auch meine Ansicht des Korans erneuert und habe angefangen mich es mit einem neuen Verständnis anzunähern!

„Ihr sagt, dass ihr in den Fußstapfen eurer Vorväter folgt, aber was ist, wenn eure Vorväter auf dem falschen Pfad waren?" Diese Warnung im hervorragenden Buch des Wissens hat mich veranlasst den Koran von Anfang an neu zu bewerten mit einer kompletten neuen Ansicht.

Die Religion ist verunreinigt worden mit veralteten Interpretationen aus der Vergangenheit und wurde degeneriert mit Geschichten von den verwässerten Versionen des alten Testaments, einfach um es für die Massen zu vereinfachen und so verständlich zu machen. Ich wusste ohne Zweifel, dass die Wahrheit um die Religion nur durch das korrekte Verständnis des Korans erreicht werden kann.

Also habe ich nun in der 15. Nacht des Monats Ramadan mit meiner Mission angefangen, um dieses Wissen zu entschlüsseln und es mit meinen Brüdern und Schwestern zu teilen. Ich habe gründlich den Koran im Lichte der rechtgeleiteten erhabenen Gelehrten wie Abdul Kadir Jilani, Muhiyddin ibn Arabi, Imam Rabbani, Ahmed Rufai und Imam Ghazali (möge Allahs Segen auf ihnen alle sein) studiert. Ich bin überaus dankbar, dass es mir möglich war mich dem 15-18 Stunden täglich zu widmen und so innerhalb von 120 Tagen meine Arbeit zu vollenden. Und so ist das **Verständnis der Koranverse** in Verbindung mit der Bedeutung des Buchstaben „B" entstanden.

Da der Koran die ganze Menschheit durch alle Epochen hinweg anspricht als Rechtleitung zur Wahrheit wurde dieses Werk im Lichte des modernen Zeitalters gemacht, in Bezug auf die heutigen Entdeckungen und Realitäten.

Es ist eine Erklärung darüber warum manche Ereignisse, die vor über tausend Jahren geschehen sind- die Details darüber sind unbekannt- immer wieder erzählt wurden bis es unsere Zeit erreicht hat und wahrscheinlich auch für die kommenden Generationen bestimmt sind.

Aber am wichtigsten wird ein **ganzheitlicher Ansatz** zu den scheinbar getrennten Ereignissen, Gesetzen, Erlasse und **Befehle des Gottes** angewandt, um dieses wunderbare **WISSEN** zu integrieren und zu definieren, warum und wieso es für den „Menschen" eine Angelegenheit darstellt.

Lasst uns jetzt unsere Entdeckungen beschreiben, manches davon sind im Werk eingefügt.

Der Koran ist zum „Menschen" gekommen, um ihn über die Realität seiner Essenz zu informieren und womit er in der Zukunft konfrontiert sein wird, damit der Mensch bestimmte Praktiken beachten und von anderen sich dementsprechend fern halten kann.

Was ist die Wahrheit des „Menschen"? Warum ist der Koran gekommen, um den „Menschen" an seine Wahrheit **ERINNERN - (ZIKIR machen)** zu lassen?

Wie die Antworten zu diesen Fragen, zusammen mit wie der „Mensch" den **EINEN**, der mit dem Namen **Allah** bezeichnet wird, zu verstehen sind, sind die wichtigsten und bedeutsamsten Themen, die im Koran erklärt werden.

Lasst mich dies mit der Methode des Korans erklären anhand von einem Beispiel. Denken Sie an ein Baby, dass seit der Geburt in ein Auto getan wurde und dort aufgewachsen ist bis zu seinem 40. Lebensjahr ohne auch nur einmal das Auto verlassen zu haben. Bis zu seinem 40. Lebensjahr wurde es immer wieder permanent programmiert zu denken: *„Du bist das Auto."* Diese Konditionierung ist so stark, so dass es bis zu dem Alter absolut und zweifellos daran glaubt. Jetzt stellt euch vor an seinem 40. Geburtstag wird ihm folgendes gesagt: **„Du bist nicht dieses Auto, du bist ein Mensch, steige aus und lebe frei!"** Aber mitnichten! Er sieht das Lenkrad, die Gangschaltung, das Gaspedal und die Bremse als seine eigenen Organe! Wie kann er, an diesem Punkt angelangt, sich seiner Wahrheit **„erinnert"** *(zikir)* werden, dass er nicht das Auto ist, sondern ein **„Mensch"** ist, welches sich unabhängig von diesem Auto bewegen und leben kann?

Als Erstes muss er an das, was ihm erzählt wird, glauben und dann muss er die Anweisungen befolgen, welche ihm gegeben werden, so dass er emanzipiert werden kann…

Wie ich anhand von diesem einfachen Beispiel versucht habe zu erklären, sind **„Menschen"** Wesen mit **„reinem universalem Bewusstsein** *(Schu'ur)***"**, die ihre Augen in einem irdischen Körper geöffnet haben, welches durch **individuelles Bewusstsein** (mit fünf Sinnen arbeitend) operiert wird!

Das **„Universale Intellekt (*Akl-i Kull*)"**, welches **„das reine universale Bewusstsein"** darstellt, wurde im Lauf ihres Lebens verschleiert und die **„Menschen"** haben angefangen zu denken, dass sie nur dieser zersetzbare biologische Körper sind, welcher sie okkupieren.

Und so wurde es zwingend notwendig, dass man sie an ihre Realität erinnern lässt! D.h., dass sie nicht dieser zersetzbare biologische Körper sind, in welchem sie sich temporär befinden, sondern ein Wesen, welches Schritt für Schritt die Dimension wechseln wird und es dann seine **engelhaften Eigenschaften** realisieren wird mit dem es **die Dimension des Paradieses** erfahren wird! (Koran 84:19)

Deswegen sind **Rasuls** manifestiert worden, um *Erdlinge* an ihre **menschlichen Wahrheiten und Qualitäten** zu erinnern *(warnen)*. So dass die Menschen, die sich ihrer essenziellen Wahrheit bewusst sind sich dementsprechend vorbereiten können gemäß der unbegrenzten Existenz, welches auf sie wartet, nachdem ihre biologischen Körper sich mit der Erde vereint haben.

Diejenigen, denen es an *menschliche* Qualitäten mangelt, werden ihre Wahrheit ablehnen *(Kafir)* und werden ihr Leben nach irdischen und körperlichen Begierden gesteuert leben, jeglichen Ausdrucks des reinen Bewusstseins entbehrt. Konsequenterweise werden sie ihre undefinierte Existenz im Zustand, welches als Hölle beschrieben wird, mit vollem Bewusstsein fortführen.

Alles, welches aus dem **„Nichts"** heraus in dieser Welt der Multiplizität **zur Existenz** gebracht wird, erhält ihre Existenz und ihre Funktionen von demjenigen, der Allah genannt wird, durch seine **„*Asma ul Husna*"**. Als solches, in Bezug auf **das reine universale Bewusstsein**, werden Menschen, die sich dessen bewusst werden und dieser Realität auch dementsprechend leben, **Stellvertreter (*Khalifatullah*)** genannt.

Gemäß dem Koran sind sie die **„Lebendigen"** und **„Sehenden"**. Während auf der anderen Seite diejenigen, die fehlschlagen ihre eigene Wahrheit zu erkennen und verleugnen als die **„Toten"** und **„Blinden"** bezeichnet werden. Menschen, die ihre Wahrheit erkennen und gemäß ihrer Wahrheit leben, besitzen engelhafte Eigenschaften, welches der Essenz des reinen Bewusstseins angehört.

Solche Menschen sind aus den Namen, welche durch die Bedeutungen, die durch die Namen von Allah bezeichnet werden, zusammengesetzt. Da sie **die Bedeutungen der Namen manifestieren**, welches **für wahre Menschen** zutreffend sind, entsteht der Zustand, welches als „**Paradies**" bezeichnet wird. Mit anderen Worten, das **Paradies** ist nicht ein Ort für *bloße Erdlinge*, sondern ein Ort für **die Eigenschaften von Menschen, die engelhafte Kräfte und Qualitäten manifestieren**. Ich hoffe, dass das worauf ich hinweise, verstanden wird!

Alle Beispiele und Ereignisse, welche im Koran erzählt werden, beruhen auf der einzigen Absicht die „**Menschen**" zu ermöglichen, dass sie sich an ihre essentielle Wahrheit erinnern können, sich selbst zu kennen, und dadurch ihr momentanes Leben besser bewerten zu können.

Eines der wichtigsten Dinge auf welches man Aufmerksamkeit richten sollte in Bezug des Stiles des Korans ist Folgendes:

Alles, d.h. **die Himmel, die Erde und alles dazwischen** ist durch die Eigenschaften geformt worden, welches die Namen von Allah (*Asma ul Husna*) darstellen. Deswegen, alle wahrnehmbaren und nicht-wahrnehmbaren Dinge preisen (*Tasbih*) den Einen an, der Allah genannt wird, durch den Sinn und die Funktion, welches sie darstellen sollen. Deshalb ist alles durch die natürliche Veranlagung in einem Zustand der **Dienerschaft zu Allah** durch die Eigenschaften der Namen, die ihre Existenz ausmachen. (Koran 84:19)

Deswegen wird das Wort „**WIR**" sehr oft im Koran gebraucht. Genauso wie der „Bedeutungsaspekt" der Schöpfung durch die Namen erschaffen wurden, genauso ist auch der Aspekt der „Aktion-Tat" der Schöpfung durch die Eigenschaften der Namen erschaffen worden.

Und deshalb, indem „**WIR**" gesagt wird, werden auch die Taten, die von der scheinbaren Multiplizität herbeigeführt wird, ihren rechtmäßigen Besitzer zugeordnet.

„**Der Herr der Welten (*Rabb ul Alamin*)**" wird benutzt, um auf die Welten (Dimensionen) der Existenz hinzuweisen, die nur durch die Namen und durch die „**Dimension der Namen (*Asma Martaba*)**" zur Entstehung gebracht wurden.

Da dies der Fall ist, sind die Eigenschaften der zeitlosen Namen und ihre Äußerungen, d.h. der Kosmos, in keinem anderen Zustand außer der absoluten Dienerschaft zu Allah. Die Schöpfung ist in einem ständigen Akt der *Lobpreisung-Tasbih* (d.h. es wird das getan, wozu es bestimmt ist!) und *Erinnerung-Zikir* an Allah, indem das Wissen und die Kraft von Allah manifestiert wird und dies immer und zu jeder Zeit. Dass Allah die Menschheit über diese Wahrheit informiert, ist nichts anderes als eine Bestätigung. Deswegen sagt Allah „**WIR**", wenn auf die Namen hingewiesen wird.

Um nicht **HU** durch diese Bedeutungen der Namen zu begrenzen und zu konditionieren, wurde sehr oft die Warnung ausgesprochen, dass seine **ABSOLUTE ESSENZ (*DHAT*)** „jenseits und unabhängig (Ghani) von den Welten sei". Nichts in der Existenz kann mit ihm verglichen werden oder seine Absolute Essenz definieren.

Dies bedeutet auch, dass seine „**Herrschaft (sein Regieren) über die Welten**" durch die Wege seiner einzelnen Namen entsteht, ob diese Namen sich unter dem Namen der Astrologie manifestieren oder durch die bekannten und unbekannten Lebensformen innerhalb des Kosmos; ob man es reines universales Bewusstsein nennt oder Formen von Bewusstsein mit weniger Sinneswahrnehmung nennt, unsichtbare Wesen oder Himmel und Hölle, alle Dimensionen der Existenz sind unterschiedliche Wege **seines Regierens über die Namen.**

Kommen wir zum „*Schirk*"... Jemand, der fehlschlägt zu erkennen, dass in den Welten alles durch die Manifestationen der Namen desjenigen, der **Allah** genannt wird, zusammengesetzt ist, sowohl im Selbst und der Außenwelt (innerlich und äußerlich-*anfusi und afaki*), der wird im Koran **als des *Schirk*s gültig** bezeichnet. Mit anderen Worten eine separate und gleichgestellte Existenz zu den Manifestationen von Allahs Namen *(min doonillahi im originalenText)* ist eine Tat die Einheit der Realität zu teilen und deshalb eine Tat, welches zur Dualität (*Schirk*) führt. Es ist eine Tat, Schirk (separate Existenzen anzunehmen) zu den Namen zu begehen.

Allah, der in Bezug zu seiner Absoluten Essenz unabhängig von Begriffen wie *Schirk* und Tauhid (Eins) ist, also unabhängig von Konzepten wie Dualität und Non-Dualität ist, bezeichnet ***Schirk*** als ein Fehlschlagen die wahre Natur der Existenz zu erkennen. Das heißt, wenn jemand fehlschlägt zu sehen, dass alles in der Manifestation essenziell aus den Namen besteht, dann wird unausweichlich angenommen, dass eine äquivalente, gleichgestellte Existenz zu den Namen existiert und dies geht gegen die Realität der unzertrennbaren Einheit (Non-Dualität). Demzufolge kann solch eine Person denjenigen, der Allah genannt wird, nicht vollständig verstehen und erkennen und lebt deshalb weiterhin in einer illusorischen Welt seiner Vorstellungen; mit Gedanken, die eigentlich einem „*Aberglauben*"entsprechen.

Verleumdung (die Wahrheit zu verdecken), im arabischen ***KUFR***, auf der anderen Seite ist der irrtümliche Glaube, dass nichts regiert außer das individuelle Bewusstsein. Das unbegrenzte Bewusstsein an einer individuellen Manifestation zu beschränken, indem es ein „Ich" gegeben wird, ist eine große Beleidigung und eine Begrenzung zu den unbegrenzten Eigenschaften der Namen, welches nicht an einem physischen Körper beschränkt werden kann. Solches Denken wird ***KUFR*** genannt und ist entgegen den unbegrenzten Eigenschaften der Wahrheit des Selbst gerichtet, zumindest was den **Glauben** anbelangt. Ständige Versuche in dieser Richtung zu denken führt dazu, dass das Selbst nur auf den physischen Körper beschränkt bleibt und so wird ein Weg für ein Leben geebnet, welches nur auf körperliche Begierden und Vergnügen aufgebaut ist und dass der **Tod** nichts anderes darstellt als ein Ende statt einem Dimensionswechsel.

Heuchelei (*Nifaak)* ist die niedrigste Form des physischen Lebens. Ein Heuchler (*Munafik*) ist nicht nur jemand, der die Wahrheit ablehnt, sondern auch jemand, der die Gläubigen ausnutzt, indem er sie imitiert, um dadurch materielle Vorteile zu erlangen. Während sogar ein Hund seinem Herrn des Essens wegen mit Aufrichtigkeit und Loyalität sich nähert, fehlt es dem Heuchler an aufrichtiger Absicht und nähert sich anderen nur durch Eigeninteresse. Das Ergebnis ist, wenn man sich der Wahrheit des Ereignisses bewusst wird, natürlich ewiges „*Brennen*"ohne Wiedergutmachung.

Der Glaube (*Iman*) ist die Erkenntnis des Bewusstseins, durch das Intellekt, d.h. durch Analyse von unterschiedlichen Daten, dass jenseits der scheinbaren realen Formen und Konzepte die Grenzenlosigkeit liegt und nach dieser Grenzenlosigkeit gestrebt werden muss. Es ist das **wahre „ICH"** als Bewusstsein zu kennen, welches nicht in materielle Formen zu begrenzen ist und auf diesem Weg zu streben. Das Hadith (Überlieferung von Muhammad FsmI), welches besagt: **„Derjenige, der bei der Wahrheit von „La ilaha illAllah" (Es gibt keinen Gott, nur Allah existiert) lebt, geht ins Paradies"**, deutet auf diese Wahrheit hin. Dies ist zutreffend auf diejenigen, die nicht einen Rasul getroffen haben. Diejenigen, die auf einen Rasul gestoßen sind, ob durch Person oder durch Belehrung, sind daran gebunden an den **Herrn der Welten oder Allah** zu glauben im Einklang mit den Lehren des Rasuls, indem man an den Rasul glaubt.

„An den Rasul zu glauben", bedeutet folgendes: Obwohl der Rasul durch die Erscheinung wie ein Erdling aus einem physischen Körper besteht, gibt es rein äußerlich betrachtet keinen Unterschied. Aber der Unterschied liegt darin, dass der Rasul die Artikulation der Wahrheit ist, welches nicht mit den physischen Augen gesehen werden kann, sondern nur dadurch erfahren werden kann, indem man glaubt.

Der Koran erklärt den **Glauben** an **denjenigen, der Allah genannt** wird in zwei Kategorien. Die erste Kategorie ist ein *„Glaube"* an einen **„externen"** Schöpfer jenseits der Erreichbarkeit des individuellen Bewusstseins, d.h. ein Schöpfer-**die Dimension der Namen**-, welcher unendliche und unbegrenzte Eigenschaften aufweist. Dies ist der Glaube, welches die Mehrheit der Leute teilen, und als Ergebnis ermöglicht es einem einen paradiesischen Zustand der Existenz auszuleben. Die zweite Kategorie trifft auf diejenigen zu, die den **Glauben an ihre Essenz** aufweisen- diejenigen, die in ihrem Herzen **das reine universale Bewusstsein** gefunden haben. Dies ist der **Glaube**, welches durch den Buchstaben **„B"** ausgedrückt wird und welches die Realität andeutet, dass die Wahrheit des **„Ich"** die Eigenschaften der Namen sind und dass diese Eigenschaften in jedem Moment und auf ewig sich manifestieren werden. Demzufolge lädt es die Gläubigen dazu auf sich ihrer eigenen Wahrheit bewusst zu werden, dass durch ihre eigenen Taten sie zu jeder Zeit Allah dienen und mit Seiner Bewertung (bi-hamdihi) erfahren sie das *HAMD* (**Bewertung, Sinn und Zweck**) in ihrem eigenen Wesen.

„An die Engel zu glauben", welches aus der **„Dimension der Namen (*Asma Martaba*)"** zusammengesetzt ist, bedeutet an *die Potenziale zu glauben*, welches von den Namen her resultieren. Mit anderen Worten symbolisieren Engel die unterschiedlichen Potenziale, welches von den Namen heraus resultieren, die von ruhenden, brachliegenden Zuständen aktiviert werden können. Da das, welches als die Welt der Multiplizität bekannt ist, essenziell aus individuellen Manifestationen unterschiedlicher Namen besteht, ist der höhere (feinere) Zustand von allem in der Existenz **engelhaft** (*Malikiyat*). Der Unterschied liegt nicht darin, ob dies präsent ist oder nicht, sondern darin ob dies erkannt wird oder zumindest daran geglaubt wird oder nicht. Jemand, der sich selbst nur als ein Körper aus Fleisch und Blut betrachtet (ein sogenannter Erdling) mit einem individuellen Bewusstsein und dem es deshalb an **„Glauben"** mangelt, der wird große Schwierigkeiten haben diese Wahrheit zu erkennen und zu akzeptieren.

„An die Bücher zu glauben-WISSEN" bedeutet, glauben an das **Wissen um die Realität** (*Hakikat*) und an den **Mechanismus des Systems** (*Sunnatullah*) zu haben, welches durch die Rasule und Nabis durch die Prozedur, welches als *Wahiy* (**Offenbarung**) bekannt ist, mitgeteilt wurde. *Wahiy* ist der dimensionale Transfer (Erscheinung und Entfaltung) dieses Wissens, welches vom reinen universalen Bewusstsein (*Schu'urs*) gefunden wird.

Rasule sind jene erleuchtete Wesen, die sich **das Wissen um die Realität (Hakikat-Realität über das wahre Selbst)**, von den **„Dimension der Namen"** her durch den <u>Weg des reinen universalen Bewusstseins finden und aneignen</u> (ohne den Einfluss ihres persönlichen Bewusstseins), also durch den Weg der Offenbarung *(Wahiy),* welches sich durch die Namen (d.h. die engelhaften Potenzialen) in ihrer Essenz heraus entfalten *(Irsal)* und deshalb auch aneignen und die diese Wahrheiten dann auf der Ebene des **normalen Bewusstseins** (mit begrenzter Sinneswahrnehmung wie z.B. mit fünf Sinnen) kommunizieren.

„An das Jenseits zu glauben" oder einem ewigen Leben zu glauben, bedeutet mit Überzeugung zu wissen, dass das **„Ich-Selbst"** nicht enden wird, nachdem es seinen Körper durch den Tod verloren hat, sondern dass der Tod auch eine Realität (**„jedes Selbst wird den Tod zu kosten bekommen"**-Koran) darstellt, die auch erfahren wird. D.h. wenn der physische-biologische Körper ausfällt, dann wird eine Prozedur in Gang gesetzt, welches *BAIS* (**Auferstehung**) genannt wird. Hier wird derjenige in eine andere Dimension hinüberwechseln mit einem „*Seelenkörper*", welches mit anderen unsichtbaren Wesen (jetzt nicht mehr unsichtbar!) geteilt wird und es wird dann sein Leben letztendlich dort weiterführen in entweder einen von zwei Dimensionen, welche durch unterschiedliche Namen bekannt sind. (Anm. d Ü.: Laut Koran entweder **engelhafte Dimension** oder Dimension, welches durch *rauchlosen Feuer* erschaffen wurde). Wenn der Buchstabe „B" als Präfix zu einem Wort benutzt wird in Bezug zum Glauben wie z.B. „an das Jenseits zu glauben" *(„b"il Akhira)*, dann deutet es auf die unterschiedlichen Stufen der Entwicklung hin, die das Selbst durchlaufen wird, um seine eigene Wahrheit zu erreichen.

Das Konzept des **„Schutzes"** *(Takwa)* oder **„Furcht vor Allah zu haben"**, wird generell missverstanden. Da der Name Allah nicht auf einen externen Gott hinweist, ist der wahre Bezug zu den Namen und ihrer Steuerung zu nehmen. Allah hat die Welten durch die Namen erschaffen und steuert sie durch das System, welches **„Sunnatullah"** (wörtl. die „Tradition von Allah", also der Mechanismus des Systems) genannt wird. Das eine Gesetz, welches absolut hier angewandt wird, ist das des Namens *„al Hasiyb"* **(der, der abrechnet)**, welches innewohnend ist in der **„Namenskomposition-Datei"** des Menschen, wobei die zukünftige Erfahrung ein Resultat der früheren Erfahrung ist. Um es einfach auszudrücken, was auch immer für ein Benehmen an den Tag gelegt wird, ob es sich um eine Tat oder auch nur um einen Gedanken handelt, man wird unausweichlich die Konsequenz zu einem späteren Zeitpunkt im Leben erfahren müssen.

Dies wird ausgedrückt durch die Namen **„derjenige, der schnell im Abrechnen ist"** (*Sari ul Hisab*) und **„derjenige, der streng in Bestrafung ist"** (*Schadid ul Ikab*). Deshalb, wer bezüglich des Systems mit Vorsicht und Bedachtheit handelt, wird als jemand bezeichnet, der **„Furcht vor Allah"** hat oder vor Allah geschützt ist. (*Mutakki* = derjenige, der Schutz hat, der Takwa auslebt).

Da „Sunnatullah=das System und die Mechanik von Allah" essentiell die Manifestationen von Allahs Namen darstellt, ist es nicht falsch es als „Furcht und Schutz vor Allah" zu bezeichnen. Und als solches wird ein Akt der Undankbarkeit jemanden gegenüber als ein Akt der Undankbarkeit Allah gegenüber bezeichnet und die Konsequenz dessen wird dementsprechend erfahren werden! Dieser Ablauf ist als **Dschazaa** (Konsequenz) bekannt. Deshalb ist Dschazaa nicht unbedingt die Bestrafung, sondern die automatische Erfahrung der Konsequenz einer Tat; positiv für positiv, negativ für negativ. (Anm.d.Übers: im Türkischen wird Dschazaa nur für Bestrafung benutzt.)

Der Koran lädt seine Leser dazu auf über seine unzähligen Parabeln und Metaphern nachzudenken, nur damit sich die Menschheit an ihre eigene Wahrheit erinnern können (*Zikir*).

Unglücklicherweise, wegen der Konditionierungen von Zeit und Ort und wegen des Kapazitätsniveaus der Leute sind die Beispiele, die gegeben werden können nicht viel. Deswegen wurde die begrenzte Anzahl von Objekten, die die Menschen kannten mit unterschiedlichen Bedeutungen im Laufe der Zeit assoziiert, so dass das gleiche Wort für verschiedene Dinge in verschiedenen Zeiten benutzt wurde oder zu verschiedenen Spezifikationen der gleichen Sache. Zum Beispiel, während das arabische Wort *„Sama"* (Himmel) selten für den Himmel oder das Weltall benutzt wird, wird es allgemein mehr in Bezug zu den „Zuständen des Bewusstseins" oder die „intellektuelle Aktivität im Bewusstsein" benutzt. Ein anderes Beispiel ist das Wort *„Ard"* (Erde, Boden). Während es wenig für die Erde benutzt wird, wird es generell für den **„menschlichen Körper"** angewandt. Der menschliche Körper wird auch benutzt durch andere Wörter wie *„Anam"*, was so viel wie **„gezähmtes Tier"** bedeutet in Bezug nehmend auf die tierische Natur des Menschen, z.B. für das Trinken, Essen, Schlafen, Sex etc. *„Dabbah"* ist ein anderes Wort, welches Bezug nimmt zum materiellen und irdischen Aufbau des biologischen Körpers. Das Wort *„Shaitaan"* (Satan) wurde benutzt, um die Tendenz der Menschheit anzudeuten, dass sie sich ihr grenzenloses Bewusstsein, in Bezug zu ihrer essentiellen Namenskomposition verringern und begrenzen, indem sie sich nur aus Fleisch und Blut betrachten.

Das Wort *„Dschabal"* (Berg) wird auch sehr selten benutzt, um anzudeuten, was es wirklich bedeutet; es wird benutzt, um das **„Ego"**, das **„Ich-Gefühl"** anzudeuten. Auch wenn das Wort *„Ard"*

(Erde) benutzt wird in Bezug auf den Körper, dann wird das Wort *„Berg"* benutzt, um die **„Organe"** des Körpers anzudeuten. Z.B. der Vers **„die Berge bewegen sich, aber ihr nimmt sie als stillstehend wahr"**, deutet auf die konstante Aktivität und Erneuerung unserer internen Organe, welche scheinbar reglos sind wie die Berge auf der Erde.

Das Wort *„Zawdsch"* (Partner) wird auch in unterschiedlichen Kontexten benutzt, um verschiedene Dinge auszudrücken. Die allgemeine Bedeutung ist der **„Partner in der Ehe"**, aber es wird auch benutzt, um den *Partner des Bewusstseins* auszudrücken von dem man sich irgendwann trennen muss und das ist der biologische Körper. In der Tat der siebte Vers in der Wakiah Surah (56:7) besagt **„azwadschan thalathah"**, um **„drei Arten"** auszudrücken, nicht drei Ehepartnern oder Ehefrauen!

Wenn wir die Worte des Korans mit einer begrenzten wörtlichen Bedeutung bewerten und auch nur in Bezug zu einer einzigen Bedeutung, dann werden wir nicht nur eine große Ungerechtigkeit tun, sondern auch den Weg zu einem primitiven Glauben ebnen, welches ein obskures und unverständliches Buch von göttlichen Befehlen darstellt!

Wo doch aber der Koran durch **Offenbarung (*Wahiy*)**, vom Inneren zum Äußeren durch den Akt des **„Inzal"** (Enthüllung) die manifestierte Artikulation vom *Herrn der Welten (Rabbul Alamin)* ist und wir dadurch das Wissen um das System erhalten durch welches die Eigenschaften der Namen die **„Dimension der Taten"** erschaffen. Genau das ist es was **„Din"** (Religion) bedeutet!

Der Mensch, mit anderen Worten **„Schu`ur" (reines Bewusstsein),** ist der personifizierte Koran! Erdlinge, die glauben, dass sie nicht mehr sind als der physische Körper wurden „Menschen" genannt wegen dieses reinen universalen Bewusstseins, welches präsent ist in ihrer tiefsten Essenz.

Wenn Einheiten des Bewusstseins (in irdischen Körpern) sich weigern daran zu glauben, dann verleugnen sie ihre tiefste Essenz und reduzieren sich zur bloßen materiellen Existenz. Deshalb beschreibt der Koran solche Leute folgendermaßen: **„Sie sind wie Tiere, vielleicht sogar noch niedriger."** Mit anderen Worten nur die animalistischen Begierden ihrer physischen Körper steuern ihr Leben. Sie verleugnen die hervorragenden und überragenden Eigenschaften ihrer eigenen Wahrheit und funktionieren nur durch den Stimulus der Neuronen in ihrem Dickdarm (das zweite Hirn) und dadurch reduzieren sie ihr Leben zum **tierischen-körperlichen Zustand.**

Was die **andauernden Erzählungen der Leben und Beispiele von Rasule und Nabis** im Koran anbelangt…All dies sind Beispiele von möglichen geistigen oder körperlichen Fehlern, die die Menschheit geneigt sind zu begehen und deshalb sollte man darüber vorsichtig sein. Dennoch sind solche Ereignisse **von jedem Volk in jedem Jahrhundert** auf die eine oder andere Art durchlebt worden!

Was die Schöpfung von **Adam** anbelangt, da sagt der Koran folgendes: **„Wahrlich das Beispiel von Jesus zu Allah ist das wie zu Adam."** (Koran 3:59) Das heißt, bezüglich des physischen Körpers wurde Adam auch aus einer Gebärmutter geboren. Sein Körper ging auch durch alle bekannten biologischen Stufen der Entwicklung hindurch. Dies wurde durch unterschiedliche Metaphern erklärt. Aber neben all diesem, was wirklich mit „Adam" gemeint ist, ist ein Mensch, der **bewusst alle Bedeutungen der Namen** erkannt und akzeptiert hatte und deshalb den Titel des „Stellvertreters" verdient hatte. Dies ist es was wirklich zählt. Der Rest sind Details und wahrscheinlich sogar nicht notwendig, da es keine Rolle spielt von wo und wie der materielle Körper in Erscheinung trat, der irgendwann zerfallen wird in einfache Elemente unter Erde. Bestimmte Symbole und Metaphern wurden benutzt, um anzudeuten, dass sein biologischer Aspekt aus der irdischen atomaren Struktur heraus gemacht wurde, wie alle anderen Erdlinge auch, aber sein biologischer Körper hat keine Relevanz zu dem was dieser Name wirklich ausdrücken will. „Adam", durch Nichts erschaffen-dscha`ala, nicht khalaka-, ist **reines universales Bewusstsein** erschaffen aus den **Eigenschaften der Namen** und dazu auserkoren ein „Stellvertreter" (*Khalifa*) auf der Erde zu sein. Es ist ein Jammer, dass viele versagen diese Realität zu begreifen und ihre Zeit darüber vergeuden über die Schöpfung seines sterblichen biologischen Körpers zu argumentieren!

Das satanische Wesen, welches „*Iblis*" genannt wird, hat eine interessante Geschichte. Iblis, der essentiell eine **Namenskomposition** aus engelhaften Eigenschaften darstellt, zeigt unzureichenden Ausdruck der Namen *al-Wali, al-Mumin* und *al-Hadi*. Wegen seiner eigenen Unzulänglichkeit fehlt er zu erkennen wie die Namen sich auf die Schöpfung von höchster Form (*Ahsani Takwim*) manifestieren. Und deswegen urteilt er über Adam gemäß seiner oberflächlichen Eigenschaften und versagt seine Überlegenheit in Bezug seiner Namen und ihren Manifestationen zu erkennen. Darüber hinaus nimmt er an, dass falls er die Überlegenheit von Adam über seine eigene Schöpfung akzeptiert, dann bedeutet dies, dass er seine eigene Wahrheit ablehnen muss, da er auch mit und von den Namen erschaffen wurde und deshalb hat er abgelehnt sich vor Adam zu verbeugen. **Natürlich ist es unmöglich eine Qualität und Eigenschaft zu bewerten, die man selbst nicht besitzt.**

Dies führt uns zu **reinem Bewusstsein** in der Gestalt von Adam, der sich dem „verbotenen Baum" nähert, d.h. durch die Anforderungen des physischen Körpers begrenzt zu werden. Dies ist auch eine interessante Anekdote. Satan überzeugt Adam zu Falschem gemäß seinem *Recht*, indem er folgende Idee aufzwingt: „*Du wurdest mit der Wahrheit der Namen erschaffen, du kannst durch nichts konditioniert oder begrenzt werden, du kannst tun was du willst. Falls du nicht vom verbotenen Baum isst, d.h. falls du nicht den Anforderungen des physischen Körpers entsprichst, dann akzeptierst du Begrenzungen und deshalb wirst du deine essentielle Wahrheit verleugnen und dich so der Unsterblichkeit entziehen!*"

Konsequenterweise werden Menschen, die sich auf der Stufe des **inspirierenden Selbst** (*Nafs-i-Mulhima*) befinden, symbolisiert durch den Namen Adam, von höheren Zuständen von reinem Bewusstsein verschleiert und fallen auf den körperlichen Zustand des **kommandierenden Selbst**

(*Nafs-i-Ammara*), indem sie durch körperliche Begierden konditioniert werden. Wenn dies den ultimativen Punkt erreicht, wo sie ihre eigene Wahrheit vergessen, dann werden die **Erinnerer** der Wahrheit manifestiert, d.h. die **Rasule**, die die Menschheit wieder zu ihrer Essenz einladen, sie dazu einladen wieder Glauben an die höheren Zustände des Bewusstseins zu haben.

Wenn „Menschen", die Manifestationen von **Universalen Reinen Bewusstseins** sind, anfangen sich selbst als **individuelle bewusste Wesen** (Bewusstsein mit 5 Sinnen) in einem physischen Körper wahrzunehmen, dann fängt das Leben mit dem **Partner** (Körper) an; die Bemühung zur **wahren Essenz** zurückzugehen beginnt dann.

Kurz gesagt:

Es gibt zwei Arten von Bewusstsein. <u>Das erste ist die Manifestation der Namen als Ganzes, um sich selbst durch die Erscheinung von individuellen Kompositionen zu betrachten.</u> Dies ist das **Universale Reine Bewusstsein** (*Schu´ur*). Die zweite Art ist das individuelle Bewusstsein von jeder Manifestation, welches durch die Genetik, die Umwelt und astrologische Einflüsse geformt wurde. Um in diesem Buch für Klarheit zu sorgen, werden wir für die zweite Art nur „Bewusstsein" verwenden, damit kein Missverständnis auftritt. Bewusstsein ist ein Output vom Gehirn und deshalb begrenzt es sich damit nur aus einem Körper <u>(kein MENSCH, menschenähnlich!)</u> zu bestehen. Bewusstsein benutzt den Verstand um Ideen zu bewerten und lebt dementsprechend. Aber der Verstand bekommt oft Druck von seitens der biologischen Struktur des Körpers und deshalb kommt es auch oft zu einer Fehlfunktion. Damit ist es unmöglich für den Verstand von selbst zu seiner eigenen Wahrheit zurückzufinden. Darüber hinaus fällt der Verstand Urteile basierend auf den Sinnen der Wahrnehmung. Deswegen wird der Verstand eingeladen um zu **„glauben"**. Glauben zu haben daran, was jenseits der Sinneswahrnehmung liegt. Weil die Realität „jenseits" von Materie sich von der Materie abgrenzt.

Während die Geschichten über **Abraham** (FsmI) uns davor warnen nicht das Innere und das Äußere, d.h. unser Bewusstsein und unsere Außenwelt, d.h. der Körper und seine Besonderheiten, zu vergöttlichen und anzubeten, geben uns die Geschichten über **Lot** (FsmI) Beispiele darüber wie man zu Sklaven der eigenen körperlichen Begierde und Sexualität werden kann. Im Fall von **Moses** (FsmI) ist die Betonung darauf, dass Pharao für sich beansprucht der HERR (Gott) zu sein und so werden wir über die Gefahren gewarnt, die wir antreffen könnten auf dem Weg das wahre Selbst kennenzulernen.

Wenn die Realität in einem Bewusstsein sich manifestiert, ganz egal wie essentiell wahr die Aussage **„Ich bin die Wahrheit"** erscheinen mag, <u>es ist nur eine kompositionelle Reflexion der unendlichen Namen, welche die Essenz von einem ausmachen!</u> Die Ganzheit der Manifestationen beinhalten die kompositionellen Namenseigenschaften. Das heißt, obwohl durch die **„Essenz"** alles seine Lebenskraft von **„Allah"** bekommt und alles die „Wahrheit" ist, man wird nicht zum **„Herr der Welten"**, d.h. nichts, dass manifestiert wurde im ersichtlichen Kosmos kann die **„Quelle"** und **„Enthüller"** der unendlichen und grenzenlosen Namen sein! Nichts, dass manifestiert wurde, kann der **„Herr"** (die Namenskomposition, die die Essenz von einem ausmachen) von anderen Manifestationen sein. Und deshalb hat **Pharao** sich so benommen, weil er <u>ignorant über die Wahrheit war</u>. Alle die danach streben die Wahrheit zu erreichen und auszuleben, gehen durch diesen gefährlichen Zustand, welcher im Sufismus als das Bewusstsein des **„inspirierenden Selbst"** (*Nafs-i Mulhima*) bekannt ist! Und deshalb, gerade wenn man nur einen Schritt von der Wahrheit entfernt ist, wird man durch die Idee gefangen mit welcher Satan Adam infizierte: *„Begrenze dich nicht selbst! Tue was du willst, sei grenzenlos!"* Und so fällt man wieder zu einem körperlichen Zustand, welches als **„kommandierendes Selbst"** (*Nafs-i Ammarah*) genannt wird. (Der Körper -Darmhirn- herrscht über das Gehirn/Bewusstsein!)

Deswegen wiederholt der Koran immer wieder die Geschichte von Moses (FsmI) und Pharao.

Das Ereignis, welches als **Tag des jüngsten Gerichts** (*Kiyamah*) bekannt ist, deutet auf die unterschiedlichen Erfahrungen, die ein Bewusstsein nach dem Tod durchlaufen muss. Der bevorstehende Tag des jüngsten Gerichts ist der persönliche Tod eines jeden. Da mit dem Tod ein nicht zu veränderter Zustand der Existenz, bekannt als das Jenseits, eintritt. Der globale Tag des jüngsten Gerichts wird seit 1400 Jahren erwartet, wobei alles was gesagt wurde in Bezug auf dieses Ereignis direkt mit dem eigenen Tod in Beziehung steht. Während jeder seinen eigenen **Erlöser (*Mahdi*), Anti-Christen (*Dadschaal*) und Jesus (*Isa*)** hat, aber an die Aktivitäten, die durch diese Namen symbolisiert werden durch das ganze Leben hinweg unterliegt, denken die Leute ignoranter Weise, dass der **„Tag des jüngsten Gerichtes"** nur ein galaktisches Ereignis darstellt, welches das Ende unseres Sonnensystems oder unserer Welt ist, welches zu einem bestimmten Zeitpunkt, den bestimmte Menschen vorausgesagt haben, stattfinden wird!

Unglücklicherweise die Inkapazität, die Lebensperiode von hunderten von Millionen Jahren auf der galaktischen Ebene zu verstehen und der Versuch die Zeit basierend auf den Daten zu bewerten, die die ungelehrte Umwelt einem gibt und das primitive Verständnis eines Gottes mit einem Zauberstab in der Hand, hat die Menschheit dazu gebracht ein nicht angemessenes Verständnis des *Tags des jüngsten Gerichts*, welches im Koran erklärt wird, anzunehmen.

Kommen wir **zum Paradies und zur Hölle**… Der Koran gibt eine klare Anweisung, dass das **Paradies als Parabel (Repräsentation, Gleichnis)** - *Mathalul Dschannatillatiy*- (Koran 52:20, 47:15) erklärt wird und drückt so ausführlich aus, dass alle Darstellungen des **„Paradieses"** im Koran symbolischer und metaphorischer Natur sind. Es ist sehr herausfordernd über einen Zustand der Existenz zu sprechen, in welche die „Erwachten" wohnen werden, in Übereinstimmung mit der Kraft und anderen Namenseigenschaften, die sie innehaben werden und weit von jeglicher körperlichen Begrenzung sein werden, geschweige denn es zu verstehen. Deswegen sagt Allah: **„Ich habe für meine aufrichtigen Diener das vorbereitet, was kein Auge gesehen, kein Ohr gehört und kein Verstand sich jemals ausdenken konnte."** (Bukhari, Muslim, Tirmizi)

Die Hölle ist definitiv ein schrecklicher Zustand der Existenz bezüglich des physischen Körpers, den man dort haben wird. Gemäß unseren Beobachtungen wird es in der Sonne stattfinden. Darüber habe ich im Jahre 1985 ausführlich in meinem Buch **„Der Mensch und seine Geheimnisse"** berichtet. Auf der anderen Seite ist die Hölle bezüglich des Bewusstseins, welches im Koran eine stärkere Betonung hat, eine weitaus größere Qual. Wenn man stirbt, wird man feststellen, dass man mit den Eigenschaften und Potenzialen der Namen ausgestattet war und es wurde einem die beste Gelegenheit gegeben dies zu entdecken und im irdischen Leben auch zu manifestieren. Im Fall, dass man diese Chance vergeudet hat, indem man sich lieber mit körperlichen Dingen beschäftigt hatte als mit inneren Werten, dann wird man eine ungeheuerliche Reue spüren, weil man weiß es gibt keine Chance mehr für Kompensation. Diese Art *zu brennen* wird die größte Qual sein, die man erleben kann!

Was den Zustand der Hölle anbelangt während man immer noch auf der Erde lebt…Es ist, wenn das Bewusstsein sich selbst nur auf den Körper begrenzt und an vergänglichen Dingen sich anhaftet und durch Wertevorstellungen konditioniert wird.

Es gibt noch weitere Bemerkungen, die man hinzufügen könnte, aber ich glaube ich sollte die Einführung nicht mehr verlängern. Falls der „Herr der Welten" es will, wird die Tür der Inspiration auch Ihnen geöffnet werden und Sie werden die wunderbare Erfahrung machen den **Koran zu LESEN**, als ob es mit Ihnen persönlich spricht und es über Sie erzählt.

Dennoch falls Sie dieses Werk -**„Der Schlüssel zum Koran"**- lesen im Lichte von all dem worüber ich erklärt habe, dann glaube ich werden Sie hören wie es mit Ihnen spricht und Sie werden spüren wie der Koran in Ihnen selbst lebt in einer Art und Weise wie Sie es noch nie vorher erfahren haben.

Falls Sie mein Konzept in Frage stellen…Ich kann nur sagen, lasst uns abwarten und schauen…Der Tod ist sehr nahe! Falls ich rechtgeleitet bin, dann mit der Gunst Allahs und ich bin unfähig meine Dankbarkeit auszudrücken. Falls dieses Werk gültig und legitim ist, dann weiß ich nicht wie jene, die andere Meinungen haben, reagieren werden! Dies ist mein Verständnis des Korans, wie Sie es annehmen, ist Ihnen überlassen!

Falls in diesem Werk, welches ich mit Ihnen teile ohne eine materielle Gegenleistung zu erwarten, irgendwelche Fehler von meiner Seite aus geschehen sind, dann bitte ich um Entschuldigung.

Erfolg kommt von Allah und jegliche Fehler und Irrtümer sind von der Unzulänglichkeit meines individuellen Bewusstseins.

Astaghfir'ullah wa atubu ilayh (Ich bitte Allah um vergeben und meine Reue gilt ihm).

AHMED HULUSI
21. Januar 2009
North Carolina, USA

EINE OBLIGATORISCHE WARNUNG

Leider hat meine Interpretation des Korans, welches im Licht des **Wissens um die Realität** gemacht wurde, ohne Absicht zu ein paar Missverständnissen geführt. Eines von diesen ist das alles mit dem Menschen anfängt und auch aufhört. Natürlich in Bezug auf die Wahrheit und die Essenz des Menschen sind alles, was ich bisher geschrieben habe Konzepte, die die Menschen des Wissens auch teilen und die gleiche Meinung vertreten...

Jedoch....

Die Menschheit ist nicht das Ein-und-Alles.

Wir können nicht leugnen, dass innerhalb des Universums und der Galaxie, in welcher wir leben, sogar in unserem eigenen Sonnensystem, unzählige unterschiedliche Arten von Spezies von Lebensformen existieren, welches unsere fünf Sinne gebundene Wissenschaft noch nicht wahrgenommen hat, aber welches viele unkonditionierte und objektive Menschen durchaus plausibel finden.

Die systemische Mechanik, welches den Aufbau des Menschen ausmacht, kann durchaus auch in anderen Spezies im Universum präsent sein.

Diese Wahrheit wird im **Koran** auch verifiziert!

Ob wir das Beispiel von **Abraham** (Fsmi), **Lot** (Fsmi), oder sogar **Maria** (Fsmi) nehmen, wir stoßen im Koran immer wieder auf diese Menschen, die „Rasuls" genannt werden.

Darüber hinaus kann ich sagen, dass das engelhafte Wesen, welches als **„Gabriel"** bezeichnet wird, durchaus kein Produkt der Imagination ist, sondern eine Lebensform darstellt, welches unsere begrenzte Sinneswahrnehmung nicht wahrnehmen kann. Sein Erscheinungsbild ist ein Produkt des Dateiverarbeitungssystems im Gehirn. Dies ist etwas, welches auf alle Wesen, die Engel genannt werden, zutrifft!

Ich finde es ist nicht nötig weiterhin mehr über dieses Thema zu diesem Zeitpunkt zu schreiben, da die Wissenschaft gerade mal so weit ist die Mechanik des Gehirns zu entdecken und dies auch in der modernen Welt zu berichten. Aber ich muss dennoch etwas anmerken: Falls man an die Aufrichtigkeit und Einzigartigkeit der Menschen glaubt, die Awliya genannt wurden, wie Abdul Karim Jili oder auch Muhyiddin ibn Arabi... Diese Menschen haben Kontakt mit diesen Lebensformen aufgenommen. Der folgende Vers weist auch auf diese Wahrheit hin:

> **„Ich habe kein Wissen über die Diskussionen der *Mala-i Ala* (hohe Versammlung der Engel)."** (Koran 38:69)

Es gibt viele Berichte in Bezug auf bestimmte Spezies und ihren Funktionen, welche „*Mala-i Alá*" genannt werden in Shah Waliullah Dahlawis berühmtes Buch „*Hujjatullah Baligha*", welches auf Türkisch vom Professor Hayreddin Karaman übersetzt wurde.

Die folgenden Worte von Rasulullah Muhammad (FSMI) werfen auch Licht auf dieses Phänomen: **„Befreunde mich mit den *Rafik-i A'la* (die höchste Gesellschaft)"!**

Deshalb...

Man sollte nicht so befangen sein mit den inneren Dimensionen der Dinge und dabei ihre externen-universalen Aspekte unbeachtet sein zu lassen.

Zum Abschluss, wie ich in meinem Buch „*Seele, Mensch, Dschinn*" betont habe vor über 40 Jahren, lasst uns darüber bewusst sein und Vorsicht walten lassen über die „Dschinni Aktivitäten", welche heutzutage unter dem Namen von „Engeln" vermarktet wird.

18. Juni 2010

DIE ERHABENEN, HERVORRAGENDEN UND PERFEKTEN QUALITÄTEN DER NAMEN VON ALLAH (AL-ASMA UL-HUSNA)

B'ismi-Allah ar-Rahman ar-Rahim... Allah, der mich mit Seinen Namen (erhabenen, hervorragenden, perfekten Qualitäten) erschaffen hat, ist Rahman und Rahim!

Lasst es uns bewusst sein, dass ein „Name" nur als Hinweis auf ein Objekt oder eine Qualität dient.

Ein Name erklärt nicht in absoluter Weise auf was es hinweist, sondern bezieht sich nur auf eine Identität oder eine Eigenschaft einer Identität.

Vielleicht wird ein Name nur benutzt, um umsichtig auf viele Eigenschaften hinzuweisen.

Bezüglich der Namen von Allah lasst uns folgendes überlegen: Sind diese Namen von Allah eine Kollektion von tollen Titeln eines jenseitigen Gottes? Oder sind diese Hinweise auf kreative Eigenschaften von Allah (welches die Sinne wahrnehmen und Konditionierungen offenlegen!) mit welchem der ganze Kosmos manifestiert wird vom **Nichts** heraus und zur **Existenz** gebracht wird?

Wenn dies erst einmal gänzlich begriffen und verstanden wird, dann können wir uns auf die Namen von Allah konzentrieren.

Der Koran, der uns auch als **Zikir = die Erinnerung an die essenzielle Wahrheit des Menschen** bekannt ist, ist in Wirklichkeit mit seiner Ganzheit das „*Uluhiyyat*", welches die Veröffentlichung der erklärten **„*Asma ul Husna*"** ist. Der Mensch ist damit ausgestattet und wird dazu aufgefordert sich daran zu erinnern.

Manche dieser Namen wurden im Koran veröffentlicht und manche hat der Rasul von Allah erklärt. Man kann niemals behaupten, dass die Namen von Allah auf 99 beschränkt wären. Lasst uns hierzu ein paar Beispiele geben...

Es gibt viele Namen wie **Rabb, Maula, Karib** und **Hallak**, die im Koran erwähnt werden, die aber nicht Bestandteil der 99 Namen sind. Der Name „*Murid*", welches auf das Attribut „Willenskraft" hinweist, welches im Vers „*yafalu ma yurid*" (Koran 2:253) erwähnt wird, ist auch nicht in den 99 Namen beinhaltet.

Ganz anders die Namen **Dschaliyl, Wadschid** und **Madschid** sind in den 99 Namen enthalten, aber werden nicht im Koran erwähnt. Es würde also ein grober Fehler sein, die Namen von Allah auf nur 99 Namen zu beschränken, wo doch die **Dimension der Namen** (*Asma Martaba*) auf das <u>unbegrenzte Quantum Potential</u> hinweist, welches den Akt der Beobachtung in Allahs Wissen darstellt. Der Mensch ist mit diesen Namen ausgestattet, damit er/sie sich seiner /ihrer wahren Identität erinnert.

Man kann sagen, dass wenn einmal der Mensch sich an seine Wahrheit erinnert und gemäß der wahren Essenz lebt, dann werden <u>viele andere Namen zusätzlich noch veröffentlicht</u>.

Man kann auch sagen, dass das welches als Paradies bezeichnet wird auch darauf hinweist, weil wir nicht wissen können, welche Namen die Universen innerhalb von Universen der unbegrenzten Existenz ausmachen!

Diejenigen, die ihre Wahrheit erreicht haben, bezeichnen die Existenz als **„Schattenexistenz"**, denn die Dinge, die wir wahrnehmen existieren nicht in und durch sich selbst, aber sie sind Kompositionen von Namen, die sich erst gemäß einen Wahrnehmenden manifestieren.

Sogar der Ausdruck **„Namenskomposition"** ist rein metaphorisch; es gibt dies nur um die duale Betrachtungsweise der **EINEN WAHRHEIT** anzunehmen. Die absolute Wahrheit ist das Betrachten des **„multidimensionalen einzigen Bildes"** durch denjenigen, der sich **„in jedem Augenblick in einem neuen Zustand befindet."** (Koran 55:29) Was wir als „Namenskomposition" bezeichnen ist wie ein Pinselstrich auf diesem Bild.

Weil es Namen gibt, scheint es so, dass alle wahrnehmbaren Dinge eine getrennte individuelle Existenz haben, aber da es keinen externen Gott gibt, was wirklich durch ein existierendes Objekt wahrgenommen wird, ist im Grunde genommen nichts anderes als die manifestierten Namen (Qualitäten) von Allah.

Derjenige, der durch den Namen bezeichnet wird, kann nicht geteilt oder in Stücke zerlegt werden, ist nicht durch Teile zusammengesetzt, es ist jenseits jeglicher Konzepte; **es ist „absolut EINS", „grenzenlos", „niemals endend" etc. Es ist *„AHAD* us *SAMAD"* (der absolute EINE, der nichts benötigt)** und auf diese Art nur einmal im Koran erwähnt! Allah, HU, außer dem nichts anderes existiert! Dieses Wissen kann nicht durch den menschlichen Geist verstanden werden, es sei denn es wird von der wahren Essenz inspiriert (Wahiy, Ilham) und im reinen universalen Bewusstsein betrachtet! Der Geist, die Logik und das Urteilen überleben hier nicht. Durch Denken wird man hier nur fehlgeleitet! Über diese Wahrheit kann nicht gesprochen werden! Dies ist die Wahrheit, welches auf Gabriels Wörter hinweist: **„Falls ich noch einen Schritt weiter mache, werde ich brennen!"**

Es muss realisiert werden, dass die Namen von Allah auf die Qualität seines Wissens hinweisen, nicht auf seinen Verstand, da dies nicht vorstellbar ist. Der Verstand ist eine Funktion des Gehirns, um in der Welt der Vielfältigkeit zu operieren. Im Grunde genommen sind sogar die **Begriffe „Universaler Intellekt (*Akl-i Kull*)** und **„der Erste Intellekt" (*Akl-i Awwal*)** relative Konzepte und sind nur deshalb metaphorisch benutzt worden, um das System mit der Eigenschaft des Wissens hervorzuheben.

Mit dem **„universalen Intellekt"** (*Akl-i kull*) wird auf die Dimension des Wissens, welches innerhalb der Tiefe eines Individuums vorhanden ist, gedeutet; innerhalb der Essenz. Dies ist auch die Quelle der Offenbarung (*Wahiy*).

Der **„Erste Intellekt"** auf der anderen Seite wird für die Anfänger benutzt, um die Dimension des Wissens zu beschreiben, welches anwesend ist in der Manifestation der Namen.

„Die Dimension der Taten" (*Afal*) ist nichts anderes als die Veröffentlichung der Dimension der Namen, welches sich **„in jedem Moment in einem neuen Zustand manifestiert"**! Die materielle Welt, die wir kennen, ist dieses Quantum Feld, aber unterschiedliche Meinungen haben zu der Annahme geführt, dass es sich um eine andere Dimension handelt.

<u>Der Eine, der betrachtet, der, der betrachtet wird und die Betrachtung; sie sind alle EINS!</u> „Der Wein des Paradieses" weist auf diesen Zustand hin. Derjenige, der im Dualismus gefangen ist, kann nichts anderes tun als über dieses Wissen zu philosophieren ohne die geringste Erfahrung über diese Wahrheit zu haben.

Was die Taten, die Aktivitäten, die Vielfältigkeit anbelangt und was wir als materielle Welt wahrnehmen…die Existenz ist gänzlich nur das, welches als Dimension der Namen bezeichnet wird.

„**Das Wissen im Wissen mit dem Wissen zu betrachten**" weist darauf hin, dass die Veröffentlichung der Namen auf den Akt der Betrachtung schließt. Alle Formen sind im Wissen erschaffen und betrachtet.

Deswegen wurde gesagt: „**Die Welten (oder die Schöpfung) haben nicht einmal den Geruch der Existenz wahrgenommen.**" Hier ist der Teil der Betrachter und das Ganze ist das Betrachtende!

Die **Energien (*Kuwwa*)**, die zu diesen Namen zugehörig sind, werden als **Engel** bezeichnet, welche von der Essenz her die Wahrheit des Menschen ausmachen. Derjenige, der sich ihrer bewusst wird, ist jemand, der „**mit dem Herrn eins geworden ist!**" Wenn dieser Zustand einmal entdeckt worden ist und falls es nicht weiter fortgeführt wird, dann ist der resultierende Schmerz als ein intensives höllisches Leid erklärt worden! Dies ist die Domäne der **Kraft (*Kudrah*)** und der Befehl „**Sei!**" (*Kun*) wird von hier aus bestimmt; dies ist die Dimension des Wissens, wo der Verstand und ihre Funktionen total aufgehoben sind! Dies ist die hohe Dimension der Weisheit! Alles was in der Dimension der Weisheit beschlossen wurde, kann der Verstand nur beobachten; hier kann das Bewusstsein (das normale mit 5 Sinnen arbeitend) nur passiv mitarbeiten.

Die **Dimension der Taten** (*Afal*) im Vergleich zu dieser Ebene (Dimension der Kraft) ist eine totale **holografische (Schatten-) Existenz und Konstruktion**. Alle Aktivitäten der gesamten parallelen und multiplen Universen und deren Bewohner, z.B. natürliche Ressourcen, Pflanzen, Tiere (Humanoide) und Dschinni sind **in dieser Ebene gelenkt und verwaltet** durch die ***Mala-i Ala*** (die erhabene Versammlung der Engel) gemäß der Wahrnehmungskapazität des Wahrnehmenden.

Rasule und ihre Erben (die *Awliya*) sind wie die mündliche Ausdrucksform der Mala-i Ala, **d.h. die Potenziale der Namen auf der Erde!** Und all dies ist Teil der Observation, welches in der Dimension des Wissens stattfindet! Die Essenz des Menschen, in diesem Sinne ist deshalb engelhaft und er wird eingeladen sich an seine engelhafte Natur zu erinnern und gemäß diesem zu leben. Dies ist ein detailliertes und komplexes Thema…Diejenigen, die nicht mit diesem Wissen vertraut sind, mögen meine Wörter gemäß der Beobachtung von diversen Dimensionen widersprüchlich finden. Jedoch die Wahrheit, die ich als 21-jähriger 1966 erfahren habe, welches ich in meinem Buch „**Offenbarungen**" geschildert habe, wurde immer wieder verifiziert in den folgenden 45 Jahren und ich habe es alles geteilt ohne etwas materielles oder immaterielles zu erwarten. Das, was ich veröffentliche, ist keine „Ware", sondern ein Geschenk von seitens Allah! Deinen Dank zu erzielen ist deshalb nicht möglich. Deshalb ist kein Widerspruch in meinen Wörtern zu finden. Wenn es so erscheint, dann ist es wahrscheinlich wegen der Unfähigkeit die richtigen Verbindungen zu verknüpfen, welche von einer inadäquaten Datenbank resultiert.

Nun gut, wenn dies die Wahrheit ist, welches ich beobachtet habe, dann wie sollte das Thema um die Namen von Allah behandelt werden?

Die Namen von Allah werden ursprünglich durch das reine universale Bewusstsein (*Wahiy*) ausgedrückt ohne Beeinflussung von seitens eines Bewusstseins, welches versucht es später zu bewerten. Die Namen sind kosmische universale (nicht im galaktischen Sinne) Eigenschaften.

Die „*Asma ul Husna*" (wörtl.: die Schönen Namen) gehören Allah. Die Eigenschaften, die sie ausdrücken, gehören gänzlich dem absoluten EINEN, der nichts benötigt. Die Namen deuten auf das Quantum Potential hin jenseits von Raum und Zeit, die Namen kennzeichnen den „**Punkt**". Und da dies so ist, gehören die Namen und ihre Bedeutungen Allah alleine und sind frei davon durch menschliche Konzepte konditioniert zu werden.

„**Erhaben** (Subhan-durch nichts zu begrenzen) **ist Allah jenseits von dem, was sie Ihm zuschreiben.**" (Koran 23:91)

„**Und zu Allah gehören die besten Namen, also dreht durch ihre Bedeutungen zu Ihm hin. Und lasst diejenigen sein, die bezüglich seiner Namen Abweichendes** (im Dualismus verfallen sind) **praktizieren. Sie werden für das, was sie getan haben Vergeltung bekommen.**" (Koran 7:180)

„**Und wer an die Husna** (als die schönste Wahrheit) **glaubt** (bestätigt), **dem erleichtern Wir zur Erleichterung.**" (Koran 92:6-7)

Sogar die Konsequenz des Guten steht in Verbindung mit den Namen:

„**Für diejenigen, die Gutes** (*Ihsan*) **getan haben, sind die Asma ul Husna und vieles mehr. Weder Dunkelheit** (Egoismus) **wird ihre Gesichter** (reines Bewusstsein-*Schu`ur*) **verdecken, noch Demütigung** (welches von der Abweichung der eigenen Essenz resultiert). **Sie sind die Gefährten des Paradieses; sie werden darin auf ewig sein.**" (Koran 10:26)

Allahs absolute Essenz (Dhat) ist mit nichts in der Existenz zu vergleichen. Durch seine *Akbariyat* (**Größe, also Grenzenlosigkeit**) ist er durch nichts zu begrenzen und ist frei davon durch seine Schöpfung konditioniert zu werden oder die Eigenschaften, die durch die Namen erwähnt werden, welches nur einen Punkt unter grenzenlosen Punkten darstellen. Mit anderen Worten, was als Dimension der Namen erwähnt wird, ist wie **ein einziges Bild von einer multidimensionalen holografischen Struktur.** Und was als eine Welt der Vielfältigkeit wahrgenommen wird, ist in Wahrheit eine Welt, die eine Existenz eines einheitlichen Feldes darstellt, welches durch die Eigenschaften in seinem Wissen erschaffen wurde.

Bevor wir weiter gehen, lasst es uns noch einmal zusammenfassen....

Die Eigenschaften und Attribute, die wir durch Offenbarung (*Wahiy*) als die Namen von Allah kennengelernt haben, sind die gleichen Eigenschaften, die die Gesamtheit von allen universalen Dimensionen manifestieren, vom Nichts heraus zu dieser Schatten-(holografischen) Existenz. Diese Wahrheit, auf welches der Khalifa (Stellvertreter Allahs auf Erden) bestrebt ist auszuleben, ist weit entfernt von den Grausamen (*Zalim*) und Ignoranten (*Dschahil*).

Die Dimension der Namen sind die „**ERHABENEN, HERVORRAGENDEN und PERFEKTEN EIGENSCHAFTEN und QUALITÄTEN**" mit all ihren Subdimensionen und verborgenen Existenzen!

Lasst uns jetzt über die Welt nachdenken, die die Menschheit wahrnimmt...und dann lasst uns unseren „Blick gen Himmel richten und beobachten" wie der Koran es beschreibt ohne dogmatische Anschauungen und Vorurteile, sondern mit universellem Verständnis, welches durch kompetentes Wissen geformt wurde!

Welchen Wert hat eine Welt, die auf „dörfliche" Wahrnehmung basiert, im Vergleich zu dem hervorragenden, glorreichen und perfekten Universum?

Ich hoffe, dass im Lichte dieses Verständnisses wir die Namen von Allah mit der Bewusstheit annähern können, dass ihre Offenbarung darauf beruht das <u>individuelle Bewusstsein (basierend auf der begrenzten Wahrnehmung) zu reinigen und welches das BUCH (Wissen-Information) darstellen</u> und dass ihre Wirkung den ganzen Kosmos betrifft, indem in konstanter Weise ständig neue Bedeutungen und Ausdrücke manifestiert werden.

Ich möchte auch an dieser Stelle die Gelegenheit nutzen, um eines meiner Befürchtungen auszudrücken. Ich habe nicht das Gefühl, dass das Wissen, das ich durch frühere Publikationen veröffentlicht habe, korrekt verstanden wurde. Lasst mich noch einmal hervorheben, dass die Bedeutungen, Qualitäten und Eigenschaften, welche durch die Namen von Allah ausgedrückt werden nur einen „Punkt" unter unzähligen, unendlichen „Punkten" aus der Sicht von Allah darstellen. Auch das Quantum Potential, welches als **„Wahrheit des Muhammad (***Hakikat-i- Muhammadi***)"** oder als **„Engel mit Namen Seele"** bezeichnet wird, ist nicht nur zeitlos und ewig, sondern ist auch die Wahrheit, die ich als **„multidimensionales einziges Bild"** bezeichne! Weil dies immer noch nicht richtig verstanden wurde, wird Allah immer noch als **„ein Gott da draußen"** empfunden! Wohingegen die ganze Beobachtung und alles was ausgedrückt wurde nur auf einen Punkt hinführt: **Allah ist nur Allah, Allah ist Akbar (grenzenlos)!** *Subhana Hu min tanzihiy -* **Erhaben, durch nichts zu begrenzen ist Hu (Er), jenseits von jedem Vergleich!**

Bitte seien Sie sich darüber bewusst, dass das was ich schreibe und mit ihnen teile, niemals als endgültige Erklärung angesehen werden kann; Tatsächlich ist es nur eine Einführung! Komplexeres und tieferes Wissen ist nicht möglich durch Publikationen zu veröffentlichen. Jedoch diejenigen, die sich auf diesem Wege befinden, werden bemerken, dass das was wir bis jetzt geschrieben und geteilt haben niemals zuvor in solch detaillierter Weise erklärt und veröffentlicht wurde. Dies ist ein sehr sensibles Thema, da der Leser sehr leicht ein falsches Verständnis bekommen kann über einen externen Gott oder noch schlimmer: die Wahrheit auf seinem pharao-ähnlichen Zustand des „Ich"-seins und tierischen, körperlichen Zustand seines Selbst zu beschränken!

Ich habe versucht etwas Licht auf das Thema der Namen von Allah zu werfen. Lasst uns jetzt die Bedeutungen, die diese perfekten, erhabenen und hervorragenden Namen ausdrücken näher betrachten. Natürlich nur so gut wie es halt in Worte der **„***Asfali Safiliyn***"** (Worte unserer Dimension, der niedrigsten Frequenzen) auszudrücken ist...

DER AUSLÖS-MECHANISMUS

Alle Qualitäten und Attribute, die diesen Namen zugehörig sind, sind gänzlich in jedem Punkt in der Existenz vorhanden! Jedoch, abhängig von der Manifestation, werden manche Attribute über andere dominieren, wie die Kanäle eines Equalizers, um die spezifische Formierung zustande zu bringen. Auch werden Eigenschaften, die durch manche Namen ausgedrückt werden in natürlicher und automatischer Weise die Ausdrücke von anderen Namen auslösen, um eine bestimmte Manifestation zu generieren. Dieses System ist als *„Sunnatullah"* bekannt und beinhalten die universalen Gesetze von Allah (oder die Naturgesetze, wie es diejenigen sagen würden, die begrenzte Wahrnehmung besitzen) und die Mechanik des Systems.

Dies ist ein erhabener Mechanismus jenseits jeglicher Beschreibung; Alle Wesen vor Erschaffung der Zeit bis zur Ewigkeit bestehen durch dieses System mit all ihren Zwischen- und inneren Dimensionen und wahrnehmbaren Einheiten fort!

Alle Gedanken und Aktivitäten, die vom Bewusstsein projiziert werden, ob durch das Universum oder durch die Welt einer einzigen Person, sind alle innerhalb und gemäß diesem System geformt. Also dieser Mechanismus, wo Eigenschaften von Namen andere Eigenschaften produzieren, ist das System des Auslösens.

Wie ich oben ermahnt hatte, muss man die ganze Universalität der Existenz (welches EINS von der Essenz her ist) als das Feld der Manifestierung dieser Namen in Betracht ziehen. In dieser Universalität kommt das System des Auslösens in jedem Augenblick der Wahrnehmung durch einen Wahrnehmenden in jedem Feld der Existenz zur Anwendung. Da die ganze Sequenz von bestimmten Eigenschaften, die andere Eigenschaften auslösen werden, bekannt ist, wird gesagt, dass Allah der Allwissende ist, der Wissen über vor der Zeit und über die Ewigkeit aller Dinge besitzt, die passiert sind und passieren werden!

Der folgende Vers und der Name Hasiyb weist auf dieses System des Auslösens hin:

„…Ob ihr offen zeigt, was in euer Selbst ist (euer Bewusstsein) **oder ob ihr es versteckt hält, Allah wird euch darüber zur Abrechnung bringen** (mit dem Namen *Hasiyb*)**"** (Koran 2:284)

„Wer auch immer das Gewicht eines Atoms an Gutem tut, wird es sehen." (Koran 99:7)

In diesem System wird offensichtlich die Konsequenz einer Tat oder eines Gedanken unausweichlich erfahren werden. Deswegen hat jeder Gedanke oder Tat der Dankbarkeit oder Undankbarkeit, die wir in der Vergangenheit angewandt haben uns schon eingefangen oder es wird noch in der Zukunft auf uns zukommen. Falls jemand ernsthaft darüber nachdenkt, dann werden ihm viele Türen geöffnet werden und viele Geheimnisse werden enthüllt. Das Geheimnis des Schicksals entspricht auch diesem Mechanismus!

Jetzt kommen wir zu dem, was die wie ein Richtungsschild fungierenden „Namen" aussagen:

ALLAH

…ist solch ein Name…es kennzeichnet **„*Uluhiyet*"**(Das Allah-Dasein)! „*Uluhiyet*" beinhaltet den mit dem Namen **„HU"** bezeichneten **„Absoluten Wesen"**; deutet aber auch auf die Welten, die aus **„Punkt"**(en) entstanden sind, die auf der „Wissens" Ebene des „Wesens", gemäß der Beobachtung seines Wissens mit seinem Wissen entstanden sind und die jeden **„Punkt"** bildenden eigenen besonderen **„*Asma*"** Ebenen. Gemäß seines „Wesens" ist die **„erzeugte Existenz"** (*Shay*) unterschiedlich, gemäß seines „Asma" ist die **„erzeugte Existenz"** gleich bedeutend mit demjenigen, der Allah genannt wird; Er ist aber von den Welten unabhängig und es gibt nichts was ihm ähnelt! Deshalb verwendet der mit dem Namen „Allah" bezeichnete im Koran für die **„erzeugte Existenz"** und die Taten, die er mit seinem „*Asma*" erschafft, **„WIR"** als Zeichen. Bei der **„erzeugten Existenz"** existiert nichts außerhalb dieser **„erzeugten Existenz"** selbst! Bei diesem Thema ist das, was sehr gut verstanden werden muss dieses: Wenn die Rede von der **„erzeugten Existenz"** ist, wenn von der Essenz dieser **„erzeugten Existenz"** gesprochen wird, dann ist damit die **„Asma-Ebene"** gemeint, die dessen Existenz bildet. Es wird über die Essenz der **„erzeugten Existenz"** tief nachgedacht und gesprochen. Über das Wesen des mit dem Namen Allah bezeichneten zu reden, ist jedoch unmöglich! Weil es unmöglich ist, dass etwas, was aus der Asma-Eigenschaft entstanden ist, sich über das absolute Wesen eine Meinung zu bilden; auch wenn diese erhaltene Information durch eine **„Offenbarung"** (*Wahiy*) zustande kommt! Um genau dieses zu erzählen, hat man gesagt, dass der Weg beim **„Nichts"** (nicht da sein! Die Nichtigkeit!) endet!

1- HU

„*HU'wAllahullaziy la ilaha illa HU!*" Möge es auf dem Wege der Offenbarung kommen oder möge man sich mittels des Bewusstseins danach richten, es ist die wahrgenommene Tiefe und der Kern der Wahrheit von jedem und allem… So dass aufgrund der Offenbarung von *Akbariyat* (Unendlichkeit/Grenzenlosigkeit) erst „*Khaschiyat*" (hoher Bewusstseinszustand der „Ehrfurcht"), demnach wiederum die **„Nichtigkeit"** erleben lässt; deshalb kann die Realität des „**HU**" nicht erreicht werden.

„**Das Sehen erreicht Hu nicht!**" Es ist der Name, der die absolute Unbekanntheit und Unbegreiflichkeit bezeichnet! Schließlich treten im Koran alle Namen, einschließlich „**ALLAH**" an das „**HU**" gebunden auf!

„HU ALLAHu AHAD", *„HU'war Rahmanur Rahim"*, *„Hu'wal'Anwalu wal'Akhiru waz'Zahiru wal'Batin"*, *„HU'wal Aliyyul Aziym"*, *„HU'was Samiy'ul Basiyr"* sowie die letzten drei Verse in der Haschr Sure!

Unterdessen erkennen wir im Rahmen einer anderen Leseart, dass mit dem „**HU**" vor den Namen zuerst das *„Tanzih"* (d.h. das Ganze ist nicht Allah, nicht mit Hu, dem Absoluten Wesen zu vergleichen) betont wird, danach mit den erwähnten Namen das *„Taschbih"* (d.h. alles ist eine Spiegelung/Reflexion von „Allah", damit ist das Antlitz (*Wadsch*) von Allah gemeint, welches man sieht, wo immer man sich auch dreht!) gekennzeichnet wird. Dies ist ein Zeichen, welches nie aus den Augen verloren gehen darf.

2- RAHMAN

Bezeichnet die Eigenschaft des mit dem Namen „Allah" bezeichneten, mit Seinem Asma wird die Essenz des „**möglichen Kleinsten**" (*Zarra*) in seinem Wissen „**existent**". Nach dem heutigen Verständnis weist dies auf das „**Quantum Potenzial**" hin. Dieses Potenzial ist die Quelle des gesamten Erschaffenen. Es ist der Name der „*Asma*-**Ebene**" (Quelle der *Asma ul Husna*)! Alles bekommt seine „Existenz" in der „Wissens- und Willens-Ebene" durch die Eigenschaft, auf die dieser Name hinweist!

Ar Rahmanu alal Arschistawwa; Rahman hat sich über dem Thron erhoben (mit Seinem *Al-Asma* die Welten erschaffen und ist Herrscher geworden. In dem Quantum Potenzial mit Seinem Wissen Sein Wissen beobachtet)." (Koran 20:5) und *„Ar Rahman; Allamal Kur'an; Khalakal İnsan; Allamahul bayan..."* (Koran 55:1-4) sind Hinweise, die im reinen universalen Bewusstsein auf die manifestierte Asma-Wahrheit deuten! Derjenige, der die Barmherzigkeit in dem Wissen die „erzeugte Existenz" zur „Existenz" werden lässt! Der Hinweis „**Allah hat Adam in seiner Rahman-Gestalt erschaffen**" weist darauf hin, dass das Wissensbild des „**Menschen**" durch die Eigenschaft der Barmherzigkeit (*Rahmaniyet*) reflektiert wird. Das bedeutet mit den in der Asma-Ebene existierenden Eigenschaften! Die Selbsterkenntnis des Menschen vom Aspekt der Essenz heraus hat auch mit dem Rahman-sein (*Rahmaniyet*) zu tun…Deshalb haben die Heidnischen (*Muschrik*) die Niederwerfung (*Sadschda*) zum Rahman nicht wahrgenommen.

„**Als ihnen gesagt wurde, werft euch vor dem** *Rahman* **nieder** (fühlt eure „Nichtigkeit" bezogen auf eure *Asma*-Wahrheit)': **sagten sie: ‚Was ist** *Rahman?* **Wir machen überhaupt keine Niederwerfung zu demjenigen, dem du uns empfiehlst…**" (Koran 25:60) und „**…zweifellos wurde der Teufel dem Rahman aufständisch.**" (Koran 19:44) Diese Verse weisen darauf hin, dass die Essenz des Menschen aus der *Asma*-Wahrheit erzeugt wurde! Dies ist „**die Offenbarung der Essenz**" (*Zat-i- Tadschalli*) im Menschen!

3- RAHIM

Die *Rahim*-Eigenschaft ist die, die durch den Namen *„Rahman"* unzählige Eigenschaften vom Nichts heraus erschafft! Es ist die Eigenschaft, die das Beobachten der Eigenschaften im Potenzial formt! Er ist derjenige, der mit den Weltenbildern sich selbst beobachtet! Derjenige, der den bewussten Geschöpfen ihre Wahrheiten erlangen lässt; derjenige, der mit der Bewusstheit leben lässt, dass Er sich selbst beobachtet und mit Seinen *Asma*-Eigenschaften leben lässt. „**… wa kana bil mu'miniyna Rahıyma = Er ist Rahim zu denen, die an ihre eigene Wahrheit glauben**" (Koran 33:43).

Es ist die Quelle des Lebens, welches als Paradies bezeichnet wird. Derjenige, der die **„Existenz der Engelsdimension"** (die Kräfte, die aus den *Asma ul Husna* Namen resultieren) formt.

4- MALIK

Derjenige, der durch die Asma-Ebene, welche seinen Besitz darstellt, je nach dem, wie Er es möchte in der Welt der Taten die Gestalten erneuert!

Derjenige, der **„das *Malakut"* (*Asma*-Kräfte) von allem in der Hand hält** (ein Zeichen dafür, dass das Regieren auf dieser Ebene manifestiert wird) ist *Subhan* (trotzdem dadurch nicht zu beschränken) ... **„Zu IHM werdet ihr wieder zurückkehren."** (Koran 36:83)

Der einzige Besitzer! Kann keinen Teilhaber haben! Demjenigen, dem er diese Bewusstheit erleben lässt, der kann keinen anderen Zustand außer der absoluten Hingabe haben! Einwand und Rebellion sind total verschwunden! Bei dem als **„über dem Thron erhoben"** (die Betrachtung vom Quantum Potenzial aus) bezeichneten Ereignis ist es eine vorrangige Eigenschaft, zusammen mit ein paar anderen Eigenschaften...

„Alles, was es im Himmel und auf der Erde gibt; derjenige, der *Malik, Kuddus, Aziyz* und *Hakiym* ist (derjenige, der sie erschafft, damit sie die von Ihm erwünschten Bedeutungen manifestieren), **lobt Allah** (durch ihre Funktionen)!" (Koran 62:1)

5- KUDDUS

Die manifestierte Besonderheit in den Geschöpfen, ohne durch Begriffe definiert, beschränkt und begrenzt zu sein! Während alle Welten mit Seinem Asma vom Nichts heraus **„existent"** werden, wird in ihnen mit den manifestierten Eigenschaften dies erkenntlich gemacht und Er ist sogar dadurch nicht zu begrenzen.

6- SALAAM

Zu den Geschöpfen (durch Beschränkungen des Körpers und der Begierden; von Gefahren; von Beschränkungen der Dimensionen) der Frieden Spendende; derjenige, der den **„Zustand der Nähe"** formt; derjenige, der den Gläubigen die **„Verdauung des ISLAMS"** gibt; derjenige, der das **„Haus des *Salaams"*** (die Verifizierung der spirituellen Kräfte, die zu unserer Wahrheit gehören) ist, der den Zustand des Lebens der Dimension des Paradieses zustande bringt! Es ist die Besonderheit, der Name, der manifestiert und ausgelöst wird vom Rahim Namen!

„Salaamun kawlam mir Rabbir Rahim = **von einem *Rahim* „Herrn" wird das „Salaam" (der Friede) erreicht** (Sie leben ihre Besonderheit des *Salaam*-Namen aus- durch den manifestierten Weg ihrer Namenswahrheiten kommend!) (Koran 36:58)

7- MU'MIN

Derjenige, der die Bewusstheit darüber formt, welche sich jenseits des Wahrnehmenden befindet, gemäß der Asma-Dimension. Diese Bewusstheit manifestiert sich in unserer Dimension als **„Glaube"**. Die Gläubigen glauben mit ihrem Bewusstsein mit dieser Bewusstheit; in unserer Welt die Rasule und in der ganzen Existenz die Engel mit eingeschlossen! Diese Bewusstheit sorgt dafür, dass im Bewusstsein der Verstand von der Gefangenschaft des Zweifelns gerettet wird. Das Zweifeln, während es Vergleiche zieht und durch das Denken den benutzten Verstand vom Weg abweichen lassen kann, steht dem Glauben jedoch gegenüber kraftlos und ohne Einfluss. Die Manifestierung der *Mumin* Namenseigenschaft reflektiert direkt vom reinen universalen Bewusstsein (*Schu`ur*) zum normalen Bewusstsein (mit fünf Sinnen arbeitend). Deswegen kann auch die Kraft des

Zweifelns darüber keine Autorität ausüben.

8- MUHAYMIN

Derjenige, der die von der „Asma"-Ebene Manifestierten in seinem eigenen System schützt und beibehält (*Al hafizu war Rakiybu ala kulli schay*)! Außerdem, bedeutet es auch den Wächter (über das Vertrauen), den Beschützer, den Vertrauenswürdigen. Die Wurzel des vom MUHAYMIN stammenden „*al Amanat*" (VERTRAUEN) ist die funktionelle Anwendung des im Koran vorkommenden Ereignisses, welches der Himmel, die Welt und die Berge nicht angenommen haben, aber der Zwilling des Koran, also der **MENSCH,** akzeptierte. Hauptsächlich bezeichnet es das Bewusstsein des Wissens, welches sich auf den Engel bezieht, der SEELE genannt wird in der Asma-Ebene.

Von diesem spiegelt sich dieses Gewahrsam auf den auf der Erdoberfläche offenbarten Menschen! D.h. das reine universale Bewusstsein auszuleben, dass deine Wahrheit die Asma-Eigenschaften sind! Dieses arbeitet mit dem Namen *Mum'in* gemeinsam. Sogar der mit dem Namen SEELE (*RUH*) bezeichnete Engel (Kraft), mittels der Perfektion des Glaubens an die unendlichen und unbegrenzten Eigenschaften der Asma-Ebene ist *Hayy* (Lebendig) und *Kayyum* (aus sich heraus bestehend)! Denn er ist immer noch als **„manifestierte Form"** ein Besitzer eines Körpers.

9- AZIYZ

Es ist nicht möglich, ihm gegenüber eine Kraft entgegenzubringen; er ist derjenige, der das ausführt, was Er wünscht! Er ist derjenige, der in allen Welten das hervorbringt, was Er wünscht, ohne dass ihm gegenüber eine hindernde Kraft entgegensteht. Dies ist ein Name, der parallel mit dem *Rabb* („Herrn") Namen zusammenarbeitet. Die *Rabb*- Eigenschaft vollstreckt die Entscheidung mit der *Aziyz* Eigenschaft!

10- DSCHABBAR

Derjenige, der den Beschluss zwangsläufig zur Anwendung bringt. Die Welten stehen unter dem Beschluss des *Dschabbar*s, seine Wünsche müssen ausgeführt werden! So etwas wie Alternativen gibt es nicht zu Seinem Ausführen! *Dschabr* (der Beschluss) ist deren existierendes System und von ihren Essenzen manifestiert es sich auf eine Art und der Beschluss wird ausgelebt!

11- MUTAKABBIR

Das wahre **„Ich"** gehört ihm! Derjenige, der **„Ich"** sagt, ist nur Er selbst! Wer mit dem „Ich"-Wort sich selbst eine Existenz gibt, der verschleiert dadurch das **„Ich",** welches zur Wahrheit der Existenz gehört und wenn er sein geformtes Ich im Vordergrund stellt, dann ist das Ergebnis, dass er dadurch zu brennen lebt! Stolz ist Seine Eigenschaft.

12- KHAALIK

Der wahre EINE Erschaffer! Derjenige, der mit den Namenseigenschaften die Einheiten *vom „Nichts" zur „Existenz"* bringt!

Alles, was der *Khaalik* erschaffen hat, ist mit einem Programm versehen, also gemäß dem Schöpfungsauftrag eine Veranlagung, es gibt die Charaktereigenschaft (das Benehmen gemäß der Natur). Deswegen deutet „*takhallaku biAhlakillah* = **nehmt die Charaktereigenschaft von ALLAH an!"** auf Folgendes einen Hinweis hin: Ihr existiert mit den Namenseigenschaften von Allah und gemäß dieser Bewusstheit sollt ihr leben.

13- BARI

Derjenige, der von Mikro bis Makro jedes Erschaffene mit eigens spezifischem Programm und Eigenschaften erzeugt und diesen auch mit der Ganzheitlichkeit vereinbar funktionieren lässt.

Voller Harmonie, wie die ganzen Organe im Körper!

14- MUSAWWIR

Derjenige, der Bedeutungen im Zustand von Formen manifestiert und so im Wahrnehmenden den Wahrnehmungsmechanismus dieser Gestalten formen lässt.

15- GAFFAR

Derjenige, der die als Notwendigkeit der Kraft oder Weisheit entstandenen Mängel erkennt; diejenigen, die von den Folgen befreit werden möchten, Seine Vergebung erfahren lässt. Derjenige, der vergibt.

16- KAHHAR

Derjenige, der das Ergebnis der *„Wahid"* (Eins) Entstehung ausleben lässt und so beobachten lässt, dass die „angenommenen" Ich-Gefühle niemals „existent" waren!

17- WAHHAB

Derjenige, der ohne Gegenleistung und ohne den Begriff *„es verdient zu haben"* trotzdem gewährt.

18- RAZAAK

Derjenige, der egal was, in welcher Dimension oder Umgebung passiert, für das notwendige Fortlaufen des Lebens einer manifestierten Einheit jede Art Nahrung gibt.

19- FATTAH

Derjenige, der in einem Individuum eine Öffnung formt. Derjenige, der die Wahrheit erkennen und sehen lässt; in Folge dessen zu verstehen gibt, dass in den Welten Unvollständigkeit, Mängel und Fehler nicht existieren. Derjenige, der die Sichtweise oder den Einsatzbereich erweitert und die Möglichkeit des Bewertens erzeugen lässt; derjenige, der das Verborgene erkennen und beurteilen lässt!

20- ALIYM

Derjenige, der wegen der „WISSENS"-Eigenschaft unendlich, grenzenlos alles und jede Dimension, mit jedem Aspekt der Wissende ist!

21- KAABIZ

Er ist derjenige, der beschließt, dass alle Einheiten, ihre Wahrheiten mit dem Aspekt seiner geformten Namen, die Kraft nehmen! Derjenige, der zum Inneren hinwenden lässt.

22- BASIT

Der Öffnende und Verteilende. Derjenige, der Dimensionales und eine tiefe Betrachtungsweise formt.

23- KHAAFIZ

Der Erniedrigende. Derjenige, der ein von der Wahrheit entferntes Leben formt. Derjenige, der das *„Asfali Safiliyn"* (Niedrigste unter den Niedrigen) in der universellen Dimension erschafft. Derjenige, der die Beobachtung der **„Vielfältigkeit"** als geformten Schleier zustande bringt!

24- RAAFI

Der Erhöhende. Derjenige, der eine bewusste Einheit im waagerechten und horizontalen Verständnis erhöht, die Wahrheit begreifen lässt oder im Beobachtungszustand erhöht.

25- MUIZZ

Derjenige, der einem Individuum Ehre verleiht und so diesen gegenüber den Anderen wertvoll erscheinen lässt.

26- MUDHILL

Derjenige, der die Demütigung bei dem Erwünschten offen erscheinen lässt! Der Verachtende…indem er durch die Ehre zustanden gekommene Eigenschaften der „Nähe" nicht ausleben lässt, ist er derjenige, der durch die Verschleierung des Egos erniedrigt.

27- SAMI

Derjenige, der seine manifestierten Namenseigenschaften in jedem Moment wahrnimmt. Derjenige, der die Bewusstheit und zu begreifen ausleben lässt. Daraus resultiert, dass Er der Auslösende für seine *BASIYR* (der Sehende) Namenseigenschaft ist!

28- BASIYR

Derjenige, der seine manifestierten Namenseigenschaften jeden Moment betrachtet, ihre Resultate bewertet und ihre Ergebnisse formt.

29- HAKAM

Der Richtende, derjenige, der sein Beschluss unbedingt ausführt.

30- ADL

Derjenige, der gemäß dem Schöpfungsziel jeder Namenseigenschaft, die manifestiert wurde, ihre Berechtigung gibt als Schlussfolgerung der *„Uluhiyet"* (das Allah-Dasein!). Derjenige, der frei ist von ungerechtem Handeln, der Ausübung von Grausamkeiten.

31- LATIF

Der in der Tiefe des Geschöpfes und der Existenz Verborgene. Derjenige, der viel Wohlwollen zeigt!

32- HABIYR

Das „Entstehen" der manifestierten Namenseigenschaft, als dessen Erzeuger Er von deren Zustand Bescheid weiß. Derjenige, der dem Individuum mit dem bei ihm Manifestierten zu erkennen gibt auf welcher Ebene des Verständnisses es sich befindet.

33- HALIYM

Derjenige, der einem manifestierten Ereignis ohne plötzliche und impulsive Reaktion, dem Zweck der Manifestierung nach beurteilt.

34- AZIYM

Überwältigende Größe, dessen Erhabenheit von keinem Individuum, welches manifestierte Namenseigenschaften besitzt, begreiflich ist.

35- GAFUR

Von der Barmherzigkeit Allahs darf man nie die Hoffnung verlieren. Derjenige, der die notwendige Reinigung machen lässt und so den Segen der Barmherzigkeit erreichen lässt. Der den *Rahim* Namen auslöst.

36- SCHAKUR

Derjenige, der um es zu vermehren, den gegebenen Segen bewerten lässt. Derjenige, der in einem Individuum den Segen ordnungsgemäß bewerten lässt und so zu mehr Öffnungen darüber formt. Löst den Namen „*Kariym*" aus. Dagegen lässt die Verschlossenheit der Eigenschaft des Namens bei dem Individuum das Verschließen gegenüber dem, was ihn erreicht; statt den Segen zu beurteilen, wendet er sich in andere Richtungen und lässt somit die Verschlossenheit dem gegenüber erfahren. Dies wird als „Undankbarkeit", d.h. als das Nichtbeurteilen des Gegebenen definiert. Dies führt zur Entbehrung von Weiteren außerhalb des Gegebenen. Es kommt zum Abbruch des fortlaufenden Segens.

37- ALIYY

Der Höchste, derjenige, der die Existenzen vom Punkt der Wahrheit aus betrachtet.

38- KABIYR

Derjenige, der die Größe der Welten, die mit Seinem Asma erschaffen worden sind, nicht begreifen lässt.

39- HAFIYZ

Der die notwendigen Dinge für den Schutz des Daseins in den Welten erzeugt.

40- MUKIYT

Derjenige, der das Fundament für das Nötige, sei es materiell oder geistig, produziert, damit die Bildung der Eigenschaft des Namens *Hafiyz* erzeugt wird.

41- HASIYB

Derjenige, der Individualität beibehält, indem er die Folgen der Manifestierungen von dem Individuum ausleben lässt. Somit ist er derjenige, der den Fluss der Formierung bis zum Unendlichen erschaffen hat.

42- DSCHALIYL

Die hervorragendste Kapazität und mit seiner Perfektion in der Welt der Taten (*Alam al Afal*) der Sultan.

43- KARIYM

Er ist so großzügig, dass die Manifestierungen, die ihn ablehnen, unzählige Segen verabreicht bekommen. Das **„LESEN"**, also „*IKRA*" („LIES"-erstes Wort der Offenbarung im Koran), wird nur anhand Seiner Großzügigkeit (*Karaam*) in einer Einheit manifestiert. Es erscheint in der essentiellen Wahrheit, in der Essenz jeder Einheit.

44- RAKIYB

Da jede Einheit mit seinem Namen erschaffen wurde, ist Er derjenige, der jeden Moment unter Kontrolle hat.

45- MUDSCHIYB

Derjenige, der wahrlich allen, die sich zu Ihm hinwenden, antwortet und für sie das Nötige formt!

46- WAASI

Derjenige, der mit Seinen Namenseigenschaften alle Welten umfasst.

47- HAKIM

Derjenige, der mit der Kraft des Wissens Ursachen manifestiert, Kausalität formt und dadurch die Wahrnehmung der Vielfältigkeit.

48- WADUUD

Derjenige, der die Attraktion, die Anziehungskraft erschafft. Derjenige, der die absolute und bedingungslose, ohne etwas zu erwartende Liebe erschafft. Es ist die Realität der Liebe in der Liebe von jedem Liebenden.

49- MADSCHIYD

Derjenige, der durch die Manifestierung der wundervollen Schöpfung eindeutig die Erhabenheit Seines Zustandes platziert!

50- BAIS

Derjenige, der ständig neue Lebensdimensionen formt! Als Voraussetzung des Mechanismus **„derjenige, der sich in jedem Moment in einem neuen erstaunlichen Zustand manifestiert"** erschafft *al Bais* kontinuierlich ständig neue Erfahrungen. Der Ausdruck dieses Namens in Bezug auf die Menschheit ist in der *„AMENTU"* (Glaubensbekenntnis) beschrieben als **„***Basul badal maut* **= ich glaube an das Leben (Wiederauferstehung) nach dem Tod"**…

„Wahrlich ihr werdet, während ihr die Dimensionen wechselt, zu Körpern geformt, die angemessen für diese Dimensionen sind!" (Koran 84:19)

Es bedeutet, den Tod zu kosten und dadurch einen neuen Lebenszustand zu beginnen. In dieser Welt (Körper) ist es jedoch auch in unserem Leben möglich, neu **„wiederaufzuerstehen"**. Wie die Auferstehung des *Walayat* (Erleuchtung-der die eigene essentielle Wahrheit kennenlernt), *Nubuwwat* (ein Mensch, der durch eine Gabriel-Offenbarung das kosmische System entschlüsselt) und *Risalat* (Mensch, der durch Gabriel-Offenbarung Wissen über Allah entfaltet bekommt)! Dies sind alles Themen über neue Lebensabschnitte!

Anhand eines anderen Beispiels erklärt, bedeutet *Al Bais* die Keimung eines Samens, um zu einer Pflanze zu sprießen oder um neues Leben zu erwecken. In ähnlicher Weise entsteht das Leben aus dem Tod (inaktives ruhendes Potential). Im Bezug auf den neuen Zustand der Existenz gilt das vorherige als Grab (*Kabir*)…

„Diese Stunde (Tod) **wird wahrlich kommen, da gibt es keinen Zweifel. Mit Sicherheit wird Allah diejenigen** (bewusste Wesen), **die sich in den Gräbern** (innerhalb ihrer Körper) **befinden, wieder auferstehen** (während ein neuer Körper geformt wird, wird ihr Leben weitergeführt).**" (Koran 22:7)

51- SCHAHIYD

Derjenige, der mit Seiner Existenz der Bezeugende der Existenz ist. Er betrachtet durch die

Asma-Eigenschaften, die manifestiert wurden, seine Existenz und ist der Bezeugende der Manifestierungen! Er ist derjenige, der ausleben lässt, dass vom Bezeugten selbst nichts anderes vorhanden ist!

52- HAKK

Derjenige, der ganz offensichtlich die Absolute Wahrheit darstellt! Die Wahrheit und die Quelle von allen manifestierten Funktionen!

53- WAKIYL

Derjenige, der das Erforderliche tut, damit das Notwendige jeder manifestierten, funktionellen Einheit ausgeführt wird. Mit diesem Verständnis entsteht einer, der an sich selbst Vertrauen richtet, deshalb ist er derjenige, der das segensreichste Ergebnis formt. Derjenige, der an die Wahrheit zur Eigenschaft des *Wakiyl*-Namens glaubt, der glaubt auch an alle Namen (alle Kräfte) von Allah! Es ist ein Name, welcher die Quelle des Khalifatgeheimnisses (wörtlich Stellvertreter; das „B" Geheimnis; der Sinn und die Funktion des wahren Menschen) darstellt!

54- KAWWIY

Derjenige, der seine Kraft in ein aktivierendes Potenzial umwandelt, um die Existenz zu manifestieren (und so das Potenzial beinhaltet für die ganze Existenz). Derjenige, der die engelhafte Dimension bildet.

55- MATIYN

Derjenige, der die ganze *Afal*-Dimension (Dimension der Taten) auf den Füssen stehen lässt. *Matiyn* ist derjenige, der die Kraft formt. Derjenige, der Festigkeit und Widerstand verleiht!

56- WALI

Derjenige, der führt und veranlasst, dass ein Individuum seine Wahrheit erfährt und gemäß seiner Essenz leben kann. Es ist die Quelle des *Risalat* (Entfaltung über das Wissen um das wahre „Ich", d.h. des Namens Allah) und des *Nubuwwat* (Offenbarung über den Mechanismus des Systems), welche die Höhepunkte des *Wilayats* (wahres Potenzial des menschlichen Gehirns) darstellen. Während die Eigenschaft des *Risalats* bis zur Unendlichkeit in Kraft tritt, ist die Eigenschaft des *Nubuwwat*s nur in diesem Leben gültig. Ein Nabi führt seine Perfektion weiterhin nach dem Tod fort, aber seine Funktion und Aufgabe als Nabi endet mit dem Tod. Anders der Rasul, seine *Risalat* (die unendliche Aufdeckung des Potenzials) ist weiterhin gültig (so wie es auch in den Walis- d.h. diejenigen, die ihre eigene Wahrheit erfahren haben- gültig ist).

57- HAMID

Derjenige, der seine universale Perfektion auf weltliche Formen beobachtet und bewertet, welches durch den Namen al *Wali* manifestiert wird. Das *Hamd* (die Lobpreisung, d.h. die Bewertung) ist nur Ihm selbst überlassen.

58- MUHSI

Derjenige, der in der Einheit die multiplen Gestalten vom Makro zum Mikro einzeln mit allen Besonderheiten erschafft.

59- MUBDI

Derjenige, der den Ursprung der Welten herbeiführt. Alle mit einzigartigen Qualitäten und Besonderheiten.

60- MUID

Derjenige, der eine neue Lebensdimension denen gibt, die sich ihrer Essenz widmen.

61- MUHYI

Der Leben Spendende, der zum Leben erweckt und erleuchtet. Derjenige, der die Wahrheit mit dem Aspekt des Wissens bezeugt und das Beobachten der eigenen Realität zulässt.

62- MUMIT

Derjenige, der den Tod *„schmecken"* lässt! Derjenige, der von einer Lebensdimension zur anderen Lebensdimension wandern lässt!

63- HAYY

Die Quelle der *Asma*-Welt! Derjenige, der alle *Asma*-Besonderheiten das Leben gibt, der die Existenz formt. Die Quelle der universellen Energie; die Wahrheit und der Ursprung der Energie!

64- KAYYUM

Derjenige, der sich selbst mit Seinen Eigenschaften eine Existenz gibt, ohne etwas dafür zu benötigen. Alles in der Existenz ist beständig durch den Namen *Kayyum*.

65- WAADSCHID

Derjenige, dessen Eigenschaften und Attribute grenzenlos vorhanden sind. Derjenige, von dem nichts verringert wird, trotz der vielfältigen Manifestierungen.

66- MAADSCHID

Derjenige, der grenzenlose Großzügigkeit und Gabe besitzt.

67- AL WAHID...Wahid ul AHAD

Eine EINS, welche keine numerische Vielfalt akzeptiert! Nicht in Teile zu teilen und nicht von Teilen geformt; Die EINS, die nicht vom Verständnis des Pantheismus resultiert! DIE EINS, die den Begriff der Vielfalt aufhebt, zum „Nichts-Sein" führt, welche überhaupt keinen Gedanken und keine Idee aufrecht erhalten lässt!

68- SAMAD

Der ganze, einzige EINE! Unabhängig vom Begriff der Vielfältigkeit! Nicht geformt durch viele Verbindungen von Eigenschaften! Er ist derjenige, der über dem Begrenzungsbegriff hinaus der Besitzer der Einheit ist. Es ist solch eine Einheit, so dass nichts benötigt wird. Das Hadis-i Scharif (ehrenhafte Erklärung des Hz. Muhammad) erklärt es folgendermaßen: „*As Samadullazi la jawfa fiyhi* = **Es ist solch ein SAMAD, es gibt darin nichts übrig gebliebenes (GANZ, EINZIG)!**"

69- KAADIR

Derjenige, der erschafft und sein Wissen beobachtet, ohne auf Kausalität abhängig zu sein. In dieser Sache ist er derjenige, der absolut grenzenlos ist.

70- MUKTADIR

Der absolute Besitzer aller Kraft, die zur Erschaffung, Disposition und Autorität zugehörig ist.

71- MUKADDIM

Derjenige, der Priorität zur Namenseigenschaft gibt, die gemäß dem Schöpfungsauftrag manifestiert wird.

72- MUAKHIR

Derjenige, der in der Schöpfung verschiebt, welches gemäß dem *Hakiym* Namen manifestiert wird.

73- AWWAL

Der Anfang des Erschaffenen, die Asma-Wahrheit, die den ersten Zustand darstellt.

74- AKHIR

Derjenige, der vom Erschaffenen bis zur Unendlichkeit der Letzte ist.

75- ZAHIR

Derjenige, dem etwas offensichtlich ist, derjenige der mit der Namenseigenschaft wahrnimmt!

76- BATIN

Derjenige, dem das Nicht-Wahrzunehmende und die Wahrheit des *Ghayb* (Unsichtbare, Verborgene) offensichtlich ist! (*Awwal, Akhir, Zahir, Batin* ist HU!)

77- WAALIY

Derjenige, der gemäß seinem Beschluss regiert.

78- MUTA`ALIY

Der grenzenlose, unendliche Erhabene; seine Erhabenheit dominiert überall! Er ist der Besitzer von grenzenloser Erhabenheit, der in den Welten durch gar keine Logik, mit gar keinem Ausmaß an Verstand und mit gar keiner Reflexion verstanden werden kann.

79- BARR

Derjenige, der das geformte Temperament und die natürliche Disposition in einem Individuum herabsetzt.

80- TAWWAB

Derjenige, der die Individuen zu ihrer eigenen Essenz führt, indem er sie die Wahrheit wahrnehmen und verstehen lässt. Derjenige, der zulässt, dass Individuen um Vergebung bitten, d.h. fern von ihren Fehlverhalten bleiben und jegliche Verletzungen, die sie begangen haben, kompensieren können. Die Aktion dieses Namens löst den *Rahim* Namen aus, und so wird die Schönheit der Wahrheit beobachtet und ausgelebt.

81- MUNTAKIM

Derjenige, der Individuen die Konsequenzen ihrer Taten erfahren lässt, die verhindert haben, dass sie ihre Wahrheit ausleben konnten. *„Zuntikam"* (Rache), ist die Schlussfolgerung der Manifestierung, dass man den **„Preis"** zahlen muss. Allah ist jenseits von emotionalen Konzepten wie Rache zu begrenzen. Das Wort **„Streng in Bestrafung"** (*Schadid ul Ikab*) im Koran weist auf *al Muntakim* hin, d. h. es ist eine Kraft, die Rache an das Individuum ausübt, weil es nicht die Wahrheit erkannt hat, indem sie die Konsequenzen ihrer obstruktiven Taten in einer strengen und intensiven Art erleben müssen.

82- AFUW

Derjenige, der alle Fehlverhalten außer *„Schirk"* **(Dualität)** vergibt. In einem Zustand von Schirk (Dualität) manifestiert sich die Besonderheit dieses Namens nicht. Was hier unterschieden werden muss ist Folgendes: Dass einem Vergeben wurde, heißt nicht das ein Verlust in der Vergangenheit kompensiert wurde, denn im System von Allah (*Sunnatullah*) gibt es keine Kompensation für Vergangenes. (Nicht Erreichtes)

83- RAUF

Derjenige, der Güte denen zeigt, die sich Ihm zuwenden, indem einem Individuum Schutz vor allem möglichen Unheil gewährt wird, die durch bestimmtes Verhalten entstehen.

84- MALIK-UL MULK

Derjenige, der seine Herrschaft (über die Welt der Taten) so regelt, wie es gewünscht wird, ohne einem Individuum Rechenschaft darüber abzulegen.

„Sag: Oh Allah, Besitzer der Herrschaft (*Mulk-* Dimension der Taten), **Du gibst Herrschaft, wem Du willst und Du nimmst Herrschaft von wem Du willst. Du ehrst, wen Du willst und Du erniedrigst, wen Du willst. Alles Gute ist in Deiner Hand. Wahrlich bist Du über die „erzeugte Existenz" mächtig.** (Koran 3:26)

85- DHUL DSCHALAALI WAL IKRAM

Derjenige, der einem Individuum anhand von *DSCHALAAL* die Nichtigkeit erfahren lässt, indem es seine Wahrheit erkennt, dass es vom Nichts erschaffen wurde und dann durch seine *IKRAM* (Darreichung) es Ewigkeit gewährt, indem es beobachtet, das seine Essenz aus den manifestierten Namen heraus entsteht.

86- MUKSID

Derjenige, der Gerechtigkeit walten lässt, als Voraussetzung seiner *Uluhiyya*, indem jedes Individuum das kriegt, was es verdient, damit es den Sinn seiner Schöpfung erfüllen kann.

87- DSCHAAMI

Derjenige, der die ganze Existenz **„als ein einziges Bild mit vielen Dimensionen"** in seinem Wissen versammelt und zusammenfassend betrachtet. Derjenige, der die Geschöpfe, das Schöpfungsziel gemäß ihrer Aufgaben versammelt!

88- GHANI

Derjenige, der unabhängig von den Manifestierungen seiner Namen und nicht anhand von Etikettierungen zu begrenzen ist, da Er die Eigenschaft „Akbar" (Grenzenlose Größe) besitzt; Mit Seinem Asma ist Er derjenige, der grenzenlos, unendlich reich ist.

89- MUGNI

Derjenige, der Individuen bereichert und sie über andere an Reichtum gewinnen lässt und emanzipiert. Derjenige, der mit Seinem eigenen Reichtum bereichert. Derjenige, der die Schönheiten der Ewigkeit (*Baka*) gewährt, welche aus der Schlussfolgerung des *Fakir*-Daseins (Armut - „Nichtigkeit") resultiert.

„Haben Wir dich nicht in Armut (*Fakir*, in „Nichtigkeit") **vorgefunden und dich bereichert** (mit der Ewigkeit - *Baka*, d.h. haben wir dich nicht zum Diener des *Al Ghani* gemacht, haben wir dich nicht erleben lassen, Diener von demjenigen zu sein, der von den Welten unabhängig ist?)" (Koran 93:8)

„Wahrlich ist Hu es, der bereichert und arm sein lässt." (Koran 53:48)

90- MANI

Derjenige, der verhindert, dass diejenigen Dinge erreichen, die sie nicht verdienen!

91- DARR

Derjenige, der Individuen verschiedene schmerzvolle Zustände (Krankheit, Leid, Unheil) erleben lässt, damit sie sich IHM zuwenden!

92- NAFI

Derjenige, der Individuen nützliche Gedanken und Taten verrichten lässt, damit sie ein vielversprechendes Resultat erreichen.

93- NUUR

Das bestehende Wissen, welches von jedem die Wahrheit darstellt! Jeder ist vom Fundament her *„NUUR"*, d.h. jeder ist aus Wissen erschaffen in „Allahs Wissen". Das Leben existiert mit Wissen. Besitzer von Wissen sind *HAYY*, voller Leben! Derjenige, der ohne Wissen ist, ist deshalb der lebende Tote.

94- HAADI

Derjenige, der die Wahrheit erreichen lässt, der die Notwendigkeit zur Wahrheit ausleben lässt! Derjenige, der die Wahrheit ausspricht und der zur Wahrheit zuwenden lässt!

95- BADIY

Die unvergleichbare Schönheit, derjenige der die Schönheiten erschafft. Derjenige, der unzählige Arten und Existenzen, alle mit einzigartigen und exklusiven Eigenschaften erschafft ohne irgendwelche Beispiele, Muster oder Exemplare zu benutzen.

96- BAKI

Derjenige, der ohne Zeitbegriff alleine vorhanden ist.

97- WARIS

Derjenige, der unter verschiedenen Namen und Formen manifestiert, um die Eigentümer derjenigen, die all ihre Güter verlassen haben, um wahre Transformation zu erfahren, zu beerben und zu beschützen. Nachdem es aufgebraucht ist, ist Er derjenige, der mit einer neuen Zusammenstellung weiterführt.

98- RASCHIYD

Derjenige, der zur Reife bringt! Derjenige, der einem Individuum sich seiner eigenen essentiellen Wahrheit bewusst werden lässt als Schlussfolgerung von Reife und dies auch ausleben lässt.

99- SABUR

„Und wenn Allah das Volk für all ihre Taten verantwortlich halten würde und die Konsequenzen daraus augenblicklich ausführen würde, dann hätte er auf der Erde nicht eine Kreatur (*DABBAH*-Erdling, in „menschlicher" Form, nicht Mensch) **übriggelassen, aber Hu erlässt ihnen eine spezifische Zeit. Und wenn ihre Zeit gekommen ist, können sie es weder eine Stunde aufschieben, noch können sie hinterher sein."** (Koran 16:61)

Derjenige, der wartet, dass jedes Individuum das Programm, wofür es erschaffen wurde, ausführt, bevor es die Konsequenzen seiner Taten erleben muss. Das Erlauben des Tyrannen, dass seine Tyrannei stattfinden kann, d.h. die Aktivierung des Namen *as Sabur* erlaubt beiden, den Unterdrückten und den Unterdrücker, ihre Funktionen auszuführen, bevor die Konsequenzen in vollem Maßstab erlebt werden.

Die Manifestierung der Größe an Unheil bedingt die Formierung der Größe an Grausamkeit.

EINE LETZTE ERINNERUNG

Ganz offenbar kann das *„AKBAR"* (Grenzenlosigkeit) der *„Asma ul Husna"* nicht auf solch eine enge Sichtweise begrenzt werden. Deswegen habe ich mich für viele Jahre an dieses Thema nicht genähert und mich zurückgehalten. Da ich weiß, dass es unmöglich ist die Weite dieser Thematik gebührend zu erfassen. Jedoch wegen des Buches **„Der Schlüssel zum Koran"** bin ich gezwungen worden dieses Thema bis zu einem gewissen Grad zu behandeln. Ich bitte meinem Herrn um Vergebung. Viele Bücher sind über dieses Thema geschrieben worden. Ich habe nur darüber gemäß meines heutigen Verständnisses geschrieben. Vielleicht habe ich nur die Spitze des Eisberges enthüllt!

SubhanAllahu amma yasifun!

„Allah ist von ihren Definitionen *Subhan* (erhaben, weit davon entfernt)!" (Koran 23:91)

Ich habe das Bedürfnis die Wichtigkeit des folgenden Punktes zu erwähnen bevor ich dieses Thema beende:

Alles was ich hier mit euch geteilt habe, sind Dinge, die im reinen universalen Bewusstsein beobachtet und erfahren werden muss, nachdem man von den Begrenzungen der illusorischen Identität („Ich"-heit) und der Dichte des körperlichen Zustandes der Existenz bereinigt wurde.

Falls diese Reinigung das automatisierte Wiederholen von bestimmten Wörtern und Sätze mit sich bringt ohne erfahrbare Bestätigung, dann ist da kein Unterschied zu einem Computer zu sehen, der ein Programm abfährt und deshalb ist das Ganze nutzlos. **Sufismus ist ein Lebensweg!** Diejenigen, die erzählen und die Worte Anderer wiederholen (also tratschen!), verschwenden ihr Leben und finden Gefallen an Satans Spiel!

Der Beweis, dass man die Wahrheit dieses Wissens erlangt hat, ist dass das „Brennen" aufhört! Das bedeutet, es gibt niemanden oder nichts mehr, was einem stören könnte und wenn es keine Situation oder Person mehr gibt, die dich stören könnte, dann bedeutet dies, dass dieses Wissen deine Wahrheit wurde! Solange man durch Wertvorstellungen, die an soziale Konditionierungen behaftet sind, sich selbst begrenzt und man sein Leben mit Emotionen und Taten, die durch diese resultieren lebt, dann wird das Leben als Erdling (nicht MENSCH!) weitergeführt und gereift werden und diese Person wird abhängig von „Kausalität" sein, hier und im Leben danach. Wissen ist für die Anwendung. Also dann lasst uns mit folgender Anwendung anfangen: **„Wissen, welches nicht angewandt wird, ist eine Last auf den Schultern!"**

Lasst am Ende des Tages uns selbst folgendes fragen:

„Bin ich heute Nacht in meinem Schlaf bereit, auf einer ‚Einbahnstraße' eine Reise anzutreten?"

„Stören mich immer noch weltliche Dinge und bereiten mir Kummer? Oder lebe ich meine Dienerschaft in Frieden und Glückseligkeit aus?"

Falls deine Antwort „Ja" bedeutet, dann frohe Botschaft zu dir, mein Freund! Falls nicht, dann erwarten dich morgen viele Aufgaben! In diesem Fall, wenn du morgen aufwachst, dann frage dich selbst: **„Was muss ich heute tun, damit ich heute Nacht mit totalem Frieden und Glückseligkeit einschlafen kann?"**

Danke an demjenigen, der uns erlaubt unsere Tage mit der Bewusstheit zu leben, dass alles was wir besitzen morgen dahinscheiden wird …

Wassalam…

Ein besonderes Dankeschön an den ehrenwerten Imam der Istanbul Kanlica Moschee, **Hasan Güler Hodja**, ein angesehener Gelehrter und ein Beispiel eines Mannes an Wissen, der mir mit **„Die Entschlüsselung des Koran"** beiseite stand und mir assistierte.

AHMED HULUSI
03. Februar 2009
North Carolina, USA

1 - AL-FATIHA

„Audhu billahi minasch schaitanir radschiim"

„Das Ergebnis des Denkens im Menschen mit der Konditionierung durch die Kraft des Zweifelns, dass das „Nicht-Existierende" existent wird und dass die wahre „Existenz" nicht-existent wird. Und so entsteht ein Mensch, der sich selbst außerhalb von Allahs Namen ungebunden als eine Existenz und als Körper akzeptiert; das Ergebnis dessen ist, dass an einem Gott im Himmel sich orientiert wird. Ich suche Zuflucht bei den Schutz bietenden Kräften der Namen Allahs, die meine Wahrheit, Essenz und Wirklichkeit darstellen, vor den Einflüsterungen des gesteinigten Satans."

Bismillahir Rahmanir Rahiym

1. (Im Anwendungsbereich der Bedeutung des Buchstabens „B") **Derjenige, der mein Wesen mit seinen Namen erschaffen hat, mit dem Rahman- und Rahiym-Daseins des Namens Allah.**

2. **„Hamd"** (die Welten, die mit seinen Namen erschaffen wurden, jeden Moment zu bewerten wie Er es wünscht) **gehört gänzlich Allah, der der Rabb** (herrschendes Bewusstsein; der „Herr" ist das Bewusstsein, welches über die Entfaltung der Kombinationsmöglichkeiten der Namen bestimmt) **der Welten** (wie sie im Gehirn eines jeden Individuum entstehen) **ist.**

3. **Rahman und Rahiym.** (Mit seiner „Rahman" Eigenschaft lässt er die Welt aus Eigenschaften bestehen und mit seiner „Rahiym" Eigenschaft ist er derjenige, der jeden Moment die Welten in der Welt der Eigenschaften mit Bedeutungen erschafft.)

4. **Er ist „Malik" über die Bestimmung im „Din"** (Religion, d.h. Sunnatullah, das universale System mit seinen Ordnungsgesetzen), **was gelebt wird bis zur unendlichen Entwicklung.**

5. **Nur Dir dienen wir und für diese Bewusstheit bitten wir um Deine Hilfe** (Um die Al-Asma-ul-Husna genannten Eigenschaften Allahs zu manifestieren, dienen wir Dir als ganze Geschöpfe und um diese Bewusstheit zu erreichen, möchten wir Deine Hilfe haben).

6. **Leite uns zum „Sirat-i-Mustakim"** (der Weg, der unsere essentielle Wahrheit erreichen lässt).

7. **Dem Weg, auf dem Segen** („Nimat": an die Wahrheit desjenigen zu glauben, der mit dem Namen Allah bezeichnet wird, der die Wahrheit von jedem Selbst darstellt und zu denen zu gehören, die die Bewusstheit dieser Kräfte ausleben) **gefunden werden kann, nicht dem Weg, auf dem Dein Zorn** („Ghazab": die Wahrheit der Welten und des Selbst nicht zu sehen und mit seinem Ego begrenzt zu sein) **erreicht wurde und auch nicht zu jenen zu gehören, die irregeleitet wurden** („Schirk" begangen zu haben, d.h. mit Dir etwas **assoziiert zu haben und** von der Wahrheit und vom Verständnis desjenigen, der mit dem Namen Allah bezeichnet wird, der „Wahid ul AHAD us SAMAD" ist, weit entfernt zu leben).

2. AL-BAKARAH

Mit demjenigen, der durch den Namen Allah erwähnt wird (der mein Wesen mit Seinen Namen erschaffen hat, mit der Bedeutung des Buchstabens „B"), der Rahman und Rahim ist.

1. Alif Laam Mim

2. Dies ist das WISSEN und die INFORMATION („BUCH") **über die Wahrheit und der Sunnatullah** (die Ordnungsgesetze des Systems von Allah), **worüber es absolut keinen Zweifel gibt, es ist die Quelle die Wahrheit zu verstehen für diejenigen, die Schutz suchen.**

3. Die an die Wahrheit (dass ihr „Selbst" aus den Kompositionen der Namen von Allah erschaffen wurden) **im „Ghaib"** (was sie nicht wahrnehmen können) **glauben und die das „Salat-i-Ikam" verrichten** (die die Erfahrung machen, was es wirklich bedeutet, die „Hinwendung zu Allah" auszuleben neben den physischen Bewegungen) **und die von den materiellen und spirituellen Gaben im Leben, welches Wir gegeben haben, spenden, ohne etwas zu erwarten.**

4. Und die an das glauben, welches dir von deiner Wahrheit enthüllt wurde (von der Tiefe deiner Essenz zu deinem Bewusstsein) **und was auch schon früher enthüllt wurde und die, die für ihr zukünftiges ewiges Leben im Zustand des „Ikan" sind.** (Absolute Gewissheit und deshalb Akzeptanz über die Wahrheit).

5. Sie sind im Zustand des HUDA (Verständnis der Wahrheit) **über ihren Rabb** (die Namenskomposition, welche ihre Essenz ausmacht) **und sie sind es, die Rettung und Befreiung erfahren werden.**

6. Wahrlich, für diejenigen, die die Wahrheit bedecken und ablehnen, macht es keinen Unterschied, ob du sie warnst oder nicht. Sie glauben nicht!

7. Allah hat die Wahrnehmung ihrer Gehirne vor der Wahrheit verschlossen; ihre Einsicht ist verschleiert. Als Ergebnis ihres Tuns haben sie ein großes Leid über sich ergehen lassen.

8. Und von den Menschen gibt es einige, die sagen: „Wir glauben an Allah gemäß der Bedeutung des Buchstabens „B" (mit dem Glauben, dass die Namen von Allah ihre Existenz formen) **und das jenseitige Leben** (dass sie für immer und auf ewig die Konsequenzen ihrer Taten ausleben werden)." **Aber in Wahrheit ist ihr Glaube nicht gemäß dieser Realität!**

9. Sie glauben, dass sie Allah und die Gläubigen täuschen können (indem sie sagen: „Wir glauben an Allah gemäß der Bedeutung des Buchstaben B"), **aber sie täuschen sich nur selbst, jedoch sind sie sich darüber nicht bewusst!**

10. Ihr Bewusstsein ist nicht fähig klar zu denken (ihre Fähigkeit, die Wahrheit wahrzunehmen) **und Allah hat dies vermehrt. Sie werden ein großes Leid erfahren, weil sie ihre essentielle Wahrheit geleugnet haben.**

11. Und wenn ihnen gesagt wird: „Verbreitet keine Korruption (lebt nicht konträr zur der Absicht eurer Existenz) **auf der Erde** (und zu euren Körpern)". **Dann sagen sie: „Wir sind nur Reformer** (wir machen alles gerecht und angebracht)."

12. Wahrlich, sie sind es, die die Korruption verbreiten (die Dinge verdrehen), **aber sie sind sich dessen nicht bewusst.**

13. Und wenn ihnen gesagt wird: „Glaubt wie die Gläubigen glauben", dann sagen sie: „Sollen wir wie diejenigen glauben, die töricht sind (begrenzt im Verstand und unfähig nachzudenken)**?" Wahrlich sie sind es, die töricht sind** (begrenzt im Verstand und unfähig nachzudenken), **aber sie können dies nicht unterscheiden und verstehen.**

14. Und wenn sie mit den Gläubigen zusammen sind, dann sagen sie: „Wir glauben - wir akzeptieren." Aber wenn sie alleine sind mit ihrem Satan (mit den Perversionen ihrer Skepsis), **dann sagen sie: „Wir denken wir ihr es tut, wir spotten uns nur über sie."**

15. [Aber] sie sind es über die Allah spottet (wegen ihres Versagens, Allah als ihre essentielle Wahrheit zu verstehen) **und er lässt sie in ihrer Überschreitung alleine als Resultat ihres blinden Daseins** (Mangel an Einsicht).

16. Diese sind diejenigen, die den falschen Weg (die Unfähigkeit, ihre eigene Wahrheit zu erkennen) **im Austausch für die Wahrheit, welche ihre Essenz ausmacht, gekauft haben. Ihr Handeln bringt ihnen weder einen Profit, noch wird es sie zur Wahrheit führen!**

17. Ihr Gleichnis ist wie das entflammte Feuer, welches die Umgebung erhellt, aber weil die „Nuur" (Licht-das Wissen um die Wahrheit), **welche von ihrer Essenz kommt, sich nicht manifestieren kann, werden sie von Allah im Dunkeln** (sie verweigern ihrem Selbst die gebührenden Rechte) **gelassen; sie können nicht sehen!**

18. Sie sind taub (das Verständnis ist blockiert), **stumm** (unfähig, die Wahrheit zu artikulieren) **und blind** (sie nehmen die offensichtliche Wahrheit nicht wahr); **sie werden nicht zu ihrer essentiellen Realität zurückkehren!**

19. Oder ist es eher, dass sie sich in einem Regenfall (Gedankenfluss) **befinden, welcher vom Himmel** (die Domäne des Intellekts) **herunterkommt, worin sich Dunkelheit** (wegen des Unwissens), **Donner** (das Zusammenprallen von Wahrheit und Lüge) **und Blitz** (eine plötzliche Einsicht um das Wissen um die Wahrheit) **sich befinden! Wegen der Blitze und der Donner haben sie Todesangst** (in Furcht darüber ihre erschaffene Identitäten oder Egos im Angesicht der Wahrheit zu verlieren) **und halten sich die Ohren zu** (sie verschließen sich selbst vor dem Wissen um die Wahrheit). **Allah ist al-Muhit** (derjenige, der alles durchdringt), **der auch die Essenz derer umfasst, die das Wissen um die Wahrheit leugnen.**

20. Der Blitz (das Aufblitzen der Wahrheit) **erfasst beinahe ihre Bezeugung. Jedes Mal, wenn es** (den Weg) **für sie erleuchtet, machen sie ein paar Schritte vorwärts mit dem Aufblitzen der Wahrheit; aber sobald das Aufblitzen der Wahrheit verschwindet, sind sie im Dunkeln. Und wenn Allah es gewollt hätte, würde Er die Manifestierung seiner Namen Sami** (Wahrnehmende) **und Basiyr** (Sehende) **verringern. Wahrlich Allah ist Kaadir über alle Dinge.**

21. Oh Menschheit, erlangt die Bewusstheit, euren Rabb (die Namen, die eure essentielle Wahrheit, Realität und Wirklichkeit formt) **zu dienen, der der Erschaffer von euch und derer ist, die vor euch waren; so dass ihr zu den Beschützten gehören könnt.**

22. Er machte aus der Erde (Körper) **ein Bett** (Gefährt), **aus dem Himmel** (reines Bewusstsein-Gehirn) **einen Ort zum Leben und entfaltete vom Himmel** (dimensionale Manifestierung) **Wasser** (Wissen) **und hat so Unterhalt zum Leben** (beides körperlich und auch geistig) **euch gegeben. Also verfällt nicht in die Dualität** (Schirk!!), **indem die Existenz eines externen Gottes angenommen wird!**

23. Und falls ihr Zweifel habt darüber, was Wir unserem Diener enthüllt haben (was zu seinem Bewusstsein manifestiert wurde von seiner essentiellen Wahrheit-die Dimension der Namen), **dann produziert eine Sure, die dieser ähnelt! Falls ihr zu eurem Wort steht, dann ruft eure Zeugen auf, die etwas „anderes" darstellen als Allah.** (Das Wort „Anderes" ist vom arabischen Wort „DUN" übersetzt worden, welches auf die Unmöglichkeit hindeutet, dass nichts verglichen werden kann mit der Bedeutung des Namens Allah; und deshalb irgendein vorgestellter Gott kann nur etwas „Anderes" (DUN) als Allah sein und kann in gar keiner Weise verglichen oder eine Ähnlichkeit haben zu der Absoluten Realität, welche Allah genannt wird. Jede Form von Existenz, die durch das Wort „DUN" ausgedrückt wird, bekommt auch ihre Lebenskraft durch die Namenskomposition der Namen von Allah (Asma ul Husna - die „99" Namen, die grenzenlosen Eigenschaften Allahs), aber ihre Existenz kann nicht mit Allah verglichen oder gleichgesetzt werden. Deshalb jede Idee oder Gedanken, die ein Individuum über denjenigen, der Allah genannt wird, hegt, kann niemals IHN definieren gemäß seiner Absoluten Realität. Der Vers „Laysa kamislihi schaya- nichts kann mit IHM verglichen werden" in folgenden Kapiteln betont, dass kein Konzept nahe kommt den EINEN, der ALLAH genannt wird, in seiner Ganzheitlichkeit gebührend zu definieren. All dies wird mit dem Wort DUN definiert. Da es kein deutsches Wort gibt, welches gebührend „Dun" widerspiegelt, bin ich gezwungen das Wort „Anderes" in Klammern zu benutzen.)

24. Aber falls ihr dies nicht tun könnt - und ihr werdet dies auch nie tun können - dann fürchtet das Feuer, dessen Brennstoff aus Menschen und Steinen besteht (Menschen und Steinen als Formen von Bewusstsein; individuelles Bewusstsein materialisiert zu Formen gemäß der Domäne der dortigen Existenz… Allah weiß es besser!) **Denn dieses Feuer verbrennt diejenigen, die die Wahrheit ablehnen!**

25. Und gib gute Nachrichten zu diejenigen, die glauben und sich in Taten involvieren, um die Wahrheit zu erfahren, dass für sie es das Paradies geben wird (im Zustand zu sein, die konstante Anordnung um des Wissens der Manifestierung der Namen von Allah zu betrachten) **unter welche Flüsse fließen. Und da sie diese Versorgung** (Betrachtung) **bekommen haben, werden sie sagen: „Dies ist ähnlich zu dem, was wir vorher gekostet haben." Und es ist auch ähnlich zu dem, was sie vorher gekostet haben. Sie werden dort auf ewig mit ihren Partnern sein gereinigt von dem Schmutz des „Schirks"** (Dualität).

[Anmerkung zu „Partnern" (arabisch Zawdsch): Das Wort „Zawdsch" wird auch für verschiedene Bedeutungen je nach Kontext gebraucht. Der gewöhnliche Gebrauch ist „Partner in der Ehe", aber es wird auch im Kontext benutzt, um auf den Partner des Bewusstseins oder das Äquivalente zum Bewusstsein hinzudeuten, d.h. der Körper, welcher nach dem Tod außer Kraft treten wird. Der siebte Vers der Sure „Wakiah" (Kapitel 56) besagt „azwadschan thalatah", welches drei Arten bedeutet und nicht drei Ehepartner!]

26. Wahrlich Allah wird nicht zögern das Beispiel eines Flügels einer Mücke zu benutzen oder sogar eines noch kleineren Gegenstandes. Und diejenigen, die den Anforderungen ihres Glaubens ausleben, werden wissen, dass dies die Wahrheit ist, welche von ihrem Rabb ihren Ursprung nimmt. Aber diejenigen, die die Wahrheit ablehnen (ohne über die Beispiele nachzudenken, welche gegeben werden) **sagen: „Was meinte Allah mit diesem Beispiel?" Diese Parabel führt viele in die Irre** (wegen der Unfähigkeit ihres erschaffenen Programms-natürliche Veranlagung [Fitrah]) **und manchen**

führt es zur Wahrheit (zur Realisierung ihrer Essenz). (Mit dieser Parabel) **führt Allah keine anderen in die Irre als diejenigen, die ihre Reinheit verloren haben** (die verschleiert von der Wahrheit geworden sind)!

27. **Diejenigen, die das Abkommen mit Allah brechen** (die Notwendigkeit, die Qualitäten der Namen zu manifestieren und das Potenzial, auf diesem Level der Bewusstheit zu leben)**, nachdem sie zu dieser Welt kamen** (sich mit der illusorischen, physischen Existenz zu identifizieren)**, die das teilen, welches den Befehl bekam, sich zu vereinen** (die Beobachtung der Realität der Namen) **und Korruption verursachen** (ihr Leben verschwenden, indem körperliche Begierden verfolgt werden– die Impulse, die vom zweiten Gehirn im Darm entstehen-die Befehle des tierischen Selbst) **auf der Erde** (in der Dimension des körperlichen Lebens). **Wahrlich sie sind es, die die Verlierer sind.**

28. **Wie könnt ihr es ablehnen, dass die Namen von Allah eure Existenz ausmachen** (mit der Bedeutung des Buchstabens „B")**, als ihr leblos wart** (unbewusst eurer essentiellen Realität) **und Er euch zum Leben erweckt hat** (durch das Wissen, welches euch enthüllt wird)**; nochmals wird Er euch sterben lassen** (vom Zustand zu denken, dass ihr nur der Körper seid)**, und wieder wird Er euch zum Leben erwecken** (vom Zustand gereinigt zu sein, die eigene Existenz nur als Körper bestehend zu betrachten und zu ermöglichen in einem Zustand von Bewusstsein zu leben)**... Letztendlich werdet ihr eure Wahrheit sehen.**

29. **HU** (HU=Er; über dieses Wort muss mit dimensionaler Tiefe nachgedacht werden) **ist es, der für euch alles auf der Erde erschaffen hat** (die Qualitäten und Funktionen in euren Körpern). **Danach hat Er sich zu eurer Bewusstseinsdimension (Gehirn) zugewandt und hat es in sieben Stufen** (sieben Kapazitäten des Verständnisses/Stufen des Selbst) **angeordnet. Er ist der Wissende über alles, da Er alles von sich aus erschafft.**

30. **Und als euer Rabb zu den Engeln sagte: „Ich werde auf der Erde** (im Körper) **einen Stellvertreter etablieren** (ein Wesen mit reinem universalen Bewusstsein, der die Bewusstheit hat mit der „Asma ul Husna" zu leben)**". Sie sagten: „Wirst Du jemanden hervorbringen, der Korruption verbreitet und Blut vergießen wird, während wir mit DEINEM HAMD** (mit dem Zustand, deine Existenz zu bewerten, welche Du durch uns manifestiert hast) **TASBIH** (während wir in jedem Moment in einem neuen Zustand gemäß Deinem Wunsch Dienst leisten) **machen und Dich heiligen** (Dich über und jenseits von allen Defiziten halten)**?" „ICH bin über das, welches ihr nicht wisst, ALIYM** (Allwissend).**"**

31. **Und Er lehrte** (programmierte) **Adam** (die Programmierung der Namen, mit der Manifestierung der Kombinationen der Namen vom Nichts heraus zur Existenz) **alle Namen** (das ganze Wissen, welches die Namen und deren Manifestierungen betreffen). **Dann sagte Er den Engeln: „Erklärt die Namen** (die Besonderheiten) **von Adams Existenz, falls ihr auf euren Anspruch beharrt."**

32. **Sie** (die Engel, welche dies nicht bewerten konnten) **sagten: DU bist SUBHAN** (Du erschaffst in jedem Moment etwas Neues und kannst damit nicht begrenzt oder eingeschränkt werden)**; es ist nicht möglich für uns irgendetwas zu wissen, außer Du manifestierst es durch uns! Ohne Zweifel, Du bist absolut Wissend** (Aliym) **und derjenige, der dies innerhalb eines Systems manifestiert** (Hakim).**"**

33. (Er sprach): **„Adam** (der aus dem Nichts entstanden ist und durch die Namen Leben gefunden hat) **erzähl ihnen von der Realität der Namen, die in deiner Existenz vorhanden sind." Als Adam ihnen die Bedeutungen seiner Namen** (welche seine Existenz bilden) **mitteilte** (so, dass die Eigenschaften dieser Namen bei ihm sichtbar

wurden), ließ Allah sie merken: „Habe ich euch nicht gesagt, dass ich wahrlich das Geheime (seine nicht enthüllten Geheimnisse, Eigenschaften) der Himmel (Bewusstsein) und der Erde (Körper) kenne.... außerdem kenne ich auch alles, was ihr verbergt und alles was ihr offen darlegt.

34. Als Wir zu den Engeln sagten „werft euch vor Adam nieder", taten sie dies (zur Existenz, welche aus dem Nichts, aus den Namen entstanden sind, in die Dimension der Attribute und Namen gebracht) ... Doch Iblis leugnete wegen seines erhöhten Egos (durch die Erkenntnis seiner inneren Welt [Potenzials] ließ er sich von der Wahrheit seiner Außenwelt verschleiern.). Er wurde zu denen, die die Wahrheit ablehnen (Kafir).

35. Danach sagten wir: „Adam, du und das, welches deinen Zustand, dein Leben teilt (deinen Partner - deinen Körper), macht euch die Dimension des Paradieses zum Wohnsitz. Lebt nach Belieben mit den Gaben dieser Dimension, doch nähert euch nicht diesem Baum, (falls ihr euch doch nähert) werdet ihr zu den Zalims (grausam gegenüber dem Selbst) gehören.

36. Doch der Satan hat sie aus dem (der Dimension), wo sie lebten, hinterhältig hinaus gebracht. Dann sagten Wir: „Steigt hinab, wo ein Teil von Euch dem Anderen (Seele und Körper) als Feind dienen wird. Ihr (und eure Nachkommenschaft) werdet für eine Weile auf Erden (mit den Bedingungen der Dimension des Körpers) leben und es wird für eine bestimmte Zeit euch nützlich sein.

37. Adam bereute, mit dem Wissen (den Wörtern), welches von seinem „RABB" (von der Dimension der Namen in seinem Gehirn) kam (er erkannte seinen Fehler, was man nicht machen darf und sah ein, dass er nicht der Kraft des Zweifelns, welches sich in ihm selbst manifestiert, folgen darf). Seine Reue wurde angenommen. Ohne Zweifel „HU"; ER nimmt die Reue an und ist derjenige, der die schönen Folgen aus dem „RAHIM"-Namen ausleben lässt.

38. Wir sagten: „Steigt hinab von dort (von der reinen universalen Dimension, wo ihr euch selbst ohne Körper gespürt habt - vom Leben des Paradieses) ... Wenn HUDA (der Rasul- das Wissen, das euch eure Wahrheit begreifen lässt) von Mir zu euch kommt, wer meiner HUDA dann folgt, in denen wird weder Angst, noch etwas, worüber sie traurig sein können, übrig bleiben.

39. Diejenigen, die unsere Zeichen ablehnen und als Lüge ansehen, genau die werden für immer im Feuer (Qualen) sein.

40. Ihr Söhne Israels (sagte Ich) ... Erinnert euch an dem Segen, welcher Ich euch gab und haltet euer Wort, damit auch Ich das Wort halte, welches Ich euch gab („die Stellvertretung" - „Khilafat" in eurer Existenz). Hütet euch nur vor Mir!

41. Und glaubt an das, welches Wir von uns (dimensional) „enthüllen" (der Koran) ließen, welches das bestätigt, was ihr habt (die Thora). Seid nicht die Ersten, die diese Wahrheit leugnen. Tauscht nicht meine Zeichen (die manifestierten Kräfte der Namen), die in eurer Existenz (gemäß dem Geheimnis des Buchstaben „B") vorhanden sind gegen geringe weltliche Werte ein. Schützt euch vor Mir.

42. Vermischt nicht die Wahrheit (die Wirklichkeit) mit dem, was keine Grundlage (Aberglaube) hat. Bewusst (mit Absicht) verdeckt ihr die Wahrheit!

43. Lebt den „Salat-i-Ikam" aus (lebt die innere und äußere Hinwendung aus), gebt das „Zakat" (gebt ein Teil von dem, was euch gegeben wurde, ohne eine Gegenleistung zu

erwarten); **verrichtet die Verbeugung** (Rukuh) **mit denen, die sich verbeugen.** (Spürt die gewaltige Kraft der Namen Allahs in eurer Existenz, verrichtet das „Tasbih" und werdet euch klar, dass dies von demjenigen, der „Muhiyt" ist, der die Wahrheit eures Selbst darstellt, wahrgenommen wird und bemerkt dies, wenn ihr euch vom Rukuh erhebt und „Sami Allahu - Allah ist der einzig Wahrnehmende" sagt).

44. Während ihr den Menschen AL-BIRR (die Schönheit auszuleben, welche die Namen Allahs bei euch bewirken) **empfiehlt, vergesst ihr nicht dies in eurem eigenen Selbst** (zu spüren) **auszuleben? Ihr lest doch das Buch** (das Wissen um die Wahrheit der Existenz) ... **Wollt ihr immer noch nicht euren Verstand benutzen?**

45. (Während ihr auf die Kräfte der Namen in eurer Existenz vertraut) **habt Geduld und bittet um Hilfe, indem ihr euch Ihm zuwendet** (durch „Salaah"). **Dies wird demjenigen sicherlich schwerfallen, der durch sein Ego keine Ehrfurcht** („Khaschiyat") **vor Allah hat!**

46. Diejenigen, die Ehrfurcht empfinden, denken (während sie die Nichtigkeit ihrer Egos/„Ich-Gefühl" spüren) **nur an das Erreichen ihres RABBS** (derjenige, der die Wahrheit darstellt mit den Namen in ihrem Dasein) **und sie werden letztendlich zu Ihm zurückkehren.**

47. Ihr Söhne Israels, erinnert euch an meiner Gabe mit der ich euch segnete (durch das Wissen, welches ich euch gab)**, womit ich euch über verschiedene Völker bevorzugt habe.**

48. Schützt euch vor dem Verfahren, wo niemand für einen anderen etwas zahlen kann, um ihn zu retten; (In jenem Verfahren) **wird weder** (untereinander) **die Fürbitte akzeptiert, noch kann irgendjemand durch Lösegeld gerettet werden, noch wird ihnen Hilfe zuteil werden.**

49. Wir hatten euch auch vor der Familie des Pharaos befreit, denn er hatte euch die größte Qual erleben lassen. Euren Söhnen wurden die Kehlen durchgeschnitten und eure Frauen wurden am Leben gelassen. Ihr habt euch innerhalb eines großes Unheils eures Rabbs befunden.

50. Wir haben das Meer geteilt und euch gerettet durch die Manifestierung der Namen Allahs in eurer Existenz und so haben wir die Familie des Pharaos ertränkt, während sie euch zuschauten!

51. Als wir Moses vierzig Nächte versprachen, habt ihr in dieser Zeit als Zalims (zu eurem Selbst grausam zu sein) **das Kalb** (als Gottheit) **vergöttert.**

52. Nach dieser Tat hatten wir euch vergeben, damit ihr euch vielleicht dankbar (dies gebührend zu bewerten) **erweist.**

53. Doch hatten wir Moses das Buch (das Wissen um die Wahrheit der Existenz) **und den „Furkan"** (das Vermögen/das Wissen zwischen der Wahrheit und der Lüge unterscheiden zu können) **gegeben, damit ihr euch der Wirklichkeit zuwendet.**

54. Moses sprach wie folgt zu seinem Volk: „Mein Volk, indem ihr euch das Kalb (als Gottheit) **angenommen habt, wart ihr grausam zu eurem Selbst** (grausam eurer Wahrheit gegenüber)**! Deshalb zeigt demjenigen, der „Bari" ist** (der die Existenz, aus seinen eigenen Namen, in einer speziellen Konstruktion erschaffen hat) **Reue** (weil ihr IHN in eurer Existenz geleugnet und eine Gottheit außerhalb angenommen habt) **und tötet eure Egos** (illusorisches Ich-Gefühl). **Aus der Sicht von demjenigen, der „Bari" ist, ist dies besser**

und Er nimmt eure Reue an. Wahrlich HU ist derjenige, der vergibt und das Ergebnis seines „Rahmets" (A.d.Ü. den Weg öffnet, welcher zur essentiellen Wahrheit führt) spendet.

55. Als sie sagten: „Moses, solange wir Allah nicht außerhalb von uns ganz offen sehen, glauben wir nicht", schlug ein Blitz (das Wissen um die Wahrheit, welches euch nichtig macht) **auf euch ein, während ihr zu saht.**

56. Dann, sofort nachdem ihr den Tod (eure Nichtigkeit – das in Wirklichkeit einzig und allein „Wahid ul Kahhar" vorhanden ist) **gekostet habt, hatten wir euch mit einem neuen Verständnis das Leben beginnen lassen, damit ihr vielleicht dies bewerten könnt.**

57. Wir haben euch mit Wolken bedeckt (vor der brennenden Wahrheit bedeckt, welches das Fortbestehen des menschlichen Lebens sichert)**, haben auf euch „MANNA"** (die Macht der Kraft der Namen Allahs, welche eure Existenz bildet) **und „SALWA"** (die Empfindung eure geistige/spirituelle Welt zu spüren) (dimensional) **herabsteigen lassen** (von eurer Essenz zu eurem reinen universalen Bewusstsein)... **Wir sagten: „Esst vom Reinen** (guten Dingen)**, womit Wir euch versorgt haben."** Doch waren sie (während sie das Wissen um die Wahrheit nicht bewerten) **nicht Uns gegenüber grausam, sondern sie waren zu ihrem eigenen Selbst** (Dasein) **gegenüber grausam.** (Hier gibt es im Vers eine innere Bedeutung neben der wortwörtlichen Bedeutung. A.H.)

58. Als Wir sagten: „Tretet ein in diese Stadt (Dimension) **und esst dort nach Belieben** (die Segen dieser Dimension)**...tretet ein durch sein Tor mit der Niederwerfung** (während ihr anerkennt, dass nur die Namen von Allah existieren, tretet ein mit der Nichtigkeit eurer Existenz) **und bittet um Vergebung** (vom Spüren eures Egos/Ich-Gefühls)**, damit Wir eure Fehler** (die sich durch euer Ego bildet) **vergeben. Diejenigen** (die Muhsin=Ihsan-Auslebende, die sich so benehmen, als ob Allah sie sieht, obwohl sie Allah nicht sehen können...)**, die mit anderen ohne eine Gegenleistung zu erwarten das teilen, welches Wir gegeben haben, deren Versorgung werden Wir vermehren.**

59. Unter ihnen waren jedoch welche, die die Worte, die ihnen gesagt wurden, vertauschten und dadurch haben sie ihrem Selbst geschadet (wurden zu Zalims). **Als Resultat ließen Wir „Ridschiz"** (Gedanken von Zweifel und Skepsis, welches die Ursache vom Leiden sind) **vom Himmel** (von den Eigenschaften der Amygdala im Gehirn) **herabsteigen.**

60. Als Moses für sein Volk Wasser wünschte, sagten Wir: „(Mit der Kraft der Namen in deiner Existenz) Schlag mit deinem Stab auf Stein. (Als er auf den Stein schlug) **floss Wasser aus zwölf Quellen. Jede Gruppe von Mensch hat ihre eigene Veranlagung und Disposition** (der Ort, wo Wasser getrunken wird) **gekannt. „Esst und trinkt von der Versorgung Allahs, doch übertreibt es nicht auf der Erde, indem ihr Unruhe stiftet", sagten Wir.**

61. Was hattet ihr zu Moses gesagt: „Uns reicht eine Art von Essen nicht, bitte deinen „Rabb" uns von dem, was auf Erden wächst, zu geben; er soll uns vom Grünzeug, Gurken, Knoblauch, Linsen und den Zwiebeln geben!" Moses fragte: „Wollt ihr wirklich das, welches erhöht wurde und besser ist gegen etwas Wertlosem eintauschen? Geht hinunter zur Stadt, dort werdet ihr das, was ihr wollt, bekommen." Daraufhin kam Erniedrigung und Elend über sie. Sie haben den Zorn Allahs (ein Leben ohne sich seiner Essenz/Wahrheit hinzuwenden) **bekommen** (sie haben das Leben nur zur Außenwelt zugewandt ausgelebt). **Denn sie bedeckten die Zeichen** (die Kräfte der Namen) **Allahs in ihrem Selbst und leugneten; entgegen der Realität**

(während sie ihren niedrigen Dasein/Trieben nachgaben) **brachten sie die „Nabis" um. Als Resultat der Aufruhr, welches sich in ihnen manifestierte, haben sie ihre Grenzen nicht gekannt und gingen zu weit.**

62. (Obwohl sie sich im versteckten Schirk/Dualität befinden, Sure Yusuf:106) **Zwischen den Gläubigen, Juden, Christen und Saabier** (diejenigen, die die Sterne als den Gott sehen und diese anbeten); **diejenigen, die mit Allah** („Billahi"-dass ihr Selbst aus den Namen Allahs zustande kam) **und an das ewige Leben glauben und die, welche die nötigen Taten begehen, um ihr Salaamat** (ewigen inneren Frieden) **zu erreichen** („Salih Amal"- aufrechte Tat), **sie bekommen aus der Sicht von ihren Rabb** (Ihre Namenskomposition- die Namen, welche über sie herrschen und sich bei ihnen manifestieren) **den Lohn** (die Kräfte, welche diese Taten mit sich bringen). **Für sie gibt es weder etwas wovor sie Angst haben, noch etwas was sie traurig macht.**

63. **Als wir das Versprechen von euch nahmen und den Tur-Berg über euch erhoben hatten** (ein Wunder von Moses). **Haltet euch an der Kraft fest** (das Wissen um die Wahrheit), **welche wir euch gaben, und erinnert euch an dem, welches in ihm steckt, damit ihr geschützt sein könnt.**

64. **Jedoch habt ihr euch wieder abgewandt und euch euren alten Zustand wieder zugewandt! Ohne das „Fazl"** (die Gunst=die Bewusstheit der Potenziale/Kräfte der Namen) **und „Rahmat" von Allah** (der Weg, der zu Allah führt) **würdet ihr sicherlich zu den Verlierern gehören.**

65. **Sicherlich kennt ihr diejenigen unter euch, die das Sabbatgebot absichtlich übertreten haben. Wir sagten zu ihnen: „Werdet zu erniedrigte Affen** (diejenigen, die durch Nachahmung und Imitation ihr Leben verbringen und das Ausleben der Resultate, welches die Wahrheit mit sich bringt, verlassen)!"

66. **Dies soll hiermit eine lehrreiche Bestrafung sein für diejenigen, die all das erlebt haben und auch für ihre Nachkommen; und eine Lehre für diejenigen sein, die sich schützen wollen.**

67. **Moses sprach zu seinem Volk: „Allah befiehlt euch eine Kuh zu schlachten..." Sie erwiderten: „Verspottest du uns?" Moses antwortete: „Ich suche Zuflucht zu Allah, der meine Wahrheit darstellt, damit ich nicht zu den Ignoranten gehöre!"**

68. **„Frage für uns deinen Rabb, was genau verlangt wird** (was soll geschlachtet werden)", **wollten sie wissen? „Wahrlich Er sagt, dass es eine Kuh ist, weder alt noch jung, sondern etwas dazwischen..." Nun befolgt den Befehl.**

69. (Die Antworten befriedigten sie nicht, somit gingen sie noch mehr in unnötige Details ein und) **fragten: „Wende dich deinem Rabb zu und frage, was es für eine Farbe haben soll?" „Wahrlich Er sagt, es soll eine Kuh sein von leuchtend gelber Farbe, damit es eine Freude für diejenigen ist, die diese Kuh betrachten!"**

70. (unnötig aufdringlich) **fragten sie: „Es gibt viele Kühe, die so aussehen; dein Rabb soll uns ganz genau erläutern, was es für eine Kuh sein soll? So Allah will, finden wir die gewünschte Kuh!"**

71. (Moses antwortet) **„Es soll eine Kuh sein, die keiner Joch unterworfen ist, kein Land gepflügt hat, kein Acker gewässert hat, eine Freigelassene von einerlei Farbe!" Sie erwiderten: „Jetzt hast du die Wahrheit gebracht!" Danach fanden sie diese Kuh** (mit viel Mühe) **und schlachteten sie; aber fast hätten sie es nicht gefunden** (sie opferten viel

um diese „eine Kuh" mit diesen spezifischen Eigenschaften zu finden)!

72. Und wisst ihr noch, ihr hattet eine Person getötet und wurdet darüber sehr uneinig und hattet darüber einen Disput. Und Allah ist derjenige, der euer Verborgenes manifestiert!

73. Schlagt (den Getöteten) **mit einem Stück** (während ihr die universalen potentiellen Kräfte eurer reinen Essenz benutzt) **davon** (mit einem Teil der geschlachteten Kuh). **Und so wird dem Toten das Leben gegeben. Mit diesem Beispiel werden euch Zeichen** (die Kraft in eurer Essenz) **gezeigt, damit ihr euren Verstand gebraucht** (dies gebührend bewertet).

74. Nach diesen Ereignissen wurden eure Herzen erneut hart wie Stein, sogar noch härter (so dass die Realität in der Essenz nicht zu manifestieren war). **Es gibt manche Steine, aus ihnen fließen Ströme und es gibt manche Steine, die sich plötzlich spalten und aus ihnen fließt das Wasser. Dann gibt es noch solche Steine, die in Ehrfurcht** (Khaschiyat!) **vor Allah sind und wegrollen. Allah ist von euren Manifestierungen** (weil eure Existenz aus Seinen Namen geformt wird) **nicht verschleiert.**

75. Oh ihr, die den Glauben anwenden, hofft ihr wirklich darauf, dass sie (die Juden mit dieser genetischen Vergangenheit [Veranlagung...]) **euch folgen werden? Es gab einige unter ihnen, die dem „Kalaam Allahs"** (das Wort Allahs, d.h. Moses) **zuhörten und das, was gesagt wurde, verstanden haben, aber danach missinterpretierten sie es absichtlich** (sie veränderten es, indem sie es zu anderen Bedeutungen verdrehten).

76. Wenn sie die Gläubigen begegnen, sagen sie: „Wir glauben"; sobald sie aber untereinander alleine sind, sagen sie: „Wollt ihr denn die Wahrheit, die Allah euch eröffnet hatte jeden erklären, damit das als Beweis gegen euch verwendet wird? Denkt ihr darüber nicht nach!"

77. Begreifen sie den nicht, dass Allah weiß, was sie verbergen oder offenlegen?

78. Es gibt unter ihnen (Ummiyyuna- nicht des Lesens kundig), **die das Buch** (das Wissen um die Wahrheit) **nicht kennen aufgrund ihrer Vermutungen** (die Vorstellungen, die sie in ihren Köpfen gemäß ihren sozialen Konditionierungen gespeichert haben); **sie leben** (grundlos) **mit ihren Annahmen.**

79. Wehe dem, der mit seinen eigenen Händen (unter dem Einfluss seines Egos) **einiges an Wissen aufschreibt und danach behauptet: „Dies ist aus der Sicht von Allah (Indallah!)." Wie beschämend es ist, was solche mit ihren Händen aufschreiben. Und wie beschämend ist der Gewinn, der auf diesem Weg erreicht wurde!**

80. Und sie behaupten noch: „Nach einer bestimmten Zeit wird das Feuer uns nicht mehr erfassen!" Sag denen: „Habt ihr aus der Sicht von Allah (aus der Sichtweise von eurer essentiellen Wahrheit) **solch ein Versprechen erhalten? Allah wendet sich niemals von seinem Versprechen ab! Ihr redet verleumderisch über Allah!**

81. Nein! Die Wirklichkeit ist nicht so, wie sie es vermuten! Wer immer etwas Schadhaftes tut (durch sein Denken oder durch seine Handlungen) **und wenn dieser Fehler** (sein Denksystem) **ihn umgibt** (und wenn der Zustand kommt, wo die Wahrheit nicht gesehen wird), **genau diese sind die Leute des Feuers** (des Brennens) **bis zur Unendlichkeit!**

82. Diejenigen aber, die den Glauben anwenden und „Salih Amal" (A.d.Ü. gerechte Tat- Handlungen, die dazu führen, dass man sich seiner Essenz hinwendet und somit auch spürt, dass der Mensch nicht aus Fleisch und Blut besteht, sondern aus „Seele") **durchführen; diese sind die Leute des Paradieses und werden dort bis zur Unendlichkeit bleiben.**

83. Wir hatten einen Abkommen mit den Kindern Israels; dass sie nichts akzeptieren und nichts anbeten, sondern nur Allah dienen; den Eltern das gebührende Recht zu erweisen, den Verwandten, den Waisen und den Armen „Ihsan" (A.d.Ü. Perfektion, d.h. das zu geben, was man für sich auch wünscht) **zu zeigen und den Menschen schöne Wörter zu sagen** (Wörter, die einen zur Wahrheit führen lassen); **verrichtet das „Salat-i-Ikam" und gebt das „Zakat"** (erlebt das Gebet und gibt einen Teil von dem, welches euch zu Eigen wurde... Bei den Juden war das Gebet und Zakat unterschiedlich zum Islam!] **Aber bis auf wenige seid ihr davon abgewichen und ihr weicht immer noch weiterhin von diesem Pfad ab!**

84. Wir hatten von euch noch ein Abkommen genommen, so dass ihr gegenseitig nicht euer Blut vergießt und ihr euch gegenseitig nicht von eurem Lebensraum vertreiben lässt. Ihr hattet dies bestätigt (akzeptiert) **und bezeugt.**

85. Aber ihr tötet euch gegenseitig und vertreibt unter euch eine Gruppe aus ihren Heimatorten. Gegen diese Gruppe vereint ihr euch als Feinde. Wenn sie zu euch als Gefangene gebracht werden, habt ihr sie frei gekauft und vertrieben (obwohl dies für euch verboten war). **Habt ihr also vom Wissen um die Wahrheit (Buch) einiges akzeptiert und wiederum einiges geleugnet? Die Konsequenz derjenigen, die so handeln, ist Erniedrigung in diesem weltlichen Leben. Und während des Kiyamats** (A.d.Ü: Weltuntergang, Tag des Jüngsten Gerichts; Tag/Moment, wo man seiner reinen Wahrheit, der Allah genannt wird, gewissenhaft Rechenschaft ablegen muss!) **erwarten solche die schlimmsten Qualen! Allah, als eure essentielle Wahrheit, ist nicht in Unkenntnis über eure Handlungen.**

86. Diese haben das ewige Leben (das innerliche Erleben der Wahrheit) **gegen das irdische Leben** (körperliche Begierden und Vergnügen) **verkauft! Ihre Qualen werden nicht verringert! Sie werden auch keine Hilfe finden!**

87. Wahrlich wir haben Moses das Wissen um die Wahrheit (Buch) gegeben; danach haben wir euch mit Rasuls (A.d.Ü. Gehirne, wo sich die Bedeutung des Namens Allahs [des wahren ICH im Universum] entfaltet hat und deshalb Verkünder dieser Wahrheit wurden) **einen nach dem anderen gestärkt. Dem Sohn von Maria, Jesus, haben wir „Bayyina -klare Beweise"** (Zustände, die offenkundig das Erleben des Wissens um die Wahrheit bestätigen) **gegeben. Wir unterstützten ihn noch mit dem „RUH UL KUDS"- die SEELE der Seele** (die Kraft, die Wir in ihm manifestiert haben). **Wann immer Rasuls zu euch kamen, um die Wahrheit zu verkünden, um euer wahres ICH erkenntlich zu machen und euch von eurem „Hawa"** (die niedrigen Bedürfnisse des Egos) **zu befreien, da habt ihr diese Rasuls entweder verleumdet oder getötet, um eure Egos zu erhöhen!**

88. Sie sagten: „Unsere Herzen (Wahrnehmung) **sind in einem Kokon** (wir sind in unserer Welt...wir leben unsere Wahrheit nicht aus)!" **Nein, vielleicht seid ihr von Allah weit entfernt** (verdammt), **weil ihr die Wahrheit geleugnet habt! Wie gering ist euer Glauben!**

89. Und davor flehten sie (die Juden) **um einen Sieg gegen diejenigen, die die Wahrheit leugneten. Dann wurde ihnen aus der Sichtweise Allahs ein neues Wissen, welches das Wissen in ihnen bestätigt hatte, gegeben; derjenige, den sie erwartet hatten** (Hazreti Muhammad, s.a.w.) **ist gekommen, aber sie hatten ihn abgelehnt! Sie leben in einem Zustand, welches weit entfernt von Allah ist!** (Allahs Verdammung ist über diejenigen, die die Wahrheit leugnen)

90. Wie verachtungswürdig es doch ist, dass sie aus Eifersucht einen von den Dienern leugnen, dem Allah „Fazl" (die Bewusstheit der Kräfte der Namen, von der Essenz zum reinen universalen Bewusstsein) **dimensional herabstiegen ließ; wie schlecht ist es doch, dass sie wegen ihrer Leugnung die Wahrheit in ihrem eigenen Selbst zudecken! Deswegen erfuhren sie Zorn über Zorn** (sie fielen in einem Zustand, wo sie ein Leben lebten in dem ihre Wahrheit verdeckt war). **Für diejenigen, die die Wahrheit leugnen, wird ein erniedrigendes Leiden geformt.**

91. Wenn ihnen gesagt wird: „Glaubt an das, welches Allah (dimensional) **enthüllen ließ." Sie sagen dann: „Wir glauben nur an das, welches an uns enthüllt wurde". Und somit lehnen sie das „Enthüllte" von den Anderen ab. Eigentlich ist das, welches enthüllt wurde, eine Bestätigung für das, welches in ihnen selbst ist! Sprich: „Warum habt ihr die Nabis von Allah ermordet, wenn ihr angeblich an die Wahrheit glaubt, welches an euch enthüllt wurde?"**

92. Wahrlich Moses kam zu euch mit offensichtlichen Beweisen, die seine Wahrheit manifestierte... Aber trotzdem habt ihr ein Kalb als Götze (Gott) **verehrt und damit wart ihr grausam gegenüber eurem Selbst** (Wahrheit/Identität).

93. Wir hatten mit euch einen Abkommen, als wir den Berg „Tur" (das Gefühl des Egos aufgehoben hatten) **über euch erhoben hatten.... „Lebt mit der Kraft in eurer Essenz, welches Wir euch gaben, nehmt dies wahr und handelt danach",** (hatten Wir gesagt.) **Sie erwiderten jedoch: „Wir haben es gehört, aber wir akzeptieren es nicht!" Wegen dieser Leugnung wurden ihre Herzen erfüllt mit der Liebe zu dem Kalb** (zu Äußerlichkeiten)! **Sprich: „Wenn ihr sagt, dass ihr den Glauben anwendet und wenn das Resultat eures Glaubens solche Handlungen sind, wie schlimm ist das doch!"**

94. Wenn die unendliche, zukünftige Umgebung des Lebens mit der Sichtweise Allahs nur euch gehören soll, und sonst keinem anderen Menschen, wenn ihr zu eurem Wort aufrichtig steht, dann wünscht doch den Tod!

95. Sie werden aber den Tod nie wünschen aufgrund der Taten, die ihre Hände produziert haben (Sünden)! **Allah, als ihre essentielle Wahrheit, ist der Wissende über diejenigen, die Grausames manifestieren!**

96. Du wirst sie sicherlich als die ehrgeizigsten Menschen bezüglich des weltlichen Lebens sehen! Mit den Taten sind sie sogar noch ehrgeiziger als diejenigen, die innerhalb des Schirks leben (Dualismus, offene oder verborgene Assoziationen bzgl. Allah haben). **All diese wollen tausend Jahre leben! Aber ein langes Leben hält sie nicht von der Qual fern! Allah, als ihre essentielle Wahrheit, bewertet ihre Taten** (Basiyr).

97. Sag ihnen: „Wer auch immer Feindschaft pflegt zu Gabriel, soll unbedingt begreifen, dass Gabriel eine Bestätigung ist für das, was schon früher war und dass er eine Rechtleitung ist und derjenige ist, der eine frohe Botschaft (den Koran) **zu deinem „Schuur"** (reines universales Bewusstsein) **Bi-iznillah** (mit der Erlaubnis Allahs, mit den angemessenen Komposition der Namen, die seine Existenz ausmachen) **„enthüllen" ließ** (dimensional!)."

98. Wer auch immer ein Feind Allahs ist (zur Wahrheit des Allah-Daseins, Uluhiyyat), **seiner Engelsdimension** (zur Manifestierung der Bedeutungen, dass alle Welten aus den Namens Allahs zusammengesetzt sind), **seiner Rasuls** (zu denjenigen, die die Wahrheit artikulieren), **von Gabriel** (zur dimensional enthüllenden Funktion des Wissens um Allah) von **Mikail** (die Kraft, die einem zur Ausrichtung und Erreichung von materiellen und geistigen Lebensunterhalt führt) **ist, dann ist Allah gewiss ein Feind** (dieser) **derjenigen, die die Realität leugnen!**

99. **Gewiss haben Wir dir offene Beweise gegeben, die von keinen anderen geleugnet werden außer von denjenigen, die ihren ursprünglichen Zustand der Reinheit** (mit ihren sozialen Konditionierungen) **korrumpiert haben.**

100. **War es nicht so, dass jedes Mal als ein Versprechen gegeben wurde, eine Gruppe unter ihnen es brachen oder missachteten? Nein, die Meisten unter ihnen glauben nicht!**

101. **Und wenn ein Rasul von Allah zu ihnen kam, um zu bestätigen, was sie bei sich hatten, hat ein Gruppe, die ihr eigenes Buch bekommen hatte** (Wissen), **das Buch Allahs** (das Wissen der Realität und der Sunnatullah) **hinter ihre Rücken geworfen** (weil er kein Jude war), **als ob sie die Wahrheit nicht kannten.**

102. **Sie sind auch den Satanen** (diejenigen, die Korruption verursachen, indem die Illusion hervorgehoben wird) **gefolgt, indem die Souveränität** (Administration) **Salomons geleugnet wurde** (welches durch seine essentielle Wahrheit geformt wurde). **Es war nicht Salomon, der ungläubig war** (von seiner Wahrheit verschleiert war), **aber die Satane glaubten nicht** (indem sie ihre eigenen Illusionen folgten, leugneten sie die Wahrheit). **Sie lehrten den Menschen Magie und das, welches den beiden Engeln, Harut und Marut, in Babylon** (an Maleek) **offenbart wurde. Aber die beiden Engel haben nicht etwas jemandem gelehrt, ohne zu sagen: „ Wir sind nur eine Versuchung, also werdet nicht zu Ungläubigen** (leugnet nicht die Kräfte, die in eurer Wahrheit stecken), **indem ihr das verdeckt, welches in eurer Essenz vorhanden ist** (indem externe Kräfte gebraucht werden, um Magie zu betreiben).**" Und sie haben von den beiden jenes gelernt, um eine Trennung zwischen Eheleuten zu verursachen. Aber sie können niemandem Leid antun, außer durch die Erlaubnis von Allah. Sie haben gelernt, was ihnen schadet und nicht was ihnen Nutzen bringt. Wahrlich diejenigen, die sich dies erkauft haben** (Magie), **werden keinen Nutzen haben im zukünftigen ewigen Leben. Wenn sie nur wüssten, wie elendig die Sache ist für welches sie die Wahrheit ihres Selbst verkauft haben.**

103. **Und wenn sie geglaubt hätten und sich von Schirk** (Dualität) **beschützt hätten, dann wäre die Belohnung, die sich aus der Sicht von Allah manifestiert, weitaus besser gewesen. Wenn sie nur wüssten.**

104. **Oh Gläubige, sagt nicht** (zu Allahs Rasul): **„Ra'ina"** („„pass auf uns auf, beschütze uns"; die Juden haben dieses Wort mit Ironie benutzt, um eigentlich „Idiot" zum Ausdruck zu bringen, deswegen wurde diese Warnung ausgesprochen), **aber sagt „Unsurna"** (lass es uns verstehen) **und hört zu. Für diejenigen, die die Wahrheit ablehnen, gibt es seine schmerzvolle Bestrafung.**

105. **Weder die Ungläubigen der Leute des Buches** (diejenigen, die die Wahrheit ablehnen), **noch die Muschriks** (diejenigen, die ihre Egos oder externe Objekte eine Existenz geben; dualistische Betrachtungsweise), **wünschen dir irgendetwas Gutes, welches von deinem Rabb** (die Eigenschaften der Namen in deiner Essenz) **dimensional enthüllt wurde. Aber Allah wählt für seine Rahmet aus, wen Er will und Allah ist Zul Fazlil Aziym** (Besitzer über die Gewaltigkeit der Gunst, der Potenziale der Namen).

106. **Wenn Wir einen Vers annullieren oder veranlassen, dass es in Vergessenheit gerät,**

dann bringen Wir einen besseren oder einen ähnlichen hervor. **Weißt du nicht, dass Allah Kaadir** (der Besitzer von fortwährender und grenzenloser Kraft) **über alle Dinge ist?**

107. Wisst ihr nicht, dass zur Mulk (Herrschaft-in jedem Moment kontrolliert Er alles, wie er es wünscht) **von Allah die Himmel und die Erde** (reines universales Bewusstsein und Materie-die Dimension des Körpers) **gehören...und dass ihr keinen Freund (Wali!) und Helfer haben könnt, dass etwas anderes wäre als Allah (Dunillahi)?**

108. Oder habt ihr vor, euren Rasul in Frage zu stellen, wie ihr Moses zuvor in Frage gestellt habt? Und wer auch immer den Glauben austauscht für die Ablehnung an die essentielle Realität, hat definitiv den rechten Weg verloren.

109. Viele unter den Leuten des Buches (denjenigen, denen das Wissen um die Wahrheit gegeben wurde), **wünschten sie könnten dich vom Glauben zur Ablehnung bewegen, nur aus ihrem Neid heraus, obwohl sie offensichtlich die Wahrheit unterscheiden. Also vergib ihnen und übersehe ihre Vergehen bis der Befehl Allahs dir enthüllt wird. Wahrlich Allah ist Kadiyr über alle Dinge.**

110. Verrichtet das Salaat-i- Ikam (innerlich wie äußerlich wende dich zu Allah hin mit allen seinen gebührenden Begebenheiten) **und gibt das Zakat** (spendet von dem, welches euch lieb ist, ohne etwas zu erwarten, welches ihr von Allah bekommen habt, an diejenigen, die bedürftig sind). **Was auch immer ihr an Gutem tut, werdet ihr aus der Sichtweise Allahs vorfinden** (innerhalb der Dimension der Namen, welche die innere tiefe Dimensionalität eures Gehirns umfasst). **Wahrlich Allah** (der mit seinen Namen eure Wesen formt) **ist Basiyr.**

111. Und sie sagen: „Keiner wird in das Paradies eintreten außer als Christ oder Jude!" Dies ist nur ihre Vorstellung. Sagt: „Bringt euren Beweis, falls ihr die Wahrheit sagt!"

112. Nein (die Dinge sind nicht so, wie sie es sich vorstellen)!**... Wer auch immer spürt, dass sein Antlitz für** (die Manifestierung der Namen von) **Allah ist, dann ist seine Belohnung von seinem Rabb** (von seiner Wahrheit, Essenz). **Sie werden keine Furcht haben, noch wird es irgendetwas geben, was sie befürchten müssten.**

113. Die Juden sagen: „Die Christen haben keinen gültigen Standpunkt." Und die Christen sagen: „Die Juden haben keinen gültigen Standpunkt," obwohl beide angeblich das Buch (dimensional herabgestiegenes Wissen) **lesen! Dies ist es, was sie über das Wissen sagen, welches sie nicht lesen können! Allah wird über das, worüber sie abweichen, richten am Tag der Auferstehung.**

114. Und wer ist mehr ungerecht als diejenigen, die die Menschen vom Zikir über Allah (die Anerkennung, dass wir nicht existieren, sondern nur Allah) **in Orte der Niederwerfung** (die Erfahrung der Nichtigkeit aus der Sicht der Realität der Namen) **verhindern und bestrebt sind, sie zu vernichten** (indem die Egos der reinen Herzen zu einem Gott gemacht werden). **Solche Leute sollten dort in Furcht eintreten. Sie werden in dieser Welt** (aus der Sicht derjenigen, die die Wahrheit wissen) **erniedrigt werden und im ewigen Leben erwartet sie großes Leid...**

115.Und zu Allah gehört der Osten (der Ort der Geburt und des Ursprungs) **und der Westen** (Aufbau-Verschwinden-Tod). **Also wo auch immer ihr euch hinwendet, ihr seid umgeben vom ANTLITZ ALLAHS** (du bist Angesicht zu Angesicht mit den Manifestierungen der Namen von Allah). **Wahrlich Allah ist Wasi** (umfasst die ganze Existenz) **und Aliym** (im Besitz des Wissens darüber).

116. Und sie sagen: „Allah hat einen Sohn!" Subhan (A.d.Ü. in jedem Moment in einem neuen Zustand und unabhängig davon; nicht auf diesen Zustand zu begrenzen) **ist Hu! Es ist eher so, dass alles, was es in den Himmeln und auf der Erde gibt, ihm gehört. Alle Dinge entstehen durch seine Anordnung.**

117. Er ist al-Badi (Begründer der Himmel und der Erde, der Dinge erschafft ohne Muster oder desgleichen). **Wenn Er etwas entstehen lassen will, dann sagt Er nur: „SEI" und es ist!**

118. Diejenigen, die nicht wissen (was mit dem Namen Allah bezeichnet wird), **sagen** (da Allah als ein oben-befindlicher-Gott angenommen wird): **„Warum spricht Allah nicht mit uns oder schickt uns nicht ein Wunder?" Diejenigen, die vor ihnen gelebt haben, haben auf der gleichen Weise gesprochen. Ihre Sichtweisen ähneln einander** (als Resultat der Spiegelneuronen; sie haben die gleiche Mentalität). **Wir haben auf klarer Weise unsere Verse** (die Zeichen der Realität) **denjenigen gezeigt, die diese gebührend bewerten wollen.**

119. Wahrlich haben Wir aus dir heraus die Wahrheit entfaltet, du bist ein Überbringer von guten Nachrichten und ein Warner. Du wirst nicht über die Bewohner der Hölle befragt werden.

120. Und niemals werden die Christen oder Juden dir zustimmen ohne dass du ihr Verständnis der Religion befolgst. Sage: „Wahrlich, Allah ist der Rechtleiter zur Realisierung eurer Essenz (jemand kann nicht Rechtleitung erfahren, es sei denn Allah will es). **" Falls du ihre Vorstellungen oder Irreführungen befolgst, nachdem was dir an Wissen zuteil wurde, dann wird dich weder ein Freund** (Wali) **noch ein Helfer Allahs erreichen.**

121. Denjenigen, denen das Buch (das Wissen um die Sunnatullah) **gegeben wurde, lesen und bewerten es gebührend. Sie glauben an es. Und wer auch immer es ablehnt, sie sind es, die die Verlierer sein werden** (da sie ihre eigene Wahrheit ablehnen).

122. Oh Kinder Israels, erinnert auch an meinen Segen (indem ich euch über eure innerste essentielle Wahrheit informiert habe) **und dass ich euch anderen Nationen gegenüber überlegen machte.**

123. Und beschützt euch vor einer Zeit, wenn keine Form des Daseins irgendeiner anderen Form des Daseins etwas zahlen kann, um es zu retten. Kein Lösegeld (Kompensation) **wird akzeptiert, noch wird irgendeine Fürbitte von Nutzen sein, noch kann ihnen in irgendeiner Weise geholfen werden!**

124. Und erinnert euch als Abraham von seinem Rabb (die Namenskomposition, die sein Wesen ausmachte) **geprüft wurde durch bestimmte Dinge** (erinnert euch an seine Antworten bezüglich der Sonne, den Sternen und des Mondes) **und er gebührend seinen Auswertungen gemäß diesen Themen standgehalten und seine Prüfung erfolgreich bestanden hatte. Dann sagte sein Rabb: „Wahrlich werde ich dich als ein Führer** (jemand der wegen seines Wissens befolgt wird) **der Menschen machen." (Abraham) sagte: „Und auch von meinen Nachkommen?" Sein Rabb sagte: „Mein Versprechen grenzt die Zalim** (diejenigen, die ihrem Selbst die Rechte berauben; sich nur dem Körperlichen hingeben und das grenzenlose Potenzial ablehnen) **aus."**

125. Und Wir machten DAS HAUS (Kaabah-Herz) **zum sicheren Schutzort für die Menschen. Also nehmt die Station Abrahams** (die Station, wo die Potenziale der Namen realisiert werden) **als einen Ort des Salaahs** (ein Ort, wo die Hinwendung zu Allah ausgelebt und erfahren wird). **Wir sagten Abraham und Ismail: „Erhaltet Mein Haus in einem Zustand der Reinheit, so dass diejenigen, die Tawaaf** (Umrunden der Kabaah) **ausüben und sich dort zurückziehen ihre Dienerschaft ausleben können durch Rukuh** (Verbeugung-Erfahrung, dass alles durch die Namen entsteht) **und Sadschda** (Niederwerfung-die Nichtigkeit gegenüber dem wahren ICH erfahren).**"**

126. **Und Abraham sagte: „Mein Rabb, mache dies zum sicheren Ort und versorge seine Leute** (diejenigen, die die Wahrheit ihres Selbst kennen)**, die an Allah und das ewige Leben glauben, mit Früchten ihrer Taten."** (Sein Rabb) **sagte: „Auch für diejenigen, die die Wahrheit ablehnen, werde ich noch eine gewisse Zeit** (im weltlichen Leben) **Versorgung bereitstellen, dann aber überlasse ich sie dem Leiden des Feuers!"** Wie **elend ist diese Konfrontation mit der Wahrheit!**

127. **Und als Abraham die Wände des HAUSES** (Kaabah; Herz; den 7. Zustand des „Himmels"[Bewusstsein]) **mit Ismail errichtete, sagte er: „Unser Rabb, akzeptiere** (dies) **von uns. Wahrlich bist Du der Wahrnehmende** (als die Wahrheit der Existenz) **und Wissende.**

128. **Unser Rabb** (die Namen, die unsere Essenz formen)**, ermögliche, dass wir zu Dir in Ergebenheit uns befinden und bilde von unseren Nachkommen eine Nation, die sich in Ergebenheit Dir gegenüber befindet. Und zeig uns unsere Rituale** (die Anwendung der Hadsch-Pilgerfahrt) **und akzeptiere unsere Reue. Wahrlich, Du bist derjenige, der Tawwab** (Reue akzeptiert) **und Rahim ist** (als Resultat werden ihre Schönheiten, die sich daraus ergeben, ausgelebt).

129. **Unser Rabb, enthülle einen Rasul** (etabliere eine Form, welche eine Komposition der Namen manifestiert, welche die Wahrheit offenbart) **in ihnen, der ihnen lehrt unsere Zeichen zu lesen** (die Manifestierung Deiner Namen, welche die Wahrheit der Menschen formt) **und ihnen das Wissen** (ein Buch) **des manifestierten Systems lehrt und sie reinigt. Wahrlich, Du bist Aziyz und Hakim.**

130. **Und wer wird sich vom Volk Abrahams wegdrehen** (diejenigen, die an ihre Wahrheit der Existenz glauben)**, außer diejenigen, die ignorant und verständnislos über die Besonderheiten der Namen sind, welche ihre Essenz ausmachen? Wahrlich haben Wir ihn in dieser Welt ausgewählt und gereinigt. Im jenseitigen Leben wird er zu denjenigen gehören, die das Resultat ausleben, die essentielle Wahrheit erreicht zu haben.**

131. **Und als sein Rabb zu ihm sagte: „Ergebe dich!" Da sagte er: „Ich habe mich zum Rabb der Welten** (das wahre ICH) **ergeben** (Abraham wurde sich bewusst, was es bedeutet, sich in Ergebenheit dem Rabb der Welten gegenüber-die Namen, die das ganze Universum und alle Dimensionen formen- zu befinden).

132. **Und Abraham** (im Einklang mit dieser Wahrheit) **vermachte seinen Söhnen, wie auch Jakob, Folgendes: „Oh meine Söhne, wahrlich Allah hat für euch diese Religion** (Verständnis des Systems) **ausgewählt, also stirbt nicht ohne die Bewusstheit über eurer Ergebenheit Allahs gegenüber."** (Muslim bedeutet das Bewusstsein auszuleben, dass man gänzlich und absolut sich Allah [dem einzigen und grenzenlosen Bewusstsein] gegenüber in Ergebenheit zu befinden.)

133. **Oder wart ihr Zeuge als der Tod sich Jakob näherte? Als er seinen Söhnen sagte: „Was werdet ihr nach mir dienen? Sie sagten: „Wir werden in Dienerschaft weiterhin demjenigen gegenüber sein, der Ilahun WAHIDUN ist-der eine, einzige Gott** (der

Name Allah, der ihre essentielle Wahrheit entstehen lässt), **der dein Gott und den Gott deiner Väter, Abraham, Ismail und Isaak darstellt, denn wir sind uns bewusst unserer Ergebenheit HUs gegenüber.**

134. Dies war eine Gesellschaft, die verging. Ihnen gehörte, was sie verdiente und zu dir gehört, was du verdienst. Und du wirst nicht verantwortlich sein bezüglich ihrer Taten.

135. Sie sagen: „Seid Juden oder Christen, so dass ihr auf dem rechten Weg seid." Sagt lieber: „**Wir befolgen lieber der HANIF Religion des Volkes Abrahams** (wir teilen den gleichen Glauben, ohne das Konzept einer oben-befindlichen-Gottheit, mit dem Bewusstsein der Non-Dualität), **denn er war nicht von den Muschriks** (Dualisten, versteckte/unbewusste Assoziationen und Vergleiche im Gehirn zu speichern bzgl. der Bedeutung des Namens Allahs).**"**

136. Sag: „Wir glauben an Allah (als die essentielle Wahrheit der ganzen Existenz) **und an das, welches zu uns enthüllt wurde und auch was zu Abraham und Ismail und Isaak und Jakob und zu seinen Nachkommen enthüllt wurde; und was auch an Moses und Jesus gegeben wurde; und auch an das, welches den Nabis von ihren Rabb gegeben wurden. In diesem Sinne machen wir keinen Unterschied zwischen ihnen. Wir gehören zu denjenigen, die sich gänzlich in Ergebenheit befinden zu HU!"**

137. Also, wenn sie an HU glauben in der gleichen Weise wie du an HU glaubst, dann werden sie den Weg zur Wahrheit gefunden haben. Aber falls sie sich wegdrehen, dann werden sie als fragmentiert und engstirnig zurückgelassen sein. Allah reicht dir aus gegen sie. Und HU ist Sami und Aliym.

138. Der Farbton (Sibghat) **Allahs! Und was kann schöner sein als mit dem Farbton Allahs bestrichen zu sein? Wir gehören zu denjenigen, die HU dienen!**

139. Sag: „Argumentierst du mit uns über Allah?" HU ist unser Rabb und euer Rabb! **Unsere Taten** (und deren Konsequenzen) **sind für uns und eure Taten** (und deren Konsequenzen) **sind für euch. Wir gehören zu denen, die sich HU gegenüber in Ikhlas** (in Reinheit der Essenz gegenüber) **zuwenden."**

140. Oder behauptest du, dass Abraham und Ismail und Isaak und Jakob und seine Nachkommen Juden oder Christen waren? Sag: „Weißt du mehr oder weiß Allah mehr?" Wer kann mehr ungerecht und grausam (sich selbst gegenüber) **sein als jemand, der die Bezeugung** (Schahadat) **aus der Sichtweise Allahs verhüllt? Allah, als die essentielle Wahrheit eures Wesens, ist nicht in Unkenntnis über das, was ihr tut.**

141. Dies war eine Gesellschaft, die verging. Ihnen gehörte, was sie verdiente und zu dir gehört, was du verdienst. Und du wirst nicht verantwortlich sein bezüglich ihrer Taten.

142. Unter den Menschen gibt es jene, die begrenzt sind im Verständnis und ein elendes Leben haben, die sagen: „Welche (Entschuldigung) **haben sie, dass sie sich von ihrer alten Kiblah** (d.h. von Jerusalem zur Kaabah) **weggedreht haben?" Sag: „Zu Allah gehört der Osten und der Westen. HU führt zur Rechtleitung** (ermöglicht die Realisierung, die einem zur essentiellen Wahrheit führt) **wen HU will** (Sirat-ul Mustakim).**"**

143. Und so haben Wir euch als Zeuge gemacht über die Menschen und den Rasul ein Zeuge über euch. Ihr seid eine gerechte Gesellschaft (basierend auf Gerechtigkeit und Rechten). **Wir haben die Kiblah** (Richtung), **zu welchem ihr euch gedreht habt,**

geändert, um diejenigen zu unterscheiden, die den Rasul folgen und die ihn nicht befolgen und sich abwenden. Dies ist sehr schwierig außer für diejenigen, denen Allah Rechtleitung gibt. Und niemals wird Allah euren Glauben vergebens sein lassen. Wahrlich Allah ist derjenige, der den Menschen von ihrer Essenz heraus Rauf (diejenigen, die sich zu HU drehen, lässt HU die richtigen Taten und Handlungen entstehen) und Rahim (lässt die engelhafte Dimension entstehen) manifestiert.

144. Wir sehen das Drehen eures Antlitzes (wie ihr euch verändert auf der Welt von einem Zustand zum anderen durch die Bezeugung/Betrachtung der Wahrheit) zum Himmel. (Basierend auf dem Vers: „Wo auch immer ihr euch dreht, da seht ihr das Antlitz Allahs"... Warum sollte jemand an Jerusalem gebunden sein, wenn man sich zur Kabaah drehen kann, zu welchem auch Abraham eingeladen hatte.) Wir werden euch sicherlich zu einer Kiblah zuwenden lassen, welche euch zufriedenstellen wird. Also dreht und wendet euer Antlitz (das Betrachten der Wahrheit) zur Masdschid al Haram (Kabaah-absolute Nichtigkeit, zum Nicht-Wahrnehmbaren, zum Nicht-Manifestierten). Und wo auch immer ihr seid, dreht euer Antlitz zu Hu (richtet euer Bewusstsein zu eurer Essenz aus). Wahrlich diejenigen, die ein Buch (das Wissen um die Wahrheit und der Sunnatullah) bekommen haben, wissen sehr gut, dass es die Wahrheit von ihrem Rabb ist. Und Allah, als die essentielle Wahrheit ihres Wesens, ist nicht in Unkenntnis darüber, was sie tun.

145. Und wenn ihr alle Verse (Wissen, welches auf die Wahrheit hinweist) denjenigen bringt, die ein Buch bekommen haben, dann würden sie immer noch nicht eurer Kiblah folgen! Noch werdet ihr ein Befolger ihrer Kiblah sein. Im Grunde genommen befolgen sie ihrer eigenen Kiblah nicht. Also falls ihr deren Begierden (Ideen und Wünsche, welche durch ihre Konditionierungen geformt wurden) Folge leistet, nachdem was ihr an Wissen bekommen habt, dann werdet ihr sicherlich zu den Zalims (Grausamen-dem ewigen Dasein, das nötige Potenzial zur Glückseligkeit zu entziehen) gehören.

146. Einigen von ihnen, denen Wir Wissen (Buch) gegeben haben, kennen Ihn (Hz. Mohammed) wie sie ihre eigenen Söhne kennen. Aber eine Gruppe von ihnen verbirgt die Wahrheit mit Absicht.

147. Die Wahrheit (die absolute und unmissverständliche Realität) ist von deinem Rabb (das Ergebnis der Namenskomposition, welche dein Gehirn bildet), also gehöre niemals zu den Skeptikern (dieser Wahrheit)!

148. DENN JEDER HAT EIN ANTLITZ, ZU DEM ER SICH DREHT... Also wetteifert zu guten Taten (strebt danach euren Rabb kennenzulernen; die Besonderheiten/Qualitäten, die eure essentielle Wahrheit ausmacht). Und wo auch immer ihr seid, Allah, als eure essentielle Wahrheit, bringt und führt alles zusammen. Wahrlich, Allah ist al-Kaadir über alle Dinge.

149. Also von wo auch immer ihr (von welchem Gedanken; Perspektive) heraus tretet, dreht euer Antlitz (Bezeugung/Betrachtung) zum Masdschid-al-Haram (der Zustand in der Sadschda-Niederwerfung, in welchem die Realität über die Nichtigkeit der Vielfältigkeit/Multiplizität erfahren wird) und sicherlich ist es die Wahrheit von deinem Rabb. Und Allah, als die Essenz eurer Existenz, ist nicht in Unkenntnis darüber, was ihr tut.

150. Also von wo auch immer ihr (von welchem Gedanken; Perspektive) heraus tretet, dreht euer Antlitz (Bezeugung/Betrachtung) zum Masdschid-al-Haram (der Zustand in der Sadschda-Niederwerfung, in welchem die Realität über die Nichtigkeit der

Vielfältigkeit/Multiplizität erfahren wird). **Und wo auch immer ihr seid, dreht eure Antlitze dahin, damit die Menschen kein Argument gegen euch haben können. Jedoch diejenigen unter euch, die durch Taten zu den Zalims** (kein Interesse zeigen, die Wahrheit auszuleben) **gehören, werden gegen euch sein. Aber fürchtet nicht sie, fürchtet MICH, so dass Ich meinen Segen euch gegenüber erfüllen kann, so dass ihr die Erfahrung eurer essentiellen Wahrheit realisieren könnt.**

151. Wir haben einen Rasul von eurem Innersten (um die Wahrheit zu artikulieren) **zu euch entfalten** (manifestieren) **lassen, der zu euch Unsere Verse** (die Zeichen bezüglich der Formierung über die Wahrheit der Existenz) **rezitiert** (liest und erklärt) **und euch reinigt und euch das Buch** (der Wahrheit und Sunnatullah) **und die Weisheit** (System über die Ordnung und Formation der Existenz, seine Mechanik zur Formation) **lehrt und das, welches ihr nicht wusstet.**

152. Also erinnert (Zikir) euch an Mich (denkt über mich nach-bringt Mich in euer Bewusstsein), **so dass Ich Mich an euch erinnern kann. Und seid Mir gegenüber dankbar** (bewertet Mich gebührend) **und lehnt Mich nicht ab** (deckt die Wahrheit nicht zu gemäß der Tatsache, dass Ich eure Wahrheit und die Wahrheit der gesamten Existenz bin).

153. Oh ihr, die den Glauben anwenden, ersucht Hilfe durch Geduld (Ausdauer), **welche von eurer Wahrheit sich manifestiert und durch Salaah-die Hinwendung** (Die Betrachtung, welche daher resultiert, dass man sich zu seiner essentiellen Wahrheit hinwendet, zu der „Asma Martaba"-Dimensionsebene der Namen/Attribute). **Wahrlich Allah ist mit den Geduldigen zusammen** (durch Seinen Namen as-Sabur, das Maiyyet-Geheimnis [die Erfahrung zu „sterben" bevor man stirbt]).

154. Und sagt über diejenigen nicht „sie sind tot", die auf dem Wege Allahs gestorben sind (weil sie Gläubige waren und sie für Ihren Glauben gekämpft haben). **Im Gegenteil, sie sind lebendig, aber ihr seid nicht im Besitz einer solchen Kapazität, dies wahrzunehmen.**

155. Und Wir werden sicherlich euch mit Dingen wie Furcht, Hunger, Verringerung des Vermögens und des Lebens (Lebewesen, die euch lieb sind) **und den Ergebnissen und Früchten eurer Taten prüfen. Dies ist der Kampf gegen welcher die Geduldigen standhalten** (diejenigen, die davon absehen zu reagieren und warten und absehen wie die Dinge sich entwickeln).

156. (Sie sind jene), die, wenn eine Katastrophe sie trifft, sagen: „Wir sind für Allah (wir sind eine Manifestierung Seiner Namen) **und zu HU kehren wir zurück** (wir werden diese Wahrheit letztendlich erfahren).

157. Sie sind diejenigen, die die Hinwendungen zu ihrem Rabb erfahren (die Offenbarung, dass sie ihre Wahrheit realisieren) **und „Rahmat"** (die Betrachtung der schönen Manifestierungen Seiner Namen) **erhalten. Und sie sind es, die Rechtleitung gefunden haben.**

158. Wahrlich, Safa und Marwah gehören zu den Zeichen Allahs. Wer das Haus (Kaabah) mit der Absicht Hadsch oder Umrah auszuführen, besucht, da gibt es nichts Falsches, wenn man Tawaf zwischen den beiden (Safa und Marwah) durchführt. Und wer auch immer wegen des Guten mehr ausführen möchte, wahrlich Allah ist Schakir (derjenige, der das mehr als notwendig Ausgeführte bewertet) **und Aliym.**

159. Wer die Zeichen und die Rechtleitung, nachdem was Wir zur Menschheit im Buch enthüllen ließen und offensichtlich mitgeteilt haben, verbirgt, wird von Allah

verflucht sein (wird weit von Allah entfernt sein) **und verflucht sein von allen, die des Fluchens fähig sind** (d.h. sie werden das Resultat erfahren, was es bedeutet von Allah getrennt zu sein, sowohl intern wie extern).

160. **Außer diejenigen, die um Vergebung bitten** (die ihre Fehler verstehen und zugeben und rigoros davon Abstand halten) **und sich verbessern** (aufgrund der Fehler, die sie in ihrem Innern gefunden haben, verlassen sie ihre Umgebung) **und die Wahrheit aussprechen. Und Ich bin Tawwab und Rahim** (Ich bin derjenige, der Reue und Vergebung annimmt und die Erfahrung ausleben lässt, welche verschiedene und schöne Ergebnisse daraus resultieren).

161. **Wahrlich diejenigen, die das Wissen um die Wahrheit leugnen** (diejenigen, die leugnen, dass die Welten und ihr eigenes Selbst die Manifestierungen der Namen Allahs sind) **und diejenigen, die mit diesem Verständnis sterben... Selbstverständlich ist auf ihnen der Fluch Allahs** (das Resultat weit von Allah entfernt zu sein), **der Fluch der Engel** (das Resultat weit entfernt zu sein, sich mit den Kräften/Potenzialen der Namen, welches ihr Selbst ausmacht, „beschmückt" zu haben) **und der Fluch der ganzen Menschheit** (von der Wahrheit verschleiert zu sein, welche sich in anderen manifestiert).

162. **Sie werden auf ewig die Resultate dieser Verfluchungen ausleben. Ihr Leiden wird niemals verringert werden, noch wird ihnen eine Zeit gegeben** (um ihre Fehler in Ordnung zu bringen).

163. **Den Gott, den ihr akzeptiert, ist ILAHUN WAHID-ein EIN und EINZIGER GOTT** (eine EINS, ohne dass irgendetwas Zweites hinzugezählt werden könnte)! **Es gibt keinen Gott** (Konzept von Gott, Götter, irgendwo), **nur „HU", der Rahman und Rahim ist** (alles wurde durch Seine Namen, Qualitäten, Attribute und Besonderheiten manifestiert und erschaffen).

164. **Ohne Zweifel in der Schöpfung der Himmel und der Erde** (höhere Bewusstseinsdimensionen und des Körpers), **im Ablauf von Tag und Nacht** (der Kontrast der Betrachtung der Nichtexistenz der Welten und wie es Formen annimmt, als existent zu erscheinen), **die Schiffe, welche auf dem Meer zum Nutzen der Menschen schwimmen** (das individuelle höhere Bewusstsein, welches im Ozean des „Wissens um Allah" schwimmt); **wie Allah vom Himmel Wasser zur Erde herabsteigen lässt, um es wieder mit Leben zu erfüllen, nachdem es starb** (um Wissen dimensional dem „Bewusstsein des Körpers" zu geben, damit es „lebendig" wird mit einem höheren Bewusstseinszustand, weil es unbewusst seiner Wahrheit war, also tot), **und wie darin alles Leben verteilt wurde** (wie alle Kräfte in allen Organen im Körper durch Allah geformt werden); **und durch die Richtungen der Winde** (die Anerkennung der Potenziale der Namen im körperlichen Bewusstsein) **und der Wolken, welche zur Verfügung stehen zwischen Himmel und Erde** (die bildende Existenz der Kräfte des universalen reinen Bewusstseins, welches sich im Körper-Bewusstsein manifestiert) **sind Zeichen für ein Volk, welches seinen Verstand benutzen kann!** (Diejenigen, die ihr Intellekt benutzen können, die tief über etwas nachdenken können).

165. **Es gibt einige, die etwas anderes als Allah vergöttern und anbeten, indem sie es lieben wie die Liebe zu Allah** (als ob sie Allah dabei lieben)! **Die Gläubigen aber bezeugen und betrachten die Liebe nur zu Allah** (geben keiner anderen Person eine Existenz). **Wenn die Zalims** (die Formen des Selbst, die ihre eigene Wahrheit ablehnen), **sich selber schaden und das Ergebnis sehen, welches sich aufgrund ihres Handelns angesammelt hat, dann realisieren sie, dass die einzige manifestierte Kraft in den Welten zu Allah gehört, aber es wird zu spät sein... Wenn sie nur es früher hätten**

realisieren können... **Allah ist Schadid ul Azaab** (derjenige, der zu jenen, die beharrlich ihre durchgeführten Fehler ausführen, mit Strenge die Resultate diesbezüglich ausleben lässt).

166. Wenn diejenigen, die befolgt werden, das Leiden sehen, welches ihre Befolger erwartet, dann werden sie sich abwenden und sich von ihnen entfernen. Wenn die Wahrheit offensichtlich wird, wird das Bündnis zwischen ihnen aufgelöst sein!

167. Die Befolger (von Dingen, welche etwas anderes als Allah darstellt) **werden sagen: „Wenn wir doch nur eine zweite Chance bekommen würden und unser Leben noch einmal leben könnten, so dass wir uns von denjenigen abwenden, die sich von uns abgewandt haben." So zeigt Allah ihnen die Ergebnisse ihrer Taten durch schmerzhafte Reue. Das innerliche Brennen, welches von ihrer Reue herbeigeführt wird, wird nicht aufhören!**

168. Oh Menschen, esst von der Erde (welches zur körperlichen Dimension gehört), **was halal** (erlaubt) **ist und was als rein gilt** (von den Dingen, die nicht eure essentielle Wahrheit verdecken). **Folgt nicht den Schritten Satans** (reagiert nicht auf den Impulsen eures zweiten Gehirns, dem Darmhirn). **Sicherlich ist er ein klarer Feind.**

169. Er (Satan) **wird euch nur Befehle geben, an Dinge zu denken und Dinge zu tun, welche eure Egos stärken wird, um nur für körperliche Vergnügen zu leben und grundlose Urteile bezüglich Allah, ohne irgendwelches Wissen, zu fällen.**

170. Wenn ihnen gesagt wird: „Glaubt an das, welches Allah enthüllen ließ (das Wissen um die Sunnatullah und das Wissen um die gesamte und auch eurer Existenz durch die Namen Allahs)." Sie sagen: „Nein, wir befolgen das, was unsere Väter befolgt haben (externe Gottheit)." Was wenn eure Väter irregeleitet waren und daran scheiterten, die Wahrheit zu verstehen?**

171. Der Zustand derjenigen, die die Wahrheit ablehnen ist jenen gleichzusetzen, die einen Ruf hören, jedoch diesen Ruf nicht verstehen können. Denn sie sind taub (gemäß ihres Verständnisses), **stumm** (nicht fähig, die Wahrheit zu artikulieren) **und blind** (nicht fähig, die offensichtliche Wahrheit zu bewerten). **Sie benutzen ihren Verstand nicht!**

172. Oh Gläubige! Esst von dem mit welchem Wir euch versorgt haben, welches rein ist. Und seid Allah gegenüber dankbar (bewertet dies gebührend), **wenn ihr nur Ihn dienen wollt.**

173. Er hat euch nur das tote Tier, Blut, das Fleisch des Schweines und das, welches im Namen von etwas anderem als Allah geschlachtet wurde, verboten. Aber falls ihr durch Notwendigkeit gezwungen werdet, dann gibt es keine Sünde, wenn ihr von diesen Dingen esst, ohne euch zu schaden, ohne etwas gesetzlich (welches ungesetzlich ist) **zu machen und ohne über die Grenzen hinaus zu gehen** (mehr als notwendig essen). **Sicherlich ist Allah Ghafur und Rahim.**

174. Diejenigen, die das verbergen, welches im Buch von Allah (die Wahrheit der Existenz und des Sunnatullah-Wissens) **enthüllt wurde und es** (ihre Wahrheit) **für einen kleinen Preis** (weltliche Werte) **verkaufen, füllen ihre interne** (Welt) **mit nichts anderem als Feuer** (Leiden). **Am Tag der Auferstehung wird Allah nicht mit ihnen reden und sie auch nicht reinigen. Und sie werden ein schmerzvolles Leid ertragen.**

175. Sie sind jene, die Irreführung (zu einem externen Gottesglauben sich drehen) **im Austausch für „BilHUDA"** (Rechtleitung zum Verständnis der Wahrheit-der Glaube, dass die Wahrheit ihres Selbst der Name Allah darstellt) **gekauft haben, Leiden im Austausch**

für **Vergebung** (der Glaube, dass die Essenz der Namen das Selbst formt, bringt Vergebung mit sich). **Wie kühn sind sie, dem Feuer gegenüber zu stehen!**

176. **Und so ist Allah, in Seinem Wissen, derjenige, der den manifestierten Zustand der Wahrheit der Existenz und des Sunnatullah-Wissens, der durch Sein Wissen des „Universums innerhalb Universen" Wissens** (Buch) **mit der Wahrheit enthüllen ließ. Wahrlich, diejenigen die sich gegen das Buch** (gegen der Wahrheit dieses Wissens-dieser Formation) **stellen, sind sicherlich weit von der Wahrheit entfernt.**

177. **Eure Wadsch** (Gesichter oder Bewusstsein) **zum Osten oder Westen** (das Wissen um die Wahrheit der Existenz oder das Wissen über die Ordnung des Systems) **zu richten, bedeutet nicht, dass ihr AL-BIRR** (die Essenz der Bemühungen auszuleben) **erlebt. AL-BIRR bedeutet an Allah mit der Anwendung des Buchstabens „B" und an das andauernde, zukünftige Leben zu glauben, an die Engel** (die nicht-wahrnehmbaren Potenziale/Kräfte der Namen Allahs, welche die ganze Essenz der Existenz bildet), **an das Buch** (die Wahrheit der Existenz und der Sunnatullah), **an die Nabis** (diejenigen, die das System lesen) **zu glauben und die die mit der Liebe zu Allah von ihrem eigenen Besitz ihren Verwandten, den Waisen, denjenigen, die sich in Not befinden, Reisende, die gestrandet sind** (heimatlos, verstoßen) **geben und die, die Sklaven befreien und das Salaat-i-Ikam** (diejenigen, die sich zu Allah hinwenden mit allen anfallenden, gebührenden Aufmerksamkeiten) **verrichten und die das Zakat verrichten** (ohne etwas zu erwarten einen Teil ihrer Gaben, die sie von Allah bekommen haben, spenden) **und die ihr Wort nicht brechen und die im Angesicht von Unglück, Krankheit und Unterdrückung geduldig bleiben. Jene sind die Sadiks** (diejenigen, die die Wahrheit ausleben wegen ihrer Aufrichtigkeit) **und die Muttakun** (diejenigen, die beschützt sind).

178. **Oh Gläubige, Vergeltung** (der Prozess Gleiches mit Gleichem zu vergelten) **im Falle von Mord ist euch auferlegt worden; der Freie für denjenigen mit der Freiheit, der Sklave für den Versklavten und die Frau für die Frau. Falls dem Mörder vergeben wurde** (teilweise) **durch den Bruder des Opfers** (oder des Nachkommens), **dann sollte dies befolgt werden und** (die Kompensation) **gezahlt werden. Dies ist eine Erleichterung und eine Rahmat** (Verzierung mit den Eigenschaften Allahs durch diese Tat) **von eurem Rabb. Wer auch immer über seine Grenzen hinausgeht, der wird ein schweres Leid ertragen müssen.**

179. **Es gibt für euch das Leben der Vergeltung. Diejenigen, die ihren Verstand benutzen, werden nachdenken…Und so werdet ihr zu den Beschützten gehören.**

180. **Wenn der Tod einen von euch sich nähert, falls etwas Gutes** (Reichtum) **hinterlassen wird, dann sollte ein Nachlass den Eltern oder den Verwandten vermacht sein. Dies ist eine Pflicht für diejenigen, die sich wünschen, beschützt zu sein.**

181. **Wer dies, nachdem es gehört wurde, ändert** (wenn er nicht das Erbe in die Tat umsetzt), **dann ist die Schuld nur auf denjenigen, der es ändert. Wahrlich Allah ist Sami und Aliym.**

182. **Aber falls jemand einen Fehler oder einen bewusste Abweichung von dem Vererbten befürchtet und** (zwischen den Erben) **vermittelt, dann ist auf ihm keine Schuld. Sicherlich ist Allah Ghafur und Rahim.**

183. **Oh ihr, die den Glauben anwenden, SIYAM** (Fasten-um sich zur Wahrheit und seiner Essenz auszurichten, das Körperliche auf den minimalen Zustand zu verringern) **wurde euch auferlegt, so wie es euren Vorfahren auferlegt worden ist. Auf dass ihr zu den**

Beschützten gehört!

184. Dies ist für eine bestimmte Anzahl von Tagen. Aber wer von euch krank ist oder sich auf Reisen befindet, kann für die verpassten Tage aufkommen (später fasten). **Diejenigen, die nicht stark genug sind zum Fasten** (aus gesundheitlichen Gründen), **sollten einen Bedürftigen Nahrung geben** (für jeden verpassten Tag) **als Kompensation. Derjenige, der mehr als dies gibt, wird einen noch größeren Nutzen haben. SIYAM ist nützlicher für euch** (als eine Kompensation zu zahlen), **wenn ihr es nur wüsstet.**

185. Der Koran, welches den Menschen die Wahrheit und den Unterschied zwischen falsch und richtig bewusst werden und unterscheiden lässt, „stieg" im Monat Ramadan dimensional herab. Wer von euch in diesem Monat anwesend ist, sollte fasten (die Essenz des Fastens auf jeder Ebene erfahren). **Und wer krank ist oder auf Reisen sich befindet, kann für die verpassten Tage aufkommen. Durch das SIYAM möchte (HU) es euch erleichtern und nicht erschweren, dass ihr die Wahrheit eurer Existenz auslebt. Indem die benötigte Anzahl von Tagen erfüllt wird, möchte (HU), dass ihr Seine Akbariyyat** (Grenzenlosigkeit) **spürt und gebührend bewertet, bis zum Grad eurer Erfahrung der Wahrheit.**

186. Wenn meine Diener dich nach MIR fragen, ohne Zweifel ICH BIN KARIYB (nah bis zum Begrenzungsverständnis...lasst uns an den Vers „Ich bin näher als ihre Halsschlagader" erinnern). **Wer sich zu Mir dreht, dessen Gebet nehme ich an. Also lasst sie Mich annehmen und an Mir glauben, so dass sie ihre Reife erfahren können.**

187. Es ist erlaubt worden, dass ihr euch euren Frauen nähern (vereinigen) **könnt an den Nächten vor dem Fasten. Ihr seid ihre Kleidung und sie sind eure Kleidung** (die intimste Person im weltlichen Leben). **Allah weiß, dass ihr ungerecht euch selbst gegenüber wart** (eure Annahme, dass das Fasten auch nachts andauert und es keinen Geschlechtsakt gibt) **und hat eure Reue angenommen und euch vergeben. Also nähert euch ihnen mit dem Urteil Allahs. Esst und trinkt bis der Tag anfängt** (Morgendämmerung), **dann lebt das SIYAM (Fasten) bis zur Nacht aus. Nähert euch nicht euren Frauen während ihr im „Itikaf" seid** (beim Fasten spiritueller Rückzug in die Moschee von weltlichen Dingen). **Dies sind die Grenzen, die Allah auferlegt, also nähert euch ihnen nicht. Und so erklärt Allah seine Zeichen, damit ihr zu den Beschützten gehören könnt.**

188. Konsumiert nicht die Güter, die ihr unter euch habt, in einer Art und Weise, welche gegen die Wahrheit verstößt. Und rennt nicht zu den Herrschern, um in ungerechter Weise, die Güter der Anderen zu konsumieren, obwohl ihr es besser wisst.

189. Sie fragen dich nach den Phasen des Mondes (Mondkalender). **Sag: „Dies sind die Kalkulationen** (die Zeiten der Hinwendungen zu Allah anhand des Mondkalenders), **welche einen Nutzen hat für die Menschen und beim Hadsch. Es ist nicht AL-BIRR** (die Essenz der Bemühungen auszuleben) **in Häuser durch ihre Hintereingänge einzutreten** (der indirekte Weg zur Wahrheit, sondern AL BIRR ist es von der Vorderseite einzutreten, dem direkten und kürzesten Weg), **um zu den Beschützten zu gehören. Beschützt euch vor Allah, so dass ihr erleuchtet werdet.**

190. Mit den Kriegern, die das Ziel haben euch zu töten, sollt ihr auch auf dem Wege Allahs Krieg führen. Geht nicht über die Grenzen hinaus. Wahrlich Allah liebt diejenigen nicht, die über ihre Grenzen hinausgehen.

191. Tötet sie, wo auch immer ihr sie findet. Vertreibt sie von wo sie euch vertrieben haben! Fitnah (Druck ausüben, um den Glauben aufzugeben) ist schlimmer (als Verbrechen) als jemanden (den Menschen) zu töten. Kämpft nicht in der Nähe des Masdschid-al-Haram, es sei denn sie kämpfen mit euch dort. Aber falls sie versuchen euch zu töten, dann tötet sie. Dies ist die Reaktion auf das Tun derjenigen, die die Wahrheit ablehnen.

192. Aber falls sie aufhören (mit dem was sie tun), dann ist Allah wahrlich Ghafur und Rahyim.

193. Kämpft gegen sie bis die Fitnah (der Druck, dass ihr eure Religion aufgeben sollt) aufgehoben ist und ihr die Religion Allahs leicht ausüben könnt. Falls sie aufhören (Druck auszuüben und zu kämpfen), dann gibt es keine Feindschaft außer mit den Zalims (A.d.Ü.: die an die Wahrheit nicht interessiert sind und deshalb grausam gegenüber ihrem eigenen „Selbst" sind).

194. Ein heiliger Monat ist wie ein anderer heiliger Monat, gemäß diesem muss Kisas (Gleiches mit Gleichem zu vergelten) als das Fundament erfolgen. Also wer auch immer über seine Grenzen hinaus geht (während dieser Zeit), greift sie in gleicher Weise an! Beschützt euch vor Allah und wisst sehr gut, dass Allah mit den Muttakun (die den Schutz ausleben) zusammen ist.

195. Gebt, ohne zu erwarten (FiSabilAllah, auf dem Wege Allahs-Für Allah…um die Nähe zu Allah zu erreichen) und zerstört euch nicht (indem ihr geizig seid). Und übt „Ihsan" aus (A.d.Ü Perfektion, d.h. jenes anderen zu geben, welches man selber liebt und als wertvoll erachtet)! Wahrlich Allah liebt diejenigen, die „Ihsan" ausüben.

196. Vervollständigt die Hadsch und die Umrah für Allah. Falls ihr (dies auszuführen) behindert werdet, dann genügt ein Opfer. Rasiert eure Haare nicht bis euer Opfer geschlachtet wurde. Wer von euch krank ist oder ein anderes Bedrängnis hat (zur Hadsch zu gehen, verhindert zu sein), dann sollte mit Fasten, Spenden oder mit einem Opfertier zu schlachten kompensiert werden. Wenn ihr euch in sicheren Zeiten befindet (wenn die Behinderungen aufgehoben sind), wer auch immer die Erfahrung und den Nutzen von der Umrah bis zum Hadsch ausleben möchte, der sollte ein Opfertier schlachten, welches er sich leisten kann. Und wer (solch ein Opfertier) nicht finden kann, der sollte drei Tage während der Hadsch und sieben Tage, nachdem er zurückgekehrt ist, fasten; zehn Tage insgesamt. Dies ist für diejenigen, dessen Familien (Ort des Lebens) sich nicht in der Gegend des Masdschid al Haram befinden. Und beschützt euch selbst davor, Allah gegenüber ungehorsam zu sein. Und wisst sehr gut, dass Allah Schadiyd-ul-Ikab ist (streng in Bestrafung).

197. Die Hadsch ist in den bekannten Monaten. Wer in diesen Monaten zur Hadsch gehen möchte, sollte während der Hadsch von übler Rede, unangemessenem Verhalten und Benehmen und vom Streiten sich fernhalten. Was immer ihr an Gutem tut, Allah weiß es. Nehmt euch Reiseproviant mit, aber der beste Proviant ist Takwa (um für Allah sich von den Mängeln des menschlichen Daseins zu schützen). Oh ihr, die den Verstand benutzen und tief nachdenken, beschützt euch vor Mir (beschützt euch vor Meiner Erwiderung auf eure Fehlverhalten).

198. Euch trifft keine Schuld, falls ihr das Wohlwollen eures Rabb erwünscht (während der Hadsch). Erinnert (Zikir) euch an Allah, wenn ihr kollektiv von Arafat zurückkehrt, und erinnert (Zikir) euch an Allah beim „Maschar al Haram" (Muzdalifah). Erinnert (Zikir) euch an HU bis zur Manifestierung der Rechtleitung in euch. Denn wahrlich vor diesem habt ihr zu den Irregeleiteten gehört.

199. Dann verlasst den Ort, den alle verlassen und fragt nach der Vergebung Allahs (wegen eurer Unzulänglichkeiten). **Wahrlich Allah ist Ghafur und Rahiym.**

200. Und wenn ihr die Rituale der Hadsch vervollständigt, dann erinnert (Zikir) **euch an Allah mit größerer Intensität als ihr euch an eure Väter erinnert habt** (gemäß euren Sitten). **Unter den Menschen gibt s einige, die sagen: „Unser Rabb, gib uns in dieser Welt"...** Sie haben keinen Anteil an das ewige Leben, welches kommen wird.

201. Und manche sagen: „Unser Rabb, gib uns das Schöne (die Schönheiten Deiner Namen auszuleben) **in dieser Welt und das Schöne** (die Schönheiten der Namen in unserem Selbst) **im ewigen Leben; beschütze uns vom Feuer** (indem wir getrennt sind von Dir)."

202. Sie sind diejenigen, die die Resultate ihrer Verdienste erreichen werden. Allah ist Sariul Hisab (die Konsequenzen der Taten- die Abrechnung- kommen unverzüglich zum Einsatz).

203. Und erinnert euch an Allah (sagt das Takbir) **an den genannten Tagen** (der 2te, 3te und 4te Tag des Opferfestes). **Wer auch immer seine Aufgabe in zwei Tagen erledigt und sich beeilt abzureisen, dem trifft keine Schuld und es trifft auch keine Schuld auf denjenigen, der es verschiebt. Dies ist für die Beschützten.... Beschützt euch vor Allah** (denn ihr werdet sicherlich die Konsequenzen eurer Taten ausleben) **und wisst mit Sicherheit, dass ihr am Ende zu Ihm zurückkehren werdet** (ihr werdet in der Dimension leben, wo die Absolute Wahrheit offensichtlich wird; ihr werdet gemäß den Qualitäten der Namen bewertet, welches eure Essenz ausmacht).

204. Und unter den Menschen gibt es einige, dessen Reden über das weltliche Leben euch befriedigen und was er in seinem Herzen hält, lässt er Allah als Zeugen dienen... Dennoch ist er der Fürchterlichste unter euren Feinden.

205. Und wenn er hinfort geht, dann geht er, um Korruption auf der Erde zu verbreiten, um Bodenerträge und Nachkommen der Menschen zu zerstören. Allah liebt nicht die Korruption.

206. Und wenn ihm gesagt wird: „Beschützt euch vor Allah (denn ihr werdet die Resultate eurer Taten ausleben)", **dann nimmt sein Ego ihn in Besitz und lässt ihn sündigen. Auf ihm ist die Hölle. Was für eine elende Ruhestätte das doch ist!**

207. Und unter den Menschen gibt es einige, die ihr Selbst opfern (ihre illusorischen, automatisch vom Gehirn konstruierten Egos, Ich-Gefühl), **so dass Allah mit ihnen zufrieden ist. Und Allah manifestiert als RAUF von der Essenz seiner Diener.**

208. Oh Gläubige, tretet gemeinsam ein zur Ergebenheit und folgt nicht den Schritten Satans (der Gedanke, dass man nur aus dem Körper besteht), **denn er ist definitiv euer offener Feind.**

209. Nachdem ihr so viele klare Beweise gesehen habt, weicht ihr immer noch ab. Wisst gut, dass Allah Aziz (ihr werdet die Ergebnisse eurer Taten anhand Seiner übermächtigen Kraft ausleben, ohne dass irgendjemand eine Kraft entgegenbringen kann) **und Hakim ist.**

210. Warten sie darauf, dass Allah zu ihnen mit Engeln auf Wolken kommt, um ihre Angelegenheiten zu erledigen? Jede Formation wird zu Allah zurückkehren.

211. Frag den Kindern Israels wie viele klare Beweise Wir ihnen gegeben haben. Wer

auch immer den Segen Allahs verändert, nachdem es zu ihm kam (sollte gut wissen), dass Allah Schadid-ul-Ikab ist (gerecht und streng in Bestrafung ist).

212. **Das weltliche Leben wurde für diejenigen, die das Wissen um die Wahrheit leugnen,** (diejenigen, die ihre innere Wahrheit ablehnen, wenden sich der Verblendung der äußeren Welt zu) **verschönert und beschmückt. Sie spotten über die Gläubigen** (dies bezüglich). **Aber die beschützten Gläubigen werden über sie sein am Tag der Auferstehung. Allah gibt Unterhalt wen Er will ohne Maß.**

213. **Die Menschheit war einst eine einzige Gemeinschaft. Dann offenbarte Allah Nabis** (die Perfektion des Nubuwwats wurde in ihnen manifestiert) **als Träger von guten Nachrichten und als Warner. Er ließ durch sie das Buch** (das Wissen um die Wahrheit und der Sunnatullah) **enthüllen, um zwischen ihren Disputen zu richten. Diejenigen, die das Buch bekommen haben, stimmten damit nicht überein aufgrund von Neid, selbst als klare Beweise zu ihnen kamen. Allah hat mit Seiner Erlaubnis** (Bi-izni-Hi: die Angemessenheit der Namenskompositionen, die ihre Wesen ausmachen) **die Gläubigen zu der Wahrheit geführt, worüber andere sich in Dispute befanden. Allah führt zum „Siratul Mustakim"** (Gerade Weg-ermöglicht die Realisierung der inneren essentiellen Wahrheit) **wen Er will.**

214. **Oder habt ihr gedacht ihr werdet in das Paradies eintreten, ohne mit harten Prüfungen geprüft zu werden, wie jene vor euch? Sie wurden geprüft und mit solchen Schwierigkeiten und Katastrophen geprüft, so dass die Rasuls und die Gläubigen unter ihm sagten: „Wann wird Allahs Hilfe kommen?" Zweifelsohne ist die Hilfe von Allah nahe.**

215. **Sie fragen dich, wem sie und was sie, ohne eine Gegenleistung zu erwarten, für Allahs Zufriedenheit** (A.d.Ü Für Allahs Zufriedenheit eine Tat zu tun, bedeutet wider den Konditionierungen des Egos zu handeln) **geben sollen. Sag: „Was immer Khayr** (Gutes) **ihr gibt, sollte für Eltern, Verwandte, Waisen, Bedürftige und Reisende, die weit von ihrem Heimatorten sind, sein. Was immer ihr an Gutem tut, Allah** (als Erschaffer eurer Taten durch Seine Namen) **weiß, was immer ihr an Gutem tut.**

216. **Der Krieg wurde euch auferlegt, obwohl es euch nicht gefällt. Es kann sein, dass eine Sache, welches gut für euch ist, euch nicht gefällt und eine Sache, welches schlecht für euch ist, gefällt euch. Allah weiß und ihr wisst nicht.**

217. **Sie fragen dich bezüglich des Krieges im heiligen Monat** (der Monat, in welchem der Krieg verboten ist). **Sag: „Krieg in diesem Monat ist eine große Sache! Aber** (Menschen) **auf dem Weg zu Allah abzuhalten, ihre essentielle Wahrheit abzulehnen und gegenüber dem Masdschid al Haram undankbar zu sein, indem Menschen davon abgehalten werden, dass sie dort eintreten und sie von dort zu vertreiben, ist weitaus größer aus der Sicht von Allah! Fitnah** (Druck ausüben, damit der Glaube aufgegeben wird) **ist schlimmer als Töten." Wenn sie könnten, würden sie gegen euch kämpfen bis ihr euren Glauben aufgebt. Und wer auch immer vom Verständnis der Religion sich wegdreht und die Wahrheit leugnend stirbt, alle seine guten Taten werden nichtig in dieser Welt und im ewigen Leben. Jene sind die Leute des Feuers** (Leidens) **und werden dort auf ewig bleiben.**

218. **Wahrlich diejenigen, die den Glauben anwenden und für Allah auswandern und sich bemühen** (A.d.Ü. den Dschihad gegen die niedrige Form des Selbst, Ego, anwenden), **sehen der „Rahmat"** (A.d.Ü., dass der Weg zu Allah von allen Blockaden aufgehoben wird) **von Allah entgegen. Und Allah ist Ghafur** (A.d.Ü. ermöglicht die Reinigung des

Bewusstseins) **und Rahim** (A.d.Ü. lässt die engelhafte Dimension entstehen, d.h. lässt eine höhere Form des Selbst entstehen).

219. Sie fragen dich bezüglich Rauschmitteln und Glücksspiel. Sag: „In beidem ist ein großer Schaden und ein paar nützliche Dinge für die Menschen, aber ihr Schaden ist weitaus größer als ihr Nutzen." Sie fragen dich bezüglich wie viel sie auf dem Weg zu Allah spenden sollten. Sag: „Spendet was auch immer ihr an Überfluss habt!" Und so gibt euch Allah klare Zeichen, so dass ihr darüber tief nachdenken solltet (über die Gründe).

220. (Denkt nach) **über diese Welt und das ewige zukünftige Leben! Sie fragen dich bezüglich der Waisen.** Sag: „Ihren Stand zu verbessern ist das Beste. Wenn ihr mit ihnen zusammen wohnt, dann sind sie eure Geschwister." Allah unterscheidet denjenigen, der verringert von dem Verbesserer. Und wenn Allah es gewünscht hätte, dann könnte Er euch Dinge erschweren. Wahrlich Allah ist Aziz und Hakim.

221. Heiratet keine Frauen, die sich im Schirk (A.d.Ü. mit dualistischem Gedankengut behaftet sind, zu der Bedeutung des Namens Allah etwas gleichstellen, hier im Sinne von etwas Offensichtliches zu assoziieren) **befinden, bis sie glauben. Eine gläubige Sklavin ist definitiv besser als eine Frau, die sich im Schirk befindet, egal wie anziehend und angenehm sie euch erscheinen mag.** (Denn Schönheit liegt nicht am Körperlichen, sondern im Teilen des Glaubens.) **Verheiratet auch nicht gläubige Frauen mit Männern, die sich im Schirk befinden, bis sie glauben. Ein gläubiger Sklave ist definitiv besser als ein Mann, der sich im Schirk befindet, egal wie anziehend und angenehm er euch erscheinen mag. Sie** (Leute im Schirk-Zustand) **laden euch nur zum Feuer ein, aber Allah lädt euch mit Seiner Erlaubnis** (Bi-izni-Hi-soweit wie die Qualitäten von Allahs Namen, die eure Essenz ausmachen, es erlauben) **zum Paradies und zur Vergebung ein. Allah macht den Menschen Seine Zeichen** (der Wahrheit) **deutlich, damit sie sich an diese** (Wahrheiten) **erinnern sollen.**

222. Sie fragen dich bezüglich der Menstruation… Dies ist eine bedrückende Zeit. Habt keine sexuelle Beziehung mit den Frauen bis sie rein sind (vom Bluten). **Und wenn sie gereinigt sind, könnt ihr euch sie wieder nähern, so wie Allah es bestimmt hat. Wahrlich Allah liebt diejenigen, die sich von ihren Fehlern abwenden und viel Reue empfinden und sich selber reinigen.**

223. Eure Frauen sind eure Felder (um Kinder zu gebären). **Also sät eure Felder wie ihr möchtet. Bereitet euer Selbst auf die Zukunft vor. Beschützt euch vor Allah und wisst, dass ihr mit IHM zusammenkommen werdet. Gebt gute Nachrichten an diejenigen, die den Glauben anwenden.**

224. Lasst nicht eure Eide, die ihr im Namen Allahs begeht, euch davon abhalten, Gutes zu verrichten, Schutz zu suchen und Verbesserung unter den Menschen zu verbreiten. Allah ist Sami und Aliym.

225. Allah wird euch nicht zur Verantwortung ziehen für Eide, die ihr unbewusst geleistet habt. Aber Er wird euch zur Verantwortung ziehen für das, welches von euren Herzen (Bewusstsein, derjenige, der über die Grenze hinausgeht) **kommt. Allah ist Ghafur und Haliym.**

226. Für diejenigen, die schwören, dass sie sich nicht ihren Frauen nähern werden, gibt es seine Wartefrist von vier Monaten. Wenn sie innerhalb dieser Zeit ihren Schwur zurücknehmen, dann ist Allah wahrlich Ghafur und Rahim.

227. Wenn sie beschließen sich zu scheiden, dann ist Allah zweifelsohne Sami und Aliym (Er weiß ihre Absichten).

228. Geschieden Frauen sollen für drei Menstruationszyklen warten, ohne sich neu zu verheiraten, um zu unterscheiden, ob sie schwanger sind oder nicht. Wenn sie an Allah, der ihre essentielle Wahrheit darstellt, und an das ewige Leben glauben, dann haben sie kein Recht zu verbergen, was Allah in ihrer Gebärmutter erschaffen hat. Wenn ihre Ehemänner sich versöhnen möchten in dieser Zeit, dann haben sie vor den anderen eine höhere Priorität. So wie die Ehefrauen Rechte über ihre Ehemänner haben, haben die Ehemänner auch Rechte gegenüber ihren Ehefrauen, aber die Rechte der Ehemänner ist ein Grad höher (da der Fluss vom Mann zur Frau ist). Allah ist Aziz und Hakim.

229. „Talaak"-die Scheidung (A.d.Ü. mit Talaak ist der Prozess zwischen Aussprechen der Scheidung und endgültig trennen gemeint...) ist zweimal. Danach kann es entweder wieder weitergeführt oder permanent freigelassen werden (A.d.Ü. mit „Ihsan"-in guten Zustand auseinander gehen). Es ist nicht erlaubt (nicht halal) etwas zurückzunehmen, welches ihr euren Ehefrauen gegeben habt (aufgrund der Scheidung). Aber falls die Ehefrau und der Ehemann es schwierig finden die Grenzen, die Allah aufgestellt hat, zu beobachten, dann hat die Ehefrau das Recht auf die Scheidung zu bestehen, indem sie die Dinge zurückgibt, die er ihr gegeben hat und es trifft sie keine Schuld, wenn sie dies tut. Es gibt Grenzen, die Allah aufgestellt hat, also übertretet sie nicht. Wer auch immer über die Grenzen tritt, wird nur seinem Selbst schaden.

230. Und nach all dem, wenn er wieder seine Ehefrau (zum dritten Mal) scheidet, dann ist sie nicht mehr für ihn erlaubt bis sie einen anderen Mann geheiratet hat. Und falls sie sich vom späteren Ehemann scheidet und endgültig trennt, dann trifft der Ehefrau und dem früheren Ehemann keine Schuld falls sie wieder heiraten wollen, wenn sie glauben, dass sie die Konditionen der Ehe innerhalb der Grenzen Allahs einhalten können. Dies sind die Grenzen Allahs, die Er dem wissenden Volk (über Allah wissend) offensichtlich erklärt.

231. Und wenn ihr einmal eure Frauen geschieden habt und sie das Ende der Drei-Monats-Frist erreicht haben, dann behaltet oder entlasst sie in Gutem. Lasst sie nicht an euch angehängt sein, um sie zu drangsalieren und wer auch immer dies tut, wird nur seinem Selbst gegenüber grausam gewesen sein. Nimmt die Erlasse von Allah nicht leichtfertig hin. Und erinnert euch an die Segen Allahs über euch und an das Buch und die Weisheit, welche Er euch enthüllten ließ und an die Empfehlung über die Bedeutung des „B" Buchstabens. Beschützt euch vor Allah und wisst sehr gut, dass Allah, als die Essenz von allem (gemäß der Asma-ul-Husna- Dimension) „Aliym" ist, d.h. wissend über alles ist.

232. Wenn ihr euch von euren Frauen scheiden lässt und sie das Ende der Wartefrist erreicht haben, dann hindert sie nicht daran erneut zu heiraten, falls ihr untereinander stimmig werdet. Dies ist ein Rat für diejenigen, die an Allah und an das ewige Leben glauben. Dies ist besser und reiner für euch (rein von menschlichen Konditionierungen). Allah weiß und ihr wisst nicht.

233. (Geschiedene Mütter) können ihre Kinder für zwei volle Jahre stillen, (falls der Vater) es wünscht, dass die Zeit des Stillens vervollständigt wird. Während dieser Zeit ist der Vater verantwortlich für deren Unterhalt und Kleidung, gemäß den Bräuchen. Niemand unterliegt mehr als der Kapazität von seinem Selbst. Und keine Mutter und kein Vater unterliegt einem Schaden wegen des Kindes. Das Gleiche gilt auch für den Erben. Falls sie beide einstimmig entscheiden das Kind vor den zwei Jahren abzustillen, dann trifft sie keine Schuld. Falls ihr es wünscht eure Kinder (durch eine Amme) zu stillen, dann trifft euch keine Schuld solange ihr das Entgelt bezahlt, welches den Sitten entspricht. Beschützt euch vor Allah und wisst gut, dass Allah (als der Schöpfer eurer ganzen Taten) **Basiyr ist.**

234. Und falls ihr stirbt und Witwen zurücklässt, dann sollen die Witwen für vier Monate und zehn Tage warten (bevor sie wieder heiraten). Nach dieser Periode trifft sie keine Schuld, wenn sie etwas tun, welches den Sitten entspricht (mit jemandem anderen wieder zu heiraten). Allah, als der Gestalter eurer ganzen Taten, ist Khabiyr.

235. Es trifft euch keine Schuld, falls ihr einen Heiratsantrag an Frauen (die geschieden oder verwitwet sind) **stellt** (während ihrer Wartefrist) **oder es in eurem Herzen verbirgt.** Allah weiß, dass ihr ihnen zugeneigt seid. Aber außerhalb der Sitte beeilt euch nicht zum geheimen Zusammenkommen. Bis zum Ende der Wartefrist vermählt euch nicht mit ihnen. Wisst, dass Allah weiß, was in euren Bewusstsein ist, also beachtet Ihn. Wisst, dass Allah Ghafur und Haliym ist.

236. Es trifft euch keine Schuld, wenn ihr Frauen scheidet, mit denen ihr noch nicht geschlafen habt oder keine Mitgift vereinbart wurde. Aber versorgt sie (eure geschiedene Frauen) mit Unterhalt gemäß eurer Kapazität. Diejenigen mit größeren finanziellen Leistungen sollen gemäß ihrer Kapazität geben, diejenigen mit geringer finanzieller Leistung gemäß dem Brauch soweit es die Kapazität zulässt. Dies ist eine **Obligation, welche auf diejenigen auferlegt wird, die „Ihsan"** (A.d.Ü mit Perfektion, also nach bester Kapazität, sich Allah hinzuwenden) **ausüben.**

237. Falls ihr sie scheidet, nachdem ihr eine Mitgift vereinbart habt, aber bevor ihr mit ihnen geschlafen habt, dann gibt ihnen die Hälfte der vereinbarten Mitgift. Es sei denn sie oder diejenigen, die den Heiratsvertrag vereinbaren, verzichten darauf. Ihnen die volle Summe (der Mitgift) zu geben ist aber näher an „Takwa" (A.d.Ü. beschützt zu sein, so dass das Leben nach den Ordnungsgesetzen des Systems, Sunnatullah, nicht zu Ungunsten für einen ausfällt). **Vergisst nicht, untereinander euch mit Gunst zu behandeln. Wahrlich Allah ist Basiyr über dem, was ihr tut** (bewertet all eure Taten).

238. Haltet euer Salaah (sich Allah hinzuwenden), **insbesondere das „Salaat-i-Wusta"** (das mittlere Salaah, das Nachmittagsgebet oder die Asr-Zeit; im reinen universalen Bewusstsein, Schu´ur, dies in jedem Moment auszuleben) **aufrecht. Lebt ausgerichtet in voller Ergebenheit zu Allah.**

239. Falls ihr Gefahr fürchtet, dann könnt ihr (euer Salaah) während des Laufens oder des Reitens verrichten...Wenn ihr euch in Sicherheit befindet, erinnert (zikir) euch an Allah gemäß den Lehren, desjenigen, der euch lehrte, was ihr nicht wusstet (denkt über Seine Namen nach, wie sie sich in den Welten manifestieren).

240. Diejenigen, die sterben und ihre Partner zurücklassen, hinterlassen ihnen ein Erbe über den Unterhalt von einem Jahr, ohne dass sie ihre Häuser verlassen müssen. Aber falls sie sich dazu entschließen ihre Häuser zu verlassen, dann werdet ihr nicht zur Verantwortung gezogen, da sie ihre Rechte aufgebraucht haben. Allah ist Aziz, Hakim.

241. Geschiedene Frauen haben das Recht einen Unterhalt zu verlangen gemäß der Sitte. Dies ist eine Obligation, welche den Muttaki (auf Schutz Bedachte) **auferlegt**

wird.

242. Und so erklärt Allah euch die Gesetze des Lebens, auf dass ihr euren Verstand benutzt.

243. Habt ihr nicht die Tausenden gesehen, die ihre Heimatorte verlassen haben aus Furcht vor dem Tod? Allah sagte zu ihnen: „Sterbt"; dann wurden sie wieder zum Leben auferweckt. Zweifelsohne ist Allah großzügig gegenüber den Menschen, aber die Mehrheit bewerten das Gegebene nicht (den gegebenen Segen).

244. Führt Krieg auf dem Wege Allahs und wisst gut, dass Allah Sami und Aliym ist.

245. Wer würde Allah ein schönes Darlehen leihen und es mehrfach zurückbekommen wollen? Es ist Allah, der bedrückt und erleichtert (behindert, bedrückt, verengt oder öffnet, erweitert, ausbreitet) ... zu Ihm werdet ihr zurückkehren!

246. Habt ihr nicht die Gruppe von den Kindern Israels nach der Zeit von Moses gesehen? Sie sagten zu ihrem Nabi: „Enthülle uns einen Herrscher und lass uns für Allah Krieg führen." Der Nabi fragte: „Was ist falls der Krieg vorgeschrieben wird, ihr aber euch vom Kämpfen wegdreht?"... Sie sagten: „Warum sollten wir nicht für Allah in den Krieg ziehen? Besonders wenn wir aus unseren Heimatorten und von unseren Kindern vertrieben wurden!" Aber als der Krieg vorgeschrieben wurde, haben sie sich weggedreht außer ein paar unter ihnen. Allah (als derjenige, der sie mit Seinen Namen erschaffen hat) ist Aliym über die Zalims.

247. Ihre Nabis sagten zu ihnen: „Wahrlich Allah hat Talut (Saul) als Herrscher für euch enthüllt." Sie sagten: „Wie kann er über uns herrschen, wenn wir doch würdiger sind als er und er hat auch keinen Reichtum?" Ihr Nabi sagte: „Zweifelsohne hat Allah ihn über euch gewählt und hat ihn mit tiefem Wissen und Körper gestärkt." Allah gibt seine Herrschaft (Administration der Herrschaft) wen Er auch will. Allah ist Wasi und Aliym.

248. Ihre Nabis sagten ihnen: Wahrlich ein Zeichen seiner Herrschaft ist, dass ein Sarg (Herz, reines universales Bewusstsein) zu euch kommen wird, worin „Sakinah" (innerer Frieden, Zufriedenheit) von eurem Rabb sein wird und Relikte (Wissen) sein werden, welches von der Familie von Moses und Aaron hinterblieben ist. Der Engel (die Kräfte der Namen in eurem Selbst) wird es euch bringen. Wahrlich hierin ist ein klares Zeichen, falls ihr zu den Gläubigen gehört.

249. Als Talut mit seiner Armee aufbrach, sagte er (seinen Soldaten): „Wahrlich Allah wird euch mit einem Fluss prüfen, wer auch immer davon trinkt, gehört nicht zu mir und wer nicht davon trinkt, gehört zu mir außer denen, die nur eine Handvoll davon nehmen"... Außer ein paar tranken alle davon. Als er und diejenigen, die mit ihm waren über die Brücke kehrten, um zur anderen Seite des Flusses zu kommen, sagten sie: „Wir haben keine Kraft mehr übrig, um gegen Goliath und seine Armee zu kämpfen." Diejenigen, die mit der (Nähe) wussten, welches von ihrer Essenz (aufgrund ihres Glaubens) kam, dass sie mit Allah zusammenkommen werden, sagten: „Viele Male hat eine kleine Gruppe eine größere Gruppe besiegt mit der Erlaubnis Allahs (Bi-izni-Hi). Allah ist mit den Geduldigen zusammen."

250. Als sie Goliath und seine Armee gegenüber standen, beteten sie: „Unser Rabb, gib uns die Kraft der Geduld, mach unsere Füße stabil, lass uns nicht ausrutschen und gib uns die Kraft über das Volk, welches leugnet."

251. Biiznillah (mit der Erlaubnis Allahs), mit der Angemessenheit der Namen Allahs, welches die Wahrheit ihres Selbst darstellt, besiegten sie sie. David tötete Goliath und Allah gab ihm (David) Herrschaft und Weisheit und brachte ihm bei, was Er wollte (programmierte ihn mit den Namen von seiner Essenz). Wenn Allah nicht manche durch andere zurückgedrängt hätte, dann wäre die Erde korrupt geworden (nicht lebenswert). Aber die Gunst Allahs (Fazl) ist über die Welten.

252. Dies sind die Zeichen Allahs, welches Wir euch als Wahrheit erzähle. Du bist zweifelsohne einer von den Rasuls (A.d.Ü. diejenigen, die in ihren Gehirnen die Entfaltung (arab. Irsal) um das Wissen der Wahrheit bekommen).

253. Von den Rasuls haben Wir manchen mehr gegeben als andere. Es gibt manche zu denen hat Allah gesprochen und manche hat Er im Rang erhöht. Und Wir gaben klare Beweise zu Jesus, dem Sohn Marias, und haben ihn mit RUH-UL KUDS (heilige Seele, die Seele der Seelen, die Seele des Systems; heilige Kräfte) unterstützt. Wenn Allah es gewünscht hätte, hätten die Völker, die nach ihnen kamen, sich nicht gegenseitig umgebracht, nachdem klare Beweise zu ihnen kamen. Aber sie unterschieden sich in Meinungen, manche glaubten und manche lehnten ab. Wenn Allah es gewollt hätte, dann hätten sie sich gegenseitig nicht umgebracht.... aber Allah macht, was Er wünscht.

254. Oh ihr, die den Glauben anwenden, spendet (gebt ohne eine Gegenleistung zu erwarten aus eurem Glauben heraus) von dem, welches Wir euch gaben, bevor der Tag kommt, wo es keine Freundschaft, keine Fürsprache und keinen Austausch mehr geben wird... die Kafir (diejenigen, die die Wahrheit ablehnen) sind Zalim (diejenigen, die ihrem eigenen Selbst schaden) zu sich selbst.

255. Allah HU, es gibt keinen Gott, nur HU ist existent! Hayy und Kayyum (der Einzige, der lebt und der jeden mit der Bedeutung seiner Namen in seinem Wissen formt und andauern lässt); bei HU kann nicht von Müdigkeit (nicht einmal für einen Moment von den Welten getrennt), noch von Schlaf (die Geschöpfe lässt er in ihren eigenen Zustand, die eigene Essenz wird nicht von der Welt beeinträchtigt) gesprochen werden. Was es in den Himmeln und auf der Erde gibt (in den Welten das universale Wissen und in der Dimension der Taten), gehört alles HU. Die manifestierte Kraft, die von der Dimension der Namen kommt, welche die Wahrheit des Selbst ist, wer kann ohne damit (Bi-iznihi-mit Seiner Erlaubnis, im Anwendungsbereich des "B" Zeichens) aus HUs Sicht ein Fürwort einlegen...HU weiß die Dimension, die sie leben und die Welten, die sie nicht wahrnehmen... Ohne dass HU es nicht wünscht, kann von seinem Wissen nichts erfasst werden. HUs Thron (Seine Herrschaft und Autorität, ausübende Kraft, Rabb-Dasein) beinhaltet die Himmel und die Erde. Es ist nicht schwer für HU diese in Schutz zu halten. HU ist Aliy (der unbegrenzte Hohe-vom Nullpunkt in der Quantum Physik her- wo es keine Frequenzen mehr gibt) und Aziym (Besitzer grenzenloser Macht, Herr über alle Frequenzen).

256. Es gibt keinen Zwang im „Din" (in der Akzeptanz des Systems und die Ordnung, die Allah erschaffen hat; Sunnatullah genannt)! „Ruschd" (die Wahrheit in ihrem reifsten Zustand) ist offensichtlich geworden, und hat sich von korrupten Ideen unterschieden. Wer Tagut (das Anbeten von Kräften, welche eigentlich nicht existieren, aber die nur angenommen werden zu existieren aufgrund von Illusionen) verbannt und an Allah glaubt (die Namen von der seine Existenz geformt wurde), dann hat er wahrlich einen starken Griff auf seiner Essenz/Wahrheit, welches nicht möglich ist, gelöst zu werden. Allah ist Sami und Aliym.

257. Allah ist der „Wali" der Gläubigen; Er bringt sie aus der Grausamkeit (aus der Dunkelheit-aus der Unkenntnis über das Wissen um die Wahrheit) zur „Nuur" (zum Licht-mit der Erhellung des Wissens die Wahrheit zu sehen). Diejenigen, die im Zustand sind die Wahrheit zu leugnen (Kufur), deren „Wali" ist Tagut (Ideen und Kräfte, die annehmen lassen, dass das, was wahr ist, nicht existiert und das was nicht wahr ist, als Wahrheit angenommen wird); es führt sie aus der „Nuur" zur Dunkelheit. Sie sind die Leute des Feuers (es ist verbindlich, dass sie brennen müssen). Sie bleiben darin (der Zustand des Leidens) für immer.

258. Hast du nicht denjenigen gesehen, der mit Abraham argumentiert hatte bezüglich seines Rabbs, weil Allah ihm Herrschaft gegeben hat? Als Abraham sagte: „Mein Rabb ist solch ein Herr, dass Er Leben gibt und den Tod entstehen lässt." Da sagte er: „Ich kann auch das Leben geben und töten." Abraham sagte: „Allah lässt die Sonne vom Osten aufgehen, lass sie doch vom Westen aufgehen, wenn du kannst." Da war der Leugner (derjenige, der die absolute Wahrheit bedeckt) überwältigt (nicht fähig zu antworten). Allah führt das grausame Volk (A.d.Ü. grausam zu sich selbst, weil dem Selbst die Wahrheit vorenthalten wird) nicht zur Rechtleitung.

259. (Hast du nicht gehört) von demjenigen, der durch eine Stadt ging, worin sich Gebäude befunden haben, die nur noch Ruinen waren und deren Menschen tot waren. Er dachte: „Wie wird Allah hier Leben geben nach deren Tod?" Allah ließ ihn dort sterben und nach einhundert Jahren hat Er ihn wieder zum Leben erweckt." „Wie lange bist du in diesem Zustand geblieben?" wurde er gefragt. „Einen Tag oder nur einen Teil davon," antwortete er. Allah sagte: „Nein, einhundert Jahre sind vergangen…schau auf deine Nahrung und dein Getränk, sie sind nicht schlecht geworden, aber schau auf deinen Esel (wie es verweste und nur noch ein Haufen Knochen ist)! Lass Uns dich als ein Zeichen, als ein Beispiel für die Menschen machen…schau wie Wir die Knochen zusammensetzen und sie mit Fleisch bekleiden." Als ihm dies bewusst war, sagte er: „Ich weiß, dass wahrlich Allah Kaadir ist über alle Dinge!"

260. Und erinnert euch als Abraham sagte: „Mein Rabb, zeig mir wie du den Toten das Leben gibst." Sein Rabb sagte: „Glaubst du nicht?" (Abraham) sagte: „Ja, aber damit mein Herz befriedigt ist (ich möchte den Vorgang Deiner Tat sehen) …" „Nimm vier Arten von Vögeln und mache dich mit ihnen vertraut, dann platziere jedes von ihnen auf vier verschiedene Berge und ruf sie zu dir. Sie werden auf dich zukommen (zufliegen). Wisse, dass Allah Aziz und Hakim ist.

261. Das Gleichnis derjenigen, die ihren Besitz ohne eine Gegenleistung zu erwarten aus ihrem Glauben heraus „FiSabilAllah" (auf dem Weg Allahs) spenden, ist wie ein einziges Weizenkorn, welches zu sieben Ähren wächst und in jeder Ähre sind einhundert Körner. Und Allah vervielfacht es noch mehr für wen Er will. Allah ist Wasi und Aliym.

262. Diejenigen, die aus ihrem Glauben heraus-FiSabilAllah- von ihrem Besitz spenden ohne eine Gegenleistung zu erwarten und die Menschen auch nicht später daran erinnern und sie damit belästigen, werden besondere Belohnungen erhalten aus der Sicht ihres Rabbs (die Kompositionen der Namen, welches die Essenz ihres Selbst ausmacht). Es gibt nichts worüber sie sich fürchten und Sorgen machen müssen.

263. Ein gütiges Wort und einen Fehler zu übersehen, ist besser als eine Spende nach der eine Verletzung erfolgt. Allah ist Ghani und Halim.

264. Oh ihr, die den Glauben anwenden, macht eure Spenden nicht null und nichtig, indem ihr die Menschen damit belästigt und verletzt, wie diejenigen, die von ihrem Besitz nur spenden, damit sie damit gesehen werden (einen Namen für sich machen) und nicht an Allah glauben und dem ewigen Leben (anhand des Anwendungsbereiches mit dem Buchstaben „B"). Ihr Gleichnis ist wie ein Fels, welches mit einem bisschen Erde bedeckt ist und wenn es stark regnet, ist die Erde weg gewaschen und der Fels ist freigelegt. Sie gewinnen nichts von dem, was sie erreichen. Allah führt das Volk, welches die Wahrheit ablehnt, nicht zur Rechtleitung.

265. Aber diejenigen, die für Allahs Vergnügen (A.d.Ü.: d.h. die menschliche soziale Konditionierung sollte einen nicht begrenzen, dass die Namen Allahs zur Entfaltung kommen) ihren Besitz spenden oder wegen dem spenden, welches sie in ihrem Selbst finden (mit dem Verständnis, dass sie aus Kompositionen der Namen Allahs geformt worden sind)...ihr Gleichnis ist wie ein Garten auf einem Hügel. Wenn heftiger Regen darauf fällt, dann wird das Erzeugnis verdoppelt. Und falls heftiger Regen nicht fällt, dann genügt auch nur ein Sprühregen. Allah ist Basir über eure Taten.

266. Würde nicht einer von euch einen Garten mit Dattelpalmen und Weinstöcke haben wollen unter denen Flüsse fließen und in denen verschiedene Früchte wachsen? Aber falls das Alter eintrifft, dann hat er ein schwaches Nachkommen und ein Windsturm voller Feuer zerstört dann den Garten.... Allah gibt diese Zeichen, damit ihr tief nachdenkt.

267. Oh ihr, die den Glauben anwenden, gebt von dem, welches ihr verdient habt und von den reinen Dingen, die Wir von der Erde für euch erzeugt haben. Gebt nicht von jenen Dingen, die schlecht sind und die ihr nicht für euch selber haben wollt. Wisst gut, dass Allah Ghani und Hamid ist.

268. Satan (eure Zweifel-der Gedanke, dass man etwas verliert) wird euch mit Armut beängstigen wollen (euch davon abhalten zu geben) und euch zu hässlichen Dingen und zum Geiz kommandieren! Aber Allah verspricht euch Vergebung durch Ihn und Gunst. Allah ist Wasi und Aliym.

269. Er gibt Weisheit wem Er will und wer auch immer Weisheit bekommen hat, der hat definitiv viel Gutes bekommen. Und keiner versteht dies außer diejenigen, die Verstand haben und fähig sind, tief nachzudenken.

270. Aber was auch immer ihr gebt und welche Eide ihr auch immer leistet, Allah weiß dies (lässt das Ergebnis ausleben). Aber für die Zalims gibt es keinen Helfer.

271. Es ist gut, wenn ihr öffentlich spendet, aber falls ihr euer Geben im Geheimen tut, dann ist dies besser für euch. Dies wird für eure schlechten Taten ausgleichend sein. Allah ist Khabir über das, was ihr tut (da Allah eure essentielle Wahrheit ist).

272. Es ist nicht eure Aufgabe, dass sie Hidayat (die Rechtleitung) finden! Allah führt zur Rechtleitung wen Er will. (Die Rechtleitung resultiert durch die Namenskomposition in der Existenz einer Person, worin die Bedeutung des Namens „al-Hadi" sich formt und manifestiert; es kann von außen nicht gegeben werden!) Was auch immer ihr gebt, es ist für euch selbst. Wenn ihr jedoch wegen der „Wadschullah" gebt (weil ihr das „Antlitz von Allah" wisst und seht) ...was immer ihr an Gutes gebt, es wird euch vollständig zurückgezahlt werden und es wird niemals verloren gehen.

273. (Euer Geben, worin ihr keine Gegenleistung erwartet=Infak) sind für die Armen, die vollständig sich auf dem Wege Allahs (FiSabilAllah) ergeben haben, ohne irgendeine Zeit für weltliche Arbeiten aufzubringen. Und weil sie sich weigern zu bitten, würde

jemand, der ihren Zustand nicht kennt, annehmen, dass sie wohlhabend sind. Aber ihr erkennt sie von ihren Gesichtern. Sie würden niemals schamlos etwas von jemandem anderen verlangen. Und was immer ihr an Gutem gebt, wahrlich Allah ist darüber Aliym.

274. Diejenigen, die von ihrem Besitz bei Tag und bei Nacht, im Geheimen und im Offenen geben, ihre Belohnung (manifestiert) sich anhand der Sichtweise mit ihrem Rabb (es kommt von ihrer essentiellen Wahrheit und manifestiert sich in ihrem reinen Bewusstsein). Sie haben nichts zu befürchten und müssen sich um nichts sorgen.

275. Diejenigen, die Wucher (Riba) nehmen, sind vom Satan (Dschinn) geschlagen worden (mit illusorischen Gedanken besessen). Dies kommt daher, weil sie Wucher mit Handel vergleichen. Aber Allah hat Handel erlaubt und Wucher verboten. (Beim Tauschgeschäft zahlt man den Wert einer Ware, aber bei Zins und Wucher zahlt man exzessiv mehr als der Betrag, der ursprünglich geschuldet wurde. Und so ist Wucher gegensätzlich zur Idee des Gebens und der Hilfe, ohne eine Gegenleistung zu erwarten.) Also wer auch immer auf Wucher verzichtet, nachdem er von seinem Rabb ermahnt wurde, seine Vergangenheit gehört ihm, Allah wird über ihn richten. Und wer auch immer zurück zum Wucher greift, gehört zu den Bewohnern des Feuers. Sie werden darin auf ewig sein.

276. Allah zerstört (die Einnahme aus) Wucher und vermehrt (das Einkommen) des Spendens! Allah liebt keinen der Undankbaren, die ausdauernd sind in ihren Fehltritten.

277. Diejenigen, die glauben und die notwendigen nützlichen Taten ausführen, die das Salaah und das Zakat verrichten, werden besondere Gegenleistungen anhand der Sichtweise mit ihrem Rabb bekommen. Es gibt nichts worüber sie sich ängstigen oder Sorgen machen müssten.

278. Oh ihr, die den Glauben anwenden, nimmt vom Wucher Abstand, damit ihr vor Allah geschützt seid, wenn ihr zu den Gläubigen gehören wollt.

279. Und falls ihr dies nicht tut, dann wisst, dass ihr gegen Allah und Seinen Rasul den Krieg erklärt habt. Falls ihr euren Fehler erkannt habt und davon Abstand nimmt, es noch einmal zu tun, dann habt ihr euer Kapital rechtens verdient. (Auf diesem Weg) werdet ihr keinen schaden und ihr werdet nicht geschadet.

280. Wenn (der Verschuldete) in finanzieller Not ist, dann gebt ihm eine Frist bis es ihm besser geht. Aber falls ihr es abschreibt als einen Akt des Spendens (Sadaka), dann würde dies besser für euch sein, wenn ihr es nur wüsstet.

281. Beschützt euch vor dem Tag an dem ihr zu Allah zurückkehrt. Dann wird jedem Selbst alles gezahlt werden, was es verdient hat und niemandem wird geschadet.

282. Oh ihr, die den Glauben anwenden, wenn ihr Schulden macht für eine bestimmte Frist, dann schreibt es auf. Lasst eine gerechte Person unter euch es aufschreiben. Und lasst denjenigen, der schreiben kann es nicht ablehnen, da Allah es ihn lehrte. Lasst denjenigen, der die Verpflichtung hat (der Verschuldete) es jemanden aufschreiben lassen. Lasst ihn Angst haben vor seinem Rabb, welcher Allah ist und lasst nichts aus. Falls der Verschuldete jemand ist, der begrenzt im Verständnis ist oder ein Kind, dann lasst seinen Vormund es diktieren. Lasst zwei Männer als Zeugen dabei sein. Falls keine zwei Männer da sind, dann lasst die Zeugen ein Mann und zwei Frauen sein, falls einer von ihnen vergisst oder sich irrt, dann kann der andere

die eine daran erinnern. Und lasst die Zeugen nicht ablehnen zu kommen, wenn sie gerufen werden. Und seid nicht überdrüssig die Schulden aufzuschreiben, ob es sich um einen kleinen oder einen großen Betrag handelt, und schreibt die Frist auch auf. Dies ist mehr angebracht und stärker in der Sichtweise Allahs und der stabilste Weg, um Zweifel in der Zukunft zu verhindern. Außer zwischen euch ist die Transaktion mit Bargeld verbunden, dann trifft euch keine Schuld, falls ihr es nicht aufschreibt. Und lasst Zeugen dabei sein, wenn ihr eine Transaktion tätigt. Lasst keinen Schreiber und Zeugen ein Leid zugefügt sein. Falls ihr ihnen ein Leid zufügt, dann würdet ihr euch selbst ein Leid zugefügt haben. Und beschützt euch vor Allah. Allah lehrt euch. Allah ist Aliym über alle Dinge.

283. Falls ihr euch auf Reisen befindet und keinen Schreiber finden könnt, dann mögen Gelöbnisse mündlich genommen werden. Falls ihr einander vertraut, dann soll derjenige, der vertrauen lässt den Vertrauenden nicht leer ausgehen lassen und er soll vor seinem Rabb Furcht haben. Verbirgt nicht, was ihr bezeugt habt. Wer auch immer sein Bezeugtes verbirgt, wahrlich ist sein Herz dann schuldig (sein Herz spiegelt nicht seine essentielle Wahrheit wider, er ist von seiner Wahrheit verschleiert). Allah weiß, was ihr tut im Rahmen der Bedeutung des „B" Buchstabens.

284. Was auch immer sich in den Himmeln und auf der Erde befindet, gehört Allah (für die Manifestierungen Seiner Namen, Asma ul Husna)…Ob ihr es offen zeigt, was in eurem Bewusstsein ist (eure Gedanken) oder es verbirgt, Allah wird mit der Besonderheit des AL- HASIB Namens in eurer Existenz eure Fehler reflektieren. Er wird vergeben (bedecken) wen Er will und wird bestrafen wen Er will. Allah ist Kaadir über alle Dinge.

285. Der Rasul (Hz. Muhammed saw) hat an das geglaubt, was zu ihm (zu seinem reinen universalen Bewusstsein) von seinem Rabb (von Allahs Namenskomposition, die seine Existenz formt) enthüllt wurde (ein Wissen, welches sich von höheren Dimensionen entfaltet). Auch die Gläubigen tun dies! Alle glauben (unter dem Verständnis, welches mit dem „B" Buchstaben hingewiesen wurde), dass ihr Selbst die geformte Wahrheiten vom Namen Allahs ist, an die Engel (an die Potenziale der Namen, aus welches ihr Selbst besteht), an die Bücher (an das Wissen, welches dimensional enthüllt wurde), an die Rasule. Wir machen keinen Unterschied zwischen seinen Rasulen (im Inhalt über ihre Entfaltungen bzgl. der Wahrheit). Sie sagen: „Wir haben es wahrgenommen und gehorchen, unser Rabb, wir möchten deine Vergebung haben; unsere Rückkehr ist zu Dir."

286. Allah bürdet keiner einzigen Person etwas außerhalb seiner Kapazität auf. Was gewonnen wurde (das Ergebnis der guten Taten, die gemacht wurden) ist für einen selbst, (das Ergebnis von unvorteilhaften Taten) ist auch für einen selbst. Unser Rabb, wenn wir vergessen oder Fehler begehen, dann bestrafe uns nicht dafür. Unser Rabb, bürde uns keine Last auf wie du sie denen vor uns aufgebürdet hast. Unser Rabb, lass uns nicht tragen wozu unsere Kraft nicht ausreicht. Vergib uns (A.d.Ü. der AFUW-Name; frei von Assoziation zu Allah, ohne Schirk zu sein, ohne Dualität), verzeihe uns (GHAFUR-Name; reinige, reformiere uns) und sei „Rahim" zu uns (die engelhafte Dimension entstehen lassen). Du bist unser Beschützer und Meister. Gib uns einen Sieg gegen all diejenigen, die die Wahrheit zudecken, die dich verleugnen.

3. AAL-I-IMRAN

Mit demjenigen, der durch den Namen Allah erwähnt wird (der mein Wesen mit Seinen Namen erschaffen hat mit der Bedeutung des Buchstabens „B"), **der Rahman und Rahim ist.**

1. Alif Laam Miim

2. Er ist Allah; es gibt keinen Gott oder Gottheit, nur „HU" (der Name HU-wortwörtlich Er- weist auf die Persönlichkeit der Absoluten Essenz von allem, welches niemals begrenzt werden kann mit der physischen Welt und/oder irgendeiner Bedeutung. Ein anderer Name wird normalerweise zu „HU" hinzugefügt, um die Qualität anzudeuten, welche durch „HU" manifestiert wird bezüglich des relevanten Themas), **der HAYY** (das Leben selbst) **und KAYYUM** (die Welten bekommen einen Körper durch HU und bestehen so fort) **ist.**

3. Als die absolute Wahrheit selbst wurde das Buch (Wissen um die Wahrheit und der Sunnatullah), **welches sich in deinen Händen befindet** (sich in deinem Bewusstsein manifestierte) **enthüllt, um die Wahrheit vom vergangenen Wissen zu bestätigen. Die Thora** (Wissen um die Wahrheit offenbart an Moses) **und die Bibel** (Wissen um die Wahrheit offenbart an Jesus) **wurden auch enthüllt.**

4. Als HUDA (um zur Wahrheit rechtzuleiten, um den richtigen Weg zu zeigen) **für die Menschen. Er enthüllte auch den FURKAN** (die Fähigkeit zwischen dem Richtigen und Falschen zu unterscheiden, das Gute vom Schlechten). **Wahrlich diejenigen, die die Existenz in den Zeichen von Allah** (die Manifestierungen Seiner Namen) **bedecken und leugnen, werden ein strenges Leiden erleben. Allah ist Aziz und Zuntikam** (die Konsequenzen der Taten werden ohne Sympathie ausgeführt und ausgelebt).

5. Allah! In den Himmeln (Dimension des Bewusstseins – engelhafte Dimension – die Quantendimension, welches die Wahrheit der Materie ist) **und in der Erde** (Dimension der Materie-Körper-auf der Erde) **ist IHM nichts verborgen und versteckt!** (Denn Er ist die Wahrheit/Essenz von allem anhand Seiner Namen. Konzepte wie versteckt oder sichtbar finden nur ihre Anwendung bei erschaffenen Existenzen, die alle begrenzte Einheiten haben.)

6. Es ist HU, der euch in der Gebärmutter (Gebärmutter heißt im Arabischen auch „Rahim"-in seiner Rahimiyyah-in der Dimension der Namen, die eure Existenz formt) **gestaltet** (programmiert, formt) **wie HU es wünscht. Es gibt keinen Gott, nur HU, al Aziz, al Hakim.**

7. Es ist HU, der zu euch das WISSEN (Buch) **enthüllte. Manche seiner Zeichen sind klar** (offensichtliche und eindeutige Befehle) **und stellen die Basis und das Fundament des Wissens** („Mutter des Buches", arab. Ummul Kitab) **dar; und manches von ihnen sind allegorisch** (Taschbih- metaphorische und symbolische Ausdrücke). **Diejenigen, die in ihren Herzen abweichen möchten** (andere Absichten, verdrehtes Denken haben), **urteilen mit den allegorischen Versen; sie interpretieren sie mit der Absicht, um zu provozieren** („Fitna"-Gedanken, die entstehen, damit man sich vom Glauben entfernt). **Nur Allah kennt ihre Interpretation** (ihre wahre und präzise Bedeutung). **Diejenigen, die tief im Wissen verwurzelt sind** (die tief nachdenken können) **sagen: „Wir haben geglaubt. Alles davon ist aus der Sichtweise unseres Rabbs** („Indi Rabbina") **heraus." Dies kann keiner verstehen außer diejenigen, die ihre Essenz erreicht haben** (Ulul Albab).

8. **Unser Rabb, drehe uns nicht von unseren Herzen** (Schu´ur- reines universales Bewusstsein) **weg** (zur niederen Form des Selbst-zur egobasierten Existenz), **nachdem Du uns rechtgeleitet hast** (die Wahrheit gezeigt und verstanden wurde) **und gewähre uns eine Rahmat von Deinem LADUN** (A.d.Ü.: eröffne uns einen Weg zur Manifestierung einer besonderen Kraft von Dir, die Dinge aus Deiner Sichtweise zu sehen; gemäß der arab. Sprache sind „ladun" und „ind" verwandt)! **Wahrlich, Du bist Wahhab."**

9. **„Unser Rabb, Du wirst sicherlich die Menschheit zusammenbringen zu einem Zeitpunkt, worüber es keinen Zweifel gibt. Und niemals wird Allah versagen, Sein Versprechen zu halten."**

10. **Wahrlich für die Leugner der Wahrheit werden weder ihr Wohlstand noch ihre Kinder ihnen einen Nutzen geben können gegen das, welches manifestiert wird von Allah. Sie sind Treibstoff für das Feuer.**

11. (Ihr Benehmen) **gleicht der Dynastie des Pharaos und derjenigen, die vor ihm waren.** (Sie hatten) **unsere Zeichen** (die Manifestierungen der Namen) **geleugnet. Und Allah hat sie mit ihren schadhaften Taten ergriffen. Allah ist Schadid-ul-Ikaab** (gegenüber der durchgeführten schadhaften Tat wird mit Strenge die Konsequenz ausgeführt).

12. **Sag zu denjenigen, die das Wissen um die Wahrheit leugnen: „Ihr werdet besiegt und in der Hölle versammelt werden...was für ein elendes Ruhebett das doch ist!"**

13. **Die Wahrheit ist, es gab ein Zeichen und ein Lehre für euch im Zustand über die zwei Gruppen, die sich Angesicht zu Angesicht gegenüber standen. Während die eine Gruppe für Allah kämpfte, waren die anderen die Leugner um das Wissen der Wahrheit. Mit ihren eigenen Augen haben sie** (jene, die für Allah kämpfen) **gesehen, dass** (die andere Gruppe) **doppelt so viel in der Überzahl war. Aber Allah unterstützt wen Er will mit Seiner Hilfe. Wahrlich hierin ist eine große Lehre für diejenigen, die Einsicht besitzen.**

14. **Verschönert ist dem Menschen der Wunsch sich den Vergnügen von Frauen und Kindern, Gold und Silber, edle Pferde und den Zuchttieren hinzugeben. Diese sind nichts weiter als vergehende Vergnügen des weltlichen Lebens. Aber mit Allah...das schönste Ziel ist die Existenz mit Seiner Sichtweise.**

15. **Sag: „Soll ich euch von etwas erzählen, dass sogar noch besser ist als all dieses? Für diejenigen, die durch die Sichtweise ihres Rabbs beschützt sind, gibt es Paradiese unter denen Flüsse fließen, sie werden dort auf ewig sein. Dort werden sie reine Partner haben** (dies könnte auf den Partner des Bewusstseins hindeuten; ein perfekter Körper frei von jeglichem Mangel und Krankheit) **und das Wohlgefallen Allahs. Allah, als die Essenz Seiner Diener, ist al-Basiyr.**

16. **Sie werden sagen: „Unser Rabb, wir haben zweifelsohne geglaubt. Vergib uns unsere Fehler und beschütze uns vor dem Brennen."**

17. (Sie sind) **Sabiriyn-die Geduldigen, Sadikiyn-diejenigen, die die Wahrheit ausleben wegen ihrer Aufrichtigkeit, Kanitiyn-durch das Begreifen ihrer Dienerschaft sind sie gehorsam und ergeben sich, Munfikiyn-die Gebenden** (zu jenen, die bedürftig sind) **und Mustaghfiriyn bil Ashar-fragen nach Vergebung wegen ihrer Unzulänglichkeiten in der Frühe des Morgens** (der Prozess des Aufwachens).

18. **Allah bezeugt, dass er „HU" ist; es gibt keinen Gott, nur „HU"! Diejenigen, die**

die Kräfte der Namen darstellen (Engel) und auch Ulul Ilm (die Wissenden, wo sich diese Realität auch manifestiert) **bezeugen, dass sich die Wahrheit so formt und bleiben diesem gerecht. Es gibt keinen Gott, nur „HU", der Aziyz und Hakiym ist.**

19. **Wahrlich aus der Sichtweise Allahs ist das „DIN"** (A.d.Ü: die Lebensweise des Menschen gemäß seinem Wissen bezüglich des Systems und der absoluten Realität) **Islam** (A.d.Ü: d.h. die ganzen Geschöpfe sind in einem Zustand der Unterwerfung und Ergebenheit, irrelevant ob es sich bewusst oder unbewusst ist über die Besonderheiten der Namen Allahs)! **Denjenigen, denen ein Buch** (Wissen über diese Thematik) **gegeben wurde, sind aufgrund dieses Wissens in Spaltung zerfallen aus Neid und Ambitionen. Und wer auch immer die Existenz von Allah in Seinen Zeichen** (die Zeichen, die die Manifestierungen Seiner Namen sind) **verdeckt, dann ist Allah zweifelsohne „Sariul Hisab"** (schnell beim Abrechnen-die Konsequenz der Taten werden sofort und unverzüglich im gleichen Moment ausgeführt).

20. **Falls sie mit dir argumentieren, dann sag: „Mein Antlitz befindet sich in Ergebenheit zu Allah; und auch diejenigen, die mir folgen!" Sag denen, die das Wissen um die Wahrheit und der Sunnatullah bekommen haben und auch den Analphabeten** (diejenigen, die unbewusst dieser Wahrheit sind; diejenigen, die aufgrund ihrer dualistischen Sichtweise alles unbewusst mit dem Begriff „Allah" vergleichen): **„Habt ihr auch Islam akzeptiert?" Falls sie sich in Ergebenheit befinden, dann würden sie die Wahrheit akzeptiert haben. Aber falls sie sich wegdrehen, dann ist deine Pflicht nur zu informieren. Allah, wegen des Resultats, dass Seine Namen Seine Diener umfassen, ist al-Basiyr** (derjenige, der bewertet).

21. **Was diejenigen betrifft, die die Existenz von Allah in Seinen Zeichen** (die Manifestierung Seiner Namen) **leugnen und die Nabis töten entgegen des Willens, welcher zur Wahrheit führt und unter den Menschen diejenigen töten, die „ADL"** (A.d.Ü.: die Gerechtigkeit aus der Sicht Allahs) **verbreiten... Gib ihnen Nachricht von einem heftigen Leiden!**

22. **Sie sind diejenigen, dessen Taten wertlos werden in diesem Leben wie auch im ewigen, zukünftigen Leben. Es wird für sie keine Helfer geben.**

23. **Habt ihr nicht diejenigen gesehen, denen ein Teil des offenbarten Wissens gegeben wurde; sie wurden zur Offenbarung von Allah eingeladen, damit ein Urteil zwischen ihnen gefällt wird, aber dann haben sich einige von ihnen weggedreht und sind gegangen.**

24. **Dies kommt daher, weil sie denken: „Das Feuer wird uns nicht berühren außer für eine bestimmte Anzahl von Tagen." Ihr erfundener, irreführender Glaube ist ein Verrat an ihre Religion.**

25. **Also wie wird es sein** (ihr Zustand), **wenn Wir sie zu einem Zeitpunkt zusammenbringen, welcher sicherlich stattfinden wird und das Resultat ihrer Taten gegeben wird ohne die geringste Ungerechtigkeit!**

26. **Sag: „Der Malik (Besitzer) des Mulk (Dimension der Taten) gehört zu meinem Allah. Du gibst „Mulk" wem Du willst und nimmst „Mulk" von wem Du willst. Wem Du wünschst, gibst Du Ehre, wem Du wünschst, gibst Du Erniedrigung. Das Gute ist in Deiner Hand. „Hu" ist über alles Kaadir."**

27. **„Du formst die Nacht zum Tag und den Tag zur Nacht. Du ziehst das Lebende vom Toten und den Tod vom Lebenden heraus. Wem Du wünschst, gibst Du**

Lebensunterhalt ohne Maß."

28. **Lasst nicht zu, dass die Gläubigen diejenigen verlassen, die den Glauben anwenden und die Leugner um das Wissen der Wahrheit als ihre Freunde annehmen. Wer auch immer dies tut, bricht die Verbindung zu Allah ab. Dies kann nur zum Schutz getan werden. Allah warnt euch, dass ihr um Ihn vorsichtig sein müsst. Zu Allah ist eure Rückkehr!**

29. **Sag: „Was auch immer ihr in eurem Inneren geheim haltet oder offenbart, Allah** (als der Schöpfer dessen) **weiß darüber Bescheid. Er weiß alles, was sich in den Himmeln und auf der Erde befindet** (innerlich und äußerlich). **Allah ist Kaadir über alle Dinge."**

30. **Jedes Selbst wird an diesem Tag alles vor sich finden was es an Gutem oder Schlechtem getan hat. Es wird sich wünschen, dass zwischen ihm und den Taten eine große Distanz gäbe! Allah warnt euch davor, dass ihr Ihn beachten sollt** (denn Er wird euch definitiv die Konsequenzen eurer Aktionen erfahren lassen). **Allah ist al-Rauf zu seinen Dienern** (aus ihrer Essenz heraus).

31. **Sag: „Wenn ihr Allah liebt, dann folgt mir, so dass Allah euch lieben wird und eure Fehler vergeben wird. Allah ist Ghafur und Rahiym."**

32. **Sag: „Gehorcht Allah und dem Rasul!"** …Falls sie sich wegdrehen, wahrlich Allah liebt nicht die Leugner der Wahrheit.

33. **Die Wahrheit ist, dass Allah Adam, Noah, Abraham und seine Abstammung, Imran und seine Abstammung** (in ihrer Zeit) **den anderen Menschen vorgezogen und gereinigt hatte.**

34. **Jeweils von einander abgestammt, als eine einzige Abstammung…Allah ist Sami, Aliym.**

35. **Erinnert euch als Imrans Frau sagte: „Mein Rabb, ich habe unwiderruflich das Kind in meinem Bauch Dir versprochen; akzeptiere es von mir. Wahrlich Du bist Sami, Aliym."**

36. **Und als sie das Kind gebar** (das Kind, über welches sie dachte, es würde ein Junge sein), **sagte sie: „Mein Rabb, ich habe ein Mädchen zur Welt gebracht"; Allah wusste das Weibliche ist nicht wie das Männliche** (dass eine Frau nicht wie ein Mann auftreten kann). **„Ich habe sie Maria genannt. Ich suche Schutz in Dir für sie und ihrem Nachkommen vor dem gesteinigten Satan."** (A.d.Ü.: Um das Bewusstsein zu reinigen, gilt es sich von dieser Energie, also der Energie eines egobasierten Wesens fernzuhalten. Deshalb wird das Wort „steinigen" benutzt.)

37. **Und ihr Rabb akzeptierte sie mit Zufriedenheit und zog sie auf zu einer wertvollen Blume. Er gab sie in Zacharias Obhut. Jedes Mal als Zacharias zum Tempel** (A.d.Ü.: Ort, wo man sich nach innen zur seiner reinen Essenz, also zum wahren ICH, hinwendet) **kam, hat er sie mit neuer Nahrung gefunden. Er fragte sie: „Oh Maria, von woher ist dies?" Maria antwortete: „Dies kommt aus der Sichtweise Allahs heraus (Indallah))** … (Das Ergebnis Seiner Gnade ist, dass Seine Diener dies erreichen). **Wahrlich Allah gibt Lebensunterhalt wem Er es wünscht, wie Er es wünscht.**

38. **Daraufhin betete Zacharias zu seinem Rabb: „Mein Rabb, gewähre mir von Deinem LADUN** (das Ergebnis Seiner Gnade mit der Manifestierung einer besonderen engelhaften Kraft) **einen reinen Nachkommen. Du bist wahrlich der Vernehmer meines**

Gebets (der Wahrnehmende meiner Hingabe).

39. Als er im Tempel in einem Zustand der Hingabe zu seinem Rabb stand, sagten die Engel zu ihm: „Allah gibt dir gute Nachrichten über Johannes, als Bestätigung mit einem Wort von Allah (Bi Kalimallah- Jesus, das Wort Allahs, welches die Manifestierung der speziellen Kräfte darstellt) **und als Sayyid** (der Herr der Kräfte), **als Hasur** (derjenige, der das Ego in Kontrolle hält) **und als gerechten Nabi** (derjenige, der den Wahren in seiner Existenz auslebt).

40. Er sagte: „Mein Rabb, wie kann ich einen Sohn bekommen! Ich habe ein hohes Alter erreicht und meine Frau ist unfruchtbar!" „(Dein Fall) **mag so sein...aber Allah tut, wie Er es wünscht!"**

41. Er (Zacharias) **sagte: „Mein Rabb, gib mir ein Zeichen." Er sagte: „Dein Zeichen ist, dass du nicht zu den Menschen sprechen können wirst für drei Tage außer durch Gestik; also erinnere dich an deinem Rabb vermehrt und spüre die Größe Seiner Erhabenheit morgens und abends."**

42. Und erinnere dich als die Engel zu Maria sagten: „Oh Maria, wahrlich Allah hat dich gereinigt (hat dich deine essentielle Wahrheit spüren lassen) **und auserwählt, Er hat dich gereinigt** (von der Verunreinigung der dualen Sichtweise, arab. „Schirk") **und hat dich von allen Frauen in der Welt** (in dieser Zeit) **auserwählt!"**

43. „Oh Maria, sei deinem Rabb gegenüber „kanit" (gehorsam-während du die Ehrfurcht wahrnimmst, lebe dies aus), **verrichte die „Sadschda"** (Niederwerfung-erfahre deine Nichtigkeit aus der Sicht von Allahs Existenz) **und wende das „Ruku" an mit denen, die das Ruku anwenden** (Verbeugung-spüre und erkenne die Namen deines Rabbs, die sich in deinem Wesen manifestieren)."

44. Dieses Wissen ist das, welches Wir vom „Ghaib" (vom Nicht-Wahrnehmbaren) **dir offenbaren. Und du warst nicht mit ihnen als sie Lose zogen, um herauszufinden wer Marias Beschützer sein sollte. Und du warst nicht da als sie miteinander argumentierten** (diesbezüglich).

45. Als die Engel zu Maria sagten: „Allah gibt dir die Kunde eines Wortes von Ihm (Bi-Kalimah; ein Diener, der Seine Attribute manifestiert). **Sein Name ist Messias, Jesus, Sohn der Maria. Er ist geehrt in dieser Welt** (erhöht in Erhabenheit) **und in der jenseitigen, zukünftigen Welt und gehört zu den „Mukarribun"** (diejenigen, die auf der Stufe des „Kurbiyyat" leben {Attribute, welche sehr spezifisch für Allah sind, werden manifestiert werden aufgrund des Zustandes der „Nähe"} und Personen, die als Instrument für Wunder benutzt werden).

46. „Er wird zu den Menschen in der Krippe und im (reifen) **Alter sprechen. Er gehört zu den „Salih"** (A.d.Ü.: diejenigen, deren Taten das Bewusstsein reinigen und so eine ausschließliche Wahrnehmung des Körpers aus Fleisch und Blut aufgehoben wird)."

47. (Maria) **fragte: „Mein Rabb, wie kann ich ein Kind bekommen, wenn kein Mann mich berührt hat? Er sagte: Es ist so! ... Allah erschafft wie Er es wünscht! Wenn Er eine Sache entscheiden will, sagt Er nur „SEI" und es „IST"."**

48. Er wird das Buch (das Wissen um die Wahrheit), **die Weisheit** (die Ordnung und die Mechanik des Systems, welche durch die Namen von Allah geformt wurden), **die Thora** (Offenbarung-die Offenbarung, die Moses erhalten hat) **und die Bibel** (die Wahrheit, welche als frohe Kunde offenbart wurde) **lehren** (er wird es programmieren- es in die Existenz einbetten).

49. Und Er wird ihn als Rasul zu den Kindern Israels schicken. (Er) wird sagen: „Ich **komme zu euch von eurem Rabb, indem ich Seine Zeichen in meiner Essenz trage.** Ich werde aus Tonerde eine Form von Vogel für euch erschaffen und werde in es einhauchen (die Kräfte der Namen darin aktivieren) **und es wird ein Vogel werden mit der Erlaubnis Allahs** (Bi-iznillah; mit dem Willen von Allahs Namen wird es zu einer bestimmten Form manifestieren). **Ich heile die Blinden und die Leprakranken und gebe den Toten das Leben mit der Erlaubnis Allahs** (Bi-iznillah; mit der Angemessenheit der Kräfte der Namen, die ihre Essenz ausmachen). **Ich informiere euch** (da Allah mich informiert) **auch, was ihr esst und in euren Häusern lagert. Hierin gibt es ein** (wichtiges) **Zeichen** (bezüglich der Kraft eures Rabbs) **für euch, falls ihr glaubt.**

50. „Und ich komme, um das was vor mir war (das Originale, Unveränderte) **bezüglich der Thora** (an Moses offenbart) **zu bestätigen... und um gesetzlich** (halal) **einiges zu machen, welches euch verboten wurde** (durch Entstellung). **Ich komme zu euch mit einem Zeichen-einem Wunder von eurem Rabb. Beschützt euch vor Allah und gehorcht mir."**

51. „Allah (mit Seinen Namen) **ist gewiss mein Rabb und euer Rabb! Also erlangt die Bewusstheit, dass ihr zu Ihm in Dienerschaft steht und lebt gemäß diesem. Dies ist der gerade Weg."**

52. Und als Jesus ihre Ablehnung der Wahrheit wahrnahm, sagte er: „Wer wird mir helfen auf dem Weg, der zu Allah führt?" Seine Jünger antworteten: **„Wir sind die Helfer Allahs...wir glauben im Einklang mit dem Buchstaben „B"** (dass unsere Essenz aus den Namen Allahs besteht); **bezeugt dies mit eurer Wahrheit! Wir befinden uns in Ergebenheit zu Allah."**

53. „Unser Rabb, wir glauben an das, welches Du von deiner Wahrheit (an Jesus) **enthüllt hattest und wir sind deinem Rasul gefolgt, also verzeichne uns unter den Zeugen** (der Wahrheit)."

54. Sie haben „Makr" begangen (intrigiert) **und haben als Antwort das „Makr"** (Intrige) **von Allah bekommen. Allah ist der Beste unter denen, die „Makr" ausüben.** (Um denjenigen, der die Wahrheit artikuliert, loszuwerden, haben sie im Geheimen versucht, Pläne gegen ihn zu schmieden. Aber durch die gleiche Methode hat Allah sie besiegt, indem ihre Intrigen gegen sie gerichtet wurden.)

Anmerkung:

„Makr" bedeutet folgendes: Es ist eine Aktion, welche eine Person von Allah trennt, aber die Person ist sich dessen nicht bewusst und nimmt an, dass sie nicht verletzt ist durch diese bestimmte Tat, also wird die Tat fortgeführt. Letztendlich wird die Person immer mehr sich von Allah trennen oder der Verifikation der Kräfte der Namen in seiner Essenz, welche bei Weitem die größte Strafe sein kann, die man bekommen kann.

55. Und erinnert euch als Allah sagte: „Ich werde dich sterben lassen (d.h. sie werden nicht fähig sein, ein Attentat auf dich auszuüben durch ihre geheimen Intrigen; Ich werde dich sterben lassen, wenn deine Zeit kommt)**...Ich werde dich zu Mir erhöhen** (dir die Überlegenheit deiner Wahrheit ausleben lassen)**; Ich werde dich reinigen, indem Ich dich von den Leugnern der Wahrheit entferne und bis zum Tag der Auferstehung werde Ich diejenigen, die dir folgen über diejenigen stellen, die die Wahrheit ablehnen. Am Ende ist eure Rückkehr zu Mir. Ich werde über Angelegenheiten urteilen worüber ihr**

euch unterschieden habt.

56. „Aber diejenigen, die die Wahrheit ablehnen; Ich werde sie ein strenges Leiden in dieser Welt und im ewigen, zukünftigen Leben ausleben lassen. Und sie werden keine Helfer haben."

57. Und diejenigen, die an ihre essentielle Wahrheit glauben und mit den nötigen Anwendungen sich beschäftigen, das Ergebnis ihrer Taten wird ihnen im vollen Umfang gegeben. Allah liebt nicht die Zalims (A.d.Ü.: grausam zu sich selbst zu sein, weil das ewige Dasein geleugnet wird. Das Leiden entsteht aufgrund von nicht vorbereitet zu sein gegenüber den Umständen, die nach dem Tod existieren werden)!

58. Dies sind Informationen, Zeichen (vergangene Ereignisse, die dir unbekannt waren) und eine Erinnerung mit Weisheit (die Weisheit der Ereignisse werden eröffnet).

59. „Wahrlich die Entstehung von Jesus ist aus der Sichtweise Allahs wie die Entstehung Adams. (Wenn die Entstehung Jesu wie die Entstehung Adams ist, dann ist die Entstehung Adams wie die von Jesus. Dies ist die Perspektive von wo aus wir dieses Thema uns annähern sollten. A.H.) Er erschuf ihn aus dem Staub, dann sagte Er zu ihm „SEI" und er war. (Die Entstehung des Menschen, indem die „Seele eingehaucht" wurde [mit der Bewusstheit der Kräfte der Namen] in dem, welche aus Staub entstanden ist, d.h. eine molekulare Struktur, ist genauso wie „die Seele einzuhauchen" in einer molekularen Struktur, welche in der Gebärmutter geformt wird.)

60. Dies ist die Wahrheit von deinem Rabb, also gehöre nicht zu denen, die zweifeln!

61. Und wer auch immer über diese Wahrheit argumentiert, nachdem dieses Wissen zu dir gekommen ist, dann sag: „Komm, lass uns unsere Söhne und deine Söhne, unsere Frauen und deine Frauen, uns selbst und euch rufen und beten; möge der Zorn Allahs auf denen sein, die wegen der Wahrheit lügen."

62. Wahrlich, dies ist der Kern der Sache. Der Begriff eines Gottes-Gottheit ist ungültig; nur Allah existiert! Und wahrlich, Allah ist HU, ist Aziyz, ist Hakiym.

63. Falls sie sich wegdrehen (von dieser Wahrheit), dann wahrlich Allah kennt diejenigen, die korrupt sind (wird die Resultate diesbezüglich ausleben lassen).

64. Sag: „Oh ihr zu denen das Wissen um die Wahrheit kam, lasst uns zusammenkommen zu einem gemeinsamen Verständnis; lasst uns niemandem dienen außer Allah; lasst uns nichts mit Allah, der unsere essentielle Wahrheit darstellt, assoziieren; lasst nicht einige von uns andere (z.B. Jesus) neben Allah (Dunillahi!) als Rabb nehmen (neben Allah einen Gott haben)." Aber falls sie sich davon wegdrehen, dann sag ihnen: „Bezeugt, dass wir zu denen gehören, die zu Allah sich in Ergebenheit (Muslim) befinden."

65. Oh ihr zu denen das Wissen um die Wahrheit kam, warum argumentiert ihr über Abraham? Die Thora und die Bibel sind nach ihm (dimensional) herabgestiegen (also sie haben seine Situation erklärt). Habt ihr keinen Verstand dies zu realisieren?

66. Ihr besteht auf Argumentationen worin ihr wenig Wissen besitzt..., aber warum argumentiert ihr über Dinge, worin ihr gar kein Wissen habt? Wo doch Allah weiß und ihr nicht wisst!

67. Abraham war weder ein Jude noch ein Christ...Aber er war einer von jenen, die nicht an einen Gott (oben-befindlichen-Gott, äußerliche Gottheit) glaubten (Hanif) und die sich bewusst waren, dass nur Allah existiert und die sich zu Ihm in Ergebenheit befanden (Muslim-derjenige, der in der Existenz die absolute Herrschaft von demjenigen, der Allah genannt wird, auslebt). In Seinem Verständnis gab es überhaupt keinen „Schirk". (A.d.Ü.: keine Dualität, sein Gehirn hat nichts mit Allah verglichen).

68. Wahrlich diejenigen, die die größte Nähe zur Wahrheit mit Abraham haben, sind diejenigen, die sein Verständnis befolgen; dieser Nabi (Muhammad, FsmI) und diejenigen, die an ihn glauben. Allah ist der „Wali" derjenigen, die den Glauben anwenden.

69. Eine Gruppe von denjenigen zu denen das Wissen um die Wahrheit kam, wollten euch irreleiten, aber sie können niemanden irreleiten außer sich selbst. Aber sie sind sich dessen nicht bewusst.

70. Oh ihr, zu denen das Wissen um die Wahrheit kam, obwohl ihr Zeugen seid zur Wahrheit, warum leugnet ihr die Existenz in den Zeichen Allahs ab (die Zeichen, die die Manifestierung seiner Namen sind)?

71. Oh ihr zu denen das Wissen um die Wahrheit kam, warum versteckt ihr die Wahrheit innerhalb der Lüge und während ihr die Wahrheit kennt, versteckt ihr sie weiterhin?

72. Eine Gruppe von jenen zu denen das Wissen um die Wahrheit kam, sagte: „Geht zu den Gläubigen und sagt ihnen, dass „wir auch an das glauben, welches enthüllt wurde", dann lehnt es ab am Ende des Tages (indem ihr sagt, dass ihr darüber nachgedacht habt und realisiert habt, dass dies doch nicht möglich sei). So werden sie eventuell (euch befolgen) und von ihrem Weg ablassen."

73. „Glaubt nicht jenen, die eurer Religion nicht befolgen!" Sagt: „Rechtleitung ist die Rechtleitung von Allah (es ist das Fundament, dass die Rechtleitung der Namen von Allah eure essentielle Realität darstellen). Stellt ihr euch dagegen, weil das was euch gegeben wurde auch dem anderen gegeben wurde oder weil sie sich euch gegenüber durchsetzen werden (mit dem was ihnen gegeben wurde) aus der Sicht eures Rabbs?" Sagt: „Wahrlich, die Gunst ist in Allahs Hand, Er gibt es wem Er auch will. Allah ist al-Wasi und al-Aliym."

74. Er gibt seine Rahmat (von wem Er will) zu wem Er will! Allah ist Zul Fazlil Aziym, der Besitzer der grenzenlosen Gunst.

75. Unter den Menschen, die das Wissen um die Wahrheit bekommen haben, gibt es jene, die, falls ihr sie mit einer großen Menge (von Geld) anvertraut, dann werden sie es euch alles zurückgeben wie es war. Und unter jenen gibt es auch welche, falls ihr sie nur mit einem einzigen Dinar (Gold) anvertraut, dann werden sie es euch nicht zurückgeben, es sei denn ihr verlangt ständig danach. (Dies kommt wegen ihres Gedankens): „Die Analphabeten, die zu uns in Opposition stehen (die ignorant gegenüber der Wahrheit sind) haben keine Rechte über uns." Sie lügen absichtlich über Allah.

76. Wahrlich wer auch immer zu seinem Wort steht und sich selbst beschützt, zweifelsohne Allah liebt die „Muttakun" (diejenigen, die sich in Schutz befinden).

77. Was diejenigen anbelangt, die ihr Abkommen und Versprechen an Allah für einen kleinen Preis verkauft haben; sie haben keinen Anteil am ewigen, zukünftigen Leben. Allah (nicht ein oben-befindlicher- Gott, sondern was von der Verifikation der Kräfte der

Namen in deren Essenz erwähnt wird) **wird nicht zu ihnen sprechen, sie anschauen oder sie reinigen am Tag des „Kiyamats"** (Tag der Auferstehung, A.d.Ü. der Zeitpunkt, wo nur das „Stehen"- arab. Kiyam- mit Allah [Billahi] das Selbst rettet). **Es gibt eine strenge Bestrafung für sie.**

78. Es gibt einige unter ihnen, die sprechen, indem sie die Bedeutung (um etwas anders anzudeuten) **des Wissens um die Wahrheit pervertieren, so dass ihr denkt, dass es sich um offenbartes Wissen handelt.** (Wobei) **das, was sie sagen, nicht das offenbarte Wissen darstellt. Sie sagen: „Dies ist aus der Sichtweise Allahs", aber es ist nicht die Sichtweise Allahs! Sie lügen absichtlich über Allah.**

79. Es ist nicht möglich für einen Menschen, dass Allah ihm Wissen um die Wahrheit, Autorität und Nubuwwah (A.d.Ü. durch Offenbarung das System zu „lesen") **gibt und dann den Menschen sagt: „Verlasst Allah und dient nur mir!"** Im Gegenteil, er würde sagen: **„Gehört zu jenen, die sich bewusst über die Dienerschaft ihres Rabbs sind in Übereinstimmung mit den Lehren des Wissens um die Wahrheit und den Praktiken, die ihr ausübt.**

80. Er (dieses Individuum im Besitz von Wissen) **würde von euch nicht verlangen, die Engel oder die Nabis als eure Rabbs anzunehmen. Warum würde er von euch verlangen, eure Essenz zu leugnen, nachdem ihr euch zu Allah ergeben habt?**

81. Und erinnert euch als Allah ein Versprechen von den Nabis nahm (und von ihren Gemeinden solch ein Thematik): **„Ich habe euch vom Wissen um die Wahrheit und der Weisheit gegeben, von jetzt an, wenn ein Rasul zu euch kommt, um das zu bestätigen, welches bei euch ist, dann sollt ihr gänzlich an ihm glauben und ihm helfen. Habt ihr Meine schwere Bürde auf euch genommen und akzeptiert?"** Sie sagten: „Wir haben akzeptiert!" **„Seid Zeugen, weil Ich auch als eure essentielle Wahrheit bezeuge."**

82. Wer auch immer sich wegdreht (von diesem Wort)**, der gehört zu den „Fasik"** (dessen Glauben Defizite aufweisen).

83. Was es in den Himmeln und auf der Erde gibt (in den materiellen und geistigen Dimensionen des Universums)**, befindet sich willentlich oder unbewusst in einem Zustand der Ergebenheit zu HU; suchen sie dann eine andere Religion als das DIN von ALLAH** (vom Islam-das System und die Ordnung, welches erschaffen wurde)**? Sie werden zu HU zurückkehren.**

84. Sag: „Wir glauben an Allah als der Eine, der unsere Essenz aus Seine Namen erschaffen hatte und wir glauben an alles, welches Er an uns enthüllt hatte"; und was an Abraham, Ismail, Isaak, Jakob und an das, welches an seine Nachkommen enthüllt wurde; an Moses und Jesus und an das, welches zu den Nabis von ihrem Rabb gegeben wurde. Wir machen keinen Unterschied zwischen ihnen. Wir befinden uns in Ergebenheit zu Ihm."

85. Und wer auch immer eine andere Religion (System und Ordnung) **als Islam** (vom Verständnis, ein Bewusstsein, das sich in Ergebenheit befindet) **sucht, dann wird dies ohne Erfolg sein! Und er wird zu den Verlierern gehören im ewigen, zukünftigen Leben.**

86. Wie soll Allah eine Gesellschaft rechtleiten, die die Wahrheit ablehnen, nachdem selbst eindeutige Beweise zu ihnen kommen und nachdem sie glauben und bezeugen, dass der Rasul die Wahrheit darstellt! Allah rechtleitet keine Gesellschaft, welches Grausamkeit sich selbst gegenüber ausübt.

87. Die Auswirkung ihrer Taten ist der Fluch Allahs, der Engel und der ganzen Menschheit (sie haben sich von allem getrennt).

88. Sie bleiben in diesem Zustand für immer. Ihr Leiden wird nicht erleichtert werden und es wird sich nicht um sie gekümmert.

89. Außer diejenigen, die nach diesem Zustand (ihre Fehler erkennen) um Vergebung bitten und sich verbessern (ihre Fehler korrigieren), dann ist Allah wahrlich Ghafur und Rahiym.

90. Aber diejenigen, die die Wahrheit ablehnen nachdem sie geglaubt haben und beständig sind in ihrem Ablehnen, ihre Vergebung wird niemals akzeptiert werden. So sind sie zu den Irregeleiteten geworden.

91. Sie leugnen das Wissen um die Wahrheit und sterben mit dieser Leugnung; selbst, wenn sie eine Welt voller Gold hätten und es als Lösegeld anbieten würden (um sich zu retten), würde es niemals akzeptiert werden. Ein heftiges Leiden erwartet sie und keiner wird ihnen helfen.

92. Niemals werdet ihr „al-BIRR" (Essenz der Bemühungen) erreichen bis ihr das verteilt, welches ihr liebt. Und was auch immer ihr ohne zu erwarten wegen Allah spendet, Allah (als der Erschaffer dessen) weiß darüber Bescheid (und erschafft dessen Gegenleistung).

93. Alle Nahrung wurde den Stämmen Israels gesetzlich gemacht außer das, welches Israel sich selbst ungesetzlich machte (verboten hatte) bevor die Thora offenbart wurde. Sag: „Falls ihr eurem Wort treu seid, dann bringt die Offenbarung (Thora) und liest es!"

94. Und wer nach diesem auch immer Lügen über Allah verbreitet, gehört zu den „Zalims".

95. Sag: „Allah hat die Wahrheit gesagt. Also folgt als „Hanif" (A.d.Ü.: dem einen wahren Ich im Universum gegenüber, sich in Ergebenheit zu befinden) der Nation Abrahams (ihr Religionsverständnis). Er gehörte nicht zu den „Muschriks" (A.d.Ü.: Diejenigen, die das „Schirk" ausleben, Dualisten; diejenigen, die eine dualistische Betrachtungsweise haben... „Ich und mein Gott/Götter").

96. Das erste Haus (Tempel), welches für die Menschen errichtet wurde, war innerhalb von Bakka (der alte Name von Mekka), es war für die Welten die Quelle der Rechtleitung und des Segens.

97. Darin befinden sich klare Zeichen und die Station Abrahams. Wer auch immer dort hineingeht, wird sich in Sicherheit befinden. Zum Haus zu pilgern (Hadsch) ist das Recht Allahs auf allen Menschen, die das Mittel haben, es auszuführen. Aber wer auch immer dies ablehnt (nicht zu gehen, obwohl er die Mittel zur Verfügung hat), wahrlich Allah ist Ghani (unabhängig und frei) von den Welten.

98. Sag: „Oh ihr, zu denen das Wissen um die Wahrheit kam...Während Allah all eure Taten bezeugt, warum leugnet (verdeckt) ihr die Existenz von Allahs Zeichen (die Zeichen, die die Manifestierungen Seiner Namen sind)?"

99. Sag: „Oh ihr, zu denen das Wissen um die Wahrheit kam...Obwohl ihr Zeuge wart (zur Wahrheit), warum deutet ihr es als falsch an und lenkt die Gläubigen vom Wege Allahs ab? Allah ist nicht unbewusst eurer Taten."

100. Oh ihr, die den Glauben anwenden, wenn ihr einige von denen, die das Wissen um die Wahrheit bekommen haben, folgt (die danach abtrünnig wurden), dann werden sie euch vom Glauben zum Unglauben zurückdrehen lassen.

101. Während die Zeichen Allahs vor euch vorgeführt werden und es unter euch einen Rasul gibt, wie könnt ihr zu denen gehören, die das Wissen um die Wahrheit ablehnen? Wer auch immer (sich von allem loslöst und) standhaft an Allah festhält- die Essenz, die seine Wahrheit formt-der ist zum geraden Weg rechtgeleitet worden.

102. Oh ihr, die den Glauben anwenden... Beschützt euch gebührend vor Allah (da ihr definitiv die Ergebnisse eurer Taten ausleben werdet) und sterbt nur als diejenigen, die sich in Ergebenheit befinden.

103. Haltet fest am Seil Allahs, (welches) zur Wahrheit der Namen in eurem Wesen führt, alle zusammen und zerfallt nicht in Spaltung. Erinnert euch an das Segen Allahs euch gegenüber. Erinnert euch, dass ihr einst Feinde wart, Hu hat euch zusammengebracht, indem ein gemeinsames Verständnis in eurem Bewusstsein geformt wurde; und gemäß diesem Segen, welches Hu in euch manifestierte, wurdet ihr Brüder. Ihr wart in der Nähe des Randes eines Feuerlochs; Hu rettete euch vor diesem Feuer. Und so erklärt Allah Seine Zeichen, so dass ihr die Wahrheit erreichen könnt.

104. Lasst unter euch eine Gemeinschaft sein, welches zum Guten (zum Wahren) einlädt, welches gemäß der Wahrheit und der Realität urteilt und welches euch empfiehlt sich wegzudrehen von Dingen, die gegensätzlich zur Religion sind. Diese sind jene, die die Rettung erfahren werden.

105. Seid nicht wie jene, die in Division und Spaltung zerfallen sind, nachdem klare Beweise zu ihnen gekommen sind. Für sie gibt es ein gewaltiges Leiden.

106. Während dieser Zeit werden manche Antlitze (Bewusstsein) leuchten (mit dem Licht des Wahren) und manche Antlitze werden verdunkelt sein (mit der Grausamkeit des Egos) ... Zu jenen mit verdunkeltem Antlitz (wird gesagt werden): „Nachdem ihr geglaubt habt seid ihr in Ablehnung zerfallen! Jetzt erfahrt das Leiden, welches durch eure Ablehnung der Wahrheit entstanden ist."

107. Aber diejenigen, dessen Antlitze leuchten (als Resultat des Verständnisses über ihre Wahrheit/Essenz), sie werden sich innerhalb des „Rahmats" von Allah befinden...Sie werden dort auf ewig bleiben.

108. Dies sind die Zeichen Allahs, wir lassen sie dich als die Wahrheit vorlesen. Allah wünscht den Welten keine Grausamkeit.

109. Was es auch immer in den Himmeln und auf der Erde gibt, alles gehört Allah (mit der Existenz Seiner Namen existiert und besteht alles fort). Alles wird zu Allah zurückkehren (es wird eine Zeit kommen, wo alles seine Wahrheit und Essenz sehen wird und diejenigen, die dies nicht bewerten können, werden brennen)!

110. Ihr seid die beste Gesellschaft, welches sich unter den Menschen befindet. Ihr urteilt mit der Wahrheit, ihr empfiehlt Dinge zu unterlassen, welches gegensätzlich zur Religion ist und ihr glaubt an Allah mit dem Verständnis, daß eure Essenz mit der AL ASMA (Seine Eigenschaften) geformt wurde. Wenn diejenigen, die auch das Wissen um die Wahrheit bekommen haben (Leute des Buches), auch geglaubt hätten, dann wäre es gut für sie gewesen. Manche sind Leute des Glaubens, aber die meisten leugnen ihre Wahrheit.

111. (Sie) können euch keinen anderen Schaden geben außer der Folterung. Wenn sie euch bekämpfen, dann werden sie sich umdrehen und fliehen. Es wird keine Hilfe danach gegeben.

112. **Ihr Urteil ist Erniedrigung** (Herabsetzung), **wo auch immer sie sich befinden; sie wurden dem Zorn Allahs unterstellt und sind dazu bestimmt erniedrigt zu leben**...**Außer diejenigen, die fest an einem Seil von Allah** (das Abkommen „Du bist unser Rabb"; dass von der Dimension der Namen ihre Essenz geformt wurde) **und an einem Seil der Menschen festhalten** (jemanden befolgen, der diesen Glauben befolgt)! **Denn sie haben die Existenz in den Zeichen Allahs geleugnet** (die Zeichen, die die Manifestierungen Seiner Namen sind) **und die Nabis getötet** (weil es ihrem Ego-Dasein angenehm war) **entgegen dem Willen der Wahrheit. Dies entsteht aufgrund ihrer Rebellion und weil sie über ihre Grenzen schreiten.**

113. **Sie sind nicht alle gleich. Es gibt eine Gruppe unter ihnen, zu denen das Wissen um die Wahrheit kam, die sich niederwerfen und die Zeichen Allahs lesen und bewerten durch die Nacht hindurch.**

114. **Sie glauben, dass die Namen Allahs ihre Essenz ausmachen und an das ewige und zukünftige Leben, sie urteilen mit der Wahrheit, sie empfehlen den Menschen Dinge zu unterlassen, welches gegensätzlich zur Religion ist und sie beeilen sich Gutes zu verrichten** (materiell sowie auch geistig). **Sie gehören zu den „Salih" genannten.** (A.d.Ü.: Jene, die solche Taten begehen, so dass sie aufgrund ihrer Taten bemerken, dass sie aus „Seele" und nicht aus Fleisch und Knochen bestehen.)

115. **Das Gute, daß sie verrichten, wird niemals abgelehnt werden. Allah ist mit Seinen Namen über die Existenz der Beschützten „Aliym".**

116. **Diejenigen jedoch, die die Wahrheit ablehnen... weder ihr Reichtum noch ihre Nachkommen können sie vor Allah beschützen. Sie sind dazu verdammt zu brennen, auf ewig!**

117. **Das Gleichnis von dem was sie spenden in dieser geringwertigen materiellen Welt** („Asfili Safiliyn-das Niedrigste vom Niedrigen"-das weltliche Leben) **ist wie ein kalter Wind, welches die Ernte der Menschen, die sich selber schaden, zerstört. Allah war nicht grausam zu ihnen, aber sie sind es, die zu sich selbst grausam waren.**

118. **Oh ihr, die den Glauben anwenden... Nimmt nicht andere außer eures gleichen als Freunde** (diejenigen, die nicht euren Glauben teilen). **(Sie) warten auf eine Gelegenheit euch zu verletzen und euch in Schwierigkeiten zu sehen, macht sie glücklich. Seht ihr nicht wie ihre Feindseligkeit von ihren Mündern fließt? Und was sie in ihrem Inneren verbergen, ist noch größer. Und so informieren wir euch über die notwendigen Zeichen. Benutzt euren Verstand** (bewertet).

119. **Ihr seid solche Personen** (des Glaubens), **so dass** (aufgrund der Wahrheit, an die ihr glaubt) **ihr sie liebt. Wo doch sie euch nicht lieben** (weil ihr deren Glauben nicht befolgt)! **Ihr glaubt gänzlich am Wissen um die Wahrheit. Wenn sie euch sehen, sagen sie: „Wir haben geglaubt"; aber wenn sie unter sich selbst sind, beißen sie auf ihre Finger in Wut. Sag: „Geht im Feuer eurer Wut unter!".... Wahrlich Allah, als die Essenz eures Wesens durch Seine Namen, weiß was ihr in eurem Inneren verbirgt.**

120. **Wenn etwas Gutes euch befällt, macht es sie traurig; aber wenn etwas Schlechtes**

euch trifft, dann werden sie glücklich. **Wenn ihr durchhaltet und euch beschützt, wird ihre List euch niemals schaden können. Wahrlich Allah umfasst das, was sie tun** (ohne Konzept der Lokalität).

121. **Und erinnere dich daran als du deine Familie am frühen Morgen verlassen hast, um die Gläubigen an ihre angemessenen Stationen auf dem Schlachtfeld zu positionieren. Allah ist Sami und Aliym.**

122. **Dann fingen zwei Gruppen unter euch an ihre Tapferkeit zu verlieren. Aber Allah war ihr Wali. Lasst die Gläubigen an Allah vertrauen** (sie sollen glauben, daß der Name „al-Wakil" in ihrer Essenz seine Funktion erfüllen wird).

123. (Mit Bestimmtheit) **als ihr in einem schwachen und hilflosen Zustand wart, hat euch Allah bei Badr den Sieg gegeben. Also beschützt euch vor Allah, auf daß ihr zu den Bewertenden gehören könnt.**

124. **Erinnere dich als du zu den Gläubigen sagtest: „Ist es nicht ausreichend für euch, dass eurer Rabb euch bestärkt mit der Enthüllung von 3000 Engel?** (Die Manifestierungen mancher Kräfte und Potenziale der „Asma ul Husna", welche in den Gläubigen Tapferkeit und Ausdauer verstärkt hatte.)

125. **Ja…Falls ihr euch beharrlich in Ausdauer übt und euch beschützt, selbst wenn der Feind euch plötzlich angreift, wird euer Rabb euch mit 5000 Engeln bestärken, welche von den Namen ihren Ursprung nimmt in eurer Existenz.**

126. **Allah hat dies als frohe Botschaft für euch getan und um euch mit der Kraft in euren Herzen** (in eurer Wahrheit) **zu befriedigen. Hilfe ist und kommt nur aus der Sichtweise Allahs, welcher Aziz und Hakim ist.**

127. **Und** (Allah hat dies getan), **um einen Teil der Leugner auszuschalten** (zerstören) **und damit ein anderer Teil sich in Erniedrigung umdreht.**

128. **Das Urteil gehört nicht dir; wenn Er will, wird ihre Reue angenommen oder Er wird ihnen Leid zufallen lassen. Denn wahrlich, sie gehören zu den Zalims** (A.d.Ü: Sie sind sich selbst gegenüber grausam; lassen ihr eigenes Potenzial nicht entfalten).

129. **Was es auch immer in den Himmeln und auf der Erde gibt, gehört Allah** (sie existieren und bestehen fort mit der Existenz Seiner Namen). **Er vergibt wen Er will und gibt Leid wen Er will** (als Resultat ihrer Taten). **Allah ist Ghafur und Rahim.**

130. **Oh ihr, die den Glauben anwenden, nimmt keinen „Riba"** (Wucherei-Zinsen nehmen sind verboten!) **Beschützt euch vor Allah** (denn ihr werdet definitiv die Resultate eurer Taten ausleben); **auf dass ihr zu den Geretteten gehören könnt!**

131. **Beschützt euch vor dem Feuer, welches für die Leugner der Wahrheit vorbereitet wurde.**

132. **Gehorcht Allah und dem Rasul, auf dass ihr einen Zustand von „Rahmat"** (A.d.Ü.: einen Weg, der zu Allah führt) **erreichen könnt.**

133. **Beeilt euch zur Vergebung eures Rabbs** (derjenige, der die Quelle der Namenskomposition in eurer Essenz darstellt) **und zum Paradies, welches sich in der Weite/Spektrum** (der verifizierte Ort mit den Kräften von Allahs Namen) **der Himmel** (die Zustände des Verständnisses) **und der Erde** (Plattform der Kräfte) **befindet…Dies wurde vorbereitet für die Beschützten!**

134. Sie sind diejenigen, die ohne Gegenleistung in schweren Zeiten und guten Zeiten geben, sie kontrollieren ihre Wut, wenn sie wütend werden und sie vergeben den Menschen ihre Fehler. Allah liebt diejenigen, die Ihsan (Perfektion) ausüben.

135. Wenn sie etwas Schamhaftes tun oder wenn sie sich selbst schaden (indem sie von Allah verschleiert werden); dann denken sie über Allah nach und fragen nach Vergebung über das, was sie falsch gemacht haben. Wer kann Fehler vergeben außer Allah! Sie sind nicht beharrlich in ihrem Fehlverhalten.

136. Das Resultat (Konsequenz) ihrer Taten ist Vergebung von ihrem Rabb und das Paradies, unter denen Flüsse fließen. Sie werden dort auf ewig bleiben. Was für eine segensreiche Belohnung für diejenigen, die Nützliches tun.

137. Vor euch sind Gesellschaften mit ihren eigenen Lebensstil gekommen und wieder gegangen. Bereist die Erde (buchstäblich oder durch den Informationsweg) und seht, was mit denen passiert ist, die (die Wahrheit) abgelehnt haben.

138. Dies ist eine Erklärung (Lehre) für die Menschen und eine Rechtleitung und Empfehlung (Erleuchtung) für die Beschützten.

139. Werdet nicht schwach und trauert nicht; ihr seid jene, die besser sind, falls ihr zu denen gehört, die den Glauben anwenden.

140. Falls ihr mit einer Wunde (Schmerzen habt) seid, dann haben andere eine ähnliche Wunde auch abbekommen. Solche Zeiten zirkulieren bei den Menschen. Dem ist so, damit die Gläubigen von Allah unterschieden werden können (das Ergebnis der Manifestierung der Namen in ihrer Essenz) und diejenigen, die die Wahrheit zum Lasten ihres eigenen Lebens bezeugen können. Allah liebt nicht die „Zalims" (diejenigen, die nicht ihrem Selbst oder anderen gegenüber die Rechte erfüllen).

141. (Diese Ereignisse entstehen) damit Allah die Gläubigen reinigt (durch diese Erfahrungen) und damit die Leugner um das Wissen der Wahrheit zerstört werden.

142. Oder habt ihr angenommen ihr könntet das Paradies ausleben bevor Allah nicht unter euch offensichtlich macht wer die „Strebsamen" sind (diejenigen, die mit großer Bestimmtheit bestrebt sind, die Wahrheit auszuleben) und wer auf diesem Weg ausdauernde Geduld zeigt!

143. Ihr habt wahrlich euch gewünscht das „Martyrium" (A.d.Ü.: für das Erleben der Wahrheit das Ego sterben lassen) zu bekommen ohne durch den Tod konfrontiert zu sein. Jetzt seht ihr es, aber ihr schaut nur zu!

144. Muhammad ist nichts anderes als ein Rasul. Vor ihm sind auch Rasule gekommen und gegangen. Wenn er jetzt stirbt oder getötet wird, werdet ihr euch abwenden (von eurem Glauben-von eurem Anlass)? Und wer auch immer sich abwendet, wird Allah überhaupt keinen Schaden geben! Allah wird die Dankbaren belohnen (der gebührend Bewertende wird das Resultat seines Tuns ausleben).

145. Und keiner kann sterben, es sei denn es ist in Übereinstimmung mit dem „unveränderlichen Programm" (Kitaban Muadschala), welches durch die Namen Allahs in der Existenz eines jeden (Bi-iznillah) geformt wurde! Wer auch immer die Segen dieser Welt möchte, Wir werden es ihm geben. Und wer auch immer die Segen des ewigen, zukünftigen Lebens haben möchte, dann ist es dies, welches Wir ihm geben werden. Wir geben die Konsequenz (Ergebnis) den Dankbaren (Wir lassen das Ergebnis ihrer Bewertungen an den Bewertenden ausleben).

146. Viele Nabis haben gekämpft, obwohl mit ihnen zusammen diejenigen waren, die ihre Dienerschaft zu ihrem Rabb erfahren haben; sie haben nicht nachgelassen durch die Beschwerden, welches sie befallen hatte auf dem Wege Allahs, noch wurden sie abgeschwächt und gefügig. Allah liebt diejenigen, die ausdauernd sind in Zeiten der Schwere.

147. Sie haben gesagt: „Unser Rabb, vergib uns unsere Fehler und das Verschwenderische in unserem Tun, gib uns Geduld und Widerstandskraft, hilf uns gegen die Leugner um das Wissen der Wahrheit, gib uns den Sieg."

148. Und so gibt Allah ihnen die Belohnung in dieser Welt und die schönste Belohnung des zukünftigen, ewigen Lebens. Allah liebt diejenigen, die Muhsin sind (A.d.Ü.: die Perfektion ausüben).

149. Oh ihr, die den Glauben anwenden, wenn ihr die „Kafir" (diejenigen, die die Wahrheit ablehnen) befolgt, dann lassen sie euch auf eure Fersen kehrtmachen und ihr werdet als Verlierer da stehen.

150. In Wahrheit ist euer Mawla (A.d.Ü.: der Beschützer, Herr, Meister, derjenige, der das „Wilayah" entstehen lässt-das Erfahren der Wahrheit auszuleben) Allah! Er lässt mit Seiner Hilfe den Sieg erreichen.

151. Wir werden Furcht in den Herzen der Leugner um die Wahrheit formen, die zur ihrer Essenz „Schirk" an den Namen Allahs begehen (A.d.Ü.: zu den Namen Allahs etwas verglichen zu haben, worüber es keinen Beweis gibt), **ihr Lebensort ist das Feuer. Wie schlimm ist doch das Endziel der Zalims** (A.d.Ü.: diejenigen, die grausam zu sich selbst sind, weil sie sich ihr eigenes ewiges Potenzial verweigert haben).

152. Allah hat wahrlich sein Wort gehalten (bei der Schlacht um Uhud); **ihr hattet beinahe sie zerstört mit der Kraft Allahs, mit der Angemessenheit der Namen Allahs in eurer Existenz** (Bi-Izni-Hi=mit Seiner Erlaubnis). **Aber als Allah euch das gezeigt hatte, welches ihr liebt** (Sieg und Kriegsbeute), **da habt ihr Schwäche gezeigt und habt rebelliert entgegen den Befehl, welches euch gegeben wurde. Manche von euch waren hinter weltlichen Dingen her** (also habt ihr eure Posten verlassen und seid der Beute nachgerannt) **und manche waren hinter dem ewigen zukünftigen Leben her (**also habt ihr den Befehl des Rasuls befolgt, wart ausdauernd und wurdet Märtyrer). **Dann hat Allah euch zurückgeführt, um euch euren Zustand zu zeigen. Aber Allah hat euch vergeben. Allah ist Zul Fadlil Aziym** (der Besitzer grenzenloser Gunst) **den Gläubigen gegenüber.**

153. Und erinnert daran als der Rasul euch von hinten gerufen hatte, aber ihr seid geflohen ohne irgendjemanden anzuschauen. Also hat Allah euch mit Besorgnis über Besorgnis bestraft, so dass ihr nicht über eure Verluste bekümmert wart oder mit dem übrigblieb, welches euch befallen ist (Sieg und Beute sind euch entkommen und ihr seid in einem Zustand der Scham gefallen). Allah, als der Erschaffer eurer Aktionen, ist derjenige, der über alles Bescheid weiß.

154. Dann hat Er ein Gefühl der Sicherheit enthüllen lassen, um nach eurer Besorgnis euch zu beruhigen. Eine Gruppe (die Heuchler) war um sich selbst besorgt (ihre Interessen). Mit ignoranten Vermutungen haben sie gedacht: „Hatten wir eine Meinung in dieser Entscheidung?" Sag: „Die Entscheidung und das Urteil gehört gänzlich Allah!" Sie versteckten in sich selbst, was sie nicht veröffentlichten. Sie sagten: „Wenn wir eine Entscheidung gehabt hätten, dann wären wir nicht hier getötet worden." Sag: „Selbst wenn ihr in euren Häusern geblieben wärt, diejenigen **für die der Tod geschrieben war** (programmiert war), **wären in jedem Fall aus ihren Häusern getreten und wären zu ihren Orten des Todes gegangen.** Allah hat euch dies ausleben lassen, um zu zeigen, was ihr in eurem Inneren habt (um äußerlich das zu veröffentlichen, was ihr verbirgt) **und um euch von falschen Ideen zu bereinigen. Allah weiß, was in eurem Inneren ist, denn die Essenz eurer Herzen ist aus Seine Namen erschaffen.**

155. **Diejenigen, die geflohen sind als die beiden Armeen sich gegenüber standen, haben dies getan, weil Satan** (Zweifel, Skepsis) **falsche Ideen in ihnen provoziert hatte. Aber Allah hat ihnen vergeben. Allah ist Ghafur und Haliym.**

156. **Oh ihr, die den Glauben anwenden...Seid nicht wie diejenigen, die die Wahrheit ablehnen, indem ihr zu euren Brüdern, die die Welt bereisen oder in den Krieg ziehen, sagt: „Wären sie bei uns geblieben, wären sie nicht gestorben oder getötet worden. Allah hat diese Gedanken in ihnen geformt als Schmerzen der Sehnsucht. Es ist Allah, der Leben gibt und Leben nimmt** (nicht offensichtliche Ursachen)! **Allah ist Basiyr** (der Bewertende) **von dem, was ihr tut** (da Er ihre Essenz darstellt und darüber hinaus mit Seinen Namen der Erschaffer ist).

157. **Wahrlich die Vergebung und die „Rahmat"** (A.d.Ü.: ein Weg, der zu Allah führt), **die ihr erreicht, weil ihr auf dem Wege Allahs gestorben oder getötet wurdet, ist besser als was sie sich anhäufen** (in dieser Welt).

158. **Und wahrlich, falls ihr sterbt oder getötet werdet, zu Allah werdet ihr zusammengeführt werden** (eure Bewertung wird durch die Namen Allahs sein, welches eure Essenz darstellt).

159. **Mit der „Rahmat" von Allah, welches von eurer Essenz manifestiert wurde, wart ihr sanftmütig zu ihnen. Falls ihr streng und hart gewesen wärt, dann hättet ihr sie verjagt und sie wären gegangen. Vergibt ihnen und bittet um ihre Vergebung. Konsultiert ihre Meinung, wenn ihr soziale Angelegenheiten besprecht. Nachdem eine Entscheidung getroffen und in die Tat umgesetzt wurde, vertraut auf Allah! Wahrlich Allah liebt diejenigen, die ihr Vertrauen auf Ihn setzen** (Glauben haben daran, dass der Name „Al Wakil" in ihrer Essenz seine Funktion erfüllen wird).

160. **Wenn Allah euch hilft, dann kann niemand euch besiegen. Aber falls Er euch ohne Hilfe in eurem eigenen Zustand sein lässt, wer kann da euch helfen! Lasst diejenigen, die den Glauben anwenden, ihr Vertrauen nur auf Allah setzen** (der ihre Essenz durch Seine Namen darstellt).

161. **Es ist nicht möglich, dass ein Nabi das missbraucht, was ihm anvertraut wurde. Wer auch immer missbraucht, wird mit seinem Missbrauch auf einem Strick gehangen daherkommen! Danach wird jedem Selbst** (mit seinem Tun) **das gegeben, was es verdient hat; es wird ihm keine Grausamkeit zugeführt!**

162. **Ist jemand, der dem „Ridwaan" Allahs** (der Existenz der Kräfte der Namen in der Essenz von jedem) **nachgeht, wie jemand, dessen Aufenthalt die Hölle ist, der Ort wo Allahs Zorn zur Manifestierung kommt? Wie elend solch eine Ende doch ist!**

163. **Sie haben unterschiedliche Graduierungen in der Sichtweise Allahs** (Indallah)- (gemäß ihres Wissens bezüglich der äußeren und inneren Welt im Universum-arab. „Ilm" und „Irfan"). **Allah ist Basiyr** (der Bewertende) **von dem, was ihr tut** (da Er ihre Essenz darstellt und darüber hinaus mit Seinen Namen der Erschaffer ist).

164. Wahrlich Allah hat einen Rasul, als einen Segen, für die Gläubigen vom Inneren des Selbst enthüllt. (Hat einen Rasul von ihrer eigenen Art hervorgebracht), er liest Seine Zeichen; er reinigt sie und bringt ihnen das Wissen um die Wahrheit bei und die Weisheit (das System und die Ordnung von allem, was geformt wurde). (Wobei) sie vorher sich in offensichtlicher Korruption befanden!

165. Wenn ein (einziges) Desaster sie trifft, obwohl Wir (den Feind) mit einem doppelt so großen Desaster getroffen haben, dann sagt ihr: „Wieso und wie konnte das passieren?" Sag: „Es ist das Resultat vom Zustand eures Selbst (Ego)." Wahrlich Allah ist Kaadir (Besitzer grenzenloser Kraft) über alle Dinge.

166. Und was sich herausgestellt hatte als sich die zwei Gemeinden bei der Schlacht gegenüber (bei Uhud) standen, war damit eure Essenz-die Namen Allahs- bei denjenigen, die den Glauben anwenden, sich manifestiert (Bi-iznillah) und damit jeder weiß, wer er wirklich ist.

167. (Es war auch) damit die Heuchler erkenntlich gemacht werden. Als ihnen gesagt wurde: „Kommt und kämpft oder verteidigt auf dem Wege Allahs". Da sagten sie: „Falls wir gewusst hätten, dass ihr zur Schlacht geht, dann wären wir euch nachgegangen." An diesem Tag waren sie viel näher im Zustand der Ablehnung als zum Glauben. Sie haben ihre wahren Gedanken nicht ausgedrückt! Was haben sie versucht innerlich zu verbergen, wo doch Allah die Wahrheit weiß!

168. Diejenigen, die nicht zur Schlacht gegangen sind, haben bezüglich ihrer Brüder gesagt: „Wenn sie uns befolgt hätten, wären sie nicht getötet worden." Sag: „Wenn das, was ihr sagt wahr ist, dann lasst uns sehen, wie ihr den Tod von euch fern hält!"

169. Und seht niemals diejenigen, die auf dem Wege Allahs getötet worden sind, als „Tote" an. Im Gegenteil, sie sind lebendig und versorgt mit der Sichtweise ihres Rabbs (Inda Rabbihim).

170. Sie sind glücklich mit der Gunst Allahs, welches von ihrer essentiellen Wahrheit manifestiert wurde. Sie möchten die gute Nachricht denjenigen geben, die zurückgeblieben sind und nicht getötet wurden, dass es für sie weder Furcht noch Sorge gibt.

171. Sie möchten die Segen und die Gunst Allahs, welches auf ihnen liegt, teilen und möchten die gute Nachricht verbreiten, dass die Taten derjenigen, die den Glauben anwenden, nicht ohne Gegenleistung sein werden.

172. Sie sind der Einladung Allahs und Seinem Rasul gefolgt (selbst) nachdem sie verwundet waren. Es gibt eine gewaltige Belohnung für die Ihsan- (A.d.Ü.: Perfektion im Glauben haben) und Takwa - Auslebenden (diejenigen, die auf Schutz bedacht sind).

173. Als ihnen gesagt wurde: „Sie haben eine Armee geformt, um mit euch zu kämpfen, also fürchtet euch." Im Gegenteil, diese Nachricht hat ihren Glauben verstärkt und sie sagten: „Allah ist ausreichend für uns und was für ein exzellenter „Wakiyl" Er doch ist!"

174. Wegen ihres Glaubens sind sie mit dem Segen und der Gunst Allahs unversehrt zurückgekehrt. Sie sind dem Ridwaan Allahs gefolgt. Allah ist Zul Fadlil Aziym.

175. Der Satan (der diese Nachricht gebracht hatte) kann nur seine eigenen „Freunde" beängstigen... also fürchtet sie nicht, fürchtet Mich, falls ihr zu denjenigen gehört, die den Glauben anwenden.

176. Diejenigen, die in der Ablehnung der Wahrheit konkurrieren, sollen dich nicht aufregen. Wahrlich sie können Allah nicht den geringsten Schaden zufügen. Allah wünscht nicht ihnen irgendeinen Teil am ewigen, zukünftigen Leben zu geben (deshalb benehmen sie sich dementsprechend). Es gibt für sie eine gewaltige Bestrafung.

177. Was diejenigen betreffen, die Ablehnung anstelle von Glauben sich erkauft haben, sie können Allah nicht den geringsten Schaden zufügen. Es gibt für sie ein gewaltsames Brennen (Leiden).

178. Diejenigen, die leben während sie die Wahrheit ablehnen, sollten nicht denken, dass durch ihre verlängerte Zeit Wir ihnen irgendetwas Gutes tun! Wir verlängern es ihnen nur, damit ihre Fehler sich vermehren (dies ist Allahs „Makr"-Intrige ihnen gegenüber). Es gibt für sie ein erniedrigendes Leiden, welches ausgelebt wird.

179. Allah wird nicht diejenigen, die den Glauben anwenden, sein lassen wie sie sind. Er wird die Reinen von den Unreinen trennen. Und Allah wird euch nicht über das „Ghaib" (das Nicht-Wahrzunehmende, die Absolute Essenz) informieren. Aber Allah wählt von Seinen Rasuls aus wen Er will (falls Er euch vom „Ghaib" informieren will, was ihr nicht wusstet). Also glaubt, dass die Namen Allahs eure Essenz und die der Welten darstellt und an die Rasuls (in deren Gehirne dieses Wissen entfaltet wurde, um euch dies zu erklären). Falls ihr glaubt und euch beschützt, werdet ihr eine große Belohnung erreichen.

180. Diejenigen, die geizig sind und die Gunst Allahs, welches von den Kräften der Namen in ihrer Essenz resultiert, zurückhalten, sollen nicht denken, dass dies gut für sie sei. Im Gegenteil, es ist sehr schlecht! Das was sie zurückhalten, wird auf dem Hals am Tag der Auferstehung aufgehangen sein! Zu Allah gehört das Erbe der Himmel und der Erde (alles, was durch die Kräfte der Namen geformt wurde). Allah ist al-Khabir über das, was ihr tut (als ihr Schöpfer).

181. Mit Sicherheit hat Allah ihr Wort wahrgenommen: „Allah ist definitiv arm und wir sind reich!" Wir werden ihre Worte und das Töten der Nabis entgegen dem Willen der Wahrheit aufschreiben und ihnen sagen: „Kostet das brennende Leiden!"

182. Dies (das Leiden) ist die Konsequenz dessen, was eure eigenen Hände produziert haben. Allah bestraft nicht ungerechterweise Seine Diener, indem auf sie das manifestiert wird, welches sie nicht verdient haben!

183. Sie (die Juden) haben gesagt: „Allah hat uns befohlen nicht an irgendeinen Rasul zu glauben bevor er nicht ein Opfer bringt, welches das Feuer konsumiert." Sag: „Rasuls sind vor mir gekommen und sie haben euch klare Beweise gezeigt und euch Dinge gegeben, die ihr wolltet. Falls ihr zu eurem Wort steht, warum habt ihr sie getötet?"

184. Wie sie dich abgelehnt haben, haben sie auch Rasuls vor dir abgelehnt, die mit klaren Beweisen und mit heiligem und erleuchtetem Wissen gekommen sind.

185. Jedes Bewusstsein wird den Tod (ohne den biologischen Körper zu leben) schmecken! Es wird am Tag der Auferstehung (beginnend mit der Zeit nach dem Leben mit dem biologischen Körper) im vollen Maß die Belohnung der Taten ausgezahlt werden. Wer auch immer vom Brennen errettet wurde und in das Paradies (in diese Dimension) eintritt, der wurde wahrhaftig befreit. Das weltliche Leben ist nichts anderes als ein täuschendes Vergnügen (welches am Ende in Reue mündet).

186. **Ihr werdet sicherlich geprüft anhand eures Besitzes und eures Selbst** (Ich-Gefühl). **Ihr werdet missbraucht und verletzt werden durch diejenigen, die das Wissen um die Wahrheit vor euch bekommen haben und den Dualisten** (A.d.Ü.: „Ahl al Schirk"-Leute des Schirk; diejenigen, die Allahs Definition der Einheit nicht anerkennen). **Falls ihr ausdauernd seid und euch beschützt,** (dann wisset) **dies kann nur erreicht werden mit Entschlossenheit.**

187. **Und erinnert euch Allah hat ein Versprechen von denjenigen erhalten, die das Wissen um die Wahrheit bekommen haben: „Ihr müsst es den Menschen verständlich machen und es nicht vor ihnen verbergen."** Aber sie haben ihr Versprechen nicht gehalten und haben es für einen kleinen Preis verkauft. Was für ein elendes Tauschgeschäft!

188. **Sieht diejenigen nicht als etwas Besonderes an, die sich selbst loben mit dem was sie getan haben und die es Lieben gelobt zu werden mit dem was sie nicht getan haben! Und denkt nicht, dass sie dem Leiden entgehen werden! Gewaltsames Leiden erwartet sie!**

189. **Allah gehört das „Mulk"** (Dimension der Taten) **der Himmel und der Erde** (denn jedes „Etwas" oder „Entität" in diesem Umfang ist aus den Bedeutungen-Kräften-Potenzialen Seiner Namen geformt worden, d.h. es gehört Ihm!) **Allah ist über alles „Kaadir".**

190. **Wahrlich, es gibt Zeichen in der Schöpfung der Himmel** (von der wahrnehmbaren Dimension zur Quantendimension) **und der Erde** (jede Dimension, die gemäß der Wahrnehmung als Materie angenommen wird) **und der Transformation der Nacht in den Tag** (wie und warum die Nacht und der Tag geformt werden und ihre Zeitabschnitte etc.) **für diejenigen, die ihre Essenz erreicht haben** (Ulul Albab).

191. **Sie** (diejenigen, die ihre Essenz erreicht haben) **gedenken** (erinnern sich) **an Allah während sie stehen oder sitzen oder auf ihren Seiten liegen und sie denken tiefgründig über die Schöpfung der Himmel und der Erde nach** (über den Tagesablauf im Maß zum Universum und seine Tiefen oder aus der Sicht des Gehirns der Platz des Körpers und seine Besonderheiten) **und sagen: „Unser Rabb, Du hast diese Dinge nicht ohne Grund erschaffen! Du bist SUBHAN** (frei davon unbedeutende Dinge zu erschaffen; Du bist in einem Zustand in jedem Moment etwas Neues zu erschaffen)! **Beschütze uns vor dem Feuer** (vor der Reue der ungebührenden Bewertungen deiner Manifestationen).

192. **Unser Rabb, wen Du auch immer in das Feuer eintreten lässt, hast Du erniedrigt. Es gibt keine Helfer** (Retter) **für die „Zalim"** (diejenigen, die ihrem Selbst gegenüber grausam sind)!

193. **Unser Rabb, wir haben gewiss denjenigen gehört, der gesagt hat: „Glaubt an euren Rabb, der eure Essenz/Wahrheit mit Seinen Namen geformt hat", und wir haben ihn unverzüglich geglaubt. Unser Rabb, vergib uns unsere Fehler, tilge unsere Fehltaten, lass uns die Nähe zu Dir haben mit denjenigen zusammen, die Dich erreicht haben.**

194. **Unser Rabb, gib uns was Du deinen Rasuls versprochen hast und demütige uns nicht am Tag der Auferstehung. Wahrlich Du brichst nie Deine Versprechen.**

195. **Ihr Rabb hat ihr Gebet beantwortet: „Niemals werde Ich zulassen, daß eure Taten unbelohnt bleiben, ob Mann oder Frau. Ihr seid alle voneinander** (ihr seid mit der gleichen Besonderheit erschaffen worden und deshalb am gleichen System gebunden). **Was diejenigen anbelangt, die ausgewandert sind, aus den Häusern vertrieben wurden, missbraucht, bekämpft und getötet wurden wegen Mir, Ich werde definitiv ihre Fehler tilgen.** Ich werde definitiv sie in Paradiese eintreten lassen unter denen Flüsse fließen (die Dimension, wo die Person all seine Wünsche erreichen kann durch vielfältiges Wissen, welches zum Bewusstsein fließt) **als Belohnung durch die Sichtweise Allahs** (IndAllah!). **Die beste Belohnung ist mit der Sichtweise Allahs.**

196. Lasst nicht den Überfluss derjenigen, die die Wahrheit ablehnend ausleben (innerhalb weltlichen-körperlichen Vergnügens) **euch täuschen...**

197. Es ist eine vorübergehende Befriedigung und Vergnügen! Am Ende wird ihr Aufenthalt die Hölle sein (ein Ort des Leidens und des Brennens aufgrund tiefer Reue, weil die nötigen Praktiken und Taten nicht angewandt wurden). **Wie elend solch ein Zustand und solch eine Lebensbedingung doch ist!**

198. Was diejenigen anbelangt, die durch ihr Rabb beschützt sind, für sie gibt es Paradiese unter denen Flüsse fließen. Sie werden dort auf ewig sein mit dem, was aus der Sichtweise Allahs auf sie enthüllt wurde (mit den Kräften der Namen Allahs, welche ihre Essenz ausmachen und welches sich auf ihr Bewusstsein enthüllt {dimensionaler Übergang}). **Die Dinge aus der Sichtweise Allahs sind für die „Abrar"** (diejenigen, die Allah erreicht haben) **besser.**

199. Wahrlich, es gibt unter diejenigen, die das Wissen um die Wahrheit erhalten haben, manche, die an ihre Essenz, die Namen Allahs, glauben und auch daran glauben, was dir enthüllt und auch was ihnen enthüllt wurde und sie sind in einem Zustand von „Khuschu" (A.d.Ü.: wortwörtlich Ehrfurcht; es bedeutet mit der Sichtweise Allahs, seine Nichtigkeit wahrgenommen zu haben) **gegenüber Allah. Sie tauschen nicht die wahrhaftige Existenz in Allahs Zeichen für ein paar äußerliche Vergnügen ein. Sie werden Belohnungen erhalten mit der Sichtweise ihres Rabbs** (manifestiert durch ihre eigene Namenskomposition). **Allah ist „Sariul Hisaab"** (schnell und unverzüglich im Abrechnen).

200. Oh ihr, die den Glauben anwenden... Seid ausdauernd (mit den Schwierigkeiten, die ihr innerlich erlebt) **und wetteifert miteinander in Geduld, seid vorbereitet und vereint euch für den Feind und beschützt euch vor Allah, so dass ihr Rettung erfährt.**

Anmerkung:

Die Bedeutung der oft gebräuchlichen Warnung „wa takkullaha- beschützt euch vor Allah" bedeutet gemäß unseres Wissens folgendes: Da Allah der ständige Erschaffer der Konsequenzen aller Gedanken und Taten ist, die man produziert und falls man es nicht erwünscht, eine ungünstige Situation zu erleben, dann ist es am besten, dass man Gedanken und Taten vermeidet, die einen zu bestimmten Situationen führen könnten. So kann man sich vor dem „al-Hasib" (System der Abrechnung) Mechanismus in seiner Essenz schützen. Allah weiß es am besten (Allahu alem)!

4. AN-NISA

Mit demjenigen, der durch den Namen Allah (der mein Wesen mit Seinen Namen erschaffen hat im Anwendungsbereich des Buchstabens ¨B¨) erwähnt wird, der Rahman und Rahim ist.

1. **Oh Menschheit, beschützt euch vor eurem Rabb, der euch von einem einzigen Selbst** (einem Ich-Gefühl) **erschaffen hat** (in der Gesamtheit aller Gehirne gibt es nur einen einzigen Begriff des ¨ICH¨. Gemäß der unterschiedlichen Ausdrucksweise des Gehirns nimmt dieses ¨ICH¨ Variationen mit unterschiedlichen Attributen und Besonderheiten an und bekommt einen Zustand von verschiedenen ¨Egos, Gefühle des Ich-Daseins¨, also konstruierte Identitäten. Das originale ¨ICH¨ bleibt aber eins) **und davon seinen Partner** (das körperliche Ich-Gefühl) **und von ihnen wurden viele Männer und Frauen erschaffen und sie wurden verteilt** (auf der Erde)! **Beschützt euch vor Allah** (die Namen, welche die essentielle Wahrheit formt)**, wenn ihr Sein Ansehen** (die essentielle Wahrheit der Person, welche sich durch die Namen formt) **und Seine Rahimiyat** (die Wahrheit des Menschen, welche sich durch die Dimension der Namen formen) **untereinander haben möchtet. Denn Allah hält euch unter ständiger Kontrolle durch Seine Namen** (ar-Rakiyb) ...

2. **Gebt den Waisen ihr Eigentum; tauscht nicht Reinheit** (eurer essentiellen Wahrheit) **mit Unreinheit aus** (des Egos)**. Konsumiert nicht ihr Eigentum, indem ihr es mit eurem vermischt. Wahrlich dies ist ein großes Verbrechen.**

3. **Falls ihr euch nicht fürchtet mit Waisen** (Frauen) **gerecht umzugehen, dann heiratet diejenigen, die rein sind** (von der Dualität) **zwei, drei oder vier. Aber falls ihr befürchtet nicht gerecht zu ihnen zu sein, dann heiratet nur eine oder was eure Hände besitzen.** (Lebt nicht zusammen außerhalb der Ehe). **Dies ist die angemessenste Option, um Ungerechtigkeit zu vermeiden.**

4. **Gebt die Mitgift den Frauen mit Liebe. Falls sie willentlich und wohlwollend einen Teil davon euch zurückgeben, dann akzeptiert es mit ganzem Herzen.**

5. **Gebt oder vertraut nicht euer Eigentum, welches Allah euch zur Verwaltung gegeben hat, den Zügellosen an** (begrenzt im Verständnis, nicht fähig zu denken)**. Aber versorgt sie davon, bekleidet sie und gebt ihnen nützliche Ratschläge.**

6. **Wacht und prüft die Waisen bis sie einen heiratsfähigen Alter erreicht haben. Wenn ihr seht, dass sie reif genug sind, dann gebt ihnen ihr Eigentum zurück. Seid nicht hastig damit, ihren Besitz zu konsumieren, indem ihr verschwenderisch ausgebt, weil ihr befürchtet, dass sie Erwachsen werden und es beanspruchen werden. Lasst den Wohlhabenden bescheiden sein** (und davon abhalten soll, das Eigentum der Waisen zu konsumieren) **und der Bedürftige soll nur so viel nehmen wie es der Brauch ist** (ohne über die Grenzen zu gehen)**. Und lasst es Zeugen geben, wenn ihr deren Eigentum zurückgebt** (für die Bewertung eurer Taten)**. Ausreichend für euch ist die Qualität des Hasib-Namens von den Namen Allahs, welche eure Essenz ausmacht.**

7. **Es gibt einen Anteil für Männer von dem, welches die Eltern und Verwandte zurücklassen** (mit dem Tod)**. Es gibt auch einen Anteil für Frauen von dem, welches Eltern und Verwandte zurücklassen, sei es wenig oder viel, dies ist ein Anteil, welcher von Allah beschlossen wurde.**

8. **Und falls Verwandte, Waise und Bedürftige** (die nicht berechtigt sind für irgendeinen

Anteil am Erbe) anwesend sind während der Verteilung, dann behandelt sie mit Güte und versorgt sie auch mit einem kleinen Anteil.

9. Lasst sie besorgt sein durch Allah, genauso wie sie besorgt sein würden für ihre eigenen Kinder, wenn sie sie zurücklassen müssten. Lasst sie Allah fürchten und frei heraus die Wahrheit sagen.

10. Wahrlich diejenigen, die das Eigentum von Waisen konsumieren, füllen ihre Bäuche nur mit dem Feuer! Bei einem aufflammenden Feuer ist ihr Ende.

11. Allah gibt euch Anweisungen bezüglich eurer Kinder in folgender Weise: Der Anteil für den Mann ist zweimal so hoch der Frau. Aber falls es mehr als zwei Weibliche gibt (Kinder), dann lasst für sie Zweidrittel des Besitzes. Falls (der Erbe) nur einer ist (weiblich), dann gehört ihr die Hälfte. Falls der Vererbende Kinder (wie auch Eltern) zurücklässt, dann gehört jedem Elternteil ein Sechstel des Nachlasses. Falls es keine Kinder gibt und seine Eltern sind die einzigen Erben, (in diesem Falle) sollte der Mutter ein Drittel und dem Vater die restlichen Zweidrittel des Nachlasses gegeben werden. Falls Geschwister zurückgelassen werden, dann gehört der Mutter ein Sechstel von dem, welches nach irgendeinem Vermächtnis oder irgendwelchen Schulden übrig bleibt. Eure Väter und eure Söhne...Ihr könnt nicht wissen, welche von ihnen einen größeren Anspruch auf euren Nachlass haben. (Deswegen sind dies) eine Pflicht von Allah. Wahrlich Allah ist Aliym, Hakiym.

12. (Für die Männer) die Hälfte von dem gehört euch, welches eure Frauen hinterlassen (an Erbe), falls sie keine Kinder haben; aber, falls sie ein Kind haben, ein Viertel von dem, welches übrig bleibt von irgendeinem Nachlass, den sie gemacht haben oder irgendwelche Schulden, die getilgt werden mussten. Falls (die Männer) keine Kinder haben, dann ein Viertel von dem, welches ihr hinterlasst, gehört euren Frauen, aber falls ihr Kinder habt, dann ein Achtel von dem, welches von eurem Nachlass und Schulden übrig bleibt. (gemäß der Überlieferung von Bukhari und Muslim sollte der Nachlass nicht einen Drittel übersteigen). Aber falls ein Mann oder eine Frau keinen Vorfahren und Nachfahren hinterlässt, aber einen Bruder oder eine Schwester, dann gehört jedem ein Sechstel. Falls er mehr (Geschwister) hat, dann teilen sie sich einen Drittel von dem, welches nach irgendeinem Nachlass oder Schulden übrig bleibt. Diese (Aufteilung) sollte nicht nachteilig sein. Dies ist Allahs Anordnung. Allah ist Aliym und Haliym.

13. Dies sind Grenzen, die Allah aufgestellt hat. Wer auch immer Allah und Seinen Rasul befolgt, den wird Er zu Paradiesen eintreten lassen unter denen Flüsse fließen. Nun, dies ist eine große Befreiung.

14. Und wer auch immer gegen Allah und Seinem Rasul rebelliert und über die Grenzen schreitet, dem wird Er zum Feuer eintreten lassen, wo er für immer sein wird. Ein erniedrigendes Leiden wird er haben...

15. Bringt vier Zeugen gegen Frauen, die Hurerei begehen. Falls sie (alle vier von ihnen) es bezeugen, dann sperrt sie in ihren Häusern ein bis der Tod zu ihnen kommt oder bis Allah ihnen einen anderen Weg eröffnet (bis sie um Vergebung bitten).

16. Und falls zwei Männer unter euch es begehen, dann bestraft sie. Falls sie Reue spüren und sich verbessern, dann überlasst ihnen sich selbst. Denn Allah ist Tawwab und Rahiym.

17. Die Art von Vergebung, die Allah akzeptiert, ist ein Fehler, welcher durch Ignoranz

begangen wurde. Diese sind jene, dessen Reue Allah annimmt. Allah ist Aliym und Hakiym.

18. Es gibt keine Vergebung für diejenigen, die ihr ganzes Leben mit Fehltaten füllen und dann zum Zeitpunkt des Todes sagen: „Jetzt bitte ich um Vergebung!" Und nicht für diejenigen, die ihr Leben damit verbringen, die Wahrheit abzulehnen und dann mit dem letzten Atem um Vergebung bitten! Wir haben ein strenges Leiden für sie vorbereitet...

19. Oh ihr, die den Glauben anwenden, es ist euch verboten durch Zwang die Erben von Frauen zu werden...Übt keinen Druck aus, damit ihr einen Anteil von dem nehmen könnt von dem ihr gegeben habt (Mitgift), es sei denn sie gehen öffentlich der Hurerei nach (durch Zeugen bestätigt). Geht gerecht mit ihnen um. Selbst wenn es etwas gibt, welches ihr nicht an ihnen mögt, es kann sein, dass Allah viel Gutes darin angeordnet hat.

20. Falls ihr eine von euren Frauen verlassen wollt und an ihrer Stelle eine andere nehmen wollt, selbst wenn ihr eine Ladung (voller Mitgift) gegeben habt, nimmt es nicht zurück (bei der Trennung). Ihr könnt dies nicht tun, indem ihr sie beschuldigt oder in Verruf bringt.

21. Wie könnt ihr es zurück nehmen, nachdem ihr euch miteinander vereinigt habt und ihr ihnen euer Wort gegeben habt (während der Hochzeit)?

22. Heiratet keine Frauen, die eure Väter geheiratet haben. Außer in der Vergangenheit (was schon in der Vergangenheit passiert ist). Ohne Zweifel dies ist unmoralisch und verhasst. Wahrlich eine grauenhafte Sitte!

23. Für euch (zur Heirat) ist verboten: Eure Mütter, Töchter, Schwestern, Tanten, die Töchter eurer Brüder, eure Milchmütter, die euch gestillt haben eure Schwestern durch Stillen die Mütter eurer Frauen und eure Stieftöchter, die unter eurer Obhut stehen (die geboren sind) von euren Ehefrauen mit denen ihr euch vereinigt habt. Aber falls ihr euch nicht vereinigt habt mit der Ehefrau eurer Stieftochter, dann gibt es keinen Schaden, (falls ihr sie heiratet). Und auch verboten für euch sind die Frauen eurer Söhne die von euren Lenden sind, und auch das Heiraten von zwei Schwestern zur gleichen Zeit. Außer was schon in der Vergangenheit passiert ist. Wahrlich Allah ist Ghafur und Rahiym.

24. Verheiratete Frauen, außer was ihr besitzt (als Leibeigene), sind auch verboten. Dies ist die Anordnung Allahs an euch. Und alle anderen sind euch gesetzlich erlaubt worden (zu heiraten), indem ihr von euren Besitz spendet, so dass ihr von Ehebruch fern bleibt und ein rechtschaffenes Leben lebt. Die Frauen, die ihr heiratet und mit denen ihr euch vereinigt, gebt ihnen die Mitgift voll und ganz. Es hat keinen Schaden, wenn ihr mehr gibt, falls ihr gemeinsam euch darauf einigt. Wahrlich Allah ist Aliym, Hakiym.

25. Diejenigen unter euch, die nicht die Mittel haben, um gläubige, freie Frauen zu heiraten, können gläubige Frauen in ihrem Besitz heiraten. Allah (als eure essentielle Wahrheit) ist sich eures Glaubens bewusst. Ihr seid von einander. Heiratet sie mit dem Einverständnis ihrer Besitzer. Gebt ihnen (ihre Mitgift) was üblich ist, mit der Bedingung, dass sie von geheimen Affären und Ehebruch Abstand halten und als keuche Frauen leben. Falls sie Ehebruch begehen, nachdem ihr euch mit ihnen vereinigt habt, dann bestraft sie mit der Hälfte von dem mit welchem ihr freie Frauen

bestrafen würdet (in diesem Fall). **Diese** (Leibeigene zu heiraten) **ist für denjenigen, der fürchtet Falsches zu tun. Aber geduldig zu sein ist besser für euch. Allah ist Ghafur und Rahiym.**

26. **Allah möchte euch verständlich machen, was ihr nicht wisst, euch zu den guten Praktiken derjenigen rechtleiten, die vor euch kamen und euch eure Fehler vergeben. Allah ist Aliym und Hakiym.**

27. **Allah möchte eure Reue annehmen** (wegen der Fehler). **Aber diejenigen, die ihre Begierden** (körperliche Versuchungen) **nachgehen, wollen, dass ihr durch Korruption irregeleitet** (von der Wahrheit) **seid.**

28. **Allah wünscht, dass eure Last erleichtert wird. Der Mensch wurde schwach erschaffen.**

29. **Oh ihr, die den Glauben anwenden, konsumiert nicht gegenseitig euren Besitz in fälschlicherweise** (basierend auf nicht erlaubtem Boden), **selbst wenn es auf einem beidseitigen, einverstandenen Handel aufgebaut ist. Tötet euch nicht** (durch falsche Taten). **Wahrlich Allah, als der Erschaffer eures Wesens durch Seine Namen ist Rahiym.**

30. **Wer auch immer seine Grenzen überschreitet und grausam ist, den werden Wir in der Hölle ruhen lassen. Dies ist für Allah eine Leichtigkeit.**

31. **Wenn ihr große Fehler vermeidet** (Dualität, Mord etc.), **dann werden Wir eure kleinen Fehler zudecken und euch zu einem Ort des Überflusses bringen.**

32. **Zeigt keinen Neid gegenüber diejenigen, die Allah über andere erhoben hat durch das, welches Er ihnen von Seiner Gunst hat kosten lassen. Die Männer bekommen die Segen, die sie verdient haben; Frauen bekommen die Segen, die sie verdient haben. Bittet um Allahs Gunst. Wahrlich Allah ist Aliym über alle Dinge** (da Er durch Seine Namen ihre essentielle Wahrheit darstellt).

33. **Wir haben Erben für das, welches Eltern und Verwandte zurück lassen, ernannt. Gebt ihre Anteile an diejenigen, die an ihre Eide gebunden sind. Allah ist ein Zeuge über alle Dinge.**

34. **Männer sind die Beschützer der Frauen. Basierend auf Qualitäten, die Allah von Seiner Gunst manifestiert, sind manche anderen überlegen; sie geben von ihrem Besitz, ohne etwas zu erwarten. Aufrechte Frauen sind respektabel und gehorsam ihren Ehemännern gegenüber. Sie bewachen ihr „Nicht-zusehendes"̈ durch Allahs Schutz** (wenn sie alleine sind, sind sie nicht mit anderen Männern zusammen). **Weist eure Frauen darauf hin** (helft ihnen ihre Fehler zu erkennen),**wenn ihr den Verdacht habt, dass sie ungehorsam sind** (nicht fähig die Pflichten der Ehe auszuführen), (falls sie darauf beharren nicht zu verstehen), **dann verlasst sie in ihren Betten, und wenn dies nicht hilft, dann schlagt sie** (genug, um sie zu beleidigen). **Falls sie euch gehorchen, dann unternimmt keine weiteren Aktionen gegen sie. Wahrlich Allah ist Aliyy, Kabir.**

35. **Falls ihr Zwietracht zwischen ihnen befürchtet, dann beauftragt einen Vermittler von seiner Familie und einen von ihrer Familie. Falls sie Versöhnung wünschen, dann wird es Allah ermöglichen. Wahrlich Allah ist Aliym, Khabiyr.**

36. **Dient Allah und assoziiert durch nichts Partner** (Dualität, Schirk) **zu eurer essentiellen Wahrheit** (vergöttert oder assoziiert keine Göttlichkeit zu irgendeiner Form in der Existenz)! **Seid gut zu Eltern, Verwandten, Waisen, den Bedürftigen, nahen und**

entfernten Nachbarn, euren Reisenden, diejenigen, die gestrandet sind und diejenigen, die unter eurer Hand sind (in eurem Besitz). Wahrlich Allah liebt nicht diejenigen, die prahlerisch und arrogant sind.

37. Sie sind geizig und befehlen anderen geizig zu sein und sie verbergen das, welches Allah ihnen von Seiner Gunst gegeben hat. Wir haben ein erniedrigendes Leiden für diejenigen vorbereitet, die die Wahrheit leugnen.

38. Sie spenden von ihrem Besitz nur um zu prahlen, während sie weder an Allah, der Eine, der ihre Essenz durch Seine Namen erschaffen hat, noch an das zukünftige, ewige Leben glauben. Wer auch immer die Nähe zum Satan hat, der hat in der Tat einen schlimmen Freund.

39. Was hätten sie verloren, würden sie an Allah glauben, der Erschaffer ihrer Essenz durch Seine Namen und an das zukünftige, ewige Leben und an andere das gegeben, welches sie von Allah bekommen hatten? Allah, als derjenige, der ihre Essenz ausmacht, ist Aliym.

40. Wahrlich Allah behandelt keinen falsch, nicht einmal mit dem Gewicht eines Atoms! Und wenn eine gute Tat getan wurde, dann multipliziert Er es und Er versorgt mit einer großen Belohnung von Seinem „Ladun" (A.d.Ü.: eine besondere engelhafte Kraft, welche im Gehirn durch die Sichtweise und Nähe Allahs entsteht).

41. Wie wird ihr Zustand sein, wenn Wir von innen einen Zeugen hervorbringen von jeder Gesellschaft und dich als Zeugen gegen sie vortreten lassen?

42. In dieser Zeit werden diejenigen, die die Wahrheit geleugnet haben und gegen den Rasul rebelliert haben, sich wünschen von der Erde verschluckt zu sein. Es wird ihnen nicht möglich sein irgendetwas vor Allah zu verstecken.

43. Oh ihr, die den Glauben anwenden, nähert euch nicht dem Salaah, wenn ihr euch nicht bewusst seid, was ihr tut (im betrunkenen Zustand) bis ihr die Bewusstheit eurer Wörter wieder erlangt habt oder unrein (nach sexuellem Verkehr) bis ihr eine Ganzkörper-Reinigung durchgeführt habt, es sei denn ihr seid auf Reisen. Falls ihr krank seid oder auf Reisen oder vom Ort der Erleichterung gekommen seid (WC) oder ihr hattet sexuellen Verkehr und ihr konntet kein Wasser finden (für die rituelle Waschung), dann sucht saubere Erde und wischt euer Gesicht und eure Hände damit. Wahrlich Allah ist Afuw und Ghafur.

44. Habt ihr nicht diejenigen gesehen, die einen Anteil vom Wissen um die Wahrheit bekommen haben? Sie erkaufen sich Korruption und möchten, dass ihr euch von eurem Weg (des Glaubens) irreleiten lässt.

45. Natürlich kennt Allah, als ihr Schöpfer, diejenigen, die eure Feinde sind. Allah, der Eine, der mit Seinen Namen eure Essenz darstellt, ist für euch ausreichend durch Seinen Namen Waliyy und Er wird euch helfen von eurer Essenz heraus.

46. Es gibt welche unter den Juden, die die ursprünglichen Bedeutungen der WÖRTER (sie beschützen nicht die Originalität der Offenbarung) pervertieren. Sei spielen mit ihren Zungen, um falsche Konzepte bezüglich der Religion zu formen und um hinzudeuten: „Wir verstehen und gehorchen", „Höre und werde nicht gehört" und „Raina-begrenzt im Verständnis". Wenn sie gesagt hätten: „Wir hören und gehorchen", „Höre" und „Unzurna-wache über uns", dann wäre es weitaus besser für sie gewesen. Aber Allah hat sie verflucht aufgrund ihres Ablehnens um das Wissen

der Wahrheit. Ausgenommen von einigen Wenigen besitzen sie keinen Glauben...

47. Oh ihr, die das Wissen um die Wahrheit bekommen haben, bevor Wir eure Antlitze löschen und sie zu euren Rücken drehen (bevor Wir euer Wissen löschen und euch zu eurer vorherigen Perversion zurückkehren lassen) oder euch verdammen wie Wir die Sabbath-Brecher verdammt haben, kommt und glaubt an das, welches Wir enthüllt hatten (den Koran), um das Wissen um die Wahrheit zu bestätigen, welches sich schon bei euch befand... Der Entschluss Allahs wurde schon erfüllt.

48. Wahrlich Allah vergibt nicht (afaki: äußerliche und anfusi: innerliche, versteckte) Formen des Schirks, aber Er vergibt geringere Sünden als dieses, wie Er es wünscht. Und wer auch immer Partner mit Allah assoziiert, die essentielle Wahrheit seines Wesens mit Seinen hervorragenden Namen (Asma ul Husna) (Billahi), der hat sicherlich einen gewaltigen Fehler durch Verleumdung begangen.

49. Seht ihr nicht diejenigen, die sich als rein ansehen (die Juden und Christen, die für sich beanspruchen rein zu sein, obwohl sie im Zustand des Dualismus sind)? Nein (es ist nicht so, wie sie denken), Allah reinigt wen Er will und sie werden nicht falsch behandelt werden, nicht einmal so viel wie ein Faden in einem Dattel-Stein.

50. Seht wie sie lügen und Allah verleumden! Es kann kein Verbrechen offensichtlicher sein als dieses!

51. Seht ihr diejenigen, die einen Teil des Wissens um die Wahrheit bekommen haben? Sie glauben an „Jibt" (ein Götze, welches angeblich Kräfte besitzen soll) und Taghut (satanische Kräfte) und sagen den Leugnern der Wahrheit: „Sie sind auf einem Pfad, der gerechter ist als der der Gläubigen."

52. Sie sind diejenigen, die Allah verflucht hat (von Seinem Selbst ferngehalten hat). Und wem Allah auch verflucht, es gibt niemanden, der ihn helfen kann!

53. Oder haben sie einen Anteil am „Mulk" (der Herrschaft über die Taten, der Entschluss Allahs)? Würde das der Fall sein, würden sie nicht einmal einen Samen einer Dattel den Menschen geben.

54. Oder sind sie neidisch und können sie nicht akzeptieren, was Allah ihnen gegeben hat von Seiner Gunst? Wahrlich Wir haben das Wissen um die Wahrheit und die Weisheit (Wissen über das Sunnatullah) zur Familie Abrahams gegeben. Wir haben ihnen eine große „Mulk" gegeben.

55. Manche von ihnen haben an das geglaubt, was sie hatten und manche haben es abgelehnt. Ausreichend ist das Feuer der Hölle (internes und externes Leiden) für sie.

56. Wahrlich Wir werden diejenigen im Feuer verbrennen, die unsere Zeichen leugnen (die Manifestierungen der Namen in ihrer Essenz). Damit sie das Leiden stärker kosten, jedes Mal, wenn ihre Haut verbrannt ist (aufgrund ihrer äußerlichen Bindungen), werden Wir sie mit neuer Haut ersetzen (Äußerlichkeit). Wahrlich Allah ist Aziyz, Hakiym.

57. Was diejenigen betrifft, die glauben und das tun, was der Glaube verlangt, diese werden Wir in Paradiese eintreten lassen unter denen Flüsse fließen. Auf ewig werden sie darin sein. Dort werden sie Partner haben, gereinigt (von satanischen Eigenschaften). Wir werden sie im Schatten der Schatten platzieren. (Eine Umwelt, welche entfernt jeglichen Brennens oder unbequemen Zustandes ist.)

58. Wahrlich Allah befiehlt euch, dass ihr das Anvertraute seinen rechtmäßigen

Besitzer gibt und dass ihr unter den Leuten mit Gerechtigkeit urteilt (jedem sein gebührendes Recht geben). **Eine exzellente Empfehlung gibt euch Allah. Wahrlich Allah ist Sami und Basiyr.**

59. Oh ihr, die den Glauben anwenden! Gehorcht Allah und dem Rasul, und diejenigen unter euch, die „Ulul Amr" sind (diejenigen, die die Autorität haben zu urteilen und zu richten aufgrund des Wissens um die Wahrheit und der Sunnatullah)...**Wenn ihr euch in einem Disput befindet-falls ihr an Allah und das ewige Leben glaubt-dann richtet dies an Allah und Seinem Rasul...dies ist besser und mehr angebracht für eine Evaluation** (um die Situation korrekterweise zu schlichten).

60. Seht ihr nicht diejenigen, die angeben zu glauben, was zu dir und was auch vor dir enthüllt wurde... Obwohl ihnen befohlen wurde, es abzulehnen, wünschen sie, dass Taghut als Vermittler unter ihnen beauftragt wird. Satan wünscht sich, dass sie so stark vom Weg abweichen, so dass sie niemals zurückkehren können.

61. Wenn ihnen gesagt wird: „Komm zu dem, was Allah offenbart hat und zu dem Rasul". Du wirst sehen wie die Heuchler sich wegdrehen und sich von dir distanzieren.

62. Aber falls eine Katastrophe sie trifft als Resultat ihrer Aktionen, dann sagen sie: „Billahi (mit der Wahrheit Allahs), **wir haben nichts außer Gutes und Wiedergutmachung beabsichtigt."**

63. Sie sind diejenigen, wo Allah weiß, was sie in ihren Herzen tragen. Beachte nicht, was sie sagen, gib ihnen Ratschläge und weise sie auf die Wahrheit ihres Selbst hin in einer klaren und offensichtlichen Weise.

64. Wir haben jeden Rasul entfalten lassen, damit sie mit der Erlaubnis Allahs gehorcht werden. Wenn sie gekommen wären, nachdem ihr euch falsch behandelt hättet und Allah um Vergebung gebeten hättet und wenn der Rasul in ihren Namen um Vergebung gebeten hätte, dann hätten sie definitiv Allah als Tawwab und Rahiym gefunden.

65. Aber dies ist nicht der Fall! Bei deinem Rabb, bis sie nicht dich als Vermittler beauftragen, um ihre Konflikte untereinander zu schlichten und durch deine Urteile sich vollständig ergeben, ohne irgendwelche interne Unbehagen zu fühlen, dann würden sie nicht glauben.

66. Falls wir ihnen vorgeschrieben hätten: „Tötet euer Selbst" (seid gewollt für Allah zu sterben) **oder „verlasst eure Häuser" würden sie es nicht tun, abgesehen von ein paar Wenigen. Hätten sie den Rat, den sie bekommen haben befolgt, sicherlich wäre es besser und gesünder für sie gewesen.**

67. Dann hätten Wir sicherlich von Unserem „Ladun" eine gewaltige Belohnung beschert.

68. Wir hätten sie zum geraden Weg recht geleitet.

69. Wer auch immer Allah und dem Rasul gehorcht, sie werden zu Gefährten des Nabis; die Siddik (A.d.Ü.: diejenigen, die die Wahrheit bestätigen), **die Schahid** (A.d.Ü.: die Märtyrer; diejenigen, die ihr Ego geopfert haben) **und die Salih** (A.d.Ü.: die Gerechten; deren Taten so aufrichtig ehrlich erfüllt wurden, so dass sie erleben, dass sie nicht auf Fleisch und Blut bestehen), **die Allah gesegnet hat. Und sie sind exzellente Gefährten.**

70. Die Gunst ist von Allah. Allah, der Aliym ist, ist für sie ausreichend als ihre essentielle Wahrheit durch Seine Namen.

71. Oh ihr, die den Glauben anwenden, seid vorsichtig. Geht zum Krieg in Gruppen oder alle zusammen.

72. Wahrlich es gibt einige von euch, die hinterherhinken. Falls ein Desaster euch befällt dann sagt er: „Allah sei Dank, ich war nicht unter ihnen, Allah hat mich bevorzugt."

73. Und falls eine Bevorzugung (und Erfolg) von Allah zu euch ankommt, dann sagt er: „Ich wünschte ich wäre unter ihnen, so dass ich an ihrem Erfolg teilhaben könnte, als ob es keinen Grund der Nähe zwischen ihm und dir gäbe.

74. Lasst diejenigen, die bereit sind ihr weltliches Leben im Austausch für das ewige Leben aufzugeben auf dem Wege Allahs kämpfen. Und wer auch immer kämpft und getötet wird oder siegreich auf dem Wege Allahs ist, Wir werden ihm eine grosse Belohnung geben.

75. Was ist mit euch, dass ihr euch sträubt zu kämpfen für schwache Männer, Frauen und Kinder, welche sagen: „Unser Rabb, befreie uns von diesem Land der Tyrannen; beschere uns von Deinem Ladun einen Wali und einen Sieg."

76. Diejenigen, die den Glauben anwenden, kämpfen auf dem Wege Allahs. Was diejenigen betrifft, die die Wahrheit ablehnen, sie kämpfen für die Kräfte Satans (A.d.Ü.: sie möchten ein egobasiertes Wesen bleiben). Also bekämpft die Freunde des Satans. Wahrlich die Falle vom Satan ist schwach.

77. Habt ihr nicht diejenigen gesehen, denen gesagt wurde: „Meidet schlimme Dinge, verrichtet Salaah und zahlt das Zakaat." Aber als ihnen das Kämpfen angeordnet wurde, haben manche von ihnen so viel Furcht bekommen wie manch einer vor der Ehrfurcht Allahs gegenüber oder sogar noch mehr... „Unser Rabb, warum hast du uns das Kämpfen angeordnet; wenn du es nur für eine kurze Zeit aufgeschoben hättest," haben sie gesagt. Sprich: „Das weltliche Vergnügen ist gering! Das ewige, zukünftige Leben ist besser für die Beschützten (Muttaki)...ihr werdet nicht mehr als mit einer einzigen Faser einer Dattel geschadet werden (nicht im Geringsten).

78. Der Tod wird euch finden, wo auch immer ihr seid. Auch wenn ihr innerhalb hohen und stabilen Gebäuden wärt. Aber falls Gutes zu ihnen kommt, dann sagen sie: „Dies ist von Allahs Sichtweise." Aber falls Böses sie befällt, da sagen sie: „Dies ist von deiner Sichtweise." Sprich: „Dies alles ist von Allah (alles ist Sein Wille und Seine Sichtweise)!" Was ist bloß mit den Leuten, dass sie die Wahrheit nicht verstehen!

79. Was immer auch an Gutem zu euch kommt, ist von Allah, aber was an Bösem zu euch kommt, ist vom eurem Zustand des Selbst (indem es mit eurem sozialen konditionierten Glauben korrespondiert, die „Moral" mit eingeschlossen). Wir haben dich als einen Rasul für die Menschen entfalten lassen. Allah, als eure Essenz durch Seine Namen, ist ausreichend für euch als Zeuge.

80. Wer auch immer den Rasul gehorcht, der hat in Wirklichkeit Allah gehorcht! Und wer auch immer sich wegdreht (das ist ihm selbst überlassen), Wir haben dich nicht (als Beschützer) zu ihnen entfalten lassen.

81. „Zu deinen Diensten," sagen sie, aber sobald du sie verlässt, beginnt eine Gruppe

von ihnen Dinge über dich zu erfinden, was du während der Nacht gesagt hast. Allah schreibt ihre Erfindungen auf! Dreh dich weg von ihnen und vertraue auf Allah, überlasse Ihm deine Tätigkeiten! Ausreichend ist Allahs Name Wakiyl in deiner Essenz als Unterstützung.

82. Denken sie nicht tiefsinnig über den Koran nach? Wenn es nicht aus der Sichtweise Allahs wäre, würde es mit vielen Widersprüchen versehen sein!

83. Wenn sie Nachricht bezüglich ihrer Sicherheit erhalten oder einer Kunde, welches Schrecken für sie bereitet, dann sind sie damit hastig, es zu verbreiten. Aber falls sie den Rasul oder einen mit Autorität (Ulul Amr) gefragt hätten, dann hätten sie erfahren können, was der Wahrheit entsprechen würde. Wenn es nicht wegen Allahs Gunst und Rahmat gewesen wäre, abgesehen von ein paar sehr Wenigen, würden die meisten den Satan folgen (in dieser Hinsicht).

84. Kämpft auf dem Wege Allahs! Du bist niemandem gegenüber verantwortlich außer deinem Selbst! Ermutige die Gläubigen, so dass vielleicht Allah die Macht derjenigen, die die Wahrheit ablehnen, schwächen. Die Macht Allahs und die Konsequenzen daraus, die Er erzwingt, sind um ein Vielfaches stärker.

85. Wer auch immer den Anlass für Gutes erbringt, soll einen Anteil am Guten haben. Und wer auch immer einen Anlass zum Bösen erbringt, soll einen Anteil daran haben. Allah ist Mukiyt über alle Dinge.

86. Wenn jemand euch mit einem Gruß begrüßt, dann begrüßt ihn mit einem besseren Gruß oder mit einem gleichwertigen. Wahrlich Allah ist Hasiyb über alle Dinge (erzwingt die Konsequenzen über alles, welches sich manifestiert).

87. Allah ist Hu; es gibt keinen Gott oder Gottheit, sondern nur Hu! Er wird euch zusammenbringen während des Tages der Auferstehung, dessen Kommen es keinen Zweifel gibt. Und wer kann mehr zu seinem Wort halten als Allah!

88. Was ist mit euch los, auf dass ihr geteilt wurdet in zwei Gruppen bezüglich der Heuchler, als Allah sie hat zurückfallen lassen aufgrund ihrer negativen Taten? Glaubt ihr, ihr könnt diejenigen rechtleiten, die Allah irregeführt hat? Wen Allah auch immer irreleitet, den kannst du nicht mehr einen Weg geben.

89. Sie wünschten, dass ihr die Wahrheit ablehnt, so wie sie es ablehnen, auf dass ihr euch gleicht...Deshalb nehmt sie nicht als Freunde, bis sie die Unterdrückung und das Schlechte verlassen... Falls sie sich wegdrehen (als Feinde), dann ergreift sie und tötet sie, wo auch immer ihr sie findet... Nehmt sie nicht als Freunde und Helfer.

90. Außer diejenigen, die Zuflucht suchen mit einer Gesellschaft, mit denen ihr eine Vereinbarung habt oder diejenigen, die zu euch kommen, dessen Brüste (Inneres) beschämt sind, weil sie nicht wünschen gegen euch oder ihre eigenen Leute zu kämpfen. Wenn Allah es gewollt hätte, würde Er sie gegen euch ansetzen und sie würden gegen euch kämpfen... Deshalb falls sie euch in Ruhe lassen, nicht gegen euch kämpfen und euch den Frieden anbieten, dann erlaubt Allah es euch nicht, dass ihr sie schaden dürft.

91. Auf der anderen Seite, werdet ihr sehen, dass manche Sicherheit von euch und ihren eigenen Leute haben wollen... Jedes Mal, wenn sie einer Situation ausgesetzt sind, welches Zwietracht schürt, sind sie bestürzt... Falls sie also nicht von euch fernbleiben, euch Frieden anbieten und ihre Hände von euch ablassen, dann ergreift

sie und tötet sie, wo auch immer ihr sie fängt...Und sie sind jene über die Wir euch eine klare, offensichtliche Kraft gegeben haben.

92. Abgesehen von einem Versehen, kann es nicht sein, dass jemand, der den Glauben anwendet einen anderen tötet, der ebenfalls den Glauben anwendet... Und wer auch immer aus Versehen einen tötet, der den Glauben anwendet, soll einen gläubigen Sklaven befreien und eine Kompensation zur Familie des Verstorbenen bezahlen, es sei denn sie geben ihr Recht darauf auf (die Rechte, die auf dem Mörder lasten)... Falls (der Verstorbene) jemand war, der den Glauben anwandte, aber von einem Volk, welches euch feindlich gesinnt ist, dann muss (der Mörder) einen Sklaven befreien, der glaubt... Aber falls (der Verstorbene) von einem Volk ist mit denen ihr ein Abkommen habt, dann muss (der Mörder) eine Kompensation zur Familie des Verstorbenen zahlen und einen Sklaven befreien, welcher glaubt... Und wer auch immer keine Kompensation zahlen kann, muss für zwei Monate hintereinander fasten als Vergebung an Allah... Allah ist Aliym und Hakiym.

93. Und wer auch immer mit Absicht jemanden tötet, der den Glauben anwendet, dann wird seine Entschädigung die Hölle sein, worin er auf ewig sein wird. Allah ist mit ihm zornig geworden, hat ihn verflucht und für ihn eine strenge Strafe vorbereitet.

94. Oh ihr, die den Glauben anwenden... Wenn ihr zum Krieg geht auf dem Wege Allahs, dann recherchiert gut, und falls jemand euch einen Gruß gibt (Frieden machen möchte), dann sagt nicht: „Du bist keiner, der den Glauben anwendet, sondern jemand, der das Weltliche erstrebt"... Es gibt unterschiedliche Beute aus der Sicht von Allah... Du warst genauso vorher, dann hat Allah Seine Bevorzugung über dich ergehen lassen... Also recherchiert gut. Wahrlich, Allah, als der Schöpfer eures Tuns, ist Khabiyr.

95. Nicht gleichzusetzen sind diejenigen, die nicht teilnehmen am Krieg ohne eine stichhaltige Begründung, mit denen, die auf dem Wege Allahs mit ihren Eigentümern und ihrem Leben (ihr Gefühl des Selbst/ihre Daseins-Form) bestrebt sind zu kämpfen... Allah hat die Graduierungen derer, die mit ihren Eigentümern und ihrem Selbst bestrebt sind zu kämpfen über diejenigen erhöht, die zurückblieben. Allah hat das Beste ihnen allen gegeben. Aber Allah bevorzugt diejenigen, die bestrebt sind für Allah zu kämpfen (A.d.Ü.: Dschihad führt derjenige aus, der sein Ego für Allah opfert, damit die „Nähe zu Allah" entsteht; d.h. das „wahre Ich" im Universum wird kennengelernt.) über diejenigen, die zurückbleiben mit einer gewaltigen Belohnung.

96. Graduierungen, Vergebung und Rahmat (hat Er gegeben). Allah ist Ghafur und Rahim.

97. Wahrlich, die Engel haben zu denjenigen gesagt, die in einem Zustand sind, sich selbst gegenüber grausam zu sein beim Zeitpunkt des Todes: „In was für einen Zustand warst du?" (Warum bist du in einem Zustand, dir selbst gegenüber grausam zu sein?) ... Sie sagten: „Wir waren schwach und hilflos auf der Erde." (Die Engel) sagten: „War Allahs Erde nicht expansiv genug, damit du auswandern konntest?"... Ihr erreichter Ort wird die Hölle sein... Was für ein elendes Ende!

98. Ausgenommen diejenigen, die nicht die Mittel haben, auszuwandern - hilflose Männer, Frauen und Kinder.

99. Es wird angenommen, dass Allah ihnen vergeben wird. Allah ist Afuw und Ghafur.

100. Wer auch immer auswandert (aus einem Land, wo unterdrückt wird) auf dem Wege

Allahs (basierend auf dem Vers „flüchtet zu Allah"; wandert aus zu eurer essentiellen Wahrheit) **wird eine immense Expansion auf der Erde finden**... **Wer auch immer von seinem Zuhause zu Allah und Seinem Rasul** (mit der Wahrheit, die in ihm enthüllt wurde) **auswandert und dann auf diesem Weg stirbt, seine Belohnung wird von seiten Allahs sein. Und Allah ist Ghafur und Rahim.** (Wir haben versucht, eine innere Bedeutung anzudeuten neben der offensichtlichen, physischen Bedeutung des Verses. A.H.)

101. Und wenn ihr euch auf der Reise befindet, gibt es für euch keinen Schaden, wenn ihr eure Hinwendung zu Allah (Salaah) verkürzt, falls ihr befürchtet, dass die Leugner der Wahrheit euch verletzen. Wahrlich die Leugner der Wahrheit sind für euch offene Feinde.

102. (Mein Rasul) **wenn du unter ihnen** (in einem unsicheren Zustand) **bist und du sie im Salaah-die Hinwendung zu Allah anführst, dann lass eine Gruppe von ihnen im Salaah neben dir stehen, während sie bewaffnet sind... Während sie sich niederwerfen, lass die anderen bewachend hinter dir stehen... Dann lass die anderen nach vorne kommen, die noch kein Salaah ausgeführt gemacht haben und lass sie mit euch das Salaah ausführen. Lasst sie Vorsorge treffen und ihre Waffen nehmen... Die Leugner der Wahrheit wünschen sich, dass ihr nachlässig eurer Waffen und Besitztümer seid, damit sie euch plötzlich angreifen können. Aber falls Regen oder Krankheit euch ereilt hat, dann gibt es keinen Schaden, wenn ihr eure Waffen verlässt...** (Dennoch) **solltet ihr immer noch Vorsorge treffen. Wahrlich, Allah hat eine erniedrigendes Leid für die Leugner der Wahrheit vorbereitet.**

103. Wenn ihr euer Salaah ausgeführt habt (in einer unsicheren Umgebung), **dann erinnert euch an Allah während ihr steht, sitzt oder auf eure Seite liegt** (d.h. erfährt und fühlt Ihn in eurem Dasein zu allen Zeiten) ... **Wenn ihr gesättigt seid mit der Erinnerung an Allah (dhikr), dann führt euren Salaah aus** (wahrlich das Salaah das gebührende Recht zu geben und es auszuleben mit der vorherigen, energetischen Erfahrung des Dhikr). **Wahrlich, das Erleben des Salaah zu bestimmten Zeiten wurde den Anwendern des Glaubens auferlegt.**

104. Seid nicht nachgiebig in der Verfolgung des Feindes... Falls ihr leidet seid, dann leiden sie auf der gleichen Art. ... Aber ihr könnt euch von Allah Dinge wünschen, für welches sie keine Hoffnung haben... Allah ist Aliym, Hakim.

105. Wahrlich haben Wir das Wissen um die Wahrheit zu dir enthüllt, so dass du unter den Menschen mit der Wahrheit, die dir Allah gezeigt hat, richten kannst. Verteidige nicht die Verräter!

106. Bittet Allah um Vergebung. Wahrlich Allah ist Ghafur und Rahim.

107. Verteidige nicht diejenigen, die sich selbst betrogen haben! In der Tat, Allah liebt nicht jene, die sich fortwährend selbst betrügen.

108. (Die Heuchler) **können sich vor anderen verstecken, aber nicht vor Allah! Denn Er war mit ihnen anwesend** (gemäß Sufismus ist hier das Maiyyet-Geheimnis gemeint; dass Allah jeden Punkt in der Existenz durch Seine Namen erschafft) **als sie in der Nacht ihren Plan schmiedeten über Dinge, die Er nicht mag. Allah ist Muhiyt über das, was sie tun!**

109. Du kannst sie im weltlichen Leben verteidigen, aber wer wird sie am Tag der Auferstehung verteidigen und wer wird ihr Wakiyl (A.d.Ü. Wen werden sie repräsentieren) **sein?**

110. **Wer auch immer ein Verbrechen begeht oder sich selbst Schaden zufügt** (wegen seines Egos Schirk, d.h. Dualität zu Allah begangen hat, indem man seinem Selbst eine separate Existenz neben Allah vergibt) **dann aber** (seinen Fehler einsieht) **und Allah um Vergebung bittet, dann ist Allah Ghafur und Rahim** (Er ist der Vergebende und lässt die Schönheiten, die ihren Ursprung in Seiner Rahmat haben, ausleben)...

111. **Und wer auch immer ein Verbrechen begeht, die Konsequenzen trägt er alleine** (und kein anderer!). **Allah ist Aliym, Hakim.**

112. **Und wer auch immer einen Fehler begeht oder ein Verbrechen und dann eine andere Person dafür beschuldigt, dann wird er in der Tat eine offene Verleumdung und ein schweres Vergehen begangen haben.**

113. **Wenn es nicht für die Gunst Allahs auf euch und Seiner Rahmat wäre, dann würde eine Gruppe unter ihnen euch sicherlich versucht haben, irrezuleiten...** Aber sie leiten nur sich selbst in die Irre! **Sie können euch nicht irgendwie schaden! Allah hat das Buch** (das Wissen um die Wahrheit) **und die Weisheit** (das Wissen um die Religion, Sunnatullah) **zu dir enthüllt** (von der Dimension der Namen zu deinem Bewusstsein) **und lehrte dich, was du nicht wusstest.... Die Gunst Allahs über dich ist hoch.**

114. **Es gibt nichts Gutes in einer Vielzahl ihrer privaten Versammlungen und Interaktionen! Ausgenommen die Versammlungen, welche mit Hilfe, Wohltaten oder Wiedergutmachungen zu tun haben** (und ähnliche, wohltätige Aktivitäten). **Wer auch immer dies tut, um Allahs Wohlgefallen zu ersuchen, dem werden Wir eine große Belohnung geben.**

115. **Und wer auch immer sich dem Rasul entgegensetzt, nachdem die Wahrheit sich offensichtlich erwiesen hat; Wir werden ihn auf seinem Weg verlassen und führen ihn am Ende in die Hölle! Was für ein elendes Endziel das doch ist!**

116. **Allah vergibt definitiv nicht Schirk, welches man zu ihm begangen hat! Aber Er vergibt Vergehen, die geringwertiger sind als dieses für wen Er will.... Und wer auch immer Schirk begeht** (Dualität; eine separate Existenz unabhängig von Ihm anzunehmen und zu akzeptieren) **mit Allah (Billahi), dem Schöpfer der gesamten Welten durch Seine Namen, der ist sicherlich zu einem korrupten Glauben herabgefallen** (weit entfernt von der Wahrheit).

117. **Diejenigen, die zu etwas anderem als Allah sich hinwenden, beten nur leblose, äußerliche Götzen an und deswegen wenden sich sich keinem anderen zu als dem rebellischen Satan (Ego)!**

118. **Allah hat sie verflucht** (Satan-körperliche Triebe und Impulse). **Satan: „Ich werde definitiv von Deinen Dienern eine signifikante Anzahl nehmen"**...

119. **„Und ich werde definitiv sie irreleiten und ich werde in ihnen** (sündhafte, körperliche, leere) **Sehnsüchte erwecken und ich werde sie kommandieren, so dass sie die Ohren des Viehs schlitzen** (die Schafe, die sie von sich aus als Opfer geben) **und ich werde sie kommandieren, die Schöpfung Allahs zu verändern."** Und wer auch immer Allah verlässt und Satan **(körperliche Triebe) als seinen Meister nimmt, der hat sicherlich einen riesigen Verlust erlitten.**

120. **Satan verspricht und erweckt falsche Hoffnungen und Wünsche in ihnen. Der Satan verspricht nichts anderes als Irreführung.**

121. **Das Endziel von solchen Menschen ist die Hölle** (der Ort des Brennens)! **Und sie**

werden davon nicht flüchten können.

122. Was diejenigen anbelangt, die ihren Glauben anwenden (mit aufrechten Taten-Salih!), **Wir werden sie in Paradiese eintreten lassen, worin Flüsse fließen...Sie werden dort auf ewig sein** (als Resultat der Manifestationen von Allahs Namen in ihnen)...**Dies ist das Versprechen Allahs als Wahrheit! Gibt es jemanden, der mehr wahrheitsgetreu ist als Allah?**

123. (Sunnatullah – das System und die Ordnung Allahs) **ist weder gemäß deinem Wunschdenken noch gemäß dem Wunschdenken der Leute, denen das Wissen um die Wahrheit vor dir gegeben wurde** (und die fehlschlugen, es gebührend zu würdigen)! **Wer auch immer Falsches tut, wird die Konsequenzen tragen müssen!** (Wonach) **er keinen anderen Beschützer und Helfer finden wird als Allah!**

124. Wer auch immer den Glauben anwendet und eine aufrechte Tat ausführt, ob Mann oder Frau, sie werden ins Paradies eintreten, nicht einmal das Kleinste ihrer Taten wird verloren gehen.

125. Wessen Verständnis der Religion kann schöner sein als von demjenigen, der die Leute Abrahams befolgt als ein Muhsin (mit dem Verständnis, dass seine Existenz die Manifestationen von Allahs Namen sind) **und sich in Ergebenheit gegenüber dem Antlitz Allahs befindet** (derjenige, der nicht den Gottesbegriff hat; mit dem Bewusstsein einzig und allein nur in Dienerschaft Allahs zu sein) **und als Hanif! Allah nahm Abraham als einen intimen Freund auf** (Khalil; Abraham wurde mit dem spirituellen Rang von „Khullat" gesegnet. Mehr Informationen diesbezüglich ist im Buch „der Perfekte Mensch" von Abdulkareem Jili zu finden. A.H.)

126. Was es auch immer in den Himmeln und auf der Erde gibt, ist für Allah (für die Manifestationen der Bedeutungen, welche auf Seine Namen hinweisen). **Allah, als der Schöpfer aller Dinge durch Seine Namen, ist Muhiyt.**

127. Sie fragen nach einem Richten bezüglich der Frauen.... Sag: „Allah hat euch schon einen Erlass gegeben!" Es ist euch schon vorgeschrieben worden, **wie ihr nicht den Waisenmädchen die Rechte gebt und dennoch erwünscht ihr sie zu heiraten, und wie ihr gerecht zu den Kindern und Waisen sein müsst...Was auch immer ihr an Gutem tut, Allah ist gewiss Aliym darüber** (denn Er ist der Schöpfer des Guten, welches ihr tut).

128. Falls eine Frau von ihrem Ehemann Misshandlung befürchtet oder dass er sie verlassen wird, dann trifft beiden keine Schuld, falls sie Wiedergutmachung ersuchen...Wiedergutmachung ist das Beste; das Selbst (Ego-Identitäten) **neigt zu Ambitionen... Falls ihr Gutes tut und euch beschützt, dann ist gewiss Allah Al-Khabir über das, was ihr tut** (weil Er der Schöpfer dessen ist).

129. Es spielt keine Rolle wie sehr ihr euch bemüht, ihr werdet niemals eure Frauen gleichwertig behandeln können! Versucht (wenigstens) **die anderen nicht zu vernachlässigen, während ihr der einen viel Aufmerksamkeit gebt! Falls ihr gerecht seid und euch beschützt, dann ist Allah Ghafur und Rahim.**

130. Falls (Ehemann und Ehefrau) **sich dazu entschließen, sich scheiden zu lassen, dann wird Allah sie von Seinem Reichtum aufrecht erhalten, Er wird sie nicht voneinander abhängig sein lassen. Allah ist Wasi, Hakim.**

131. Was es auch immer in den Himmeln und auf der Erde gibt, ist für Allah (für die

Manifestation der Qualitäten, welche auf die Al Asma ul Husna-Schönen Namen hinweisen)! **Wir empfehlen euch und diejenigen, die vor euch das Wissen um die Wahrheit bekommen haben: „Beschützt euch vor Allah."** Falls ihr die Wahrheit leugnet (wisst gut), **dass das, welches in den Himmeln und auf der Erde gibt, für Allah ist! Allah ist Ghani und Hamid.**

132. **Was es auch immer in den Himmeln und auf der Erde gibt, ist für Allah** (für die Beobachtung der Bedeutungen der Namen-Asma ul Husna)! **Als Wakiyl ist Allah für dich genug; derjenige, der dich mit Seinem Namen erschaffen hat.**

133. **Oh Menschheit, Falls Er es wünscht, kann Er euch beseitigen und dafür etwas anderes manifestieren! Allah hat die Kraft dies zu tun!**

134. **Wer auch immer die Segen dieser Welt für sich wünscht, sollte wissen, dass die Segen dieser Welt und des ewigen Lebens aus der Sicht Allahs sind. Allah ist Sami und Basiyr.**

135. **Oh ihr, die den Glauben anwenden, seid entschlossen Gerechtigkeit auszuüben! Bezeugt für Allah, selbst wenn es gegen eure Verwandten oder Eltern geht, ob gegen Reiche oder Arme; denn das Recht Allahs gegenüber steht über den Beiden! Also befolgt nicht eure falschen Konditionierungen, um Gerechtigkeit zu etablieren! Falls ihr die Wahrheit verfälscht, dann wahrlich ist Allah, als der Erschaffer eurer Taten, al Khabiyr.**

136. **Oh ihr, die den Glauben anwenden, glaubt an Allah und Seinem Rasul und in dem was Er zu Seinem Rasul enthüllen ließ** (von der Al Asma-Ebene oder Dimension der Namen zu seinem Bewusstsein) **und auch an das, welches Er vor euch enthüllt hatte gemäß der Bedeutung des Buchstabens „B"** (Aminu Billahi)... **Wer auch immer Allah verdeckt** (leugnet), **der Schöpfer von allem durch Seine Namen, mit Seinen Engeln** (die Kräfte, welche die Bedeutungen der Namen manifestieren), **Seinen Büchern** (das Wissen um die Wahrheit, welche Er enthüllt hatte), **Seinen Rasuls und dem ewigen Leben, welches kommen wird, der hat sich sicherlich vom Glauben entfernt.**

137. **Wahrlich, diejenigen, die** (zuerst) **glauben, dann leugnen, dann wieder glauben** (temporär) **und dann** (wiederum) **leugnen und in der Leugnung sich vermehren, Allah wird ihnen nicht vergeben und ihnen auch nicht den Weg der Rechtleitung geben.**

138. **Gebt Kunde den Zweigesichtigen** (Heuchlern) **vom schweren Leiden, welches sie erwartet!**

139. **Hoffen diejenigen, die jene verlassen, die den Glauben anwenden und sich mit den Leugnern der Wahrheit anfreunden, Ehre mit ihnen zu finden? Ehre gebührt alleine Allah.**

140. **Zu dir „herabgestiegen" ist folgende Wahrheit: Sitzt nicht zusammen in einer Umgebung, wo die Zeichen Allahs geleugnet werden oder wo unangemessene Dinge darüber beredet werden; bis das Thema geändert wird! Sonst werdet ihr wie sie werden.** (Dieser Vers sollte im Licht der wissenschaftlichen Entdeckungen der „Spiegelneuronen" bewertet werden. Dieser Vers ist sicherlich ein Wunder, da es eine moderne Entdeckung ausdrückt, welche vor 1400 Jahren offenbart wurde! Links zu diesem Thema kann auf der Webseite www.okyanusum.com nachgeschaut werden. A.H.) **Allah wird die Zweigesichtigen** (Heuchler) **und die Leugner der Wahrheit in der Hölle zusammen führen.**

141. Sie beobachtet euch, um zu schauen, was aus euch werden wird... Falls Allah euch die Eroberung geben wird, dann werden sie sagen: „Waren wir nicht auch mit euch?" Aber falls Erfolg zu den Leugnern kommt, dann sagen sie: „Haben wir euch nicht überholt, haben wir euch nicht vor den Gläubigen beschützt?" Allah wird zwischen euch am Tag der Auferstehung richten. Allah wird nicht den Leugnern der Wahrheit einen Grund gegen die Gläubigen geben.

142. Die Heuchler versuchen Allah zu täuschen, (wo doch) Allah das Resultat ihrer Täuschung gegen sie selbst richtet! Wenn sie zum Salaah stehen, dann stehen sie ungern, nur um sich anderen zu zeigen und sie erinnern sich an Allah wenig.

143. (Die Heuchler) bewegen sich zwischen zwei Seiten hin und her! Sie gehören weder (zu den Leuten des Glaubens), noch zu den (Leugnern der Wahrheit)! Und du kannst niemals einen Weg für diejenigen finden, die Allah hat irreleiten lassen (im Glauben)!

144. Oh ihr, die den Glauben anwenden, verlasst nicht die Gläubigen und befreundet euch nicht mit den Leugnern der Wahrheit! Möchtet ihr, dass Allah einen klaren Beweis gegen euch erbringt (mit dieser Handlung)!

145. Wahrlich, die Zweigesichtigen (Heuchler) sind innerhalb der untersten Tiefe des Feuers! Und niemals wird es für sie einen Helfer geben!

146. Außer diejenigen, (die ihre Fehler einsehen) und um Vergebung bitten, ihre Einstellung ändern, sich an Allah mit ihrer essentiellen Wahrheit halten und ihr Verständnis des Glaubens für Allah reinigen...Sie sind zusammen mit den Anwendern des Glaubens. Und Allah wird den Anwendern des Glaubens eine große Belohnung geben.

147. Warum sollte Allah euch leiden lassen, wenn ihr dankbar seid und glaubt! Allah ist Schakur und Aliym.

148. Außer von denjenigen, denen Leid angetan wurde, liebt Allah nicht den Ausdruck von beleidigenden Wörtern! Allah ist Sami und Aliym.

149. Falls ihr etwas Gutes offenbart oder versteckt, oder ein schlimmes Vergehen verzeiht; Allah ist Afuw und Kaadir.

150. Diejenigen, die Allah und Seinen Rasul leugnen, wollen, dass Spaltung zwischen Allah und Seinen Rasuls verursacht wird. Sie sagen: „Wir glauben an einen Teil und lehnen einen anderen Teil ab." Sie möchten eine Position dazwischen annehmen. (Eigentlich kann es auch auf folgende Art bewertet werden: Sie wollen die Wahrheit und das Konzept des „Irsaliyat", d.h. des Rasuls-Daseins, also der Entfaltung der Wahrheit im Gehirn ablehnen, welches eine Manifestierung der Namen Allahs sind und stattdessen das Konzept eines externen oben-am Himmel-befindlichen-Gottes und dessen Postboten-Prophet-auf-der-Erde verbreiten.)

151. Sie sind diejenigen, die komplett die Wahrheit ablehnen. Wir haben ein erniedrigendes Leid für die Leugner vorbereitet.

152. Was diejenigen anbelangt, die glauben, dass Allahs Namen die Essenz der ganzen Schöpfung ausmacht und an die (Enthüllungen/Entfaltungen) Seiner Rasule und die keinen Unterschied zwischen ihnen machen (bezüglich der Entfaltung ihres Wissens), denen wird Allah ihre Belohnung geben. Allah ist Ghafur und Rahim.

153. Die Leute des Buches (die Juden) wollen, dass du für sie ein „Buch von den

Himmeln" herunter holst... In Wahrheit haben sie aber von Moses etwas viel größeres verlangt...Sie sagten: „Zeig uns Allah", und der Blitz schlug auf sie ein wegen ihres Fehlverhaltens... Nachdem klare Beweise zu ihnen gekommen sind, haben sie das Kalb zum Anbeten genommen...Wir haben ihnen das sogar vergeben und gaben Moses eine klare Kraft.

154. Wir haben den Tur Berg über sie erhoben, so dass sie ihren Eid behalten und sagten ihnen: „Tretet ein durch das Tor mit der Niederwerfung." Und Wir sagten: „Verstößt nicht gegen den Sabbath". Und Wir nahmen von ihnen einen festen Schwur.

155. Wir nahmen Vergeltung von ihnen, weil sie ihren Schwur brachen und die Zeichen der Existenz Allahs leugneten (die Manifestationen Seiner Namen), die Nabis getötet haben entgegen den Willen der Wahrheit und weil sie sagten: „Unsere Herzen sind verschlossen (unser Bewusstsein ist eingesponnen, eingekapselt; im Kokon)." Wahrlich, Wir haben ihr Verständnis verschlossen wegen ihres Leugnens! Außer von sehr wenigen, werden sie nicht glauben!

156. Weil sie das Wissen um die Wahrheit leugneten und weil sie eine große Verleumdung gegen Maria aussprachen!

157. Und weil sie sagten: „Wir haben den Rasul von Allah, Jesus, Sohn der Maria getötet"... In Wahrheit haben sie ihn weder getötet noch gekreuzigt, aber es hatte für sie den Anschein, als ob er gekreuzigt wurde (der Gekreuzigte ähnelte ihn). Diejenigen, die darüber argumentieren, befinden sich darüber im Zweifel; sie haben kein sicheres Wissen diesbezüglich, sie reden nur anhand von Annahmen. Es ist mit absoluter Sicherheit, dass Jesus definitiv nicht getötet wurde!

158. Im Gegenteil, Allah ihn zu Sich Selbst erhöht! Allah ist Aziz und Hakim.

159. Und unter denjenigen, die das Wissen um die Wahrheit bekommen haben, gibt es niemanden (in der Vergangenheit), die an ihn glaubten (seine Lehren) zum Zeitpunkt des Todes! Er wird ein Zeuge gegen sie sein am Tag der Auferstehung.

160. Wir haben sehr viele reine Segen (Halal) ihnen (die Juden) ungesetzlich (Haram) gemacht aufgrund ihrer Grausamkeit und weil sie andere davon abhalten den Weg zur Wahrheit zu erhalten!

161. Dies (der Akt, die Dinge ungesetzlich zu machen) war, weil sie Wucher ausgeübt haben, obwohl es ihnen verboten war und sie haben in ungerechter Weise das Eigentum der anderen konsumiert. Und Wir haben ein strenges Leiden für diejenigen vorbereitet, die darauf bestehen, die Wahrheit zu leugnen.

162. Diejenigen, die den Glauben anwenden zusammen mit denen, die eine Tiefe an Wissen erreicht haben, glauben an das, was vor dir „dimensional herabgestiegen" ist und was auch zu dir „dimensional herabgestiegen" ist. Diejenigen, die das Salaah mit „Ikam" (A.d.Ü. mit all seinen Konzepten) und das Zakat verrichten (A.d.Ü. Von seinen Einnahmen, einen Teil zu spenden) ; diejenigen, die an Allah gemäß dem Konzept des Buchstabens „B" und an das ewige, zukünftige Leben glauben...... Wir werden ihnen eine gewaltige Belohnung geben.

163. Wir haben dir offenbart genauso wie Wir Noah und den Nabis nach ihm offenbart haben... Und Wir offenbarten auch an Abraham, Ismael, Isaak, Jakob, den Nachfahren, Jesus, Hiob, Jonas, Aaron und Salomon... und Wir gaben David den Zabur (das Wissen um die Weisheit).

164. Wir haben vor dir die Geschichten der Rasuls, die Wir erklärt oder auch nicht erklärt haben, (auch offenbart) ... Allah sprach zu Moses Wort für Wort.

165. Wir haben Rasuls als Überbringer froher Botschaften und als Warner zu den Menschen (entsandt), so dass die Menschheit keine Ausrede nach diesen Rasuls gegen Allah hervorbringen können (wegen ihren Erklärungen)! Allah ist Aziz und Hakim.

166. Aber Allah bezeugt das, was Er zu dir enthüllt hatte, Er hat es dir enthüllt als das Wissen von HU. Die Engel (die Kräfte, die mit dieser „Enthüllung" zu tun haben; Gabriel) bezeugen auch dieses Ereignis. Allah als Zeuge ist genug für dich.

167. Diejenigen, die die Wahrheit leugnen und andere davon abhalten auf dem Wege Allahs zu sein, befinden sich in einer sehr großen Perversion.

168. Wahrlich Allah vergibt nicht denen, die die Wahrheit leugnen und grausam sind, noch wird ihnen einen Weg (des Verständnisses) eröffnet werden.

169. Außer den Weg zur Hölle (das Verständnis, welches zu einem Leben der Hölle führt)! Sie werden dort auf ewig sein. Das ist für Allah sehr leicht.

170. Oh Menschheit, der Rasul ist zu euch von eurem Rabb mit der Wahrheit gekommen! Also glaubt an das, welches für euch gut ist! Falls ihr leugnet, wisst, dass alles in den Himmeln und auf der Erde für Allah ist (für die Manifestierung der Besonderheiten, die auf die Asma ul Husna hinweisen). Allah ist Aliym und Hakiym.

171. Oh ihr zu dem das Wissen um die Wahrheit gekommen ist... überschreitet nicht den Anforderungen der Religion und geht nicht über die Grenzen hinaus... Sagt nicht Dinge über Allah, die nicht der Wahrheit entsprechen.... Jesus, Sohn der Maria, ist nur ein Rasul von Allah und Seinem Wort... Er hat ihn durch Maria geformt (durch Seine Asma ul Husna) und er stellt eine Bedeutung (Seele) dar ... Also glaubt an Allah, die Essenz aller Dinge durch Seine Namen, und an Seine Rasuls...Und sagt nicht „Drei" (Vater, Sohn, Heiliger Geist)! Beendet dies; es ist besser für euch... Allah ist nur „Ilahun Wahid" (der einzige Besitzer der Uluhiyyat, des Allah-Daseins. A.d.Ü.: ein grenzenloses Bewusstsein, das sich mit nichts und niemandem etwas teilt und unabhängig ist von Manifestierungen) ... HU ist darüber SUBHAN vom Konzept ein Kind zu haben! Was es auch immer in den Himmeln und auf der Erde gibt, ist für Allah. Genug für euch ist Allah als Wakiyl mit Seinen Namen, welche eure essentielle Wahrheit darstellt.

172. Weder der Messias (Jesus), noch die nahegebrachten Engel werden es als gering schätzen, Allah zu dienen! Und wer auch immer es als gering einschätzt, Allah zu dienen und arrogant ist, Er wird sie alle zu sich Selbst versammeln.

173. Was diejenigen betrifft, die glauben und den Anforderungen ihres Glaubens erfüllen, Er wird ihnen ihre Belohnungen voll auszahlen und ihnen sogar noch mehr von Seiner Gunst geben... Aber diejenigen, die es als geringschätzen und arrogant sind, Er wird sie mit einem schweren Leiden bestrafen... Und sie werden keinen Freund oder einem Helfer finden können neben Allah.

174. Oh Menschheit! Es ist mit absoluter Sicherheit zu euch ein Beweis gekommen (die Artikulation der Wahrheit; Hazrat Muhammad, FsmI). Wir haben eine klare Nuur (Licht des Wissens) zu euch (den Koran) enthüllen lassen.

175. Was diejenigen anbelangt, die an Allah glauben, dass Seine Namen die Essenz von allem darstellt und an Ihm als ihre essentielle Wahrheit festhalten... HU wird sie zu Rahmat und Seiner Gunst eintreten lassen und sie zu IHM selbst auf dem rechten Weg (Sirat ul mustakim) leiten.

176. **Sie fragen nach einer Erklärung von dir.... Sag: „Allah gibt ein Urteil bezüglich jemandem, der weder Vorfahre (Eltern) noch Nachfahre (Kinder) als Erben hat: Falls ein Mann stirbt und keine Kinder hat, aber eine Schwester, dann erbt sie die Hälfte von seinem Erlass... Falls eine Schwester ohne Kinder stirbt, dann wird der Bruder der Erbe sein... Falls es zwei Schwestern gibt** (des Verstorbenen), **dann bekommen sie Zweidrittel von seinem Erlass** (ihrem Bruder). **Falls die Geschwister** (die Erben) **Brüder und Schwestern sind, dann bekommt der Männliche den Anteil von zwei Weiblichen... Allah informiert euch, so dass ihr nicht vom Weg abkommt... Allah ist Aliym über alle Dinge durch Seine Namen, welche eure essentielle Wahrheit darstellen.**

5. AL-MAIDAH

Mit demjenigen, der durch den Namen Allah erwähnt wird (der mein Wesen mit Seinen Namen erschaffen hat im Anwendungsbereich des Buchstabens „B"), der Rahman und Rahim ist.

1. Oh ihr, die den Glauben anwenden, erfüllt eure Verträge vollständig. Weidendes Vieh (Schaf, Rind, Ziege, Kamel etc.) ist euch erlaubt worden mit der Kondition, dass ihr nicht erlaubte Tiere für euch selbst jagt, während ihr im Zustand des Ihrams seid und nur das, was euch erlaubt worden ist. Wahrlich Allah bestimmt, was auch immer Er wünscht.

2. Oh ihr, die den Glauben anwenden! Seid nicht respektlos gegenüber „Scha`airAllah" (die Zeichen Allahs; das, welches jemanden verursacht oder veranlasst Allah zu spüren und zu fühlen), die Heiligen Monate, die Opfer, die zur Baytullah (das Haus Allahs) gebracht werden, spezielle Opfer und zu jenen, die zum Haus wegen der Gunst (Fadl) und des Wohlgefallens (Ridwans) ihres Rabbs kommen. Ihr könnt jagen, nachdem ihr aus dem Zustand des Ihram seid. Lasst nicht euren Hass gegen die Leute, die euch (vorher) davon abgehalten haben zum Masdschid al Haram einzutreten veranlassen, dass ihr eure Grenzen überschreitet. Hilft einander aufgrund der Basis der Essenz der Realität (Al Birr) und Takwa (euch vor Allah zu schützen aufgrund eurer Unzulänglichkeiten eurer Identität), nicht aufgrund von Grausamkeit und Feindschaft. Schützt euch vor Allah (weil Er euch die Konsequenzen eurer Taten ausleben lassen wird). Wahrlich Allah ist Schadid-ul Ikab (derjenige, der die Konsequenzen von Fehltaten ausleben lässt).

3. Verboten für euch ist das Fleisch von toten Tieren, Blut, das Fleisch des Schweines und von jenem, welches im Namen von jemand anderen als Allahs geschlachtet wurde. Auch verboten ist das Fleisch von Tieren, welche durch Strangulieren oder durch Schlagen oder Fallen getötet wurden oder zu Tode gehäutet wurden oder welches durch Töten und zum Teil von einem anderen wilden Tier gefressen wurde oder welche, die an einem Steinaltar geopfert wurden. Auch mit Pfeilen das Los zu werfen (alle Formen der Wahrsagerei, die Zukunft betreffend Glück zu ersuchen). All dies ist Korruption (vom Weg abkommen). Diejenigen, die heute die Wahrheit leugnen, haben die Hoffnung verloren, eure Religion als ungültig zu erklären... Also fürchtet euch nicht vor ihnen, aber seid in Ehrfurcht Mir gegenüber. Diesen Tag habe Ich für euch eure Religion perfektioniert (eure Aneignung von religiösem Wissen) und habe Meinen Gefallen euch gegenüber vervollständigt und habe für euch Islam (vollständige Ergebenheit zu Allah) als (Verständnis der Religion) anerkannt... Wer jedoch durch den Hungertod, von jenem gezwungen ist zu essen, möge dies tun, ohne anzunehmen, dass das, welches ungesetzlich ist, gesetzlich wurde. Wahrlich Allah ist Ghafur und Rahim.

4. Sie fragen dich, was ihnen erlaubt worden ist...Sag: „Alle guten und reinen Nahrungsmittel wurden euch erlaubt... Und jene, welche durch Jagdtiere gefangen wurden, welche ihr das lehrtet, was euch Allah lehrte. Also esst, was sie für euch fangen und erwähnt den Namen Allahs auf ihnen (erinnert euch an den Namen Allahs) ... Beschützt euch vor Allah. Gewiss Allah ist Sari-ul Hisab (Schnell im Abrechnen; die Konsequenzen der Taten werden unverzüglich ausgeführt werden).

5. An diesem Tag sind alle guten und reinen Nahrungsmittel euch erlaubt worden... Die Nahrung derer, die das Wissen um die Wahrheit bekommen haben, sind euch erlaubt....und eure Nahrung ist ihnen erlaubt...und die keuschen Frauen unter den Gläubigen und von denjenigen, die das Wissen um die Wahrheit vor dir erhalten haben, sind erlaubt (zu heiraten) mit der Bedingung, dass ihr die gebührende Mitgift ihnen gibt und sie von Ehebruch und von geheimen Affären fernbleiben... Wer auch immer die Bedingungen und Voraussetzungen des Glaubens nicht beachtet und die Wahrheit leugnet, dem werden seine ganzen Taten wertlos sein und er wird unter den Verlierern im zukünftigen ewigen Leben sein.

6. Oh ihr, die den Glauben anwenden... Wenn ihr aufsteht, um das Salaah zu verrichten, dann wascht eure Gesichter und Arme bis zu den Ellbogen mit Wasser; wischt über eure Köpfe und wascht eure Füße bis zu den Knöcheln... Falls ihr in einem Zustand der Unreinheit seid (Dschanabah), dann wascht euren ganzen Körper... Falls ihr krank seid oder auf Reisen euch befindet oder von der Toilette kommt oder mit Frauen geschlafen habt und kein Wasser finden könnt, dann sucht nach reiner Erde und reibt eure Gesichter und Hände damit (Tayammum)... Allah wünscht für euch keine Schwierigkeiten, aber Er wünscht, dass ihr gereinigt seid und der Segen von „Hu" auf euch vervollständigt wird; auf dass ihr dankbar seid (und es gebührend bewertet).

7. Erinnert euch an den Segen Allahs auf euch und an das Abkommen an dem Er euch gebunden hat als ihr gesagt hattet: „Wir hören und gehorchen"...Beschützt euch vor Allah! Wahrlich Allah, als eure Wahrheit/Essenz mit Seinen Namen, weiß was in eurem Inneren vorhanden ist.

8. Oh ihr, die den Glauben anwenden...seid standhaft für Allah und seid gerecht, wenn ihr Zeugnis ablegt... Lasst nicht euren Hass für ein Volk euch veranlassen, ungerecht zu sein! Seid gerecht, diese Annäherung ist näher zum Schutz...Beschützt euch vor Allah! Wahrlich Allah (als ihr Schöpfer) ist Khabir über eure Taten.

9. Allah hat diejenigen versprochen, die glauben und gemäß ihrem Glauben leben und Taten anwenden Folgendes: „Es gibt für sie Vergebung und eine gewaltige Belohnung."

10. Was diejenigen betrifft, die die Wahrheit und unsere Zeichen leugnen (die Manifestierung der Namen), sie sind das Volk der Hölle.

11. Oh ihr, die den Glauben anwenden... Erinnert euch an den Segen Allahs auf euch...Erinnert euch daran, als eine Gesellschaft ihre Hände auf euch auferlegen wollte (um euch zu verletzen) und Er ihre Hände von euch weg nahm... Beschützt euch vor Allah! Lasst diejenigen, die den Glauben anwenden ihr Vertrauen auf Allah setzen (sie sollen glauben, dass der Name Wakiyl, der ihre Essenz und Wahrheit bildet, seine Funktion erfüllen wird).

12. Gewiss hat Allah mit den Kindern Israels ein Abkommen gehabt... Unter ihnen haben Wir zwölf Repräsentanten hervorgebracht... Allah hatte gesagt: „Ich bin gewiss unter euch/mit euch...Falls ihr Salaah verrichtet und Zakah (Spende) gebt, an die Rasuls glaubt und sie unterstützt und Allah ein gutes Darlehen gibt (basierend auf der Betonung „Ich bin gewiss unter euch/mit euch", Darlehen, die man anderen gibt, sind Darlehen, die man Allah gibt), dann werde Ich eure Fehltaten auslöschen und euch zu Paradiesen eintreten lassen, unter denen Flüsse fließen...Wer auch immer nach diesem die Wahrheit leugnet, der ist sicherlich vom Weg der Wahrheit irregeleitet worden."

13. Wir haben sie verflucht aufgrund des Bruches ihres Abkommens und haben ihr Herz verhärtet (ihr Verständnis blockiert)! Sie entstellen die Bedeutungen der Wörter und haben vergessen einen Teil der Wahrheit zu nehmen, für das sie gewarnt wurden. Abgesehen von einigen Wenigen wirst du Verrat von ihnen sehen... Vergib ihnen und sorge dich nicht. Wahrlich Allah liebt die Muhsin (die Perfektion ausüben möchten).

14. Und Wir haben ein Abkommen von denen genommen, die sagen: „Wir sind Christen!" Sie haben auch vergessen einen Teil davon zu nehmen, woran sie erinnert wurden... Also haben Wir unter ihnen Feindseligkeit und Hass bis zum Tag der Auferstehung verursacht...Allah wird ihnen zeigen, was sie produzieren und tun.

15. Oh ihr zu denen das Wissen um die Wahrheit gegeben wurde... Es ist zu euch Unser Rasul gekommen, der euch um die vielen Realitäten informiert, die ihr verdeckt und der die meisten von euch vergibt (weil ihr sie verdeckt)...Wahrlich zu euch ist eine Nuur (das Licht des Wissens) von Allah gekommen und ein klares Buch (das klare Wissen um die Sunnatullah).

16. Allah rechtleitet diejenigen, die Seinem Wohlgefallen nachgehen (Ridwaan-die engelhafte, verifizierende Kraft, die die Essenz der Namen im Menschen darstellen) zur Wahrheit mit den Eigenschaften der Namen; die Wahrheit, welches der Name Allah darstellt. Basierend auf der Angemessenheit ihrer Namenskomposition (Bi izni Hi) nimmt Hu sie aus der Dunkelheit zur Nuur und rechtleitet sie zum geraden Weg (zum richtigen Leben).

17. Wahrlich diejenigen, die sagen: „Allah ist der Messias, Sohn der Maria", haben die Wahrheit geleugnet! Sag: „Wer hat die Macht, Allah davon abzuhalten, falls Er es bevorzugt den Messias, Sohn der Maria, seine Mutter und jeden auf der Erde zu zerstören?" Alles in den Himmeln und auf der Erde ist für Allah (für die Manifestierungen und Observierung der Asma ul Husna genannten Namen und Eigenschaften)! Er erschafft, was Er will! Allah ist Kaadir über alle Dinge.

18. Die Juden und Christen sagen: „Wir sind die Söhne und Lieblinge Allahs"... Sag: „Warum bestraft Er euch dann für eure Fehler?"...Nein, ihr seid auch nur Menschen, die von Ihm erschaffen wurden.... Er vergibt wem Er will und verbannt denjenigen zum Leiden wen Er will...Die Herrschaft der Himmel und der Erde und alles was dazwischen ist, ist für Allah...Zu Ihm ist die Rückkehr!

19. Ohr ihr zu denen das Wissen um die Wahrheit gegeben wurde... Es ist zu euch ein Rasul gekommen in einer Zeit der Aufhebung von Rasuls, der euch über die Wahrheit informiert... So dass ihr nicht sagen könnt: „Ein Überbringer froher Botschaften und ein Warner ist nicht zu uns gekommen"... Hier ist der Überbringer von Botschaften und ein Warner... Allah ist Kadir über alle Dinge.

20. Moses sagte einmal zu seinem Volk: „Mein Volk, erinnert euch an den Segen Allahs auf euch, Er enthüllte Nabis von eurem Inneren und hat euch zu Führern gemacht... Er gab euch, was Er sonst keinem auf der Welt gegeben hatte." (Das Wissen in Bezug auf das Stellvertreter-Dasein auf der Erde.)

21. „Mein Volk, tretet ein in das heilige Tal, welches Allah euch zugeteilt hat und kehrt nicht zur Vergangenheit zurück, anderenfalls werdet ihr als Verlierer zurückkehren."

22. Sie sagten: „Oh Moses, gewiss lebt dort eine despotische Gesellschaft... Bis sie nicht den Ort verlassen haben, werden wir nicht dort eintreten...Falls sie mit freien Willen gehen, dann werden wir eintreten."

23. Zwei Männer, denen Allah Seine Segen gegeben hatte von der befürchteten Gesellschaft, sagten: „Tretet ein zu ihnen durch das Tor, denn falls ihr eintretet, werdet ihr siegen...Falls ihr glaubt, dann vertraut auf Allah (glaubt, dass der Name al Wakiyl in eurer Essenz seine Funktionen erfüllen wird)."

24. Sie sagten: „Oh Moses, solange sie da sind, werden wir niemals eintreten...Geh du und Dein Rabb und kämpft! Gewiss wir werden hier sitzen bleiben."

25. (Moses) sagte: „Mein Rabb... Wahrlich mein Wort hat keinen Einfluss außer auf mich selbst und meinem Bruder, also trenne uns von einem Volk, dessen (Glauben) korrupt ist."

26. Er sagte: „Wahrlich der Ort ist ihnen verboten für vierzig Jahre, sie werden auf der Erde verirrt herum wandern... Also habe keinen Kummer über diejenigen, dessen (Glaube) korrupt ist."

27. Sag ihnen die Wahrheit bezüglich den beiden Söhnen Adams...Wie sie beide ein Opfer erbracht hatten, wo einer angenommen wurde und der andere nicht...(Kains Opfer wurde nicht akzeptiert) Er sagte: „Ich werde dich gewiss töten"... (Abel, dessen Opfer akzeptiert wurde) sagte: „Allah akzeptiert nur von den Muttakin (diejenigen, die ausgerichtet zu ihrer essentiellen Wahrheit leben)."

28. Falls du deine Hand erhebst, um mich zu töten, dann verspreche ich dir, dass ich nicht meine Hand erheben werde, um dich zu töten! Denn ich fürchte mich vor Allah, der der Rabb aller Welten ist!"

29. Ich möchte, dass du auf dich meine Sünde und deine Sünde aufnimmst, so dass du zu den Leuten des Feuers gehörst... Dies ist die Konsequenz der Grausamen!"

30. Letztendlich hat der Ehrgeiz und der Neid, getrieben von seinem Ego, es ihm (Kain) erleichtert, seinen Bruder (Abel) zu töten. Und so gehörte er zu den Verlierern.

31. Dann hat Allah ihm eine Krähe enthüllt, die Erde grabend, um ihn zu zeigen, wie er seinen Bruder beerdigen soll...Kain sagte zu sich selbst: „Wehe mir! Ich bin nicht einmal wie diese Krähe und habe nicht nachgedacht, wie ich meinen Bruder beerdigen soll!" Und er wurde zu den Bereuenden.

32. Deswegen haben Wir für die Kinder Israels Folgendes verordnet: „Wer auch immer eine Person tötet außer (als Vergeltung) für eine (ermordete) Person oder um Korruption im Land zu verbreiten, dann ist es so als ob er die ganze Menschheit getötet hätte... Und wer auch immer das Leben einer Person rettet, dann ist es so als hätte er die ganze Menschheit gerettet...Wahrlich zu ihnen sind Unsere Rasul gekommen mit klaren Beweisen; aber nach diesem sind die meisten immer noch verschwenderisch (bewerten nicht gebührend, was Wir gegeben haben).

33. Als Vergeltung gegen diejenigen, die sich mit Allah und Seinem Rasul bekriegen und danach bestrebt sind, Korruption auf der Erde zu verbreiten, ist getötet oder erhängt zu werden oder ihre Hände und Füße kreuzweise abgeschnitten zu bekommen oder eingesperrt zu werden. Dies ist eine Erniedrigung für sie in diesem Leben... Und es gibt ein gewaltiges Leiden für sie im ewigen, zukünftigen Leben.

34. Ausgenommen diejenigen, die bereuen, bevor ihr sie einfangt...Wisst gut, dass Allah Ghafur und Rahim ist.

35. Oh ihr, die den Glauben anwenden! Beschützt euch vor Allah; erwünscht euch ein Mittel, wo durch ihr die Nähe zu Hu erreichen könnt und seid mit Entschlossenheit bestrebt auf Seinem Weg, so dass ihr errettet werden könnt.

36. Was diejenigen betrifft, die die Wahrheit leugnen... Falls sie alles auf der Erde hätten und nochmals doppelt so viel davon und es als Lösegeld anbieten würden, um vom Leiden des Tages der Auferstehung befreit zu sein, dann würde es niemals von ihnen akzeptiert werden! Ein trauriges Leiden wartet auf sie.

37. Sie wollen dem Feuer entkommen, aber sie werden es nicht machen können... ein fortwährendes Leiden erwartet sie!

38. Schneidet die Hände der Diebe ab, egal ob Mann oder Frau, als ein Exempel von Allah für was sie getan haben! Allah ist Aziz und Hakim.

39. Aber wer auch immer nach seinem Fehler bereut und (sein Verhalten) korrigiert, dann wird Allah gewiss seine Reue annehmen...Wahrlich Allah ist Ghafur und Rahim.

40. Wisst ihr nicht, dass die Herrschaft über die Himmel und der Erde (die Wahrheit) Allah gehört? Er bestraft wen Er will und Er vergibt wen Er will! Allah ist Kaadir über alle Dinge.

41. Oh Rasul! Sei nicht bekümmert über diejenigen, die sagen „wir glauben" mit ihren Zungen, aber nicht mit ihren Herzen glauben (bewusst, indem sie die Bedeutung verinnerlichen und ausleben/erfahren/spüren) und die in der Leugnung miteinander konkurrieren ... Es gibt einige unter den Juden, die dir zuhören, um Lügen zu verbreiten oder als Schlichter auf Geheiß der Leute, die nicht zu dir kommen... Sie verdrehen die Bedeutung der Wörter und sagen: „Falls dies dir gegeben wurde, dann nimm es, aber falls nicht, dann bleibe fern (stattdessen wird ein Urteil gefällt basierend auf Allahs Gesetzen)"... Falls Allah für jemanden Korruption erwünscht, dann könnt ihr bezüglich ihm nichts mehr von Allah erwarten... Sie sind jene, dessen Herzen Allah nicht wünscht, dass sie gereinigt werden...Es gibt für sie eine Erniedrigung in dieser Welt... Und ein gewaltiges Leiden erwartet sie im ewigen, zukünftigen Leben.

42. Sie hören sich ständig Lügen an und verschlingen Verbotenes. Falls sie zu dir kommen, dann urteile zwischen ihnen oder wende dich von ihnen ab. Falls du dich von ihnen abwendest, dann können sie dir keinen Schaden zufügen. Aber falls du ein Urteil gibst, dann urteile mit Gerechtigkeit. Wahrlich Allah liebt diejenigen, die gerecht sind (diejenigen, die Gerechtigkeit walten lassen und jedem sein verdientes und gebührendes Recht geben).

43. Warum machen sie dich zum Richter, wenn sie die Tora haben, worin Allahs Befehle enthalten sind? Und trotzdem wenden sie sich von deinem Urteil ab! Sie sind keine Gläubige!

44. In Wahrheit haben Wir die Tora, worin sich „Nuur" und das Wissen um die Wahrheit befindet, enthüllt. Damit haben die Nabis, die sich in Ergebenheit befunden hatten, über die Juden geherrscht und so auch die Rabbiner (diejenigen, die gemäß der Tora die Juden im Unterricht unterwiesen haben) und die Priester (diejenigen, die Wissen und Weisheit besitzen), die mit dem Schutz über das Wissen um die Wahrheit beauftragt wurden und zu denen sie Zeuge waren.... Also fürchtet euch nicht vor den Menschen, fürchtet euch vor Mir! Verkauft nicht die Wahrheit, über die Ich euch informiere, für einen kleinen Gewinn. Diejenigen, die nicht damit urteilen, was Allah enthüllt hatte, gehören zu den Leugnern der Wahrheit!

45. Wir haben darin entschieden (in der Tora): „Ein Leben für ein Leben, ein Auge für ein Auge, eine Nase für eine Nase, ein Ohr für ein Ohr, einen Zahn für einen Zahn! Und eine Wunde für eine Wunde.." Aber wer jedoch vergibt (Gleiches mit Gleichem zu vergelten), dann werden seine vergangenen Fehler verdeckt werden! Und wer auch immer nicht gemäß dem urteilt, was Allah enthüllte hatte, gehört zu den Zalims (A.d.Ü. Letztendlich auch grausam sich selbst gegenüber zu sein) ...

46. Wir haben Jesus, Sohn der Maria, in deren Fußstapfen gesandt (die Nabis, die sich in Ergebenheit befunden hatten), um das Wissen der Tora zu bestätigen (als Wahrheit). Und Wir gaben ihm das Evangelium, welches „Huda" (das Wissen um die Wahrheit) und „Nuur" beinhaltete und er bestätigte jenes, welches ihm von der Tora erreichte als Rechtleitung und Warnung für die Beschützten.

47. Diejenigen, die das Evangelium befolgen, sollen mit den Bekenntnissen im Evangelium urteilen, welches Allah enthüllen ließ. Wer auch immer nicht gemäß dem urteilt, welches Allah enthüllte, gehört zu den „Fasik" (A.d.Ü. Defekte im Glauben)!

48. Wir haben zu dir eine Wahrheit enthüllen lassen, welches die Wahrheit bezüglich dem Wissen um die Realität (Sunnatullah-Ordnungsgesetze des Systems) bestätigt, beschützt und bezeugt, welches auch vor dir kam... Also urteile zwischen ihnen mit dem, was Allah hat enthüllen lassen... Verlasse nicht das, welches zu dir als Wahrheit kam und folge nicht ihren leeren Begierden und Einbildungen... Zu jeden von euch haben Wir ein Gesetz erlassen (Regeln und Bedingungen bzgl. Lebensstil) und ein Methode (ein System basierend auf feststehende Realitäten, welches nicht mit der Zeit verändert wird, also unveränderlich). Wenn Allah es gewollt hätte, dann würdet ihr mit Sicherheit ein Volk sein! Aber Er wollte euch testen mit dem, was Er euch gab (so dass ihr selber sehen könnt, was ihr seid). Also beeilt euch Gutes zu tun! Zu Allah ist euer aller Rückkehr. Er wird euch informieren, worüber ihr euch getrennt und gestritten habt.

49. (Dies ist Unser Urteil für dich:) Urteile zwischen ihnen mit dem, womit Allah enthüllt hatte... Folge nicht ihren Begierden (das, was den Ursprung von der tierischen Daseinsform nimmt) ... Sei vorsichtig, nicht provoziert zu werden über einige der Dinge, die Allah dir enthüllt hatte! Falls sie sich abwenden, wisse, dass Allah ihnen Beschwerden geben will wegen einige ihrer Fehler... Wahrlich die Mehrheit der Menschheit hat Defekte im Glauben (Fasik).

50. Oder wollen sie heidnische Gesetze (aus den Tagen der Ignoranz)! Wer ist ein besserer Richter als Allah für ein Volk, dessen Glaube eine Nähe zur Wahrheit darstellt?

51. Oh ihr, die den Glauben anwenden. Befreundet euch nicht mit den Juden und Christen. Sie sind Freunde untereinander. Wer auch immer sich mit denen befreundet, wird definitiv wie sie werden...Wahrlich Allah rechtleitet nicht die „Zalims" (diejenigen, die grausam zu ihrem Selbst sind, können nicht die Wahrheit ausleben)!

52. Diejenigen, die ungesunde Gedanken pflegen (Heuchler), sagen: „Wir befürchten, dass die Dinge sich gegen uns wenden werden," und so beeilen sie sich, um sich mit ihnen zu assoziieren (die Juden und Christen) ... Es wird gehofft, dass Allah eine Öffnung oder aus Seiner Sicht (indHi) heraus eine Entscheidung manifestieren lässt, damit sie Reue zeigen darüber, was sie in ihrem Inneren gehegt haben (das Geheuchelte).

53. Diejenigen, die den Glauben anwenden, sagen: „Sind sie diejenigen, die mit all ihrer Macht und im Namen Allahs schwören, mit dir zu sein?" Ihre Taten sind wertlos geworden; sie wurden zu Verlierern.

54. Oh ihr, die glaubt (A.d.Ü.: imitierend und nachahmend) ... **Wer auch immer unter euch sich vom Glauben abwendet** (sollte wissen, dass) **Allah** (an eurer Stelle) **ein Volk bringen wird, den** (Hu) **liebt und** (die) **Hu lieben werden und die bescheiden gegenüber die Gläubigen sind und ehrenhaft gegenüber den Leugnern der Wahrheit; die auf dem Wege Allahs kämpfen werden ohne irgendwelche Verurteilungen zu befürchten von jemanden, der verurteilt...** Dies ist die Gunst Allahs; Er verabreicht es, wen Er will. Allah ist Wasi, Aliym.

55. Euer Wali ist nur Allah und Hu`s Rasul und diejenigen, die den Glauben anwenden; sie verrichten das „Ikam as-Salaah" (A.d.Ü.: Hinwendung zu Allah mit allen Konzepten, die dazu gehören) **und geben das „Zakaat"** (A.d.Ü: Einen Teil des Lebensunterhalt weitergeben, um gereinigt zu sein) **während sie sich im „Rukuh"** (A.d.Ü.: Verbeugung; hier geistig gemeint gegenüber dem Antlitz Allahs, welches sich überall befindet, wo man sich auch dreht) **befinden.**

56. Wer auch immer sich mit Allah und Hu`s Rasul und mit denjenigen, die den Glauben anwenden, befreundet (sollte wissen)**, dass die Partei Allahs diejenigen sind, die sich durchsetzen werden!**

57. Oh ihr, die glaubt... Befreundet euch weder mit jenen, welche das Wissen um die Wahrheit bekommen haben vor euch, noch mit jenen, die die Wahrheit ablehnen, wenn sie eure Religion als Spott und Amüsement ansehen! Beschützt euch vor Allah, falls ihr jene seid, die den Glauben ausleben!

58. Und wenn ihr zum „Adhan" (A.d.Ü.: Gebetsruf, Einladung zur „Hinwendung zu Allah"; Salaah) **ruft, spotten sie und machen sich darüber lustig...** Dies kommt daher, weil sie ein Volk sind, die unfähig sind, ihren Verstand zu benutzen.

59. Sag: „Oh ihr, zu denen das Wissen um die Wahrheit gekommen ist, verabscheut ihr uns nur weil wir an Allah (Billahi) **glauben, unsere essentielle Wahrheit, was an uns und was auch vor uns enthüllt wurde? Die Mehrheit von euch ist irregeleitet, vom Weg abgekommen** (Fasik- haben Defekte im Glauben)**!"**

60. Sag: „Soll ich euch darüber informieren, wie elendig die Konsequenzen eurer Taten sind aus der Sicht Allahs? Sie sind jene, die Allah verflucht hat und mit denen Er wütend wurde! (Allah) **hat sie in Affen** (jene, die imitierend und nachahmend leben, ohne nachzudenken), **Schweine** (jene, die nur für ihre tierische Vergnügen leben) **und „Taghut"** (Satan-Zweifel, Skepsis-Impulse, Begierde) **verwandelt! Sie sind jene, dessen Behausungen am Elendsten sind und die weit entfernt vom Weg abgekommen sind!"**

61. Wenn sie zu dir kommen, dann sagen sie: „Wir glauben"... Aber in Wahrheit kommen sie zu dir in einem Zustand der Leugnung und verlassen dich auch im Zustand der Leugnung...Allah, als der Schöpfer ihrer Taten, weiß besser was sie verheimlichen.

62. Du wirst sehen, dass die meisten unter ihnen tendieren, sich gegen Allah aufzulehnen und sich beeilen Dinge zu konsumieren, die verboten sind.... Wie elendig sind die Dinge, die sie tun!

63. Warum verhindern die Rabbiner und die Priester sie nicht davon beleidigende Dinge über Allah zu sagen und Verbotenes zu konsumieren... Wie elendig sind ist es, was sie tun und produzieren!

64. Die Juden sagen: „Die Hände von Allah sind gebunden"... Ihre Behauptung trifft auf sie selbst zu; ihre Hände waren gebunden und sie wurden verflucht! Im Gegenteil, Allahs Hände sind offen; Er gibt kontinuierlich, wie Er will! Wahrlich, was dir von deinem Rabb offenbart wurde, vermehrt nur ihre Leugnung und die Überschreitung in den meisten von ihnen! Wir haben unter ihnen Feindseligkeit und Hass erzeugt, welche bis zum Tag der Auferstehung andauern werden! Wann auch immer sie ein Feuer des Krieges entfachten, dann hat Allah es ausgelöscht... (aber dennoch) hasten sie, um Korruption auf der Erde zu verbreiten...Allah liebt nicht jene, die darauf bedacht sind, ihren Glauben zu korrumpieren.

65. Hätten jene, zu denen das Wissen um die Wahrheit gekommen war, geglaubt (dieses Wissen gebührend bewertet) **und sich selbst beschützt** (vom Schirk; Dualität), **dann hätten Wir definitiv ihre schlechten Taten gelöscht und sie in „Naim" genannte Paradiese eintreten lassen** (ein Zustand in dem die Kräfte, die Allah gehören, manifestiert werden).

66. Hätten sie die Anordnungen der Tora und des Evangeliums bewertet und angewandt und was enthüllt wurde von ihrem Rabb, dann hätten sie definitiv die Segen, welche sich über und unter ihren Füßen sich befindet, gekostet (Gaben von spirituellen und materiellen Welten)! Unter ihnen sind einige, die zur „Ummah-i-Muktasidah" gehören („die bescheidene Gesellschaft"; allen wird das gebührende Recht gegeben), **aber die Mehrheit von ihnen sind mit elenden Taten beschäftigt!**

67. Oh (ehrenwerter) Rasul... Verkünde das, welches dir von deinem Rabb enthüllt worden ist! Falls du dies nicht tust, dann hättest du nicht das „Risalat" (das Wissen um die Enthüllung des wahren „Ich") über HU vermittelt! Allah beschützt dich vor den Menschen. Wahrlich gibt Allah einem Volk keine Rechtleitung, welches die Wahrheit leugnet!

68. Sag: „Oh ihr, zu denen das Wissen um die Wahrheit gegeben wurde! Ihr könnt nicht bestehen bis ihr die Tora, das Evangelium und das, welches von eurem Rabb enthüllt worden ist, aufrecht erhaltet (direkt in eurem Leben anwendet)!" Wahrlich, das, welches dir von deinem Rabb enthüllt wurde, vermehrt nur ihre Leugnung und Überschreitung. Deshalb sei nicht über ein Volk, welches leugnet, bekümmert!

69. Wahrlich, wer auch immer unter den Juden, Säbier und Christen an/mit Allah (als ihr eigener Rabb und auch der Rabb der Welten) **und an das ewige, andauernde Leben** glauben und auch die Anforderungen solch eines Glaubens praktizieren, dann soll es keine Furcht für sie geben und sie sollen auch nicht besorgt sein!

70. Wir hatten mit den Kindern Israels einen Abkommen gehabt und Rasuls für sie enthüllt und unter ihnen entfalten lassen! Aber immer, wenn ein Rasul zu ihnen kam mit jenem, welches nicht ihren Egos entsprach, dann haben sie einige geleugnet und einige getötet!

71. Sie dachten darin würde es keinen Schaden geben; und so wurden sie blind (zur Wahrheit) **und taub** (zur Einladung zur Wahrheit)! **Dann hatte Allah ihre Reue angenommen...** Aber die meisten von ihnen wurden wieder blind (unfähig, die Wahrheit zu bewerten) **und taub** (unfähig, wahrzunehmen)! Allah (als der Schöpfer ihrer Taten) **ist Basiyr darüber, was sie tun.**

72. Wahrlich diejenigen, die sagen: „Allah ist der Messias, der Sohn der Maria," haben die Wahrheit geleugnet... (Wobei) der Messias gesagt hatte: „Oh Kinder Israels, dient Allah, meinen Rabb und auch euren Rabb, denn wer auch immer etwas mit Allah vergleicht (Schirk, Dualität), dem hat Allah das Paradies verboten! Seine Endziel wird das Feuer sein! Es gibt keine Helfer für die Zalims (A.d.Ü.: jene, die sich selbst gegenüber grausam sind, weil sie ihrem eigenen Selbst die Wahrheit und so ihr Potenzial vorenthalten)!"

73. Wahrlich jene, die gesagt haben: „Allah ist der Dritte von drei," wurden zu Leugnern der Wahrheit! Das Konzept der Gottheit ist ungültig; der Besitzer der Uluhiyyah (A.d.Ü.: Die Existenz Allahs, unbegrenztes Bewusstsein) ist EINS! Falls sie nicht damit aufhören, mit dem was sie sagen, dann werden die Leugner unter ihnen definitiv ein qualvolles Leiden erleben!

74. Zeigen sie immer noch nicht Reue und bitten Allah um Vergebung? Allah ist Ghafur und Rahim.

75. Der Messias, Sohn der Maria, ist nur ein Rasul... Rasuls sind vor ihm gekommen und auch wieder gegangen! Seine Mutter war eine Frau der Aufrichtigkeit (Siddikah-Sie hat die essentielle Wahrheit bezeugt und diese Existenz bestätigt, ohne zu zögern)! Sie beide haben Nahrung zu sich genommen (sie waren menschlich)! Schau hin wie Wir sie bezüglich der Zeichen informiert hatten! Schau nochmals hin wie sie die Wahrheit verdrehen!

76. Sag: „Dienst du jene neben Allah, die dir weder Schaden noch irgendwelche Nutzen geben können? Allah ist Hu, as-Sami und Al-Aliym.

77. Sag: „Oh Leute des Buches... Schreitet nicht über die Grenzen und übertritt nicht in ungerechterweise die Grenzen eurer Religion... Folgt nicht der leeren Wahnvorstellung eines Volkes, welche viele vom rechten Weg in der Vergangenheit abgeleitet haben und die selbst vom zentralen Weg irregeleitet sind!"

78. Diejenigen, die von den Kindern Israels die Wahrheit leugnen, sind verflucht (weit von Allah entfernt worden) durch die Zunge Davids und Jesus, Sohn der Maria... Dies kommt daher, weil sie rebellierten und die Grenzen überschritten haben.

79. Sie hielten einander nicht davon ab, schlechte Taten zu begehen. Wie elendig ihre Taten doch waren!

80. Du wirst sehen, dass die meisten unter ihnen sich mit jenen befreunden, welche das Wissen um die Wahrheit leugnen... Wie elendig ist die Wahrscheinlichkeit, welche durch ihr Ego vorbereitet worden ist! Der Zorn Allahs ist auf ihnen! Sie werden zu ewigen Qualen unterlegen sein.

81. Hätten sie an Allah geglaubt, der Schöpfer ihrer Wesen durch Seine Namen, an den Nabi (Muhammad saw) und an das, welches ihm enthüllt wurde, dann hätten sie sich nicht mit ihnen befreundet (mit den Leugnern) ... Aber die meisten unter ihnen haben Defizite im Glauben (Fasik).

82. Unter der Menschheit wirst du definitiv die Juden und die Muschriks (A.d.Ü.: die duale Sichtweise ist für sie die Wahrheit) als die Strengsten bezüglich der Feindseligkeit gegenüber den Gläubigen vorfinden. Und du wirst diejenigen, welche am Nächsten bezüglich der Zuneigung gegenüber den Gläubigen sind, jene vorfinden, die sagen: „Wir sind Christen." Dies kommt daher, weil unter ihnen Menschen sind, welche tiefes Wissen verfügen (Christen) und Menschen, welche sich der Welt entsagt haben (haben sich Allah ganz in Ergebenheit hingegeben) und die keine Arroganz besitzen.

83. Und wenn sie dem zuhören, was an dem Rasul enthüllt wurde, dann wirst du sehen, wie ihre Augen voller Tränen sind, denn sie erkennen das Wissen, welches mit der Wahrheit enthüllt wurde. Sie sagen: „Unser Rabb, wir haben geglaubt. Schreibe uns unter den Zeugen auf."

84. „Warum sollten wir nicht an das glauben, welches zu uns gekommen ist von Allah, unserer Essenz durch Seine Namen, und der Wahrheit, wo wir uns doch nach Ihm sehnen, um uns zur Gesellschaft der „Salih" (A.d.Ü.: Aufrichtigen-den Glauben mit den notwendigen Taten ausleben, so dass man jenes spürt, erlebt und erfährt, welches „Seele" genannt wird...die wahre und dauerhafte Struktur des Menschen) gehören zu lassen!"

85. Und für dies hat Allah sie mit Paradiese belohnt unter denen Flüsse fließen, worin sie sich ewig befinden werden. Dies ist die Konsequenz für die „Muhsin" (Ihsan, d.h. die Konsequenz von „Perfektion im Glauben" zu haben, resultiert in der Auslebung dieser Perfektion).

86. Aber jene, die das Wissen um die Wahrheit und Unsere Zeichen leugnen (die Manifestierungen der Namen), sie sind die Höllengefährten!

87. O ihr, die den Glauben anwenden!... Verbieten nicht reine Versorgungen, welche Allah euch gesetzlich machte und übertretet nicht die Grenzen (indem etwas ungesetzlich gemacht wird, welches gesetzlich ist)! Allah liebt definitiv nicht jene, welche die Grenzen überschreiten.

88. Isst von den gesetzlichen und guten Dingen, mit denen euch Allah versorgt hat... Beschützt euch vor Allah, von dem ihr glaubt, dass Er mit Seinen Namen die Essenz eures Wesens darstellt.

89. Allah wird euch nicht verantwortlich halten für Versprechen, die ihr unbedacht gegeben habt! Aber ihr seid verantwortlich für Versprechen, welche ihr absichtlich und bewusst gegeben habt! Die Buße für einen bewusstes Versprechen, welches ihr gebrochen habt, ist das Speisen oder Bekleiden von zehn bedürftigen Menschen oder einen Sklaven zu befreien! Wem es an Mitteln mangelt dies zu tun, soll für drei Tage fasten. Dies ist die Buße für das Nichteinhalten eurer Versprechen! Haltet eure Versprechen...Und so erklärt euch Allah Seine Zeichen, so dass ihr bewerten könnt.

90. O ihr, die den Glauben anwenden... Khamr (Intoxikationen-Getränke, welche betrunken machen), Masiyr (Glücksspiele), Ansab (Götzen-göttliche Eigenschaften ihnen zu zuschreiben) und Azlam (Wahrsagerei; jemanden aufsuchen, um die Zukunft vorherzusagen) sind abscheuliche Taten von seitens Satan! Vermeidet sie, so dass ihr Emanzipation erreichen könnt.

91. Satan möchte Feindseligkeit und Hass unter euch schüren mittels Intoxikationen und Glücksspiele und euch von der Erinnerung (Dhikr) Allahs und von „Salaah" abhalten... Werdet ihr davon ablassen?

92. Gehorcht Allah, gehorcht dem Rasul und seid achtsam! Falls ihr euch abwendet, wisst gut, dass (die Verantwortung) gegenüber dem Rasul nur eine klare und reine Mitteilung darstellt.

93. Falls diejenigen, die glauben und die Anforderungen ihres Glaubens praktizieren, sich weiterhin beschützen, dann werden sie (eine höhere Stufe) des Glaubens erreichen und in Taten sich begeben, welche diesem gerecht werden. Und weil sie sich mit diesem Verständnis beschützt hatten, werden sie noch ein höheres Verständnis des Glaubens erreichen. Als Resultat ihres Glaubens gemäß diesem Verständnis fangen

sie an, sich entsprechend zu beschützen. Nach diesem Verständnis sich fortwährend beschützt zu haben, wird sie veranlassen, „Ihsan" (Perfektion) zu erreichen (die Stufe der Beobachtung/Observation/Bezeugung). Allah liebt die „Muhsin".

94. Oh ihr, die glaubt... Allah wird euch mit etwas von eurem Wild, welches ihr mit euren Speeren jagt, prüfen, so dass es offensichtlich werden soll, wer Ihn durch das „Ghaib" (das Nicht-Wahrnehmbare, welches ihr Nicht-Wahrnehmbares darstellt) fürchtet! Und wer auch immer danach über seine Grenzen geht, für ihn wird es ein qualvolles Leiden geben.

95. Oh ihr, die glaubt, jagt nicht während ihr im „Ihram" seid (die Bekleidung der Pilger, welche das Leichentuch darstellt und der Pilger sich von weltlichen Aktivitäten fernhält und sich mit ganzem Bewusstsein Allah widmet) ... Wer auch immer bewusst Wild tötet, dann ist die Kompensation ein Opfer, welches der Kabah erbracht wird, gleichwertig mit dem Wild, welches getötet wurde, entschieden durch zwei gerechte Männer unter euch... Oder als Buße, die Bedürftigen zu speisen oder im gleichen Wert zu fasten, so dass die Konsequenzen der Taten erfahren werden. Allah hat vergeben, was sich in der Vergangenheit befindet. Aber wer auch immer rückständig wird, dem wird Allah die Konsequenzen der Taten aufzwingen! Allah ist Aziz, Zuntikam (die Konsequenzen einer Tat werden mit Strenge ausgeführt).

96. Es ist euch gesetzlich gemacht worden, die Fische im Ozean zu jagen und zu essen als Wohltat für euch und für Reisende. Aber für euch verboten ist das Jagen auf dem Land während ihr im Ihram seid! Beschützt euch vor Allah; zu ihm werdet ihr versammelt werden.

97. Allah hat die Kaabah, dieses heilige Haus, den heiligen Monat, Opfertiere und „Kalaid" (Opferungen, die am Hals gebunden sind) für das „Kiyam" (Stehen-Aufrichten) der Menschen gemacht (für das Aufrichten ihres Glaubens und damit es fortgeführt werden kann) ... Dies ist, damit ihr wisst, dass Allah alles in den Himmeln (die Dimension der Gedanken) und auf der Erde (eurer Körper) weiß und dass Allah Aliym über alle Dinge ist.

98. Wisst, dass Allah definitiv die Konsequenzen schlechter Taten aufzwingt, aber dennoch ist Allah Ghafur und Rahim.

99. Der Rasul muss nicht mehr tun, als zu verkünden. Allah ist sich bewusst darüber, was ihr veröffentlicht und was ihr verheimlicht.

100. Sag: „Die Unreinen und die Reinen haben nicht den gleichen Wert. Auch wenn die Mehrheit der Unreinen dir angenehm erscheinen". Also dann, oh ihr, welche fähig seid, tief nachzudenken, welche die Essenz erreicht haben (Ulul Albab), beschützt euch vor Allah, auf dass ihr emanzipiert werdet.

101. Oh ihr, die glaubt. Stellt keine Fragen über Dinge, welche euch Unannehmlichkeiten bereiten, wenn sie euch erklärt werden! Falls ihr über Dinge fragt, die euch unangenehm erscheinen, während der Koran enthüllt wird, dann wird euch die Antwort gegeben! Allah hat sie vergeben. Allah ist Ghafur und Haliym.

102. Eine Gesellschaft vor euch hat solche Fragen gestellt und dann wurden sie zu jene, die das Wissen um die Wahrheit leugneten (weil sie die Antworten nicht verdauen konnten).

103. Allah hat nicht (Opfer, welche bekannt sind als) Bahirah, Saibah oder Wasilah oder Ham (diese sind erfundene Traditionen einiger Menschen) ernannt. Aber jene, die das

Wissen um die Wahrheit leugnen, erfinden Lügen über Allah! Die meisten von ihnen benutzen nicht ihren Verstand!

104. Wenn ihnen gesagt wird: „Kommt zu dem, welches Allah enthüllen ließ und zum Rasul." Dann sagen sie: „Uns genügt, was wir von unseren Vorvätern bekommen haben." Auch wenn ihre Vorväter nichts wussten und keine Rechtleitung zur Wahrheit ihrer Essenz bekommen hatten?

105. Oh ihr, die glaubt...Ihr seid für euch selbst verantwortlich (für euer eigenes Selbst/Dasein)! Solange ihr euch bewusst seid über eure Rechtleitung, eure essentielle Wahrheit, kann euch eine irregeleitete Person nicht schaden! Zu Allah werdet ihr allesamt zurückkehren...Er wird euch zeigen, was das, was ihr gemacht habt, euch gebracht hat!

106. Oh ihr, die den Glauben anwenden... Wenn der Tod zu einem von euch kommt, dann sollen zwei gerechte Zeugen anwesend sein wegen der Nachlass. Oder falls ihr auf Reisen seid und der Tod euch ereilt, dann braucht ihr zwei Zeugen. Falls ihr (bezüglich ihrer Zeugenaussage) zweifelt, dann haltet sie nach ihrem „Salaah" fest und lasst sie bei Allah Folgendes schwören: „Wir werden nicht unseren Schwur zu irgendeinem Preis verkaufen, auch wenn es an einem Verwandten sein sollte und wir werden nicht das Testament Allahs verheimlichen, denn sonst werden wir zu den Schuldigen gehören."

107. Aber falls es sich herausstellt, dass diese beiden in der Vergangenheit schuldig des Eidbruchs waren, dann lasst zwei andere an ihrer Stelle hervortreten und bei Allah schwören: „In der Tat ist unsere Bezeugung wahrheitsgetreuer als ihre, denn wir haben nicht unsere Grenzen übertreten und gehören nicht zu den „Zalims"."

108. Dies macht es wahrscheinlicher, dass über Sein Antlitz (im Namen Allahs) wahre Bezeugung entsteht und eine Lösung über ihre Befürchtung (wegen des Eidbruches), dass ihre Bezeugung abgelehnt sein würde, erbracht wird. Beschützt euch vor Allah und nimmt wahr! Allah leitet kein Volk recht, welches korrupt (im Glauben) zur Wahrheit ist!

109. Wenn Allah die Rasuls versammelt (sie werden gefragt werden): „Was war die Antwort, die ihr bekommen habt?" Sie werden sagen: „Wir haben kein Wissen. Wahrlich, Du bist es, der der Wissende über das Nicht-Wahrnehmbare ist."

110. Allah wird sagen: „Oh Jesus, Sohn der Maria! Erinnert euch an meinen Segen über dich und deiner Mutter... Wie Ich dich mit der Kraft des „Ruh ul-Kuds" (die reine Seele, die Seele des Systems) gestärkt habe, welches sich in deinem Wesen manifestierte. Du hast zu den Menschen in der Krippe und im Alter gesprochen. Ich habe dir das Buch gelehrt, die Weisheit, die Tora und das Evangelium (Ich habe dieses Wissen in deinem Bewusstsein manifestiert). Du hast vom Ton einen Vogel erschaffen mit Meiner Erlaubnis (Bi-izni-Hi) und darin hinein geatmet, dann wurde es zu einem Vogel mit Meiner Erlaubnis. Du hast die Blinden geheilt, den Leprakranken und den Toten wieder zum Leben erweckt mit Meiner Erlaubnis. Erinnert dich daran, dass Ich die Kinder Israels von dir zurückgehalten habe! Du bist zu ihnen mit klaren Beweisen gekommen, aber die Leugner unter ihnen sagten: „Dies ist nichts weiter als offensichtliche Magie!"

111. Ich habe zu den Jüngern offenbart: „Glaubt an Mich (mit der Bedeutung des Buchstabens „B") und an Meinen Rasul. Sie sagten: „Wir haben geglaubt. Sei Zeuge, dass wir in der Tat Muslime sind."

112. Die Jünger sagten: „Oh Jesus, Sohn der Maria! Reicht die Kraft deines Rabbs aus, um für uns eine „Maidah" enthüllen zu lassen? (Wortwörtlich bedeutet „Maidah" ein mit Nahrung gedeckter Tisch; metaphorisch bedeutet es das Wissen um die Wahrheit [Hakikat] und das Wissen um das höhere Bewusstsein des Selbst, welches man kostet [Marifat]... Mit anderen Worten, sie haben das Programm der Veranlagung, der Schöpfung Jesu, die spezifische Namenskomposition, welches seine Essenz ausmacht, in Frage gestellt und ob er solch eine Kapazität besitzen würde.) **Daraufhin sagte Jesus: „Beschützt euch vor Allah, falls ihr wahre Gläubige seid."**

113. Sie sagten: „Wir möchten davon speisen (lass uns dieses Wissen anwenden), **auf dass unsere Herzen zufrieden sind** (Gewissheit erreichen bzgl. der Dinge, die du uns lehrst) **und wissen, dass das, was du uns erklärst, die** (absolute) **Wahrheit darstellt und wir dies bezeugen können."**

114. Jesus, Sohn der Maria, sagte: „Oh Allah! Unser Rabb... Lass eine „Maidah" von den Himmeln sich enthüllen, auf dass es ein Fest sei und als Beweis von Dir, für unsere Vergangenheit und für unser Zukunft...Versorge uns, denn Du bist der Beste, der versorgt."

115. Allah sagte: „Wahrlich, Ich werde es enthüllen... Aber wer auch immer die Wahrheit danach leugnet, den werde Ich in einer Weise strafen, wie Ich noch nie jemanden in der Welt bestraft habe!"

116. Und Allah sagte: „Oh Jesus, Sohn der Maria! Warst du es, der den Menschen sagte: „Nehmt mich und meine Mutter als Gott neben Allah"?" ... (Jesus) **sagte: „Du bist Subhan** (Du bist davon erhaben; Tanzih: Allah ist unabhängig von den Welten und mit nichts zu vergleichen)! **Wie kann es für mich möglich sein, etwas zu sagen, was nicht wahr ist? Selbst wenn ich es gesagt hätte, Du hättest es gewusst! Du weißt, was in meinem Selbst ist, aber ich weiß nicht, was in Deinem Selbst ist! Wahrlich, Du und nur Du alleine bist der Wissende über das Nicht-Wahrnehmbare!"**

117. „Ich habe ihnen nichts anderes gesagt, als was Du mir befohlen hast: „Erreicht das Bewusstsein, Allah zu dienen, der dein Rabb und mein Rabb ist."...Ich war ein Zeuge über sie, solange ich unter ihnen war.... Dann hast Du mich sterben lassen! Du wurdest der Rakib über sie! Du bist der Zeuge über alle Dinge!"

118. „Falls du ihnen Leid antun möchtest, wahrlich sie sind deine Diener! Falls du ihnen vergibst, wahrlich Du bist es, der Aziz und Hakim ist!"

119. Allah sagte: „Dies ist der Tag, wenn die Wahrhaften das Resultat ihrer Wahrhaftigkeit ausleben werden (ihre unangezweifelte Bestätigung der Wahrheit)! **Es gibt für sie Paradiese unter denen Flüsse fließen, worin sie auf ewig sein werden"**.... **Allah ist mit ihnen zufrieden und sie mit Ihm...Dies ist die großartige Erlösung!**

120. Die Himmel, die Erde und die Existenz von allem darin gehört Allah (sie sind die Manifestierungen Seiner Namen)! **Hu ist Kaadir über alle Dinge!**

6. AL-AN'AM

Mit demjenigen, der mit dem Namen Allah erwähnt wird (der mein Wesen mit Seinen Namen erschaffen hat, mit dem Anwendungsbereich des Buchstabens „B"), **der Rahman und Rahim ist.**

1. **„Hamd"** (die Bewertung der Welten, welche Er mit Seinen Namen erschaffen hatte, wie Er es wünscht) **gehört Allah, der die Himmel und die Erde erschuf und der auch Dunkelheit** (Ignoranz) **und Licht** (Wissen) **formierte. Diejenigen, die unaufhörlich die Wahrheit leugnen** (durch ihre angenommenen, äußeren Gottheiten), **vergleichen** (als Resultat wird deshalb Dualismus, Schirk ausgelebt) **Dinge mit ihrem Rabb** (die Dimension der Namen innerhalb ihrer Essenz)!

2. **Es ist HU, der euch vom „Tiyn"** (Tonerde; Wasser- und Erdelemente) **erschuf und dann für euch eine Lebensspanne bestimmt hatte** (für eine spezifische Zeit, mit einem physischen Körper zu leben). **Die spezifizierte Zeit des Lebens ist aus der Sichtweise von HU. Nach alle dem habt ihr immer noch Zweifel.**

3. **Allah ist HU, in den Himmeln und auf der Erde... Er weiß, was sich in eurer Essenz befindet und was ihr veröffentlicht! Er weiß, was ihr verdient** (mit euren Taten)!

4. **Von den Zeichen ihres Rabbs** (welche enthüllt wurden oder offensichtlich sind) **kommt kein Beweis zu ihnen, von denen sie sich nicht wegdrehen!**

5. **Und jetzt leugnen sie das, was zu ihnen mit der Wahrheit gekommen ist! Aber die Nachricht, worüber sie sich lustig machen, wird sie bald erreichen.**

6. **Haben sie nicht gesehen wie viele Generationen Wir vor ihnen zerstört haben...** (Darüber hinaus) **haben Wir im Gegensatz zu euch sie auf die reichhaltigen Regionen der Erde etablieren lassen und die Segen der Himmel auf ihnen gesandt und Flüsse unter ihnen fließen lassen...** (Nichtsdestotrotz) **Wir haben sie aufgrund ihrer Vergehen zerstört! Und nach ihnen haben Wir noch eine Generation entstehen lassen.**

7. **Falls Wir eine** (geschriebene) **Schrift zu dir enthüllt hätten und sie es mit ihren Händen anfassen könnten, dann hätten die Leugner der Wahrheit definitiv gesagt: „Dies ist nichts anderes als offensichtliche Magie."**

8. **Sie sagten: „Ein Engel** (welchen wir sehen können) **sollte herabsteigen". Aber falls Wir** (solch) **einen Engel hätten herabsteigen lassen, dann wäre die Angelegenheit als solches beendet worden; ihnen wäre keine weitere Zeit gegeben worden.**

9. **Falls Wir Ihn** (den Rasul von Allah, s.a.w.) **zu einem Engel** (für euch zu sehen) **gemacht hätten, dann hätten Wir ihn trotzdem in der Form eines Mannes erschaffen, damit sie im gleichen Zweifel, Dilemma bleiben, in welchen sie sich jetzt auch befinden** (ihre Denkart: „Er ist nur ein Mann, wie wir auch").

10. **Wahrlich, viele Unserer Rasuls wurden auch vor dir verspottet! Aber jene, die verspottet haben, wurden in ihrer eigenen Verspottung eingewickelt!**

11. **Sag: „Bereist die Erde und schaut auf das Ende der Leugner** (der Wahrheit)."

12. **Sag: „Wem gehören die Dinge in den Himmeln und auf der Erde** (Formierungen, die aus dem Nichts zur „relativen Existenz" entstanden sind, um die Bedeutungen der Namen-Asma ul Husna- zu manifestieren)?" **Sag: „Sie gehören Allah!" Er hat Seine „Rahmat"** (die Erschaffung der Welten basierend auf Seiner „Rahman" Eigenschaft) **Seinem Selbst auferlegt. Er wird euch definitiv am Tag der Auferstehung versammeln,**

da gibt es keinen Zweifel! Jene, die ihr Selbst und ihrem Dasein in den Verlust getrieben haben, werden nicht glauben!

13. Was auch immer in der Nacht und am Tag sich befindet, ist für Ihn! Hu ist Sami, Aliym.

14. Sag: „Soll ich mich mit jemanden anderen als Allah befreunden (indem ich ihn mir vorstelle), dem Schöpfer (Programmierer aller Dinge gemäß ihrer spezifischen Funktionen) der Himmel und Erde, der gibt, damit ihre Existenzen fortbestehen können, aber der derjenige ist, der für SICH SELBST nichts benötigt?"... Sag: „Mir wurde befohlen zu den Ersten zu gehören, die sich zu Allah in Ergebenheit befinden" und gehört niemals zu den Dualisten (Muschriks)!

15. Sag: „Wahrlich, falls ich gegen meinen Rabb rebelliere, dann befürchte ich das Leiden an einem mächtigen Tag (Periode)!"

16. Derjenige, der (vom Leiden) befreit wurde in dieser Zeit, wurde definitiv gesegnet von Allahs Rahmat! Dies ist die klare Errettung!

17. Falls Allah dich eine Bedrückung ausleben lässt, dann gibt es niemanden, der es beheben kann außer HU (in deiner Essenz) ... Und derjenige, der dich etwas Gutes ausleben lässt, ist auch HU, der über alles Kaadir ist.

18. Es ist HU, der Kaahir ist über Seine Diener (während Er von dimensionalen Tiefen manifestiert, ist Er derjenige, der über die Existenz herrscht)! Hu ist Hakim, Khabir.

19. Sag: „Von der Bezeugung aus, welches Ding ist schwerer im Gewicht?"...Sag: „Allah ist Zeuge zwischen mir und dir. Dieser Koran ist mir enthüllt worden (von den dimensionalen Tiefen des Gehirns), so dass ich dich warnen kann und wem es auch immer erreicht... Bezeugst du wirklich, dass es andere Götter gibt neben Allah?" ... Sag: „Ich bezeuge dies nicht"... Sag: „Uluhiyyah ist EINS und wahrlich, ich bin frei und unabhängig von deinen Assoziationen."

20. Jenen, denen Wir das Wissen um die Wahrheit gegeben haben, kennen Ihn (Muhammad, saw) wie sie ihre eigenen Söhne kennen. Diejenigen, die ihr eigenes Selbst verloren haben, gehören nicht zu denen, die den Glauben anwenden.

21. Wer begeht mehr Falsches als jemanden, der bezüglich Allah oder Seiner Existenz mit Seinen Zeichen (die Zeichen, welche die Manifestierungen Seiner Namen sind) lügt? Definitiv werden die „Zalims" (jene mit dualistischem Weltblick) keine Errettung erfahren.

22. Die Zeit, wenn Wir sie alle zusammen bringen werden und die Dualisten befragt werden: „Wo sind die Partner, deren Existenz, ihr angenommen habt zu bestehen, neben Ihm jetzt?

23. Sie können keine Zwietracht mehr schüren, sie werden nur sagen: „Bei Allah, unser Rabb, wir gehörten nicht zu den Dualisten!"

24. Schaut hin wie sie gegen ihr eigenes Selbst lügen und wie die Dinge, die sie erfunden haben, (sie haben ihre eigene Vorstellung angebetet und vergöttert) sie verlassen haben.

25. Und unter ihnen sind welche, die dich gehört haben. Aber Wir haben Schleier über ihre Herzen (Bewusstsein) verhängt und Schwere in ihre Ohren (Verständnis), so dass sie nicht Ihn wahrnehmen können! Wie viele Beweise sie auch sehen, sie werden immer noch nicht glauben. Darüber hinaus, wenn die Leugner der Wahrheit, die mit

dir argumentieren, zu dir kommen, dann sagen sie: „Dies sind nichts weiter als Märchen von vergangenen Zeiten."

26. Sie halten (andere) von Ihm (Rasulallah, saw) ab und distanzieren (sich selbst) von Ihm! Sie zerstören nur ihr eigenes Selbst, aber sie können dies nicht verstehen!

27. „Wenn ihr nur sehen könntet, wann sie mit dem Feuer konfrontiert werden (Leiden), wie sie dann sagen werden: „Oh wenn wir doch nur zurückkehren könnten (zu unserem biologischen Leben auf der Erde, da das materielle Gehirn aus „Fleisch" notwendig ist, damit die Kräfte im Gehirn aktiviert werden), um nicht die Zeichen von unserem Rabb zu leugnen (unsere Eigenschaften der Namenskompositionen; wenn wir doch nur die Kräfte bewerten könnten, die ihren Ursprung nehmen von den Asma ul Husna) und um zu den Gläubigen zählen zu können."

28. Aber das, was sie vorher verheimlicht haben (das Wissen um die Wahrheit, welches ihnen gegeben wurde) ist ihnen jetzt augenscheinlich und offensichtlich geworden. Aber selbst wenn sie zurückkehren könnten, dann würden sie sich wieder den Dingen widmen, welche ihnen verboten wurde. Sie sind definitiv Lügner.

29. Und sie sagen: „Es gibt nichts weiter als unser weltliches Leben! Unser Leben wird nicht fortgeführt werden!"

30. Wenn ihr nur sehen könntet, wie sie vor ihrem Rabb gezwungen werden zu stehen (wenn sie erkennen und sich bewusst werden über die Potenziale der Namen, die in ihrer Essenz enthalten sind). Er wird sagen: „Ist dies nicht die Wahrheit?" Sie werden sagen: „Ja, es ist unser Rabb." Er wird dann sagen: „Also nun kostet das Leiden als Konsequenz dessen, weil das Wissen um die Wahrheit geleugnet wurde."

31. In der Tat, diejenigen, die es geleugnet haben mit Allah vereint zu werden (die Bewusstheit, dass sie ausleben werden, dass die Wahrheit ihres Selbst/Daseins aus den Namen von Allah resultieren) sind zu Verlierern geworden! Als letztendlich die Stunde (die Zeit, wo der Tod erfahren wird) für sie schlägt, die Schuld auf ihre Rücken tragend, sagen sie: „Wehe uns, aufgrund der Praktiken, die wir vernachlässigt und was wir uns vorenthalten haben!" Seid vorsichtig, schlimm ist (die Verantwortung), die sie tragen!

32. Das Leben eurer Welt („Asfili Safiliyn"-das Niedrigste vom Niedrigen) ist nichts weiteres als Vergnügen und Amüsement! Das ewige Leben, welches kommen wird, ist definitiv besser für die Beschützten. Werdet ihr immer noch nicht euren Verstand benutzen!

3. Wir wissen, was sie über dich sagen. Aber die Wahrheit ist, die Grausamen, die dich leugnen, sie leugnen bewusst die Existenz Allahs durch Seine Zeichen (die Manifestationen Seiner Namen)!

34. Und in der Tat wurden Rasuls vor dir geleugnet. Aber sie haben ihre Leugnung und Folterung ertragen bis Unsere Hilfe zu ihnen kam. Und niemand kann das Wort Allahs ändern. In der Tat ist gewiss zu dir einiges gekommen, welches schon vorher (zu früheren Rasuls) gekommen ist.

35. Falls du ihre Ablehnung beschwerlich findest zu ertragen, dann mache einen Tunnel im Boden ausfindig oder eine Leiter, die zum Himmel hinaufsteigt, falls du die Kraft dazu hast und bringe ihnen ein Wunder (so dass sie glauben)! Hätte Allah es gewollt, dann hätte Er sicherlich sie zur Wahrheit versammelt. Sei also wachsam; sei nicht ignorant!

36. Nur jene, die wahrnehmen können, werden (zur Einladung) antworten! Was die Toten anbelangt (jene, die nicht durch Wissen lebendig werden), Allah wird sie (nachdem

sie den Tod erfahren haben) **auferstehen lassen** (ihre Wahrheit erfahren und unterscheiden lassen) **und zu Ihm werden sie zurückkehren.**

37. **Sie sagten: „Warum lässt er** (der Rasul) **nicht ein Zeichen von seinen Rabb herabsteigen!"... Sag: „Allah ist in der Tat Kaadir, ein Wunder herabsteigen zu lassen. Aber die meisten sind darüber unwissend."**

38. **„Und es gibt kein lebendiges Wesen auf** (oder innerhalb) **der Erde oder einen Vogel, welcher mit zwei Flügel fliegt** (Wissen und Kraft), **ohne dass es wie Völker sind wie ihr** (geformte Arten gebunden an eine Ordnung basierend auf ein spezifisches System)! **Wir haben kein einziges Ding vernachlässigt im „LESBAREN"** (Buch) **in der erschaffenen Welt! ..."** Sie werden allesamt zu ihrem Rabb versammelt werden.

39. **Jene, die Unsere Zeichen leugnen, sind taub (sie sind unfähig ihre Wahrheit wahrzunehmen) und stumm** (sie sind unfähig, die Wahrheit zu akzeptieren und anzuerkennen) **innerhalb Dunkelheit befindend. Allah lässt irreleiten wen Er will und lässt auf dem Geraden Weg sein, wen Er will!**

40. **Sag: „Seid ihr euch eures Zustandes bewusst? Falls der Zorn Allahs oder die Stunde** (das versprochene Ereignis) **zu euch kommt, werdet ihr euch gegenseitig anflehen und ersuchen anstatt Allah?** (Gebt es zu) **falls ihr zu den „Sadik" genannten gehört** (jene, die die Wahrheit bestätigt haben)."

41. **Nein, es ist HU alleine, den ihr anflehen und ersuchen werdet. Und falls HU es wünscht, dann wird Er die Wahrheit enthüllen, welche ihr ersucht habt und ihr werdet die Dinge vergessen, die ihr mit ihm assoziiert und verglichen habt!**

42. **In der Tat haben Wir (Rasuls) vor euch zu den Völkern entfalten lassen. Und sie mit Krankheit und Leid heimgesucht, auf dass sie demütig werden und beten.**

43. **Wenn sie sich doch nur demütig gezeigt hätten, als Unser Zorn sie traf! Aber ihre Herzen waren verhärtet** (ihr Bewusstsein blockiert) **und Satan** (ihre Zweifel und Skepsis) **hat ihre Taten für sie verschönert.**

44. **Als sie jenes vergessen haben woran sie erinnert wurden** (dass sie für Allah erschaffen wurden), **haben Wir für sie die Türen aller Dinge** (weltliche Schönheiten) **geöffnet...Als sie sich daran erfreuten, was ihnen gegeben wurde, haben Wir sie auf einmal ergriffen! Auf einmal haben sie ihre ganze Hoffnung verloren und wurden in völliger Verzweiflung gelassen!**

45. **Und so wurde das Volk, dass sich selbst** (ihr Selbst) **geschadet hatte, eliminiert! „Hamd"** (die Evaluierung der physischen Welten, welche durch Seine Namen manifestiert wurden, wie Er es wünscht) **gehört alleine Allah!**

46. **Sag: „Denkt darüber nach, falls Allah euer Hören** (Sinn der Wahrnehmung) **und eure Augen** (euer Sehen) **entziehen würde und eure Herzen** (Bewusstsein) **verschließen würde, gibt es einen Gott neben Allah, der es euch zurückgeben könnte?"** Seht her, **wie Wir die Zeichen auf unterschiedliche Arten erklären, aber** (trotz allem) **wenden sie sich immer noch ab.**

47. **Sag: „Habt ihr jemals in Betracht gezogen, falls Allahs Zorn plötzlich oder öffentlich auf euch kommt, wird dann irgendjemand zerstört außer den Zalims?"**

48. **Wir entfalten die Rasuls nur als Überbringer froher Nachrichten und als Warner. Also, wer auch immer glaubt und** (seinen Zustand) **verbessert, dann werden sie keine Furcht haben, noch werden sie Kummer haben.**

49. Was jene betrifft, die die Wahrheit in unseren Zeichen leugnen (die Manifestation der Kräfte der Namen), **sie werden das Leiden aufgrund ihres korrupten Glaubens kosten!**

50. Sag: „Ich behaupte nicht, dass sich die Schätze Allahs neben mir befinden... Ich kenne das „Ghaib" (A.d.Ü.: das Nicht-Wahrzunehmende; höhere Frequenzen, welche das Gehirn durch die fünf Sinne nicht konvertieren kann) nicht! Ich behaupte auch nicht ein Engel zu sein. Ich befolge nur das, was mir offenbart wurde." Sag: „Ist der Blinde und der Sehende gleichwertig? Reflektiert ihr diesbezüglich immer noch nicht?"

51. Und warne jene, die sich davor fürchten, zu ihrem Rabb versammelt zu werden (darüber, was die Kräfte der Namen in ihrem Selbst sie ausleben lassen werden) ... **Es gibt weder einen Wali noch einen Fürbitter für sie außer Ihn.** Vielleicht werden sie „Takwa" haben (um Schutz bemüht sein).

52. Distanziere dich nicht von jenen, die zu ihrem Rabb morgens und abends Gebete richten und das Antlitz von HU ersuchen... Du wirst weder zur Verantwortung der Konsequenzen ihrer Taten gezogen werden, noch werden sie für deine verantwortlich sein, also braucht du dich nicht zu distanzieren... (Falls du dies tust) **wirst du schlimmes getan haben.**

53. Also haben Wir manche durch andere geprüft, so dass sie sagen: „Hat Allah jenen gegeben (Bedürftige mit wenig Einkommen)?"... Kennt Allah nicht am besten, wer wahrhaft zu den Bewertenden und Dankbaren gehört?

54. Wenn jene, die an Unsere Zeichen glauben (das, was die Asma ul Husna manifestieren), zu dir kommen, dann sag zu ihnen: „As Salaamu alaikum... Euer Rabb hat „Rahmat" (A.d.Ü.: Einen Weg, der zu Allah öffnet; einen Weg, die Wahrheit der Essenz des Selbst kennenzulernen) **Seinem Selbst auferlegt! Wer auch immer unter euch einen Verstoß begeht und dann bereut und** (seinen Weg) **korrigiert...wahrlich Allah ist Ghafur und Rahim.**

55. Und so erklären Wir die Zeichen, so dass der Weg derjenigen, die Verbrechen begehen, offensichtlich werden.

56. Sag: „In der Tat ist es mir verboten worden die Gottheiten, die ihr anbetet, neben Allah zu dienen!"... Sag: „Ich werde niemals eure leeren Fantasien befolgen! Denn dann würde ich definitiv korrumpiert worden sein und nicht zu jenen gehören, die Rechtleitung erhalten haben."

57. Sag: „Ich komme definitiv mit einem klaren Beweis von meinem Rabb und ihr habt diese Wahrheit geleugnet! Was ihr ersucht zu beschleunigen (Tod) liegt nicht in meiner Kraft... Die Entscheidung liegt bei Allah alleine! Er informiert über die Wahrheit! Er ist der Beste derjenigen, die unterscheiden (von richtig und falsch).

58. Sag: „Falls jenes, was ihr ersucht zu beschleunigen, in meiner Kraft liegen würde, dann wäre das Thema zwischen uns schon vor langer Zeit beendet worden!"... Allah kennt jene, die grausam zu ihrem Selbst sind, am besten.

59. Die Schlüssel (das Wissen) des Ghaib (das, welches ihr nicht wahrnehmen könnt) **befinden sich in der Sicht von HU! Keiner kennt sie außer HU! Er kennt alle Dinge auf der Erde** (was wahrgenommen wird-manifestiert worden ist) **und im Meer** (in der Tiefe-im Wissen) ... **Kein Blatt fällt ohne Sein Wissen** (denn alle Dinge sind Manifestationen der Namen von HU) .... **Es gibt weder ein einziges Korn in der Dunkelheit der Erde, noch irgendetwas nass oder trocken, welches nicht festgehalten ist im „Kitab-i-Mubiyn"** (im klaren Buch des Universums).

60. Hu ist es, der euch den Tod erfahren lässt (ein Leben ohne die Bewusstheit eines biologischen Körpers) **in der Nacht** („Schlaf ist der Bruder des Todes"-Hadith) **und der weiß, was ihr am Tag verrichtet...** Dann lässt Er euch <u>am Tage auferstehen</u> bis eine **bestimmte Lebensspanne erreicht wird... Dann werdet ihr zu Ihm zurückkehren... Dann wird Er euch darüber informieren, was ihr getan habt** (euch veranlassen, euer Leben bezüglich der Wahrheit zu bewerten).

61. HU ist „Kaahir" (der Bezwinger) **über Seine Diener** (durch einen manifestierten Weg von einer dimensionalen Tiefe)! **Er entfaltet über euch beschützende (Kräfte)... Als dann letztendlich der Zeitpunkt des Todes zu einem von euch kommt, veranlassen Unsere Rasuls** (Unsere Kräfte; das, was Wir zur Funktion bringen), **dass er stirbt! Und sie werden sich nicht verspäten!**

62. Dann werden sie zu Allah zurückkehren, zu ihrem wahren Beschützer... Wisse mit absoluter Gewissheit, dass die Entscheidung bei Ihm liegt und Er am schnellsten in der Abrechnung ist.

63. Sag: „Wer wird euch retten, wenn ihr euch demütig zeigt und wahrhaftig betet „falls Du uns von der Dunkelheit der Erde und des Meeres rettest, dann werden wir sicherlich zu den Dankbaren gehören"?"

64. Sag: „Allah wird euch davon und von jeder Notlage retten... Aber dennoch assoziierst du immer noch andere Dinge mit Ihm!"

65. Sag: „Er ist Kaadir darüber, Beschwerden über euch (Himmel-vom Internen) **oder von unter euren Füßen** (innerhalb der Erde-vom Externen) **entstehen zu lassen oder euch in Teile gegeneinander spalten zu lassen, so dass ihr Gewalt erfährt." Seht wie Wir Unsere Erzählung vervielfältigen, so dass ihr über deren Tiefe nachdenken könnt, um zu verstehen.**

66. Aber deine Leute haben dies geleugnet, während HU die Wahrheit ist! Sag: „Ich bin nicht euer Beauftragter (Wakil: ihr werdet die Resultate eures Unglaubens ausleben)!"

67. Für jedes Ereignis gibt es eine vorherbestimmte und spezifische Zeit... Ihr werdet es bald wissen!

68. Wenn ihr jene seht, welche in unangemessenen Gesprächen bezüglich Unserer Zeichen beteiligt sind, dann wendet euch von ihnen ab bis sie das Thema gewechselt haben... Falls Satan euch vergessen lässt, dann erst, wenn ihr euch erinnert und euch darüber bewusst werdet, führt nicht eurer Beisammensein mit den „Zalims" fort.

69. Jene, die beschützt sind, sind nicht für sie verantwortlich... Aber sie sollen sie nichtsdestotrotz an die Wahrheit erinnern... Vielleicht werden sie sich auch beschützen.

70. Lasst jene, die aus ihrer Religion ein Hobby und einen Zeitvertreib gemacht haben, jene, die vom weltlichen Leben getäuscht wurden, mit sich alleine. Aber erinnert sie, so dass ein jemand (ein Selbst-eine Form der Existenz) **nicht vernichtet wird, wegen dessen, was es getan hat! Es wird weder einen „Wali" noch einen „Schafi"** (Fürbitter-Heiler; Verschwinden von Sorgen/Schmerz/Kummer/Leid) **neben Allah geben... Sogar wenn er jedes Lösegeld bezahlen würde, dann wird es nicht von ihm akzeptiert werden! Sie sind jene, welche festgehalten werden als Geiseln aufgrund des Resultats ihres Verdienstes... Es wird ein siedend heißes Getränk und ein großes Leiden für sie geben, weil sie das Wissen um die Wahrheit geleugnet haben.**

71. Sag: „Sollen wir Dinge anbeten und anrufen, die anders sind als Allah, die uns keinen Nutzen und keinen Schaden geben können? Sollen wir zurückkehren zur

Dualität (Schirk), nachdem Allah uns zum rechten Pfad geleitet hat? Sollen wir wie die Törichten sein, die von Teufel verführt sind und zu den Abgründen gezogen werden, wo wir doch Freunde haben, die sagen: „Kommt zu uns," und uns zum geraden Weg einladen?" ... Sag: „Die Rechtleitung Allahs ist dieses! Es wurde uns befohlen, sich Allah zu ergeben, den Rabb der Welten."

72. Und „etabliert das Salaah (die Hinwendung zu Allah) und beschützt euch vor HU (vor Seinem Zorn); zu Ihm werdet ihr versammelt werden!"

73. HU hat die Himmel und die Erde erschaffen mit „Hakk" (das Echte, Wahre) ...Wann immer Er „SEI" sagt, dann „wird" es sofort... Sein Wort ist „Hakk"! Wenn das Horn geblasen wird (zum Körper oder zum System-die Manifestierung geschieht vom Inneren zum Äußeren), dann ist die Herrschaft Seins! Er kennt das Nicht-Wahrnehmbare und das, was bezeugt wird. HU ist Hakim, Khabiyr.

74. Und als Abraham zu seinem Vater Azar sagte: „Nimmst du Götzen als Götter an? In der Tat sehe ich dich und dein Volk in klarer Perversion."

75. Und so gaben Wir Abraham, als Besitzer der Gewissheit, die Einsicht („Basirat"- so wurde er verhindert, verschleiert zu sein von der Wahrheit der Dingen, die er sieht), die engelhafte Dimension der Himmel und der Erde zu beobachten (in der Tiefe; die Kräfte durch die sie geformt sind; die Kräfte, welche die Essenz von allem ausmachen).

76. Als die Nacht (Unwissen, Ignoranz) ihn bedeckte, da sah er einen Stern (er unterschied sein Bewusstsein) ... Er sagte: „Dies ist mein Rabb"... Aber als es unterging (als er unfähig war, die Wahrheit zu verstehen), da sagte er: „Ich mag nicht jene, welche untergehen."

77. Und als er den Mond (seine emotionale Identität; sein Ego, welches den Ursprung nimmt von seinen Emotionen) sah, da sagte er: „Dies ist mein Rabb"... Aber als es unterging, da sagte er: „In der Tat, wenn mein Rabb mich nicht rechtgeleitet hätte, dann wäre ich definitiv unter den Perversen."

78. Und als er die Sonne (seinen Verstand) aufgehen sah (in der Hoffnung, dass es ihn die Wahrheit erfahren lässt), da sagte er: „Dies ist mein Rabb, dies ist größer"... Aber als es unterging (als er bemerkte, dass sein Verstand nicht fähig ist, Allah zu begreifen), da sagte er: „Oh mein Volk, wahrlich ich bin befreit von euren Assoziationen."

79. „In der Tat habe ich mein Antlitz (mein Bewusstsein) als „Hanif" (gereinigt vom Konzept einer Gottheit/externen Objektes) zum „Fatir" gewandt (derjenige, der alles gemäß einer Absicht programmiert), der Himmel und Erde erschaffen hatte und ich gehöre nicht zu den Dualisten (Muschrik)."

80. Sein Volk war in Opposition ihm gegenüber und versuchte zu authentifizieren (die Dinge, die sie angebetet haben) ... (Abraham) sagte: „Argumentiert ihr mit mir über Allah, während Er mich rechtgeleitet hatte? Ich fürchte mich nicht vor den Dingen, die ihr mit Ihm assoziiert! Außer, wenn es mein Rabb wünscht (mir kann nur etwas Schaden mit der Erlaubnis meines Rabbs) ... Mein Rabb hat mit Seinem Wissen alles umgeben...Werdet ihr immer noch nicht nachdenken?"

81. „Wie kann ich mich vor den Gottheiten fürchten, die ihr mit Allah assoziiert, wenn ihr nicht Angst davor habt, sie zu assoziieren, während Er nicht irgendwelche Beweise enthüllt hat (bezüglich ihrer Göttlichkeit)?" Also, welche von beiden Wegen verdient es, mehr Vertrauen zu schenken?

82. Jene, die glauben und nicht ihren Glauben mit Falschem vermischen (mit Grausamen, d.h. das Schirk-i-khafi; verborgene Dualität) ... Sicherheit ist ihr Recht... Sie sind jene, die den rechten Weg gefunden haben!

83. Dies ist der definitive Beweis, den Wir Abraham gegen seine Leute gegeben haben. Wir erheben zu erhöhten Stufen, wen Wir wollen! In der Tat ist dein Rabb Hakim und Aliym.

84. Und Wir gaben ihm (Abraham) Isaak und Jakob... Sie alle haben Wir rechtgeleitet (sie wissen lassen, was die Wahrheit ist). Und Wir haben Noah und unter seinen Nachfahren David, Salomon, Hiob, Josef, Moses und Aaron rechtgeleitet... Und so belohnen Wir die „Muhsin" (jene, die Perfektion im Glauben ausüben).

85. Und Zacharias, Johannes, Jesus und Elias... Sie alle gehörten zu den „Salih" genannten (jene, die aufrichtig praktizieren, so dass die Wahrheit erfahren und ausgelebt wird).

86. Und Ismail, Elyasa, Jonas und Lot... Wir haben sie über alle Menschen (Welten) überlegen gemacht (indem Wir sie befähigten, das Geheimnis des „Khalifats"-Stellvertreter-Daseins-in ihrem körperlichen Leben auszuleben).

87. Und einige ihrer Väter, Nachkommen und Brüder! Wir haben sie ausgewählt und sie zum geraden Weg geführt.

88. Dies ist Allahs Rechtleitung... Er rechtleitet, wen Er will unter Seinen Dienern... Falls sie Dinge mit Allah assoziiert hätten (Dualität), dann wäre sicherlich all ihr Verdienst vergeblich gewesen.

89. Sie sind diejenigen, denen Wir das Buch gaben (das Wissen um die Wahrheit und der Sunnatullah, d.h. das Wissen um die Funktionsweise des Systems), das Urteil und Nubuwwah... Falls sie (das Volk) diese Dinge leugnen, welche Wir gaben, dann werden Wir es einem Volk anvertrauen, welches nichts von dem leugnen wird.

90. Sie sind jene, die Allah rechtgeleitet hat... Also folgt ihrer Wahrheit! Sag: „Ich will keine Belohnung (dafür, dass ich euch informiere) ... Es ist nur eine Erinnerung für die Menschen (Welten)!"

91. Und sie haben nicht Allah gebührend bewertet, weil sie sagten: „Allah hat absolut gar nichts an irgendeinem Menschen enthüllen lassen." Sag: „Wer hat das Buch (Wissen), welches Moses von seiner Essenz als „Nuur" und als Rechtleitung für die Menschen, enthüllt? Ihr tut es (das Wissen) in Pergamente hinein und zeigt es, aber das meiste davon versteckt ihr... Während vieles euch gelehrt wurde, über Dinge, die weder ihr, noch eure Väter wussten!"... Sag „Allah" und lass sie sich amüsieren mit ihrem leeren Gerede (ihre illusionistische Welt), in welches sie absorbiert sind."

92. Dies ist ein (Buch), welches Wir enthüllen ließen, gesegnet und eine Bestätigung der ihr vorangegangenen, um die Mutter der Städte (Mekka) und jenen, die in ihrer Nähe wohnen, zu warnen... Jene, die an das zukünftige ewige Leben glauben, glauben auch an dieses Wissen... Sie sind diejenigen, die ihr „Salaah" (die Hinwendung zu demjenigen, der Allah genannt wird) weiterhin verrichten.

93. Wer kann mehr Falsches tun als jemanden, der bezüglich Allah lügt oder der sagt: „Es wurde mir offenbart," wenn nichts ihm offenbart wurde. Und der sagt: „Ich werde Ähnliches enthüllen lassen, welches Allah enthüllen ließ?" Wenn ihr doch nur die Zalims sehen könntet (jene, die sich ihrem Selbst unrecht antun), wenn sie die Intensität des Todes erfahren! Die Engel (Kräfte) strecken (breiten) ihre Hände aus und sagen: „Trennt euch von euren Körpern (von eurer Welt) jetzt als Bewusstsein (denn du hast

den Tod geschmeckt, ein Leben ohne Körper, und das Leben besteht weiterhin fort)! **Heute wirst du bestraft durch Erniedrigung für die Dinge, die du über Allah gesagt hast, welche nicht auf der Wahrheit beruht haben und dafür, dass du arrogant warst gegenüber Seine Zeichen."**

94. **In der Tat, ihr kommt zu Uns als jene, die mit „FARD"** (einzig, allein) **versehen sind, so wie Wir euch beim ersten Mal** (im ersten Zustand) **erschaffen haben** (mit der Bewusstheit eures Ursprungs)! **Ihr habt die Illusionen hinter euch gelassen, die Wir auf euch auferlegt haben.... Wir sehen euch nicht mit den Fürsprechern, die ihr angenommen habt zu existieren; denkend, dass sie Partner sind** (zu Allah) ... **In der Tat, die Verbindung zwischen euch wurde abgebrochen und alles, was ihr angenommen habt zu existieren, ist verloren und verschwunden!**

95. **Wahrlich Allah ist der Spalter, welcher die Samen und die Kerne aufreißt und aufspaltet** (derjenige, der Gestalten von Existenzen erschafft von den Samen Seiner Namen)! **Von den Toten** (jene, welche entbehrt sind vom Wissen um die Wahrheit) **zeugt Er die Lebenden** (jene, die ihre Unsterblichkeit basierend auf den Namen Al Hayy realisieren) ... **Und von den Lebenden** (während das Wissen um die Wahrheit ausgelebt wird; im Zustand des „inspirierenden Selbst"-Nafs-i Mulhimah) **die Toten** (jene, die fehlschlagen, ihren Kokon zu verlassen und im Zustand zum „Kommandierenden Selbst"-Nafs-i Ammarah gefallen sind; nur Körperliches wird ausgelebt)! **So ist Allah! Wie ihr gedreht seid** (von Zustand zu Zustand).

96. **Er zerreißt die Dunkelheit, um Licht erscheinen zu lassen! Er bestimmte die Nacht zur Stille und die Sonne und den Mond als Mittel für die Maß... Dies ist die Bestimmung des Aziz und Aliym.**

97. **Es ist HU, der die Sterne in der Dunkelheit der Nacht und des Meeres formt, so dass ihr Rechtleitung findet! Wir haben in der Tat Unsere Zeichen erklärt für ein Volk, welches wissend ist.**

98. **HU hat euch von einem EINZIGEN SELBST** (Nafs-i Wahidat), **einem EINZIGEN ICH erschaffen... und dann einen Ort des Wohnens** (um Stabilität zu haben; ein Ort, um seine Wahrheit kennenzulernen; die Formierung der Welt, um Entscheidungen zu fällen) **und dann einen Gefäß** (der Körper; ein temporärer Ort des Anvertrauens)... **Wir haben definitiv Unsere Zeichen erklärt für ein Volk, welches ein offenes Verständnis besitzt.**

99. **HU lässt Wasser vom Himmel herabsteigen! Damit produzieren Wir das Wachstum ALLER DINGE! Und davon produzierten Wir Grünes... Und davon Getreide arrangiert in Schichten... Und Datteln, tief herabhängend von der Dattelpalme... Und Wir produzierten Weinreben und Olivenbäume und Granatäpfel... Jenes, welches sich ähnelt und welches sich nicht ähnelt! Schaut auf deren Früchte, wenn es reift und geerntet wird... In der Tat sind hierin Zeichen für ein Volk, welches glaubt.**

100. **Jedoch haben sie die Dschinn** (Wesen, welche das menschliche Sinnesorgan nicht erfassen kann) **mit Allah verglichen** (d.h. sie sind Partner zu Allah), **während Er** (Allah) **sie erschaffen hat** (die Eigenschaften, die sie manifestieren, bestehen aus den Namen Allahs)! **Voller Ignoranz assoziieren sie Söhne und Töchter mit Ihm! „Subhan"** (hoch hinaus erhaben) **ist Er über ihre Definitionen!**

101. **(Er ist) Al-Badi** (derjenige, der vom Nichts ohne eines Musters erschafft) **der Himmel und der Erde! Wie kann jemand, der frei vom Konzept einer Partnerschaft ist, einen Sohn haben! Er hat alles erschaffen! HU, als der Schöpfer von allem durch Seine**

Namen und indem Er gegenwärtig ist in ihrer Essenz durch Seine Namen, ist über alles wissend (kennt sie)!

102. So ist dein Rabb Allah! Es gibt keinen Gott, nur HU! Der Schöpfer von allem (nicht äußerlich, sondern innerhalb von dimensionalen Tiefen)! Werdet bewusst eurer Dienerschaft Ihm gegenüber! Er ist „Wakil" über alle Dinge.

103. „Absar" (Seh- und Bewertungsorgane) nehmen Ihn nicht wahr, aber Er nimmt (bewertet) „Absar" (alles, was sichtbar ist durch die Seh- und Bewertungsorgane) wahr. HU ist Latif, Khabiyr.

104. In Wahrheit sind zu euch Beweise von eurem Rabb gekommen, um bewertet zu werden... Wer auch immer diese mit Einsicht bewertet, dann ist das zu seinem eigenen Besten und wem es auch immer an Einsicht mangelt, dann ist das sein eigener Verlust... Ich bin kein Wächter über euch!

105. Und so erklären Wir Unsere Zeichen in vielfältiger Weise, so dass sie sagen: „Ihr habt das Notwendige gelernt" und so verdeutlichen Wir es für ein Volk, welches wissend ist.

106. Folge dem, welches von deinem Rabb offenbart wurde! Es gibt keinen Gott, nur HU! Wende dich ab von jenen, die einen dualistischen Glauben haben!

107. Hätte Allah gewollt, dann wären sie nicht mit dualistischem Glauben! Wir haben dich nicht als Wächter über sie ernannt! Noch bist du ihnen gegenüber verantwortlich. (Du bist nicht ihr „Wakiyl", d.h. Repräsentant. Du bist nicht damit beauftragt, sie zu verändern oder rechtzuleiten.)

108. Beschimpft keine Götter neben Allah... (In Antwort darauf) überschreiten sie die Grenzen und beschimpfen Allah aus ihrer Ignoranz heraus! Und so haben Wir jeder Gemeinde ihre Taten als angenehm bereitet... Ihre Rückkehr ist dann zu ihren Rabb... Er wird sie über die Bedeutungen über alles informieren, was sie getan haben.

109. Und sie schwören bei Allah mit all ihrer Macht, dass sie glauben werden, wenn ein Wunder zu ihnen kommt. Sag: „Wunder sind nur aus der Sicht Allahs (IndAllah)." Bist du dir nicht bewusst, dass sie nicht glauben werden, selbst wenn es (ein Wunder) zu ihnen kommt?

110. Und so werden Wir ihre Herzen („Fuad"-Die Reflexion der Bedeutungen der Eigenschaften der Namen auf das reine universale Bewusstsein; die besonderen Verknüpfungen der Herzneuronen) und ihre Augen (die Fähigkeit wahrzunehmen und zu bewerten) verschließen, genauso wie sie vorher (bevor das Wunder kam) abgelehnt haben zu glauben! Und Wir lassen sie alleine, blind wandernd, in ihren Überschreitungen!

111. Wenn Wir zu ihnen Engel hätten herabsteigen lassen und falls die Toten zu ihnen gesprochen hätten und wenn Wir sie jede Station des Lebens nach dem Tode hätten erfahren lassen, dann würden sie immer noch nicht glauben, es sei denn Allah hätte es gewollt... Aber die meisten von ihnen leben in Ignoranz!

112. Und so haben Wir Feinde für alle Nabis (der Überbringer der Nachricht über das unsterbliche, zukünftige, ewige Leben) erschaffen.... Teufel von der Menschheit (jene, die ihre Existenz nur auf ihren Körper begrenzen und nur leben, um körperliche Begierden zu erfahren) und von den Dschinn... Manche von ihnen offenbaren verschönernde Wörter zu ihnen, um sie zu täuschen! Wenn dein Rabb gewollt hätte, dann würden sie dies nicht tun... Also lasst sie mit dem, welches sie erfinden!

113. Damit die Herzen („Fuad"-Die Reflexion der Bedeutungen der Eigenschaften der Namen auf das reine universale Bewusstsein; die besonderen Verknüpfungen der Herzneuronen) **derjenigen, die nicht an das ewige, zukünftige Leben glauben dahin tendieren** (zum Wissen des Täuschers) **und darin Wohlgefallen finden und so auch das fortführen, was sie tun.**

114. Soll ich einen Richter suchen abgesehen von Allah, wo doch Er zu dir das Wissen um die Wahrheit und der Sunnatullah (Buch) **im Detail enthüllen ließ? Jenen, denen Wir das Buch gegeben haben, wissen, dass es von ihren Rabb mit der Wahrheit enthüllt wurde... Gehör nicht zu jenen, die zweifeln!**

115. Das Wort deines Rabbs wurde bestätigt und ist eingetreten, wie es dafür auch gebührend ist! Keiner kann Seine Wörter verändern... HU ist Sami, Aliym!

116. Falls ihr die Mehrheit der Menschen auf der Erde befolgt, dann werden sie euch irreführen vom Weg zu Allah.... Sie befolgen nur ihre Vermutungen und sprechen, ohne nachzudenken!

117. Wahrlich dein Rabb ist HU! Er weiß am besten, wer vom Weg abgekommen ist! HU; derjenige, der am besten jene kennt, die die Wahrheit ausleben...

118. Falls ihr zu jenen gehört, die an Seiner Existenz durch Seine Zeichen glauben (die Zeichen, die durch die Asma ul Husna manifestiert werden), **dann esst von solchen Dingen, über denen der Name Allah erwähnt wurde!**

119. Ausgenommen durch Zwang, warum esst ihr nicht jenes, über welches der Name Allah erwähnt wurde, wenn Er euch doch detailliert über die Dinge informiert hat, welche verboten sind! In der Tat, die meisten von ihnen kommen vom Weg ab (verändern die Angelegenheit) **durch Ignoranz, mit grundlosen Ideen! In der Tat kennt dein Rabb, HU, jene, welche über die Grenzen schreiten am besten.**

120. Bezüglich der Dinge, die Allah verboten hat, lasst ab von beidem, die offensichtlichen und die gedanklichen... In der Tat, jene, die Fehler begehen, werden definitiv die Konsequenzen ihrer Taten ausleben.

121. Esst nicht Dinge, über welche der Name von Allah nicht erwähnt wurde. Dies ist definitiv Korruption (des Glaubens)! **Wahrlich, die Teufel stiften ihre Freunde an, sich um euch zu bemühen... Falls ihr sie befolgt, dann werdet ihr definitiv zu den Dualisten gehören.**

122. Kann derjenige, den Wir beleben (mit dem Wissen der Wahrheit), **während er tot war und dem Wir die Nuur der Einsicht gegeben haben, mit welchem er unter dem Volk leben kann, gleichwertig sein mit jenem, der in der Dunkelheit gelassen wurde, von wo er niemals entrinnen kann? Und so sind die Taten derjenigen, die das Wissen um die Wahrheit ablehnen, ihnen angenehm bereitet worden.**

123. Und so haben Wir Anführer (im Verbrechen) **in jeder Stadt untergebracht, so dass sie innerhalb dessen schmieden... Aber sie schmieden gegen niemanden als sich selbst, aber sie sind sich dessen nicht bewusst!**

124. Wenn ein Beweis zu ihnen kommt, dann sagen sie: „Wir werden niemals glauben bis uns nicht jenes gegeben wurde, was den Rasuls von Allah gegeben wurde"... Allah weiß am besten von wo aus Seine „Risalat" (Entfaltung über die Wahrheit des Selbst) **zu manifestieren ist! Aus der Sicht von Allah werden die Verbrecher der Erniedrigung und zum strengen Leiden ausgesetzt sein aufgrund dessen, was sie geschmiedet haben!**

125. Und wem Allah die Rechtleitung wünscht, dem öffnet Er seine Brust (sein Inneres; sein Verständnis) **zum Islam** (zur Bewusstheit seiner Ergebenheit) **und wem auch immer Er es wünscht, irregeleitet zu werden, dem macht er seine Brust** (sein Inneres) **eng und beschränkt als ob er beschwerlich zum Himmel aufsteigen würde! Und so erniedrigt Allah jene, die nicht glauben!**

126. **Dies ist der gerade Weg** (Sirat al Mustakim) **deines Rabbs... Wir haben gewiss die Beweise an einem Volk, welches nachdenken und bewerten kann, in detaillierter Weise erklärt.**

127. **Aus der Sicht ihres Rabbs ist das „Darus Salaam"** (das Haus des Salaams; die Lebensdimension der Bedeutung des Salaam-Namens) **für sie! HU ist deren „Wali"** aufgrund dessen, was sie getan haben.

128. **Am Tag, wo Wir sie versammeln** (und sagen) **werden: „Oh ihr Gemeinde der Dschinn, ihr habt tatsächlich die Mehrheit der Menschheit unter eure Herrschaft genommen** (ihr habt sie von der Wahrheit ferngehalten).**" Und ihre Freunde unter den Menschen werden sagen: „Unser Rabb, wir haben beide in gleicher Weise von einander profitiert und wir haben jetzt unseren Zeitpunkt erreicht, welches du für uns ernannt hast." Er wird sagen: „Das Feuer ist euer Wohnort, worin ihr auf ewig sein werdet, außer was Allah wünscht..." In der Tat ist euer Rabb Hakim und Aliym.**

129. **Und so machen Wir einige der Zalims** (grausam zu seinem Selbst zu sein) **Freunde zueinander als Resultat dessen, was sie getan haben** (sie sind Gefährten zueinander im Feuer)!

130. „**Oh Gemeinde der Dschinn und der Menschheit, sind nicht unter euch Rasuls gekommen, die zu euch Meine Botschaften überbracht haben, welche zur Wahrheit hindeuten und über den Tag warnen, der zu euch kommen wird?" Sie werden sagen: „Wir dienen als Zeugen gegen uns selbst." Und das weltliche Leben hat sie getäuscht und** (als Resultat) **werden sie gegen sich selbst bezeugen, dass sie zu den Leugnern des Wissens um die Wahrheit gehörten.**

131. **Aus diesem Grund zerstört dein Rabb keine Gemeinde von „Zalims", es sei denn, sie wurden durch Rasule informiert.**

132. **Jede von ihnen haben Graduierungen gemäß ihren Taten... Dein Rabb ist nicht unbewusst darüber, was sie tun.**

133. **Dein Rabb ist „Ghani" und „ZurRahmat"** (der Besitzer von Rahmat- A.d.Ü.: alle Besonderheiten und Geheimnisse, die im Menschen verborgen sind) **... Falls Er es wünscht, kann Er dich abschaffen und das Stellvertreter-Dasein wem Er es wünscht nach dir geben... Genauso wie Er dich von den Nachfahren eines anderen Volkes erschaffen hat!**

134. **In der Tat, was dir versprochen wurde, kommt... Du kannst nicht verursachen, dass Allah versagt** (um Sein Versprechen zu halten)!

135. **Sag: „Oh mein Volk, tut was auch immer ihr könnt! Denn ich tue auch** (was ich kann)**! Bald werdet ihr wissen, welches weltliche Leben am Ende gelangt ist"... Wahrlich die „Zalims" werden die Errettung nicht erreichen.**

136. **An Ertrag und an Vieh, was Er erschaffen hat, bewahren sie einen Teil für Allah auf. Und mit ihren Vermutungen sagen sie: „Dies ist für Allah und dies ist für diejenigen, mit dem wir assoziieren** (mit Allah vergleichen)**." Wie dem auch sei, was für ihre Assoziierungen ist, erreicht Allah nicht!** (Aber) **was für Allah ist, erreicht ihre Assoziierungen... Elendig ist ihr Urteil!**

137. Und auf gleicher Weise haben ihre **Partner** (ihre angenommenen Götter) **den Dualisten das Töten von Kindern ihnen als angenehm bereitet, um sie zu zerstören und um Verwirrung zu ihrer Religion zu bringen... Hätte Allah gewollt, hätten sie dies nicht getan...Also lasst sie alleine mit dem, was sie erfinden.**

138. Sie (jene, die ihre sozialen Konditionierungen und Wertvorstellungen als die Religion von Allah akzeptiert haben) **sagen mit Vermutungen: „Dieses Vieh und Ertrag sind unantastbar... Niemand darf davon essen, außer wem wir es wünschen... Die Rücken dieser Viehtiere sind verboten** (man darf sie nicht reiten)"**... Und trotzdem reden sie Ihm** (Allah) **übel nach und schlachten** (ein Paar) **der Viehtiere, ohne dass der Name Allahs darüber erwähnt wird!** (Allah) **wird die Konsequenzen ihrer Verleumdung auf sie verwirklichen!**

139. Sie sagten: „Was im Bauch des Viehtieres enthalten ist, ist nur unseren Männern gesetzlich, es ist unseren Frauen verboten... Aber falls es tot geboren ist, dann haben beide (Männer und Frauen) **den gleichen Anteil".... Allah wird sie wegen dieser Verleumdung bestrafen... In der Tat ist Er Hakim und Aliym.**

140. Jene, die ihre Kinder in törichter Weise aus der Ignoranz heraus töten und durch Verleumdung die Versorgung Allahs, welche Er ihnen gegeben hat, verbieten, haben in der Tat einen Verlust gesammelt... Sie sind wahrhaftig irregeleitet und entbehrt jeder Rechtleitung.

141. HU baut Gärten mit und ohne Spaliere, Datteln, Ertrag von verschiedenen Früchten, Oliven und Granatäpfel, ähnlich und unterschiedlich... Esst von ihren Früchten, wenn die Ernte ist und gebt sein Recht (Zakat- reinigt euch, indem ein Anteil von dem, was ihr bekommen habt, auch weiter verteilt) **am Tag der Ernte...Und verschwendet nicht, denn Er liebt nicht jene, die verschwenderisch sind.**

142. Und von den Viehtieren gibt es einige, die Lasten tragen und einige, damit Betten gemacht werden können (von ihrer Wolle) **... Esst von der Versorgung, die Allah euch gegeben hat** (da Er der Schöpfer ist) **und folgt nicht den Ideen Satans... Er ist in der Tat euer offensichtlicher Feind.**

143. Es gibt acht Paare/Gattungen: Zwei (Paare) **von den Schafen und zwei** (Paare) **der Ziegen... Sagt, sind es die zwei Männlichen, die Er verboten hat oder die zwei Weiblichen oder jenes, welches die Gebärmutter der zwei Weiblichen enthält** (was zum Inneren genommen wurde)?**... Informiert mich darüber mit Wissen, falls ihr zu den Wahrhaftigen gehört."**

144. Und zwei (Paare) **der Kamele und zwei** (Paare) **des Rindes... Sag: „Sind es die zwei Männlichen, die Er verboten hat oder die zwei Weiblichen oder jenes, welches die Gebärmutter der zwei Weiblichen enthalten** (was zum Inneren genommen wurde)?**...Oder wart ihr Zeuge als Allah euch mit jenem empfohlen hatte?"... Wer ist mehr grausam als jemand, der aus Ignoranz Lügen über Allah erfindet, nur um die Menschen irrezuleiten?... Wahrlich Allah rechtleitet nicht das Volk, welches „Zalim" ist.**

145. Sag: „Ich kann nichts Verbotenes daran finden an jemanden, der von jenem isst, welches offenbart wurde... Ausgenommen ist das Fleisch des toten Tieres, geflossenes Blut, das Fleisch des Schweines; denn in der Tat, es ist unrein; und von dem, welches im Namen von jemanden anderen als Allah geschlachtet wurde durch die Hände von jemanden, der Defizite im Glauben hat... Aber wer auch immer gezwungen wurde davon zu essen (aus Zwang heraus), **der mag dies tun ohne**

anzunehmen, dass es gesetzlich ist und ohne zu übertreiben...". In der Tat ist dein Rabb Ghafur und Rahim.

146. Wir haben alle Tiere mit Klauen den Juden verboten...Wir haben ihnen auch das innere Fett des Rindes und Schafs verboten, ausgenommen das, welches von beiden (Rind und Schaf) vom Rücken oder von den Eingeweiden ist oder welches sich mit dem Knochen vermischt hat...Wir haben sie bestraft wegen ihrer Übertretung...Wir gehören ganz gewiss zu den „Sadik".

147. (Mein Rasul) falls sie dich ablehnen, sag: „Dein Rabb ist Wasi, Besitzer von Rahmat (A.d.Ü.: Alle Eigenschaften und Besonderheiten im Menschen, die ihm die Grenzenlosigkeit eröffnet). Seine Bestrafung wird nicht von einem verbrecherischen Volk abgewandt werden."

148. Die Dualisten (Muschriks) werden sagen: „Hätte Allah gewollt, dann wären weder wir noch unsere Väter Dualisten/Muschriks und uns wäre nichts verboten worden"... Genauso haben jene, die vor ihnen waren, auch geleugnet bis sie Unsere Bestrafung gekostet haben. Sag: „Habt ihr ein Wissen, welches ihr Uns erklären könnt? Ihr folgt nur euren Vermutungen... Ihr sprecht nur Unsinn alleinig basierend auf Annahmen."

149. Sag: „Zu Allah gehört das „Hudschatul Baligha" (klarer, absoluter Beweis) ... Wenn Er es gewollt hätte, dann hätte Er sicherlich euch alle rechtgeleitet."

150. Sag: „Bringt eure Zeugen hervor, die bezeugen, dass Allah dies verboten hat!"... Und falls sie bezeugen, dann bezeuge nicht mit ihnen zusammen... Befolge nicht die leeren Begierden derjenigen, die Unsere Zeichen (das, was die Manifestierung der Namen sind) und das zukünftige, ewige Leben leugnen! Sie vergleichen (ihre Götzen) mit ihrem Rabb.

151. Sag: „Komm, lass mich die Dinge vorLESEN, die dein Rabb verboten hat: Vergleiche und assoziiere nichts mit IHM...sei gut zu deinen Eltern...tötet nicht eure Kinder aufgrund von Armut, Wir versorgen euch und sie! Nähert euch nicht offensichtliche (Alkohol, Prostitution etc.) oder verborgene Formen (an das Verbotene zu denken) der Unanständigkeit... Tötet nicht denjenigen, den Allah verboten hat (getötet zu werden), ausgenommen durch legales Recht (wie Vergeltung)! (Allah) gibt diese Warnung damit ihr euren Verstand benutzt!"

152. Nähert euch nicht dem Eigentum des Waisen bis er die Reife erlangt hat, ausgenommen ist die Absicht für die Verwaltung in bester Art und Weise... misst und wiegt mit Gerechtigkeit alles... Wir bürden niemals jemanden etwas auf, was seiner Kapazität übersteigt. Und wenn du sprichst, dann sprich die Wahrheit, sogar wenn es jemanden, der dir nah ist, betrifft! Erfülle dein Wort an Allah! (Allah) gibt diese Warnung damit ihr euren Verstand benutzt!

153. Dies ist mein gerader Weg, also befolgt es, befolgt keine anderen Wege; (Sonst) werden sie dich abbringen von Seinen geraden Weg...Und so warnt euch Allah, damit ihr euch beschützt!

154. Dann haben Wir Moses das Wissen um die Wahrheit und der Sunnatullah gegeben als Rechtleitung und als Rahmat und um Unsere (Segen) an die Muhsin (jene, die Perfektion im Glauben anwenden) zu definieren und um alles, unter ihnen zu erläutern. So dass sie glauben werden, dass sie mit ihrem Rabb zusammenkommen werden.

155. Dieses, was Wir herabstiegen ließen, ist ein segensreiches Wissen um die Wahrheit und der Sunnatullah! Befolgt es und haltet daran fest, auf dass ihr „Rahmat" erhaltet.

156. Damit ihr nicht sagen könnt: „Das Wissen ist nur zu den zwei Gruppen vor uns enthüllt worden (Juden und Christen); wir waren uns nicht bewusst darüber, was sie gelesen und bewertet haben"...

157. Und damit du nicht sagst: „Wenn dieses Wissen an uns enthüllt worden wäre, dann hätten wir sicherlich die Rechtleitung besser bewertet als sie"... Klare Beweise, Rechtleitung (das Wissen um die Wahrheit) und Rahmat sind von eurem Rabb zu euch gekommen... Wer kann grausamer sein (Zalim) als jemand, der die Existenz Allahs durch Seine Zeichen (die Manifestierungen Seiner Namen) leugnet und sich davon abwendet! Sie werden das schlimmste Leid erfahren als Resultat ihres Abwendens von Unseren Zeichen!

158. Warten sie auf Engel oder auf ihren Rabb oder darauf, dass die Wunder ihres Rabbs zu ihnen kommen sollen, um zu glauben? Der Glauben desjenigen, der nicht vorher geglaubt hat oder dessen Glauben ihm nichts genutzt hat (welches nicht verinnerlicht wurde), wird keinen Nutzen haben, wenn er die außergewöhnlichen Wunder seines Rabbs sieht! Sag: „Wartet, denn wir warten auch."

159. Jene, die das Verständnis der Religion fragmentieren und verschiedene Sekten formen, mit denen hast du nichts zu tun, mein Rasul! Sie obliegen der Rechenschaft Allahs! Sie werden über die Wahrheit in Kenntnis gesetzt, was sie getan haben.

160. Wer auch immer mit etwas Gutem kommt, soll das Zehnfache dessen, was er mitbringt, erhalten... Und wer auch immer mit etwas Schlechtem kommt, soll nur das Resultat des einen Schlechten erhalten! Sie werden nicht ungerecht behandelt werden.

161. Sag: „In der Tat hat mein Rabb mich zum geraden Weg rechtgeleitet... Zur unveränderten Religion, zur „Hanif"-Nation Abrahams...Und er gehörte nicht zu den Dualisten (A.d.Ü.: für ihn existierte nur Allah; seine Ergebenheit ist darauf basiert, es wird sich nicht nach außen irgendjemandem zugewandt).

162. Sag: „Wahrlich mein „Salaah" (die innere Hinwendung zu Allah), mein „Nusuk" (die Praktiken, um die Nähe zu Allah zu erreichen), mein Leben und alles, was ich durch meinen Tod erfahren werde, gehört Allah, dem Rabb aller Welten (sie sind dafür da, um die Besonderheiten der Eigenschaften von Allahs Namen zu manifestieren).

163. Der Vergleich (Konzept der Dualität) kann auf HU nicht angewandt werden! Mir wurde deshalb befohlen, dass ich der Anführer derjenigen bin, die Ergebenheit erfahren haben!"

164. Sag: „Wie kann ich an einen anderen Rabb als Allah denken, wo doch Er der Rabb von allem ist! Was jedes Selbst verdient, ist für es selbst... Ein Verbrecher kann nicht die Verantwortung eines anderen Verbrechens aufnehmen! Eure Rückkehr wird zu eurem Rabb sein! Er wird euch über die Dinge berichten, worin ihr euch unterscheidet."

165. Es ist HU, der euch als Stellvertreter (Khalifah!) auf der Erde (im Körper) ernannt hat und einige von euch anderen gegenüber durch Grade erhöht hat, um euch zu prüfen (um Taten zu verwirklichen, anzuwenden) mit dem, was Er euch gab (die Kräfte und Potenziale der Namen)... In der Tat ist dein Rabb „Sariul Ikab" (derjenige, der die Konsequenz einer Tat unverzüglich anwendet)! Er ist Ghafur und Rahim.

Mit demjenigen, der durch den Namen Allah erwähnt wird (der mein Wesen mit Seinen Namen erschaffen hat im Anwendungsbereich des Buchstabens „B"), **der Rahman und Rahim ist.**

1. Alif, Lam, Meem, Saad.

2. Dieses Wissen (Buch) **über die Wahrheit und der Sunnatullah ist dir enthüllt worden, damit du warnst** (diejenigen, die nicht glauben) **und damit du den Gläubigen Empfehlungen gibst** (bezüglich weshalb und woran man zu glauben hat und was anzuwenden ist) **... Also lass keine weitere Bedrückung in dir aufkommen.**

3. Befolge jenes, welches von deinem Rabb enthüllt worden ist... Befolge nicht den Verbündeten (Dinge, die externe [Informationen, welches dich von deiner erhabenen Wahrheit fernhalten] und interne Informationen geben [egobasiert, Informationen vom tierischen Dasein]) **außerhalb deines Rabbs... Wie wenig erinnert ihr euch und wie gering denkt ihr darüber tiefgründig nach!**

4. Wie viele Städte der Bevölkerungen haben Wir zerstört; Unsere Bestrafung kam zu ihnen während sie nachts oder am Tage schliefen.

5. Als Unsere Bestrafung zu ihnen kam, war ihr Ausruf nichts anderes als: „Wir gehörten in der Tat zu den „Zalims" (A.d.Ü.: grausam zu sich und anderen, weil die Wahrheit nicht ausgelebt wurde und deshalb unvorbereitet und ungeschützt für das Leben nach dem Tode).**"**

6. Gewiss werden Wir beide befragen; jene, bei denen sich ein Rasul entfalten hatte und die Rasuls selber!

7. Gewiss werden Wir die Wahrheit offenbaren! Wir sind nicht in Unwissenheit (über das, welches sich herausstellt)**,** (Er ist Batin und Zahir- die engelhaften Kräfte, woraus alles manifestiert ist, stammen von unseren Namen ab)**.**

8. Die Bewertung (aller Dinge, die sich herausstellen) **in dieser Zeit ist auf der Realität aufgebaut** (basierend auf den Entscheidungen Allahs) **... Diejenigen, deren Waagschalen** (Bewertungen) **schwer wiegen, sind jene, die alle Hindernisse beseitigen und Befreiung erreichen werden.**

9. Und diejenigen, deren Waagschalen (Bewertungen) **leicht wiegen, sind jene, die Unsere Zeichen unrecht angetan haben und zu Verlierern werden.**

10. In der Tat haben Wir euch auf der Erde etablieren und darin Segen produzieren lassen, womit ihr euren Lebensunterhalt aufrecht erhält. Wie gering ihr dies bewertet!

11. In Wahrheit haben Wir euch erschaffen und euch geformt. Dann sagten Wir den Engeln: „Wirft euch vor Adam nieder" (weil Adam die Manifestierung aller Namen Allahs darstellt)**; darauf haben sie sich niedergeworfen** (sie haben ihre Nichtigkeit aus der Sicht der Manifestierungen von Allahs Namen eingesehen)**, außer Iblis. Er gehörte nicht zu denen, die sich niederwerfen** (er gehörte zu den Dschinn; eine egobasierte Existenz).

12. (Allah) **sagte: „Was hat dich davon abgehalten sich niederzuwerfen als Ich den Befehl dazu gab?"** (Iblis) **sagte: „Ich bin besser als er. Du hast mich aus Feuer** (Radiation; eine mit einer spezifischen Frequenz basierenden Existenz. Beachtet, dass das

Wort „Naar" [Feuer] in diesem Vers das gleiche Wort ist, welches im Zusammenhang mit dem Höllenfeuer benutzt wird. Darüber sollte man nachdenken!) **und ihn aus Ton** (Materie) **erschaffen."**

13. (Allah) **sagte: „Steige ab von deinem Rang, denn dieser Rang gebührt nicht den Arroganten und jenen, die sich anderen gegenüber überlegen fühlen! Geh hinfort! Wahrlich du hast dich selbst** (weil du so denkst) **verringert."**

14. (Iblis) **sagte: „Begnadige mich bis zum Tag, wo sie auferstehen werden** (nach dem Tod).**"**

15. (Allah) **sagte: „In der Tat du gehörst zu denen, die begnadigt wurden."**

16. (Iblis) **sagte: „Weil du mich vom Weg hast abkommen lassen** (yudhillu man yaschau- basierend auf der Reaität, dass Er vom Weg abkommen lässt, wen Er will), **werde ich definitiv auf Deinem Geraden Weg** (Sirat al Mustakim) **sitzen, um sie zu behindern."**

17. **„Dann komme ich zu ihnen von vorne** (indem ich Ambitionen in ihnen erwecke und ihr Gefühl des Selbst [Ego] erhöhe, welches dazu führt, dass sie die Wahrheit verleugnen) **und von hinten** (indem Ideen geweckt werden, welche sie vom Weg abkommen lassen; Formen von verstecktem Schirk [Dualität]) **und zu ihrer rechten** (indem „gute Taten" inspiriert werden, welche sie von dir fernhalten lassen) **und zu ihrer linken** (indem schlechte Taten verschönert werden und das Falsche als das Gute erscheinen zu lassen)... **Und du wirst sehen, dass die meisten unter ihnen undankbar Dir gegenüber sind** (nicht fähig zu bewerten, was Du gegeben hast)!**"**

18. (Allah) **sagte: „Verlasse meinen Rang; erniedrigt und ferngehalten** (davon deine Wahrheit zu erfahren)! **Wer auch immer unter ihnen dir folgt, Ich werde definitiv sie alle mit der Hölle füllen."**

19. **„Oh Adam! Bewohne, du und dein Partner, das Paradies... Esst und trinkt von wo auch immer ihr mögt, aber nähert euch nicht diesem Baum** (der Körper; die Konsequenzen, die sich daraus ergeben, sich nur als Körper zu akzeptieren) ... **Sonst werdet ihr zu den Grausamen** (Zalim) **gehören.**

20. Daraufhin hat Satan ihnen Verdächtigungen eingehaucht, um sie über ihr Ego und der Körperlichkeit aufmerksam zu machen... Er sagte: „Der Grund warum euer Rabb euch von diesem Baum abhalten will (eure Körperlichkeit zu erfahren), ist, so dass ihr nicht zu zwei Engeln werdet (in der Dimension der Kräfte) und auf ewig lebt!"

21. **Und er schwor zu ihnen: „Wahrlich ich gehöre zu denen, die euch nur Gutes wünschen."**

22. **Und so hatte er sie getäuscht** (indem in ihnen Zweifel geschürt wurden, dass sie nur annahmen, dass sie aus der Struktur des Körpers bestehen; die Aufmerksamkeit wurde auf ihre Körperlichkeit gelenkt). **Und als sie vom Baum gekostet hatten** (Sex; die Wirkung der Reproduktion), **wurden sie über ihre körperliche Form des Selbst aufmerksam! Sie fingen an, sich mit den Blättern des Paradieses zu bedecken** (sie versuchten, ihre Körperlichkeit mit den Kräften der Namen, welches in ihrer Essenz präsent ist, zu unterdrücken) ... **Ihr Rabb rief zu ihnen: „Habe ich nicht diesen Baum für euch verboten und euch gesagt, dass Satan ein offensichtlicher Feind für euch ist?"**

23. **Sie sagten: „Unser Rabb! Wir waren grausam zu uns selbst... Falls Du uns nicht vergibst und uns begnadigst, dann werden wir definitiv zu den Verlierern gehören."**

24. (Allah) sagte: „Steigt ab (vom Leben, welches von den reinen Kräften regiert wird, zu den Konditionen des körperlichen Lebens) **und seid Feinde zueinander** (die Dualität des Körpers und des Bewusstseins)**! Und für euch gibt es auf der Erde** (körperliche Zustand des Lebens) **eine bestimmte Zeit und Periode der Existenz, worin ihr eure Anteile des Lebensunterhaltes bekommen werdet.**

25. Er sagte: „**Ihr werdet darin leben und sterben und ihr werdet davon** (vom Körper) **wieder herausgebracht werden.**"

26. **Oh Kinder Adams... Wir gaben in der Tat euch Kleidung** (das Wissen um die Wahrheit)**, damit ihr eure Körperlichkeit bedeckt und als Verzierung „ENTHÜLLEN"** lassen (von den großzügigen Spenden Seiner Gaben) **... Die Bekleidung des Schutzes ist definitiv die beste... Dies gehört zu den Zeichen Allahs, vielleicht denken sie darüber nach und nehmen davon eine Lehre an.**

27. **Oh Kinder Adams! Lasst nicht Satan** (euren Körper) **euch in Versuchung bringen, so wie er eure Eltern vom Paradies hat entfernen lassen, indem er ihre Körperlichkeit hat zeigen lassen und so ihrer Kleidung** (engelhafte Kräfte) **beraubt hatte! Denn er und seine Helfer** (alle satanischen Kräfte, die die gleiche Funktion haben) **sehen euch von einem Ort, von wo ihr sie nicht sehen könnt... Wir haben die Teufel** (korrupte Kräfte; konditionierte Glaubenssysteme, welche auf die fünf Sinne aufgebaut sind) **mit denjenigen, die nicht glauben, befreundet.**

28. **Wann immer sie eine unsittliche Handlung** (eine Handlung oder ein Gedanke, welcher zur Dualität oder zur Leugnung der Wahrheit führt) **ausführen, dann sagen sie: „Wir haben gesehen wie unsere Väter dies getan haben und dies ist, was Allah uns befohlen hat"... Sag: „Allah befiehlt definitiv keine unsittlichen Handlungen! Assoziiert ihr Dinge mit Allah, worüber ihr kein Wissen besitzt?"**

29. **Sag: „Mein Rabb hat mir befohlen gerecht zu leben; allen Dingen das gebührende Recht zu geben... Platziert eure Antlitze** (erfährt die Auflösung eures Egos durch Ergebenheit) **in jeder Moschee** (Ort der Niederwerfung) **und betet nur zu Ihm, indem ihr euer Verständnis der Religion auf Ihm alleine aufbaut... Ihr werdet zu Ihm in eurem ursprünglichen Zustand zurückkehren** (der Zustand von Adam im Paradies).

30. **Eine Gruppe von euch hat Er recht geleitet und eine Gruppe hat es verdient auf dem Irrweg zu sein! In der Tat haben sie** (die, die auf dem Irrweg sind) **die Teufel** (Abweichler) **als Alliierte genommen anstatt Allah und sie denken, dass sie auf dem rechten Wege sich befinden!**

31. **Oh Kinder Adams tragt eure Verzierungen in jedem Ort der Niederwerfung... Esst und trinkt** (bewertet diese)**, aber verschwendet nicht** (konsumiert nicht unnötigerweise) **... Denn Er liebt nicht jene, die verschwenden** (die Segen, welche sich in ihren Händen befinden, für unnötige Dinge zu benutzen)!

32. **Sag: „Wer hat die schönen und sauberen Dinge verboten; reine Gaben, die Allah seinen Dienern gegeben hat?"... Sag: „Sie sind für jene, die während des weltlichen Lebens glauben; und am Tag der Auferstehung soll es exklusiv ihnen gehören."** Und so erklären Wir detailliert Unsere Zeichen für jene mit Verständnis.

33. **Sag: „Die Wahrheit ist, dass mein Rabb nur Folgendes verboten hat: Offensichtliche und versteckte Formen von unsittlichen Handlungen, Verbrechen** (aus der Sicht Allahs)**, Unterdrückung** (streben nach Eigentum der Anderen und danach

sehnen, es an sich zu reißen), **Dinge zu assoziieren, wo es keinen Beweis der Partnerschaft gibt und Dinge über Allah zu sagen, die ihr nicht wisst."**

34. **Und für alle Menschen ist eine spezifizierte Zeit** (Lebensspanne) **bestimmt. Also, wenn das Ende ihrer Zeit kommt, können sie es weder durch einen einzigen Moment hinausschieben, noch können sie es beschleunigen.**

35. **Oh ihr Kinder Adams... Wenn Rasuls zu euch kommen, um Unsere Zeichen euch zu erklären, wer auch immer sich korrigiert und beschützt, der wird keine Furcht haben, noch wird er besorgt sein.**

36. **Jene, die Unsere Zeichen** (das, welches die Manifestierung der Eigenschaften der Namen sind) **leugnen und sich dagegen arrogant benehmen, sie sind die Leute des Feuers** (Naar, eine besondere Wellenlänge, Radiation)! **Sie werden dort auf ewig sein.**

37. **Wer begeht mehr Falsches als jemanden, der über Allah lügt oder der Seine Existenz durch Seine Zeichen leugnet? Sie werden ihren Anteil des Buches bekommen** (die Information, welche enthüllt wurde) ... **Wenn letztendlich unsere Rasuls zu ihnen kommen, um sie zu nehmen während des Todes, dann sagen sie: „Wo sind diejenigen, die ihr neben Allah aufgerufen habt, jene, die ihr angenommen habt, zu existieren?"... Sie werden sagen: „Sie sind verschwunden und vergangen" und sie werden gegen sich selbst bezeugen, dass sie zu den Leugnern der Wahrheit gehörten.**

38. (Allah) **wird sagen: „Tretet ein unter jenen, die vor euch von den Dschinn und Menschen eingetreten sind zum Feuer** (arab. „Naar", Radiation, eine verbrennende Umgebung von Wellenlängen)"... **Jedes Mal, wenn eine neue Gemeinde eintritt, dann wird es seine Engsten verfluchen, mit dem es den gleichen Glauben teilte! Letztendlich, wenn sie alle eingetreten sind, dann wird die letzte über die erste Gruppen sagen: „Unser Rabb... Sie sind diejenigen, die uns korrumpiert haben... Also gib ihnen das doppelte Leid des Feuers** (Radiation)"... **Er wird sagen: „Für euch alle gibt es das Doppelte, aber ihr wisst dies nicht."**

39. **Die Ersten werden über die Letzteren sagen: „Ihr habt uns gegenüber keine Überlegenheit... Kostet das Leiden, welches ihr euch durch euer eigenes Tun zuzuschreiben habt!"**

40. **Wahrlich jene, die Unsere Zeichen leugnen und arrogant sich ihnen gegenüber benehmen, die Tore des Himmels** (die Dimension, wo die Wahrheit beobachtet wird) **werden für sie nicht geöffnet werden, noch werden sie das Paradies betreten können** (die Lebenskondition der Kräfte der Namen in ihrer Existenz), **es sei denn ein Kamel kann durch das Loch einer Nadel eintreten** (d.h. niemals)... **Und so bestrafen Wir die Verbrecher!**

41. **Sie werden ein Bett aus der Hölle haben und Bedeckungen** (Schleier, Vorhänge) **über sie** (ihr Bewusstsein) ... **So bestrafen Wir die Zalims** (Grausamen).

42. **Was jene anbelangt, die glauben und Taten entsprechend ihres Glaubens verrichtet haben... Wir legen keinem Selbst etwas auf, was außerhalb seiner Kapazität liegt; sie sind die Leute des Paradieses... Sie werden dort auf ewig sein.**

43. **Wir haben jede Form des Hasses und Abneigungen in ihnen entfernt... Flüsse fließen unter ihnen... Sie werden sagen: „Das, welches uns hierher rechtgeleitet hat, gehört Allah, HAMD** (die Bewertung der physischen Welten, die durch Seine Namen erschaffen wurden, wie Er es will, gehört gänzlich Allah)! **Hätte Allah uns nicht**

rechtgeleitet, dann könnten wir dies nicht erreichen...In der Tat, die Rasuls von Allah kommen mit der Wahrheit." Und sie werden gerufen werden: „Dies ist das Paradies, welches ihr geerbt habt wegen der Dinge, die ihr getan habt."

44. Die Leute des Paradieses werden den Leuten des Feuers sagen: „Das, was unser Rabb uns versprochen hatte, haben wir als wahr empfunden... Habt ihr, was euer Rabb euch versprochen hatte, als wahr empfunden?"... Sie sagten: „Ja." Dann wird eine Stimme unter ihnen sagen: „Der Fluch Allahs ist auf den Zalims."

45. (Sie sind jene), die euch vom Weg Allahs abhalten und die euch irreführen möchten... Sie sind jene, die das ewige, zukünftige Leben leugnen.

46. Es gibt einen Schleier zwischen beiden (Paradies und Hölle) ... Und am „Araf" (der Zustand derjenigen, die an ihrer Essenz glaubten, aber immer noch nicht gebührend das Ergebnis dessen erfahren konnten) sind Männer, die jeden von ihnen erkennen anhand der Markierungen ihrer Gesichter... Sie rufen den Leuten des Paradieses nach: „As Salaamu Alaikum." Sie (diese Männer) haben noch nicht das Paradies betreten, aber sie hoffen darauf.

47. Und als ihre Augen sich zu den Leuten des Feuers (Radiation) wenden, dann werden sie sagen: „Unser Rabb! Bringe uns nicht mit den Zalims zusammen."

48. Die Leute des „Araf" (jene, die an ihre Essenz geglaubt haben, aber nicht gebührend das Ergebnis dessen erfahren konnten) werden zu den Männern (der Hölle) sagen, welche sie anhand ihrer Markierungen erkennen: „Euer Reichtum oder eure Arroganz waren euch überhaupt nicht nützlich!"

49. „Sind diese jene, wo ihr geschworen habt, dass Allah sie nicht mit Seiner Rahmat (ihnen einen Ausweg geben würde) umgeben würde?" (Wo doch jetzt ihnen gesagt wird): „Tretet ein in das Paradies! Es gibt für euch keine Furcht...Und auf euch ist keine Sorge!"

50. Die Leute des Feuers (Naar, Radiation) werden den Leuten des Paradieses sagen: „Lasst ein bisschen von dem Wasser (Wissen) oder was auch immer Allah euch gegeben habt (die Kräfte, welche das paradiesische Leben formen) auf uns fließen"... (Ihnen wird geantwortet werden): „In der Tat hat Allah dies jenen verboten, die das Wissen um die Wahrheit ablehnen."

51. Sie sind jene, die ihre Religion (die Wahrheit und das System; das Wissen um die Sunnatullah) zum Amüsement und zur Unterhaltung verwandelt haben; jene, die durch das (wertlose) weltliche Leben getäuscht wurden... Genauso wie sie das Treffen dieses Tages vergessen haben und bewusst Unsere Zeichen geleugnet haben, werden Wir sie auch heute vergessen!

52. Und definitiv haben Wir ihnen eine Quelle der Information gebracht und haben es detailliert auf Wissen basierend als einen Wegweiser der Gnade und Rechtleitung für Menschen, die glauben, gegeben.

53. Warten sie nur auf seine Interpretation (seine absolute Bedeutung)? Die Zeit, wo seine Interpretation manifestiert wird, jene, die vorher vergessen haben, werden sagen: „Wahrlich die Rasuls unseres Rabbs haben die Wahrheit gebracht... Wird es irgendwelche Fürsprecher für uns geben oder können wir zurückgeschickt werden, so dass wir Dinge anders verrichten könnten, als was wir (früher) getan haben?" Sie

haben sich in der Tat selbst ins Verderben gestürzt und haben die Leere dessen, was sie angenommen hatten zu existieren, realisiert."

54. Wahrlich dein Rabb ist Allah, derjenige, der die Himmel und die Erde erschaffen hatte in sechs Etappen, dann hatte Er sich selbst auf dem Thron etabliert (d.h. Er fing an sie zu verwalten, wie es Ihm beliebte) ... Er wirft die Bedeckung der Nacht über den Tag, welcher schnell auf die Nacht folgt... Die Sonne, der Mond und die Sterne befolgen Seinem Befehl... Wisse ohne Zweifel, dass sowohl die Schöpfung als auch das Urteil Ihm gehört! Erhaben ist Allah, der Rabb der Welten!

55. Bete zu deinem Rabb anflehend und aufrichtig... In der Tat liebt Er nicht jene, die über ihre Grenzen treten.

56. Und verursacht nach seiner Reformation keine Korruption auf der Erde... Betet zu Ihm in Furcht und mit dem Glauben, dass Er antworten wird. Wahrlich „Rahmat" (A.d.Ü.: Ausweg, der zur Wahrheit führt) von Allah befindet sich in der Nähe der „Muhsin" (A.d.Ü.: Jene, die Perfektion im Glauben ausführen).

57. Es ist HU, der die Winde entfaltet als gute Nachricht Seiner „Rahmat" bevorstehend... Als die Winde letztendlich die schweren Wolken tragen, führen Wir sie zu einem leblosen Boden und lassen Wasser von ihnen herabsteigen und bringen alle möglichen Früchte hervor... Und so bringen Wir die Toten hervor...Vielleicht denkst du darüber nach, was das bedeutet!

58. Die Vegetation des sauberen und reinen Bodens entspringt mit der Erlaubnis deines Rabbs (Bi-izni RabbiHİ) ... Aber vom Dreck entspringt nichts außer was nicht nützlich ist... Und so variieren Wir die Zeichen für ein Volk, welches bewertet.

59. Wir haben definitiv Noah zu seinem Volk entsandt und er hatte gesagt: „Oh mein Volk, dient Allah... Ihr habt keine Gottheit neben Ihm... In der Tat befürchte ich für euch die Strafe einer gewaltigen Zeit."

60. Die Anführer mit der traditionellen Meinung unter seinem Volk sagten: „Wahrlich sehen wir dich im klaren Irrtum."

61. Noah sagte: „Oh mein Volk... Es gibt keinen Irrtum in meiner Sichtweise...Aber ich bin ein Rasul von den Rabb der Welten."

62. „Ich empfehle euch die Botschaft meines Rabbs... Ich spreche zu euren Gunsten, (denn) ich weiß (durch das gegebene Wissen) durch Allah, was ihr nicht wisst."

63. „Seid ihr überrascht, dass euer Rabb euch durch einen Mann unter euch benachrichtigt, dem Er die Verantwortung gegeben hat, euch zu warnen, auf dass ihr beschützt seid und eventuell Rahmat erhält?"

64. Aber sie haben ihn geleugnet... Also haben Wir ihn gerettet und jene, die mit ihm im Schiff waren... Und Wir haben jene ertrunken, die Unsere Zeichen (Manifestierungen der Namen) geleugnet haben... Wahrlich sie sind ein Volk ohne Einsicht!

65. Und zu (dem Volk von) Aad, deren Bruder Hud... (Er sagte): „Oh mein Volk... dient Allah... ihr habt keine Gottheit neben Ihm... Werdet ihr euch immer noch nicht beschützen?"

66. Die Führer unter jenen seines Volkes, die die Wahrheit leugneten, sagten: „Wir sehen dich in einer Torheit und nehmen an, dass du ein Lügner bist."

67. (Hud) sagte: „Oh mein Volk... Es gibt keine Torheit in mir... Aber ich bin ein Rasul des Rabb der Welten."

68. „Ich übermittle euch die Botschaft meines Rabbs... Ich bin ein vertrauenswürdiger Ratgeber für euch."

69. „Seid ihr überrascht, dass ein Mann unter euch von eurem Rabb beraten wurde, euch zu warnen? Erinnert euch und denkt nach, dass er euch als Stellvertreter nach dem Volk Noahs und euch umfassend in Status und mit Unterhalt vermehrt hatte... Erinnert euch und bewertet die Segen Allahs, auf dass ihr errettet werdet."

70. Sie sagten: „Bist du zu uns gekommen, so dass wir Allah dienen, den EINEN und das verbannen, welches unsere Vorväter angebetet haben? Falls du die Wahrheit sprichst, dann bring uns die Sache her, mit welchem du uns drohst (so dass wir es sehen können)!"

71. (Hud) sagte: „In der Tat, der Wirbelsturm der Bestrafung und des Zorns (Zustand der Dualität) eures Rabbs ist schon auf euch! Argumentiert ihr mit mir über die grundlosen Namen, die ihr und eure Vorväter den Göttern gegeben habt, wofür Allah keinen Beweis offenbart hatte (bezüglich ihrer Existenz)? Dann wartet; in der Tat bin ich mit euch unter den Wartenden."

72. Also retteten Wir ihn und jene, die mit ihm waren, indem Wir sie mit Unserer Rahmet (A.d.Ü.: Gnade; einen Ausweg, um die Wahrheit kennenzulernen) umgeben hatten... Und Wir entwurzelten jene, die Unsere Verse geleugnet hatten... Sie glaubten nicht.

73. Und zu Thamud (sandten wir; ließen Wir mit der Wahrheit entfalten) deren Bruder Salih... Er sagte: „Oh mein Volk! Dient Allah... Ihr könnt nicht eine Gottheit neben Allah haben... Ein klarer Beweis ist zu euch von eurem Rabb gekommen... Dieses weibliche Kamel von Allah ist ein Wunder für euch! Also lasst sie auf Allahs Erden essen! Denkt nicht daran, ihr irgendeinen Schaden zuzufügen! Ansonsten werdet ihr eine qualvolle Bestrafung erleben!"

74. „Und erinnert euch daran, als Er euch zu Stellvertretern machte nach Aad und euch auf der Erde etabliert hatte... Ihr erhieltet Paläste davon und hattet auf ihren Bergen gegraben, um Behausungen für euch selbst zu formen! Dann erinnert euch daran und denkt über die Segen Allahs nach und verursacht keine Überschreitung auf der Erde durch Korruption."

75. Die Führer unter dem Volk (von Salih), die arrogant waren, sagten zu den schwächeren Gläubigen unter ihnen: „Glaubt ihr eigentlich wirklich, dass Salih von eurem Rabb enthüllt wurde?" Sie sagten: „Wir glauben an das, was ihm enthüllt wurde (als ob es uns enthüllt wurde)."

76. Die Eingebildeten und Arroganten sagten: „In der Tat leugnen wir das, woran ihr glaubt."

77. Dann hatten sie das weibliche Kamel grausam geschlachtet und waren ungehorsam dem Befehl ihres Rabbs gegenüber und sie sagten: „Oh Salih... Falls du zu den Rasuls gehörst, dann bringe die Bestrafung, womit du uns bedrohst."

78. Ein starkes Erdbeben erschütterte sie... Sie fielen in ihren Häusern um und starben!

79. Und er (Salih) wandte sich weg von ihnen und sagte: „Oh mein Volk... Ich habe wahrhaftig die Botschaft meines Rabbs euch übermittelt und euch beraten, aber ihr mögt nicht jene, die zu euren Gunsten reden."

80. Und erinnert euch an Lot, als er seinem Volk sagte: „Begeht ihr Unmoralisches, welches niemanden vor euch in der Welt jemals begangen hatte?"

81. „Ihr verlasst die Frauen und schläft mit Männern! Nein, ihr seid ein Volk, welches über die Grenzen schreitet!"

82. Die Antwort seines Volkes war nur: „Verbanne sie aus deiner Stadt... Denn sie sind Männer, die gereinigt sind (von solchen Dingen)."

83. Also retteten wir ihn und jene, die an ihn glaubten... außer seine Frau! Sie blieb zurück und gehörte zu jenen, die eingemauert waren!

84. Wir ließen auf ihnen das Leid herunter regnen (ein Vulkanausbruch gemäß der Überlieferung)! Siehe hin und schaue, wie diese Kriminelle enden!

85. Und Wir sandten (enthüllten) zu Madyan ihren Bruder Schuayb. (Er sagte): „Oh mein Volk, dient Allah; ihr habt keine Gottheit neben ihn... Eine klarer Beweis ist zu euch gekommen von eurem Rabb... Also erfüllt das Maß und das Gewicht rechtmäßig... Entzieht den Menschen nicht deren Recht... Verursacht keine Korruption auf der Erde nach deren Reformation... Dies ist besser für euch, falls ihr zu jenen gehört, die den Glauben anwenden."

86. „Schneidet nicht den Weg der Gläubigen ab, indem sie bedroht und abgehalten werden vom Weg Allahs und indem ihr sie auf dem Irrweg sehen wollt! Denkt nach, ihr wart wenig, Er hat euch zu vielen gemacht... Seht hin und schaut wie das Ende der Korrupten ist!"

87. „Wenn es unter euch eine Gruppe gibt, die an die Wahrheit, welche ich gebracht habe, glaubt und es eine Gruppe gibt, welche nicht glaubt, dann sei geduldig bis Allah zwischen uns richtet... Er ist der Beste unter den Richtern."

88. Die Führer des Volkes (von Schuayb), welche arrogant waren, sagten: „Oh Schuayb! Mit Sicherheit werden wir dich und jene, die mit dir sind von unserer Stadt verbannen oder du wendest dich zu der Religion unserer Vorväter"... (Shuayb sagte): „Sogar, wenn wir widerwillig sind?"

89. „Wir würden definitiv ein Lüge gegen Allah geäußert haben, wenn wir zu eurer antiken Religion uns zugewandt hätten, nachdem Allah uns gerettet hatte von dieser grundlosen religiösen Sichtweise... Es ist nicht möglich, dass wir uns dahin wenden! Es sei denn unser Rabb, Allah, will es... Unser Rabb hat alle Dinge umfasst mit Seinem Wissen... Wir haben unser Vertrauen an Allah gegeben (wir glauben der Name „Wakil" in unserer Essenz wird seine Funktion erfüllen) Unser Rabb, vereine uns und unser Volk mit der Wahrheit... Du bist der beste Eroberer!"

90. Die Führer unter seinem Volk, welche das Wissen um die Wahrheit abgelehnt haben, sagten: „Falls ihr Schuayb folgt, dann werdet ihr definitiv zu den Verlierern gehören."

91. Also überkam sie ein schweres Erdbeben... Sie wurden auf den Knien fallend in ihren Häusern übriggelassen.

92. Jene, die Schuayb geleugnet hatten, sind (umgekommen), als ob sie dort niemals gelebt hätten... Jene, die Schuayb geleugnet hatten, wurden zu Verlierern.

93. (Daraufhin hat sich Schuayb) **von ihnen abgewandt und sagte: „Oh mein Volk! In der Tat habe ich die Botschaft** (Risalah; Enthüllung, Entfaltung des Wissens um die Wahrheit der Essenz des Menschen) **meines Rabbs euch übermittelt... Ich habe euch Rat gegeben... Aber wie kann ich um Menschen trauern, die das Wissen um die Wahrheit leugnen?"**

94. Und welcher Stadt Wir auch einen Nabi enthüllt hatten, Wir haben definitiv ihre Einwohner mit Schwierigkeiten und Not (um sie von ihrer Egozentrik zu befreien) **befallen lassen, auf dass sie mit Aufrichtigkeit und Bescheidenheit** (ihrer essentiellen Wahrheit) **sich zuwenden.**

95. Dann hatten Wir ihre Not mit Gutem ausgetauscht... Als sie Komfort erreichten (bzgl. Nachkommen und Besitztümer) **und Wohlstand kam, da sagten sie: „Unsere Vorväter wurden auch mit Not und Erleichterung befallen** (also gibt es diesbezüglich für uns keine Lektion)." **Also ergriffen Wir sie bevor sie es wussten!**

96. Falls die Bewohner dieser Städte geglaubt hätten und sich beschützt hätten, dann hätten Wir definitiv Segen über sie geöffnet vom Himmel und von der Erde... Aber sie leugneten! Also ergriffen Wir sie mit dem, was sie durch ihre Taten geerntet hatten!

97. Haben sich die Leute dieser Städte vor Unserem Zorn sicher gefühlt, welcher zu ihnen kam in einer Nacht während sie schliefen?

98. Oder haben sich die Leute dieser Städte sicher gefühlt als Unser Zorn zu ihnen kam am Morgen während sie spielten und sich amüsierten?

99. (Oder) **waren sie sicher vor dem „Makr" von Allah** (Intrige, Plan: Allah lässt sie die Konsequenzen ihrer Taten ausleben, ohne dass sie sich überhaupt darüber bewusst sind und so denken sie, dass es keine Konsequenzen gibt. Deswegen werden sie weiterhin mit ihren Aktivitäten beschäftigt sein und weiterhin im Verlust versinken)! **Keiner kann sich sicher fühlen vom „Makr" Allahs außer dem Volk, die verloren sind.**

100. Haben sie, die Erben jener, die zerstört wurden, immer noch nicht die Wahrheit realisiert, dass wenn Wir es wollen, dann können Wir sie mit Katastrophen heimsuchen und ihre Herzen (Bewusstsein) **verschließen, so dass sie nicht fähig sein werden, wahrzunehmen!**

101. Und so erzählen Wir euch nacheinander die Nachrichten über die Einwohner solcher Städte... Wahrlich, die Rasuls kamen als klare Beweise... (Aber) **sie glaubten nicht** (der Religion, gemäß dem Buchstaben „B") **daran, was sie vorher leugneten ... Und so verschließt Allah die Herzen** (blockiert das Bewusstsein) **jener, die das Wissen um die Wahrheit leugnen.**

102. Und Wir haben die meisten unter ihnen nicht gebunden an ihre Versprechen gefunden... Wir haben die Mehrheit unter ihnen ungehorsam der Wahrheit gegenüber aufgefunden.

103. Dann, nach ihnen, haben Wir Moses enthüllt mit Unseren Beweisen (Manifestierungen der Namen) **zum Pharao und den Führern um ihn herum... Aber sie haben Grausames getan** (indem sie den Zeichen nicht das gebührende Recht gegeben haben) **... Sieh und schau zu wie das Ende der Korrupten ist!**

104. Moses sagte: „Oh Pharao! In der Tat bin ich ein Rasul vom Rabb der Welten."

105. „Ich bin definitiv verpflichtet nichts über Allah zu sagen, es sei denn, es ist auf der Wahrheit basiert... Ich bin in der Tat zu dir als ein klares Zeichen deines Rabbs gekommen... Also schicke die Kinder Israels mit mir!"

106. (Der Pharao sagte): „Falls du mit einem Wunder gekommen bist, dann führe es vor, falls du zu deinem Wort stehst!"

107. (Daraufhin ließ Moses) seinen Stab los und plötzlich wurde der Stab als eine Schlange gesehen!

108. Und (Moses) zog seine Hand heraus und plötzlich wurde (seine Hand) als ein helles, weißes Licht gesehen!

109. Die Führenden (Priester) unter dem Volk Pharaos sagten: „In der Tat ist dies ein Magier, der sehr viel weiß."

110. „Er möchte euch von eurem Land (Position, Status) fernhalten"... (Pharao fragte): „Was empfiehlt ihr?"

111. Sie sagten: „Haltet ihn und seinen Bruder fest... Schickt Boten zu den Städten."

112. „Sie sollen jeden gelernten Magier zu euch kommen lassen."

113. Und die Magier kamen zum Pharao... Sie sagten: „Falls wir die Überhand haben, dann wird es definitiv einen Preis für uns geben, nicht wahr?"

114. (Pharao sagte): „Ja und definitiv werdet ihr zu jenen gehören, die mir nahe sind."

115. (Die Magier sagten): „Moses... Wirf du zuerst, dann werden wir werfen."

116. (Moses sagte): „Werft ihr." Als sie (die Magier) geworfen hatten, haben sie die Sichtweise der Menschen verhext und in ihnen wurde Furcht erweckt! Sie hatten eine gewaltige Magie ausgeführt.

117. Und Wir offenbarten an Moses: „Wirf deinen Stab hin"... Und es hat das verschlungen, was sie vorgetäuscht hatten!

118. Und so wurde die Wahrheit manifestiert und was sie taten, wurde abgeschafft.

119. Sie wurden besiegt... Sie wurden erniedrigt!

120. Die Magier fielen nieder, der Niederwerfung gleich!

121. Sie sagten: „Wir haben geglaubt an den Rabb der Welten..."

122. „Der Rabb von Moses und Aaron!"

123. Pharao sagte: „Habt ihr an ihn geglaubt ohne meine Erlaubnis? Dies ist definitiv eine Intrige, welche ihr geplant und verschwört habt, um die Leute aus der Stadt hinaus zu treiben... Aber ihr werdet es bald sehen (die Bestrafung)."

124. „Ich werde in der Tat eure Hände und Füße kreuzweise abschneiden und euch alle kreuzigen."

125. (Die Magier, die geglaubt haben, sagten): „In der Tat werden wir zu unserem Rabb zurückkehren."

126. „Du rächst dich an uns, weil wir an die Existenz der Wunder (an die Zeichen, welche die Manifestierungen der Namen sind) unseres Rabbs geglaubt haben... Unser Rabb, gib uns die Kraft, um durch zu halten und lass uns als jene sterben, die sich zu Dir in Ergebenheit befinden."

127. Die Führer unter dem Volk Pharaos sagten: „Wirst du Moses und seine Leute alleine lassen, so dass sie Korruption auf der Erde verursachen und dich und deine Götter verlassen?" (Pharao sagte): „Wir werden ihre Söhne töten und ihre Frauen am Leben lassen... Wir haben eine zerstörende Kraft über sie."

128. Moses sagte seinem Volk: „Ersucht Hilfe von Allah (die kontinuierliche Manifestierung der Namen Allahs von eurer Essenz aufgrund der Uluhiyyah- A.d.Ü.: aufgrund des Daseins Allahs, dass außer ihm nichts anderes existiert-von den Kräften der Namen, welche eure Wesen formen) und habt Geduld... Wahrlich, die Erde gehört Allah... Er ermöglicht Erben von seinen Dienern, wen Er will... Die Zukunft gehört jene, die beschützt sind!

129. (Das Volk Moses sagte): „Wir wurden gefoltert, bevor du zu uns kamst und nachdem du zu uns kamst"... (Moses sagte): „Vielleicht wird euer Rabb euren Feind zerstören und euch als Stellvertreter auf der Erde errichten (anstatt von ihnen) und sehen, wie ihr es machen werdet."

130. Wir haben definitiv das Volk von Pharao mit Jahren der Hungersnot und Defizit an Erträgen heimgesucht, auf dass sie eventuell über deren Ursache nachdenken.

131. Aber wenn Gutes zu ihnen kommt, dann sagen sie: „Dies ist unser Verdienst"... Und wenn etwas Schlechtes zu ihnen kommt, dann sagen sie, dass es ein schlechtes Omen von Moses und jenen, die mit ihm sind, ist... Seid vorsichtig, was sie als schlechtes Omen ansehen ist aus Allahs Sicht... Aber die meisten von ihnen können dies nicht verstehen!

132. Und sie sagten: „Es spielt keine Rolle, welches Wunder du uns bringst, um uns zu verhexen, wir werden nicht an dich glauben!"

133. Also sandten wir Fluten, Heuschrecken, Läuse, Frösche und Blut auf sie herab als deutliche Zeichen! Aber trotzdem waren sie arrogant und wurden zu einem schuldigen Volk.

134. Als das Leid sie befallen hatte, da sagten sie: „Oh Moses! Halte dein Wort und bete zu deinem Rabb... Falls du dieses Leid von uns entfernst, dann werden wir mit Sicherheit an dich glauben und wir werden die Kinder Israels mit dir entsenden."

135. Aber als Wir das Leid von ihnen entfernten, bis zur Frist, welches Wir ihnen gegeben hatten, brachen sie ihr Wort sofort erneut!

136. Und so haben Wir sie die Konsequenzen ihrer Taten vehement ausleben lassen und Wir ertranken sie im Meer, weil sie Unsere Wunder und Zeichen geleugnet hatten und weil sie diesbezüglich achtlos waren!

137. Das Volk, welches verleumdet und unterdrückt wurde, haben Wir als Erben des Landes gemacht, welches Wir mit Überfluss gesegnet hatten im Osten und Westen... Das gute Wort deines Rabbs wurde für die Kinder Israels erfüllt aufgrund ihrer Geduld. Und Wir zerstörten die Dinge, die Pharao und sein Volk produzierten und was sie gebaut hatten!

138. Wir ließen die Kinder Israels am Meer hinüber passieren... Sie kamen zu einem Volk, welches ihre Götzen angebetet hatte. Sie sagten: „Oh Moses...Mache einen Gott für uns wie die Götter, die sie haben." (Moses sagte): „In der Tat seid ihr sehr ignorant!"

139. „Mit Sicherheit wird ihr Glaube und ihre Anwendung Zerstörung produzieren! Das, womit sie sich befassen, ist wertlos und vergeblich."

140. „Als er euch auserwählt hatte (indem ihr informiert wurdet über die Wahrheit des Stellvertreter-Daseins) über die Welten (der Menschen), soll ich einen Gott für euch neben Allah annehmen?"

141. Und (erinnert) euch daran, dass Wir euch von der Dynastie des Pharaos gerettet haben... (Erinnert euch daran, wie) sie euch mit der schlimmsten Tortur leiden ließen; sie töteten eure Söhne und ließen eure Frauen am Leben... Und darin war eine große Prüfung für euch von eurem Rabb.

142. Wir verpflichteten Moses zu dreißig Nächten... Dann addierten Wir zehn hinzu; und so wurde die Zeit, welche von seinem Rabb ernannt wurde, mit vierzig Nächten vervollständigt... Moses sagte seinem Bruder Aaron: „Nimm meinen Platz unter meinem Volk ein, reformiere und folge nicht jenen, die Zwietracht schüren wollen!"

143. Als die Periode, welche Wir ernannt hatten, vervollständigt wurde und sein Rabb ihn rief, sagte (Moses) zu seinem Rabb: „Mein Rabb, zeig Dich mir, lass mich Dich ansehen!"... (Sein Rabb sagte): Niemals kannst „du" (mit deinem illusorischen Selbst, Ego, Ich-Gefühl) „Mich" sehen (verstehen)... (die Absolute Wahrheit, das Wahre und Absolute „Ich") ... Aber schau auf diesen Berg (Ego; stark und unbeweglich wie ein Berg) ... Falls der Berg am gleichen Ort bleibt (nachdem Ich mein Selbst reflektiere/offenbare), dann sollst du Mich sehen!" Als sein Rabb sich auf dem Berg (Ego) reflektiert/offenbart (arab. tadjalli) hatte, zerstörte Er es...und Moses fiel bewusstlos nieder (als seine Form des Selbst, Ich-heit, Ego zerstört wurde)! Als er aufwachte, sagte er: „Du bist „Subhan" (A.d.Ü.: Erhaben= Unabhängig von der Schöpfung, mit nichts zu vergleichen, die Schöpfung stellt aus Seiner Sicht ein „Nichts" dar, aber in jeden Moment gibt es einen neuen Zustand des Wissens. Wenn zur Essenz vorgestoßen wird, verschwindet das illusorische Ich-Dasein und der Wahre offenbart sich)! Ich habe dich um Vergebung gebeten... Ich gehöre zu den allerersten unter den Gläubigen."

144. Er sagte: „Oh Moses! In der Tat habe Ich dich über die Menschheit mit Meinen Botschaften und Meinen Worten auserwählt... Also nimm, was Ich dir gegeben habe und gehöre zu denen, die dankbar sind (die bewerten können)!"

145. Wir haben in detaillierter Weise für Moses auf den Schreibtafeln geschrieben, über die Dinge von denen sie fernzubleiben haben und über die Dinge, die sie zum Leben brauchen... „Haltet fest an diesen und weise dein Volk auf die schönste Weise an, diese richtig anzuwenden und aufrechtzuerhalten... Ich werde dir die Behausung derjenigen zeigen, die ungehorsam sind (was diese Anordnungen anbelangen)."

146. Ich werde jene von Meinen übernatürlichen Kräften fernhalten, welche arrogant auf der Erde ohne Recht sich benehmen, denn was auch immer sie für ein Wunder sehen, sie werden nicht glauben! Wenn sie den Weg der Reife sehen (A.d.Ü.: den Weg, das Bewusstsein zu reinigen), dann werden sie es nicht als Weg annehmen... Wenn sie den Weg der Korruption sehen, dann werden sie es als Weg annehmen... Dies kommt

daher, weil sie **Unsere Zeichen** (welche richtungsweisend zur Wahrheit sind) **leugnen und diesbezüglich unachtsam sind.**

147. Jene, die Unsere Zeichen (der Wahrheit) **geleugnet haben und das Zusammenkommen des zukünftigen, ewigen Lebens, deren Taten werden wertlos sein... Leben sie nicht einzig und allein die Resultate dessen, was sie getan haben?**

148. Und das Volk von Moses hatte, nach ihm (nach seinem Aufbruch zum Berg Sinai) **einen Kalb von ihren wertvollen Ornamenten gemacht... Haben sie nicht realisiert, dass ihr Kalb weder fähig ist zu sprechen noch ihnen zu einem Weg rechtleiten kann? Sie nahmen es** (als eine Gottheit an) **und wurden zu „Zalims"** (sie waren grausam zu ihrem Selbst)!

149. Als sie darüber nachdachten (was sie getan hatten) **und wahrnahmen, dass sie von der Wahrheit irregeleitet waren, spürten sie Reue und sagten: „Falls unser Rabb nicht Gnade und Vergebung auf uns walten lässt, dann werden wir definitiv zu den Verlierern gehören."**

150. Als Moses zu seinem Volk wütend und bekümmert zurückkehrte, sagte er: „Was für frevelnde Dinge habt ihr hinter meinem Rücken getan! Könntet ihr nicht auf die Befehle eures Rabbs warten?" Dann legte er die Schreibtafeln nieder und packte seinen Bruder am Kopf und zog ihn an sich... (Aaron sagte): **„Oh Sohn meiner Mutter! In der Tat haben die Leute mich als schwach und kraftlos angesehen und waren nah daran, mich umzubringen... Also lass nicht zu, dass der Feind sich erfreut und sieh mich nicht als gleichwertig an mit diesen, die grausam zu sich selbst sind!"**

151. (Moses sagte): **„Mein Rabb... Vergib mir und meinen Bruder und schließe uns ein in Deine „Rahmat"** (A.d.Ü.: Gnade = Einen Ausweg, die Wahrheit des Selbst-das absolute Ichkennenzulernen) **... Du bist derjenige, der am meisten Rahim ist von denen, die Rahim sind** (A.d.Ü.: Der Rahim-Name lässt das Erkennen des wahren, ewigen Selbst zu und produziert deshalb das paradiesische Leben für den Menschen)."

152. Wahrlich jene, die das Kalb (als Gottheit) **angenommen haben, werden den Zorn ihres Rabbs erhalten und Erniedrigung im weltlichen Leben... Und so ziehen Wir die Konsequenzen für jene, die der Verleumdung nacheifern.**

153. Aber es gab einige, die Reue zeigten nach ihren schlechten Taten und um Vergebung baten und die geglaubt haben...In der Tat ist dein Rabb danach Ghafur und Rahim.

154. Als Moses Wut nachließ, nahm er die Schreibtafeln... In diesem eingetragenen Text gibt es Rechtleitung (Verständnis der Wahrheit) **und „Rahmat" von deinem Rabb für jene, die fürchten.**

155. Moses wählte siebzig Männer von seinem Volk aus, um zum vereinbarten Ort der Reue zu gehen... und als ein schlimmes Erdbeben sie erfasste, sagte (Moses): **Mein Rabb... Hättest du es gewollt, dann hättest Du sie und mich** (weil die Wahrheit abgedeckt wurde) **schon vorher zerstören können! Wirst Du uns jetzt zerstören, aufgrund der Taten der Dummen** (begrenzt im Intellekt) **unter uns? Dies ist nur Deine Zwietracht (Prüfung), mit welchem Du irreleitest, wen Du willst und mit welchem Du rechtleitest, wen Du willst... Du bist unser Wali** (Wächter). **Vergib uns und gewähre uns Deine „Rahmat"** (öffne für uns einen Weg zu dir) **...Du bist der Beste unter denen, die Ghafur sind."**

156. „Und bestimme Gutes für uns, in dieser Welt und im zukünftigen, ewigen Leben... Definitiv haben wir uns zu Dir gewandt"... Er sagte: „Ich belaste mit Meiner Bestrafung, wen Ich will... Meine „Rahmat" umfasst alle Dinge! Ich bestimme es für jene, die sich beschützen und das „Zakat" (einen Anteil vom erarbeiteten Verdienst) geben und jene, die an die Wahrheit in Unseren Zeichen glauben."

157. Jene, die den Rasul folgen, den Ummi (nicht durch weltliches Wissen gebildeten) Nabi (dessen natürliche Veranlagung nicht korrumpiert wurde und dessen originale Reinheit erhalten blieb), der in der Tora und der Bibel, welche sich in ihren Händen befinden, genannt wurde... Er befiehlt, was günstig (positiv) ist gemäß Allah und verbietet das, welches ungünstig (negativ) ist. Er macht die reinen Dinge gesetzlich und verbietet die unreinen und hässlichen Dinge, er entlastet sie von den schweren Bürden auf ihren Rücken und befreit sie von ihren Ketten (die Bindungen, die einen veranlassen, sich nicht zu Allah zu wenden)... Jene, die an ihn glauben, respektieren (unterstützen) und helfen ihn und folgen der „Nuur" (Koran), das ihm enthüllt wurde. Sie sind diejenigen, die Befreiung und Errettung erreichen!

158. Sag: „Oh, ihr Menschen... Ich bin in der Tat ein Rasul Allahs, der zu euch allen gekommen ist... HU gehört die Herrschaft (A.d.Ü.: Mulk; Herrschaft über alle Taten, die von allen Wesen und Formen des Bewusstseins sich manifestieren) der Himmel und der Erde! Es gibt keinen Gott, nur HU! Er gibt Leben und verursacht Tod! Also glaubt an Allah, dessen Namen (Asma-ul Husna) die Essenz eures Wesens ausmachen und Seinem Rasul, den Ummi (nicht durch weltliches Wissen gebildeten) Nabi, der daran glaubt, dass Allah, die Wahrheit und Essenz seines Selbst ist, und an das, was Er wissen ließ... Folgt ihn, damit ihr zur Wahrheit geführt werden möget."

159. Es gibt eine Gruppe unter dem Volk von Moses, welche über die Wahrheit informiert sind und als Voraussetzung, die Wahrheit auszuleben, führen sie alle nötigen Dinge gerecht und mit gebührendem Recht aus!

160. Wir haben sie in zwölf Gruppen unterteilt... Und Wir offenbarten an Moses als sein Volk ihn nach Wasser fragten: „Schlage auf den Stein mit deinem Stab (indem der Stab integriert wird mit den Kräften innerhalb deiner Essenz)"... und es strömten daraufhin von dort zwölf Quellen heraus... Jede Gruppe des Volkes kannte seinen Weg (Maschrab: Ort, wo getrunken wird... (A.d.Ü.: Der Ort, wo Wasser, d.h. Wissen, aufgenommen wird). Und Wir gaben ihnen Schatten durch Wolken und enthüllten für sie „Manna" (Kraft) und Wachteln (A.d.Ü.: Das, was die Kräfte der Namen bewirken) ... (Wir sagten): „Speist von den reinen und sauberen Dingen, von welchem Wir euch gaben"... Sie haben nicht Uns unrecht angetan, sondern Ihrem Dasein (Selbst) es angetan.

161. Und (erzähle), als es ihnen gesagt wurde: „Wohnt in dieser Stadt und esst darin, von wo auch immer ihr wollt... Sagt „vergib uns" und lasst Uns eure Fehler vergeben, indem ihr durch dessen Tor eintretet mit der Bedeutung, die Niederwerfung zu erfahren... Wir vermehren es sogar für jene, die Perfektion ausüben."

162. Jene, die unrechte Taten ausgeübt hatten, veränderten die Worte zu einer Aussage anders als das, was ihnen ursprünglich gesagt wurde... Als Konsequenz ihrer Taten entsandten Wir Bestrafung vom Himmel herab.

163. Frag sie nach der Stadt an der Meeresküste!... Wie sie den Sabbath brachen (indem sie am Samstag fischen gingen) ... Weil die Fische sich in der Zahl vermehrten und sich

am Sabbath sehen ließen, aber an den anderen Tagen verschwanden! Wir haben Sie auf diese Weise in Versuchung geführt, weil sie den Weg überschritten haben.

164. Und als eine Gruppe unter ihnen sagte: „Warum gibst du einem Volk Ratschläge, das Allah zerstören oder mit einer schweren Bestrafung heimsuchen wird?"... Sie sagten: „Damit wir von der Verantwortung aus der Sicht unseres Rabbs befreit werden und dass vielleicht sie sich beschützen werden."

165. Als sie die Ratschläge, welche ihnen gegeben wurden, vergessen hatten, retteten Wir jene, die versucht hatten, Unrechtes zu verhindern und suchten jene, die Unrechtes taten mit einem schweren Leiden heim.

166. Und als sie arrogant wurden und das Verbotene überschritten hatten, sagten Wir ihnen: „Werdet zu erniedrigte Affen (Kreaturen, die miteinander in Nachahmung leben, die nicht ihren Verstand benutzen können)."

167. Und dein Rabb hat bekannt gegeben, dass Er definitiv jene, die sie peinigen, mit den schlimmsten Leiden heimsuchen wird bis zum Tag der Auferstehung...Wahrlich dein Rabb ist Sari ul Ikab (unverzüglich werden die Konsequenzen von schuldhaften Taten geformt) ...Und natürlich ist Er Ghafur und Rahim.

168. Wir haben sie auf der Erde in Gruppen aufgeteilt... Es gibt einige unter ihnen, die „Salih" sind (jene, die gemäß den Anforderungen des Glaubens ihr Leben aufrichtig zur Wahrheit ausrichten) ... Und es gibt einige unter ihnen, die zum minderwertigen Niveau gehören... Wir haben sie mit dem Guten und Schlechten geprüft, auf dass sie sich vielleicht zur Wahrheit ausrichten.

169. Und auf sie folgten neue Generationen, die das Wissen um die Wahrheit geerbt hatten... Sie haben gelebt, um den Reichtum dieses niedrigen, weltlichen Lebens zu erlangen und behaupteten: „Uns wird sowieso vergeben werden." Falls ihnen eine gleichwertige Menge von weltlichen Gütern angeboten wäre, hätten sie diese auch genommen... Wurde nicht von ihnen ein Eid genommen, dass sie nicht Dinge über Allah sagen sollen, welche nicht auf dem Wissen der Wahrheit beruht sind? Haben sie diesbezüglich keine Lehre genommen und studiert, was sich darin befindet? Das ewige, zukünftige Leben ist besser für die Beschützten... Werdet ihr nicht euren Verstand benutzen?

170. Was jene betrifft, die am Wissen der Wahrheit (Buch) sich festhalten und das „Salaah" (Hinwendung zu Allah; im Gebet ihre Essenz und die Gegenwart des Wahren zu erfahren) ausführen; wahrlich werden Wir nicht diejenigen, die reformiert sind ohne eine Belohnung belassen.

171. Und (erwähne), als Wir den Berg über ihnen erhoben hatten, als ob es ein Dach aus Schatten wäre und sie dachten, dass es auf ihnen fallen und sie zerstören würde... „Haltet fest an das, was Wir euch gegeben haben, denkt tief darüber nach, was sich darin befindet und erinnert euch daran, auf dass ihr beschützt sein mögt."

172. Und (erwähne), als dein Rabb von den Kindern Adams, von ihren Lenden (Samen, Genen), ihre Nachkommenschaft nahm und sie gegen sich selbst bezeugen ließ und fragte: „Bin Ich nicht euer Rabb?" Und sie sagten: „Ja, in der Tat bezeugen wir dies (durch die Taten)!" (Wir erinnern euch daran), damit ihr nicht am Tag der Auferstehung sagt: „Wir waren uns diesbezüglich nicht bewusst (unachtsam darüber, was das Gehirn alles ausführt; ein Leben, wie im Kokon eingesponnen auszuleben)". (Dies beruht sich darauf, dass alle Menschen nach der natürlichen Veranlagung des Islams erschaffen wurden... A.H.).

173. Und dass ihr nicht sagt: „Unsere Vorväter haben nur als „Muschriks" (Dualisten) gelebt und wir sind ihre Nachkommen (die Weiterführung ihres genetischen Programms), also wirst du uns zerstören wegen der Verleugnung der Wahrheit von seitens unserer Vorväter?" (Wie schon im vorherigen Vers erklärt wurde, ist jeder Mensch auf der natürlichen Veranlagung des Islams erschaffen worden, aber ihr Religionsverständnis fängt mit der sozialen Konditionierung ihrer Umwelt an.)

174. Und so erklären Wir die Beweise, Zeichen anhand von Details, so dass sie vielleicht zurückkehren (zu ihrer essentiellen Wahrheit).

175. Gibt ihnen die Nachricht des Mannes, dem Wir Unsere Zeichen gegeben haben, aber er hatte sich distanziert vom Wissen und verließ es (er vergaß die Wahrheit des Daseins und verfolgte ein Leben basierend auf der Ego-Identität) ... (Dann) machte der Satan (die Eigenschaft, sein eigenes Selbst/Dasein nur als Körper aus Fleisch und Blut zu akzeptieren) ihn zu einem Befolger (von diesem Glauben bis endlich) er zu jenen gehörte, die vom Weg abgekommen waren.

176. Hätten Wir es gewollt, dann hätten Wir ihn erhöht mit diesen Zeichen... Aber (stattdessen) ließ er sich auf der Erde nieder (körperliches Leben) und verfolgte seine gegenstandslosen Impulse! Also ist sein Beispiel der eines Hundes: Falls du ihn verjagst, dann hechelt er, falls du ihn sein lässt, hechelt er (auch)... So sieht das Volk aus, welches Unsere Zeichen leugnet! Erkläre ihnen dies, vielleicht werden sie darüber tief nachdenken.

177. Wie elendig ist der Zustand des Volkes, welche Unsere Zeichen (die Manifestierungen der Namen) leugnen und (so) ihrem Selbst Schaden zufügen (Zalim: grausam zu sich selbst)!

178. Wem auch immer Allah die Rechtleitung gibt (zur Wahrheit des Selbst geleitet wird), der wird die Wahrheit erreichen! Und wem Allah irreleitet, in der Tat sind sie selbst diejenigen, die verloren sind.

179. In der Tat haben Wir die Mehrheit der Dschinn und Menschen für das Leben der Hölle erschaffen und die Zahl vermehrt! Sie haben Herzen (Bewusstsein), mit welchen sie nicht begreifen (die Wahrheit). Sie haben Augen, mit welchen sie nicht bewerten, was sie sehen. Sie haben Ohren, mit welchen sie nicht begreifen, was sie hören! Sie sind wie Vieh (domestizierte Tiere), nein, sie sind sogar weniger bewusst bezüglich des rechten Weges. Sie sind es, die wahrlich achtlos sind (sie leben in ihren Kokons eingesponnen)!

180. Und zu Allah gehören die schönsten Namen (die Eigenschaften, welche auf diese Namen hinweisen, deuten auf den EINEN und EINZIGEN ALLAH und deshalb gehören diese Namen und ihre Bedeutungen nur Ihm und können nicht durch menschliche Konzepte definiert werden. Wie es im Vers 23:91 heißt: Erhaben (Subhan) ist Allah jenseits von allem, was sie mit Ihm vergleichen), also dreht euch zu Ihm durch die Bedeutungen Seiner Namen. Und verlasst jene, die Abweichendes (im Schirk, d.h. jene, die der Dualität verfallen sind) praktizieren bezüglich Seiner Namen. Sie werden entschädigt für das, was sie getan haben.

181. Und unter jenen, die Wir erschaffen haben, gibt es (eine solche) Gruppe, welche zur Wahrheit rechtleiten und sie geben alles und jedem sein gebührendes Recht!

182. **Wir werden fortlaufend jene, die Unsere Zeichen** (welche auf die Wahrheit hindeuten) **leugnen, zur Zerstörung leiten, von wo sie es nicht ahnen** (durch den Weg des „Makrs"; sich selbst getäuscht zu haben, ohne es zu bemerken).

183. **Und ich werde ihnen Zeit geben zu tun, was sie wollen... Wahrlich Mein Plan ist „Matin"** (fest, stark, stabil).

184. **Haben sie nicht nachgedacht? Es gibt keine Narrheit** (Verständnislosigkeit) **in ihrem Gefährten! Er ist nur einer, der ganz offensichtlich warnt.**

185. **Haben sie nicht auf die engelhafte Dimension** (Kräfte) **der Himmel und der Erde geschaut, auf irgendetwas, was Allah erschaffen hatte und dass vielleicht ihre vereinbarte Zeit gekommen ist** (Tod)? **Also** (falls sie dies nicht in Betracht ziehen) **an welcher Kundgebung wollen sie denn glauben?**

186. **Wem auch immer Allah irreleitet, für ihn gibt es keinen, der ihn rechtleiten könnte... Er belässt sie in ihrer Grenzüberschreitung, blind umherwandernd.**

187. **Sie fragen dich: „Wann wird diese Stunde kommen?"...** Sag: „Dieses Wissen existiert nur in der Sichtweise meines Rabbs... HU ist derjenige, der es manifestieren wird, wenn die Zeit dafür kommt!** (Konzepte wie Zeit, Ort, Dinge und Personen können nicht gemäß dieser Offenbarung/Reflexion vorgestellt werden) **... Es wiegt schwer auf den Himmeln und der Erde...Es wird zu euch unerwartet kommen." Sie fragen dich, als ob du es wüsstest** (anhand von Erfahrung) **... Sag: „Sein Wissen ist nur aus der Sichtweise Allahs alleine vorhanden...Aber die Mehrheit der Menschen wissen nicht."**

188. **Sag: „Ich kann nicht irgendetwas Nützliches oder Schadhaftes für mein Selbst tun, sondern es gibt nur das, was Allah will... Falls ich das** (absolute) **Unbekannte** (Ghaib) **wüsste, dann hätte ich definitiv alles Gute multipliziert und kein Schaden hätte mich berührt... Ich bin nur ein Warner und ein Überbringer froher Botschaften an ein Volk, welches glaubt."**

189. **HU hat euch von ein EINER einzigen Seele, „Ich-Dasein"** (im Makroplan ist dies als die „Wahrheit des Muhammad" und „Erster Intellekt-Akl-i Awwal" bekannt; im Mikroplan ist es als das „reine Bewusstsein des wahren Menschen", d.h. „Gesamter Intellekt", „Akl-i Kull", bekannt) **erschaffen und davon formte HU seinen Partner** (im Makroplan: das Universum; im Mikroplan: das Gehirn), **damit ihr mit ihr zusammen wohnt... Und als er sie bedeckte** (seinen Partner), **lud sie eine leichte Bürde auf und trug es... Als es schwer wurde, haben sie beide zu ihrem Rabb, Allah, gebetet: „Wahrlich, wenn Du uns einen Aufrechten gibst, dann werden wir definitiv zu jenen gehören, die gebührend bewerten werden.** (Dieser Vers kann verstanden werden in Bezug auf der Formierung der Welten und der Menschen.)

190. **Aber als HU ihnen einen aufrechten** (Kind) **gab, haben sie mit Ihm Partner assoziiert in Bezug auf das, was ihnen HU gab... Erhaben ist Allah über das, was sie mit Ihm assoziieren.**

191. **Assoziieren und vergleichen sie jene, die nichts erschaffen, wo sie doch selber erschaffen sind?** (Es gibt einen Bezug auf diese beiden Verse zur Tendenz, dass der Mensch natürliche Phänomene und Existenzen als Gott/Gottheit neben Allah ansieht.)

192. (Das, was sie mit Allah assoziieren) **hat weder die Kraft, ihnen zu helfen, noch ihrem Selbst!**

193. Falls du sie zur Rechtleitung (zur Wahrheit und Essenz ihres Selbst) einlädst, dann werden sie dir nicht folgen... Falls du sie einlädst oder schweigst, es ist das Gleiche.

194. Jenes, zu welchen ihr euch neben Allah hinwendet, sind nur Diener, wie ihr selbst! Falls ihr ausdauernd seid (in eurem Glauben), dann ruft sie und lasst sie antworten!

195. Haben sie nicht Füße, mit denen sie laufen, Hände, mit denen sie halten, Augen, mit denen sie sehen oder Ohren, mit denen sie hören? Sag: „Ruft eure Partner her (welche ihr mit Allah assoziiert) und plant gegen mich und gebt mir keinen Aufschub!"

196. Wahrlich, mein „Wali" ist Allah, derjenige, der das Wissen um die Wahrheit (Buch) enthüllen ließ! Er wird der Verbündete (Wali) der „Salih" (Aufrechten) genannten.

197. Jene, die ihr neben Ihn anruft (um Hilfe), haben weder die Kraft euch zu helfen, noch können sie sich selbst helfen.

198. Falls ihr sie nach Rechtleitung anruft, dann werden sie nicht hören... Ihr denkt, sie werden euch anschauen, aber sie werden nicht sehen!

199. Seid vergebend, urteilt mit positiven und nützlichen Dingen und wendet euch ab von den Ignoranten!

200. Falls ein Impuls zu euch aufkommt von Satan (eure Körperlichkeit; falls ihr durch körperliche Begierden und Wünsche in Versuchung kommt und so euch selbst von eurer Wahrheit und Essenz verschleiern lässt), dann ersucht unverzüglich Schutz in Allah (die Kräfte der Namen, die eure Essenz ausmachen) ... Denn HU ist Sami, Aliym.

201. Was jene anbelangt, die beschützt sind, wenn ein Impuls von Satan zu ihnen ankommt (derjenige, der seine Existenz nur auf seinen Körper alleine begrenzt), dann denken sie nach und erinnern sich (bezüglich der Wahrheit ihrer Essenz) ... Sie bewerten mit Einsicht.

202. Aber ihre Brüder (der Satane) ziehen sie zur Emotionalität und zum Extremismus hin... Und sie werden sie nicht in Ruhe lassen!

203. Wenn du nicht ihnen über einen Vers berichtest, dann sagen sie: „Du hättest einen (dir selbst) ausdenken sollen!" Sag: „Ich befolge nur das, was mir von meinem Rabb offenbart worden ist... Dieser (Koran) ist eine Einsicht von eurem Rabb (es lässt realisieren und verstehen), es ist eine Rechtleitung (ein Lehrer zur Wahrheit) und eine „Rahmat" für ein Volk, welches glaubt (es erhöht und entwickelt den Menschen, lässt seine spirituelle Perfektion, manifestieren)."

204. Wenn der Koran rezitiert wird, dann schweigt und hört zu, so dass ihr „Rahmat" (A.d.Ü.: ein Weg zu Allah, eine Öffnung zu eurer essentiellen Wahrheit) bekommen könnt.

205. Erinnert euch (macht das Dhikr) und denkt mit Tiefe nach bezüglich eures Rabbs in eurem Selbst, indem ihr eure Grenzen kennt, sie spürt und in einer bescheidenen Art, ohne eure Stimmen zu erheben, morgens und abends! Gehört nicht zu den Achtlosen!

206. In der Tat, jene, die mit der Sichtweise deines Rabbs sind, werden niemals arrogant durch das Dienen zu Ihm... Sie führen ihre Existenz weiterhin zu Ihm aus (Tasbih) und werfen sich nieder zu Ihm... (indem sie ihre eigene Nichtigkeit aus Seiner gewaltigen Sichtweise spüren). (Der 206. Vers ist ein Vers der Niederwerfung.)

8. AL-ANFAL

Mit demjenigen, der durch den Namen Allah erwähnt wird (der mein Wesen mit Seine Namen erschaffen hat im Anwendungsbereich des Buchstabens „B"), **der Rahman und Rahim ist.**

1. Sie fragen dich bezüglich der Verteilung der Kriegsbeute... Sag: „Die Kriegsbeute gehören Allah und Seinem Rasul... Beschützt euch vor Allah (vor dem Zustand nicht eure eigene essentielle Wahrheit ausleben zu können) **und verbessert die Beziehungen** (Brüderlichkeit basierend auf dem Glauben) **unter euch** (indem ihr die essentielle Wahrheit eures Gegenübers betrachtet). **Falls ihr** (wahre) **Gläubige seid, folgt Allah und Seinem Rasul** (denn eure essentielle Wahrheit und der Ausdruck dieser Wahrheit, der Rasulallah, wollen, dass ihr diese essentielle Wahrheit erlebt).

2. Diejenigen, die den Glauben anwenden, sind jene, die, wenn sie Allah erwähnen und an Ihn denken, dann zittert ihr Bewusstsein (sie denken an ihre eigene Impotenz/Unfähigkeit neben Seiner Gewaltigkeit) **und wenn Seine Zeichen zu ihnen gelesen werden, dann vermehrt dies ihren Glauben** (zum Ausmaß, worüber sie fähig sind nachzudenken)... **Sie vertrauen ihren Rabb** (sie glauben, dass die „Wakiyl" Eigenschaft ihrer essentiellen Wahrheit seine Funktion erfüllen wird).

3. Sie sind diejenigen, die das „Salaah" ausüben (Hinwendung zu Allah: Das Resultat, dass man sich Allah gebührend innerlich hinwendet, bedeutet, dass alle Dinge unter Seinem Entschluss liegen; sie erfahren, dass in den Welten nichts existiert außer die Namen von Allah und dadurch wird die Wahrheit manifestiert, dass Allah ewig ist, d.h. Baki) **und sie spenden von dem, welches Wir ihnen gaben** (materielle Dinge oder spirituelle Gaben aufgrund dessen, dass das „Salaah" gebührend erfahren und ausgelebt wurde).

4. Sie sind diejenigen, die wahre Gläubige sind (dessen Glaube auf Recherche und Verifikation aufgebaut ist) **... Sie haben Graduierungen aus der Sichtweise ihres Rabbs** (formiert durch die Stufen der Namen, welche ihre Essenz ausmachen) **und Vergebung** (produziert durch das Wissen – die Kräfte und Potenziale der Namen – welche, das Ego bedeckt [auflöst]) **und ein großzügiges Auskommen** (sowohl materiell als auch spirituell).

5. Gerade als dein Rabb dich aus deinem Haus nahm, während du die Wahrheit auslebtest (diese Entscheidung wurde nicht aus der Emotionalität heraus getroffen, sondern beruht auf der Weisheit deines Rabbs), **da waren einige wahre Gläubige nicht zufrieden damit.**

6. Obwohl die Wahrheit klar und offensichtlich wurde, haben sie dies nicht akzeptiert... Es ist, als ob sie absichtlich zum Tod gehen wollten.

7. Erinnert euch daran, als Allah euch versprochen hatte, dass eine von den zwei Gruppen (die Armee der Kuraisch oder die Karawane) **euch gehören wird... Ihr wolltet die unbewaffnete Gruppe** (die Karawane) **haben** (ihr wart an kurzzeitigem Gewinn interessiert ohne viel Mühe, wo doch dies aber euch auf lange Sicht Schaden zugefügt hätte) ... **Aber Allah wollte, dass die Wahrheit etabliert wird durch Seine Warnungen und die Leugner der Wahrheit eliminiert werden.**

8. (Er wollte) **die Wahrheit etablieren und jenes, welches ungültig ist als vergebens und unbegründet erklären... Selbst, wenn jene, die Verbrechen gegen Allah begehen dies nicht mögen sollten!**

9. Erinnert euch daran, als ihr nach Hilfe erbeten habt von eurem Rabb und Er euch antwortete: „In der Tat werde ich euch mit tausend Engeln einer nach dem anderen helfen."

10. Allah tat dies nur als frohe Botschaft und so dass eure Herzen dadurch zufrieden sein würden... Hilfe und Sieg kommen nur aus der Sicht Allahs...In der Tat ist Allah Aziz, Hakim.

11. Erinnert euch, als Er einen Zustand der Stille und der Sicherheit vor Ihm produzierte und Wasser vom Himmel herabsteigen ließ (WASSER symbolisiert „Marifat Ilm", das Wissen über das höhere Dasein/Selbst, der Zustand der Gewissheit/Nähe und dass, was auch immer Allah will auch passieren wird), um euch zu reinigen (von egobasierenden Emotionen) und um euch vom Schmutz des Satans (Angst und Zweifel) zu befreien und um die Betrachtung der Wahrheit in eurem Bewusstsein zu stärken und um eure Füße zu stabilisieren (mit diesem Wissen). (Dieser Vers ist ein Beispiel der symbolischen/allegorischen Ausdrucksweise im Koran. Denn „Regen", wenn es wortwörtlich genommen wird, kann nicht wirklich einem die Füße oder den Stand stabilisieren und erst recht nicht jemanden von satanischen Impulsen reinigen. Dies ist ein Beispiel dafür mit welcher Sichtweise solche Verse im Koran bewertet werden sollten.)

12. Erinnert euch daran, als euer Rabb den Engeln offenbart hatte: „Wahrlich bin Ich mit euch (da Allah nicht wortwörtlich neben den Engeln sein kann, deutet dieser Vers auf das, was im Sufismus „Maiyyat Sir", also Geheimnis des Todes [sterben bevor man stirbt] nennt. D.h. man hat aufgehört zu sein [die angenommene Identität ist gestorben] und erkennt, dass nur das Einssein von Allah existiert. D.h. die Engel sind sich ständig darüber bewusst, dass die Kraft in ihnen nichts anderes darstellt als die Kraft von Allah) ... Befestige die Gläubigen... Ich werde Angst in den Herzen derjenigen produzieren, die das Wissen um die Wahrheit leugnen. Schlagt sie auf ihre Nacken (verankere ihre Zweifel) und schlagt all ihre Finger."

13. Dies kommt daher, weil sie sich Allah und Seinem Rasul entgegengestellt hatten und sich von Allah und Seinem Rasul getrennt und distanziert haben...Und wer auch immer sich Allah und Seinem Rasul entgegenstellt, dann ist Allah in der Tat „Schadid ul Ikab" (die Konsequenzen einer Straftat werden mit Strenge ausgeführt).

14. Hier ist es (das Resultat eurer Taten), also kostet es! Und für die Leugner des Wissens um die Wahrheit gibt es das Leiden des Feuers (es ist so eine Art Feuer, dass man sowohl innerlich als auch äußerlich brennt).

15. Oh ihr, die den Glauben anwenden... Wenn ihr jene trifft, die kollektiv das Wissen um die Wahrheit ablehnen, dann dreht nicht ihnen eure Rücken zu!

16. Und wer auch immer ihnen den Rücken zudreht, es sei denn aufgrund einer Strategie oder um sich mit einer anderen Einheit zu verbinden, der wird definitiv mit dem Zorn Allahs zurückkehren... Seine Bleibe wird das Feuer sein (Leiden)! Und was für ein elender Bestimmungsort das doch ist!

17. Und ihr habt sie nicht getötet, aber es war Allah, der sie getötet hat! Und du hast nicht abgeschossen (den Pfeil), als du abgeschossen hast, aber es war Allah, der abgeschossen hat! Damit die Gläubigen etwas Schönes (von Seiner Rahmat; A.d.Ü.: Die Gläubigen erkennen, dass Allah ihr essentielles Wesen darstellt und nur Er alles erlässt und verrichtet durch die Hände Seiner Diener anhand eines gereinigten Bewusstseins. Das, was mit Nähe gemeint ist, wird hier verdeutlicht.) von Ihm erfahren! Wahrlich Allah ist Sami,

Aliym.

18. Und so ist es (ihr habt es erlebt und gesehen)**! In der Tat wird Allah den Plan jener schwächen, die sich weigern, das Wissen um die Wahrheit zu erfahren!**

19. Falls ihr eine Eroberung (Sieg) **haben wollt, dann ist die Eroberung zu euch gekommen** (bei Badr) **... Falls ihr aufhört** (dem Rasul von Allah sich entgegenzustellen), **dann ist dies besser für euch... Aber falls ihr euch zurückkehrt** (zur Dualität, Schirk), **dann werden Wir auch zurückkehren!** (In diesem Fall), **selbst wenn ihr eine große Gruppe wärt, dann wird dies euch nicht nützlich sein... Allah ist definitiv mit den Gläubigen zusammen** (Er ist definitiv mit jenen zusammen, die ausleben, dass die Aktionen und Kräfte, die in ihrem Selbst manifestiert werden, Allah gehören).

20. Oh ihr, die glaubt... Gehorcht Allah und Seinem Rasul! Dreht euch Ihm nicht weg, während ihr zuhört!

21. Seid nicht wie jene, die hören (aber nicht wahrnehmen) **und sagen: „Wir haben gehört"!**

22. In der Sichtweise Allahs sind definitiv jene die schlimmsten Kreaturen, die taub und stumm sind. Jene, die nicht ihren Verstand benutzen (jene, die nachahmen und nur die Imitation ausleben).

23. Hätte Allah etwas Gutes (die Fähigkeit bewerten zu können) **in ihnen gewusst, dann hätte Er definitiv sie hören lassen... Und wenn Er sie hätte hören lassen** (unter dem Zustand ihres gegenwärtigen Schöpfungsprogramms), **dann würden sie sich** (trotzdem) **wegdrehen!**

24. Oh ihr, die glaubt... Wenn ihr zu dem gerufen werdet, welches euch belebt (das Wissen um die Wahrheit), **dann folgt der Einladung zu Allah und Seinem Rasul. Wisst sehr wohl** (wenn ihr der Einladung nicht folgt), **dass Allah** (durch das System des Gehirns) **zwischen dem Bewusstsein und des Herzens der Person eingreift und Behinderungen formt. Zu Ihm werdet ihr zusammengeführt werden.**

25. Beschützt euch vor einem Unheil, welches nicht nur die Grausamen (Zalim: grausam zu seinem Selbst, weil es nicht gereinigt wird) **trifft** (sondern auch die Guten einer Gemeinde/Gruppe/Volkes trifft) **... Und wisst sehr wohl, dass Allah „Schadid ul Ikab" ist** (das Resultat der Tat lässt Er mit Strenge ausleben).

26. Oh ihr, die glaubt... Erinnert euch an den Tagen, als ihr befürchtet hattet, dass die Menschen euch verletzen würden, weil ihr wenig an der Anzahl und schwach wart... Aber Er hat euch Schutz gegeben, euch mit Seiner Hilfe unterstützt und Er gab euch reine Segen, auf dass ihr dankbar sein mögt (während ihr das Gegebene gebührend bewertet, sollt ihr dankbar sein).

27. Oh ihr, die glaubt... Verratet nicht Allah und Seinen Rasul... Verratet nicht (Das Wissen über die „Nubuwwah" [Funktionsweise des Systems] und der „Risalah" [Wissen um das Selbst], welches euch erreicht hat), **während ihr wisst!**

28. Wisst sehr wohl, dass eure Besitztümer und Kinder nur eine Versuchung für euch darstellen (Objekte der Versuchung vom Glauben wegkommen zu können)**! Was Allah betrifft, die gewaltige Belohnung ist mit Ihm** (mit Seiner Sichtweise).

29. Oh ihr, die glaubt... Falls ihr euch vor Allah beschützt (verrät nicht jenes, welches euch durch den Rasul und durch euren natürlichen Eid der Veranlagung erreicht hat; die

Fähigkeit gemäß der Namen zu leben, welche eure Essenz ausmacht), **dann wird Er für euch den „Furkan" formen** (die Kraft zwischen Wahrheit und Lüge zu unterscheiden), **eure schlechten Taten bedecken und euch vergeben...** Allah ist „Zul Fazlil Aziym" (der Besitzer über die Gewaltigkeit der Gunst, Potenziale der Namen).

30. **Jene, die das Wissen um die Wahrheit leugnen, haben gegen euch intrigiert, um euch vor eurem Vorhaben zu hindern oder um euch zu töten oder euch** (von eurem Heimatland) **zu verbannen. Aber sie intrigieren und Allah antwortet auf ihrer Intrige, indem Er sie die Konsequenzen ihrer eigenen Intrige ausleben lässt** (indem ihre Intrige sich gegen sie selbst ausrichtet). **Und Allah ist der Beste unter denen, die intrigieren!**

31. **Wenn Unsere Zeichen ihnen vorgelesen werden, dann sagen sie: „In der Tat, wir haben zugehört...Wenn wir gewollt hätten, hätten wir auch dergleichen sagen können...Dies sind nichts anderes als Geschichten aus der Vergangenheit!"**

32. **Erinnert euch daran, als sie sagten: „Oh Allah, falls dies die Wahrheit von dir ist, dann lass Steine auf uns vom Himmel herunter regnen! Oder belaste uns mit einem schlimmen Leiden."**

33. **Aber Allah würde sie nicht bestrafen solange du unter ihnen bist** (denn du wurdest als „Rahmat (Gnade) zu den Welten" enthüllt...A.d.Ü.: Nur durch dich wird jedes egobasierte Individuum im Universum das „Wahre und Absolute Ich" kennenlernen) ... **Und Allah würde sie nicht bestrafen, während es jene gibt, die nach Vergebung suchen.**

34. **Während sie vom** (Besuch der Gläubigen im) **Masdschid il Haram verhindert werden, warum sollte Allah sie nicht bestrafen?** (Dieser Vers ist nicht widersprüchlich zum vorherigen Vers, da der vorherige Vers eine kommunale Bestrafung anspricht, während dieser Vers ein individuelles Bestrafen meint...) **Und sie sind nicht ihre Wächter** (vom Masdschid al Haram) ... **Ihre Wächter sind nur jene, die sich selbst beschützen. Aber die meisten wissen nicht** (was der Masdschid al Haram ist).

35. **Ihr „Salaah"** (ihre Hinwendung/Gebet) **im Haus** (Baytullah; das Haus Allahs) **ist nichts anderes als Pfeifen und Händeklatschen** (äußerliche Methoden der Anbetung, die sie von ihren Vorvätern gelernt haben) ... **Also kostet das Leiden aufgrund der Leugnung der Wahrheit!**

36. **Jene, die das Wissen um die Wahrheit leugnen, verteilen ihr Reichtum, um vom Wege Allahs abzuhalten! Sie werden sogar alles spenden! Und dann wird dieses Spenden ihnen Herzschmerzen bereiten** (schmerzvolle Reue)! **Dann werden sie überkommen werden! Und** (letztendlich) **werden dann die Leugner um das Wissen der Wahrheit in der Hölle versammelt werden.**

37. **Dies kommt daher, weil Allah die Unreinen von den Reinen trennt und die Hölle mit den Unreinen aufeinander gestapelt füllt... Definitiv gehören sie zu den wahrhaftigen Verlierern.**

38. **Sag jenen, die das Wissen um die Wahrheit leugnen, falls sie sich** (von ihren falschen Glauben) **trennen, dann werden ihre vergangenen Sünden vergeben werden! Aber falls sie zu ihren alten Glauben zurückkehren, dann erinnere sie daran, was den Vergangenen widerfahren war!**

39. **Und bekämpft sie bis die Unterdrückung auf den Gläubigen aufgehoben ist und die Religion** (das Wissen um die Wahrheit und das System und die Anordnung Allahs) **offensichtlich ist und anerkannt wird** (aber falls sie gewaltsam dich davon abhalten, dann

bekämpfe sie basierend auf der Wahrheit, dass es „keinen Zwang gibt, was die Religion anbelangt".) **Falls sie es verbannen** (Unterdrückung und Behinderungen), **dann ist Allah definitiv Basiyr über alles, was sie tun.**

40. Falls sie sich wegdrehen, wisst sehr wohl, dass Allah euer Mawla (Meister, Beschützer) **ist…Ein exzellenter Mawla** (Er ist der Besitzer) **und ein exzellenter Helfer** (Er ist derjenige, der den Sieg erreichen lässt)!

41. Falls ihr an Allah und dem Tag des Furkans glaubt (der Tag der Schlacht, wo die Wahrheit und die Lüge unterschieden werden) **und an das, welches Wir unserem Diener enthüllt hatten** (die Stärkung von Engeln) **am Tage als die zwei Gruppen sich in Opposition gegenüber standen** (die Schlacht bei Badr), **dann wisst, dass ein Fünftel dessen, was ihr als Kriegsbeute bekommt, Allah gehört** (auf dem Wege Allahs zu spenden ist; FiysebilAllah), **dem Rasul, seinen Verwandten, den Waisen, den Bedürftigen und den Reisenden, die gestrandet sind auf dem Wege Allahs… Allah ist Kaadir über alle Dinge.**

42. (Erinnert euch) **als ihr auf der nächsten und sie auf der entferntesten Seite wart…Und die Karawane war niedriger als ihr… Hättet ihr einen Zeitpunkt ausgemacht sie zu treffen, dann hättet ihr sie nicht rechtzeitig antreffen können! Aber Allah hat ein Ereignis realisiert, welches schon beschlossen war** (es gibt keinen Zufall)! **So dass diejenigen, die untergegangen sind und diejenigen, die überlebt hatten das Notwendige ausleben sollten basierend auf den offensichtlichen Beschluss der Wahrheit! Definitiv ist Allah natürlich Sami und Aliym.**

43. Allah hat sie euch in eurem Schlaf als wenig in der Anzahl gezeigt… Falls Er sie euch als viel in der Anzahl gezeigt hätte, dann würdet ihr definitiv entmutigt worden sein und hättet darüber gestritten… Aber Allah hat euch davon befreit… Wahrlich ist Er Aliym über das, welches sich als Essenz (die Wahrheit eurer Existenz mit Seinen Namen) **in eurer Brust** („EURE WELT"-eure persönliche Welt, welches durch euer Bewusstsein erschaffen wird) **befindet.**

44. Und erinnert euch daran als ihr euch in Opposition gegenüber standet, zeigte Er sie euch als wenig in der Anzahl und euch zeigte Er ihnen als wenig in der Anzahl… Und so vollendete Allah die Entscheidung eines Ereignisses, welches schon beschlossen war! Alle Dinge werden letztendlich zu Allah zurückkehren.

45. Oh ihr, die glaubt! Seid standhaft (mit eurem Glauben), **wenn ihr einer Gruppe gegenübersteht… Und führt sehr viel Dhikr** (tiefes Nachdenken und Erinnerung an die Kräfte der Namen, die eure Essenz ausmachen) **über Allah aus, so dass ihr Schwierigkeiten überkommen könnt und Errettung erlangt.**

46. Gehorcht Allah und Seinem Rasul und streitet nicht miteinander oder ihr werdet euren Mut verlieren und eure Winde (Kräfte) **werden davon gehen… Seid geduldig… Definitiv ist Allah mit den Geduldigen zusammen, welche durch die Eigenschaft des „Sabur"-Namens Geduld zeigen.**

47. Seid nicht wie jene, die ihre Häuser in unverschämter Weise verlassen und um von anderen gesehen zu werden und die Menschen vom Wege Allahs behindern! Allah ist Muhiyt (allumfassend) **über das, was sie tun!**

48. Der Satan hat ihnen ihre Taten verschönert und sagte: „Keiner kann euch heute besiegen! In der Tat bin ich heute mit euch"… Aber als die zwei Armeen sich sahen, dreht er sich von ihnen weg und sagte: „Ich bin definitiv nicht mit euch! In der Tat

sehe ich etwas, was ihr nicht seht...Und in der Tat fürchte ich mich vor Allah... Allah ist **Schadid ul Ikab** (streng darin, die Konsequenzen von schuldhaften Taten gebührend ausleben zu lassen)."

49. **Erinnert euch als die Heuchler und jene, denen gesundes Denken vorenthalten wurde aufgrund des Zweifelns in ihren Herzen, Folgendes sagten: „Ihre Religion hat sie getäuscht"... Aber wer auch immer sein Vertrauen in Allah setzt** (d.h. wer auch immer die Beeinflussbarkeit seiner Emotionen unterbindet und sich dem Autopiloten in seinem Schöpfungsprogramms hingibt, d.h. daran glaubt, dass die Namen von Allah sich bei ihm manifestieren werden, damit das Notwendige getan werden kann), **dann ist Allah wahrlich Aziz und Hakim.**

50. **Und wenn ihr doch bloß sehen könntet, wenn die Engel beim Tod die Leugner der Wahrheit nehmen und ihre Gesichter und Rücken schlagend sagen sie: „Kostet das flammende Leiden!"**

51. **„Dies entsteht aufgrund dessen, was ihr getan habt! Und Allah ist nicht grausam zu seinen Dienern!"**

52. **Ihres ist wie die Dynastie des Pharaos und jene vor ihnen... Sie haben die Existenz Allahs durch Seine Zeichen** (die Manifestierung Seiner Namen) **geleugnet, also hat Allah sie ergriffen aufgrund ihres Irrtums... Definitiv ist Allah Kawwi und Schadid ul Ikab** (streng darin, die Konsequenz von schuldhaften Taten ausleben zu lassen).

53. **Und so ist es... Allah würde nicht Seine Segen über ein Volk ändern bis sie** (von ihrer Essenz) **nicht das ändern, was sich in ihrem Selbst befindet! Allah ist Sami und Aliym.**

54. **Genau wie der Zustand der Dynastie des Pharaos und jene vor ihnen! Sie leugneten die Existenz ihres Rabbs durch Seine Zeichen** (Eigenschaften, die ihrem Rabb gehören), **also zerstörten Wir sie aufgrund ihrer Fehler und ertranken die Dynastie Pharaos! Sie waren alle „Zalims"** (grausam zu sich selbst zu sein, weil sie die Essenz der Wahrheit, Realität und Wirklichkeit ihres Selbst vorenthalten haben).

55. **Die Schlimmste aller beweglichen Lebewesen in der Sichtweise Allahs sind jene, die das Wissen um die Wahrheit leugnen! Sie werden nicht glauben!**

56. **Sie sind jene, mit denen ihr ein Abkommen habt** (die jüdischen Stämme in der Umgebung von Madinah al Munawwara) **... Aber sie brechen ihr Versprechen jedes Mal... Sie beschützen sich nicht** (sie nehmen sich nicht davor in Acht, was der Name Allah bedeutet).

57. **Falls du sie beim Krieg begegnest, dann vertreibe sie und jene, die hinter ihnen sind, so dass sie vielleicht eine Lehre annehmen.**

58. **Falls du Verrat von einem Volk befürchtest, dann lass sie im Voraus wissen, dass du das Abkommen als ungültig betrachtest! Definitiv liebt Allah nicht die Verräter.**

59. **Lasse nicht jene, die das Wissen um die Wahrheit leugnen, denken, dass sie sich retten können, indem sie flüchten... Definitiv können sie** (Allah) **nicht kraftlos wirken lassen vom Tun, was Er wünscht!**

60. **Vereint eure Kräfte gegen sie soweit wie ihr könnt und bereitet berittene Kämpfer vor** (für den Krieg) **mit denen ihr die Feinde Allahs, eure Feinde, Furcht einflössen könnt und auch anderen, die ihr nicht kennt, aber die Allah kennt... Was auch immer**

ihr auf dem Wege Allahs spendet, dessen Belohnung wird euch im vollen Umfang zurückgezahlt werden und niemals werdet ihr ungerecht behandelt werden!

61. Falls sie sich zum Frieden drehen, dann dreht euch auch (zum Frieden)! Vertraut auch Allah (Allah als seinen Repräsentanten [Wakiyl] zu ernennen bedeutet: Dreht und richtet euch aus zur Kraft des Namens „Al Wakiyl")! Denn Er ist Sami und Aliym.

62. Falls sie dich täuschen wollen, dann ist Allah für dich ausreichend! Er ist es, der dich und die Gläubigen mit Seiner Hilfe unterstützt hat.

63. Er hat die Herzen (der Gläubigen) zu einem einzigen Herzen vereint durch die Liebe des Teilens! Falls du alles auf der Erde gegeben hättest, hättest du nicht ihre Herzen vereinen können... Aber Allah hat sie vereint (durch die innerliche Anziehung von ähnlichen Frequenzen). Wahrlich ist Allah Aziz und Hakim.

64. Oh Nabi! Allah ist für dich und für jene unter denen, die den Glauben anwenden, ausreichend.

65. Oh Nabi! Ermutige die Gläubigen für den Krieg! Falls es unter euch zwanzig gibt, die durchhalten, dann werden sie zweihundert besiegen. Und falls es unter euch hundert gibt, die durchhalten, dann werden sie ein Tausend besiegen, die das Wissen um die Wahrheit leugnen... Sie sind ein Volk ohne Verstand!

66. Allah hat jetzt eure Last erleichtert, denn Er weiß, dass ihr Schwächen habt... Falls es also einhundert unter euch gibt, die durchhalten, dann werden sie zu zweihundert... Falls es eintausend unter euch gibt, dann werden sie, mit der Erlaubnis Allahs, zweitausend besiegen...Allah ist mit jenen, die standhaft (geduldig) sind.

67. Es gehört sich nicht für einen Nabi, Kriegsgefangene (ohne einen Krieg) zu nehmen bis er im Land vorherrschend ist... Ihr sehnt euch nach den Gütern der Welt (indem ihr lieber gefangen nehmt, als euren Feind zu töten...A.d.Ü.: weil es Lösegeld gibt), aber Allah wünscht sich (für euch) das zukünftige, ewige Leben... Allah ist Aziz und Hakim.

68. Wäre es nicht für den Befehl Allahs in dieser Sache gewesen, dann hättet ihr sicherlich für das Lösegeld, welches ihr genommen hättet, ein schweres Leid erfahren.

69. Also konsumiert das Gesetzliche und das Reine unter der Kriegsbeute...Und beschützt euch vor Allah. Wahrlich ist Allah Ghafur und Rahim.

70. Oh Nabi! Sag den Gefangenen, die sich in deinen Händen befinden: „Falls Allah etwas Gutes (an Glauben) in euren Herzen weiß, dann wird Er euch etwas geben, welches besser ist als das, welches euch genommen wurde und Er wird euch vergeben! Allah ist Ghafur und Rahim."

71. Falls sie vorhaben dich zu verraten, sicherlich haben sie davor schon Allah verraten und Er hat dich gegen sie gestärkt! Allah ist Aliym und Hakim.

72. Wahrlich jene, die geglaubt haben und ausgewandert sind (wegen dieses Grundes) und sich bemüht haben auf dem Wege Allahs mit ihren Besitztümern und ihren Leben und die, die den Ausgewanderten Unterkunft gespendet haben und ihnen geholfen haben, sie sind diejenigen, die Alliierte sind zueinander... Aber jene, die geglaubt haben, aber nicht ausgewandert sind, für sie bist du nicht verantwortlich bis sie auswandern! Falls sie dich nach deiner Hilfe in der Religion fragen, dann obliegt bei dir die Schuld (Pflicht) ihnen zu helfen, es sei denn es ist gegen ein Volk, mit denen

du ein Abkommen hast... Allah ist Basiyr über das, was ihr tut (basierend auf dem Geheimnis, was der Buchstabe „B" darstellt.).

73. Und jene, die das Wissen um die Wahrheit leugnen, sind die Beschützer zueinander (sie unterstützen sich gegenseitig)! Falls ihr dies nicht auch tut (gegenseitig helfen und unterstützen), dann werdet ihr zur Zwietracht und Degeneration („Fitna": Druck wird ausgeübt, den Glauben aufzugeben) auf der Erde unterworfen sein.

74. Jene, die geglaubt haben, sich auf dem Wege Allahs bemüht haben und Unterkunft (den Ausgewanderten) gespendet und ihnen geholfen haben, sie sind die Anwender des Glaubens, die ihren Glauben wahrlich das gebührende Recht geben und es ausleben! Für sie gibt es Vergebung und eine Vielzahl von Gaben.

75. Was jene anbelangt, die später geglaubt haben und ausgewandert sind und mit dir zusammen gekämpft und sich bemüht haben, sie gehören auch zu dir! Jene, die verwandt sind (durch Blut) sind näher zueinander (sie beschützen sich und nehmen die gegenseitige Verantwortung auf sich) im Buch Allahs. Definitiv ist Allah Aliym über alle Dinge (da Er durch durch Seine Namen die Essenz und Realität von allem weiß)!

9. AT-TAUBAH

1. Dies ist ein Ultimatum von Allah und Seinem Rasul an die Dualisten, mit denen du ein Abkommen hast!

2. Wandert auf der Erde für vier Monate... Aber wisst sehr wohl, dass ihr Allah niemals unfähig erscheinen lassen könnt... Definitiv wird Allah diejenigen (letztendlich) erniedrigen, die das Wissen um die Wahrheit leugnen.

3. Einen Ruf (Adhan) von Allah und Seinem Rasul zu den Menschen am Tag der großen Pilgerfahrt (Hadsch-i Akbar), dass Allah und Sein Rasul frei von den Dualisten sind! Falls ihr um Vergebung bittet, dann ist dies besser für euch... Aber falls ihr euch wegdreht, dann wisst sehr wohl, dass ihr Allah niemals unfähig erscheinen lassen könnt... Gebt die Nachricht eines schmerzvollen Leidens zu den Leugnern um das Wissen der Wahrheit.

4. Ausgenommen mit jenen Dualisten, mit denen du ein Abkommen hast, die euch nicht im Stich gelassen haben (die das Abkommen eingehalten haben) und die keinen unterstützt haben, die gegen euch sind... Haltet eure Versprechen ihnen gegenüber ein bis zum Ende der Frist (des Abkommens). Definitiv liebt Allah jene, die sich selbst beschützen.

5. Wenn die heiligen Monate vorüber sind, dann tötet die Dualisten (jene, die das Abkommen nicht eingehalten und euch angegriffen haben), wo auch immer ihr sie findet. Nehmt sie als Gefangene und belagert sie und haltet nach ihnen Ausschau, indem ihr die Kontrolle über alle Wege und Passagen übernimmt! Falls sie um Vergebung bitten und das „Salaah" etablieren und das „Zakaah" spenden, dann macht ihnen ihre Wege frei... Wahrlich ist Allah Ghafur, Rahim.

6. Falls einer der Dualisten sich ergibt und deinen Schutz ersucht, dann nimm ihn unter deinen Schutz, so dass (er näher zu dir sein kann und) das Wort Allahs hören möge, dann übergebe ihn an einen Ort der Sicherheit... Dies ist (was du tun musst), weil sie ein Volk sind, welches nicht (die Wahrheit) weiß.

7. Wie können die Dualisten aus der Sicht Allahs und Seinem Rasul ein Abkommen haben, ausgenommen jene, mit denen ihr beim Masdschid al Haram ein Abkommen geschlossen habt? Solange sie ihr Wort euch gegenüber aufrecht halten, dann seid auch ihnen gegenüber aufrecht... Definitiv liebt Allah jene, die sich Seiner Anordnung beugen und sich selbst vor Seiner Strafe beschützen.

8. Wie (kann es ein Abkommen mit ihnen geben)? Falls sie euch gegenüber eine Vorherrschaft besitzen, dann würden sie keinen Eid oder Abkommen einhalten! Sie befriedigen euch mit ihren Wörtern, aber sie lehnen es mit ihren Herzen ab! Die meisten von ihnen sind korrupt im Herzen (Fasik: Defizit im Glauben; was man glaubt und tut, sind zwei unterschiedliche Dinge)!

9. Sie tauschten die Zeichen Allahs für einen kleinen Preis ein (weltliche Vergnügen) und haben die Menschen von Seinem Weg abgehalten. Wie elendig ist es, was sie tun!

10. Sie befolgen weder das Abkommen noch den Eid, wenn es um die Gläubigen geht! Sie sind jene, die über die Grenzen gehen!

11. Falls sie um Vergebung bitten, das „Salaah" etablieren und das „Zakaat" spenden, dann sind sie eure Brüder in der Religion... Und so erklären Wir in detaillierter Weise unsere Zeichen für ein Volk, welches Kenntnis besitzt.

12. Aber falls sie ihre Versprechen brechen, nachdem sie sie geleistet haben und eure Religion verleumden, dann tötet die Anführer des Unglaubens (jene, die die Wahrheit bedecken) ... Denn sie haben keine Achtung vor ihren Versprechen...Vielleicht werden sie davon absehen.

13. Werdet ihr nicht mit jenen kämpfen, die ihre Versprechen gebrochen, den Rasul aus seiner Heimat verbannt und die die Ersten sind, die mit dem Krieg angefangen haben? Habt ihr Angst vor ihnen? Derjenige, dem es gebührt, eure Ehrfurcht zu spüren, ist Allah, wenn ihr jene seid, die den Glauben wirklich anwenden.

14. Bekämpft sie; (so dass) Allah sie durch eure Hände bestrafen und erniedrigen wird und euch über sie den Sieg geben wird und (somit) dem Volk, welches glaubt, Heilung erteilt wird.

15. Er wird von ihren Herzen Hass und Wut entfernen... Allah nimmt die Vergebung von jenen an, von denen Er es will... Allah ist Aliym, Hakim.

16. Oder habt ihr angenommen, dass ihr euch selbst überlassen sein werdet, ohne dass Allah es offensichtlich gemacht hat, wer von euch sich (auf dem Wege Allahs) bemüht hat und die sich mit niemanden außer Allah, Seinem Rasul und den Gläubigen befreundet (Geheimnisse anvertrauen) haben? Allah ist „Khabir" über all dem, was ihr tut (durch die Bedeutung der Eigenschaft Al-Khabir in eurer Essenz).

17. Es ist nicht möglich für die Dualisten, die durch ihr Selbst ihr eigenes Leugnen bezeugen, die Orte der Niederwerfung zu Allah aufrecht zu erhalten... All ihre Taten sind nutzlos geworden... Im Feuer (Naar; Radiation) werden sie auf ewig verweilen!

18. Die Orte der Niederwerfung zu Allah können nur aufrecht erhalten werden von jenen, die daran glauben, dass Allah durch Seine Namen, ihre Essenz und Wahrheit darstellt und von jenen, die an das ewige, zukünftige Leben glauben und die das „Salaah" etablieren und das „Zakaat" spenden und jene, die nur vor Allah in Ehrfurcht stehen (der Zustand, der daraus resultiert, dass man sich vor Allah wahrhaftig niederwirft)... Es wird angenommen, dass sie diejenigen sind, die die Wahrheit erreichen werden.

19. (Oh ihr Dualisten) habt ihr das Spenden von Wasser an die Pilger und die Erhaltung des Masdschid al Haram als gleichwertig angesehen als die Taten desjenigen, der daran glaubt, dass Allah seine Essenz darstellt durch Seine Namen und am ewigen, zukünftigen Leben glaubt und der auf dem Wege Allahs sich bemüht? Sie können nicht gleichwertig sein aus der Sichtweise Allahs! Allah leitet nicht ein Volk auf dem rechten Wege, welches grausam ist und Falsches tut.

20. Jene, die glauben, auswandern und auf dem Wege Allahs sich bemühen anhand ihres Besitztums und Lebens sind größer an Graduierungen in der Sichtweise Allahs... Sie sind diejenigen, die Rettung erfahren werden!

21. Ihr Rabb gibt ihnen frohe Nachrichten von HU (ihrer Essenz) bezüglich „Rahmat" (A.d.Ü.: Gnade/Barmherzigkeit, d.h. Weg zu ihrer Essenz und Wahrheit, also Allah, ist frei), „Ridwaan" (mit der Kraft der Namen von Allah, entsprechende Taten auszuleben) und über Paradiese, welche unaufhörliche Segen (Ränge) für sie darstellen.

22. Sie werden dort auf ewig sein... Wahrlich die gewaltigste Belohnung ist durch Seine Sichtweise!

23. Oh ihr, die glaubt! Befreundet euch nicht mit euren Vätern und Brüdern, falls sie Leugnung der Wahrheit über Glauben bevorzugen... Und wer auch immer unter euch sich mit ihnen befreundet, sie sind diejenigen, die grausam zu ihrem Selbst sind.

24. Sag: „Falls eure Väter, Söhne, Brüder, Partner, Stämme, Besitztümer, welches ihr erwirtschaftet habt, Geschäfte, welche euch beschäftigen und Behausungen, welche ihr bevorzugt, euch mehr Vergnügen bereiten als Allah, Seinen Rasul und auf Seinem Wege sich zu bemühen, dann wartet auf den Befehl Allahs, dass es sich manifestiert...Allah rechtleitet kein korruptes Volk (Ihr Bewusstsein ist gegenüber der Wahrheit und der Religion verblendet)."

25. In der Tat hat Allah euch auf vielen Schlachtfeldern geholfen und am Tag des Hunayn... Erinnert ihr euch als ihr geprahlt habt mit eurer großen Anzahl, aber es hat euch in keinster Weise etwas gebracht! Und ihr habt euch eingeengt gefühlt (am Tag des Hunayn) trotz der unermesslichen Weite der Erde! Und danach habt ihr eure Rücken zugekehrt und seid fort gegangen!

26. Dann hat Allah Ruhe, Stille und ein Gefühl der Sicherheit (Sakinah) über die Gläubigen herabsteigen lassen und Armeen (von Engeln) enthüllt, welche ihr nicht sehen konntet... (Und so) ließ Er die Leugner des Wissens um die Wahrheit leiden... Dies ist die Konsequenz für diejenigen, die die Wahrheit leugnen!

27. Dann akzeptiert Allah die Vergebung von wem Er will...Allah ist Ghafur, Rahim.

28. Oh ihr, die glaubt! Definitiv sind die Dualisten (diejenigen, die behaupten, dass ihre Ego-Identitäten neben den Absoluten Einen existieren) kontaminiert (das Bewusstsein ist beschmutzt, unrein)! Lass sie nicht nach diesem Jahr sich dem Masdschid al Haram annähern! Falls ihr Armut befürchtet (wisst sehr wohl), falls Allah es wünscht, dann wird Er euch von Seinem Reichtum bereichern... Definitiv ist Allah Aliym, Hakim.

29. Bekämpft jene unter denen, die das Wissen um die Wahrheit erhalten haben (Buch), die nicht an Allah und dem ewigen, zukünftigen Leben (jenseits des Todes) glauben, jene, die nicht das als Verboten ansehen, was Allah und Sein Rasul als ungesetzlich erklärt haben und die nicht das Verständnis der Religion der Wahrheit (das Wissen um die Wahrheit und der Sunnatullah) annehmen bis sie erniedrigt wurden und das Dschiziyah (der Preis, der gezahlt wird aufgrund des Festhaltens am Irrglauben) willentlich zahlen.

30. Die Juden sagten: „Ezra ist der Sohn Allahs"...Und die Christen sagten: „Der Messias ist der Sohn Allahs"... Sie sagen dies mit ihren Mündern! Sie imitieren jene, die vorher das Wissen um die Wahrheit geleugnet hatten... Allah soll sie töten! Wie sie getäuscht sind (von der Wahrheit)!

31. Sie nahmen ihre Rabbiner und Priester als Rabbs neben Allah an...Und den Messias, der Sohn Marias! Aber sie wurden nur befohlen, die Bewusstheit ihrer Dienerschaft zu dem EINEN „Uluhiyyah" (das Daseins Allahs) zu erfahren... La ilaha illa HU- es gibt keinen Gott, nur HU! Subhan ist Er über das, was sie mit Ihm assoziieren!

32. Sie wollen das Licht (Nuur) Allahs auslöschen mit ihren Mündern... Aber Allah ist zufrieden mit nichts anderem als mit der Vollendung Seiner Nuur! Sogar wenn dies nicht die Leugner der Wahrheit zufrieden stellt!

33. HU hat Seinem Rasul sich als die Wahrheit selbst und mit der Religion der Wahrheit (das gültige Wissen über das System; Sunnatullah) gesandt, damit es sich über alle Verständnisse der Religion gestellt wird... Selbst, wenn die Dualisten dies nicht mögen!

34. Oh ihr, die glaubt! Definitiv verschlingen viele der Rabbiner und Priester den Wohlstand der Menschen in ungerechter Weise und hindern sie vom Wege Allahs...

Was jene betrifft, die Gold und Silber horten und es nicht auf dem Wege Allahs spenden, ohne eine Gegenleistung zu erwarten (Infak-geben, ohne eine Gegenleistung zu erwarten), **gib ihnen eine Nachricht eines schmerzvollen Leidens.**

35. Am Tag, an dem Gold und Silber erhitzt werden im Feuer der Hölle und ihre Stirne, Seiten und Rücken damit ausgebrannt sind (ein totaler Zustand des Leidens), wird es ihnen gesagt werden: „Dies ist es, was ihr zu eurem Selbst (Dasein) angesammelt habt, also kostet das, was ihr (als Konsequenz dessen) gehortet habt!"

36. Wahrlich, aus der Sicht Allahs sind die Anzahl der Monate zwölf in der Periode, wo die Himmel und die Erde erschaffen wurden...Vier (Monate) davon sind heilig: (Muharram, Radschab, Zul Kaida und Zul Hidscha) ... **Dies ist die** (gültige und konstante) **Religion...Also tut euch selbst kein Unrecht an** (während diesen Monaten)....**Bekämpft die Dualisten, genauso wie sie euch allesamt bekämpfen... Wisst sehr wohl, dass Allah mit denjenigen zusammen ist, die beschützt sind** (dieses deutet auf die Wahrheit des Todes hin, im Sufismus „Maiyyat Sirr" genannt; zu sterben bevor man stirbt. Man kann nur mit Allah wahrlich zusammen sein, wenn das Ego nicht mehr existiert und nur noch Allahs Antlitz gesehen wird).

37. Die heiligen Monate zu verschieben, vermehrt nur die Abdeckung der Wahrheit! Jene, die das Wissen um die Wahrheit leugnen, werden nur damit irregeleitet... Sie erklären es in einem Jahr für gesetzlich und in einem anderen Jahr als ungesetzlich, um (nur) mit den Dingen, die Allah als ungesetzlich erklärt hat, sich zu fügen (und die Essenz der Angelegenheit zu verschleiern) **und um so etwas gesetzlich zu erklären, was Allah als ungesetzlich erklärt hat!** (Aber dessen Verbot steht im Zusammenhang zu Allahs Anordnung, nicht die Eigenschaften der Monate). **Ihre schlechten Taten sind ihnen als angenehm erschienen... Allah leitet kein Volk, welches das Wissen um die Wahrheit leugnet.**

38. Oh ihr, die den Glauben anwenden... Was ist mit euch los, wenn euch gesagt wurde: „Geht zum Krieg auf dem Wege Allahs", aber ihr haltet fest zur Erde! Bevorzugt ihr das weltliche Leben über das ewige, zukünftige Leben? Während die Segen dieses irdischen Lebens nichts sind im Vergleich zum zukünftigen Leben!

39. Falls ihr nicht (zur Schlacht) **geht, dann wird Er euch mit einem schmerzvollen Leiden bestrafen und an eurer Stelle ein anderes Volk hervorbringen; ihr könnt Ihn auf keinen Fall schaden... Allah ist Kaadir über alle Dinge.**

40. Definitiv hat Allah ihn geholfen, auch wenn ihr dies nicht getan habt! Erinnert euch daran, als die Leugner um das Wissen der Wahrheit ihn aus seiner Heimat vertrieben haben, da war er der Zweite von zwei (einer von zwei Menschen)! **Erinnert euch, sie waren in der Höhle** (Rasulallah [saw] und Abu Bakr [ra])... **Erinnert euch als er seinem Freund sagte: „Fürchte dich nicht, definitiv ist Allah mit uns** (er deutet auf das „Geheimnis des Maiyyet" hin)... **Allah hat Ihn „Sakinah"** (eine Ruhe und Stille, welche ein Gefühl der Sicherheit formt) **gegeben und Ihn mit Armeen unterstützt, die ihr nicht sehen könnt... Er machte das Wort derjenigen, die das Wissen um die Wahrheit leugnen, zum Niedrigsten... Es ist das Wort Allahs, welches das Höchste ist. Allah ist Aziz und Hakim.**

41. Geht hinaus zum Kampf, ob leicht oder schwer bewaffnet... Bemüht euch auf dem Wege Allahs mit euren Besitztümern und Leben... Dies ist besser für euch, wenn ihr nur wüsstet.

42. Wenn es Kriegsbeute gäbe oder es eine leichte Reise wäre, dann hätten sie dir gefolgt. Aber es erschien ihnen schwer. (Trotz dessen) werden sie bei Allah schwören:

„Wenn unsere Kraft ausgereicht hätte, dann wären wir mit dir gegangen".... Sie zerstören sich selbst... Allah weiß in der Tat, dass sie Lügner sind.

43. Allah hat dir vergeben (aufgrund dessen irgendwelche Unbequemlichkeiten zu erleben)! Warum hast du ihnen die Erlaubnis gegeben zu bleiben (fernzubleiben von der Schlacht von Tabuk), wenn du bisher noch nicht die Aufrechten von den Lügnern mit Gewissheit unterschieden hast?

44. Diejenigen, die daran glauben, dass Allah durch Seine Namen ihre Wahrheit und Essenz darstellt und an das zukünftige, ewige Leben, werden dich nicht um Erlaubnis fragen (um zurückbleiben zu dürfen) von der Bemühung mit ihren Besitztümern und Leben... Allah kennt jene, die sich selbst beschützen (da Er durch Seine Namen ihre Wahrheit darstellt).

45. Es sind jene, die nicht an Allah als ihre Essenz durch Seine Namen und an das zukünftige, ewige Leben glauben und deren Bewusstsein von Zweifeln erfüllt sind, die dich um Erlaubnis bitten (entschuldigt werden wollen, um nicht an der Schlacht mit dir teilzunehmen).... In ihrem Zweifeln zögern sie ständig.

46. Falls sie vorgehabt hätten (zur Schlacht) zu gehen, dann hätten sie definitiv Vorbereitungen getroffen. Aber Allah hat gewusst, dass ihre Teilnahme nicht notwendig war, also hat Er sie zurückgehalten und ihnen wurde gesagt: „Bleibt mit jenen, die bleiben."

47. Wären sie mit euch zur Schlacht gegangen, dann wären sie nichts als eine Bürde für euch gewesen. Definitiv hätten sie ersucht, zwischen euch Zwietracht zu schüren... Es gibt unter euch einige, die ihnen zuhören. Und Allah weiß, wer die „Zalims" sind (durch Seine Namen als ihre Essenz).

48. In der Tat haben sie vorher schon versucht, Zwetracht zu schüren und haben die Dinge für euch verdreht... Bis die Wahrheit kam und Allahs Befehl sich manifestierte, obwohl sie dies nicht mochten.

49. Manche von ihnen sagen: „Gib mir die Erlaubnis zurückzubleiben und lass mich nicht Zwietracht schüren"... Sei vorsichtig, sie schüren schon Zwietracht! In der Tat die Hölle (der Zustand des Brennens) umgibt diejenigen, die das Wissen um die Wahrheit leugnen (als ihre Essenz durch Seine Namen)!

50. Falls etwas Gutes euch erreicht, dann sind sie betrübt... Aber falls ein Disaster euch trifft, dann sagen sie: „Gut, dass wir Vorsichtsmaßnahmen getroffen haben" und drehen sich vergnügt weg.

51. Sag: „Nichts wird uns geschehen außer was Allah für uns festgeschrieben hat! HU ist unser Beschützer! Lass die Gläubigen ihr Vertrauen an Allah alleine richten (glauben, dass der Name „Wakiyl" in ihrer Essenz seine nötige Funktion erfüllen wird)."

52. Sag: „Beobachtet ihr uns, damit ihr seht, welche von den zwei schönen Dingen (1. Kriegsbeute: Ein Wert, der am Ende einer Herausforderung gewonnen wird; 2. Martyrium: Jemand, der seinen Körper verlässt oder beides, seinen Körper und sein Verständnis der Identität und so den Tod erfährt) uns befallen wird? Wir erwarten, dass Allah euch durch Ihm selbst oder aus unserer Hand mit einem Leiden (von eurem Inneren, Krankheit etc.) befallen wird... Also wartet mit Hoffnung (was auch immer ihr wünscht, was uns befallen soll), wir gehören wie ihr auch zu den Wartenden."

53. Sag: „Spendet wollend oder ungewollt, während ihr sagt, dass es um Allahs Willen ist, aber es wird niemals von euch akzeptiert werden... Denn ihr seid eine Gruppe, welche „Fasik" (das Glaubenssystem ist korrupt) ist!"

54. Was ihre Spende (die Ausgaben, welche sie für Allah geben) **davon abhält, akzeptiert zu werden, ist Folgendes: Sie wurden zu Leugnern von Allah, ihre essentielle Wahrheit durch Seine Namen und Seinem Rasul; sie kommen faul zum „Salaah" und geben ungewollt die Spende.**

55. Also lasst weder zu, dass ihr Reichtum noch ihre Nachkommen euch beeindrucken... Damit hat Allah nur vor, sie in diesem weltlichen Leben zu bestrafen (d.h. an den Resultaten leiden, welche es mit sich bringen, dass man von weltlichen Dingen eingenommen wird und so von der Wahrheit der Bedeutung Allahs ferngehalten wird) **und dass sie ihre Leben lassen werden, während sie in einem Zustand der Leugnung um das Wissen der Wahrheit sind** (durch den Weg des „Makr", d.h. dass sie sich selbst hereingelegt und getäuscht haben).

56. Sie schwören bei Allah, dass sie definitiv zu euch gehören! Aber sie gehören nicht zu euch! Aber sie sind ein Volk, welches voller Angst ist.

57. Falls sie einen Ort der Zuflucht finden könnten, eine Höhle oder irgendeinen Ort, wo sie eintreten (sich verstecken) könnten, dann würden sie voller Angst dort Zuflucht suchen; sie sind in einem Zustand der Verwirrung!

58. Und unter ihnen sind manche, die dich kritisieren, wenn es um die Hilfe geht, die du gibst... Wenn es ihnen gegeben werden würde, wären sie zufrieden... Aber wenn die Hilfe anderen gegeben wird, dann werden sie wütend.

59. Wenn sie doch nur damit zufrieden wären, was Allah und Sein Rasul ihnen gab und gesagt hätten: „Allah genügt uns... Bald wird Er uns von seiner Großzügigkeit geben, Sein Rasul auch... In der Tat gehören wir zu jenen, die sich Allah zugewandt haben."

60. Das Spenden (Sadaka) ist von Allah als eine Pflicht auferlegt worden, nur für die Armen und Bedürftigen und jene, die eingestellt sind, um die Spenden einzusammeln und für die Absicht, um zum Islam zu führen und für die Sklaven, die Verschuldeten, um auf dem Wege Allahs zu spenden und für die Reisenden...Allah ist Aliym, Hakim.

61. Manche von ihnen bedrücken den Nabi (Hz. Rasulallah) **und sagen: „Er glaubt an allem, was er hört** (die Offenbarung, die er wahrnimmt)"... Sag: „Er leiht sein Ohr (zur Offenbarung), **damit euch Gutes erreichen kann! Er glaubt an Allah, der seine Wahrheit und Essenz anhand Seiner Namen darstellt und an die Gläubigen und er ist eine „Rahmat"** (A.d.Ü.: Gnade-nur durch Hz. Mohammed ist es möglich Allah, also seine eigene essentielle Wahrheit, kennenzulernen) **für die Gläubigen unter euch"... Diejenigen, die den Rasul von Allah schaden, erwartet ein schmerzvolles Leiden.**

62. Sie schwören bei Allah (derjenige, der ihre essentielle Wahrheit darstellt)**, nur um dich zufrieden zu stellen... Falls sie Gläubige wären** (dann hätten sie gewusst, dass) **Allah und Sein Rasul das darstellt, was sie zufrieden stellt** (weil Er derjenige ist, der durch Seine Namen und Eigenschaften ihre Wahrheit ausmacht)**!**

63. Wissen sie denn immer noch nicht, dass wer auch immer sich Allah und Seinem Rasul entgegenstellt, es das Feuer der Hölle gibt, worin sie auf ewig sein werden? Dies ist die größte Erniedrigung.

64. Die Heuchler fürchten sich vor der Enthüllung einer Sure, worin berichtet wird, was sie in ihren Herzen haben! Sag: „Spottet, wie ihr wollt! Wahrlich wird Allah das bloßstellen, was ihr fürchtet."

65. Falls du sie fragst, dann werden sie definitiv sagen: „Wir haben nur miteinander geredet und haben uns amüsiert!" Sag: „Ist es Allah, eure essentielle Wahrheit, Seine Zeichen und Sein Rasul, worüber ihr euch lustig macht und amüsiert?"

66. Bringt keine Entschuldigungen hervor! Ihr habt das Wissen um die Wahrheit geleugnet, nach dem ihr geglaubt habt! Selbst, wenn Wir einige von euch vergeben, werden Wir jene, die beharrlich in ihren Fehlern sind, dem Leiden aussetzen.

67. Die heuchlerischen Männer und Frauen gehören zueinander...Sie befehlen jenes, welches gegen das Urteil Allahs ist und hindern jenes, welches das Richtige darstellt; sie sind geizig... Sie haben Allah vergessen, also hat Er sie vergessen! Definitiv sind die Heuchler „Fasik" (am Korruptesten im Glauben)!

68. Allah hat den heuchlerischen Männern und Frauen und den Leugnern des Wissens um die Wahrheit versprochen, dass sie im Feuer der Hölle auf ewig sein werden... Das ist für sie ausreichend... Allah hat sie verflucht (in ihrer Namenskomposition sind sie der Rahim-Eigenschaft beraubt). Es gibt ein unaufhörliches Leiden für sie.

69. (Genau) wie jene vor euch... Sie waren stärker als ihr in der Kraft...Sie hatten mehr als ihr, was Reichtum und Nachkommen anbelangte... Sie haben Nutzen gezogen aus ihrem Anteil der weltlichen Güter... Genau wie jene vor euch von ihrem Anteil Nutzen gezogen hatten, so zieht ihr auch Nutzen von eurem Anteil und ihr frönt, wie sie gefrönt haben! Ihre Taten wurden nutzlos in beiden Welten, in diesem und im Jenseitigen... Sie sind die wahren Verlierer.

70. Hat sie nicht die Nachricht jener erreicht, die vor ihnen waren, das Volk Noahs, Aad, Thamud, das Volk Abrahams und die Gefährten von Madian und das Volk Lots? Ihre Rasule kamen zu ihnen mit klaren Zeichen! Und es war nicht Allah, der sie geschadet hat, aber sie haben sich selbst geschadet.

71. Die gläubigen Männer und Frauen sind Verbündete zueinander... Sie schreiben sich vor, was richtig ist, als Voraussetzung für die Wahrheit und hindern sich gegenseitig daran, was falsch ist; sie etablieren das „Salaah" und geben „Zakaat" und sie gehorchen Allah und Seinem Rasul... Sie sind diejenigen, denen das „Rahmat" von Allah erreicht... In der Tat ist Allah Aziz, Hakim.

72. Allah hat den gläubigen Männern und Frauen Paradiese versprochen, unter denen Flüsse fließen, worin sie auf ewig sein werden... Und reine Behausungen in den Paradiesen von Eden und das Wohlgefallen Allahs, welches das Wunderbarste (aller Segen) darstellt! Dies ist die gewaltige Glückseligkeit!

73. Oh Nabi! Seid bestrebt gegen die Leugner des Wissens um die Wahrheit und den Heuchlern zu sein und zeigt ihnen keinen Kompromiss! Ihr Zufluchtsort ist die Hölle! Was für ein elender Ort der Rückkehr!

74. Sie schwören bei Allah, der ihre essentielle Wahrheit durch Seine Namen darstellt, dass sie dies nicht gesagt haben. Aber definitiv haben sie das Wort der Abdeckung geäußert; jene, die das Wissen um die Wahrheit leugnen, nachdem sie den Islam akzeptiert haben, versuchten etwas Schlechtes zu tun, welches sie niemals erreichen werden! Sie haben versucht, Rache zu nehmen, nur weil Allah und Sein Rasul sie bereichert haben aus Seiner Gunst heraus. Falls sie um Vergebung bitten, wird dies besser für sie sein. Aber falls sie sich wegdrehen, dann wird Allah sie mit einem schmerzvollen Leiden bestrafen, in dieser Welt und im ewigen, zukünftigen Leben. Sie haben weder einen Beschützer noch einen Helfer auf dieser Erde.

75. Und unter ihnen gibt es einige, die Allah versprochen hatten: „Falls Du uns von Deiner Gunst gibst, dann werden wir definitiv Gaben spenden und zu den Aufrechten (Salih) gehören."

76. Aber als Er ihnen von Seiner Gunst gab, wurden sie damit geizig und haben sich von ihrem Versprechen abgewandt.

77. Weil sie nicht ihr Versprechen gehalten und gelogen haben, hat (Allah) sie die Heuchelei in ihrem Bewusstsein ausleben lassen bis zum Tage, wo sie (Ihn) treffen werden!

78. Haben sie immer (noch nicht) verstanden, dass Allah in detaillierter Weise alles weiß, was sich in ihrer Essenz befindet und in ihrem Geflüster und das, welches ihnen nicht bewusst ist (Ghaib: die tieferen Dimensionen, da Er der Schöpfer von diesem ist durch Seine Namen)!

79. Was jene betrifft, die die Gläubigen kritisieren, da sie freiwillig mehr spenden als sie müssten und jene, die nicht viel finden können (aufgrund ihrer Armut), Allah wird sie verspotten. Es gibt ein schmerzvolles Leiden für sie.

80. Bittet um ihre Vergebung oder auch nicht (es macht keinen Unterschied)! Selbst wenn ihr siebzig Mal um ihre Vergebung bitten würdet, würde Allah ihnen niemals vergeben! Dies kommt daher, weil sie Allah, der ihre essentielle Wahrheit durch Seine Namen darstellt, und Seinen Rasul leugnen! Allah wird nicht ein Volk, dessen Glaube korrupt ist, die Wahrheit erfahren lassen.

81. Jene, die zurückbleiben, gegensätzlich zum Wunsch des Rasuls von Allah, erfreuen sich an ihrer Bleibe zu Hause; sie mögen nicht die Idee vom Streben und Bemühen auf dem Wege Allahs anhand ihres Besitzes und Lebens und sagten: „Geht nicht zur Schlacht in dieser Hitze"... Sag: „Die Hitze des Höllenfeuers ist viel intensiver!" Wenn sie dies doch nur begreifen könnten!

82. Während man denkt, dass sie das ausleben werden, was sie an Taten produzieren, sollen sie wenig lachen und viel weinen!

83. Falls ihr von dieser Schlacht zurückkehrt und diese Heuchler zu euch kommen und euch um Erlaubnis fragen, um zu einer neuen Schlacht mitzuziehen, dann sag: „Ihr werdet niemals mit mir ziehen (zur Schlacht), ihr werdet nicht den Feind mit mir bekämpfen! Ihr wart froh, das erste Mal zu Hause zu bleiben, also bleibt zu Hause von jetzt an mit jenen zusammen, die zurückbleiben!"

84. Betet niemals das Totengebet für irgendeinen von ihnen, die gestorben sind und betet auch nicht an ihren Gräbern! Definitiv haben sie Allah, der ihre essentielle Wahrheit durch Seine Namen darstellt, und Seinen Rasul geleugnet und sie starben als ein korruptes Volk (dessen Bewusstsein blockiert ist von der Wahrheit; korrupt im Glauben).

85. Und lasst nicht zu, dass ihr Reichtum und ihre Nachkommen euch beeindrucken! Allah will nur, dass sie damit leiden (durch den Weg des „Makr"; A.d.Ü.: Sie schmieden einen Plan, der in Wahrheit eigentlich sich gegen sie richtet; eine Selbsttäuschung, ohne dass sie dies bemerken) und dass sie ihr Leben verlassen, während sie in einem Zustand des Leugnens um des Wissens der Wahrheit sind.

86. Und als eine Sure enthüllt wurde, welche besagt: „Glaubt an Allah, der eure essentielle Wahrheit durch Seine Namen darstellt und strebt und bemüht euch zusammen mit dem Rasul", da haben die Wohlhabenden unter ihnen um deine

Erlaubnis gefragt (um nicht zur Schlacht mitzuziehen) und sagten: „Lass uns; lass uns mit jenen zusammen sein, die zu Hause sitzen."

87. Sie waren damit zufrieden zurückzubleiben mit den Frauen, Kindern und den Hilflosen, die nicht zur Schlacht gehen konnten... Ihre Herzen waren verschlossen (ihr Bewusstsein war blockiert). Sie können nicht mehr verstehen!

88. Aber der Rasul und die Gläubigen haben mit ihrem Besitz und Leben gekämpft. Alles Gute gehört ihnen! Sie sind diejenigen, die errettet wurden.

89. Allah hat für sie Paradiese unter denen Flüsse fließen vorbereitet, worin sie auf ewig sein werden. Dies ist der größte Erfolg!

90. Jene, die Ausreden haben unter den Beduinen, sind gekommen um Erlaubnis zu bekommen, nicht zur Schlacht zu gehen. Und jene, die Allah und Seinen Rasul angelogen haben, saßen zu Hause (ohne auch irgendeine Ausrede zu geben) ... Ein schmerzvolles Leid wird jenen befallen, die das Wissen um die Wahrheit leugnen.

91. Es gibt keine Verantwortung (um zur Schlacht zu gehen) auf jene, die sich in finanzieller Not und Krankheit befinden oder jene, die nichts finden können, womit sie auf diesem Weg spenden könnten... Es gibt keine Verurteilung auf jene, die leben, um Gutes zu verrichten... Allah ist Ghafur, Rahim.

92. Auch sind jene nicht schuldig, die zu dir kommen, so dass du ihnen Waffen und Reittiere gibst und du sagtest: „Ich kann nichts finden, womit ihr reiten könnt" und sie drehten sich weg mit Tränen in ihren Augen aus Kummer, weil sie nicht etwas Unerwidertes (Infak) zum Geben für diese Sache finden konnten.

93. Die Verantwortung liegt auf jene, obwohl sie reich sind, fragen sie dich um Erlaubnis (um nicht zur Schlacht zu gehen) ... Sie sind damit zufrieden zurückzubleiben mit den Frauen, Kindern und den Hilflosen, die nicht zur Schlacht gehen können... Also hat Allah ihre Herzen verschlossen (ihr Bewusstsein blockiert) ... Sie können nicht mehr (die Wahrheit) kennenlernen.

94. Wenn ihr von der Schlacht zurückkommt, werden sie euch Entschuldigungen geben... Sag: „Gebt keine Entschuldigungen... Wir werden euch niemals glauben... Allah hat uns (schon) über euch informiert... Allah und Sein Rasul werden die Resultate eurer Taten beobachten und dann werdet ihr zum „Aliym" der wahrnehmbaren und nicht-wahrnehmbaren Welten zurückkehren! Und Er wird euch über die Konsequenzen eurer Taten informieren."

95. Sie werden zu euch bei Allah schwören, ihre essentielle Wahrheit anhand Seiner Namen, wenn ihr zu ihnen zurückkehrt, auf dass ihr sie in Ruhe lässt... Also lasst sie in Ruhe! Wahrlich sind sie ein abscheuliches Volk! Die Hölle wird ihr Refugium sein als Ergebnis ihrer Taten.

96. Sie werden euch beschwören, auf dass ihr mit ihnen zufrieden sein werdet. Auch wenn ihr mit ihnen zufrieden sein werdet, wird Allah niemals mit einem Volk zufrieden sein, welches korrupt im Glauben ist!

97. Die Beduinen sind stärker im Unglauben und der Heuchelei... Sie verstehen eher weniger die Feinheiten, welches Allah Seinem Rasul enthüllt hatte... Allah ist Aliym, Hakim.

98. Und unter den Beduinen gibt es einige, die das, was sie spenden als Verlust ansehen und nur darauf warten, dass ein Unheil dich trifft... Möge Unheil (der Zeiten,

des veränderlichen Systems und der astrologischen Effekte) **sie befallen! Allah ist Sami, Aliym.**

99. **Aber unter den Beduinen gibt es einige, die an Allah, ihre essentielle Wahrheit anhand Seiner Namen und dem ewigen, zukünftigen Leben glauben und die das, was sie ohne Gegenleistung geben als Mittel ansehen, um aus der Sicht Allahs die Nähe zu erlangen und um einen Platz in den Gebeten von Rasulallah einzunehmen... Seid vorsichtig, definitiv ist das** (was sie spenden) **ein Mittel, um die Nähe zu erlangen... Allah wird sie in Seiner Rahmat einschließen... Definitiv ist Allah Ghafur, Rahim.**

100. **Und die Wegbereiter** (im Glauben) **unter den Muhadschiriyn** (jene, die von Mekka ausgewandert sind) **und den Ansar** (die Anwohner von Medina) **und jene, die ihnen gefolgt sind, indem sie die Wahrheit** (durch „Ihsan"; Perfektion anzustreben in allen Dingen des Glaubens) **beobachtet hatten, mit denen ist Allah zufrieden und sie sind mit HU zufrieden! Es gibt Paradiese für sie unter denen Flüsse fließen, worin sie auf ewig sein werden... Dies ist die größte Befreiung!**

101. **Es gibt Heuchler unter den Beduinen um euch herum und den Menschen in Medina, die beharrlich und raffiniert sind in der Heuchelei... Ihr kennt sie nicht, aber Wir kennen sie... Dann werden sie zum größten Leiden zurückkehren!**

102. **Und es gibt einige** (die nicht zur Schlacht gegangen sind), **die ihre Fehler gestanden haben... Sie haben eine gute Tat mit einer schlechten gemischt... Vielleicht wird Allah ihre Vergebung annehmen... Wahrlich ist Allah Ghafur, Rahim.**

103. **Nimm von ihrem Besitztümern als Spende, wodurch du sie reinigen kannst; damit sollen sie sich selbst reinigen. Dreh dich ihnen zu und bete für sie... In der Tat ist dein „Salaah"** (deine Hinwendung) **eine Quelle der Ruhe und Sicherheit für sie. Allah ist Sami, Aliym.**

104. **Haben sie nicht verstanden, dass Allah, der die Reue Seiner Diener akzeptiert und ihre Spenden annimmt, HU ist! HU ist Allah, der Tawwab und Rahim ist.**

105. **Sag: „Arbeitet! Allah, Sein Rasul und die Gläubigen werden eure Taten sehen... Ihr werdet die Konsequenzen der Rückkehr zum wahrnehmbaren** (bezeugenden) **und nicht-wahrnehmbaren** (ungesehenen) **„Aliym"** (Wissenden) **ausleben! Er wird euch über die Bedeutung dessen in Kenntnis setzen, was ihr getan habt."**

106. **Und es gibt andere** (unter jenen, die nicht zur Schlacht hinausgezogen sind), **die hinausschieben bis zum Befehl Allahs... Entweder wird Er sie die Bestrafung ausleben lassen oder es ihnen ermöglichen, um Vergebung zu bitten... Allah ist Aliym, Hakim.**

107. **Und es gibt einige, die Moscheen eröffnet haben, um die Gläubigen zu schaden, um Unglauben und Division unter den Gläubigen zu verursachen und als einen Ort, um diejenigen zu beobachten, die vorher gegen Allah und Seinen Rasul sich bekriegt haben... Sie schwören: „Wir haben keine anderen Ziele als nur das Gute." Allah bezeugt, dass sie definitiv Lügner sind.**

108. **Steht dort nicht** (im Gebet innerhalb der Moschee der Division)! **Innerhalb der Moschee basierend auf „Takwa"** (sich vor Allah zu schützen vor den inadäquaten Gedanken der illusionistischen/vergänglichen Identität) **vom ersten Tage an zu stehen, ist wertvoller für euch... Es gibt dort Männer, die die Reinigung lieben... Allah liebt jene, die sich reinigen.**

109. **Ist derjenige, der sein Fundament auf „Takwa" und „Ridwaan" von Allah** (Wohlgefallen Allahs: die Kapazität, Potenziale in Taten umzuwandeln durch die Bewusstheit

der Wahrheit und Essenz des Selbst) **aufbaut oder ist es derjenige, der es am Rande eines brüchigen Abhangs, welcher mit ihm in das Feuer der Hölle einstürzen wird, besser? Allah lässt nicht zu, dass das grausame Volk** (Zalim: Gehirne, welche Gedanken von Dualität, Unglauben und Heuchelei bzgl. der Wahrheit des Selbst produzieren und deshalb auch diesbezügliche Taten hervorbringen) **die Wahrheit auslebt!**

110. Bis ihre Herzen in Stücke gerissen sind, werden die Moscheen, die sie bauen weiterhin Zweifel in ihren Herzen schüren...Allah ist Aliym, Hakim.

111. In der Tat hat Allah von den Gläubigen, ihr Selbst (ihre Form des Daseins) **und ihre Besitztümer gekauft im Austausch für das Paradies... Sie kämpfen auf dem Wege Allahs, also töten sie und werden getötet... Es ist ein wahres Versprechen von Ihm in der Tora, im Evangelium und im Koran! Wer kann besser sein im Versprechen halten als Allah? Also erfreut euch an diesem Handel mit Ihm! Dies ist die gewaltige Befreiung!**

112. Jene, die aufgrund von Reue um Vergebung bitten, die Dienenden, jene, die „Hamd" (alle Dinge gemäß ihrer essentiellen Wahrheit beurteilen) **geben, die Reisenden, jene, die sich verbeugen** (Ruku: Verbeugung aufgrund der Beobachtung der gewaltigen und unzertrennlichen Macht des Einen), **jene, die sich niederwerfen** (im Zugeständnis ihrer absoluten Dienerschaft), **jene, die erlauben, was richtig ist und verbieten, was falsch ist und die die Grenzen beschützen, die Allah auferlegt hat... Gib gute Nachricht an jene, die den Glauben anwenden!**

113. Es ziemt sich nicht für den Nabi oder den Gläubigen für die Dualisten um Vergebung zu bitten, selbst wenn sie Verwandte sind, nachdem es deutlich wurde, dass sie Gefährten des Feuers sein werden (denn Allah vergibt nicht Schirk, also Dualität, das Assoziieren von Seiner Existenz mit anderen scheinbaren Existenzen)! (Die Erklärung ist folgendermaßen: Allah hat im Gehirn einer Person solch ein System erschaffen, dass wenn gemäß dieses Systems Gedanken von Schirk, also Dualismus vorherrschend sind, d.h. es handelt sich um den Zustand eines Gehirns, welches ein externes Wesen anbetet, dass dann in diesem Fall die göttlichen Eigenschaften und Potenziale, also Kräfte in der eigenen Struktur des Gehirns nicht aktiviert, kultiviert und deshalb auch nicht ausgelebt und erfahren werden. Und so bleibt es auf ewig davon vorenthalten.)

114. Dass Abraham für seinen Vater um Vergebung gebeten hat, war nur wegen eines Versprechens, dass er ihm gab... Aber als es Abraham offensichtlich wurde, dass sein Vater ein Feind Allahs war, hat er sich von ihm getrennt... In der Tat war Abraham „Halim" (hat sich davon zurückgehalten, bei Ereignissen impulsive Reaktionen zu zeigen und hat alle Dinge bzgl. ihrer Absicht der Manifestierung evaluiert) **und von Natur aus sanftmütig.**

115. Und Allah wird nicht ein Volk irreleiten, nachdem Er es ihnen ermöglicht hat, dass die Essenz und Wahrheit des Selbst realisiert wurde bis Er es ihnen offensichtlich macht, was sie vermeiden sollen und dass sie nicht davon ablassen sollen! In der Tat ist Allah „Aliym" über alles.

116. Die Herrschaft der Himmel und der Erde gehören Allah...Er gibt Leben und verursacht den Tod... Ihr habt keinen Freund und Helfer neben Allah.

117. Allah hat definitiv Seine Gunst gewährt... Er ermöglichte es dem Rasul von Allah und den Muhadschirin und den Ansar, die ihn unterstützt hatten in der Stunde der Schwere, um Vergebung zu bitten genau dann, als die Herzen einer Gruppe von ihnen dabei waren irre zugehen. Dann hat Er ihre Vergebung akzeptiert... Er ist zu ihnen Rauf und Rahim.

118. **Und** (Er akzeptierte auch die Vergebung von) **den Drei, die zurückblieben... Sie fühlten sich auf der Erde festgehalten trotz seiner Weite und ihr eigenes Selbst hielten sie fest und sie dachten, dass der einzige Zufluchtsort vor Allah nur wieder Er war... Dann drehte Er sich ihnen zu und akzeptierte ihre Vergebung... Definitiv ist Allah HU, derjenige, der Tawwab und Rahim ist.**

119. Oh ihr, die den Glauben anwenden! Beschützt euch vor Allah (denn Er wird auf euch die Konsequenzen eurer Taten auferlegen) **und seid mit den „Sadik"** zusammen (jene, die die Wahrheit bestätigen)!

120. Es gehörte sich nicht, dass die Einwohner von Medina und die Beduinen, die sie umgaben, zurückblieben von dem Rasul von Allah und dass sie ihr eigenes Selbst seinem Selbst bevorzugten! Dass sie mit Durst, Müdigkeit und Hunger auf dem Wege Allahs konfrontiert werden und dass sie sich in Orten niederlassen, welche jene aufregt, die das Wissen um die Wahrheit leugnen und dass sie siegreich gegen die Feinde sein werden, ist schon für sie beschlossen als notwendige Taten des Glaubens! In der Tat wird Allah den Anwendern des Guten nicht unbelohnt sein lassen.

121. Was auch immer sie spenden – klein oder groß – oder auf der Erde wandern, dies ist so, weil es für sie beschlossen wurde... Dies geschieht, damit Allah sie für ihre Taten mit der besten Belohnung entlohnt.

122. Es gehört sich nicht, dass die Gläubigen allesamt auf einmal zur Schlacht ziehen! Eine Gruppe von jeder Division sollte zurückbleiben, damit ein besseres Verständnis der Religion erreicht wird, so dass sie die Leute warnen können, wenn sie zu ihnen zurückkehren, auf dass sie umsichtig sein mögen.

123. Oh ihr, die den Glauben anwenden! Bekämpft jene, die euch nah sind von denen, die das Wissen um die Wahrheit leugnen! Lass sie euch mit Intensität, Entschlossenheit und einem reichen Leben des Glaubens vorfinden... Wisst, dass Allah mit jenen ist, die beschützt sind!

124. Wenn eine Sure enthüllt wird, sagen manche von ihnen: „Wessen Glaube hat sich vermehrt (welchen Nutzen hatte es)?"... Was jene betrifft, die glaubten, deren Glaube wurde vermehrt, sie erfreuen sich an guten Nachrichten.

125. Aber was jene mit schlechten Gedanken betrifft, es hat nur Schmutz zu ihrem Schmutz vermehrt, sie starben als Leugner des Wissens um die Wahrheit.

126. Sehen sie nicht, dass sie einmal oder zweimal jedes Jahr geprüft werden? Weder bereuen sie (immer noch), noch nehmen sie eine Lehre daraus.

127. Und immer, wenn eine Sure enthüllt wird, dann sehen sie sich an und sagen: „Sieht dich jemand?" Und dann schleichen sie sich davon... Allah hat ihr Bewusstsein verdreht, weil sie ein Volk sind, welches nicht versteht.

128. Es ist mit Gewissheit ein Rasul zu euch von eurem Inneren gekommen, er ist Aziyz; euer Leiden gibt ihm Kummer... Er ist aufrichtig um euch besorgt! Er ist Rauf (mitfühlend, mitleidig, erbarmungsvoll) **zu den Gläubigen** (die an ihre essentielle Wahrheit glauben) **und Rahim** (lässt sie die Perfektion ihrer Wahrheit ausleben).

129. Aber falls sie sich wegdrehen, dann sag: „Allah genügt mir! Es gibt keinen Gott, nur HU! Ich setze mein Vertrauen in Ihm... HU ist der Rabb des gewaltigen Throns!"

Mit demjenigen, der durch den Namen Allah erwähnt wird (der mein Wesen mit Seine Namen erschaffen hat im Anwendungsbereich des Buchstabens „B"), der Rahman und Rahim ist.

1. **Alif, Lam, Ra... Dies sind die Zeichen des Buches der Weisheit** (Hakim; die Quelle des Wissens um die Wahrheit, welches voller Weisheit ist).

2. **Sind die Menschen erstaunt, dass Wir zu einem Mann unter ihnen Folgendes offenbaren: „Warne die Menschen und gib frohe Nachrichten zu jenen, die glauben, dass sie aus der Sicht ihres Rabbs „Kadam-i-Sidk" erhalten werden** (eine Art Bestätigung, welche von den Manifestierungen der Namen kommt)!" **Jene, die das Wissen um die Wahrheit leugnen, sagten: „Definitiv ist dieser** (Mann) **ein Magier."**

3. **In der Tat ist euer Rabb Allah, derjenige, der die Himmel und die Erde in sechs Phasen erschaffen hatte und dann etablierte Er sich auf dem Thron** (die Welten regiert, welche Er aus Seinen Eigenschaften und Namen erschafft, wie Er will [auf einer tieferen Ebene bedeutet das Wort „Thron" die singuläre Dimension der ganzen Existenz]). **Es wird mit Seiner Anordnung regiert** (Er manifestiert sich selbst in jedem Moment auf neuester Art und Weise)! **Niemand kann Fürbitte für einen anderen einlegen, es sei denn die Essenz desjenigen, der in Not der Fürbitte ist, erlaubt dies** (die Namenskomposition, die gemäß seines Schöpfungsprogramms geformt ist). **So ist Allah, euer Rabb! Also seid bewusst eurer Dienerschaft Ihm gegenüber! Werdet ihr immer noch nicht nachdenken?**

4. **Zu Ihm werdet ihr alle zurückkehren** (dieser Akt des Zurückkehrens ist dimensional statt örtlich zu betrachten; es deutet auf die Beobachtung innerhalb der eigenen essentiellen Wahrheit hin) ... **Dies ist das Versprechen Allahs, welches Wir definitiv erfüllen werden! Wahrlich nimmt die Schöpfung ihren Ursprung von Ihm** (alle erschaffenen Dinge sind kollektiv erschaffen worden aus der Eigenschaft des Namens „Mubdi" ohne Individualität; das Originale Ich). **Dann** (auf der Dimension der Individualität) **kehren** (basierend auf den Namen „Muid", nachdem man zu seiner eigenen essentiellen Wahrheit zurückkehrt) **jene die glauben und die nötigen Taten durch ihren Glauben ausführen** (das geformte Ich) **zu ihrer individuellen Persönlichkeit zurück** (das geformte Ich, individuelle Identität [seine Seele], welche durch den Buchstaben „KAF" symbolisiert wird), **damit ihnen die Konsequenzen dessen gegeben wird, was sie verdient haben** (d.h. die Resultate erfahren, was sie manifestiert haben). **Was jene anbelangt, die das Wissen um die Wahrheit leugnen, sie werden vom kochenden Wasser trinken als Ergebnis ihres Unglaubens und ein schmerzvollen Leiden erleben.**

5. **Er** (ist Allah, der) **die Sonne als Lebenslicht** (Energie) **gemacht hat; und den Mond als „Nuur"** (Regulierung des emotionalen Aspekts des Menschen; die Auswirkungen auf die Amygdala und der hormonellen Struktur durch die Wirkung der Schwerkraft) **und es durch Stadien entschieden hat, so dass ihr die Anzahl der Jahre wisst und berechnen könnt... Allah hat diese mit der Wahrheit erschaffen** (mit den Eigenschaften, welche durch Seine Namen bezeichnet werden). **Und so erklärt Er Seine Zeichen in detaillierter Weise für jene, die nachdenken können.**

6. **Im Wechsel von Tag und Nacht und was Allah in den Himmeln und der Erde erschaffen hat, gibt es viele Zeichen für jene, die beschützt sein wollen.**

7. Jene, die zweifeln, dass sie die Bewusstheit der Namen durch das Zurückkehren erreichen werden (Rückkehr zur eigenen essentiellen Wahrheit; bewusst werden des eigenen Ursprungs) und die zufrieden und vergnügt mit diesem weltlichen Lebens sind, und in ihrem Kokon leben (die Welt, die in ihren Gehirnen geformt ist) und fehlschlagen Unsere Zeichen zu beurteilen...

8. Sie sind diejenigen, die das Ausleben des Brennens als Resultat dessen, was sie manifestiert haben, erleben werden!

9. Was jene anbelangt, die glauben und Taten ausführen gemäß ihres Glaubens, ihr Rabb wird es ihnen ermöglichen, dass sie die Wahrheit erfahren werden als Ergebnis ihres Glaubens. Flüsse werden unter ihnen fließen im Paradies der Glückseligkeit (Segen und Gunst).

10. Ihr Ruf zu Allah wird sein: „Subhanaka Allahumma-in jedem Moment erschaffst du Neues und Du kannst niemals mit Deiner Schöpfung begrenzt und konditioniert werden, wir erkennen das „Tanzih" (die Unvergleichbarkeit) und das „Taschbih" (die Ähnlichkeit) an Dir an (d.h. „Wir sind im kontinuierlichen Zustand der Dienerschaft Dir gegenüber, indem unaufhörlich Deine Namen manifestiert werden")... Und ihr Ruf zueinander wird sein: „Salaam" (Möge sich die Eigenschaft des Namens „Salaam" unaufhörlich bei uns manifestieren) ... Das Ergebnis dessen, was sie erreichen werden als Resultat ihrer Rückkehr (zu ihrer essentiellen Wahrheit) ist die Realisierung von „Alhamdulillahi Rabbil Alamiyn"= „Hamd" (die Evaluierung der physischen Welten, die durch Seine Namen erschaffen wurden, wie Er will) gehört zu Allah, dem Rabb (die absolute Quelle der grenzenlosen Bedeutungen der Namen) der Welten (das Universum, welches innerhalb von jedem Gehirn eines jeden Individuums erschaffen wurde).

11. Hätte Allah sich mit dem Schlechten auf den Menschen beeilt, wo sie es verdient hätten, genauso wie sie das Gute beschleunigt haben möchten, dann würde ihr Leben schon vor langem beendet worden sein! Wir lassen jene, die denken, dass sie die Bewusstheit der Namen erreichen können, indem sie durch ihre exzessiven Wege zurückkehren, blind umherwandern.

12. Wenn der Mensch ein Bedrängnis erfährt, dann wendet er sich Uns zu und ersucht Hilfe, während er sitzt, liegt oder steht! Aber wenn Wir ihn aus dem Bedrängnis herausnehmen und zur Erleichterung führen, dann läuft er weg, als ob er niemals zu Uns gebeten hätte aufgrund der Bedrängnis! Und so sind die Taten derjenigen, die über die Grenzen gehen für sie geschmückt.

13. In der Tat haben Wir die Generationen vor euch zerstört aufgrund ihrer Vergehen und Leugnung, obwohl Rasuls zu ihnen gekommen sind als klare Beweise... Und so bestrafen Wir ein schuldhaftes Volk!

14. Dann, nach ihnen, haben Wir euch zu Stellvertretern auf der Erde gemacht, so dass Wir eventuell sehen können, wie ihr euch benehmt.

15. Und wenn Unsere Zeichen zu ihnen vorgetragen werden als klare Beweise, dann zweifelten jene, dass sie nicht die Bewusstheit der Namen, welche ihre Essenz ausmachen, erreichen können, indem sie zurückkehren und sagten: „Bringe einen Koran anders als diesen hier oder verändere es." Sag: „Es gehört sich nicht, dass ich es aus eigenem Anliegen verändern kann... Ich befolge nur das, was mir offenbart wird... Falls ich gegen meinen Rabb rebelliere, dann werde ich definitiv das Leiden dieser strengen, intensiven Periode befürchten."

16. Sag: „Hätte Allah gewollt, dann hätte ich es euch nicht vortragen können und Er hätte euch über seine Existenz nicht in Kenntnis setzen können! In der Tat habe ich davor eine Lebensspanne unter euch verbracht... Werdet ihr nicht euren Intellekt benutzen und verstehen?"

17. Wer begeht mehr eine Verleumdung als jemand, der gegen Allah eine Verleumdung begeht oder Seine Existenz durch Seine Zeichen leugnet (die Manifestierungen Seiner Namen)? Definitiv werden die Verbrecher nicht die Errettung erfahren!

18. Sie vergöttern Dinge neben Allah. Dinge, die ihnen weder von Nutzen sind noch Schaden können! Und sie sagen: „Dies sind unsere Fürsprecher aus der Sicht Allahs"... Sag: „Informiert ihr Allah über etwas, was Er nicht kennt in den Himmeln und auf der Erde?" Er ist Subhan! Unabhängig und erhaben dessen, was sie mit Ihm assoziieren.

19. Die Menschheit war nichts anderes als eine einzige Nation (erschaffen durch die natürliche Veranlagung des Islams), aber dann haben sie sich gespalten! (Dies ist ein Hinweis auf ein permanentes Phänomen anstatt eines einmaligen Vorfalls. Es deutet auf die Realität hin, dass jeder Mensch gemäß seiner Schöpfung auf der natürlichen Veranlagung des Islams basiert ist, aber dann sich spaltet aufgrund der Identifizierung des Glaubenssystems der Eltern.) Wenn es nicht wegen eines Wortes wäre, welches von ihrem Rabb vorangegangen war (der Entschluss bezüglich der Voraussetzungen, die Dienerschaft auszuleben), dann hätte Er zwischen ihnen geurteilt, worin sie sich spalten.

20. Sie sagen: „Sollte nicht ein Wunder mit ihm zusammen von seinem Rabb herabgestiegen sein?"... Sag: „Das „Ghaib" (A.d.Ü.: das Nicht-Wahrzunehmende) ist nur für Allah! Wartet! Ich gehöre auch zu denen, die mit dir warten."

21. Wenn Wir den Menschen einen Geschmack von „Rahmat" (A.d.Ü.: Gnade: Einen Weg zu öffnen, damit sie ihre wahre Identität und ihr eigentliches, ewiges Potenzial erkennen können) und Schönheit nach Bedrückung bescheren, dann fangen sie an, unverzüglich eine Strategie gegen Unsere Zeichen zu entwerfen... Sag: „Allah ist schneller darin, eine Strategie zu entwerfen (Makr)... Definitiv halten Unsere Rasuls fest, welche Strategie ihr entwerft. (Das Konzept von „Makr": Sie sind nicht fähig zu sehen, dass die Bedrückung, welche sie ausgesetzt sind, die Konsequenzen ihrer eigenen Taten sind. Sie denken, dass die Gnade, die danach kommt ein Zeichen ist, dass ihre Taten nicht schlecht waren und dass sie auf dem richtigen Weg sich befinden. Also korrigiert Allah nicht ihre Behauptungen und Er erlaubt ihnen, sich weiterhin mit dem Falschen zu beschäftigen und somit wird letztendlich ihr Leiden vermehrt. Also ist ihre falsche Annahme ihre Strategie und die Strategie Allahs ist es, dass ihnen erlaubt wird, sich weiterhin derart zu benehmen.)

22. HU ermöglicht es euch auf dem Lande und auf dem Meer zu reisen... Während ihr in Schiffen segelt und euch an den guten Winden erfreut, wird ein Sturm kommen und die Wellen werden steigen und von allen Seiten zuschlagen! Und wenn sie denken, dass sie von den Wellen umgeben sind und in Gefahr sich befinden, dann denken sie, dass alle Entstehungen in Allahs Händen der Kraft sich befinden und werden dann zu Ihm beten: „Falls Du uns davor rettest, dann werden wir sicherlich zu den Dankbaren gehören."

23. Aber wenn Er sie rettet, dann werden sie unverzüglich anfangen, auf dem Lande Ungerechtigkeit (A.d.Ü.: Bighayril Hakk=alles, was nicht der Wahrheit entspricht) zu verbreiten... Oh Menschheit, eure Grausamkeit und unbeherrschtes Verhalten wird

euch nur selbst schaden! Ihr werdet euch an den flüchtigen Vergnügen dieser Welt erfreuen und dann wird zu Uns eure Rückkehr sein! (Und diese Zeit ist es, wann) Wir euch über (die Wahrheit) eurer Taten informieren werden!

24. Das weltliche Leben ähnelt dem Wasser, welches Wir vom Himmel herabsteigen lassen, womit die Pflanzen der Erde, welche die Menschen und die Tiere essen, geformt wurden. Und wenn die Erde seine feinste Erscheinung erreicht mit seinem Erzeugnis und die Menschen denken, dass sie mächtig sind und die Kontrolle haben, dann wird Unser Befehl plötzlich sich manifestieren in einem Moment der Nacht oder des Tages! Und Wir werden es zu einem Feld von Stoppeln umwandeln, als ob es am Tag zuvor nicht geblüht hätte! Und so erklären Wir unsere Zeichen zu einem Volk, welches nachdenkt!

25. Allah lädt euch zum Reich des „Salaams" ein (zur Lebensdimension, welche mit den Kräften in der Essenz einer Person jenseits von körperlichen Begrenzungen erwähnt wird) und Er führt wen Er will zum Geraden Weg (Sirat al Mustakim).

26. Für die Anwender der Perfektion (Ihsan) gibt es das Schöne (Husna-Allahs Eigenschaften) und mehr (Ridwaan- Wohlgefallen, welches daraus resultiert, die Kräfte der Eigenschaften auszuleben). Weder Dunkelheit (Egoismus) wird ihre Antlitze (Bewusstsein) umgeben, noch Erniedrigung (welche daher resultiert, dass man sich von seiner Essenz und Wahrheit entfernt hat). Sie sind die Gefährten des Paradieses; sie werden dort auf ewig sein!

27. Was jene anbelangt, die schlechte Taten sich angeeignet haben, ihr Verdienst (Konsequenz) ihrer schlechten Tat wird angemessen sein! Erniedrigung wird sie bedecken... Sie haben (überhaupt keine Kräfte), um sich vor Allah zu beschützen, der die Konsequenzen ihrer Taten auf sie aufzwingen wird... Es ist, als ob die Dunkelheit der Nacht ihre Antlitze (Bewusstsein) bedeckt hat...Sie werden auf ewig die Gefährten der Hölle sein!

28. Und die Zeit, wenn Wir sie alle versammeln werden...Wir werden zu den Dualisten sagen: „Geht zu euren Plätzen, ihr und diejenigen, die assoziieren"... Dann werden Wir sie aufteilen!Ihre Partner werden sagen: „Ihr habt uns nicht gedient (ihr habt eure eigenen Spekulationen und Vorstellungen angebetet)."

29. „Allah genügt mir als Zeuge zwischen uns... In der Tat waren wir uns gar nicht bewusst über die Essenz eurer Dienerschaft!"

30. Dort wird jedes Selbst die Konsequenzen erfahren, was es vorher verbreitet hatte! Sie werden zu Allah zurückgekehrt werden, ihren wahren Besitzer, und ihre Einbildungen werden verloren sein (Objekte der Anbetung)!

31. Sag (zu den Dualisten): „Wer versorgt euch von den Himmeln und der Erde? Oder wem gehören die Kräfte des Hörens und des Sehens? Wer nimmt das Lebende (das Bewusstsein, welches durch den Namen „Hayy" am Leben ist) aus den Toten (vom Standpunkt des Todes, dass man sich nur aus einem Körper bestehend wahrnimmt) heraus und weckt den Toten (der Zustand des Blindseins seiner eigenen Essenz und Wahrheit oder der, der anderen; die eigene Existenz nur auf den Körper zu begrenzen und anzunehmen, dass das Leben mit dem Zerfall des Körpers unter der Erde aufhört) zum Leben (aus der Sicht seiner essentiellen Wahrheit ist er am Leben)? Wer führt das Urteil aus?" Sie werden sagen: „Allah"... Sag: „Warum gehört ihr dann nicht zu den Beschützten?"

32. Dies ist Allah! Euer wahrer Rabb... Was könnt ihr akzeptieren neben der Wahrheit außer Irrtum (korrupte Ideen)? (Also dann) wie seid ihr abgewandt?

33. Und so wurde das Wort eures Rabbs wahrhaftig: „Sie werden nicht glauben."

34. Sag: „Gibt es einige unter denen, mit denen ihr assoziiert, welche, die die Schöpfung manifestieren können und dann (es zu seiner Essenz) zurückkehren lassen?" Sag: „Allah manifestiert die Schöpfung und dann lässt Er es zu seiner Essenz zurückkehren... Wie irregeleitet ihr seid?"

35. Sag: „Wer von euren Partnern kann zur Wahrheit rechtleiten?" Sag: „Allah rechtleitet zur Wahrheit... Wer ist mehr würdig befolgt zu werden? Jemand, der zur Wahrheit rechtleitet oder jemand, der nicht einmal die Wahrheit für sich selbst finden kann? Was ist mit euch los? Wie urteilt ihr?"

36. Die meisten von ihnen befolgen nur ihre Vermutungen! Definitiv kann die Wahrheit nicht mit der Vermutung ausgetauscht werden! Ohne Zweifel weiß Allah, was sie machen (als ihre Essenz durch Seine Namen).

37. Dieser Koran ist nicht die Erfindung von jenen neben Allah! Im Gegenteil, es ist eine Bestätigung von dem, was es davor gab und eine detaillierte Quelle des Wissens um die Wahrheit, vom Rabb der Welten!

38. Oder sagen sie: „Es ist seine (Muhammad, s.a.w.) Erfindung!" Sag: „Dann bringe eine Sure hervor, der ihr ähnelt und ruft wen auch immer ihr wollt neben Allah an (um Hilfe)! Falls ihr wahrhaftig zu eurem Wort steht."

39. Nein! Sie leugneten jenes, welches sie nicht umfassen können an Wissen und der Wahrheit, welche ihnen noch nicht eröffnet wurde... Und so haben auch jene vor ihnen geleugnet! Schau und sieh, wie das Ende der Zalims (grausam zu seinem Selbst zu sein) ist!

40. Und unter ihnen gibt es jene, die glauben (am Koran) und jene, die nicht glauben! Dein Rabb weiß über die Korrupten besser Bescheid (als ihre Essenz durch Seine Namen).

41. Falls sie darauf bestehen, dich zu leugnen, dann sag: „Für mich gibt es meine Taten und für dich gibt es deine Taten! Ihr seid weit davon entfernt, was ich tue und ich bin weit davon entfernt, was ihr tut!"

42. Und unter ihnen gibt es jene, die dir ihr Gehör verleihen, als ob sie zuhören würden... Aber kannst du die Tauben (unfähig, wahrzunehmen) hören lassen? Besonders, wenn sie unfähig sind, ihren Verstand zu benutzen!

43. Unter unter ihnen gibt es jene, die dich ansehen... Aber kannst du den Blinden den rechten Weg zeigen, wenn sie der Einsicht beraubt sind?

44. In der Tat ist Allah nicht grausam zu den Menschen, nicht im Geringsten! Die Menschen sind grausam zu sich selbst (zu ihrem Selbst, ihrer Form des Daseins)!

45. Und wenn die Zeit kommt, dass Er sie alle versammeln wird, dann wird es so sein, dass sie nicht (im weltlichen Leben) mehr als eine Stunde verbracht hätten und sich dann getroffen hätten... Jene, die das Treffen leugneten (sich bewusst werden über die Namen; dass die Namen ihre Essenz und Wahrheit darstellt), werden im Verlust sein... Sie waren für die Rechtleitung nicht geeignet.

46. Und ob Wir dir einiges zeigen, was Wir ihnen versprochen haben in diesem Leben oder Wir dir den Tod zeigen und du es nicht siehst (nichts wird sich ihnen bezüglich ändern), zu Uns wird deren Rückkehr sein. Dann ist Allah ein Zeuge über das, was sie tun.

47. Für jede Nation gibt es einen Rasul (derjenige, der über die Wahrheit informiert) ... Wenn ihr Rasul kommt, dann wird zwischen ihnen gerichtet werden mit Gerechtigkeit (gemäß dem, was sie verdienen) ... Es wird ihnen nicht unrecht angetan.

48. Sie sagen: „Falls du aufrecht bist, wann wird das Versprechen sich bewahrheiten (die Auferstehung)?"

49. Sag: „Ich habe keinen Schaden und auch keinen Nutzen für mein Selbst außer dem, was Allah will... Jede Nation hat eine festgesetzte Zeit...Wenn ihre Zeit gekommen ist, dann können sie weder es für eine Stunde aufschieben noch beschleunigen."

50. Sag: „Habt ihr dies gesehen (in Betracht gezogen)? Falls Leiden von Ihm zu euch kommen sollte plötzlich in einem Moment der Nacht oder des Tages, welchen Teil davon sollten die Schuldigen erwünschen beschleunigt zu werden?"

51. Werdet ihr glauben, wenn (Leiden) euch bedrückt? Oder JETZT? (Dennoch) wolltet ihr es in Eile erfahren!

52. Dann wurde den „Zalims" (A.d.Ü.: Das eigene oder das Selbst der anderen zu schaden) gesagt: „Kostet das ewige Leiden! Lebt ihr eigentlich nicht die direkten Konsequenzen eurer eigenen Taten aus?"

53. Sie fragen dich: „Ist es wahr (das Leiden)?"... Sag: „Ja, bei meinem Rabb, es ist definitiv wahr! Ihr werdet es nicht entkommen können!"

54. Und wenn jedes Selbst (Bewusstsein), welches sich (selbst) geschadet hat, alles auf der Erde besitzen würde, dann würde es dies definitiv als Lösegeld geben wollen! Wenn sie das Leiden sehen, dann werden sie nicht einmal die Kraft haben, Reue zu zeigen! Das Urteil wurde unter ihnen gefällt gemäß dem, was sie verdienen... Sie werden nichts anderes erfahren außer dem, was sie verdienen!

55. Wisst mit Gewissheit, dass, was es in den Himmeln und auf der Erde gibt, ist definitiv für Allah (sie sind die Manifestierungen der Bedeutungen, die auf Seine Namen hinweisen - „Asma ul Husna"). Wisst mit Gewissheit, dass Allah über die Wahrheit informiert... Aber die Mehrheit von ihnen wissen nicht.

56. HU gibt Leben und nimmt Leben! Zu Ihm werdet ihr zurückkehren (ihr werdet das „Hakk al Yakin" [die Realität über die Nähe] ausleben; dass eure Essenz aus Seinen Namen erschaffen wurde)!

57. Oh Menschheit! Es ist eine Empfehlung von eurem Rabb gekommen, eine Heilung (die Medizin des gesunden Denkens) für das, welches sich in euch befindet (reines Bewusstsein), eine Rechtleitung (ein Führer, um euch zu eurer Wahrheit und Essenz zu leiten) und eine Gnade für die, die glauben.

58. Sag: „Lasst sie sich an (den zuvor genannten Dingen) erfreuen als Gunst Allahs und als Seine Gnade (nicht mit flüchtigen, leeren Vergnügen)! Das (welches mit „Rahmat", d.h. Gnade erlebt wird), ist besser als was sie ansammeln (der weltlichen Werte)."

59. Sag: „Habt ihr die Gaben in Betracht gezogen, welche Allah euch enthüllt hatte, von dem manches ihr gesetzlich und manches ungesetzlich macht?" Sag: „Hat Allah euch dies erlaubt oder begeht ihr Verleumdung gegenüber Allah?"

60. Was denken diejenigen, die lügen und Verleumdung begehen über Allah, über den Tag der Auferstehung? Definitiv besitzt Allah Gunst für die Menschen... Aber die

Mehrheit von ihnen sind nicht dankbar (sie bewerten dies nicht gebührend genug als Segen von Allah).

61. Was auch immer für einen Zustand ihr habt; ob ihr den Koran lest oder etwas anderes tut, während ihr damit beschäftigt seid, Wir sind immer ein Zeuge über euch... Nichts auf der Erde (Körper) **oder in den Himmeln** (Bewusstsein) **vom Gewicht eines Atoms ist vor eurem Rabb versteckt!** (Sogar) **selbst jenes, welches größer oder kleiner ist als dieses, ist in einem klaren Buch festgehalten** (Kitab-i Mubiyn- das Wellenozean, welches den Ursprung der Existenz ausmacht; das Feld der DATEN)!

62. Wisst mit Gewissheit! Es wird weder Furcht noch Sorge geben für die „Awliya" von Allah (diejenigen, die ihre essentielle Wahrheit ausleben).

63. Jene, die geglaubt und Schutz erreicht haben.

64. Es gibt frohe Nachrichten für sie in diesem weltlichen Leben und des ewigen, zukünftigen... Niemals wird sich das Wort Allahs ändern! Dies ist die gewaltige Befreiung!

65. Lasst ihre Worte dich nicht sorgen... Definitiv gehört die Ehre einzig und allein Allah... Er ist derjenige, der Sami und Aliym ist.

66. Wisst mit Gewissheit! Was es auch immer in den Himmeln und auf der Erde gibt, ist definitiv für Allah (dafür da, damit Allah die Eigenschaften, welche durch Seine Namen angedeutet werden, in Seinem Wissen beobachtet; d.h. Er hat alles aus Seinen Namen erschaffen mit den Eigenschaften, welche sie tragen) **... Jene, die zu Dingen beten außer Allah, zu denen sie eine Partnerschaft assoziieren, können dieser Wahrheit nicht folgen** (aufgrund ihres Zustandes der Dualität) **... Sie befolgen nur ihre Vermutungen** (basierend auf ihren Illusionen) **und sie lügen nur.**

67. HU hat die Nacht für euch gemacht, damit ihr Stille und Ruhe findet und den Tag, damit ihr seht und bewertet, was notwendig ist... Definitiv sind hier Zeichen für ein Volk, welches wahrnehmen kann.

68. Sie sagten: „Allah hat einen Sohn genommen." Subhan ist Er! HU ist Ghani (frei und unabhängig davon von Seiner Schöpfung begrenzt und konditioniert zu werden) **...Was es auch immer in den Himmeln gibt, ist für Ihn** (für die Manifestierungen der Bedeutungen Seiner Namen) **... Ihr habt keinen klaren Beweis für diese** (Behauptung)! **Ihr sprecht über Allah ohne Wissen!**

69. Sag: „Definitiv werden jene, die Lügen über Allah erfinden, nicht befreit werden!"

70. Sie werden von der Welt nur einen vorübergehenden Nutzen haben und dann wird zu Uns die Rückkehr sein! Dann werden Wir sie das strenge Leiden erfahren lassen aufgrund der Leugnung der Wahrheit.

71. Erzähl ihnen über Noah...Wie er seinem Volk sagte: „Oh mein Volk! Falls meine Position und das Erinnern der Zeichen Allahs euch zu einer Last wurde, (letztendlich) **habe ich auf Allah vertraut** (ich glaube daran, dass der Name „Al Wakiyl" in meiner Essenz seine Funktion erfüllen wird)! **Also tut, was auch immer ihr möchtet, ihr und eure Partner und sorgt euch nicht darum! Und dann fällt euer Urteil mir gegenüber ohne weitere Verzögerung."**

72. „Falls ihr euch wegdreht (wegen dieses, dann tut es), **ich habe euch nicht um irgendwelche Belohnungen gefragt... Meine Belohnung** (der Verdienst von dem, was ich tue), gehört nur Allah. Mir wurde befohlen zu denen zu gehören, die in Ergebenheit leben."

73. Aber sie haben ihn (immer noch) geleugnet... Also haben Wir ihn gerettet und diejenigen, die mit ihm im Schiff waren und machten sie zu Stellvertretern... Und Wir ließen jene ertrinken, die Unsere Zeichen geleugnet haben! Sieht hin und schaut auf das Ende von jenen, die gewarnt wurden!

74. **Dann** (nach Noah) **haben Wir Rasuls als klare Zeichen** (spezielle Konfigurationen der Namen) **an viele Nationen enthüllt... Aber wieder haben sie fehlgeschlagen an das zu glauben, was sie geleugnet haben... Und so verschließen Wir** (das Bewusstsein einsperren) **die Herzen derjenigen, die über die Grenzen gehen!**

75. **Dann haben Wir nach ihnen Moses und Aaron enthüllt als Unsere Zeichen zum Pharao und den Führenden unter seinem Volk... Aber sie waren arrogant und wurden zu einem schuldigen Volk.**

76. **Als die Wahrheit zu ihnen von Uns kam, da sagten sie: „Definitiv ist dies offensichtliche Magie."**

77. **Moses sagte: „Bewertet ihr auf diese Art die Wahrheit? Ist dies Magie? Magier werden niemals erfolgreich sein."**

78. **Sie sagten: „Bist du gekommen, um uns vom Glauben unserer Vorväter wegzudrehen und Macht auf der Erde zu etablieren? Wir glauben nicht an euch** (Moses und Aaron)."

79. **Der Pharao sagte: „Bringt mir jeden gelehrten Magier her!"**

80. **Als dann die Magier sich versammelt hatten, sagte Moses zu ihnen: „Werft, was ihr wollt."**

81. **Und als sie warfen, sagte Moses: „Was ihr daher bringt, ist nur eure Kraft der Magie! In der Tat wird Allah es zu Nichte machen! Allah lässt nicht zu, dass das Werk der Korrupten ein positives Ergebnis hat!"**

82. **Allah wird die Wahrheit mit Seinen Worten etablieren! Selbst wenn die Schuldigen dies nicht mögen!**

83. **Keiner unter seinem Volk hat an Moses geglaubt, außer einer Gruppe von Jugendlichen, aus Furcht vor dem Pharao und seinen Führern... In der Tat war Pharao ein unterdrückender Herrscher auf der Erde! Definitiv gehörte er zu den Verschwendern!**

84. **Moses sagte: „Oh mein Volk! Falls ihr jene seid, die daran glauben, dass Allah euch aus Seine Namen erschaffen hat und damit sich in Ergebenheit begeben, dann setzt euer Vertrauen in Ihm** (glaubt, dass der Name Wakiyl in euer Essenz seine Funktion erfüllen wird)."

85. **Sie sagten: „Wir haben unser Vertrauen in Allah gesetzt** (Al Wakiyl: Derjenige, der das Erforderliche tut, damit das Notwendige jeder manifestierten, funktionellen Einheit ausgeführt wird. Mit diesem Verständnis entsteht einer, der an seinem Selbst Vertrauen richtet. Deshalb ist er derjenige, der das Ergebnis formt, welches voller Segen ist. Derjenige, der an die Wahrheit zur Eigenschaft des Wakiyl-Namens glaubt, der glaubt auch an alle Namen (alle Kräfte) von Allah! Es ist eine Name, welches die Quelle des „Khalifat-Geheimnisses" [wörtlich Stellvertreter; das „B"Geheimnis; der Sinn und die Funktion des Menschen] darstellt) ... **Unser Rabb, lass uns nicht aufgrund ihres Verbrechens leiden!"**

86. „Manifestiere Deine „Rahmat" auf Uns und rette uns vor dem Volk, die das Wissen um die Wahrheit leugnen."

87. Wir offenbarten an Moses und seinem Bruder: „Bereitet Häuser für dein Volk in Ägypten vor... Macht eurer Häuser zu Orten des Gebets und etabliert das „Salaah"... Gebt frohe Botschaften zu den Gläubigen."

88. Moses sagte: Unser Rabb! Definitiv bist Du es, der weltliches Reichtum und Wohlstand dem Pharao und seinen Führern gibt...Unser Rabb, war es, damit sie (die Menschen) von deinem Weg wegführen? Unser Rabb, nimm ihren Wohlstand weg und gibt ihren Herzen Unruhe! Denn sie werden nicht glauben bis sie ein schmerzvolles Leiden sehen."

89. (Allah) sagte: „Eure Gebete sind beantwortet worden... Also steht gerade... Folgt nicht dem Pfad der Ignoranten!"

90. Wir nahmen die Kinder Israels über das Meer... Pharao und seine Armee gingen über die Grenzen und verfolgten sie in Feindseligkeit... Bis das Ertrinken ihm überkam, da sagte er: „Ich habe geglaubt, es gibt keinen Gott, es gibt nur den einen, worin die Kinder Israels glauben, ich gehöre zu dem Muslimen (jene, die sich dem Willen des Einen und Einzigen ergeben haben)."

91. „JETZT? Aber du hast vorher nicht gehorcht und gehörtest zu den Korrupten!"

92. Heute werden Wir deine Leiche zur Küste schwemmen, so dass es eine Lehre sein wird für diejenigen, die nach dir kommen! Aber viele Menschen sind definitiv von Unseren Zeichen verhüllt!

93. Wir haben in der Tat die Kinder Israels in einem ausgewählten und sicheren Land angesiedelt... Wir haben sie mit sauberen und reinen Dingen versorgt... Sie spalteten sich nicht bis Wissen zu ihnen kam (mit Wissen sind Meinungsverschiedenheiten und unterschiedliche Interpretationen aufgekommen) ... Wahrlich wird dein Rabb zwischen ihnen urteilen am Tag der Auferstehung bezüglich dem, worin sie sich unterschieden haben.

94. Falls ihr darüber Zweifel habt bezüglich dessen, was Wir euch (Menschheit) enthüllt hatten, dann fragt jene, die Unsere Zeichen in den Welten vor euch gelesen haben! Definitiv ist die Wahrheit von eurem Rabb zu euch gekommen... Also gehört nicht zu jenen, die zweifeln!

95. Gehört nicht zu jenen, die die Manifestierungen der Zeichen Allahs leugnen! (Falls ihr dies tut), dann werdet ihr zu den Verlierern gehören.

96. In der Tat, jene, auf denen das Wort eures Rabbs (die ewige Anordnung) seine Wirkung zeigt, werden nicht glauben!

97. Sogar, wenn jedes Wunder zu ihnen gekommen war (sie werden immer noch nicht glauben) ... Bis sie die schmerzvolle Qual sehen!

98. Wenn doch nur das Volk einer einzigen Stadt glauben würde und die Nutzen von diesem Glauben ernten könnte! Ausgenommen das Volk von Jonas (welches das Kommen der Qual spürte, nachdem Jonas sie verlassen hatte und kollektiv um Vergebung baten und geglaubt haben) ... Als sie glaubten, haben Wir ihnen die Qual der weltlichen Erniedrigung erleichtert und ihnen erlaubt für eine bestimmte Periode (von Unseren Segen) einen Nutzen zu ziehen.

99. Hätte euer Rabb es gewollt, dann würden alle, die auf der Erde leben, zusammen geglaubt haben... Also, wenn dies die Wahrheit ist, werdet ihr die Menschen zwingen, Gläubige zu werden?

100. Und kein „bewusstes Wesen des Daseins" (Nafs: das Selbst) kann glauben, es sei denn die einzigartige Komposition von Allahs Namen, welche seine Essenz ausmacht, erlaubt dies (Bi-iznillah). Und Er wird (gedanklichen) Schmutz auf jene platzieren, die fehlschlagen, dies gebührend zu bewerten!

101. Sag: „Beobachtet, was es in den Himmeln und auf der Erde gibt!" Aber zu einem Volk, welches nicht glaubt, sind solche Zeichen vergeblich!

102. Warten sie auf das ähnliche (Leiden) jener, die vor ihnen waren? Sag: „Dann wartet...Ich gehöre zu denen unter euch, die warten."

103. Dann (wenn das Leiden und die Qual kommt), werden Wir Unsere Rasuls und jene, die geglaubt haben, retten.... Es ist eine Pflicht von Uns, die Gläubigen zu retten.

104. Sag: „Oh ihr Menschen! Falls ihr Zweifel habt bezüglich meiner Religion (dann wisst, dass) ich nicht die Dinge anbeten werde, die ihr neben Allah anbetet! Ich werde nur Allah dienen, derjenige, der euren Tod verursacht! Mir wurde befohlen zu den Gläubigen zu gehören."

105. (Und mir wurde auch Folgendes befohlen): „Platziert euren Antlitz als „Hanif" zur Religion (platziert euer Bewusstsein, die Essenz, welche die Konfigurationen der Namen ist, zur formlosen essentiellen Wahrheit, welche als physische Welten wahrgenommen werden, frei und jenseits aller konzeptionellen Ideen eines Gottes) und seid in keinster Weise wie die Dualisten (nimm nicht an, dass es externe Gottheiten gibt neben Allah [dem Grenzenlosen Einen, das wahre und absolute „ICH"] und assoziiert auch keine Partnerschaft zu Ihm)!"

106. „Wendet euch nicht zu Dingen neben Allah hin, welche euch weder Nutzen noch Schaden bringen können! Falls ihr dies tut, dann werdet ihr definitiv zu jenen werden, die ihrem Selbst schaden!"

107. Und falls Allah euch mit einer Bedrückung heimsucht, dann kann keiner es aufheben außer Er! Falls Er etwas Gutes für euch erwünscht, dann kann keiner Seine Gunst wiederum fernhalten! Er lässt Seine Gunst denjenigen erreichen, wem Er will von Seinen Dienern... Er ist Ghafur, Rahim.

108. Sag: „Oh ihr Menschen... Definitiv ist die Wahrheit von eurem Rabb zu euch gekommen! Also wer auch immer zur Wahrheit sich wendet, er wird es für sein eigenes Selbst getan haben und wer auch immer irregeleitet ist, er wird nur sein eigenes Selbst erniedrigt haben! Ich bin nicht euer „Wakiyl" (derjenige, der in eurem Bewusstsein zur Wahrheit wenden lässt)."

109. (Mein Rasul) folge dem, was dir offenbart wurde und sei geduldig bis das Urteil Allahs sich manifestiert.... Er ist der Beste unter den Richtern.

11. HUD

Mit demjenigen, der durch den Namen Allah erwähnt wird (der mein Wesen mit Seine Namen erschaffen hat im Anwendungsbereich des Buchstabens „B"), der Rahman und Rahim ist.

1. Alif, Lam, Ra... Die Zeichen des Wissens (Buches) wurden eindeutig etabliert und dann in detaillierter Weise manifestiert vom „Ladun" (das Potenzial der Namen, welche das essentielle Dasein ausmacht) des Hakim und des Khabiyr.

2. (Dieses Wissen ist dir enthüllt worden, so dass du) dich deiner Dienerschaft nur Allah gegenüber bewusst wirst. „In der Tat bin ich Warner und ein Überbringer froher Nachrichten von HU."

3. „Ersucht Vergebung von eurem Rabb (für eure Fehler und Unzulänglichkeiten)!" Dann empfindet aufrichtig Reue Ihm gegenüber, so dass Er euch auf eine schöne Art und Weise das Leben leben lässt, solange wie es andauert und Seine Gunst (was sie an Wissen und höhere Erfahrung des Selbst/Daseins [„Irfan"] verdienen) jeder Person geben kann, welche selber Gunst erweist... Falls ihr euch wegdreht, dann befürchte ich für euch das Leiden jener großen Periode."

4. „Zu Allah werdet ihr zurückkehren, HU ist Kaadir über alle Dinge."

5. Wisst mit Gewissheit! Um sich vor Ihm zu verstecken, decken sie das zu, was in ihrer Brust (in ihrem Inneren) befindet (sie decken ihre wahren Gedanken mit anderen Gedanken zu und verstecken es auf diese Art)! Wisst mit Gewissheit! Wenn sie sich hinter ihrer Kleidung verstecken (wenn sie ihre innere Welt verstecken), dann weiß Er, was sie geheim halten und was sie sichtbar machen! Definitiv ist Er Aliym über das, was sich als Essenz in ihren Brüsten („die Welten in ihren Gehirnen") befindet (durch Seine Namen; Asma ul Husna).

6. Es gibt keine bewegliche Kreatur auf der Erde, dessen Lebensunterhalt nicht Allah gehört! Er kennt ihren Zustand der Ruhe (ihr Ende) und ihr temporäres Leben... All dies ist ein klares und offensichtliches Wissen!

7. HU hat die Himmel und die Erde in sechs Phasen erschaffen (die sechs Zustände des Bewusstseins [Himmel] und des Körpers [Erde]). Sein Thron (die Dimension der Namen, von dem Seine Herrschaft aus manifestiert wird) befindet sich über dem Wasser (die Essenz des Universums; das Wissen/die Daten im Ozean der Wellen; die Daten, welche sich innerhalb der Wellen der Energien befinden, die das Universum ausmachen). (Bezüglich des Menschen sind die Eigenschaften, welche durch die Namen- „Asma ul Husna"- erwähnt werden, herrschend über das Bewusstsein und den Körper des Menschen- 80% des Menschen besteht aus Wasser, welches programmiert ist, um Daten zu laden durch bestimmte Wellen von Energie.) Es wurde manifestiert, um zu bestimmen, wer von euch sich am besten verhält... Wahrlich, wenn ihr sagt „ihr werdet definitiv nach dem Tod auferstehen", dann werden die Leugner des Wissens um die Wahrheit sagen: „Dies ist nur reine Magie (um das Nicht-Existente als existierend zu zeigen)."

8. In der Tat, falls Wir das Leiden von ihnen für eine bestimmte Zeit aufschieben würden, dann werden sie definitiv sagen: „Was hält es denn ab?" Wisst mit Gewissheit! Der Tag, an dem es zu ihnen gekommen ist, da wird es von ihnen nicht abgewendet werden! Sie werden umgeben sein von dem, was sie verspottet haben.

9. Wahrlich, wenn **Wir den Menschen „Rahmat"** (A.d.Ü.: Gnade, d.h. einen Weg zu seiner essentiellen Wahrheit zu öffnen) **von Uns kosten lassen und es dann von ihm entfernen, dann wird er definitiv in Hoffnungslosigkeit verfallen und undankbar werden.**

10. Aber falls Wir ihm einen Segen kosten lassen nach einer Bedrückung, dann wird er definitiv sagen: „Ich habe ein Leiden überwunden (mit meinem eigenen Verstand)"... **In der Tat jubelt und prahlt er!**

11. Außer jene, die geduldig sind und sich in nützliche Taten begeben. Für sie gibt es Vergebung und eine große Belohnung.

12. (Mein Rasul!) **Ist deine Brust verengt und wirst du einiges, welches dir offenbart wurde, weglassen, weil sie sagen: „Sollte nicht ein Schatz zu ihm heruntergeschickt worden sein oder ein Engel zu ihm?"** (D.h. sie sind verschleiert, weil sie ein Wunder mit den Augen bewerten wollen anstatt mit dem Verstand.) **Du bist nur ein Warner! Allah ist „Wakiyl" über alle Dinge.**

13. Oder behaupten sie: „(Mohammed) **hat es selbst erfunden"... Sag: „**(Falls ihr annehmt, dass dies eine menschliche Erfindung ist) **dann produziert eine Sure, die ihr ähnelt... Ruft dazu an, wen auch immer ihr könnt** (um Beistand von euren Göttern), **die nichts zu tun haben mit der Bedeutung, auf die mit dem Namen Allah hingewiesen wird...** (Geht und tut dies), **falls ihr wahrhaftig zu eurem Wort steht."**

14. Falls sie dir nicht antworten, dann wisse (Folgendes): **Es ist nur enthüllt worden als das Wissen um Allah! Es gibt keinen Gott, nur HU! Werdet ihr jetzt euch in Ergebenheit zeigen?**

15. Wer auch immer das weltliche Leben und seine geschmückten Werte will, dem werden Wir die Resultate seines Tuns voll auszahlen.... Ihr Soll wird in dieser Welt niemals verringert werden (derjenige, der für dieses Leben lebt, wird seine Entlohnung in dieser Welt erhalten und dann endet es).

16. Sie sind solche Leute, so dass es im ewigen, zukünftigen Leben es für sie nichts gibt außer dem Feuer... Ihre Taten werden für sie dort nicht entlohnt werden. Ihre Aktionen sind alle vergeben.

17. Sind sie (die oben erwähnten) **wie jemand, der auf den klaren Beweisen seines Rabbs lebt? Von ihm folgt ein Zeuge** (Koran) **und davor gab es das Buch von Moses als ein Führer und als Gnade** (welche die Dinge darin bestätigt hatte) **... Sie glauben daran, dass es die Wahrheit darstellt... Gehört nicht zu jenen, die es leugnen und dessen Ort** (als Resultat dieser Leugnung) **das versprochene Feuer** (arab. Naar: eine Art Radiation) **ist... Zweifelt also nicht daran... Definitiv ist es die Wahrheit von deinem Rabb! Aber die Mehrheit der Menschen glauben nicht.**

18. Wer kann eine größere Grausamkeit begehen als jemand, der eine Verleumdung gegen Allah begeht? Sie werden ihrem Rabb präsentiert werden! Und die Zeugen werden sagen: „Sie sind diejenigen, die gegen ihrem Rabb gelogen haben"... Seid vorsichtig, der Fluch Allahs ist auf den Grausamen (Zalim: Während man grausam zu seinem ewigen Selbst/Dasein ist, entfernt man sich von den Kräften in seiner essentiellen Wahrheit).

19. Sie halten ab vom Weg zu Allah und versuchen (den richtigen Weg) **zu verdrehen... Sie sind diejenigen, die ihr ewiges, zukünftiges Leben leugnen!**

20. **Sie machten** (Allah) **nicht kraftlos auf der Erde** (sie können nicht die „Sunnatullah" genannten universalen Gesetze nichtig machen; jeder wird definitiv die Konsequenzen seines Handelns ausleben) ... **Sie haben auch keine Wächter neben Allah... Ihr Leiden wird sich multiplizieren... Denn sie konnten nicht mit Einsicht wahrnehmen und bewerten.**

21. **Sie sind diejenigen, die ihr eigenes Selbst ins Verlust geführt haben! Und verloren haben sie die Dinge, die sie erfunden haben** (die Götter/Gottheiten, welche sie angenommen haben zu existieren).

22. **Die Wahrheit ist, dass sie diejenigen sein werden, die sich im größten Verlust befinden im ewigen, zukünftigen Leben.**

23. **In der Tat diejenigen, die glauben und die Taten ausführen, die aufgrund ihres Glaubens notwendig sind und gehorsam und in Ehrfurcht vor ihrem Rabb stehen, sind die Leute des Paradieses! Sie werden dort auf ewig sein.**

24. **Das Gleichnis dieser beiden Gruppen ist wie der Unterschied zwischen jenen, die blind und taub sind und jenen, die sehen und wahrnehmen können! Können sie gleich sein? Erinnert ihr euch immer noch nicht** (A.d.Ü.: „Dhikr"= sich an seine eigene essentielle Wahrheit zu erinnern)?

25. **Definitiv haben Wir Noah an seinem Volk enthüllt... Er sagte: „Ich bin in der Tat ein klarer Warner für euch."**

26. **„Dient keinem anderen außer Allah... In der Tat befürchte ich für euch das Leiden eines schmerzvollen Tages."**

27. **Die Führenden unter jenen von seinem Volk, die das Wissen um die Wahrheit leugneten, sagten: „Wir sehen dich nur als einen Mann wie wir selbst auch sind... Und wir sehen, dass keiner dir folgt außer die Gewöhnlichen** (ohne Rang und Reichtum), **die aufgrund von einfachen Sichtweisen agieren** (nicht intelligent sind) ... **Und wir sehen dich auch nicht in irgendeiner Weise über uns... Im Gegenteil, wir denken, dass du lügst."**

28. **Noah sagte: „Oh mein Volk... Habt ihr gesehen? Was ist, wenn ich einen klaren Beweis von meinem Rabb habe und Er mir aus Seiner Sicht „Rahmat"** (Nubuwwah-Das Erkennen der „Sunnatullah" genannten universalen Prinzipien) **zuteil werden ließ, aber ihr versagt, dies zu bewerten? Sollten wir es euch aufzwingen, während ihr es ablehnt?"**

29. **Oh mein Volk... Ich möchte dafür nichts als Gegenleistung haben... Die Gegenleistung von dem, was ich tue, gehört einzig Allah... Ich kann die Gläubigen nicht fernhalten** (selbst, wenn ihr auf sie herabschaut)! **Sie werden definitiv mit ihrem Rabb sich vereinen... Aber ich sehe euch als ein Volk, welches sich ignorant benimmt."**

30. **„Oh mein Volk... Wenn ich sie fernhalte, wer wird mir helfen gegen Allah? Könnt ihr nicht nachdenken?"**

31. **„Ich erzähle euch nicht, dass sich die Schätze Allahs bei mir befinden oder dass ich das „Nicht-Wahrnehmbare"** (Ghaib) **kenne... Noch behaupte ich, ein Engel zu sein... Noch sage ich euch, dass Allah niemals irgendetwas Gutes jenen geben wird, die ihr verachtet und als geringwertig anseht... Allah weiß am besten, was sich in ihnen befindet...** (Falls ich das Gegenteil behaupten sollte), **dann würde ich definitiv zu den „Zalims" gehören."**

32. Sie sagten: „Oh Noah, du hast wahrlich lange mit uns gerungen...Und du bist zu weit gegangen! Falls du aufrichtig bist, dann bring uns die Sache, mit der du uns bedrohst."

33. (Noah) sagte: „Nur Allah kann es euch bringen, falls Er es wünscht! Ihr könnt Allah nicht kraftlos sein lassen vom Tun, was Er will."

34. „Falls Allah es wünscht, euch irrezuleiten, selbst wenn ich euch Ratschläge geben würde wollen, mein Ratschlag würde vergebens sein. Er ist euer Rabb, zu Ihm werdet ihr zurückkehren."

35. Oder sagen sie: „Er hat es erfunden"... Sag: „Falls ich es erfunden hätte, dann werde ich die Konsequenzen meines Fehlers spüren...Aber von euren Fehlern bin ich befreit!"

36. Es wurde Noah offenbart: „Keiner von deinen Leuten außer denen, die schon glauben, werden glauben. Also sei nicht betrübt über das, was sie tun!"

37. Konstruiere ein Schiff gemäß Unserer Offenbarung und mit Unseren Augen (dies ist ein Hinweis zum „Maiyyat Sirr"; dem Geheimnis vom Tod über das illusionistische „Ego". Das Ego hört auf zu sein und das wahre und einzige „Ich" im Universum besteht) ... Richte keine Bedenken an Mich (bezüglich Fürbitte) wegen der „Zalims" (jene, die ihrem Selbst unrecht antun) ... Definitiv werden sie ertrunken werden!

38. Er baute das Schiff... Die Führenden unter seinem Volk verspotteten ihn als sie vorbei liefen... (Noah) sagte: „Falls ihr uns verspottet, dann wird (eine Zeit kommen, wenn) wir euch verspotten werden, so wie ihr uns verspottet."

39. „Ihr werdet bald erfahren zu wem das erniedrigende Leiden heutzutage kommen wird und auf wem das unaufhörliche Leiden enthüllt wird (in der Zukunft)."

40. Als dann Unser Befehl kam und das Wasser aus den Quellen überfloss, sagten Wir: „Ladet auf dem Schiff ein Paar von jeder Spezies, all die Gläubigen und deine Familie außer jenen, die das Urteil schon bekommen haben." Aber nur ein paar wenige haben mit ihm zusammen geglaubt.

41. Er sagte: „Steigt ein! Sein Kurs und sein Anker sind von demjenigen, der Allah genannt wird! In der Tat ist mein Rabb definitiv Ghafur und Rahim."

42. (Das Schiff) segelte mit ihnen auf Wellen so hoch wie Berge... Noah rief seinem Sohn zu, der nahe einer Küste war: „Mein Sohn! Komm an Bord mit uns (tritt zu meinem Verständnis der Religion bei) ... Sei nicht mit jenen zusammen, die das Wissen um die Wahrheit leugnen!"

43. (Aber sein Sohn) sagte: „Ich werde auf einem Berg Zuflucht suchen, um mich vor dem Wasser zu schützen"... (Noah) sagte: „Es gibt heute keinen Beschützer vor dem Beschluss Allahs außer jene, die seine Gnade (Rahim) erhalten"... Und mit einer Welle, die zwischen ihnen kam, gehörte er zu den Ertrunkenen.

44. Und es wurde gesagt: „Oh Erde, schlucke dein Wasser! Oh Himmel, halte (deinen Regen) zurück"... Das Wasser ging zurück...Der Beschluss wurde erfüllt... (Das Schiff) kam zum Halt auf „Dschudiy" (ein hoher Berg) ... Und es wurde gesagt: „Hinfort mit den „Zalims" (jene, die ihrem Dasein und der, der anderen schaden)."

45. Noah adressierte seinen Rabb und sagte: „Mein Rabb, in der Tat gehört mein Sohn zu meiner Familie. Dein Versprechen ist wahr und Du bist der Gerechteste unter den Richtern (dein Urteil manifestiert sich von jedem, aber als Richter innerhalb meiner eigenen Essenz, manifestiere Dein Entschluss gemäß meiner innersten essentiellen Wahrheit)."

46. Er sagte: „Oh Noah! Definitiv gehört er nicht zu deiner Familie! Definitiv (deine Beharrlichkeit über deinen Sohn entgegen meinen Entschluss) **ist ein Akt, welcher nicht für deinen Glauben notwendig ist! Also frag mich nicht über Dinge, worüber du kein Wissen besitzt! Definitiv empfehle Ich dir nicht zu den Ignoranten zu gehören."**

47. (Noah) **sagte: „Mein Rabb! Ich suche Zuflucht in Dir vom Fragen über Dinge, worüber ich kein Wissen besitze** (gemäß seiner wahren Bedeutung)**! Falls Du mir nicht vergibst und deine „Rahmat" auf mich herablässt, dann werde ich definitiv zu den Verlierern gehören."**

48. „Oh Noah... Steigt, du und deine Völker, welche geformt werden von denen, die mit dir waren, mit „Salaam" und Segen von Uns herunter... Wir werden ihnen (die nachkommenden Generationen) **Nutzen geben, dann soll ihnen von Uns** (als Ergebnis der Bedeutungen der Namen in ihrer Essenz; durch einen Weg von ihrem innersten Wesen kommend) **ein schmerzvolles Leid befallen.**

49. Dies sind die Nachrichten aus dem Unbekannten (Ghaib)! Wir offenbaren es dir... Davor haben weder du noch dein Volk darüber Bescheid gewusst... Also sei geduldig...Definitiv gehört die Zukunft jenen, die beschützt sind.

50. Und (zum Volk) **von Aad hat deren Bruder Hud gesagt: „Oh mein Volk! Dient Allah...Ihr könnt nicht eine Gottheit/Gott neben ihm haben! Ihr verleumdet nur** (aufgrund der dualistischen Herangehensweise; aufgrund der Gedanken, die sich aus der „Schirk" genannten Assoziation entwickeln)**."**

51. „Oh mein Volk! Ich frage deswegen nicht um eine Belohnung...Meine Belohnung kommt von demjenigen, der mich spezifisch (Al Fatir) dafür erschaffen hatte, um diese Funktion zu erfüllen... Werdet ihr nicht euren Verstand benutzen?"

52. „Oh mein Volk, fragt euren Rabb um Vergebung... Dann bereut aufrichtig zu Ihm, so dass Er euch den Überfluss des Himmels enthüllt und euch in Kraft vermehrt... Wendet euch nicht als Schuldige ab."

53. Sie sagten: „Oh Hud! Du bist nicht zu uns als Wunder gekommen! Wir werden nicht unsere Götter/Götzen verbannen, nur weil du das sagst... Wir werden auch nicht an dich glauben!"

54. „Wir können nur dieses sagen: Einer von unseren Göttern hat dich mit Schlechtem besessen!" (Hud) **sagte: „In der Tat halte ich Allah als meinen Zeugen fest! Und ihr haltet auch fest, dass ich frei und nicht in Assoziation stehe mit jenen, mit denen ihr Partner assoziiert."**

55. „Also dann schmiedet gegen mich mit all jenen zusammen, die ihr gleichsetzt (Partnerschaft assoziiert) **mit Ihm und bietet mir keine Frist an."**

56. „Ich habe meinen Vertrauen auf Allah gesetzt, der mein Rabb und euer Rabb ist (ich glaube, dass der Name „Wakiyl" in meiner Essenz seine Funktion erfüllen wird) **... Es gibt kein lebendiges Wesen, welches Er nicht an seiner Stirnlocke (Gehirn) festhält** (mit dem Namen „Al Fatir" programmiert, d.h. an Seinem Befehl untergeordnet) **... Definitiv ist mein Rabb auf dem geraden Weg** (Sirat al Mustakim)**.**

57. „Falls ihr euch wegdreht, dann habe ich definitiv euch das übermittelt, was mir gesandt wurde (was sich in mir entfaltet hat; d.h. das Wissen um die Wahrheit) **... Mein**

Rabb wird andere an eurer Stelle hervorbringen; ihr könnt Ihn nicht schaden... Definitiv ist mein Rabb „Hafiz" über alle Dinge."

58. Als Unser Befehl sich bewahrheitet hatte, haben Wir Hud und die Gläubigen mit Unserer Rahmat gerettet... Wir haben sie von einem schuldbeladenen Leiden errettet.

59. Solch (ein Ereignis) war bei Aad... Sie haben bewusst die Zeichen ihres Rabbs (innerhalb ihres Selbst) geleugnet... Sie rebellierten gegen Seine Rasuls... Und sie folgten dem Befehl jeden starrsinnigen Unterdrückers.

60. Sie wurden verflucht, in dieser Welt und im Zeitraum des Tages der Auferstehung (sie sind weit von der Wahrheit ihres essentiellen Daseins gefallen)! Wisst mit Gewissheit, Aad waren jene, die ihren Rabb geleugnet haben! Wisst mit Gewissheit! Für Aad, das Volk von Hud, gibt es die Entfernung.

61. Zu Thamud (haben Wir) ihren Bruder Salih (Methusalem) **gesandt** (entfalten lassen) ... Er sagte: „Oh mein Volk... Erreicht die Bewusstheit der Dienerschaft Allahs! Ihr könnt nicht eine Gottheit/Gott neben HU haben! HU formte euch aus der Erde und hat mit euch es blühen lassen... Also fragt Ihn um Vergebung und bereut aufrichtig zu Ihm. Definitiv ist mein Rabb Kariyb (derjenige, der nah ist) und Mudschiyb (derjenige, der auf Gebete [richtungsweisende Hirnwellen] antwortet)."

62. Sie sagten: „Oh Salih! In der Tat warst du davor unter uns ein Mann, der vieles vorzuweisen hatte! Verbietest du uns das Anbeten von jenem, was unsere Vorväter angebetet hatten? Definitiv sind wir im offensichtlichen Zweifel über das, wozu du uns einlädst."

63. Er sagte: „Oh mein Volk, schaut her... Was ist, wenn ich einen klaren Beweis von meinem Rabb habe und Er mir von sich aus eine „Rahmat" gegeben hat? (In diesem Fall) falls ich ihm nicht gehorche, wer wird mir gegen Ihn zu Hilfe kommen? Ihr könnt mir nichts geben außer Schaden."

64. „Oh mein Volk! Dieses weibliche Kamel (die ihren Weg geht) ist ein Zeichen für euch von Allah... Also lasst sie, sie soll sich auf der Erde Allahs nähren... Schadet ihr nicht ... Es sei denn ihr werdet von einem Leiden ergriffen, welches nah ist."

65. Aber sie haben sie getötet! Er sagte: „Ihr habt in euren Häusern noch drei Tage übrig zum Leben! Dies ist eine Notiz, die nicht zu leugnen ist."

66. Als sich Unser Befehl manifestierte, haben Wir Salih und die Gläubigen, die mit ihm waren, mit Unserer „Rahmat" gerettet... Und (wir retteten sie) vor der Erniedrigung an diesem Tag... Definitiv ist dein Rabb Kawwi und Aziz.

67. Den „Zalim" genannten traf (am vierten Tag) der unausweichliche Schlag (ein kräftiger, schrecklich vibrierender Klang) und sie fielen tot um in ihren Häusern!

68. Es war so, als ob sie dort niemals gelebt haben! Also wisst mit absoluter Gewissheit, dass (das Volk von) Thamud ihren Rabb geleugnet hatten... (Nochmals) wisst mit absoluter Gewissheit, dass die Entfernung (ein Leben zu leben, welches einen Zustand hat, weit entfernt zu sein von der essentiellen Wahrheit) für Thamud gilt.

69. In der Tat, kamen Unsere Rasuls (von den Engeln) zu Abraham mit guten Neuigkeiten und grüßten ihn mit „Salaam". Er sagte auch „Salaam" und brachte einen gegrillten Kalb.

70. Aber als er sah, dass sie (die Rasuls) es nicht berührt hatten, fand er es seltsam und war besorgt (dass sie Feinde sein könnten) ... Sie sagten: „Sei nicht besorgt! Wir wurden gesandt für das Volk von Lot."

71. Seine Frau (von Abraham) stand daneben...Sie lachte... Wir gaben ihr die frohe Botschaft über Isaak und nach Isaak, Jakob.

72. (Abrahams Frau) sagte: „Werde ich ein Kind bekommen, während ich eine alte Frau bin (welche sich schon in der Menopause befindet) und mein Ehemann auch alt ist? Definitiv ist dies ein erstaunliches Ereignis!"

73. Sie sagten: „Bist du von Allahs Anordnung überrascht? Gnade und Segen Allahs sind auf euch, oh Leute dieses Hauses! Definitiv ist Er Hamid und Madschiyd."

74. Als Abrahams Besorgnis ihn verlassen hatte und er die frohen Botschaften empfing, kam er zu seinen Sinnen und begann mit Uns bezüglich dem Volk Lots zu argumentieren.

75. In der Tat war Abraham eine Person mit der Eigenschaft von „Haliym" (sanftmütig, sensibel, tolerant); jemand, der sich seinem Rabb hingewandt hatte (zu seiner essentiellen Wahrheit).

76. (Die Engel) sagten: „Oh Abraham! Hör auf zu argumentieren! Der Befehl deines Rabbs ist definitiv angeordnet! Ein unaufhörliches Leiden wird sie definitiv treffen!"

77. Als Unser Rasul zu Lot kam, hat er sich (ihretwegen) schlecht gefühlt und war besorgt (dass er nicht fähig sein würde, sie zu beschützen) und sagte: „Dies ist ein schwerer Tag."

78. Das Volk (von Lot) kam zu ihm mit Begierden...Sie waren es gewöhnt, schlechte Taten auszuführen... (Lot) sagte: „Oh mein Volk... Hier sind meine Töchter... Sie sind reiner für euch... Seid euch euren Rabbs bewusst und beschämt mich nicht vor meinen Gästen... Gibt es nicht einen einzigen Mann unter euch mit Verstand?"

79. Sie sagten: „Du weißt wir interessieren uns nicht für deine Töchter! Und du weißt genau, wonach wir trachten."

80. (Lot) sagte: „Wenn ich doch nur ausreichend Macht über euch oder eine kraftvolle Unterstützung hätte."

81. (Die Engel) sagten: „Oh Lot! Wahrlich sind wir die Rasuls deines Rabbs... Sie können dich niemals erreichen! Also breche auf in der Nacht mit deiner Familie... Keiner von euch soll zurückbleiben außer deiner Frau! Denn was auch immer sie treffen wird, es wird auch deine Frau treffen... Ihre festgesetzte Zeit wird der Morgen sein. Ist der Morgen nicht bald?"

82. Als dann unser Befehl kam, haben Wir die Stadt auf den Kopf gestellt und auf sie Steine von geschichtetem Lehm regnen lassen (wahrscheinlich Lava aus einer Vulkaneruption).

83. (Stein, die) aus der Sicht deines Rabbs gezeichnet sind... Sie sind nicht entfernt von den „Zalims".

84. Und zu Madyan (haben Wir) ihren Bruder Schuaib (gesandt; mit der Wahrheit des essentiellen Daseins entfalten lassen) ... Er sagte: „Oh mein Volk... Seid euch eurer Dienerschaft Allahs gegenüber bewusst! Euren Gott gibt es nicht, sondern nur HU!

Reduziert nicht das Maß und das Gleichgewicht... Ich sehe, wo das Gute für euch ist... Und ich befürchte für euch eine Zeit der Qual, die euch umgeben wird."

85. „Oh mein Volk... Erfüllt das Maß und das Gleichgewicht in gerechter Weise und in Fülle, betrügt die Menschen nicht und seid nicht extrem, indem ihr Korruption auf der Erde verursacht."

86. „Was Allah gesetzlich macht, ist besser für euch, falls ihr Gläubige seid. Ich bin nicht euer Hüter."

87. Sie sagten: „Oh Schuaib, ist es deine Hinwendung (Salaah), die dir sagt, dass wir das verbannen sollen, was unsere Vorväter angebetet haben und aufhören sollen unser Eigentum zu verwalten, wie wir es wollen? Definitiv bist du Haliym und Raschid."

88. (Shuayb) sagte: „Oh mein Volk, seht ihr nicht? Was ist, wenn ich mit einem klaren Beweis von meinem Rabb komme und Er mir von sich selbst aus einen schönen Lebensunterhalt gegeben hat? Ich wünsche nicht mit euch in Opposition zu stehen mit den Dingen, die ich euch verboten habe... Ich möchte euch nur reformieren, so weit wie ich nur kann. Mein Erfolg ist nur mit Allah. Ich habe mein Vertrauen in Ihm gesetzt (der Glaube, dass der Name Wakiyl in meiner Essenz seine Funktion erfüllen wird) und zu Ihm wende ich mich."

89. „Oh mein Volk... Lasst nicht zu, dass eure Opposition mir gegenüber euch zu Verbrechen verleitet, (wodurch) ihr von einer ähnlichen Sache geschlagen werdet wie das Volk von Noah oder Hud oder Salih. Das Volk von Lot ist nicht weit von euch entfernt."

90. „Fragt euren Rabb um Vergebung und bereut aufrichtig (kehrt zurück) zu Ihm... Definitiv ist mein Rabb Rahim und Wadud."

91. Sie sagten: „Oh Schuaib, wir verstehen nicht viel von dem, was du sagst! Die Wahrheit ist, wir sehen dich unter uns als sehr schwach an... Wenn es nicht für deine respektable Familie wäre, dann hätten wir dich definitiv getötet! Du bist nicht in einem Zustand, uns zu dominieren."

92. (Shuayb) sagte: „Oh mein Volk, ist meine Familie mächtiger und unbezwingbarer als Allah für euch? Aber ihr tut Ihn hinter eure Rücken, um zu vergessen... In der Tat ist mein Rabb Muhiyt (umgibt alles) über das, was ihr tut."

93. „Oh mein Volk... Führt weiterhin das aus, was ihr tut gemäß eurer Stufe. Definitiv tue ich auch das, was ich tue. Ihr werdet bald sehen zu wem das erniedrigende Leiden kommen wird und wer der Lügner ist... Beobachtet, denn ich bin auch der „Rakiyb" zusammen mit euch."

94. Als Unser Befehl sich manifestiert hatte, haben Wir Schuaib und die Gläubigen mit Unserer Rahmat gerettet, während der mächtige, schrecklich vibrierende Schlag die „Zalims" erfasst hatte und sie in ihren Häusern tot umfielen.

95. Es war so, als ob sie dort niemals gelebt hätten. Wisst mit Gewissheit, ein Leben weit entfernt von der Wahrheit gehörte dem Volk von Madyan an, genauso wie (dem Volk) von Thamud.

96. In der Tat haben Wir Moses als Unser Zeichen und mit einem klaren Beweis gesandt (entfalten lassen mit der Wahrheit des essentiellen Daseins).

97. Zum Pharao und seinen führenden Männern... Sie befolgten die Anordnung des Pharaos... Aber die Anordnung des Pharaos spiegelte keine Reife.

98. (Der Pharao) wird vor seinem Volk stehen am Tag der Auferstehung und sie ins Feuer führen! Und elendig ist der Ort zu welchem sie geführt werden.

99. Sie waren verflucht hier (in dieser Welt) und an dem Tag der Auferstehung! Elendig ist der Anteil, welches sie bekommen haben!

100. Also das sind die Nachrichten von diesen Regionen! Wir berichten euch darüber... Von ihnen stehen manche (und manche) sind wie gemähte Ernten.

101. Und Wir haben ihnen nicht geschadet, aber sie haben ihr eigenes Selbst geschadet! Als der Befehl deines Rabbs sich manifestiert hatte, da haben die Götter, die sie neben Allah angebetet haben, ihnen nicht geholfen! (Ihr Konzept der Gottheit) hat ihnen nichts als Zerstörung gebracht.

102. So ist der Schlag deines Rabbs über die Städte der „Zalims"! Definitiv ist sein Schlag schmerzvoll und hart!!

103. Definitiv ist hier ein Zeichen für jene, die das Leiden des ewigen, zukünftigen Lebens fürchten... Dies ist eine Zeit, wenn die ganze Menschheit versammelt werden! Dies ist eine Zeit, wo nichts versteckt gehalten wird!

104. Wir schieben es nur auf für eine festgesetzte Zeitspanne.

105. Wenn diese Zeitspanne beginnt, wird keiner fähig sein zu sprechen außer mit Seiner Erlaubnis! Von ihnen sind manche „Schaki" (ohne Glauben; dazu erkoren für ewig zur Hölle zu gehören) und manche „Sayyid" (mit Glauben; dazu erkoren ewig zum Paradies zu gehören).

106. Die „Schaki" genannten werden im Feuer sein (Naar; strahlende Radiation). Sie werden dort vom Atmen ächzen und stöhnen (aufgrund des Leidens)!

107. Solange wie die Himmel und die Erde (ihr Bewusstsein und ihre Körper) existieren, werden sie dort auf ewig sein; es sei denn dein Rabb will es anders... Wahrlich, was dein Rabb will (die Konfigurationen der Namen Allahs, welche deine Essenz ausmachen), das lässt Er geschehen!

108. Was die „Sayyid" genannten anbelangt, sie sind im Paradies... Solange wie die Himmel und die Erde (ihr Bewusstsein und ihre Körper) existieren, werden sie dort auf ewig sein; es sei denn dein Rabb will es anders... Sie werden mit einem unaufhörlichen Segen voller Gunst leben.

109. Verfällt nicht ins Zweifeln, indem ihr sie bei ihrem (augenscheinlichen Akt der) Anbetung anschaut! Sie machen ihre Anbetungen nur so wie ihre Vorväter es gemacht haben (sie befinden sich nicht in der Dienerschaft zu Allah)! Definitiv werden Wir ihnen das voll und komplett auszahlen, was sie verdienen.

110. Wahrlich gaben Wir Moses das Wissen um die Wahrheit, aber sie wichen davon ab! Wäre es nicht wegen eines vergangenen Wortes (etwas schon beschlossenes) durch deinen Rabb, dann wäre die Angelegenheit zwischen ihnen schon entschieden... Definitiv sind sie darüber im Zweifel (wegen ihrer Skepsis).

111. In der Tat kompensiert dein Rabb im vollen Umfang die Taten jeder Person... Denn Er (als ihre essentielle Wahrheit anhand Seiner Namen und als derjenige, der es zustande bringt) ist Khabiyr.

112. Also lebt mit der Wahrheit, wie es euch befohlen wurde (auf dem richtigen Weg zu sein, bedeutet die Erfahrung der Wahrheit durch die Realisierung der essentiellen Realität im

Dasein)! **Und jene mit euch, die bereut haben** (für die Dinge, die sie davon abhalten, ihre Realität zu erfahren) ... **Und geht nicht über eure Grenzen hinaus!** Denn Er ist Basiyr von dem, was ihr tut (basierend auf dem Geheimnis des Buchstabens „B").

113. **Nähert euch nicht jenen an, die** (ihrem Selbst) **schaden, denn** (wenn ihr dies tut), **dann wird das Feuer euch berühren... Ihr könnt nicht einen Wächter (Wali) neben Allah haben!** (Und falls ihr andere als Wächter nimmt) **werdet ihr keine Hilfe sehen!**

114. **Etabliert das Salaah an den zwei Enden des Tages und an der Annäherung der Nacht... Definitiv werden gute Taten** (die Wahrheit auszuleben; einen schönen Lebensstil, welche sich in der Person manifestiert) **die schlechten Taten beseitigen** (der Vorgang, die Wahrheit zu bedecken und die Konsequenzen von Verbrechen, welche von einer egobasierten Existenz resultieren)... **Dies ist eine Empfehlung für jene, die tief nachdenken.**

115. **Seid geduldig... Definitiv wird Allah es nicht erlauben, dass die Belohnungen jener, die Gutes tun, verloren gehen.**

116. **Sollten nicht jene, die von den vorangegangenen Generationen stammten, die Korruption auf der Erde stoppen? Außer wenige unter ihnen, die Wir gerettet haben** (hat dies keiner von ihnen getan) ... **Die „Zalims" gingen dem Luxus nach, womit sie verwöhnt waren... Sie wurden schuldig!**

117. **Und dein Rabb würde nicht ungerechterweise die Regionen, worin ehrliche Menschen leben, zerstören!**

118. **Hätte dein Rabb es gewollt, dann hätte Er definitiv die Menschheit zu einer einzigen Gemeinde** (eines einzigen Glaubens) **gemacht! Aber die Glaubenssysteme, basierend auf unterschiedlichen Meinungen, werden fortgeführt...**

119. **Außer für die Person, für die dein Rabb Seine Rahmat erlässt** (der nicht jenes ablehnt, was der Rasul bringt); **für was Er sie erschaffen hat. Das Wort deines Rabbs „Ich werde definitiv die Hölle vollständig mit den Dschinn und Menschen füllen" ist erfüllt worden.**

120. **Der Grund, warum Wir die Nachrichten von jedem Rasul berichten, ist damit Wir euer Verständnis etablieren... Mit dieser Sure seid ihr von der Wahrheit berichtet worden und eine Erinnerung und eine Empfehlung** (Lehre) **wurde den Gläubigen gegeben.**

121. **Und sag denen, die nicht glauben: „Tut, was immer ihr könnt; denn wir werden es auch."**

122. **„Und wartet** (um das Resultat zu sehen)! **Denn wir warten auch!"**

123. **Das, was nicht wahrgenommen werden kann über die Himmel und der Erde, gehört Allah... Die Anordnung manifestiert sich von Ihm vollständig! Also werdet eurer Dienerschaft Ihm gegenüber bewusst, spürt die Gegenwart der Bedeutung des Namens Wakiyl in eurer Essenz! Dein Rabb ist nicht verschleiert von den Dingen, welche ihr manifestiert!**

Mit demjenigen, der durch den Namen Allah erwähnt wird (der mein Wesen mit Seine Namen erschaffen hat im Anwendungsbereich des Buchstabens „B"), der Rahman und Rahim ist.

1. Alif, Lam, Ra... Dies sind die Zeichen des Wissens, welche ganz klar die Wahrheit manifestieren.

2. Definitiv haben Wir den arabischen (LESbaren, verständlichen) Koran enthüllt (von der essentiellen Wahrheit des Menschen, welche durch die „Schönen Namen-Al Asma al Husna" bezeichnet werden, von der Dimension des Wissens zum Bewusstsein des Menschen), auf dass ihr es mit eurem Verstand bewerten möget.

3. Wir (als die Eigenschaften der Namen) offenbaren dir (vom Wissen in deiner essentiellen Wahrheit zu deinem Bewusstsein) diesen (LESbaren, verständlichen) Koran und lassen in dir einen beispielhaften Bericht mit der besten Erzählung manifestieren... In der Tat war dieses Wissen dir vorher nicht bekannt!

4. Und als Josef zu seinem Vater sagte: „Oh mein Vater! In der Tat habe ich die elf Planeten gesehen, die Sonne, den Mond... Ich sah, wie sie sich zu mir niedergeworfen haben."

5. (Sein Vater) sagte: „Mein Sohn... Erzähle deinen Brüdern nicht von deinem Traum, sonst werden sie dich in eine Falle locken (aufgrund von Eifersucht) ... Definitiv ist der Satan für den Menschen ein klarer Feind."

6. Demnach hat dein Rabb dich auserwählt und bringt dir bei, die Essenz der Ereignisse zu erkennen und Er vervollständigt Seine Segen auf dich und der Familie Jakobs, so wie Er es auf deine Vorväter Abraham und Isaak vor dir vervollständigt hatte. Definitiv ist dein Rabb Aliym, Hakim."

7. In der Tat sind beim Vorfall von Josef und seinen Brüdern Lehren für jene, die fragen!

8. Als sie (seine Brüder) sagten: „Unser Vater liebt Josef und seinen Bruder (Benjamin) mehr, während wir stärker und mehr an der Anzahl sind! Definitiv befindet sich unser Vater in einem klaren Irrtum!"

9. „Tötet Josef oder verbannt ihn (zu einem anderen) Ort, so dass sich die Liebe seines Vaters zu euch dreht! Danach wird es euch besser gehen."

10. Ein anderer von ihnen sagte: „Falls ihr etwas unternehmen wollt, dann tötet ihn nicht! Werft ihn in einem Brunnen (nicht zu tief), eine Karawane wird (ihn finden) und aufnehmen!"

11. Sie sagten: „Oh unser Vater, warum vertraust du nicht Josef uns an, während wir ihm nur Gutes wünschen?"

12. „Schick ihn uns morgen, so dass er frei herum laufen und spielen kann... Definitiv sind wir seine Beschützer."

13. (Jakob) sagte: „Wahrlich wird es mich traurig machen, falls ihr ihn nehmt... Ich befürchte ein Wolf wird ihn fressen, während ihr ihm keine Aufmerksamkeit schenkt."

14. Sie sagten: „Falls ein Wolf ihn fressen würde, während wir solch eine starke Gruppe sind, dann wären wir sicherlich Verlierer."

15. Also als sie ihn dann nahmen und abgestimmt hatten, ihn auf den Grund des Brunnens zu setzen, da haben Wir ihm offenbart: „Definitiv wirst du sie mit diesem Ereignis konfrontieren (eines Tages), an einem Ort, wo sie dich nicht wiedererkennen werden!"

16. Und sie kamen weinend zu ihrem Vater in den ersten Stunden der Nacht.

17. Sie sagten: „Oh unser Vater! In der Tat liefen wir, wir sind gerannt...Wir haben Josef mit unseren Besitztümern gelassen...Und dann hat ihn ein Wolf gefressen... Egal wie aufrichtig wir mit dir sprechen, du wirst uns nicht glauben."

18. Und sie kamen mit seinem Hemd, welches sie mit gefälschtem Blut beschmiert hatten... (Ihr Vater) sagte: „Nein (ich glaube euch nicht)! Eure Form des Selbst (Daseins; Bewusstseinszustand, wie ihr euch selbst wahrnimmt) hat euch veranlasst, etwas zu tun (was schlecht ist)! Von nun an ist Geduld für mich am besten... Und Allah ist mein Schutz gegen das, was ihr behauptet!"

19. Dann kam eine Karawane zum Brunnen und ihr Wasserträger hatte seinen Eimer heruntergelassen und als er sah, sagte er: „Ah, gute Neuigkeiten! Hier ist ein kleiner Junge"... Sie entnahmen ihn, um ihn zu verkaufen. Allah ist Aliym über das, was sie tun (als derjenige, der ihre Essenz darstellt und derjenige, der ihre Taten erschafft).

20. (Dann in Ägypten) haben sie ihn für einen kleinen Preis verkauft, für ein paar Dirhams, um ihn los zu werden.

21. Der Ägypter, der ihn gebracht hatte, sagte zu seiner Frau: „Pass auf ihn gut auf... Ich hoffe, dass er uns nützlich sein wird oder vielleicht adoptieren wir ihn als unseren Sohn"... Und so haben Wir Josef dort etabliert und lehrten ihn, die Essenz der Lebensereignisse zu LESEN... Die Anordnung Allahs wird dominieren! Aber die meisten Menschen sind sich dessen nicht bewusst!

22. Als (Josef) die Reife erlangt hatte, gaben Wir ihm Urteilsvermögen und Wissen. Und so belohnen Wir die „Muhsin" (jene, die Perfektion anstreben).

23. Die Frau, in dessen Haus Josef lebte, sehnte sich danach, ihn zu verführen. Sie schloss die Türen fest zu und sagte: „Ich gehöre dir, komm"... (Josef) lehnte ab und sagte: „Ich suche Schutz bei Allah! In der Tat ist er (dein Ehemann) mein Herr, er gab mir meine Besitztümer. Definitiv werden die „Zalims" die Errettung nicht erfahren."

24. Definitiv hat sie ihn begehrt... Wäre es nicht für den Beweis deines Rabbs (wenn Josefs Verstand nicht über seine Gefühle und Emotionen dominieren würde), dann würde er sich zu ihr geneigt haben! Und so haben Wir schlechte Taten (egobasierende Gefühle/Emotionen) und Begierde von ihm ferngehalten! Denn er gehört zu Unseren Dienern, die „Mukhlis" sind (A.d.Ü.: Aufrecht im Glauben an der unzertrennbaren Einheit Allahs; nichts existiert außer der grenzenlose Eine).

25. Und sie beide rannten zur Tür... Sie zerriss sein Hemd auf der Rückseite... Und (sofort) neben der Tür begegneten sie ihren Ehemann... Sie sagte: „Was ist die

angemessene Strafe für jemanden, der vorhat schlimme Dinge der Ehefrau eines anderen angetan hatte, außer der Einkerkerung oder einer schmerzvollen Qual?"

26. (Josef) sagte: „Sie war es, die vorhatte, mich auszunutzen"... Und eine Person ihres Haushaltes bezeugte: „Falls sein Hemd von vorne zerrissen ist, dann hat sie die Wahrheit gesagt und er gehört zu den Lügnern."

27. „Aber falls sein Hemd von der Rückseite zerrissen ist, dann hat sie gelogen und er gehört zu denen, die die Wahrheit sagen."

28. Als (al-Aziz; ihr Ehemann) sah, dass das Hemd (von Josef) auf der Rückseite zerrissen war, sagte er: „Dies ist definitiv die List von euch Frauen... Die List der Frauen ist definitiv gewaltig!"

29. „Josef... Sieh darüber hinweg (vergiss, dass es passiert ist) ... (Weib!) Bitte um Vergebung für deinen Fehler... Wahrlich hast du einen großen Fehler begangen."

30. Und die Nachricht erreichte die Frauen in der Stadt: „Die Ehefrau von Al Aziz hat versucht, ihren Sklaven zu verführen! Seine Liebe hat ihr Herz gefangen genommen! Definitiv sehen wir sie in einem offensichtlichen Irrtum!"

31. Als (die Ehefrau von Al Aziz) hörte, wie sie hinter ihrem Rücken geredet hatten, hat sie ihnen eine Einladung geschickt und für sie ein Bankett vorbereitet und jeden von ihnen einen Messer gegeben. Dann rief sie (Josef) her: „Komm zu ihnen heraus (und zeig dich)!"... Als (die Frauen der Stadt) ihn sahen, haben sie (seine Attraktivität) hoch gelobt und sich in ihre Hände geschnitten (anstatt das zu schneiden, was sie gerade hielten) vor lauter Staunen... Sie behaupteten: „Niemals! Bei Allah, dieser ist kein Sterblicher; dies kann nur ein makelloser Engel sein."

32. (Die Frau von Al Aziz) sagte: „Dies ist derjenige, über den ihr mich beschuldigt hattet! Und ja, ich habe definitiv versucht, ihn zu verführen, aber er hatte vor, rein zu bleiben (und lehnte ab)! Ich schwöre, falls er nicht das tut, was ich ihm befohlen hatte, dann wird er definitiv eingekerkert und zu den Erniedrigten gehören."

33. (Josef) sagte: „Mein Rabb... Der Kerker ist mir lieber als das, wozu sie mich einladen... Falls du mich nicht vor ihrer List beschützt, dann werde ich mich zu ihnen geneigt fühlen und zu den Ignoranten gehören."

34. (Josefs) Rabb erhörte sein Gebet und hat ihre List von ihm abgewehrt! Definitiv ist Er Sami, Aliym.

35. Dann (nachdem, so vieles) an Beweismitteln gesehen wurden, haben sie entschieden, ihn für eine Weile einzusperren.

36. Und zwei Männer waren auch mit ihm eingesperrt... Einer von ihnen sagte: „Ich sah (in meinem Traum), dass ich Trauben gepresst habe, um Wein zu erzeugen"... Der Andere sagte: „Und ich sah in meinem Traum, dass ich Brot auf meinem Kopf getragen habe und die Vögel hatten davon gegessen"... „Informiere uns bezüglich der Wahrheit, worauf diese hindeuten... Definitiv sehen wir dich als „Muhsin"."

37. (Josef) sagte: „Ich werde euch über die Interpretationen informieren vor dem Essen und bevor eure Provision euch gebracht wurde... Dies ist vom Wissen meines Rabbs, welches Er mir lehrte... Dies ist warum ich die Religion meines Volkes verlassen habe, denn sie glauben nicht an Allah, der die Essenz der Welten darstellt

(mit Seinen Namen und Eigenschaften) **und sie leugnen das ewige, zukünftige Leben, welches kommen wird."**

38. „Ich befolge (die Religion des Tauhid, dem Glauben an der Einheit Allahs neben dem nichts anderes existiert) **meiner Väter Abraham, Isaak und Jakob... Es gehört sich nicht, dass wir irgendetwas** (unser Selbst eingeschlossen, also Form des Daseins, unser Bewusstsein) **mit Allah assoziieren und vergleichen! Dies stellt die Gunst von Allah auf uns und auf der Menschheit dar. Aber die meisten der Menschen sind nicht dankbar** (bewerten diese Wahrheit nicht gebührend genug)."

39. (Josef sagte): **„Oh meine Gefährten im Kerker... Sind unterschiedliche Herren mit unterschiedlichen Eigenschaften besser oder ist es Allah, der Wahid und Kahhar ist** (der EINZIGE EINE, unter dem alle Anordnungen aller Dinge liegen.)?"

40. Die Dinge, die ihr neben Ihn anbetet, existieren nur durch Namen (d.h. sie existieren nicht wirklich), **welche ihr und eure Vorväter erfunden habt; es gibt keinen Beweis von Allah bezüglich ihrer Existenz. Das Urteil gehört einzig Allah alleine! Und Er befiehlt, dass ihr nur Ihm dienen sollt! Dies ist die gültige Religion** (vom Verständnis her) **... Aber die Mehrheit der Menschen sind sich dessen nicht bewusst!"**

41. „Oh meine Gefährten im Kerker... Von euch Zweien wird Einer (aus dem Kerker freigelassen werden) **und seinem Herrn Wein servieren! Was den anderen anbelangt, er wird ans Kreuz genagelt werden und die Vögel werden von seinem Kopf essen! Das Ereignis, worüber ihr nachgefragt habt, wurde so beschlossen."**

42. Und (Josef) **sagte zu dem Einen, den er angenommen hatte, dass er freigelassen wird: „Erinnere dich an mich** (und erwähne mich) **deinem Herr!" Aber der Satan ließ ihn vergessen, Josef zu erwähnen als er neben seinem Herrn stand und Josef blieb im Kerker für viele Jahre.**

43. Der König sagte: „Wahrlich hab ich (in einem Traum) **sieben fette Kühe gesehen, die von sieben mageren Kühen gefressen wurden. Und sieben grüne und sieben vertrocknete Ähren** (von Mais) **... Oh Eminente! Erklärt mir die Bedeutung meines Traumes, falls ihr Träume interpretieren könnt."**

44. Sie sagten: „Es ist eine Ansammlung von Geschichten bloßer Einbildung... Darüber hinaus sind wir nicht geschult in der Deutung von Träumen!"

45. Der Eine von beiden (von den Freunden von Josef im Kerker), **der befreit wurde, erinnerte sich und sagte: „Ich werde euch über die Deutung berichten...Bringt mich auf der Stelle** (zum Kerker)!"

46. „Oh Josef! Oh Mann der Wahrheit! Gib uns die Deutung (erkläre die Bedeutung der Symbolik) **von sieben fetten Kühen, die von sieben mageren gefressen werden und sieben grüne und sieben vertrocknete Ähren** (von Mais), **so dass ich zu den Leuten zurückkehren kann und sie** (dessen Werte) **wissen mögen."**

47. (Josef) **sagte: „Kultiviert für sieben Jahre, wie ihr es gewohnt seid... Und lasst, was ihr in der Ähre erntet ein bisschen übrig, von dem ihr essen werdet."**

48. Dann werden sieben strenge Jahren der Dürre kommen, wo ihr das essen werdet, was ihr übriggelassen habt... Außer einem bisschen, von was ihr gespeichert habt."

49. „Dann kommt danach ein Jahr, wo die Menschen viel Regen bekommen werden und wo sie pressen werden (eine Vielzahl von Trauben, Früchten, Milch)."

50. Der König sagte: „Bringt ihn (Josef) zu mir!"... Aber als der Rasul (der Delegierte des Königs) zu ihm kam, sagte (Josef): „Kehre zu deinem Herrn zurück... Frag ihn, was den Frauen passiert ist, die in ihre Hände geschnitten hatten?"... Definitiv ist mein Rabb Aliym über ihre Falle."

51. (Der König) sagte (zu den Frauen): „Was hat Josef getan, als ihr versucht hattet, ihn zu verführen?"... „Niemals haben wir, bei Allah, irgendetwas Falsches in seinem Benehmen gesehen." Die Ehefrau von Al Aziz sagte: „Jetzt ist die Wahrheit eindeutig herausgekommen! Ich versuchte, ihn zu verführen... Definitiv gehört er (Josef) zu den „Sadik" (jene, die aufrichtig zur Wahrheit sind)!"

52. „Dies ist, damit mein Meister weiß, dass ich ihn nicht betrogen habe und Allah lässt nicht zu, dass die Täuschung der Verräter erfolgreich ist."

53. „Ich entlaste nicht mein Selbst... Definitiv kommandiert das Selbst Schlechtes mit all seiner Macht außer bei jenen, auf die mein Rabb seine „Rahim" Eigenschaft zuteil werden ließ... Definitiv ist mein Rabb Ghafur und Rahim."

54. Der König sagte: „Bringt ihn (Josef) zu mir! Ich werde ihn zu meinem besonderen Freund machen"... Als er zu ihm sprach, sagte er: „In der Tat hast du heute eine vertrauenswürdige Stellung neben uns."

55. (Josef) sagte: „Ernennt mich zum Schatzmeister eures Landes. Ich bin auf jeden Fall eine auf Schutz bedachte und wissende Person."

56. Und so haben Wir Josef in diesem Land (Ägypten) etabliert... Er konnte darin gehen und übernachten, wo auch immer er wollte... Wir manifestieren unsere „Rahmat", wen Wir es wollen. Wir werden die Taten der „Muhsin" nicht unbelohnt sein lassen.

57. Die Rückkehr zu ihrem ewigen, zukünftigen Leben, welches kommen wird, ist definitiv besser für jene, die glauben und sich beschützen.

58. Und (letztendlich) sind die Brüder von Josef gekommen... Sie standen ihm gegenüber... Obwohl sie ihn nicht erkannten, erkannte er sie.

59. Nachdem sie ihre Vorräte aufgeladen hatten, sagte er: „(Nächstes Mal, wenn ihr wegen Vorräte kommt), dann bringt mir euren Stiefbruder (d.h. Josefs Bruder Benjamin) ... Wie ihr sehen könnt, gebe ich ein volles Maß an Vorräten und ich bin der Beste unter jenen, die aufnehmen."

60. „Falls ihr ihn mir nicht bringt, dann erwartet weder irgendetwas an Vorräten von mir, noch kommt mir nicht näher."

61. Sie sagten: „Wir werden versuchen, unseren Vater zu überreden (um uns zu erlauben) ihn zu bringen... Und wir werden sicherlich erfolgreich sein."

62. (Josef) sagte seinen Dienern: „Tut ihr Kapital wieder in ihre Satteltaschen, so dass, wenn sie zu ihren Familien zurückkehren, sie es erkennen werden und vielleicht es uns zurückbringen werden."

63. Als sie zu ihren Vater zurückkehrten, sagten sie: „Oh unser Vater... Falls wir ihn (Benjamin) das nächste Mal nicht mitnehmen, wenn wir gehen, bekommen wir keine Vorräte... Wir werden ihn sicherlich beschützen."

64. (Ihr Vater) sagte: „Sollte ich ihn euch anvertrauen, so wie ich euch euren Bruder (Josef) davor anvertraut hatte? Allah ist der Beschützer! Er ist derjenige, der am meisten „Rahim" ist unter den „Rahim" genannten.

65. Als sie ihre Taschen geöffnet hatten, haben sie den Betrag gefunden, die sie gezahlt hatten... Sie sagten: „Oh unser Vater... Was könnten wir sonst wollen? Der Betrag, den wir gezahlt hatten, ist wieder zu uns zurückgekehrt! Wir sollten Vorräte für unsere Familien holen, über unseren Bruder schauen und eine extra Ladung eines Kamels besorgen (aufgrund von Benjamin) ... Dies (was wir bekommen haben) ist eine kleine Menge."

66. (Ihr Vater) sagte: „Niemals werde ich ihn mit euch schicken, es sei denn ihr versprecht mir im Namen Allahs, dass ihr ihn zu mir zurückbringen werdet, außer ihr seid von den Feinden umzingelt und werdet mit dem Tod bedroht"... Und als sie ihr festes Versprechen gegeben hatten, sagte (ihr Vater): „Allah ist Wakiyl über das, was wir sagen."

67. Und er sagte: „Oh meine Söhne... Tretet nicht alle von einem Tor aus ein, aber tretet von verschiedenen Toren ein... (Obwohl) ich euch nicht beschützen kann (von dem, was kommen wird von) Allah...Das Urteil gehört gänzlich Allah alleine... Ich habe mein Vertrauen in Ihn gesetzt und ich drehe mich zu Ihm (ich glaube, dass der Name Wakiyl in meiner Essenz seine Funktion ohne Versagen erfüllen wird!) ... Jene, die ihr Vertrauen setzen, sollten ihr Vertrauen in Ihm setzen."

68. Der Befehl ihres Vaters von verschiedenen Toren aus einzutreten, hatte nicht den Entschluss Allahs verändert... Es war nur ein Wunsch in Jakobs Herzen, welches er manifestierte... In der Tat besaß er Wissen aufgrund dessen, was Wir ihn lehrten... Aber die Mehrheit der Menschen wissen diese (Wahrheit) nicht.

69. Und als (die Brüder) neben Josef ankamen, nahm er seinen Bruder (Benjamin) und sagte: „Ich bin dein Bruder... Sei nicht betrübt über das, was passiert ist!"

70. Als (Josef) sie dann mit den Vorräten beladen hatte, ließ er dann einen Trinkbecher in der Tasche seines Bruders tun... Dann lief ein Bote und seine Männer hinter ihnen her und riefen: „Oh Leute dieser Karawane... Ihr seid Diebe!"

71. Sie drehten sich zu ihnen und fragten: „Was fehlt denn?"

72. Sie sagten: „Der Trinkbecher des Königs fehlt... Derjenige, der es findet, bekommt als Belohnung die Ladung eines Kamels... Ich garantiere für diese Belohnung."

73. (Die Brüder) sagten: „Bei Allah (d.h. eine Art von Aussprache, um Erstaunen anzudeuten)! Ihr wisst ganz gewiss, dass wir nicht hierher gekommen sind, um Unruhe zu stiften... Und wir sind keine Diebe."

74. (Die Ägypter) sagten: „Was wird die Konsequenz sein, falls ihr lügt?"

75. (Die Brüder) sagten: „Die Konsequenz ist, dass derjenige, in dessen Tasche der Trinkbecher gefunden wurde (der Besitzer der Tasche), gefangen genommen werden soll... So bestrafen wir die Verbrecher!"

76. Daraufhin begann (Josef) die Suche. Er fing bei den anderen Taschen an, bevor er mit der Tasche seines Bruders anfing... Dann fand er (den Trinkbecher) in der Tasche seines Bruders und nahm es heraus... So entwickelten Wir (die Ereignisse) zugunsten von Josef. Denn er hätte nicht seinen Bruder innerhalb der Religion des Königs

nehmen können (basierend auf den Regulierungen des Königs) außer durch Allahs Wille...
Wir vermehren denjenigen an Wissen, wem Wir wollen. Aber über jeden Besitzer an
Wissen gibt es Einen, der alles weiß.

77. (Die Brüder) sagten: „Falls er es gestohlen hatte, dann hat sein Bruder auch schon
davor gestohlen!" Josef hielt diese (Verleumdung) bei sich und veröffentlichte es ihnen
nicht: „Jetzt seid ihr in einer wirklich schlechten Position... Allah weiß über die
Wahrheit Bescheid, womit ihr ihn belastet."

78. (Die Brüder) sagten: „Oh Aziz... In der Tat hat er einen Vater, der sehr alt ist...
Nimm einen von uns an seiner Stelle... Wir sehen dich definitiv als einen sehr guten
Menschen."

79. (Josef) sagte: „Wir suchen Schutz in Allah davor jemanden zu nehmen, in dessen
Tasche wir unseren Besitz nicht gefunden haben... Denn dann wären wir mit
Sicherheit Übeltäter."

80. Als sie dann die Hoffnung (in Josef) verloren hatten, haben sie sich zurückgezogen
und heimlich unter einander sich beraten... Ihr Ältester sagte: „Erinnert ihr euch nicht
wie unser Vater von euch einen Eid nahm im Namen Allahs und eure Schuld
bezüglich Josef? Ich werde definitiv dieses Land nicht verlassen, es sei denn mein
Vater erlaubt es mir oder bis Allah es für mich entscheidet... Er ist der Beste unter
den Richtern."

81. Kehrt zu euren Vater zurück und sagt: „Oh unser Vater... Dein Sohn hat in der Tat
gestohlen... Wir bezeugen nur, was wir gesehen haben... Wir konnten nicht das
bewachen, was wir nicht sehen konnten."

82. „Frag die Menschen der Stadt und die Karawane, mit denen wir gereist sind... Wir
sagen dir definitiv die Wahrheit."

83. (Ihr Vater) sagte: „Nein (ich nehme das nicht an)! Euer Selbst hat euch zu etwas
(Schlechtem) wenden lassen. Von nun an ist es für mich am meisten ratsam, geduldig
zu sein... Vielleicht wird Allah sie alle zu mir zurückbringen... In der Tat ist Er Aliym
und Hakim."

84. Er dreht sich von ihnen weg und mit Augen, welche weiß wurden aufgrund von
Kummer, sagte er: „Ach, wie ihr mit Josef Leid angetan habt!"... Er war jetzt einer,
der versucht hatte, seinen Kummer zu verarbeiten.

85. Sie sagten: „Bei Allah! Du denkst immer noch an Josef? Du wirst entweder sehr
krank werden oder an diesem Kummer sterben."

86. (Jakob) sagte: „Ich richte meinen Kummer und meine Sorge nur zu Allah alleine...
Ich weiß Dinge über Allah, die ihr nicht wisst."

87. „Oh meine Söhne... Geht und recherchiert über Josef und seinen Bruder! Verliert
nicht die Hoffnung an Allahs wiederbelebender Gnade... Denn keiner verliert
Hoffnung an der wiederbelebenden Gnade von Allah außer jene, die das Wissen um
die Wahrheit leugnen."

88. Als sie dann (die Brüder, die zurückgegangen waren nach Ägypten, um mehr Vorräte zu
holen) in die Gegenwart von Josef kamen, sagten sie: „Oh Aziz... Unsere Familie ist
in einem schweren Verlust und in einer Bedrückung gefallen... und wir sind mit
Kapital von geringem Wert gekommen... Gib uns volles Maß und sei spendabel aus

deiner Gunst heraus zu uns... In der Tat ist Allah konsequent (gibt die Gegenleistung) zu jenen, die spenden."

89. (Josef) sagte: „Erinnert ihr euch, was ihr Josef und seinem Bruder angetan habt als ihr jung und ignorant wart?"

90. (Die Brüder) sagten: „Ach! Du...ja, du bist wirklich Josef?"... (Josef) sagte: „Ich bin Josef und dies ist mein Bruder... Allah hat definitiv uns bevorzugt... Denn wer auch immer sich beschützt und geduldig ist, Allah wird definitiv nicht zulassen, dass die Taten der „Muhsin" vergebens sind."

91. (Die Brüder) sagten: „Bei Allah! Wahrhaftig hat Allah dich über uns erhoben... Wir waren definitiv im Irrtum."

92. (Josef) sagte: „Kein Vorwurf wird heute gegen euch ausgesprochen werden, ihr werdet nicht verurteilt! Allah wird euch vergeben, denn Er ist am meisten „Rahim" unter denjenigen, die „Rahim" sind."

93. „Geht (zu unserem Vater) mit meinem Hemd... Und legt es ihm vor, er wird die Wahrheit sehen... Und versammelt die ganze Familie und bringt sie zu mir her!"

94. Und als die Karawane (das Land von Josef) verließ, sagte ihr Vater (in ihrem Heimatland): „Denkt nicht, dass ich alt und schwach im Geist bin, in der Tat nehme ich den Geruch (die Frequenz) von Josef wahr."

95. Sie sagten: „Bei Allah! In der Tat wiederholst du deinen gleichen, alten Fehler."

96. Und als die Überbringer froher Nachrichten kamen, legte er das Hemd vor Jakob und auf der Stelle hat er die Wahrheit gesehen! (Jakob) sagte: „Habe ich es euch nicht gesagt, definitiv weiß ich über Allah, was ihr nicht wisst."

97. (Josefs Brüder) sagten: „Oh unser Vater... Bitte für uns um Vergebung wegen unserer Sünden... In der Tat waren wir im Irrtum."

98. (Jakob) sagte: „Ich werde für euch von meinem Rabb um Vergebung bitten... Wahrlich ist Er Ghafur und Rahim."

99. Und als sie neben Josef ankamen, umarmte er seine Eltern und sagte: „Willkommen in Ägypten, sicher und beschützt mit Allahs Willen!"

100. Und er erhob seine Eltern auf den Thron... Seine Brüder warfen sich zu ihm nieder aus Respekt... Und (Josef) sagte: „Mein Vater... Dies ist die Interpretation meines Traumes (d.h. Vater=Sonne, Mond= Mutter, elf Brüder=elf Planeten) ... Mein Rabb hat es bewahrheitet (verwirklicht)... (Mein Rabb) war definitiv gut zu mir... Nachdem der Satan zwischen mir und meinen Brüdern Zwietracht geschürt hatte, nahm Er mich aus dem Kerker heraus und hat dich aus der Wüste geholt... Definitiv ist mein Rabb Latif zu wem Er will... Denn Er ist Aliym, Hakim."

101. „Mein Rabb... Definitiv hast Du mir von deiner Herrschaft gegeben und hast mir die wahren Bedeutungen der Lebensereignisse gelehrt... Du bist der „Fatir" der Himmel und der Erde (1. Universale Bedeutung: Die Dimension des Wissens, welche die Essenz des Universums ausmacht und der materiellen Dimension, welches existiert, basierend auf der Wahrnehmung der Schöpfung, 2. Weltliche Bedeutung: Die Himmel mit all ihren Dimensionen und die Erde, 3. Bedeutung bzgl. des Menschen: Die Bewusstseinsstufen des Menschen; die sieben Stationen des Selbst/Daseins und der Körper). Du bist mein Wali (Wächter/Beschützer) in der Welt und im ewigen, zukünftigen Leben (ich erfahre die

Bewusstheit des Namens Wali unter Deinen Namen, welche meine Essenz ausmachen, in jedem gegebenen Moment)... **Bewirke, dass ich sterbe** (nimm mich aus diesem Leben der materiellen Dimension) **in diesem ergebenen Zustand und vereinige mich mit den „Salih" genannten** (jene, die die Notwendigkeiten ihres Glaubens erfüllen)!"

102. Dieses, was Wir dir offenbaren, sind die Nachrichten von den nicht-wahrnehmbaren Welten... Und du warst nicht mit ihnen (die Brüder von Josef), als sie **sich verschworen haben, ihren Plan zu schmieden.**

103. Und die Mehrheit der Menschen, obwohl du dich sehr bemühst (um ihnen zu helfen), **leben nicht den verifizierten Glauben aus.**

104. (Wobei) du sie nicht einmal um irgendeine Bezahlung fragst (um sie zu warnen bzgl. der Wahrheit). **Es ist einfach eine Erinnerung an die Welten** (Mensch und Dschinn).

105. Und es gibt viele Zeichen innerhalb der Himmel und der Erde, von denen sie sich abwenden und hinter sich lassen.

106. Und viele von ihnen glauben nicht an Allah, es sei denn nur als „Muschriks" (d.h. die duale Sichtweise... Sie assoziieren/vergleichen das, was sie annehmen zu existieren oder ihre Götter oder ihre Egos mit Allah)!

107. (Oder) geben sie eine Garantie gegen die Bestrafung Allahs, welche sie alle umgeben wird oder die Stunde (Tod), **welche plötzlich zu ihnen kommen wird, während sie unachtsam sind?**

108. Sag: „Dies ist mein Weg, ich lade ein zu Allah basierend auf Einsicht (nicht durch Imitation und Nachahmung, sondern während man nachdenkt, um zu verstehen) **... Ich und jene, die mir folgen** (leben mit Einsicht). **Subhan ist Allah! Ich gehöre nicht zu jenen, die Dinge mit Allah assoziieren und vergleichen!"**

109. Und wir haben dir nicht vorher irgendwelche Männer gesandt außer jene zu denen Wir in der Stadt offenbart hatten... Sind sie nicht auf der Erde umhergewandert und haben gesehen, wie das Ende derjenigen waren, die vor ihnen waren... **Das ewige, zukünftige Leben ist sicherlich besser für diejenigen, die sich beschützen... Werdet ihr nicht euren Verstand benutzen?**

110. Bis die Rasuls die Hoffnung verloren haben und (bevor die Bestrafung sich manifestierte), **angenommen haben, dass sie geleugnet wurden,** (das ist dann als) **Unsere Hilfe zu ihnen kam. Und für wen Wir es wollen, der wird gerettet.... Unsere Bestrafung wird nicht abgewiesen vom schuldigen Volk.**

111. Definitiv gibt es eine Lehre in ihren Lebensgeschichten für diejenigen, die tief nachdenken! (Der Koran) **ist nicht eine Erzählung, die erfunden wurde** (von seitens des Menschen) **... Es ist eine Bestätigung des originalen Wissens, welches davor kam und eine detaillierte Erzählung über das „Huda"** (Wissen um die Wahrheit) **und „Rahmat"** (Gnade: sein eigenes Selbst zu kennen und demnach zu leben) **für ein gläubiges Volk.**

Mit demjenigen, der durch den Namen Allah erwähnt wird (der mein Wesen mit Seine Namen erschaffen hat im Anwendungsbereich des Buchstabens „B"), der Rahman und Rahim ist.

1. Alif, Lam, Meem, Ra... Dies sind die Zeichen des Buches (Wissen um die Wahrheit und der Sunnatullah), welches zu dir von deinem Rabb enthüllt wurde als die Wahrheit... Aber die Mehrheit der Menschen glauben nicht.

2. (Derjenige, dessen Name) Allah ist, ist HU, der die Himmel (die nicht-wahrnehmbaren Dimensionen jenseits der Materie – Bewusstsein [die sieben Stufen des Selbst]) auf etwas, welches ihr nicht sehen könnt, erhoben hatte (indem unterschiedliche Dimensionen basierend auf unterschiedliche Wahrnehmungssysteme geformt sind)! Dann hat Er sich selbst über den Thron etabliert (ließ die Eigenschaften der Namen über die Dimension der Taten herrschen)! Und Er delegierte die Sonne und den Mond, um Seine Anordnung zu manifestieren; jedes führt seine Funktion für eine spezifische Zeit aus... Er formt und lenkt (alle) Dinge mit Seiner Anordnung; Er bringt sie zur Existenz mit all ihren Details, so dass ihr im Besitz der Nähe sein könnt (d.h. die Bewusstheit der Manifestierungen der Namen deines Rabbs innerhalb deiner Essenz).

3. Und es ist HU, der die Erde ausbreitete (die Materie/Körper mit der Kapazität erschaffen, um ihre Bestandteile zu formen; hier geht es nicht um den runden Erdplaneten, sondern eher die Kapazität, die zur Erde und dem Körper gehört oder generell die Dimension der Materie) und darin standfeste Berge (die Organe des Körpers) und Flüsse (der kontinuierliche Fluss des Wissens, welches das Bewusstsein ernährt; das Nervensystem) platzierte... Und von jeder Frucht (Erzeugnis) seinen Zwilling (die Struktur eines Individuums jenseits der Materie) formte... Er transformiert die Nacht zum Tag (zum Leben, welches mit Seinem Wissen aus der Dunkelheit der Ignoranz zur Erleuchtung der Beobachtung der Wahrheit transformiert) ... In Wahrheit sind hierin viele Zeichen für ein Volk, welches nachdenkt...

4. Und auf der Erde (oder im Körper) gibt es benachbarte Kontinente (oder Organe) und Gärten von Weinstöcken und Feldern und Palmen, einzeln und dicht zusammen... Alle sind bewässert und ernährt (führen ihre Existenz weiterhin aus) mit einem Wasser (durch die Manifestierung EINES EINZELNEN WISSENS durch die gesamte Schöpfung hindurch) ... Trotzdem bevorzugen Wir manch ihrer Früchte über andere (basierend darauf, was sie erzeugen). In der Tat sind hierin Zeichen für ein Volk, welches seinen Verstand benutzt.

5. Und falls du erstaunt bist (über Unsere Zeichen, weil du unfähig bist, sie zu begreifen); das Erstaunliche ist, dass sie sagen: „Werden wir zu einer neuen Erschaffung gebracht und weiterhin leben, nachdem wir zu Staub wurden?"... Sie sind diejenigen, die das Wissen ihres Rabbs leugnen, welches ihre Essenz ausmacht (nicht fähig, ihre Unsterblichkeit zu begreifen aufgrund dessen, weil sie aus den ewigen Eigenschaften von Allah zusammengesetzt sind)! Und sie sind diejenigen, die Fesseln um ihre Hälse haben (gefangen durch die Idee, dass sie bloß der physische Körper sind, produziert durch das zweite Gehirn in ihrem Darm)! Sind sind das Volk des Feuers (Brennen/Leiden) ... Sie werden dort auf ewig sein!

6. Sie suchen Ärger anstatt Gutes von dir zu erwarten... (Wobei) **viele Völker** (Nationen), **die eigentlich eine Lektion erlernt haben müssten, vor ihnen bestraft wurden. Und definitiv ist dein Rabb zu Menschen trotz ihrer Fehlverhalten vergebend... In der Tat ist dein Rabb „Schadid ul Ikab"** (die gebührende Konsequenz eines Verbrechens werden auf strengster Weise ausgelebt).

7. Jene, die das Wissen um die Wahrheit leugnen, sagen: „Ein Wunder hätte zu ihm herabsteigen müssen von seinem Rabb!"... Aber du bist nur jemand, der warnt... Aber für jedes Volk gibt es einen „Hadi" (derjenige, der zur Wahrheit führt).

8. Allah weiß, was jedes weibliche Wesen trägt und was die Gebärmütter verlieren oder darüber hinaustragen. Aus Seiner Sicht ist alles gemäß der Funktion ihrer Schöpfung befähigt.

9. Er ist Aliym über das, was wahrgenommen und nicht wahrgenommen wird. Er ist der Kabiyr (Besitzer von grenzenlosen Bedeutungen), **der Muta`aliy** (Seine Höhe/Erhabenheit umfasst alle Dinge).

10. Ob jemand seine Gedanken versteckt hält oder sie veröffentlicht, das, welches sich in der Dunkelheit der Nacht oder in der Helligkeit am Tage befindet, ist alles das Gleiche (für Ihn)!

11. Er hat (über all Seine Manifestierungen) **ein System der unaufhörlichen Beobachtung** (Kräfte – Engel), **die sie beschützen, von vorne und von hinten, durch den Erlass Allahs... Definitiv wird Allah nicht den Lebensstil von einem Volk ändern bis sie nicht ihr Selbst geändert haben** (ihr Verständnis und ihre Wertvorstellungen)! **Und falls Allah für ein Volk ein Desaster will, dann gibt es keine Abweisung davon! Neben Allah gibt es keinen helfenden Freund für sie.**

12. Es ist HU, der euch Blitze zeigt (eine plötzliche Eingebung in eurem Gehirn) **als Furcht und Hoffnung für euch und der schwere Wolken erzeugt** (mit Wissen und Wissen über das Selbst, der Bewusstseinserweiterung) ... (Dieser Vers und die folgenden Verse weisen auf die verschiedenen Zustände des Menschen anhand von Metaphern und Gleichnissen hin; jedoch viele Menschen nehmen diese Verse wortwörtlich und nehmen an, dass sie auf Ereignisse über das Wetter hinweisen.).

13. Und der „Rad" (Donner – Die Entdeckungen des „Perfekten Menschen" in der reinen gedanklichen Dimension [Insan-i Kamil, Abdulkarim Al Jili]) **erhöht Ihn** (tasbih) **mit „Hamd"** (Bewertung der physischen Welten mit Seinen Namen, wie Er es wünscht)**; und die Engel** (Kräfte innerhalb des Menschen und des Universums erhöhen Ihn auch (tasbih) und erfüllen ihre Dienerschaft zu Ihm) **unter seiner Herrschaft... Während sie über Allah argumentieren** (aufgrund ihrer egobasierenden Gedanken)**, entsendet er Donnerschläge** (das Aufflackern des Wissens um die Wahrheit) **und lässt dies denjenigen erfahren, wen Er will! Er ist „Schadid ul Mihal"** (Es gibt ein System, welches strengstens ausgeführt wird. Dies wird „Sunnatullah" genannt. Es kann in keinster Weise verändert oder durch irgendjemanden interveniert werden).

14. Zu HU ist die Einladung zur Wahrheit! Jene, zu denen sie sich drehen und von denen sie um Hilfe bitten neben Allah, werden ihnen niemals antworten (weil sie nicht existieren)! (Sie sind) **wie jene, die ihre Hände ausstrecken, um Wasser zu bekommen, es aber nicht erreichen** (weil es keinen Wasserhahn gibt)! **Das Gebet jener, die das Wissen um die Wahrheit leugnen, ist nur eine Perversion und vergeblich!**

15. **Und wer auch immer sich in den Himmeln und auf der Erde befindet** (Materie und jenseits der Materie) **und ihre Schatten** (ihre konzeptionelle Existenz, denn die wahre und einzige Existenz sind die Eigenschaften Allahs), **ob gewollt oder durch Zwang, werfen sich zu Allah nieder** (Sie sind in einem Zustand der absoluten Ergebenheit zu dem Befehl Allahs, welche ihre essentielle Wahrheit ausmacht)**!** (Dies ist ein Vers der Niederwerfung.)

16. **Sag: „Wer ist der Rabb der Himmel und der Erde?" Sag: „Allah"! Sag: „Habt ihr Alliierte neben Ihn genommen, die euch keinen Nutzen oder Schaden geben können, nicht einmal sich selbst?" Sag: „Ist der Blinde mit dem Sehenden gleichwertig? Oder ist die Dunkelheit gleichwertig mit dem Licht** („Nuur", das Licht der Wahrheit)**?" Oder assoziieren sie Partner mit Allah, der erschafft wie Er erschafft und dessen System das System Allahs gleicht? Sag: „Es ist Allah, der der Schöpfer aller Dinge ist... HU ist Wahid, Kahhar."**

17. **Er sandte Wasser** (die Eigenschaften der Namen) **vom Himmel herab und Täler** (Kompositionen der Namen als individuelle Formen) **fließen** (als intellektuelle Aktivität) **gemäß dem, was „mit ihrem Schicksal" behaftet ist** (die Anzahl der Kräfte in ihrer einzigartigen Komposition) **... Dieser Strom trägt aufkommenden Schaum** (das materielle Leben) **... Und von dem, was sie erhitzen und schmelzen lassen im Feuer der Begierde von Verzierungen besteht Schaum wie dieses... Aber Schaum wird abgeworfen** aufgrund von unnötigem Exzess... Und so weist Allah auf die Wahrheit und auf den Aberglauben anhand von Beispielen... Aber was jenes anbelangt, welches den Menschen Nutzen bringt, dieses bleibt auf der Erde... Und so gibt Allah Beispiele.

18. **Für jene, die ihrem Rabb Antwort geben** (die sich innerlich zu ihrer essentiellen Wahrheit ausrichten), **gehört das Beste und das Schönste** (Paradies – die schönen Manifestierungen der Namen, welche ihre Essenz ausmachen, auszuleben) **... Was jene anbelangt, die Ihm keine Antwort geben, selbst wenn sie alles auf der Erde besitzen würden und noch einmal so viel, dann würden sie es hergeben, um sich freizukaufen** (um sich zu retten vor der Strafe der Entbehrung, die sie ausleben müssen) **... Das schlimmste Ergebnis der Lebensbilanz wird ihnen gehören... Ihr Refugium ist die Hölle... Welch eine elender Ort der Ruhe dieses doch ist!**

19. **Jenes, welches die enthüllt wurde von deinem Rabb, ist die Wahrheit. Ist derjenige, der die Wahrheit sehen kann gleichwertig mit demjenigen, der blind zu ihr ist? Nur jene mit Verstand, die tief nachdenken können, verstehen dies!**

20. **Jene** (die die Wahrheit erreichen) **erfüllen das Abkommen mit Allah** (leben gemäß den Voraussetzungen des Wissens um die Wahrheit, welches in ihrem Dasein durch Allah manifestiert wurde) **und sie brechen ihre Versprechen nicht** (ihre natürliche Veranlagung).

21. **Sie vereinen, was Allah befiehlt, EINS zu sein** (Der Zustand der Existenz, worin das „geformte Ich" mit dem „originalen, wahren Ich" vereint wird) **und sie stehen in Ehrfurcht vor ihrem Rabb** (die wundervolle Grenzenlosigkeit der Eigenschaften der Namen) **und sie befürchten das Schlechte ihrer Abrechnung** (die Konsequenz, nicht das gebührende Recht zu geben).

22. **Sie waren geduldig** (in ihrem gegenwärtigen Zustand) **und haben den Antlitz** (der paradiesische Zustand der Existenz, worin die Manifestierungen der herrschenden Kräfte in der Essenz vom Dasein erfahren wird) **ihres Rabbs ersucht, sie haben das „Salaah" ausgeführt und haben verteilt, ohne etwas zu erwarten, heimlich und öffentlich von jenem, welches Wir in ihnen vom Lebensunterhalt manifestiert hatten... Sie heben**

ihre schlechte Taten durch (darauf folgende) gute Taten auf... Ihnen soll die Heimat der Zukunft gehören!

23. (Die Heimat der Zukunft ist) **das Paradies von Eden** (eine Ebene der Existenz, wo jemand bewusst die Kräfte der Namen in seiner Essenz erfährt) **... Sie treten dort einheitlich ein** (sie erfahren die gleiche Wahrheit und Realität) **mit jenen zusammen, die „Salih" sind** (diejenigen, die sich selbst verbessern und harmonisch zusammen leben) **unter ihren Eltern, Partnern und Nachkommen ... Und die Engel kommen zu ihnen von jedem Tor aus** (die Kräfte, die notwendig sind in diesem Zustand zu leben, werden in ihnen auf jeder Ebene aktiviert werden)!

24. (Sie werden sagen): **„Assalaamu alaikum** (möge die Kraft, welche dem Namen „Salaam" angehört, sich in dir aktivieren) **als Ergebnis eurer Geduld... Wie schön die endgültige Heimat doch ist!"** (Das Wort „Heimat" oder „Vaterland" im Hadith „die Liebe zum Vaterland kommt vom Glauben" weist hierauf hin.)

25. Aber jene, die ihre Versprechen (aufgrund ihrer Konditionierungen oder ihrem Unvermögen, die Informationen zu bewerten) **brechen** (trotz der absoluten Ergebenheit in ihrer natürlichen Veranlagung anhand ihrer Schöpfung) **und das auseinander teilen, was Allah befiehlt, zusammen zu sein** (d.h. jene, die annehmen, dass das „geformte" Ich-Gefühl vom „originalen, wahren Ich" eine getrennte Struktur darstellt) **und jene, die Korruption verbreiten auf der Erde** (indem die Körper missbraucht werden und sie Gefangene werden zum zweiten Hirn in ihrem Darm), **sie sind diejenigen, die von Allah ferngehalten werden** (weit entfernt von den Kräften der Namen, welche eingebettet sind in ihrer Essenz)! **Für sie gibt es eine elende Heimat!**

26. Allah vermehrt den Lebensunterhalt für wen Er will und verringert es für wen Er will! Sie erfreuen sich und werden verwöhnt mit den weltlichen Dingen, aber das Leben der Welt ist nur ein vergängliches Vergnügen verglichen mit dem ewigen, zukünftigen Leben!

27. Jene, die das Wissen um die Wahrheit leugnen, sagen: „Sollten wir nicht einen Wunder von seinem Rabb erhalten haben?" Sag: „In der Tat führt Allah in die Irre, wen Er will und führt zur Wahrheit jene, die sich zu Ihm drehen."

28. Sie sind diejenigen, die geglaubt und bewusst die Zufriedenheit der Erinnerung an Allah innerhalb ihrer Essenz gespürt haben! Lasst es mit Gewissheit gewusst sein, dass das Bewusstsein mit der Erinnerung an Allah „mutmain" (zufrieden) **wird** (Dhikrullah; sich an seine essentielle Wahrheit zu erinnern oder an sein originales Selbst, d.h. Allah, der mit Seinen Namen und Eigenschaften die Essenz aller Dinge ausmacht)!

29. Jene, die glauben und die Notwendigkeiten des Glaubens erfüllen, werden den „Tuba" (der Baum des Paradieses) **bekommen und den Segen von dem, was sich in ihrer Essenz befindet, erfahren.**

30. Und deshalb lassen Wir dich zu einer Gemeinde manifestiert sein (mit der Wahrheit entfaltet und gesandt)**, vor denen viele Nationen gekommen sind, auf dass du zu jenen, die den „Rahman" leugnen, vorliest und sie darüber informierst, was Wir dir offenbart haben... Sag: „Mein Rabb ist HU! Es gibt keinen Gott, nur HU! An Ihm gilt mein Vertrauen und zu Ihm ist meine Reue, Vergebung und Rückkehr."**

31. Selbst wenn es sogar einen Koran gäbe, wodurch (die Vorlesung dessen) **Berge in Bewegung gesetzt werden oder die Erde in Stücke zerbröckelt werden oder die Toten zum Sprechen gebracht werden würden** (sie würden trotzdem nicht glauben)! **Nein, die**

Anordnung gehört gänzlich Allah! Haben die Gläubigen nicht gewusst, dass wenn Allah es gewollt hätte, dann hätte er sicherlich die ganze Menschheit die absolute Wahrheit realisieren lassen! Was jene anbelangt, die das Wissen um die Wahrheit leugnen, Elend wird nicht aufhören, sie oder in der Nähe ihrer Häuser zu treffen aufgrund ihrer Fehltaten... Bis das Versprechen Allahs erfüllt worden ist... Definitiv wird Allah nicht versagen, Sein Versprechen zu halten!

32. In der Tat wurden die Rasuls auch vor dir verspottet... Ich habe jenen, die das Wissen um die Wahrheit leugnen einen Aufschub gewährt und dann habe Ich sie ergriffen... Wie elendig war das Leiden, welches von ihren Fehltaten resultierte!

33. Sie haben Partner zu Allah assoziiert, während Er es ist, der den Verdienst von jedem Selbst manifestiert... Sag: „Nennt sie! Oder informiert ihr Ihn über etwas auf der Erde, worüber Er keine Kenntnis hat? Oder redet ihr Unsinn?"... Aber nein, das „Makr" (A.d.Ü.: „Plan schmieden" gegen das, was die Wahrheit darstellt. Da man es leugnet, ist man sich darüber nicht bewusst, dass man seine eigene Essenz leugnet, also hat man gegen sich selbst den Plan geschmiedet.) **der Leugner um das Wissen der Wahrheit wurde ihnen gefällig und sie wurden ferngehalten VOM WEG** (zu Allah) ... Und wem auch immer Allah fehlleitet, für ihn gibt es nicht mehr einen Wegführer zur Wahrheit!

34. Es gibt Leiden für sie im weltlichen Leben und definitiv wird das Leiden im ewigen, zukünftigen Leben noch schlimmer werden! Und es wird keine Beschützer für sie geben vor Allah.

35. Das Beispiel (die Metapher) des Paradieses für jene, die sich beschützen, ist, dass darunter Flüsse fließen... Seine Früchte bleiben bestehen und auch ihre Schatten... Dies ist die Zukunft für jene, die sich beschützen... Was jene anbelangt, die das Wissen um die Wahrheit leugnen, für sie gibt es das Feuer.

36. Jenen, denen Wir (vorher) das Buch (Wissen um die Wahrheit) gaben, hatten sich daran erfreut, was dir enthüllt wurde... Aber unter ihnen gab es einige, die einen Teil davon leugneten... Sag: „Mir wurde nur befohlen, Allah zu dienen und zu Ihm keine Partner zu assoziieren... Zu Ihm ist meine Einladung und zu Ihm ist meine Rückkehr!"

37. Und so haben Wir es als eine Anordnung auf Arabisch enthüllen lassen. In der Tat, wenn du ihren Phantasien nach dem das Wissen, welches zu dir gekommen ist, befolgst, dann wirst du weder einen Freund noch einen Beschützer vor Allah haben.

38. In der Tat hatten Wir Rasuls vor dir enthüllt und haben ihnen Partner und Nachkommen gegeben... Es ist nicht möglich, dass ein Rasul als Beweis kommt ohne die Erlaubnis von Allah (B-iznillah) ... Es gibt eine erlassene Zeit für die Formierung von jeder Anordnung!

39. **Allah hebt auf, was Er will oder formt** (zu einer wahrnehmbaren Realität, was Er will) **und in Seiner Sicht ist die Mutter des Buches** (das primäre Wissen; das Wissen, wie die Namen sich in jedem Moment manifestieren werden).

40. **Wenn Wir dir einiges zeigen, was Wir ihnen versprochen haben** (während sie noch leben) **oder dich sterben lassen** (ohne es dir zu zeigen, deine Funktion wird sich trotzdem nicht ändern), **deine Verantwortung ist nur zu informieren... Die Konsequenzen ihrer Taten aufzuerlegen, gehört gänzlich Uns!**

41. Haben sie nicht gesehen, wie Wir die Erde abnutzen (den physischen Körper) von allen Seiten aus (bis es altert und stirbt oder die globale Erschöpfung der Erde durch kosmische oder klimatische Bedingungen oder das Abnutzen der Dualisten in dieser Zeit von Tag zu Tag). Allah ordnet (dies) an und es gibt keinen, der Seinen Entschluss jagen kann (verstellen und verändern kann). Er ist derjenige, der augenblicklich das nachfolgende Stadium formiert basierend darauf, was schon geformt wurde.

42. Jene vor ihnen, hatten auch einen Plan geschmiedet... Aber der Plan gehört gänzlich Allah (das Konzept von „Makr": Ihr Plan hat sich gegen sie gewandt, sie fielen hinein in ihre eigene Falle gemäß dem Schöpfungssystem von Allah) ... Er kennt das Ergebnis von jedem Selbst (Bewusstsein, Form des Daseins)! Jene, die das Wissen um die Wahrheit leugnen, werden auch sehen, wem die endgültige Heimat gehört.

43. Jene, die das Wissen um die Wahrheit leugnen, sagen: „Du bist kein Rasul (der von Allah entsandt wurde; dessen Bewusstsein mit dem Wissen um die Wahrheit entfaltet wurde). Sag: „Allah genügt mir und jene, die das Wissen um die Wahrheit besitzen als Zeuge zwischen mir und euch."

Mit demjenigen, der durch den Namen Allah erwähnt wird (der mein Wesen mit Seine Namen erschaffen hat im Anwendungsbereich des Buchstabens „B"), der Rahman und Rahim ist.

1. Alif, Lam, Ra... Dieses (Buch) Wissen (der Wahrheit und der „Sunnatullah"), welches Wir dir enthüllt haben, ist, damit du die Menschheit aus der Dunkelheit (der Ignoranz) zum „Nuur" (Licht, d.h. Wissen) führst basierend auf der Namensbeschaffenheit der Komposition, welche ihre Existenzen ausmachen (Bi-izni Rabbihim), zum Weg desjenigen, der „Aziz" (derjenige, der tut, was Er will, niemand kann etwas dagegen tun) und „Hamid" (derjenige, der nur durch sich selbst bewertet) ist.

2. Allah (derjenige, der Aziz und Hamid ist) gehört, was es auch immer in den Himmeln und auf der Erde gibt (es ist da für die Beobachtung der Eigenschaften, welche durch Seine „Schönen Namen" [Al Asma ul Husna] bezeichnet werden)... Wehe denjenigen, die das Wissen um die Wahrheit leugnen, für das strenge Leiden, das ihnen erwartet!

3. Sie (diejenigen, die das Wissen um die Wahrheit leugnen) bevorzugen das (begrenzte) weltliche Leben über das ewige, zukünftige Leben und sie hindern vom Weg zu Allah, sie wollen es pervertieren... Sie sind dem extremen Irrtum befallen, welches schwierig ist zu korrigieren.

4. Und Wir ließen jeden Rasul mit der Sprache seines Volkes entfalten, so dass sie ihnen deutlich erklären können... Allah führt in die Irre wen Er will und rechtleitet wen Er will... Und Er ist Aziz und Hakim.

5. In der Tat haben Wir Moses mit Wundern entfalten lassen und sagten: „Nimm dein Volk aus der Dunkelheit zum Licht des Wissens (Nuur) und erinnere sie an das ewige Leben, welches kommen wird, wo der Befehl Allahs verwirklicht wird"... Definitiv sind hierin Zeichen für jeden, der sehr geduldig und dankbar ist.

6. Und als Moses zu seinem Volk sagte: „Erinnert euch an den Segen von Allah auf euch... (Erinnert euch) daran, wie Er euch von dem Volk des Pharaos rettete... Sie hatten euch die schlimmste Tortur erfahren lassen als sie eure Söhne hingerichtet und eure weiblichen Familienmitglieder am Leben gelassen hatten... Darin bestand ein großes Unheil von eurem Rabb!"

7. Und (erinnert euch daran) wie euer Rabb deklariert hatte: „Wahrlich, wenn ihr dankbar seid, dann vermehre ich es, aber falls ihr undankbar seid, dann ist sicherlich meine Strafe am intensivsten."

8. Moses sagte: „Falls ihr und alle auf der Erde leugnet (die Wahrheit leugnet, also undankbar zu sein), dann (wisst sehr wohl, dass) Allah definitiv Ghani und Hamid ist."

9. Hat nicht euch die Nachricht derjenigen erreicht, die vor euch waren, dem Volk von Noah, Aad, Thamud und jenen, die nach ihnen waren? Keiner kennt sie außer Allah! Ihre Rasuls kamen zu ihnen mit Beweisen, aber sie haben ihre Münder mit ihren Händen bedeckt (eine Geste der Araber, um die Ablehnung einer Idee anzudeuten) und sagten: „Definitiv leugnen wir das, womit du gesandt wurdest (A.d.Ü.: was sich in deinem Gehirn über die Wahrheit entfaltet hat) und bezüglich dessen, wozu du uns einlädst, da haben wir große Skepsis."

10. Ihre Rasule sagten: „Kann es Zweifel über Allah geben, dem Schöpfer (Fatir) der Himmel und der Erde? Er vergibt die Fehler, welche aus eurer Menschlichkeit resultieren und gibt euch eine Chance bis zum Ende eurer Lebenspanne." Sie sagten (zu den Rasuls): „Ihr seid nur Menschen wie wir (es gibt euch bezüglich keinen sonderbaren Aspekt und Wunder) ... Ihr wollt uns hindern von dem, was unsere Vorväter angebetet haben... Also bringt uns einen klaren „Sultan" (Beweis, eine Autorität basiert auf einem Wunder)."

11. Ihre Rasuls sagten zu ihnen: „Wir sind Menschen wie ihr, jedoch gewährt Allah Seine Segen (der Risalah; die Entfaltung der Wahrheit im menschlichen Gehirn) auf wen Er will unter Seinen Dienern... Es ist für uns nicht möglich euch einen Sultan (eine Autorität basierend auf einem Wunder, Beweis) zu bringen, es sei denn es wird manifestiert durch die Erlaubnis Allahs (B-iznillah) ... Also dann lasst die Gläubigen ihr Vertrauen auf Allah setzen (sie sollen glauben, dass der Name „Wakiyl" in ihrer Essenz seine Funktion erfüllen wird)."

12. „Und warum sollten wir nicht unser Vertrauen auf Allah setzen, wenn Er uns auf dem Weg zur Wahrheit geführt hat? Wir werden definitiv geduldig sein gegen den Schaden, den ihr uns zufügt... Jene, die vertrauen, sollen ihr Vertrauen auf Allah setzen (sie sollen glauben, dass der Name „Wakiyl" in ihrer Essenz seine Funktion erfüllen wird)."

13. Jene, die das Wissen um die Wahrheit leugnen (jene, die mit ihrem Ego leben) sagten zu ihren Rasuls: „Entweder verbannen wir euch aus unserem Land oder ihr wendet euch unserem Glauben zu"... Ihr Rabb offenbarte ihnen: „Definitiv werden Wir die „Zalims" (jene, die ihrem Selbst die Essenz der Wahrheit vorenthalten) zerstören."

14. „Und nach ihnen werden Wir euch in diesem Land leben lassen... Dies ist spezifisch für diejenigen, die Meine Position und Drohung fürchten."

15. (Die Rasuls) wollten Eroberung... Und (dadurch) hat jeder hartnäckige Tyrann verloren.

16. Und jenseits von ihm ist die Hölle... Ihm soll verdorbenes Wasser (das Wasser der Hölle) gegeben werden.

17. Er wird versuchen, es zu schlürfen, aber er wird es nicht schlucken können... Der Tod kommt zu ihm von allen Seiten, aber er wird nicht sterben! Und danach auch noch ein schlimmeres Leiden!

18. Das Beispiel jener, die ihren Rabb (die Eigenschaften der Namen in ihrer Essenz) leugnen, ist wie die Asche, welche kraftvoll durch die Winde an einem stürmischen Tag hinweggefegt wird... Sie sollen nichts verdienen aus dem, was sie tun... Dies ist die größte Abweichung (von der Wahrheit).

19. Habt ihr nicht gesehen, dass Allah die Himmel und die Erde auf der Realität aufgebaut erschaffen hat (mit den Eigenschaften Seiner Namen als Kompositionen Seiner Namen) ... Falls Er es will, kann Er euch abschaffen und mit einer neuen, originalen Struktur ein neues Volk hervorbringen.

20. Dies ist nicht schwer für Allah, der Aziz ist (dessen Anordnung niemand etwas entgegenstellen kann)!

21. Und sie sind allesamt versammelt und völlig ungeschützt für Allah! Die Schwachen werden zu jenen sagen, die arrogant waren: „In der Tat haben wir euch

befolgt, also könnt ihr jetzt irgendetwas von Allahs Zorn von uns abwenden?" (Die Arroganten) werden sagen: „Hätte Allah uns recht geleitet, dann hätten wir definitiv euch recht geleitet... (aber jetzt) ob wir in Qualen schreien oder geduldig sind, es ist für uns das Gleiche... (Denn) es gibt für uns keinen Ort des Entkommens."

22. Und wenn die Angelegenheit erledigt ist (wenn die Wahrheit offenkundig wird), wird der Satan sagen: „Definitiv hat dich Allah über Sein wahres Versprechen informiert. Ich habe dir auch versprochen, aber dann habe ich dich betrogen. Ich hatte (sowieso) keine Autorität (Macht) über dich. Ich hatte dir nur ein paar Ideen eingeflüstert und du hast meine Ideen befolgt (weil sie mit deinem Ego in Resonanz schwingen)! Also gib mir nicht die Schuld, aber beschuldigt euch selbst! Ich kann weder zu eurer Hilfe gerufen werden, noch könnt ihr mir zu Hilfe kommen. Ich hatte auch vorher eure Assoziation zu mir bei Allah geleugnet! Definitiv gibt es ein qualvolles Leiden für die „Zalims" (jene, die ihrem Selbst die Rechte berauben für die Ewigkeit, Glückseligkeit zu erfahren)."

23. Was jene anbelangt, die glauben und die Anforderungen ihres Glaubens erfüllen, sie werden zu Paradiese eingelassen werden, unter denen Flüsse fließen und worin sie auf ewig sein werden gemäß den Namenskompositionen, welche ihren Rabb ausmachen (B-izni Rabbihim). Und ihr Gruß darin wird sein: „Salaam".

24. Seht ihr nicht wie Allah anhand von Symbolen erklärt: Ein reines Wort (das Wissen um die Wahrheit) ist wie ein reiner Baum (der Perfekte Mensch; Insan-i Kamil), dessen Wurzeln stabil fixiert sind (die DATEI im Gehirn, welche demjenigen angehört, welche das originale „Ich" darstellt) und dessen Äste zum Himmel sich erstrecken (das Resultat, welches im Bewusstsein geformt wird)!

25. (Dieser Baum) produziert Früchte (Wissen und Selbsterkenntnis [Marifat]) zu jeder Zeit, basierend auf der Angemessenheit seiner Namenskomposition (B-izni Rabbiha) ... Allah gibt den Menschen Beispiele, so dass sie vielleicht darüber tief nachdenken und sich daran erinnern.

26. Und das Beispiel eines unreinen Wortes (eine grundlose Idee) ist wie ein unreiner Baum (der keine Früchte gibt), jeglicher Wurzeln entbehrt, oberflächlich und ohne Fundament.

27. In beiden Leben, in der weltlichen und in der ewigen, zukünftigen, bindet Allah jene, die glauben auf das Wort der dauerhaften Wahrheit (das Wort der Einheit)! Allah leitet die „Zalims" in die Irre. Und Allah macht, was Er will (Allah manifestiert die Eigenschaften Seiner Namen, die Er wünscht)!

28. Seht ihr nicht denjenigen, der den Segen Allahs (das Wissen um die Wahrheit) für Unglauben (Leugnung) austauscht und sein Volk zu einem Leben reduziert, welches nicht das Resultat der Wahrheit ist (Dar ul Bawar)?

29. Es ist die Hölle, wogegen sie sich anlehnen! Wie elendig dieser Lebenszustand doch ist!

30. Sie assoziierten (Götter, die sie angenommen hatten, gleichgestellt zu sein) zu Allah, um von Seinem Weg irrezuleiten! Sag: „Erfreut euch; der Ort, wo ihr leben werdet, wird das Feuer sein!"

31. Sag meinen Dienern, die geglaubt haben: „Etabliert das „Salaah" und spendet vom Lebensunterhalt, welches Wir euch gaben, im Geheimen oder im Offenen, bevor

eine Zeit kommt, wo es weder einen Austausch geben wird, noch irgendeine Freundschaft."

32. **Es ist Allah, der die Himmel und die Erde erschaffen hatte und Wasser vom Himmel hat herabsteigen lassen und dadurch Früchte als Provision für euch produziert hatte und für euch Schiffe zu euren Diensten erwies, um mit Seiner Anordnung auf dem Meer zu segeln und auch auf den Flüssen!**

33. **Die Sonne und der Mond, welche kontinuierlich ihre Funktionen erfüllen, sind zu euch im Dienst** (ihr nutzt ständig die Energie und unterschiedliche Eigenschaften der Sonne und des Mondes, ohne dies zu realisieren) ... **Und ihr habt Vorteile von der Nacht und vom Tag.**

34. **Er hat euch alles gegeben, was ihr von Ihm wolltet** (basierend auf euren natürlichen Veranlagungen, während der Periode der Schöpfung) ... **Falls ihr die Segen von Allah zählen würdet, dann könntet ihr sie gebührlich bewertend nicht zu Ende aufzählen. Definitiv ist der Mensch derjenige, der am Ungerechtesten ist und er ist derjenige, der die offensichtliche Wahrheit zudeckt!**

35. **Und Abraham hatte gesagt: „Mein Rabb, mache diese Stadt sicher... Beschütze mich und meine Söhne vor der Anbetung von Götzen und Göttern."**

36. **„Mein Rabb... In der Tat, sie** (die Götter) **haben viele irregeleitet... Wer auch immer mir folgt, dann ist er in der Tat von mir... Und wer auch immer mir nicht gehorcht, dann bist Du in der Tat Ghafur und Rahim."**

37. **„Unser Rabb, in der Tat habe ich manche meiner Nachkommen in einem unkultivierten Tal in der Nähe Deines heiligen Hauses niedergelassen, so dass sie das „Salaah" etablieren mögen** (das Resultat der Hinwendung zu Dir zu erfahren)! **Also lass diejenigen, dessen Bewusstsein offen ist, die Wahrheit zu verstehen, sich zu Dir drehen und gib ihnen Wissen und Selbsterkenntnis, so dass sie bewerten können und dankbar sind."**

38. **„Unser Rabb! Definitiv weißt du, was wir verheimlichen und was wir veröffentlichen... (Denn) nichts im Himmel und auf der Erde kann vor Allah verheimlicht werden."**

39. **„Hamd** (die Bewertung der physischen Welten) **gehört gänzlich Allah, der Ismael und Isaak mir im hohen Alter zuteil werden ließ...In der Tat ist mein Rabb derjenige, der „Sami" ist zu meinem Gebet, welches aus meiner Essenz kommt."**

40. **„Mein Rabb, ermögliche es, dass ich das „Salaah-i Ikamah" etabliere** (jene, die erfahren, was es bedeutet, wenn man sich innerlich zur Wahrheit der Namen hinwendet) **und auch meine Nachkommen** (ermögliche, dass sie es auch auf diese Weise ausleben)! **Unser Rabb, verwirkliche mein Gebet."** (Anmerkung: Ein Individuum wie Abraham bittet um die Etablierung und Erfahrung des „Salaah-i-Ikamah"; es ist es wert, darüber nachzudenken, was dies bedeuten mag.)

41. **„Unser Rabb, in jener Zeit, wenn die Lebenskonten offen gelegt werden, vergib mir, meinen Eltern und jenen, die glauben!"**

42. **Und denke niemals, dass Allah sich nicht bewusst ist, was die „Zalims" tun! Er schiebt es nur auf für die Zeit, wenn ihre Augen voller Panik starren werden.**

43. (An diesem Tag) **werden sie voraus rennen, ihre Köpfe ausgestreckt** (um Hilfe zu suchen)**, ihre Sicht in der Dunkelheit befindend... Ein Zustand, wo sie nicht fähig sein werden, sich selbst zu sehen! Sie wissen nicht, was sie denken werden!**

44. Warnt die Menschen von einer Zeitperiode, wenn der Zorn (Tod – der Beginn von ewigem Leiden, für jene, die nicht vorbereitet sind) **sie erreichen wird! In dieser Zeit werden die „Zalims"** (A.d.Ü.: Jene, die grausam zu sich selbst waren, weil sie ihrem Selbst, ihrem ewigen Dasein die Rechte vorenthalten haben, vorbereitet zu sein) **sagen: „Unser Rabb, gewähre uns für eine kurze Zeitspanne Aufschub, so dass wir Deiner Einladung antworten und Deine Rasuls befolgen"... Hattet ihr nicht früher geschworen, dass es für euch nicht solch ein Ende geben wird?**

45. Und ihr habt unter den Häusern jener gelebt, die grausam zu sich selbst waren! Es wurde euch erklärt, wie Wir mit ihnen umgingen... Und Wir präsentierten euch Beispiele.

46. In der Tat hatten sie „Makr" (Falle/Intrige/Plan) **geplant, aber ihr „Makr" besteht in der Sichtweise Allahs** (sie können die Konsequenz dessen nicht entkommen)! (Was würde es schon bringen) **selbst, wenn ihr „Makr"** (ihre Täuschungen) (A.d.Ü.: Täuschungen, die eigentlich Selbsttäuschungen sind) **Berge bewegen könnte!**

47. Denkt niemals, dass Allah in Seinem Versprechen zu Seinen Rasuls versagen wird... Definitiv ist Allah „Aziz-un Zuntikam" (der Ermächtigte eines Systems, worin das Gebührende des Verdienenden unaufhaltsam durchgeführt wird)!

48. Während dieser Periode wird die Erde (der Körper) **durch eine andere Erde** (einen anderen Körper) **ausgetauscht werden und die Himmel auch** (individuelles Bewusstsein wird zu einem anderen System der Wahrnehmung verändert)! (Alles) **wird sichtbar sein** (offensichtlich erwiesen mit all ihren innerlichen Gesichtern) **zu Allah, der Wahid und Kahhar ist.**

49. Während dieser Periode werdet ihr die Schuldigen in Ketten gelegt sehen (mit den Bindungen, welche sie ferngehalten haben von Allah)!

50. Ihre Kleidung besteht aus flüssigem Teer (die Dunkelheit ihres Egos hat sie umgeben) **und ihre Antlitze sind mit Feuer bedeckt** (bedeckt vor der Wahrheit).

51. Allah hat für jedes Selbst gewünscht, dass es die Konsequenzen seiner Taten erlebt! In der Tat ist Allah „Sari ul Hisab" (schnell im Abrechnen; unverzüglich werden die Resultate einer Tat geformt)!

52. Dies ist eine Mitteilung für die Menschen; lasst sie damit gewarnt sein und lasst sie wissen, dass HU der EINE ist, der der Besitzer der „Uluhiyyah" (A.d.Ü.: Ein Wort, welches das Dasein von Allah beschreibt. Also eine EINS, die unteilbar ist) **ist! Lasst jene, die im Besitz von Verstand und tiefem Nachdenken sind, sich daran erinnern und** (diese Wahrheit) **bewerten!**

Mit demjenigen, der durch den Namen Allah erwähnt wird (der mein Wesen mit Seine Namen erschaffen hat im Anwendungsbereich des Buchstabens „B"), der **Rahman und Rahim ist.**

1. Alif, Laam, Ra... Dies (die Wahrheit und Sunnatullah) **sind die klaren Zeichen von DIESEM WISSEN, von diesem Koran.**

2. (Es wird sein, dass) **jene, die das Wissen um die Wahrheit leugnen** (die verschleiert sind vor ihrer eigenen Wahrheit), **sich wünschen werden mit intensivem Wunsch, dass sie sich ihrer Ergebenheit bewusst gewesen wären.**

3. Lass sie, sie sollen essen und sich erfreuen; sie sollen sich amüsieren mit ihren unaufhörlichen Begierden! Bald werden sie es wissen.

4. Und Wir haben nie eine Region zerstört, ohne dass es nicht schon beschlossen wurde.

5. Keine Gemeinde kann ihren Zeitpunkt vorantreiben oder verschieben.

6. Sie sagten: „Oh derjenige, zu dem die Erinnerung (das Dhikr) **enthüllt wurde! Definitiv bist du verrückt** (durch die Dschinn besessen)."

7. „Solltest du nicht zu uns mit Engeln kommen, falls du zu den „Sadik" (A.d.Ü.: Jene, die aufgrund ihrer Aufrichtigkeit, die Wahrheit ausleben) **gehörst?"**

8. Wir enthüllen keine Engel, es sei denn mit der Wahrheit... Zu dieser Zeit werden sie nicht begnadigt werden!

9. In der Tat sind Wir es alleine, die dieses „Dhikr" enthüllen! Und in der Tat sind Wir es, die sein Wächter sein werden!

10. Definitiv haben Wir auch (Rasuls) **vor dir gesandt** (enthüllt), **unter den ersten Völkern, die den gleichen Glauben teilten.**

11. Sobald ein Rasul zu ihnen kam, da haben sie ihn auf jeden Fall verspottet.

12. Und so lassen Wir es in den Herzen der Schuldigen fortschreiten.

13. Sie glauben nicht (an die Erinnerung; das Wissen) **... Und sie beachten nicht die Konsequenzen, welche von früheren Leugnern um das Wissen der Wahrheit ausgelebt wurden.**

14. Selbst wenn Wir für sie ein Tor vom Himmel öffnen würden und sie dort hindurch aufsteigen würden...

15. Sie hätten definitiv gesagt: „Unsere Augen wurden geblendet, wir sind ein verhextes Volk!"

16. In der Tat haben Wir im Himmel (Gehirn; spezifische Regionen [Zirbeldrüse] innerhalb des Gehirns, welches einen befähigt, die Wahrheit zu observieren) **Konstellationen geformt und es für jene geschmückt, die es beobachten und achten.**

17. Wir haben es vor jedem verfluchten und gesteinigten Satan (das Gefühl der Individualität und die Angst vor Verlust geformt durch die Amygdala im Gehirn) **beschützt.**

18. Außer einer, der lauscht (die manifestierte Wahrheit zum Körperlichen zu assoziieren), **der wird verfolgt von einer klaren, leuchtenden Flamme** (das Licht um das Wissen über die Wahrheit).

19. Wir haben die Erde erweitert (der Körper wird erweitert, damit es die Organe beinhalten kann, welche die Manifestierungen der Namen sind)! **Und Wir haben darin stabile Berge** (Organe) **platziert... Wir haben dort alles im Gleichgewicht geformt.**

20. Und Wir haben darin Einkommen sowohl für euch als auch für jene, dessen Lebensunterhalt euch nicht gehören, geformt.

21. Und es gibt nicht ein Ding, dessen Schätze (ihre geformten Kräfte) **nicht in Unserer Sicht wären! Und Wir lassen sie** (dieses Kräfte – Eigenschaften) **gemäß seines notwendigen Wertes enthüllen** (Wir manifestieren es).

22. Wir enthüllten die Winde (Ideen) **als Befruchtung** (von neuen Ideen und Entdeckungen) **... Wir ließen Wasser** (Wissen) **herabsteigen vom Himmel und ließen euch davon trinken... Und ihr seid nicht diejenigen, die es verwahren.**

23. Wahrlich, Wir sind es, ja Wir, die Leben geben und Tod verursachen! Wir sind die Erben (ihr seid „Fani"; ihr seid vergänglich, ihr seid sterblich. Wir sind „Baki"; Wir, die Asma ul Husna, sind ewig, unsterblich)!

24. Defintiv wissen Wir wer unter euch voranschreiten will und wer zurückbleibt!

25. Definitiv, dein Rabb, HU, wird sie alle versammeln! In der Tat ist Er Hakim, Aliym.

26. Definitiv haben Wir den Menschen von entwickelter, zellulärer Struktur (Erde +Wasser + Luft) **erschaffen.**

27. „Und die Dschinn haben Wir davor erschaffen vom Feuer aus „Samum" (eine penetrierende Mikrowellenstrahlung, welche schädlich ist zum Astralkörper; das Feuer in der Hölle).**"**

28. Und erinnert euch als euer Rabb zu den Engeln sagte: „In der Tat werde Ich einen Menschen erschaffen aus trockener Tonerde, eine entwickelnde, zelluläre Struktur (Zelle).**"**

29. Und wenn Ich ihn seinen Maß (seinen Körper und sein Gehirn perfektioniert habe) **gegeben habe und in ihm von Meiner Seele** (die Eigenschaften, welche durch die Namen „Asma ul Husna" genannt werden) **eingehaucht habe, dann werft euch nieder zu ihm** (beginnt mit eurer Dienerschaft ihm gegenüber als seine Kräfte)!**"**

30. Also haben dann alle Engel (Kräfte) **kollektiv sich niedergeworfen** (bestimmte Eigenschaften der Namen fingen an, sich mit dem Gehirn zu manifestieren).

31. Außer Iblis! Er gehörte nicht zu jenen (Kräften), **die sich niedergeworfen haben.**

32. Er sagte: „Oh Iblis! Was ist mit dir, dass du nicht zu jenen gehörst, die sich niederwerfen?"

33. (Iblis) **sagte: „Ich bin nicht zur Existenz gekommen, um mich einem Menschen niederzuwerfen, den Du aus trockener Tonerde, aus einer entwickelten, veränderten zellulären Struktur erschaffen hast."**

34. Er sagte: „Dann geh hinfort von hier! Definitiv bist du verflucht und gesteinigt (abgelehnt)."

35. Definitiv ist auf dir der Fluch (weit davon gefallen und deshalb entfernt, seine eigene Wahrheit zu erfahren) **bis zur Zeit, worin die Realität der Sunnatullah offensichtlich sein wird** (Yawm ad Din; der Tag der Religion)."

36. (Iblis) sagte: „Mein Rabb! Gib mir Aufschub bis zur Zeit, wo sie auferstehen werden (mit einem neuen Körper, nachdem sie den Tod erfahren haben)!"

37. Er sagte: „Sicherlich, dir wird Aufschub gewährt!"

38. „Bis zur bewussten Zeit!"

39. (Iblis) sagte: „Mein Rabb! Weil Du mich irregeleitet hast als Resultat der Ergebnisse der Namen, welche sich in mir ausgedrückt haben, werde ich definitiv die Erde** (ihr Leben mit dem Körper) **ihnen attraktiv gestalten** (ihre Verbrechen; Taten, die gemäß der „Sunnatullah" die Verschleierung der essentiellen Wahrheit formieren) **und sie alle irreleiten."**

40. „Außer Deinen Dienern unter denen die Reinheit zur Essenz (Mukhlis; jene, die das „Ikhlas" ausleben) **gegeben wurde!"**

41. Er sagte: „Dies ist der „Gerade Weg" (Sirat ul Mustakim)**, den ich auf mich genommen habe!"**

42. „Definitiv wirst du kein „Sultan" (Macht und Kraft auszuüben) **über Meine Diener sein.... Außer den Korrupten, die es bevorzugen, dir zu folgen."**

43. „In der Tat ist die Hölle der Ort, welcher ihr Schicksal darstellt."

44. „Es hat sieben Tore (die sieben Organe: Augen, Ohren, Zunge, Hände, Füße, Magen und Geschlechtsorgane, welche alle missbraucht werden, um ihr Ziel zu verfehlen) **... Und jedes Tor hat einen Abschnitt, welcher ihr zugeschrieben ist."**

45. Diejenigen, die sich beschützt haben, werden in Paradiese und Quellen sein.

46. „Tretet dort beschützt und sicher ein mit „Salaam" (A.d.Ü.: mit absoluter Sicherheit vor jeder Gefahr, denn man befindet sich im Frieden, weil man mit seiner essentiellen Realität, den energetischen Potenzialen der Eigenschaften Allahs, verbunden ist. Man hat nur Frieden, wenn man beschützt ist. Dafür wird eine bestimmte Energie benötigt.)."

47. Wir haben von ihren Inneren alle Emotionen des Hasses und der Feindseligkeit gereinigt und entfernt (welche von einer Sicht herrührt basierend auf Getrenntem und Dualität anstatt Einheit)! **Sie werden als Brüder auf Thronen platziert sich gegenüber sitzend.**

48. Sie werden durch keine Müdigkeit betroffen (Energieabbau) **und sie werden von dort niemals hinausbefördert werden.**

49. Sag Meinen Dienern, dass Ich, ja Ich definitiv Ghafur und Rahim bin.

50. Mit Sicherheit ist Meine Strafe (das Leiden, welches daher resultiert, dass man weit entfernt von Mir gefallen ist) **die schlimmste Strafe!**

51. Informiere sie bezüglich den Gästen Abrahams.

52. Wie sie zu ihm gekommen sind und ihn begrüßt hatten: „Salaam"... (und Abraham hatte gesagt): **„Wir sind durch euch beunruhigt."**

53. (Sie sagten): **„Sei nicht beunruhigt! Wir sind gekommen, um dir die gute Nachricht zu geben, dass du einen Sohn haben wirst, der Aliym** (großes Wissen besitzen wird) **sein wird."**

54. (Abraham) sagte: **„Gebt ihr mir diese gute Nachricht, obwohl mich schon ein hohes Alter erreicht hat? Was für eine gute Nachricht gebt ihr mir da?"**

55. Sie sagten: **„Wir geben dir in Wahrheit gute Nachrichten! Verfalle nicht in Verzweiflung!"**

56. (Abraham) sagte: **„Wer kann von der „Rahmat"** (A.d.Ü.: Gnade - den Weg zur Wahrheit bezüglich der Essenz des Menschen) **meines Rabbs die Hoffnung verlieren, es sei denn jene, die vom Weg irregeleitet sind** (von der Wahrheit)?"

57. (Abraham) sagte: **„Oh ihr Rasuls** (A.d.Ü.: jene, die mit der Wahrheit gekommen sind, also in denen sich die Wahrheit über das wahre Selbst enthüllt und entfalten hat)! **Welche Aufgabe habt ihr** (noch)?"

58. Sie sagten: **„Die Wahrheit ist, dass wir für das schuldige Volk entsandt wurden."**

59. **„Außer der Familie von Lot! Wir werden sie alle retten."**

60. **„Außer der Frau** (von Lot) **... Wir haben entschlossen, dass sie zu jenen gehören wird, die zurückbleiben werden."**

61. Dann sind die enthüllten Engel zu Lot gekommen.

62. (Lot) sagte: **„Definitiv seid ihr Fremde!"**

63. Sie sagten: **„Im Gegenteil, wir bringen** (Leid als Ergebnis ihrer Taten) **für jene, die im Zweifeln sind."**

64. **„Wir sind zu euch mit der Wahrheit gekommen und wir stehen wahrhaftig zu unserem Wort."**

65. **„So nimm deine Familie und breche auf während einen Teil der Nacht, nimm sie hinfort... Und verfolge sie von hinten.... Keiner von euch soll zurückschauen... Geht zum Ort, welcher euch befohlen wurde!"**

66. Wir haben ihn die Anordnung übermittelt: **„In der Tat werden ihre letzten Verbliebenen am Morgen abgeschnitten sein."**

67. Und das Volk der Stadt kam erfreulich an.

68. (Lot) sagte: **„Diese Personen sind meine Gäste. Also beschämt mich nicht."**

69. **„Beschützt euch vor Allah und bringt mich nicht in Verlegenheit!"**

70. Sie sagten: **„Haben wir dir nicht gesagt, du sollst dich nicht in die Angelegenheiten anderer einmischen?"**

71. (Lot) sagte: **„Hier sind meine Töchter, falls es dies ist, was ihr tun wollt!"**

72. Bei deinem Leben, sie wandern blind umher in ihrem Rausch (des Vergnügens)!

73. Beim Sonnenaufgang hat sie die entsetzlich, vibrierende Tonwelle ergriffen.

74. Wir drehten sie um und ließen auf ihnen Steine (von gebackenen Ton – vulkanisches Lava) **regnen.**

75. Sicherlich sind hierin Zeichen für jene, die unterscheiden können (diejenigen, die die wahre Bedeutungen der Zeichen erkennen können).

Anmerkung:

Es gibt einen Hadith (Überlieferung), welches Folgendes besagt: „Rasullallah (saw) sagte: „Seid euch vor dem Unterscheiden und Erkennen eines Gläubigen bewusst (nimmt darauf acht), denn er schaut mit der „Nuur" von Allah - Licht des Wissens- basierend auf dem Geheimnis des Buchstabens „B"... danach hat er jenen Vers gelesen."

76. In der Tat befindet sich diese Stadt immer noch auf den Wegen der Menschen.

77. Sicherlich sind hierin Lehren anzunehmen für jene, die glauben.

78. Ashabi-Ayka (Bevölkerung des Waldes; das Volk von Schuaib) **waren auch „Zalims".**

79. Aufgrund dessen haben Wir sie die schmerzvollen Konsequenzen ihrer Taten ausleben lassen! Beide sind in einer Region platziert, welche offensichtlich zu beobachten ist.

80. In der Tat hat das Volk von Hidschr (das Volk von Samud) **auch ihre Rasuls geleugnet.**

81. Wir haben ihnen Unsere Zeichen gegeben, aber sie drehten sich weg.

82. Sie hatten in den Bergen sich sichere Häuser gemeißelt.

83. Aber diese entsetzliche, vibrierende Tonwelle (Vulkanausbruch) **hatte sie auch am frühen Morgen ergriffen.**

84. Ihre Verdienste hatte sie nicht gerettet.

85. Und Wir haben die Himmel und die Erde und alles dazwischen in Absoluter Wahrheit erschaffen. Und definitiv wird diese Stunde (Tod) **sicherlich kommen... Also sei tolerant und benimm dich mit der Sichtweise der Wahrheit.**

86. Sicherlich ist dein Rabb HU, „Khallakul Aliym" (der Schöpfer, der Wissende).

87. Und Wir haben dir definitiv die sieben mehrfach-wiederholten Verse (die Eigenschaft mit der Kraft, deiner sieben essentiellen Attributen zu bewerten) **und den gewaltigen Koran** (das Wissen über die Wahrheit und der Sunnatullah; die Funktionsweise des Systems) **gegeben.**

88. Verleih deinem Auge nicht an vergehenden, weltlichen Reichtümern und Vergnügen, welches Wir manchen gegeben haben, die die Wahrheit leugnen! Und sei nicht besorgt, weil sie dir nicht das gebührende Recht geben... Nimm die Gläubigen unter deine Flügel!

89. Und sag: „Definitiv bin ich, ja ich, bin einer, der ganz klar warnt."

90. Genauso wie Wir es (das Wissen um die Wahrheit) **zu jenen enthüllten, die geteilt und getrennt hatten** (das Alte und Neue Testament, um ihre eigenen Interessen zu bewahren) **so lassen Wir es auch dir enthüllen!**

91. Sie haben den Koran in Teile geteilt (sie haben den Koran gemäß ihrem Nutzen bewertet)!

92. Bei deinem Rabb, sie werden alle befragt werden...

93. Bezüglich dessen, was sie tun!

94. **Dann verkünde, was dir befohlen wurde** (das Wissen um die Wahrheit und der Sunnatullah; Funktionsweise des Systems), **dann dreh dich von den Dualisten weg!**

95. **In der Tat sind Wir ausreichend für dich gegen die Spötter!**

96. **Jene, die einen Gott neben Allah annehmen** (der die Welten und ihre Essenz mit Seinen Eigenschaften erschaffen hatte) **... Bald werden sie es wissen!**

97. **In der Tat wissen Wir wie deine Brust verengt ist wegen dessen, was sie sagen.**

98. **Also begib dich im „Tasbih" zu deinem Rabb** (führe deine Existenz fort anhand der Dienerschaft zu deiner essentiellen Wahrheit und Realität) **als Sein Hamd** (Bewertung der physischen Welten) **und gehöre zu jenen, die sich niederwerfen** (ihre Egos/konstruierte Identitäten auslöschen)!

99. **Und diene deinem Rabb** (begib dich in Gebete und Dienerschaft zu deinem Rabb, während dein Ego noch existiert) **bis zu dir „Yakin"** (Gewissheit; Nähe) **kommt** (bis du realisierst, dass das Ego, das geformte Ich nicht existiert, welches die Erkenntnis über die Wahrheit des Todes darstellt; die Erfahrung von „Wahid ul Kahhar". Ohnehin wird nach dieser Gewissheit die Dienerschaft zum Rabb als Ergebnis eines natürlichen Prozesses weitergeführt werden).

Mit demjenigen, der durch den Namen Allah erwähnt wird (der mein Wesen mit Seine Namen erschaffen hat im Anwendungsbereich des Buchstabens „B"), der **Rahman und Rahim ist.**

1. **Der Befehl Allahs ist gekommen** (damit ihr es seht); **es gibt keinen Grund zur Eile! Er ist Subhan und Aliyy, hoch erhaben und steht über dem, was sie mit Ihm assoziieren.**

2. **Er lässt das Wissen um die Wahrheit enthüllen wem Er will unter Seinen Dienern mit Seinen Kräften** (und sagt): **„Warne mit der Wahrheit, dass es keinen Gott gibt, sondern nur Mich! Also sei Mir gegenüber achtsam!"**

3. **Er erschafft die Himmel und die Erde mit der Wahrheit** (mit Seinen Namen, den „Asma ul Husna") ... **Er ist hoch erhaben über dem, was sie mit Ihm assoziieren!**

4. **Er erschuf den Menschen von einem einzelnen Spermium...** Und siehe da, er ist **aufsässig geworden!**

5. **Er erschuf auch das Vieh...** In ihnen gibt es **Wärme** (Energie und Kleidung) **und andere Nutzen für euch...** Und davon esst ihr auch.

6. **Und es gibt für euch Schönes in ihnen, wenn ihr sie** (von der Weide) **abends zurückholt und am Morgen, wenn ihr sie** (zur dieser Weide) **herauslasst.**

7. **Sie tragen eure Ladungen und nehmen euch zu vielen Orten, welche ihr nicht selbst ohne Schwierigkeiten erreichen könnt! In der Tat ist euer Rabb „Rauf" und „Rahim".**

8. **Und Er** (erschuf) **Pferde, Maultiere und Esel für euch zum Reiten und zur Freude...** Und Er erschafft so vieles mehr, welches ihr nicht wisst.

9. **Der Weg, der zum Ziel führt, ist zu Allah! Aber es gibt einige, die davon abweichen...** Hätte Allah es gewollt, dann könnte Er euch alle kollektiv zur Wahrheit führen!

10. **HU hat für euch Wasser vom Himmel herabsteigen lassen...** Davon entsteht Trinken und davon entsteht Vegetation, worin ihr (die Tiere) weiden lasst.

11. **Damit bewirkt Er für euch, dass Ernte, Oliven, Datteln und Trauben aller Arten wachsen. In der Tat sind hierin Zeichen für ein Volk, welches tief nachdenkt und reflektiert!**

12. **Und Er hat euch die Nacht, den Tag, die Sonne** (Quelle von Energie) **und den Mond** (welche eure Hormone und eure Sinne stimuliert mit seinen Kräften der Gravitation) **untertan gemacht... Und die Sterne sind Seinem Befehl untertan und im Dienst** (die Sterne sind auch Manifestierungen der Bedeutungen der Namen, welche ihre Essenz ausmachen) **... In der Tat sind hierin Zeichen für ein Volk, welches seinen Verstand benutzen kann!**

13. **Und auf der Erde** (macht Er euch untertan) **Seine Schöpfung der verschiedenen Farben... In der Tat sind von diesem Zeichen Lehren anzunehmen für jene, die reflektieren!**

14. Und es ist HU, der das Meer zu euren Diensten untertan macht, so dass ihr davon essen könnt und davon Schmuck entnehmen könnt, um es zu tragen... Ihr werdet Schiffe sehen, die dort hindurch segeln, auf dass ihr von Seiner Gunst ersucht und zu den Dankbaren gehört, die bewerten.

15. Er formte stabil stehende Berge auf der Erde, so dass ihr nicht erschüttert seid (Organe mit geordneten Funktionen) und Flüsse (Menschen, die als Quelle des Wissens dienen), womit ihr euren Weg finden und die Wahrheit erreichen könnt und Straßen (Verständnisse, welche eurer Haltung entsprechen).

16. Und noch viel mehr Zeichen! Und Er lässt durch die Sterne die Wahrheit erreichen (Sterne – die Menschen, die die Wahrheit ausleben [das Hadith: „Meine Gefährten sind wie die Sterne; wem auch immer ihr unter ihnen befolgt, durch sie werdet ihr die Wahrheit erreichen"...])!

17. Ist einer, der erschafft wie einer, der nicht erschafft? Reflektiert und bewertet ihr entsprechend?

18. Falls ihr die Segen Allahs aufzählen würdet, dann würdet ihr nicht imstande sein, sie zu zählen! Definitiv ist Allah Ghafur und Rahim.

19. Allah weiß, was ihr verheimlicht und was ihr veröffentlicht.

20. Diejenigen, zu denen sie sich drehen neben Allah können nichts erschaffen, denn sie selbst sind erschaffen worden.

21. Sie sind die (lebenden) Toten, entbehrt von (der Eigenschaft) des „Hayy" (das Wissen um die Wahrheit) ... Sie sind sich nicht bewusst darüber, wann sie auferstehen werden (mit einer neuen Struktur erschaffen werden).

22. Das, welches ihr annehmt, ein Gott zu sein, ist der EINE Besitzer der Uluhiyyah! Diejenigen, die nicht an ihren ewigen, zukünftigen Leben glauben, deren Bewusstsein wurde bedeckt durch Leugnung; sie leben (jene, die in dualistischer Weise ihre eigene, angenommene Existenz mit der Existenz Allahs assoziieren) mit einem starken Gefühl des Egos!

23. Definitiv weiß Allah, was sie verheimlichen und was sie veröffentlichen... Definitiv liebt Allah nicht jene, die mit ihren Egos leben.

24. Wenn sie gefragt werden: „Was hat dein Rabb enthüllt?" Da sagten sie: „Märchen von vergangenen Tagen."

25. (Sie sagten dies), so dass sie ihre eigenen Lasten gänzlich am Tag der Auferstehung tragen werden und (einige der) Lasten jener, die sie irreführen, ohne es zu wissen... Wisst mit Gewissheit, es ist Elend, was sie tragen!

26. Jene vor ihnen hatten auch „Makr" ausgeübt (intrigiert, geplant) ... Allah kam zu ihren Bebauungen von ihren Fundamenten her! Das Dach fiel auf sie von oben herab und Qualen kamen zu ihnen, von wo sie es nicht wahrnehmen konnten (es kam und tauchte aus einer unerwarteten Stelle auf)!

27. Dann während des Tages der Auferstehung wird Er sie erniedrigen und sagen: „Wo sind meine „Partner", die ihr gegen Mich gestellt habt?" Jene, denen das Wissen gegeben wurde, werden sagen: „Erniedrigung und Entehrung an diesem Tag ist für jene, die das Wissen um die Wahrheit leugnen."

28. Jene, die die Engel während des Todes nehmen, während sie ihrem Selbst schaden (im Zustand der „Schirk" genannten Dualität sich befinden), **werden unterwürfig sagen: „Wir haben nichts Unrechtes getan".... „Nein! Sicherlich ist Allah Aliym über das, was ihr tut."**

29. „Also tretet ein durch die Tore der Hölle als ewige Bewohner! Wie elendig ist die Wohnung der „Mutakabbirun" (die Egoisten; jene, die mit Stolz und Arroganz leben)!"

30. Und es wird zu jenen gesagt, die sich vor Allah beschützt haben: „Was hat dein Rabb enthüllt?"... Sie sagten: „Gutes!" ... Es gibt gute Dinge für jene, die sich mit guten Taten in dieser Welt bemühen... Aber das **Haus des ewigen, zukünftigen Lebens ist sicherlich besser...** Wie exzellent ist das Haus der „Muttakiyn" (jene, die sich beschützen)!

31. (Die Häuser jener, die sich selbst beschützen sind) **Paradiese von Eden...** Sie werden in Paradiese eintreten, unter denen Flüsse fließen... Dort werden sie alles haben, was sie begehren... **Und so entschädigt Allah die „Muttakiyn"!**

32. Die Engel werden sagen: „Assalaamu alaikum" (Friede sei mit euch) **zu jenen mit reinem Glauben, die sie während des Todes genommen hatten** (von ihren Körpern getrennt wurden)! **Tretet ein ins Paradies als Resultat dessen, was ihr getan habt!"**

33. (Um zu glauben), **warten sie auf die Engel** (den physischen Tod) **oder auf den Befehl des Rabbs** (ein Leiden)? **So hatten es auch jene vor ihnen getan! Und Allah hat ihnen nicht unrecht angetan, aber sie haben sich selbst** (ihrem Dasein, Bewusstsein) **unrecht angetan.**

34. So wurden sie durch das Resultat, was sie getan haben, getroffen und waren umgeben durch die Sache, über welche sie gespottet hatten.

35. Die Dualisten sagten: „Hätte Allah gewollt, dann könnten weder wir noch unsere Vorväter andere Dinge anbeten als Ihn und wir hätten nichts verboten außer das, was Er sagt." So hatten es auch jene vor ihnen getan... Was kann die Pflicht der Rasule sein außer der deutlichen Mitteilung?

36. Definitiv haben Wir innerhalb jeder Gemeinde einen Rasul (mit dem Wissen der Wahrheit) **entfalten lassen, der sagte: „Dient Allah und hütet euch vor „Taghut"** (A.d.Ü.: Götzen; generell das anzubeten, was durch die Wahrnehmung im Gehirn als Bildnis entsteht)!"... **Manche von ihnen hat Allah rechtgeleitet... Und für einige unter ihnen war** (Irreführung) **beschlossen worden... Also bereist die Erde und schaut auf das Ende jener, die geleugnet haben.**

37. Selbst wenn du mit Ehrgeiz dich für ihre Rechtleitung bemühst, Allah leitet nicht jene recht, die Er irreführt! Sie werden keine Helfer haben.

38. Sie haben bei Allah ihren stärksten Eid geschworen und sagten: „Allah lässt keinen auferstehen, der gestorben ist"... Nein, es ist ein wahres Versprechen, welches auf Ihm liegt (derjenige, der stirbt, wird unverzüglich nach seinem Tod auferstehen als jemanden „der den Tod gekostet hat")! **Aber die Mehrheit der Menschen wissen nicht.**

39. (Er wird alle auferstehen lassen, die den Tod gekostet haben) **so dass Er die Sache klarstellt, worin sie sich unterschieden haben und diejenigen, die das Wissen um die Wahrheit leugnen, werden wissen, dass sie Lügner sind.**

40. „Definitiv ist Unser Wort zu einer Sache, wenn Wir es beschließen, nur: „Sei" und dann ist es."

41. Was diejenigen anbelangt, die zu Allah auswandern, nachdem ihnen unrecht angetan wurde, Wir werden sie definitiv an einem guten Ort in der Welt niederlassen... Aber die Belohnung des ewigen, zukünftigen Lebens ist größer. Wenn sie es nur wüssten!

42. Sie sind diejenigen, die geduldig ausgehalten und ihr Vertrauen in ihren Rabb gesetzt hatten.

43. Und Wir haben nicht andere vor dir mit der Offenbarung entfalten lassen außer dass es Männer waren... Falls ihr nicht Bescheid wisst, dann fragt diejenigen, die Wissen bezüglich der Vergangenheit haben.

44. Wir ließen deutliche Beweise, Wunder und die Psalmen (Weisheiten) (enthüllen)... Und Wir ließen zu dir das „Dhikr" (Erinnerung an die essentielle Realität des Menschen) enthüllen, so dass du zu den Menschen erklärst, was ihnen enthüllt wurde und dass sie darüber reflektieren sollen.

45. Fühlen diejenigen, die eine Falle planen, wodurch sie schlechte Taten ausführen werden, sich davor sicher, dass Allah nicht die Erde bewirken lassen wird, sie zu verschlucken oder dass Leid nicht zu ihnen kommen wird, von wo sie es nicht wahrnehmen?

46. Oder dass Er sie nicht ergreifen wird, während ihrer gewohnten Aktivität? Sie können Allah nicht kraftlos erscheinen lassen!

47. Oder (haben sie sich davor sicher gefühlt), dass Er sie nicht langsam zerstören wird? Definitiv ist dein Rabb derjenige, der Rauf und Rahim ist.

48. Haben sie nicht die Dinge gesehen, die Allah erschaffen hatte, wie ihre Schatten (Existenzen) **sich zum Rechten** (Rechtleitung) **und zur Linken** (Irreführung) **drehen in der Niederwerfung zu Allah** (die Eigenschaften, welche ihre Essenz ausmachen).

49. (Alle) **Geschöpfe in den Himmeln und auf der Erde und die Engel** (alle Wesen und Kräfte, die zur spirituellen und materiellen Welten gehören) **befinden sich in Ergebenheit zu Allah** (sind im Zustand der absoluten Ergebenheit zu Allah) **ohne Arroganz und Stolz** (ohne ihre konstruierten, illusorischen Identitäten und Egos). (Dieser Vers ist ein Vers der Niederwerfung.)

50. Sie fürchten ihren Rabb, der aus den Tiefen ihres Inneren heraus anordnet und sie tun das, was ihnen befohlen wurde.

51. Allah hat gesagt: „Nehmt keine zwei Götter! HU ist der EINE und der Einzige, der Uluhiyyah (=Allahs Dasein; absolute non-duale Einheit, jenseits davon in Teile fragmentiert werden zu können oder als die Summe aller Einzelteile definiert zu werden) besitzt... Also fürchtet nur MICH."

52. Was es auch immer in den Himmeln und auf der Erde gibt, ist für Ihn! Die Religion ist unaufhörlich und ewig nur Seins! Fürchtet ihr dann etwas anderes als Allah?

53. Was auch immer für ein Segen ihr habt, es ist von Allah! Und wenn ihr von Bedrückung betroffen seid, dann fleht ihr Ihn an.

54. Wenn (Allah) **dann die Bedrückung von euch aufhebt, siehe da, manche von euch fangen an, Partner zu ihrem Rabb zu assoziieren** (sie schreiben die Aufhebung der Bedrückung anderen Ursachen zu als zu ihrem Rabb).

55. (Sie tun dies) **um undankbar gegenüber dem zu sein, was Wir ihnen gegeben haben... Also vergnügt euch... Bald werdet ihr es wissen.**

56. Sie haben sogar einen Teil der Gaben, die Wir ihnen gewährt haben, für ihre illusorischen Götter bereitgestellt... Bei Allah, ihr werdet definitiv für das zur Rechenschaft gezogen werden, was ihr erfunden habt!

57. Und sie ordnen ihre Töchter Allah zu... HU ist Subhan (jenseits und erhaben von solchen Annahmen)! **Und was sie mögen** (ihre Söhne), **weisen sie für sich selbst zu.**

58. Wenn die gute Nachricht eines weiblichen (Kindes) **einen von ihnen gegeben wird, dann wird sein Gesicht dunkel mit Rage!**

59. Er versteckt sich vor seinem Volk aufgrund der (was er so interpretiert) **schlechten Nachrichten, die ihm gegeben wurde... Wird er sie behalten auf Kosten, dass er verachtet wird oder wird sie im Staub verstecken** (sie lebendig vergraben)? **Wisst mit absoluter Gewissheit, dass es äußerst Übel ist, wofür sie sich entscheiden.**

60. Schlechte Eigenschaften sind für jene, die nicht am ewigen, zukünftigen Leben glauben... Die perfektesten Eigenschaften gehören Allah! Er ist Aziz, Hakim.

61. Und wenn Allah die Menschen für ihre schlechten Taten verantwortlich halten würde und die Konsequenzen unverzüglich ihnen aufzwingen würde, dann hätte Er nicht eine Kreatur (DABBAH, d.h. Erdling, nicht der Mensch, sondern der menschliche Körper... das Bewusstsein, welches durch den irdischen Körper verunreinigt wurde) **auf der Erde übrig gelassen, aber Er schiebt es auf bis zu einer spezifischen Zeit. Und wenn ihre Zeit kommt, dann können sie weder davor zurückfallen noch können sie es durch eine Stunde verschieben.**

62. (Die Dualisten, jene die Dinge mit Allah vergleichen) **weisen Allah Dinge zu, die sie nicht mögen** (dass die Engel Seine Töchter sind) **... Und sie lügen und beanspruchen für sich, dass sie die beste Zukunft haben werden. Zweifellos ist für sie das Feuer und sie werden zur vordersten Reihe gebracht werden.**

63. Bei Allah... Wir hatten auch zu Gemeinden vor euch (die Wahrheit) **enthüllt, aber der Satan machte ihnen ihre Taten attraktiv** (und sie lehnten die Botschaft der Rasuls ab)! **Er** (Satan – das Zweifeln, die Skepsis) **ist ihr Freund heute** (auch)... **Es gibt für sie eine schmerzvolle Tortur.**

64. Wir haben dieses Wissen (Buch) **zu dir enthüllt, so dass du es ihnen deutlich machst, was sie leugnen** (die Wahrheit) **und dass es als Rechtleitung** (Wissen um die Wahrheit) **und als „Rahmat"** (Weg zu Allah öffnet) **für ein Volk ist, welches glaubt.**

65. Allah lässt vom Himmel (von der Essenz des Menschen) **Wasser** (Wissen) **herabsteigen, womit Er die Erde** (den Körper) **belebte** (es bewusst machte, dass es ewiges Leben besitzt aufgrund der Namen von Allah) **nach seinem Tode** (ohne Bewusstsein – seine Existenz nur auf den Körper alleine zu begrenzen)... **In der Tat ist dies ein wichtiges Zeichen für jene, die auswerten, was sie hören!**

66. Es gibt Lehren für euch im Vieh (in Tieren, die zum Schlachten benutzt werden) ... **Wir geben euch reine Milch zum Trinken aus ihren** (von den Tieren) **Bäuchen,**

zwischen ihrer Ausscheidung und ihrem Blut, welche dem Trinkenden schmackhaft ist.

67. Ihr erhaltet Getränke, welche sowohl berauschen als auch euch Nahrung spenden aus den Früchten der Dattelpalme und der Traube... Es gibt hierin eine Lehre für jene, die ihren Verstand benutzen.

68. **Und dein Rabb offenbarte zur Biene: „Macht Häuser für euch aus den Bergen, den Bäumen und aus dem, welches sie bauen!"** (Auf welchem Wege die Biene und andere Kreaturen Offenbarung [das Wort „Wahiy" ist benutzt worden] empfangen, wie dies geschieht und was dies bedeutet, kann sehr aufschlussreich sein und für denkende Gehirne vieles öffnen.)

69. **„Dann wertet jede Blume aus gemäß ihres Programms, basierend auf die Namen, welche eure Essenz ausmacht..."** Von ihren Bäuchen kommt ein farbenreiches Getränk, worin es Heilung gibt für die Menschheit. Es gibt hierin auch eine Lehre für jene, die tief nachdenken können!

70. **Allah hat euch erschaffen... Dann wird Er bewirken, dass ihr sterbt** (nicht euch „töten", sondern „bewirken, dass ihr sterbt")! Und manche werden bis ins hohe Alter am Leben gelassen bis sie nicht mehr die Dinge begreifen können, die sie einst wussten... In der Tat ist Allah Aliym und Kaadir.

71. **Allah hat manche von euch mit mehr Lebensprovision ausgestattet als andere. Jene, denen mehr gegeben wurde, sind unwillig ihre Provisionen mit denen zu teilen gegenüber denen sie verantwortlich sind...** (Wobei) sie mit ihnen gleichwertig sind. **Leugnen sie heimlich den Segen von Allah** (ihre Lebensprovision, welche sie beanspruchen, es selbst verdient zu haben - „ich hab es verdient, es ist meins" - und deshalb Besitz darüber beanspruchen und auf diese Weise ihr Ego und Ich-Gefühl mit Allah gleichsetzen)?

72. **Allah hat für euch von eurem Selbst Partner geformt...Und von euren Partnern Söhne und Enkel... Er nährte euch mit reinen Lebensprovisionen...** (Wenn dies der Fall ist) glauben sie dann an das Unbegründete, welches nicht existiert? Decken sie und leugnen sie den Segen Allahs?

73. **Sie vergöttern und beten Dinge an neben Allah, welche keine Souveränität und Kraft über irgendetwas in den Himmeln und der Erde besitzt!**

74. **Vergleicht Allah mit keinem Beispiel!** (Allah ist HU!) Allah weiß und ihr wisst nicht.

75. **Allah gibt** (solch) **ein Beispiel: Ein Sklave, der keine Kraft über irgendetwas verfügt und jemanden, den Wir Lebensprovision gegeben haben und der anderen davon abgibt, heimlich und öffentlich... Können sie gleichwertig sein? HAMD** (die Auswertung der physischen Welten, welche durch Seine Namen erschaffen wurden, wie Er es will) **gehört gänzlich Allah!** Aber nein, die Mehrheit unter ihnen wissen nicht.

76. **Und Allah gibt das Beispiel zweier Männer: Einer von ihnen ist taub und hat keine Kraft über irgendetwas; er ist eine Bürde für sein Meister. Welche Aufgabe er auch ausführen soll, er bringt nichts Gutes zustande... Kann er mit jemanden gleichwertig sein, der gebührend auswertet, was er besitzt und der auf dem geraden Weg läuft?**

77. **Zu Allah gehört jenes in den Himmeln und auf der Erde, welches nicht wahrzunehmen ist... Die Erfüllung dieser Stunde** (Tag der Auferstehung) **ist wie ein**

Blinzeln mit dem Auge oder sogar noch näher (gemäß Allah)! In der Tat ist Allah Kaadir über alle Dinge.

78. Allah hat euch aus der Gebärmutter eurer Mütter entnommen, ohne dass ihr etwas wisst... Und Er gab euch Wahrnehmung, Sicht (Auswertung) und Herz (Fuad – die Spiegelung über die Bedeutung der Eigenschaften der Namen zum Gehirn; die Herzneuronen), so dass ihr bewertet möget und zu den Dankbaren gehört.

79. Sehen sie nicht die Vögel im Himmel, die unter der Anordnung Allahs stehen? Keiner außer Allah hält sie fest (mit den Kräften Seiner Namen) ... In diesen Zeichen sind Lehren für jene, die ihren Verstand benutzen!

80. Und Allah hat eure Häuser zu einem sicheren und ruhigen Ort des Lebens gemacht... Und von den Häuten der Tiere Zelte, die ihr trägt und mit Leichtigkeit während der Reise oder während der Belagerung benutzt und von ihrer Wolle, Pelz und Haare Einrichtung und Bekleidung für eine gewisse Zeit.

81. Und Allah hat von den Dingen, die Er erschaffen hatte, für euch Schatten geformt und von den Bergen Schutz und Zufluchtsorte und für euch Kleidung zum Schutz vor der Hitze und Schilder, um euch im Krieg zu beschützen... Und so erfüllt Er Seinen Segen über euch, so dass ihr Muslime werden möget!

82. Aber falls sie sich von dir (Meinem Rasul) wegdrehen, dann ist nur deine einzige Verantwortung zu informieren!

83. Sie erkennen den Segen Allahs (den Rasul) an, dann leugnen sie ihn... Die Mehrheit unter ihnen sind Leugner des Wissens um die Wahrheit.

84. In dieser Periode werden Wir von jeder Gemeinde einen Zeugen hervorbringen... Keine Erlaubnis wird den Leugnern um das Wissen der Wahrheit gegeben und sie werden auch nicht wegen irgendwelchen Ausreden gefragt werden.

85. Wenn die „Zalims" (jene, die ihrem Selbst schaden, anhand der Leugnung der Wahrheit bzgl. ihrer Essenz) mit dem Leiden zusammenkommen, wird es ihnen nicht erleichtert werden und sie werden nicht begnadigt werden.

86. Wenn die Dualisten die Partner sehen, die sie assoziiert hatten, dann werden sie sagen: „Unser Rabb! Diese sind unsere Partner, die nicht mit Dir zu vergleichen sind, die wir Namen gegeben haben und als Partner mit Dir assoziiert haben"... (Ihre Partner) werden sie verspotten und sagen: „In der Tat wart ihr Lügner."

87. An diesem Tag werden die Dinge, die sie erfunden haben (ihre Irreführungen und illusorischen Vorstellungen) ihnen verloren gehen und sie werden sich Allah gegenüber in Ergebenheit befinden (zum System, zum Gesetz der Sunnatullah)!

88. Wir werden jene, die das Wissen um die Wahrheit leugnen und die (die Menschen) vom Weg zu Allah hindern zu vermehrtem Leiden aussetzen aufgrund ihrer Korruption.

89. In dieser Periode werden Wir von jeder Gemeinde einen Zeugen von ihrem Selbst gegen sich selbst auferstehen lassen... Und Wir haben dich als Zeuge über sie hervorgebracht! Wir haben dieses Wissen (Buch) enthüllt, das alles in Sektionen erklärt, als eine Führung (zum Leben) und als „Rahmat" (Gnade: der Weg zu Allah wird geöffnet) und frohe Nachricht für jene, die bezüglich ihrer Ergebenheit sich bewusst wurden (Muslime).

90. In der Tat ordnet Allah an, Gerechtigkeit (das gebührende Recht zu geben), „Ihsan" (Gutes zu tun) und Großzügigkeit gegenüber den Verwandten zu zeigen... Und Allah verbietet „Fahsch" (Unmoralisches; Verhalten resultierend von der tierisches Bewusstseinsebene; egozentrisches Verhalten), „Munkar" (Aktivitäten, die den Anforderungen des Glaubens nicht entsprechen) und „Bagh" (Unterdrückung; Verbrechen und Ungerechtigkeiten) ... Er warnt euch, damit ihr darüber reflektiert und es auswertet.

91. Wenn ihr euer Wort zueinander gibt, dann erfüllt den Eid Allahs gebührend... Bricht eure Versprechen nicht, nachdem sie bestätigt wurden... Denn ihr habt Allah als Zeugen gehalten (über eure Versprechen)! Definitiv weiß Allah, was ihr wisst.

92. Seid nicht wie die Frau, die ihre Fäden geöffnet hatte, nachdem es stark gebunden wurde... Weil eine Gemeinde größer in der Anzahl ist als eine andere benutzt ihr eure Versprechen als ein Mittel der Täuschung... Allah prüft euch nur durch eure Versprechen (so dass euer wahres Gesicht gezeigt wird und ihr unfähig seid, es später zu leugnen) ... Er wird euch darüber aufklären, worin ihr euch unterschieden habt am Tag der Auferstehung.

93. Hätte Allah es gewollt, dann hätte Er definitiv euch alle eines Glaubens gemacht... Aber er verursacht die Irreführung wem Er es will und die Führung zur Wahrheit wem Er es will... Ihr werdet die Konsequenzen euer Taten ausleben!

94. Benutzt eure Versprechen nicht untereinander als Mittel der Täuschung! Damit nicht eure Füße rutschen, nachdem sie fest waren (im Islam) und ihr Elend erfährt aufgrund der Irreführung vom Weg zu Allah und für euch ein gewaltiges Leiden geformt wird.

95. Verkauft den Eid zu Allah nicht für einen geringen Preis... Wenn ihr nur wüsstet, dass die Sichtweise Allahs (IndAllah!) für euch viel besser ist.

96. Was eure Sicht darstellt, wird definitiv ein Ende haben... Aber die Sichtweise Allahs ist ewig... Was jene anbelangt, die geduldig sind, denen werden Wir sicherlich die Resultate ihrer Taten geben. Wir werden es mit noch Schönerem beantworten als mit dem, was sie getan haben.

97. Ob Mann oder Frau, wer auch immer glaubt und die Notwendigkeiten ihres Glaubens erfüllen, denen werden Wir es ermöglichen, einen reinen und sauberen Leben auszuleben... Definitiv werden Wir ihnen mit etwas Besserem als ihren Taten antworten.

98. Wenn ihr anfängt den Koran zu lesen, dann ersucht von Allah Schutz vor dem gesteinigten Satan (vor Gedanken, dass man nur mit einem Körper aus Fleisch und Blut bestehend existiert; damit nicht mit Zweifel und Skepsis ausgewertet wird). (A.d.Ü.: Das Wort „gesteinigt" deutet auf „von der Wahrheit ferngehalten" hin.)

99. „In der Tat hat er keine Kraft über jene, die glauben und ihr Vertrauen auf ihren Rabb setzen."

100. „Seine Kraft wirkt nur über jene, die ihn als „Wali" nehmen (als Wächter; mit ihm eine Allianz bilden, d.h. diejenigen, welche die Gedanken, die er inspiriert, anwenden) und jene, die Partner mit ihrem Rabb assoziieren."

101. Und wenn Wir einen Vers mit einem anderen Vers ersetzen, da sagen sie: „Du verleumdest doch nur!" Allah weiß besser, was Er enthüllen lässt! Im Gegenteil, die meisten von ihnen wissen nicht.

102. Sag: „Ruh ul Kuds (die heilige Seele, d.h. die Kraft, die Gabriel genannt wird; die Kraft des Wissens durch die Asma ul Husna; Allahs Namen und Eigenschaften) **hat es von deinem Rabb** (von der Namenskomposition, die deine Essenz formt) **als Wahrheit enthüllt, um den Gläubigen Standhaftigkeit zu geben und als frohe Botschaft für die Muslime."**

103. **Und Wir wissen definitiv, was sie sagen: „Es ist nur ein Mensch, der es lehrt"...** Die Zunge desjenigen, der sich selbst von der Wahrheit irreführt, ist eine Zunge, die nicht gut Arabisch spricht... **Aber dies ist eine Sprache von deutlichem Arabisch.**

104. **Definitiv wird Allah nicht jene zur Wahrheit führen, die nicht an die Zeichen, die ihn beschreiben, glauben...** Für sie gibt es ein qualvolles Leiden.

105. **Jene, die Lügen erfinden, sind nur diejenigen, die nicht an die Zeichen Allahs, die Ihn beschreiben, glauben...** Sie sind wahrlich Lügner!

106. **Außer für den einen, der gezwungen ist** (seinen Glauben aufzugeben)**, während er im Zustand sich befindet, dass sein Herz mit dem Glauben zufrieden ist. Wer auch immer im Unglauben verfällt** (das Wissen um die Wahrheit zudeckt und leugnet) **bezüglich Allah und sein Herz zum Unglauben öffnet, auf ihm ist der Zorn Allahs! Und für sie gibt es eine gewaltige Tortur.**

107. **Dies kommt daher, weil sie das** (begrenzte – äußerst ärmliche) **weltliche Leben über das zukünftige, ewige Leben vorziehen und dass Allah nicht ein Volk führt, welches das Wissen um die Wahrheit leugnet.**

108. **Sie sind jene, dessen Herzen und Gehör** (Wahrnehmung) **und Sicht** (Bewertung) **Allah verschlossen hat! Und sie sind diejenigen, die in ihren Kokons leben!**

109. **Die Wahrheit ist, dass sie diejenigen sind, die im ewigen, zukünftigen Leben die Verlierer sein werden!**

110. **In der Tat ist dein Rabb mit jenen zusammen, die ausgewandert sind, nachdem sie der Feindseligkeit ausgesetzt waren und gekämpft hatten und geduldig waren. Definitiv ist dein Rabb danach Ghafur und Rahim.**

111. **In dieser Periode wird jedes Selbst sich dafür bemühen, um sich zu retten...** Und jedes Selbst wird dafür entschädigt, was es getan hat... Sie werden nicht ungerecht behandelt werden.

112. **Allah gibt das Beispiel einer Stadt: Es war sicher und glücklich...** Dessen Lebensunterhalt kam herein von jeder Seite mit Vielfalt. **Aber** (die Einwohner) **waren undankbar für die Segen Allahs** (sie haben Taten ausgelebt, welche durch das „Sunnatullah" genannte System, sie dazu verleiten hatte, verschleiert zu sein) ... **Also hat Allah veranlasst, dass sie Hunger und Furcht kosten sollen aufgrund dessen, was sie getan hatten.**

113. **In der Tat ist innerhalb von ihnen selbst ein Rasul** (A.d.Ü. Ein Rasul von Allah ist für jedes andere Selbst eigentlich nur die Reflexion der eigenen Essenz, weil er die Essenz der Wahrheit der anderen Menschen widerspiegelt...) **gekommen, aber sie haben ihn abgelehnt! Also hat das Leiden sie überkommen, während sie grausam zu sich selbst waren.**

114. **Esst von den gesetzlichen und reinen Dingen vom Lebensunterhalt, welches euch Allah gegeben hat und seid dankbar für die Segen Allahs, falls ihr euch bewusst seid über eure Dienerschaft Ihm gegenüber!**

115. Allah verbietet euch nur das Fleisch von toten Tieren, Blut, das Fleisch des Schweins und das, welches geschlachtet wurde im Namen eines „anderen" als Allah... Aber wer auch immer durch Zwang genötigt ist, kann davon essen, ohne es als gesetzlich anzunehmen und ohne die Grenzen der Notwendigkeit zu überschreiten... In der Tat ist Allah Ghafur und Rahim.

116. Erfindet keine Dinge und sagt: „Dies ist gesetzlich, jenes ist verboten"... Denn ihr werdet dann Allah verleumdet haben! Definitiv werden diejenigen, die bezüglich Allah Lügen erfinden, keine Rettung erfahren!

117. (Sie tun dies) aufgrund eines kurzfristigen Nutzens! Und sie werden ein qualvolles Leiden erleben.

118. Und jenes, welches Wir dir vorher schon berichtet hatten, hatten Wir auch den Juden verboten.... Und Wir taten ihnen kein Unrecht an, aber sie haben ihr eigenes Selbst geschadet.

119. Danach wird euer Rabb in der Tat die Reue jener vergeben, die eine schlechte Tat aus Ignoranz begehen und danach es bereuen und sich selbst korrigieren... Dein Rabb ist danach Ghafur und Rahim.

120. In der Tat war Abraham ein Gemeinde in sich selbst, gehorsam zu Allah... Er war ein **Hanif** (non-dualistisches Bewusstsein, welches keinen Konzept eines Gottes/Götter neben Allah akzeptiert) ... Er gehörte nicht zu den Dualisten (jene, die zu Allah Partner assoziieren).

121. Er war dankbar für Seine Segen... (Er hat) ihn ausgewählt und führte ihn zum Geraden Weg (Sirat ul Mustakim).

122. Wir gaben ihn Segen in dieser Welt... Er gehört auch zu den „Salih" genannten. (A.d.Ü.: Aufrecht gegenüber der Wahrheit, dass die Essenz des Menschen die Eigenschaften von Allah darstellen.) im **ewigen, zukünftigen Leben.**

123. Dann offenbarten Wir dir: „Folge der Nation (das religiöse Verständnis) Abrahams als ein „Hanif"... Er gehörte nicht zu den Dualisten."

124. Der Sabbath wurde nur auf jenen auferlegt, die diesbezüglich sich nicht einig waren (die Kinder Israels) ... In der Tat wird dein Rabb zwischen ihnen am Tag der Auferstehung richten bezüglich der Dinge, worin sie sich uneinig waren.

125. Lade ein zum Weg deines Rabbs mit Weisheit und guter Empfehlung... Und bemühe dich um sie auf die schönste Weise... Definitiv weiß dein Rabb besser, wer irregeleitet ist... Und HU weiß besser, wer rechtgeleitet ist!

126. Und falls du sie aufgrund ihrer schlechten Taten zurückzahlen müsstest, dann zahle sie mit dem gleichen Wert an Leiden zurück, womit sie dich leiden ließen... Falls du geduldig bist, dann ist dies für die Geduldigen natürlich besser.

127. Vertraue und stütze dich (auf Allah)! Deine Geduld ist mit (und durch) Allah! Also sei nicht bekümmert über sie! Sei nicht besorgt wegen der Falle, die sie verschwören!

128. Allah ist definitiv mit denjenigen zusammen, die sich selbst beschützen und die „Ihsan" ausüben (Perfektion; jene, die sich bewusst sind, dass ihre Existenz und ihr Leben nur für Allah ist).

Mit demjenigen, der durch den Namen Allah erwähnt wird (der mein Wesen mit Seine Namen erschaffen hat im Anwendungsbereich des Buchstabens „B"), der Rahman und Rahim ist.

1. Subhan ist Er, der Seinen Diener in einer Nacht vom Masdschid al Haram zur Masdschid al Aksa nahm (Al Isra= Tayy-i-Makan; eine Reise von einem Ort zu einem anderen, der nur einen Moment andauert; die Entfernung spielt dabei keine Rolle!) dessen Umgebungen Wir gesegnet hatten, um ihn Unsere Zeichen zu zeigen. Die Wahrheit ist dies; HU ist Sami, Basyir!

2. Und Wir gaben das Wissen um die Wahrheit (Buch) an Moses... Und haben es als Rechtleitung für die Kinder Israels gemacht, so dass sie „sich mit niemanden befreunden und als Wächter nehmen außer Mir!"

3. Oh Nachfahren jener, die Wir (im Schiff) mit Noah getragen hatten... In der Tat war er ein dankbarer Diener.

4. Und Wir übermittelten an den Kindern Israels im Buch (in der Dimension des Wissens): „Ihr werdet definitiv Korruption zweimal auf der Erde verursachen und ihr werdet eure Egos zum äußersten anwachsen lassen!"

5. Also als die Zeit dann kam für das Erste von zwei Malen, da haben Wir euch Unsere mächtigen Diener gesandt... Sie sind in ihren Häusern gegangen und haben sie durchsucht... Dies war ein Versprechen, welches erfüllt wurde.

6. Dann haben Wir euch noch einmal über sie siegreich werden lassen... Wir haben euch mit Besitztümern und Söhnen unterstützt und haben euch zahlreich an Kriegern werden lassen.

7. (Wir informierten euch, dass) falls ihr Gutes tut, dann tut ihr Gutes eurem Selbst an; und falls ihr Schlechtes tut, dann tut ihr Schlechtes eurem Selbst an! Dann als das zweite Mal kam, (da haben Wir wieder Unsere Diener gesandt), damit ihre Gesichter sich verdunkeln sollen und sie wieder in die Masdschid eintreten sollen, wie sie es beim ersten Mal getan hatten und damit alles zerstört werden soll, welches sie durch Überlegenheit an sich genommen hatten...

8. Vielleicht wird euer Rabb gnädig mit euch sein... Aber falls ihr euch wegdreht, dann tun Wir dies auch... Wir haben die Hölle als einen begrenzten und umgebenden Ort verrichtet für jene, die das Wissen um die Wahrheit leugnen.

9. Definitiv leitet dieser Koran zur standfesten Wahrheit und gibt frohe Nachrichten, dass das Volk des Glaubens, das an nützliche Praktiken festhält, große Belohnungen gegeben werden.

10. Und (die Nachricht) einer schmerzvollen Qual für jene, die nicht an einem ewigen, zukünftigen Leben glauben.

11. Der Mensch lädt eifrig ein zu seinem Schlechten, wie er zu seinem Guten einlädt! Der Mensch ist in der Tat hastig!

12. Wir machten die Nacht und den Tag als zwei Zeichen... Wir entfernten das Zeichen der Nacht – Dunkelheit (Ignoranz) – und machten das Zeichen des Tages

gültig – Helligkeit (Wissen)... So dass ihr die Gunst eures Rabbs ersucht und ihr die Anzahl der Jahre wisst und ihre Berechnung... Wir haben alles im Detail erklärt.

13. **Wir haben die Aktionen** (Schicksal) **jeder Person um ihren Hals gebunden...** **Während der Periode des Tages der Auferstehung** (das persönliche jüngste Gericht, d.h. der eigene Tod oder generell die Periode des jüngsten Gerichts) **werden Wir für ihn seine gespeicherten Informationen produzieren.**

14. „**Lies dein Buch** (Wissen) **des Lebens! Ausreichend für dich ist dein individuelles Bewusstsein in dieser Phase, um die Konsequenzen deiner Taten zu sehen.**"

15. **Wer auch immer zur Wahrheit geleitet ist, ist nur für sein eigenes Selbst dahin geleitet und wer auch immer irregeleitet wird** (von der Wahrheit), **hat nur sein eigenes Selbst irregeleitet! Und niemand trägt die Bürde des Fehlers eines Anderen! Wir verursachen niemals Leiden bis Wir einen Rasul enthüllt haben, durch den Wir warnen!**

16. **Und wenn Wir beabsichtigen eine Stadt zu zerstören, befehligen Wir ihre Wohlhabenden** (sich durch die Rasuls zu verbessern), **aber sie richten sich weiterhin den Anforderungen ihres korrupten Glaubens aus... Also verdienen sie, die Konsequenzen Unserer Warnung zu erfahren... Und so zerstören Wir sie.**

17. Viele Generationen haben Wir nach Noah zerstört... Dein Rabb ist bezüglich den Fehlern Seiner Diener „Khabiyr" und „Basiyr"!

18. Wer auch immer das Weltliche begehrt, dem werden Wir von der Welt geben, falls Wir dies beabsichtigen... Danach werden Wir die Hölle als einen Wohnort für ihn machen, erniedrigt und distanziert wird er darin wohnen.

19. Und wer auch immer das ewige, zukünftige Leben begehrt und als Gläubiger die notwendigen Praktiken seines Glaubens erfüllt, dessen Praktiken werden ausgewertet werden und seine Konsequenzen werden ausgelebt!

20. Zu ihnen allen, zu diesen und zu jenen, werden Wir von den Gaben deines Rabbs verabreichen... Die Gaben deines Rabbs sind nicht begrenzt.

21. Schaut wie Wir manche über andere bevorzugt haben! Definitiv ist das ewige, zukünftige Leben das größte bezüglich der Lebensstationen und auch das größte bezüglich der individuellen Wahrnehmung.

22. Erstellt nicht einen anderen Gott (in eurem Kopf) neben Allah! Sonst (als Resultat eurer Dualität) werdet ihr erniedrigt und isoliert werden!

23. Dein Rabb hat befohlen, dass ihr nur Ihm dienen sollt; und dass ihr eure Eltern gut behandelt und großzügig sein sollt! Falls einer von ihnen oder beide das hohe Alter erreichen, während sie unter euch sind, dann (tut nicht einmal soviel) wie aufzuseufzen (es satt zu haben, sich um sie zu kümmern), rügt sie nicht, aber sprecht zu ihnen mit Respekt!

24. Seid bescheiden mit Güte ihnen gegenüber... Sag: „Mein Rabb, sei ihnen gegenüber gnädig, da sie mich erzogen haben, als ich jung war."

25. **Euer Rabb** (als derjenige, der eure essentielle Wahrheit und Bewusstsein [Selbst] ausmacht; die spezifischen Konfigurationen der Namen, welche euer Wesen ausmacht) **weiß besser, was sich in eurem Selbst** (Bewusstsein) **befindet! Falls ihr aufrecht seid** („Salih": Jene, die den Anforderungen des Glaubens an der Wahrheit ausleben), **dann ist Er in der Tat „Ghafur"** zu jenen, die aufgrund ihrer Unzulänglichkeiten um Vergebung bitten.

26. Gebt den Verwandten das gebührende Recht und auch den Armen und gestrandeten Reisenden... (Aber) verteilt nicht in maßloser Weise!

27. Jene, die verschwenderisch verteilen ohne den Wert zu kennen, sind die Brüder der Satane! Und Satan wurde undankbar gegenüber den Segen seines Rabbs!

28. Und falls ihr euch von ihnen wegdreht (Ashab as-Suffa) aufgrund der Gnade, welche ihr von eurem Rabb erwartet, dann spricht zu ihnen ein freundliches Wort.

29. Kettet eure Hand nicht an eurem Hals (eine arabische Ausdrucksweise, welche bedeutet: „Seid nicht geizig")! Aber streckt sie auch nicht komplett aus (seid auch keine Verschwender) ... Sonst werdet ihr es bereuen.

30. In der Tat wird dein Rabb den Lebensunterhalt für wem Er es will vermehren oder es verringern! Definitiv ist Er Khabiyr und Basiyr über Seine Diener.

31. Tötet eure Kinder nicht aus Furcht vor der Armut... Wir geben den Lebensunterhalt für sie und für euch! Definitiv ist das Töten von ihnen ein großes Verschulden!

32. Nähert euch nicht „Zina" (sexuelle Beziehungen ohne die Einheit der Ehe)! In der Tat ist dies die Überschreitung durch das Körperliche! Es ist ein Weg mit einem elenden Ende!

33. Und tötet nicht denjenigen (außer es ist durch die Notwendigkeit von „Kisas" [Vergeltung]), den Allah verboten hat (getötet zu werden)! Und wer auch immer in ungerechter Weise getötet wurde, dessen Wächter haben Wir eine Autorität gegeben, aber lasst ihn nicht die Grenzen überschreiten im Töten (durch Vergeltung)! Denn er ist unterstützt worden.

34. Nähert euch nicht dem Besitz von Waisen außer mit dem, was sich auf dem besten Wege befindet (um es zu verwalten) bis er die Reife erlangt. Und erfüllt euer Wort! Definitiv, derjenige, der sein Wort gibt, ist für sein Wort verantwortlich!

35. Und gebt volles Maß, wenn ihr messt und gebt Gewichte mit einer ausgeglichenen Waage (betrügt nicht mit der Waage) ... Dies ist erstens generell besser und zweitens auch besser, um die Essenz der Angelegenheit zu erreichen.

36. Verfolgt nicht das, worüber ihr kein Wissen besitzt (übt keine Entscheidungen basierend auf Vermutungen aus)! In der Tat sind Hören (Wahrnehmung), Sicht (Bewertung) und das Herz (Fuad: Spiegelung der Bedeutungen der Namen zum Gehirn – die Herzneuronen kopieren sich selbst im Gehirn in der Gebärmutter am 120. Tag nach der Empfängnis) eine Verantwortung, die auf euch allen liegt!

37. Lauft nicht auf der Erde mit Egoismus! In der Tat kannst du weder die Erde aufreißen, noch die Berge an Höhe erreichen!

38. Diese schlechte Taten, aus der Sicht deines Rabbs, ziemen sich nicht mit der essentiellen Wahrheit und lassen schlechte Ergebnisse erzielen!

39. Dies ist es, was dein Rabb an Weisheit offenbart. Also formt keinen Gott (in eurem Kopf) neben Allah! Damit ihr nicht zur Hölle voller Reue geht (trotz Warnungen habt ihr die Kräfte, die in euch eingebettet waren, nicht evaluiert) und euch selbst verflucht und distanziert (von eurer essentiellen Wahrheit).

40. Hat eurer Rabb für euch Söhne ausgewählt und Töchter unter den Engeln genommen (für sich selbst)? In der Tat äußert ihr schwere Wörter!

41. Und Wir haben definitiv in diesem Koran (die Wahrheit) anhand von Beispielen und diversen Ausdrucksweisen erklärt, so dass ihr nachdenkt und euch erinnern sollt, aber es vermehrt sie nur in der Abschweifung.

42. Sag: „Falls es, wie sie es behaupten, neben Ihm andere Götter gäbe, dann hätten sie definitiv einen Weg zum Besitzer des Thrones gesucht."

43. „Er ist Subhan und erhaben; Seine Erhabenheit steht unbegreiflich über und jenseits von ihren Behauptungen (der Verstand kann Seine Erhabenheit nicht verstehen)!"

44. Die sieben Himmel (alle Geschöpfe in den sieben Stufen des Bewusstseins), die Erde (der Körper) und alles in ihnen preist Ihn (Tasbih; erfüllen ihre Funktionen, indem sie ständig auf unterschiedlichste Art und Weise etwas manifestieren, um Seine Namen auszudrücken)! Es gibt nichts, was Ihn nicht preist (Tasbih) mit „Hamd" (Bewertung der physischen Welten, die durch Seine Namen erschaffen wurden, wie Er es will)! Aber ihr versteht ihre Funktionen nicht! In der Tat ist Er Halim, Ghafur.

45. Wenn ihr den Koran liest, dann lassen Wir zwischen euch und denjenigen, die nicht an ihr ewiges, zukünftiges Leben glauben einen geheimen Schleier entstehen.

46. Und Wir platzieren auf ihr Bewusstsein (Herzen) Bedeckungen (Blockaden), damit sie verhindert sind, Ihn zu verstehen und eine Schwere in ihren Ohren (sie können nicht wahrnehmen)! Wenn ihr die Einheit eures Rabbs im Koran erwähnt, dann drehen sie sich weg mit Hass.

47. Wir wissen nur zu gut, wie sie es sich anhören, wenn sie ihr Ohr dir geben. Aber wenn sie unter sich flüstern, dann sagen die Zalims: „Ihr folgt einen Mann, der verhext ist."

48. Sieh, wie sie Vergleiche mit dir gezogen haben und so irregeleitet wurden! Sie können nicht mehr einen Weg (zur Wahrheit) finden!

49. Sie sagten: „Nachdem wir Knochen und Erde geworden sind, werden wir wieder als eine neue Schöpfung wiederauferstehen?"

50. Sag: „Seid Steine (biologischer Körper) und Eisen (seelischer Körper), (falls ihr dies mögt)!"

51. „Oder stellt euch vor, außergewöhnlich zu sein (besondere Wesen in eurer Welt; Bewusstsein) (ihr werdet wiederauferstehen)! Sie werden sagen: „Wer wird uns (zum Leben) wieder herstellen?" Sag: „Derjenige, der euch zum ersten Mal erschaffen hatte!"... (Spottend) werden sie ihre Köpfe schütteln und sagen: „Wann soll dies sein? Sag: „Vielleicht wird es bald sein!"

52. Wenn Er euch ruft (wenn ihr den Tod kostet), werdet ihr dies als Seinen „Hamd" (Seine Bewertung) erfahren und annehmen, dass ihr nur ein wenig verweilt habt (in euren Gräbern – im körperlichen Leben – in der Welt)!

53. Sag Meinen Dienern, dass sie das sagen sollen, was am besten ist! Definitiv erzeugt der Satan (das Ego; unterste Bewusstseinsstufe, d.h. anzunehmen, dass man nur aus dem Körper aus Fleisch und Blut besteht) Zwietracht unter ihnen... In der Tat ist der Satan ein klarer Feind für den Menschen!

54. Dein Rabb, als deine essentielle Wahrheit, kennt dich gut! Er gibt dir Gnade, falls Er dies will oder gibt dir Leid, falls Er es will! Und Wir haben dich nicht als einen Wächter über sie enthüllt.

55. Dein Rabb, durch die Anwesenheit in allen Wesen innerhalb der Himmel und der Erde, weiß es besser... In der Tat haben Wir einige Nabis über andere bevorzugt (gemäß ihren Qualitäten und Eigenschaften)! Und David haben das Buch der Psalmen gegeben (das Wissen, welches Weisheiten beinhaltet).

56. Sag: „Ruft jene an, die ihr annehmt zu existieren neben Ihm! Sie besitzen weder die Kraft irgendwelche Bedrückung von euch zu entfernen, noch können sie den Zustand ändern, in dem ihr euch befindet."

57. Jene, die sie anrufen, ersuchen ein Mittel der Nähe zu ihrem Rabb, sie hoffen auf Seine Gnade und fürchten sich vor Seinem Leiden! In der Tat ist das Leiden von deinem Rabb etwas, was gefürchtet werden sollte!

58. Es gibt keine Stadt, welche Wir nicht zerstören werden vor dem jüngsten Gericht oder es mit Leid heimsuchen werden anhand einer strengen Tortur! Dies wurde festgehalten mit Details im Buch (die Dimension des Wissens – Sunatullah – Lawh-i-Mahfuz).

59. Was die Enthüllung Unserer Wunder verhinderte, war das Leugnen des früheren Volkes (hättet ihr geleugnet, dann hättet ihr auch die unverzüglichen Konsequenzen erlitten; Wir hätten euch eliminieren müssen)! Und Wir gaben Samud das weibliche Kamel als ein leuchtendes Zeichen, aber sie haben ihr Leid angetan (indem sie es brutal abgeschlachtet haben)! Wir enthüllen nur Unsere Wunder, um Furcht zu erregen.

60. Und erinnere dich als Wir zu dir gesagt hatten: „In der Tat hat dein Rabb die Menschen umgeben (Bin Nas – als ihre essentielle Wahrheit)"... Und Wir formten die Sicht, die Wir dir gaben (das, was du während der Himmelfahrt ausgelebt hast [Miradsch: Aufstieg zur essentiellen Wahrheit durch mehrere Dimensionen, d.h. zu Allah]) und den verfluchten Baum (der Baum, der einen entfernt - das körperliche Leben) im Koran nur als Provokation (Objekte der Prüfungen) für die Menschheit! Wir beängstigen sie damit... Aber dies bewirkt nur Vermehrung in der Überschreitung der Grenzen.

Anmerkung:

Den verbotenen Baum berühren, das Einhauchen der Seele = die Manifestierung der Namen [al Wali] = Adam, der als Wesen lebte, welches sich als reines universales Bewusstsein erlebt hatte, befreit von allen Konditionierungen, sieht sich plötzlich selbst nur als seinen Körper [Eva] und so, während er mit den Kräften und Potenzialen der Namen in der Dimension des Paradieses lebte, reduzierte er sich selbst und entfernte sich von diesen Kräften [er ist aus dieser Dimension „gefallen"] und war gezwungen ein Leben im Körper aus Fleisch und Blut zu leben, begrenzt mit den körperlichen Bedingungen des Lebens auf der Erde.

61. Und erinnert euch daran als Wir den (irdischen) Engeln (die Potenziale/Kräfte der Namen innerhalb des Körpers) sagten: „Wirft euch vor dem Adam-Bewusstsein nieder" und darauf haben sich alle auf natürlicher Weise niedergeworfen und die Voraussetzung erfüllt außer Iblis (d.h. die Potenziale/Kräfte wurden aktiviert)... (Iblis) sagte: „Soll ich zu demjenigen mich niederwerfen, den Du aus Ton erschaffen hast (Wasser und Erde= der materielle Körper)?" (Die Gegenwart von Iblis im Menschen ist die Kraft von Zweifel/Skepsis und grundloser Furcht, welche nicht mit dem Bewusstsein [Verstand] in Übereinstimmung ist; es nimmt an, dass das, was existiert, nicht-existent ist und dass das Nicht-Existente existiert. - A. Jili)

62. (Iblis) sagte: „Schau auf denjenigen, den Du über mich geehrt hast! In der Tat, wenn Du mir bis zum Tag der Auferstehung Zeit gewährst, dann werde ich alle seine Nachfahren, außer einigen wenigen, sich mir unterwerfen lassen."

63. (Allah) sagte: „Geh! Wer auch immer unter ihnen dir folgt, dann wird definitiv die Hölle das Ergebnis ihrer Taten sein! Es ist die volle Gegenleistung!" (Derjenige, der seiner Skepsis und Zweifeln folgt und annimmt, nur aus dem Körper zu bestehen und so sein reines universales Bewusstsein, also seine Realität und deshalb Essenz leugnet, der wird seine Hölle der Körperlichkeit ausleben.)

64. „Beeinflusse (mit der „Waswasa"; Gedanken, die irreführen, die grundlose Furcht und Skepsis herbeiführen) wen auch immer du kannst unter ihnen, greife sie an mit deinen Pferden und Fußsoldaten, werde ein Partner in ihrem Reichtum und Kindern und verspreche ihnen! Aber (wie dem auch sei) der Satan verspricht nichts außer Irreführung!"

65. „Definitiv hast du über Meine Diener (diejenigen, die an ihrer essentiellen Wahrheit glauben, dass sie nur Wesen sind, die aus reinem Bewusstsein bestehen) keine Autorität (der Ausübung)! Ausreichend ist dein Rabb als Wakiyl."

66. Es ist euer Rabb, der die Schiffe (eure Körper) für euch auf dem Meer (Wissen) treibt, damit ihr von Seiner Gunst ersucht! Definitiv ist Er derjenige, der Rahim ist (derjenige, der die Eigenschaften der „Asma ul Husna" Bedeutungen, d.h. Seine Namen, manifestiert)!

67. Und wenn Bedrückung euch auf dem Meer widerfährt, da waren alle verloren, die ihr neben Ihm angefleht habt... Aber als Er euch zum Land gebracht hatte, da habt ihr euch von Ihm abgewandt... Der Mensch ist sehr undankbar!

68. Seid ihr zuversichtlich, dass Er nicht das Land verursachen wird, euch zu verschlingen (das Schlimmste bezüglich des körperlichen Lebens zu erfahren) oder dass Er nicht einen Sturm (von Ereignissen, die euer Leben durcheinander bringen) zu euch schicken wird? Dann würdet ihr nicht für euch selbst einen „Wakiyl" finden.

69. Oder seid ihr zuversichtlich, dass Er euch nicht zurück zum Meer schicken würde, um auf euch einen Wirbelsturm zu schicken, der euch im Wasser ertrinken würde als Resultat eurer Undankbarkeit? Dann würdet ihr auch nicht für euch einen Gegner gegen Uns finden!

70. In der Tat haben Wir die Kinder Adams geehrt (die Kinder von jenen, die in der Dimension des reinen universalen Bewusstseins erschaffen wurden) und haben sie auf dem Land (der Körper) und auf dem Meer (Dimension des Bewusstseins) getragen. Wir nährten sie mit reinen und nützlichen Gaben des Lebens. Wir bevorzugten sie über die meisten Unserer Schöpfung!

71. In dieser Periode werden Wir jede Menschengruppe mit ihren eigenen Führern rufen. Wer auch immer sein Buch bekommt (gespeicherte Informationen) durch die Kräfte seiner rechten Seite, die werden ihre Taten konfrontieren (lesen) und keine Ungerechtigkeit wird ihnen angetan werden, nicht einmal so viel wie ein Faden in einer Dattel!

72. Und wer auch immer blind (unfähig, die Wahrheit zu sehen) ist in diesem Leben, wird auch blind sein im ewigen, zukünftigen Leben sein und auf dem Weg (des Denkens) noch weiter irregeführt.

73. Sie waren sogar dabei, dich zur Zwietracht Uns gegenüber in Versuchung zu bringen und dich Dinge erfinden zu lassen Uns gegenüber, was Wir dir nicht offenbart haben! (Wären sie erfolgreich gewesen), dann hätten sie sich mit dir befreundet!

74. Hätten Wir dir keinen Widerstand gegeben und dir Standfestigkeit gewährt, dann hättest du dich beinahe ihnen gegenüber etwas zugeneigt!

75. In diesem Fall hätten Wir dich (Bedrückungen) im Leben und im Tod vielfach kosten lassen! Dann hättest du nicht einen Helfer für dich selbst gegen Uns gefunden.

76. Sie waren dabei dich zu misshandeln, um dich aus (Mekka) zu vertreiben. Und dann würden sie nur ein wenig (in dieser Welt) verweilen nach dir (sie taten dies und wurden getötet in der Schlacht von Badr).

77. Dies ist Unser etablierter Weg (Sunnah) auch im Bezug zu den Rasuls vor dir! (Alle Rasuls wurden aus ihrer Heimat vertrieben und dann wurden die Menschen, die sie vertrieben hatten, zerstört!) Du wirst nicht eine Veränderung in Unserer Sunnah finden.

78. Also etabliert „Salaah" zur Zeit, wenn die Sonne im Westen untergeht bis zur Dunkelheit der Nacht. Auch den Koran der Morgendämmerung (das „Salaah" am Morgen). In der Tat ist die Lesung des Korans in der Morgendämmerung schon immer bezeugt worden.

79. Und in einem Teil der Nacht steh mit dem Koran zum „Tahadschud" (während du aufgewacht bist, lebe die „Hinwendung zu Allah" [Salaah] aus) auf! Vielleicht wird dein Rabb dich zur „gepriesenen Station" auferstehen lassen (Makam-i Mahmud: In dir die Eigenschaften dieser Stufe sich manifestieren... [Und hat Er auch schon basierend auf dem Vers „Inna fatahna laka", d.h. „Wir haben dir eine klare Eroberung gegeben". 48:01])!

80. Sag: Mein Rabb, wo auch immer ich eintrete, lass mich mit „Sidk" (solch eine Aufrichtigkeit, dass die Wahrheit bestätigt ausgelebt wird) eintreten und wo auch immer ich austrete, lass mich mit „Sidk" (solch eine Aufrichtigkeit, dass die Wahrheit bestätigt ausgelebt wird) austreten und forme in mir von Deinem „Ladun" (die Potenziale der Namen, die aus Deiner Sicht geformt werden) eine Kraft, die zum Sieg führt!"

81. Sag: „Die Wahrheit ist gekommen und der Aberglaube ist fortgegangen (die Wahrheit wurde informiert; alle falschen Sichtweisen wurden für ungültig erklärt.)! In der Tat ist der Aberglaube gezwungen unterzugehen."

82. Wir lassen vom Koran Heilung (Wissen, welches gesundes Denken befähigt) und „Rahmat" (Gnade: Erinnerung der Eigenschaften, welche die essentielle Wahrheit einer Person ausmachen) enthüllen (reflektiert von der Essenz zum Bewusstsein) für jene, die glauben! Aber dies vermehrt nur die Frustration der „Zalims" (Jene, die die essentielle Wahrheit ihres Selbst leugnen und auf diese Weise zu sich selbst grausam sind und sich selbst schaden).

83. Wenn Wir den Menschen Segen geben, dann dreht er sich weg und distanziert sich! Und wenn er durch ein nachteiliges Ereignis berührt wurde, dann verfällt er in die Hoffnungslosigkeit.

84. Sag: „Jeder handelt gemäß seines eigenen Schöpfungsprogramms (Fitrah = natürliche Veranlagung)". Deswegen weiß dein Rabb (derjenige, der „Fatir" ist) am besten, wer sich auf dem Weg zur Wahrheit und Rechtleitung befindet!"

85. Und sie (die Juden) fragen dich über die Seele. Sag: „Die Seele ist am Befehl meines Rabbs angeordnet. Und ihr wurdet wenig Wissen darüber gegeben (diese Antwort ist für die Juden, die diese Frage gestellt hatten)."

86. Und wenn Wir es wollten, dann könnten Wir sicherlich das entfernen, welches Wir dir offenbart hatten. Dann wurdest du nicht für dich selbst einen „Wakiyl" gegen Uns finden.

87. Außer als Gnade von deinem Rabb! Definitiv ist Seine Gunst auf dich sehr groß!

88. Sag: „In der Tat, wenn die Menschheit (die Spezies Mensch) und die Dschinn sich versammeln würden, um die Ähnlichkeit des Koran zu produzieren und sich gegenseitig unterstützen würden, dann könnten sie trotzdem nicht die Ähnlichkeit dessen produzieren!"

89. In der Tat haben Wir in diesem Koran (die Wahrheit) anhand von allen möglichen BEISPIELEN erklärt, aber die Mehrheit der Menschen bedecken die Wahrheit (indem die Beispiele wortwörtlich genommen werden).

90. Sie sagten: „Niemals werden wir an dich glauben, es sei denn du bringst für uns eine Quelle aus der Erde zum Überfließen."

91. „Oder (bis) du einen Garten von Dattelpalmen und Weintrauben hast und innerhalb von ihnen Flüsse zum Überfließen bringen kannst mit einer mächtigen Kraft."

92. „Oder dass du den Himmel in Teile auf uns herunterfallen lässt, wie du behauptest hast oder dass du Allah und die Engel vor uns bringst als Garanten." (Sie sagten dies, weil sie fehlschlugen den Einen, der „Allah" genannt wird, zu verstehen und annahmen, dass es sich um einen oben-im-Himmel-befindlichen-Gott handelt.)

93. „Oder dass du ein Haus aus Gold hast oder zum Himmel hochfliegst... Und sogar selbst dann werden wir nicht an dich glauben, dass du zum Himmel geflogen bist bis du für uns ein greifbares, geschriebenes Buch herunterbringst, welches wir lesen können!" Sag: „Subhan ist mein Rabb! Was bin ich denn schon, doch nur ein Mensch mit der Funktion eines Rasuls?"

94. Was die Leute daran hindert zu glauben, wenn die Wahrheit zu ihnen kommt, ist, dass sie Folgendes nicht sagen: „Allah hat einen menschlichen Rasul enthüllt!"

95. Sag: „Falls es Engel wären, die auf der Erde herumlaufen würden als ihre Einwohner, dann hätten Wir definitiv vom Himmel einen engelhaften Rasul gesandt."

96. Sag: „Allah genügt mir, als meine essentielle Wahrheit mit Seinen Namen, als Zeuge zwischen mir und euch! In der Tat ist Er Khabiyr und Basiyr mit Seinen Dienern."

97. Wem auch immer Allah zur Wahrheit rechtleitet, der ist dann derjenige, der die Wahrheit findet! Und wen auch immer Er irreführt, der kann nicht länger einen Freund finden neben Ihm! Wir werden sie während dem Tag der Auferstehung als blind (unfähig, die Wahrheit zu sehen), stumm (unfähig, die Wahrheit auszusprechen) und taub (unfähig, die Wahrheit wahrzunehmen) auferstehen lassen! Ihr Ort wird die Hölle sein! Während seine Flammen nachlassen, werden Wir sie im Feuer vermehren!

98. Dies ist das Ergebnis dessen, was sie getan haben! Denn sie haben Unsere Zeichen und das Wissen um die Wahrheit geleugnet, welche in ihnen innewohnend waren und sie sagten: „Werden wir wiederauferstehen mit einer neuen Struktur, wenn wir einen Haufen von Knochen und Staub geworden sind?"

99. Haben sie nicht gesehen, dass Allah, der die Himmel und die Erde erschaffen hatte, „Kaadir" ist bezüglich ihnen, Ähnliches zu erschaffen? Ihnen wurde eine Lebensspanne gegeben, worüber es keinen Zweifel gibt. Aber die „Zalims" nähern sich nur als jene, die die Wahrheit bedecken.

100. Sag: „Falls ihr die Schätze der Gnade meines Rabbs besitzen würdet, dann hättet ihr sie geizig zurückgehalten aus Furcht, dass sie verringert werden könnten"... Der Mensch ist sehr geizig!

101. In der Tat gaben Wir Moses neun klare Wunder... Frag den Kindern Israels bezüglich dessen als er (Moses) zu ihnen kam, wie der Pharao sagte: „In der Tat denke ich, Oh Moses, dass du ein Magier bist!"

102. (Und Moses sagte dem Pharao): „Definitiv weißt du sehr genau, dass niemand diese Beweise enthüllt, um meine Authentizität zu verifizieren außer der Rabb der Himmel und der Erde... In der Tat denke ich, Oh Pharao, dass du dich im Verlust befindest!"

103. Also hat (der Pharao) vorgehabt, sie aus dem Land zu vertreiben, aber Wir haben ihn und jene, die mit ihm zusammen waren, allesamt ertrunken!

104. Dann haben Wir den Kindern Israels erzählt: „Wohnt im Land... Wenn das Nachleben kommt, dann werden Wir euch alle zusammen versammeln."

105. Wir haben es als die Wahrheit enthüllt und als die Wahrheit ist es auch enthüllt worden! Wir haben dich nur als einen Überbringer von guten Nachrichten und als einen Warner enthüllt."

106. Wir haben den Koran in Kapiteln unterteilt, so dass du es den Menschen über eine verlängerte Zeit vorlesen kannst, damit ihnen eine Chance gegeben wird, es zu verdauen. Wir haben es Stück für Stück enthüllen lassen.

107. Sag: „Glaubt daran oder glaubt nicht daran! Jenen, denen das Wissen vorher gegeben wurde, als es (der Koran) ihnen vorgelesen wurde, da haben sie aus Respekt sich niedergeworfen." (Dies ist ein Vers der Niederwerfung.)

108. Und sie sagen: „Subhan ist unser Rabb! Definitiv wird das Versprechen unseres Rabbs erfüllt werden."

109. Sie fallen auf ihre Gesichter gefüllt mit Tränen in der Niederwerfung... (Das Lesen des Koran) vermehrt ihre „Khuschu" (A.d.Ü.: die Ehrfurcht, die bei der Nichtigkeit des Egos entsteht vor der Grenzenlosigkeit des wahren „Ich", d.h. Allah)!

110. Sag: „Wendet euch zu Allah oder zum Rahman hin; mit welchem Verständnis du dich auch hinwendest, HU gehören die Schönsten Namen (alle Namen weisen auf den EINEN hin! Die Schönen Namen oder „Asma ul Husna" weisen auf die unterschiedlichsten Eigenschaften des EINEN: es gibt keinen anderen außer HU, d.h. Ihn)! Erhebt nicht eure Stimme während des „Salaahs" (Hinwendung zu Allah), aber versteckt es auch nicht gänzlich; sucht einen mittleren Weg."

111. Und sag: „Hamd (die Bewertung der physischen Welten, wie Er es will) gehört Allah, der keinen Sohn genommen hat, der keinen Partner in Seiner Herrschaft hat und deshalb kein Bedürfnis eines Wächters (Wali) hat" und glorifiziert Ihn durch Takbir (spürt Seine wundersame Gewaltigkeit; Allahu Akbar)!

Mit demjenigen, der durch den Namen Allah erwähnt wird (der mein Wesen mit Seine Namen erschaffen hat im Anwendungsbereich des Buchstabens „B"), der Rahman und Rahim ist.

1. Das „Hamd" (die Bewertung der physischen Welten, wie Er es will) gehört gänzlich Allah, der zu Seinem Diener das Wissen um die Wahrheit und der Sunnatullah (Buch) enthüllen ließ, worin es keine Unstimmigkeit gibt.

2. Es ist (ein) übereinstimmendes gerades (Buch)... von Seinem „Ladun" (A.d.Ü.: Aus einer besonderen Kraft von der wahren Essenz des Menschen, d.h. von Allah, heraus manifestiert), um vor einer strengen Tortur zu warnen und den Gläubigen, die die Anforderungen ihres Glaubens erfüllen, gute Nachrichten zu geben, dass sie eine große Belohnung haben werden.

3. Jene (die, die ihren Glauben anwenden) werden dort auf ewig sein.

4. Und um jene zu warnen, die sagen: „Allah hat einen Sohn."

5. Weder sie noch ihre Vorväter haben irgendwelches Wissen darüber! Schwerwiegend sind die Wörter, die aus ihren Mündern kommen! Sie sprechen nichts weiter als Lügen aus!

6. Also, wenn sie nicht an diese Warnung glauben, wirst du dich selbst durch Kummer und Sorge über sie ruinieren wollen?

7. Wir haben alles auf der Erde (oder dem körperlichen Leben), was man finden kann, für sich selbst geschmückt, so dass es offensichtlich wird, wer das beste Benehmen manifestieren wird!

8. Wir werden definitiv alles auf der Erde (Körper) zum Zustand von unfruchtbaren Boden verändern!

9. Oder habt ihr gedacht, dass (nur) die „Ashab-i Kahf" (die Gefährten der Höhle) und die Inschrift (auf Stein) zu Unseren wunderlichen Zeichen gehörten?

10. Und als die Jugendlichen sich zur Höhle zurückgezogen und gesagt hatten: „Unser Rabb (die Namenskomposition, die unsere essentielle Wahrheit ausmacht), gewähre uns eine „Rahmat" (einen Segen, welcher mit Deiner Gunst geformt wird) von Deinem „Ladun" (von Deinem Selbst; mit einer besonderen Kraft, die von der „Al Asma" Ebene geformt wurde) und forme in uns einen Zustand der Perfektion."

11. Also haben Wir (einen Schleier) über ihre Ohren gelegt (ihre Wahrnehmung zur Welt verschlossen; sie wurden schlafen gelegt).

12. Dann haben Wir sie wieder neu belebt (mit einem neuen Verständnis des Lebens), so dass Wir wissen mögen („wissen" bedeutet hier manifestieren, so dass sie wissen mögen – Tafsir von Elmali, Vol. 5, Seite 3226), welche der beiden Fraktionen am präzisesten waren in der Kalkulation der Zeit, die sie dort verbracht hatten.

13. (Mein Rasul) Wir erzählen euch ihre Geschichte gemäß der Wahrheit... In der Tat waren sie Jugendliche, die an ihren Rabb geglaubt hatten (Bi-Rabbihim; als ihre essentielle Wahrheit in ihrem Bewusstsein). Daraufhin haben Wir die Erfahrung der essentiellen Wahrheit in ihnen vermehrt.

14. Wir haben einen Nexus (eine Verbindung; „Rabita") in ihren Herzen gelegt (ihr Bewusstsein auf einen Zustand der konstanten Beobachtung zu fixieren)! **Sie** (die Jugendlichen) **standen auf und sagten: „Unser Rabb** (die Dimension der Namen, die unsere Essenz ausmacht) **ist der Rabb der Himmel und der Erde** (derjenige, der alles in der Existenz mit Seinen Namen formt)! **Niemals werden wir einen Gott** (derjenige, der in der Existenz administriert) **neben Ihm** (Ihm gleichwertig) **akzeptieren! Denn falls wir das Gegenteil aussprechen, dann würden wir etwas Absurdes ausgesprochen haben, welches gegen den Verstand und die Logik gehen würde."**

15. Jene von unserem Volk (jene, die die Resultate ihrer grundlosen Annahme vergöttert haben) **haben Götter neben Ihn angenommen... Wenn sie doch nur einen klaren Beweis der Kraft von diesen Göttern zeigen könnten! Also wer ist mehr ungerecht als jemand, der bezüglich Allah lügt und verleumdet?**

16. Da ihr euch von ihnen und den Dingen, die sie neben Allah angebetet haben, distanziert, zieht euch zur Höhle zurück, so dass euer Rabb Seine „Rahmat" über euch verteilen möge und einen Nutzen für euch formt von dem, was ihr tut.

17. Wenn die Sonne aufgeht, dann dreht sie sich von der rechten Seite der Höhle. Und wenn sie untergeht, dann geht sie an ihrer linken Seite vorbei. Sie befinden sich innerhalb eines offenen Raumes der Höhle. Dies ist ein Zeichen von Allah. Wen auch immer Allah leitet (zu seiner essentiellen Wahrheit), dem wird befähigt, die Wahrheit zu erreichen. Und wen auch immer Er irreführt, niemals werdet ihr für ihn einen Wächter (Wali) finden können, um ihn zu erleuchten.

18. Ihr würdet denken, dass sie wach wären, aber sie haben geschlafen (als ob sie tot wären) ... Wir haben sie zur rechten und zur linken Seite gedreht... Und ihr Hund hatte seine Beine gestreckt beim Eingang (der Höhle)! Hättet ihr sie in diesem Zustand gesehen, dann würdet ihr euch von ihnen weggedreht haben und wärt geflüchtet; ihr würdet besorgt und beängstigt gewesen sein!

19. Und so haben Wir sie wieder auferweckt (wieder auferstanden) (die Eigenschaft des Namens „Bais" hat sich in ihnen manifestiert), so dass sie unter sich nachfragen konnten, was sie erfahren hatten... Einer von ihnen sagte: „Wie lange bist du geblieben?" Manche von ihnen sagten: „Wir sind einen ganzen oder einen halben Tag geblieben"... Die anderen sagten: „Dein Rabb weiß besser, wie lange du verweilt hast... Also schickt einen von euch mit dieser Silbermünze (Geld) zur Stadt und lasst ihn erkennen, welche Nahrung rein ist und lasst ihn etwas zurückbringen für euch; lasst ihn vorsichtig sein und sieht zu, dass andere nicht auf ihn aufmerksam werden."

20. „Denn wenn sie auf dich aufmerksam werden, dann werden sie dich zu Tode steinigen oder dich zu ihrem Glauben bekehren... Dann wirst du niemals die Möglichkeit haben, erfolgreich zu sein!"

21. Also haben Wir sie informiert, so dass sie wissen, dass das Wort Allahs die Wahrheit darstellt (die Auferstehung) und dass über die Stunde (des Todes) es keinen Zweifel gibt! Als sie über das Thema untereinander argumentiert hatten, sagten sie: „Baut über sie ein Gebäude. Ihr Rabb weiß am besten über sie Bescheid (darüber, was sie waren)." Jene, dessen Worte bezüglich des Themas sich durchsetzte, sagte: „Definitiv werden wir über sie (die Gefährten der Höhle) eine Moschee (Haus des Gebets) bauen."

22. Sie werden sagen: „Sie waren drei, der Vierte war ein Hund"... „Sie waren fünf, der Sechste war ein Hund"... Dies ist über das Unbekannte nur reines Raten (Dinge zu fabrizieren, worüber sie keine Ahnung haben)! **Sie werden sagen: „Sie waren sieben, der Achte war ein Hund"**... Sag: **„Mein Rabb kennt ihre Anzahl besser**... **Keiner kennt sie außer ein paar Wenige"**... **Argumentiert nicht über sie, es sei denn ihr tauscht ein paar Gedanken aus und fragt ihnen bezüglich nichts!**

23. **Sagt für nichts „ich werde dies definitiv morgen tun"** (denn ihr wisst nicht, ob Allah dies will oder nicht)!

24. **Es sei denn ihr addiert: „Inscha Allah- Wenn Allah es will** (ihr könnt nicht wissen, wie Allahs neue Manifestierung sein wird)! **Und erinnert euch (Dhikr) an euren Rabb** (die Namen, die eure Essenz ausmachen), **wenn ihr vergisst!** Und sagt: **„Ich hoffe mein Rabb wird mir ermöglichen, dass ich die Reife zu Seiner Nähe erreiche** (die Dimension der Attribute [Tadschalli-i Sifat], die im „Geheimnis über des Todes" [Maiyyet Sirr] ausgelebt werden. [Siehe im Buch „Insan-i Kamil", Kapitel „Tadschalli-i Sifat" von Abdulkarim al Jili]

25. (Und manche sagen), **dass sie in der Höhle 300 Jahre lang geblieben sind und haben dann neun dazu addiert.**

26. **Sag: „Allah weiß am besten, wie lange sie geblieben sind. Ihm gehören die unbekannten (Aspekte) der Himmel und der Erde! Er ist Einer, dessen Sicht und Hören nicht mit dem Verstand begriffen werden kann! Sie haben keinen Freund oder Wächter (Wali) neben Ihn! Und es gibt keinen mit dem Sein Beschluss geteilt werden kann!"**

27. **Lies** (dechiffriere – begreife), **was dir offenbart wurde** (zu deinem Bewusstsein) **vom Buch deines Rabbs** (vom Wissen, welches von der Dimension der Namen kommt, welche deine Essenz ausmacht)! **Es gibt keinen, der Seine Wörter verändern kann! Und du wirst niemals eine Zuflucht finden, es sei denn zu Ihm.**

28. **Während ihr Sein Antlitz erwünscht, sei mit deinem Selbst** (Bewusstsein) **geduldig mit jenen zusammen, die zu ihrem Rabb morgens und abends beten! Wendet euch ihnen nicht ab, weil ihr die Verzierungen des weltlichen Lebens begehrt! Und gehorcht nicht jenen, dessen Wahrnehmung durch seinen Kokon eingegrenzt wurde; entbehrt davon, sich an uns zu erinnern und der seine grundlosen Ideen folgt und dessen Fall jenseits aller Grenzen gegangen ist!**

29. **Sag: „Die Wahrheit ist von deinem Rabb! Also wer auch immer will, lasst ihn glauben und wer auch immer will, lasst ihn leugnen!"** In der Tat haben Wir für die „Zalims" ein Feuer vorbereitet, dessen enorme Wellen sie von allen Seiten umgeben hat! Falls sie nach Erleichterung fragen, dann werden sie mit Wasser, welches wie geschmolzenes Blei ist, erleichtert, welches ihre Gesichter verbrüht! Welch ein elendes Getränk; welch ein elender Ort!

30. **Definitiv werden Wir jene, die geglaubt haben** (dass der EINE, der mit dem Namen Allah bezeichnet wird, mit Seinen Eigenschaften manifest ist, und dass Er Ahad und Samad ist) **und den Anforderungen ihres Glaubens erfüllen, nicht erlauben, dass die Ergebnisse ihrer guten Taten verloren gehen!**

31. **Für sie wird es Paradiese von Eden geben unter denen Flüsse fließen, sie werden dort mit Armreifen aus Gold beschmückt werden und werden grüne Bekleidung tragen von feiner Seide und Brokat, während sie sich auf Liegen ausruhen... Welch eine exzellente Rückkehr und welch ein bevorzugter Ort** (für die metaphorische Erklärung des paradiesisches Lebens schauen Sie sich die Verse 13:35 und 47:15 an).

32. (Mein Rasul) gibt ihnen das Beispiel der beiden Männer: Wir haben zwei Gärten von Weinstöcke dem einen gegeben und sie von Dattelpalmen umgeben lassen und zwischen ihnen haben Wir Ackerfrüchte platziert.

33. Beide Gärten haben ihre Früchte produziert und haben keinen Mangel aufkommen lassen... Und Wir haben einen Fluss zwischen beiden Gärten fließen lassen.

34. (Dieser Mann) hatte auch andere Einnahmequellen... Als er also seinen Gefährten traf (der andere Mann im Beispiel), da sagte er: „Ich bin größer als du an Wohlstand und Reichtum und mächtiger an der Zahl."

35. Und er trat ein in seinen Garten und Seinem Selbst schadend, sagte er: „Ich denke nicht, dass dieser Wohlstand jemals enden wird."

36. „Ich denke nicht, dass der Tag der Auferstehung passieren wird! Und falls ich doch zu meinem Rabb zurückkehre, dann bin ich zuversichtlich, dass ich ein noch besseres Leben als dieses vorfinden werde."

37. Sein Gefährte sagte zu ihm: „Leugnest du deine Realität?" Er hat dich aus Staub erschaffen, dann aus einem Tropfen von Sperma und dann dich zu einem Menschen mit Bewusstsein erschaffen!"

38. Und so ist HU Allah, mein Rabb! Ich assoziiere nichts mit meinem Rabb (die Namen, die meine Wahrheit und Essenz darstellen)!"

39. „Falls du doch nur, als du in deinen Garten eingetreten bist, Folgendes gesagt hättest: „Masha Allah (diese Formierung ist durch den Willen Allahs zustande gekommen) la Kuwwata illa Billah – Kraft (welche sich bei mir zu manifestieren scheint) ist nur mit Allah möglich (die Kraft gehört nur Ihm)"... Obwohl du mich gering an Wohlstand und Kindern erachtest."

40. „Es kann sein, dass mein Rabb mir ein besseres Paradies (Garten) geben wird als das deine und auf deinen Garten Unheil vom Himmel herabsteigen wird und es wird zu einem trockenen, staubigen Boden werden."

41. „Oder das Wasser (deines Gartens) wird verschluckt werden (in die Erde) und du wirst es nicht wieder finden können."

42. Und sein Reichtum wurde umfasst und ruiniert! Am Ende hatte er nur seine Hände gerieben (wegen des Verlustes) aufgrund dessen, was er in seinem Garten investiert hatte, welcher auf seinen Spalieren kollabiert ist und er sagte: „Ich wünschte, ich hätte nichts mit meinem Rabb assoziiert."

43. Er hatte weder einen Helfer neben Allah, noch die Kraft, sich selbst zu versorgen!

44. Und so kann man sehen, dass die Manifestierung des Namens „Wali" nur Allah gehört, der die Wahrheit darstellt. (Allah ist derjenige, der den Zustand von Wilayat [der erleuchtende und höhere Bewusstseinszustand, wenn der Mensch seine Wahrheit kennt, d.h. die Nähe zu Allah hat] ausleben lässt)! Er ist besser beim Belohnen von guten Taten und besser darin, das Ergebnis eines Ereignisses ausleben zu lassen.

45. Präsentiere ihnen das Beispiel des weltlichen Lebens. (Das Leben in dieser Welt) ist wie das Wasser, welches Wir vom Himmel herabsteigen lassen, welches sich mit der Vegetation der Erde vermischt. Dann wird (die Vegetation) als trocknende Überreste durch die Winde verstreut. Allah ist Muktadir über alle Dinge.

46. **Wohlstand und Kinder sind nur die Verzierungen des weltlichen Lebens** (sie sind temporär und vorübergehend – daran gebunden zu vergehen)! **Aber die ewigen Taten, welche als Resultat der Anforderungen des Glaubens angewandt werden, sind sowohl besser aus der Sicht deines Rabbs und auch besser in der Erwartungshaltung.**

47. **Am Tag, wo Wir die Berge laufen lassen** (die Organe funktionlos lassen), **da wirst du die Erde nackt sehen! Wir werden sie alle versammeln, so dass keiner ungeachtet gelassen wird!**

48. **Sie werden ihrem Rabb in Reihen präsentiert werden** (gemäß ihrem Stand des Glaubens)! **In der Tat kommst du zu Uns, wie Wir dich das erste Mal erschaffen haben** (von der geformten Identität gereinigt als reines Bewusstsein) ... **Vielleicht hattest du nicht gedacht, dass Wir diese Phase für dich formen werden!**

49. **„Das Buch** (die ganze Lebensinformation der Person) **wird offen gelegt werden und jene, die schuldig sind, werden mit Furcht erfüllt sein, wenn sie die Information sehen und werden sagen: „Oh wehe uns! Was für ein Buch** (gespeicherte Information) **ist dies! Es lässt nichts aus, klein oder groß, sondern zieht alle unsere Gedanken und Taten zur Rechenschaft!" Sie werden in ihrer Gegenwart alles finden, was sie getan haben! Dein Rabb schadet niemanden."**

50. **„Und** [erwähne], **als Wir den Engeln sagten: „Werft euch vor Adam nieder" und alle außer Iblis warfen sich sofort nieder. Er war von** (der Art) **der Dschinn... Und so gehorchte er nicht den Befehl seines Rabbs** (er besaß nicht das Wissen um die Wahrheit [die Art der Dschinn haben kein Wissen um die Wahrheit und des Systems des Schicksals], sie leben ein egobasiertes Leben .... mehr Informationen im Buch „Seele, Mensch, Dschinn" von Ahmed Hulusi). **Also nehmt ihr ihn** (Iblis) **und seine Nachkommen als Freunde anstatt Mich, trotz der Feindseligkeit euch gegenüber? Welch eine schlechte Wahl der Freundschaft für die Zalims** (jene, die ihrem Selbst Grausamkeiten antun)!

51. **Ich habe sie** (die Dschinn) **nicht als Zeuge zur Schöpfung der Himmel und der Erde gehalten oder zur Schöpfung ihres Selbst! Niemals können jene, die die Menschen irreführen in Dienerschaft zu Mir stehen!**

52. **Während der Zeit als es gesagt wird: „Ruft Meine Partner auf von denen ihr angenomen habt, dass sie existieren" und sie werden sie aufrufen, aber ihnen wird nicht geantwortet werden. Wir haben eine nicht passierbare Barriere zwischen ihnen gelegt.**

53. **Als die Schuldigen das Feuer gesehen hatten, da waren sie sicher, dass sie darin fallen würden. Es gab keine andere Destination für sie als das Feuer!**

54. **Wahrlich haben Wir in diesem Koran die Wahrheit präsentiert mit aller Art von Beispielen für die Menschen! Aber der Mensch war schon immer sehr bedacht darauf, gegen die Wahrheit zu argumentieren.**

55. **Was kann schon die Menschen davon abhalten zu glauben und um ihren Rabb um Vergebung zu bitten, wenn ein Führer** (Rasul) **zu ihnen gekommen ist, der sie zum Weg der Wahrheit leitet, es sei denn sie warten auf das Ereignis, welches den Vorgängern befallen ist oder auf die Tortur, welche direkt vor ihnen erscheinen wird!**

56. **Wir enthüllten die Rasuls nur als Überbringer von frohen Botschaften und als jene, die warnen. Jene, die das Wissen um die Wahrheit leugnen, sind darauf bestrebt, die Wahrheit mit grundlosen Ideen zu bedecken! Sie nahmen Meine Zeichen und die**

Dinge, womit sie gewarnt wurden als Belustigung (sie nahmen es nicht ernst genug, um es gebührend zu bewerten)!

57. **Wer kann mehr Falsches tun als derjenige, der an die Beweise seines Rabbs erinnert wird** (innewohnende göttliche Eigenschaften), **aber sich von ihnen wegdreht und vergisst, was er vorbereitet und mit seinen eigenen Händen produziert hatte? In der Tat haben Wir sie gefangen gehalten in ihren Kokons, weil sie die Wahrheit nicht erkannt haben** (aufgrund ihrer Leugnung) **und haben eine Schwere in ihren Ohren gelegt! Selbst wenn du sie zur Wahrheit einlädst, werden sie in diesem Zustand niemals Führung erreichen!**

58. **Dein Rabb ist Ghafur und der Besitzer von Gnade** (A.d.Ü.: Rahmat ist eine Eigenschaft, die zur Erkenntnis von Ihm führt)! **Hätte Er gewollt, dass die Konsequenzen ihrer Taten unverzüglich ausgeführt würden, dann hätte er definitiv das Leiden beeilt** (den Tod)! **Aber stattdessen gibt es eine vorgeschriebene Zeit für sie, wovon sie niemals fähig sein werden zu entkommen.**

59. **Diese sind die Städte, die Wir zerstört hatten aufgrund der Grausamkeiten, die sie begangen hatten und Wir hatten eine Zeit vorgeschrieben für ihre Zerstörung.**

60. **Und Moses sagte zu dem Jugendlichen in seinem Dienst: „Ich werde weiterhin reisen bis ich den Zusammenfluss der beiden Meere erreiche, selbst wenn ich dafür Jahre benötige.‟**

61. **Aber als sie den Zusammenfluss der beiden Meere erreicht hatten, da haben sie ihren Fisch** (dort) **vergessen... Also hat es** (der Fisch) **seinen Kurs im Meer genommen und war verschwunden!**

62. **Ein kurze Weile, nachdem sie** (ihren Treffpunkt) **passiert hatten, da sagte Moses zu seinem Diener: „Bringe uns unser Mittagessen, denn diese Reise hat uns sicherlich ermüdet...‟**

63. (Der Diener von Moses) **sagte: „Hast du gesehen? Ich vergaß den Fisch nahe dem Felsen. Der Satan hat mich vergessen lassen, dich zu erinnern! Und es** (der Fisch wurde lebendig) **auf wunderlicher Art und Weise und sprang ins Meer!‟**

64. (Moses) **sagte: „Das ist es, was wir gesucht hatten!‟... Also kehrten sie zurück, ihre Fußspuren folgend.**

65. **Und sie fanden einen Diener unter Unseren Dienern, dem Wir aus Unserer Sicht** (derjenige, der seine Wahrheit auslebt) **eine Rahmat gegeben haben und in dem Wir von Unserem „Ladun‟ Wissen haben manifestieren lassen** (das Bewusstsein, welches die Manifestierung der göttliche Attribute, Sifat-i Tadschalli, im Zustand des Nafs-i Mardiyya, dem „gefälligen Selbst‟, verifizierend auslebt).

66. **Moses sagte zu ihm: „Ich würde dir gern folgen, so dass du mir vom Wissen lehren kannst, welches sich in dir manifestiert hat!‟**

67. (Khizr) **sagte: „Du wirst es nicht ertragen können mit mir zu sein** (dein erschaffenes Programm und Funktionen sind für das Äußerliche eingestellt, d.h. die Wahrnehmung deiner Augen sind für das Augenscheinliche programmiert; du kannst nicht die inneren Dimensionen des Unbekannten/nicht-mit-den-Augen-zu-Sehenden aufgrund der Anforderungen deiner spezifischen Funktionen nicht verdauen und begreifen)!‟**

68. **„Wie kannst du es ertragen, ein Ereignis zu bezeugen, wenn du unbewusst bist über ihre essentielle Realität?‟**

69. (Moses) sagte: „Mit dem Willen Allahs wirst du mich unter den finden, die geduldig sind. Ich werde in keiner deiner Angelegenheiten einen Einwand haben."

70. (Khizr) sagte: „Falls du mir folgst, dann darfst du mir keine Fragen stellen (gemäß wie und was ich tue), bis ich dir die Wahrheit darüber erkläre!"

71. Also sind sie aufgebrochen bis sie auf einem Boot gereist sind, da hatte (Khizr) einen Loch ins Boot gemacht. (Moses) sagte: „Hast du dieses Loch gemacht, damit die Menschen ertrinken werden! Definitiv hast du eine schwerwiegende Sache getan!"

72. (Khizr) sagte: „Habe ich dir nicht gesagt, dass du nicht ertragen kannst, mit mir zu sein?"

73. (Moses) sagte: „Rüge mich nicht, weil ich (mein Wort) vergessen habe; mache mir meine Arbeit nicht schwer."

74. Also haben sie ihren Weg fortgesetzt bis sie einen kleinen Jungen getroffen hatten, den Khizr getötet hat! (Moses) sagte: „Außerhalb der Vergeltung hast du eine unschuldige Person getötet? Du hast definitiv eine verabscheuende und falsche Sache getan!"

75. (Khizr) sagte: „Habe ich dir nicht gesagt, dass du es nicht ertragen kannst, mit mir zu sein?"

76. (Moses) sagte: „Falls ich dich um (irgendetwas) nach diesem fragen sollte, dann behalte mich nicht als einen Gefährten! Lass dies meine letzte Entschuldigung sein!"

77. Also haben sie ihren Weg fortgesetzt... Letztendlich haben sie eine Stadt erreicht und haben deren Einwohner nach etwas Essen gefragt... Aber sie haben es abgelehnt, ihre Gastfreundschaft zu geben.... Dann haben sie (Moses und Khizr) eine Wand gesehen, die beinahe am Kollabieren war. (Khizr) hat die Wand wiederhergestellt. (Moses) sagte: „Falls du es gewünscht hättest, dann hättest du für diese Arbeit eine Bezahlung erhalten können."

78. (Khizr) sagte: „Dies (dein dritter Einwand) hat das Ende unseres Zusammenseins markiert! Ich werde dir die Interpretation (die innere Bedeutung) der Dinge geben, die du nicht ertragen konntest zu bezeugen."

79. „Lass uns mit dem Boot anfangen: Dieses Boot gehörte den armen Menschen, die bei der See gearbeitet haben. Ich wollte es fehlerhaft machen, weil sie einen König begegnen werden, der jedes Boot durch Gewalt an sich reißen wird (da der König nicht ein defektes Boot nehmen würde, da habe ich das Boot gerettet und so den Menschen etwas Gutes tun können).

80. „Was den kleinen Jungen angeht, beide Eltern von ihm waren Gläubige, aber wir haben gefürchtet, dass er sie zur Überschreitung der Grenzen und zum Unglauben verfallen lassen wird (durch die Person, die er werden wird, wenn er älter wird)!"

81. „Also wollten wir, dass ihr Rabb ihn durch einen besseren, reineren und näher zu Seiner Gnade ersetzen wird."

82. „Was die Wand betrifft: Es gehörte zwei Waisen in dieser Stadt... Darunter war ein Schatz vergraben, welches ihnen gehörte (den zwei Waisen) ... Und ihr Vater war ein aufrichtiger Mann... Also wollte dein Rabb, dass diese zwei Jungen älter werden und die Volljährigkeit erreichen und ihren Schatz herausholen als Gnade von deinem Rabb. Ich habe diese Dinge nicht aus eigenem Willen heraus getan! ... Also dies ist die Interpretation (innere Bedeutung) der Dinge, die du nicht ertragen konntest zu bezeugen."

83. Sie fragen dich bezüglich Dhul Karnain. Sag: „Ich werde euch ein Dhikr (eine Erinnerung) über ihn vorlesen."

84. Wir hatten ihn auf der Erde etabliert und hatten für ihn jeden Weg erleichtert (um seine Wünsche zu verwirklichen).

85. Und so folgte er einen Weg.

86. Als er letztendlich den Ort erreichte, wo die Sonne untergeht, da hatte er es in dichtem, dunklem Wasser untergehen sehen. Und er hatte in dieser Region ein Volk vorgefunden! Wir sagten: „Oh Dhul Karnain! Du kannst sie entweder bestrafen oder Gutes für sie tun."

87. (Dhul-Karnain) sagte: „Wir werden denjenigen bestrafen, der Schlechtes tut. Und er wird zu seinem Rabb zurückgekehrt werden und Er wird ihn mit einer unbeschreiblichen Tortur bestrafen."

88. Aber wer auch immer (an die Wahrheit) glaubt und den Anforderungen seines Glaubens erfüllt, die Gegenleistung dessen ist das Beste für ihn. Wir werden unseren Befehl der Erleichterung an ihn anwenden.

89. Dann folgte er (Dhul Karnain) einen (anderen) Weg.

90. Bis er zu dem Ort kam, wo die Sonne aufgeht (der Ort, wo die Sonne vom niedrigsten Punkt im Norden aufgeht, ohne wirklich unterzugehen). Er hatte es auf einem Volk aufgehen sehen für die Wir keine Bedeckung gegeben haben (gegen die Sonne... D.h. die Sonne verschwand niemals).

91. Und so war es... Wir hatten ihn mit dem, was Wir hatten, umgeben.

92. Dann folgte er (Dhul Karnain) noch einen anderen Weg.

93. Letztendlich gelangte er an einem Ort zwischen zwei Bergen. Er hatte dort ein Volk vorgefunden, die fast unfähig waren jegliche Warnung auszuwerten.

94. Sie sagten: „Oh Dhul Karnain! Wahrhaftig verursachen Gog und Magog Korruption auf der Erde! Können wir dir einen Preis zahlen, so dass du zwischen uns und ihnen eine Barriere errichtest?"

95. (Dhul Karnain) sagte: „Das, welches mein Rabb durch mich manifestiert, ist besser. Aber unterstützt mich mit eurer Kraft und ich werde zwischen euch und ihnen eine Barriere errichten."

96. „Bringt mir Blöcke von Eisen her..." Bis zu dem Zeitpunkt, wo Wir beide Seiten (zwischen den Bergen) gleichmäßig geebnet hatten, da sagte er: „Blasst (mit euren Blasebalg)"... Bis es (das Eisen) glühend heiß wurde, da sagte er: „Bringt es mir her, so dass ich geschmolzenes Kupfer darüber gießen kann."

97. Also konnten sie weder darüber steigen, noch durch es hindurch gehen!

98. (Dhul Karnain) sagte: „Dies ist eine Gnade von meinem Rabb. Deshalb, wenn das Versprechen meines Rabbs kommt, dann wird Er es ebnen. Das Versprechen meines Rabbs ist wahrhaftig."

99. An diesem Tag werden Wir sie alleine lassen, sie werden über sich strömen wie (zwei unterschiedliche Arten von) Wellen! Und das Horn wird geblasen werden und Wir werden sie alle zusammen versammelt haben.

100. Und Wir werden die Hölle ganz klar vor den Augen derer, die das Wissen um die Wahrheit leugnen, darstellen!

101. Ihre Einsicht (Wahrnehmung) war blockiert von Meinem Dhikr (Erinnerung)! Und ihre Kapazität war nicht adäquat, um wahrzunehmen und um zu verstehen!

102. Haben jene, die das Wissen um die Wahrheit geleugnet haben, gedacht, dass sie Mich verlassen können (die Eigenschaft des Wali Namens in ihrer Essenz zu leugnen) und meine (externen) Diener als Wächter (Wali) nehmen können? Wir haben die Hölle als Ort für die Leugner um das Wissen der Wahrheit erschaffen.

103. Sag: „Soll ich dich über die größten Verlierer aufgrund der Resultate ihrer Taten informieren?"

104. Sie sind diejenigen, dessen Bemühungen im weltlichen Leben vergeblich und nutzlos waren, während sie dachten, dass sie Gutes tun!

105. Sie sind diejenigen, die die Zeichen (Seine Namen) ihres Rabbs in ihnen und das Treffen mit Ihm (dass sie die Manifestierung der Namen in ihrem Bewusstsein erfahren werden) leugnen und deshalb deren Taten vergeblich und nutzlos sind! Und Wir werden ihnen kein Gewicht (Wir geben ihren Taten keinen Wert) am Tag der Auferstehung geben.

106. Das ist die Hölle, worin die Leugner um das Wissen der Wahrheit bewohnen werden; das ist die Gegenleistung für die Verspottung Meiner Zeichen und Rasuls!

107. Wahrhaftig diejenigen, die glauben (an der Wahrheit) und seine Anforderungen erfüllen, ihre Orte werden Gärten der Paradiese sein.

108. Sie werden dort auf ewig sein. Sie werden es niemals verlassen wollen.

109. Sag: „Falls das Ozean Tinte wäre für die Wörter (die Bedeutungen, die manifestiert wurden) meines Rabbs, dann wäre sicherlich das Ozean aufgebraucht bevor die Wörter meines Rabbs aufgebraucht wären! Selbst wenn wir noch eins (von diesem Ozean) dazu addieren würden!"

110. Sag (mein Rasul): „Ich bin nur ein Mann wie du (deshalb bist du wie ich), außer dass die Einheit der „Uluhiyyah" (des Allah-Daseins) zu meinem Bewusstsein offenbart wurde (das Wissen um Allah ist mir enthüllt worden; das „Risalat")! Deshalb wer auch immer darauf hofft, seinen Rabb zu begegnen (das Notwendige bezüglich der Wahrheit über die Namen auszuleben), lasst ihn die Anforderungen seines Glaubens erfüllen und (weiterhin) seinen Rabb dienen und zu Ihm keine Partner assoziieren!"

19 - MARYAM

Mit demjenigen, der durch den Namen Allah erwähnt wird (der mein Wesen mit Seine Namen erschaffen hat im Anwendungsbereich des Buchstabens „B"), der Rahman und Rahim ist.

1. Kaf, Ha, Ya, 'Ain, Sad.

2. Erinnere (Dhikr) an die Gnade deines Rabbs zu Seinem Diener Zacharias.

3. Als er sich innerlich zu seinem Rabb hingewandt hatte.

4. „Mein Rabb... In der Tat sind meine Knochen müde geworden und meine Haare sind ergraut! Mein Rabb, niemals wurde ich enttäuscht in meinen Gebeten zu Dir..."

5. Wahrhaftig fürchte ich mich davor, was die Nachkommen nach mir tun werden. Und meine Frau ist unfruchtbar! Also gewähre mir von Deinem „Ladun" (das Wissen aus Deiner Sichtweise; die Potenziale der Namen, die meine Essenz ausmachen) einen Wali (A.d.Ü.: Einen Erben, der die unverfälschte Wahrheit weiterhin auslebt, d.h. Wilayat [derjenige, der die Nähe zu Dir hat] erfährt) für mich."

6. „Wer wird mein Erbe und der Erbe der Familie Jakobs sein... Und mein Rabb, lass ihn von denjenigen sein, die gemäß Deines Wohlgefallens leben."

7. „Oh Zacharias! Wir geben dir frohe Nachrichten bezüglich eines Jungens, dessen Name Johannes sein wird. Wir haben diesen Namen vor ihm keinem anderen erwiesen."

8. (Zacharias) sagte: „Mein Rabb, wie kann ich einen Sohn bekommen, wenn meine Frau unfruchtbar ist und ich das sehr hohe Alter erreicht habe?"

9. „So wurde es beschlossen"... Dein Rabb sagt: „Dies ist leicht für Mich, denn als du nichts warst (nicht erwähnenswert), habe Ich dich erschaffen."

10. (Zacharias) sagte: „Mein Rabb! Gib mir ein Zeichen..." Er sagte: „Dein Zeichen ist, dass du nicht fähig sein wirst, für drei Nächte zu den Menschen zu sprechen, obwohl du körperlich gesund bist."

11. Also kam (Zacharias) aus dem Tempel heraus und deutete ihnen an, morgens und abends „Tasbih" (die Grenzenlosigkeit und Erhabenheit des Einen, also Allah, zu rezitieren) zu verrichten.

12. „Oh Johannes! Halt dich fest am Wissen der Wahrheit!" Als Wir (Johannes) die Gründe um die Ursache der Dinge und die Fähigkeit das System zu lesen lehrten, war er nur ein Kind!

13. Und Wir gaben ihm ein spirituelles Leben und Reinheit (Spenden) von Unserem „Ladun". Er war immer sehr umsichtig auf Schutz bedacht (Takwa)!

14. Er war gütig zu seinen Eltern; er war weder ein Tyrann, noch ein Rebell.

15. „Salaam" war auf ihm am Tag, wo er zur Welt kam, am Tag, wo er den Tod kostete und am Tag, wo er als unsterblich wieder auferstanden war (dies deutet an, dass die Wiederauferstehung direkt nach dem Tod stattfindet).

16. Und erinnere sie an Maria durch das Wissen, welches zu dir kam. Wie sie sich von ihrer Familie abwandte und sich zurückzog zu einem (entfernten) Ort im östlichen Teil (des Tempels).

17. Sie hatte sich von ihnen abgesondert... Wir enthüllten ihr Unsere Seele (die Form des Wissens; Welle; die Datenstruktur) und er erschien ihr als ein ganzer Mensch.

18. (Maria) sagte: „Ich suche Zuflucht im Rahman vor dir, (also komm nicht näher) falls du zu den Beschützten gehörst!"

19. (Die Seele) sagte: „Ich bin der Rasul deines Rabbs! Ich wurde dir manifestiert, um dir einen reinen Sohn zu gewähren."

20. (Maria) sagte: „Wie kann ich einen Sohn haben, wenn mich kein Mann berührt hatte und ich nicht unkeusch war?"

21. „Und so ist es!" Dein Rabb sagt: „Es ist leicht für mich! Wir werden ihn als ein Wunder für die Menschen manifestieren und als eine Gnade von Uns. Dies ist eine Angelegenheit, die schon beschlossen wurde (es ist schon passiert)!"

22. Also wurde (Maria) mit ihm (Jesus) schwanger und hatte sich mit ihm zu einem entfernten Ort zurückgezogen.

23. Als der Schmerz der Geburt sie dazu veranlasste, einen Ast einer Palme zu greifen, da sagte sie: „Oh, ich wünschte ich wäre vorher gestorben und wäre total vergessen."

24. Da sagte eine Stimme unter ihr: „Sei nicht besorgt, dein Rabb hat einen Strom unter dir geformt."

25. „Schüttele den Ast dieser Palme und zu dir werden reife, frische Datteln fallen."

26. „Also iss, trink und sei glücklich! Und falls du jemand siehst, dann sag: „Ich habe ein Fasten (des Schweigens) zum Rahman geschworen, ich werde heute zu keinem sprechen."

27. Als (Maria) zu ihrer Familie kam mit ihm in ihren Armen, da sagten sie: „Oh Maria... In der Tat hast du eine schreckliche Sache getan!"

28. „Oh Schwester Aarons! Dein Vater war keine schlechte Person. Und deine Mutter war keine unkeusche Frau."

29. Da Maria beim Fasten war, hat sie nur zum Kind gezeigt (sie deutete an, dass sie das Kind befragen sollen) ... Sie sagten: „Wie können wir mit einem Baby reden, dass sich in einer Krippe befindet!"

30. (Das Baby Jesus) sprach: „In der Tat bin ich ein Diener Allahs; Er gab mir Wissen (Buch) und machte mich zum Nabi."

31. „Er machte mich segensreich, wo auch immer ich mich befinde... Er ordnete mir das Salaah an (dass ich ständig zu meinem Rabb ausgerichtet und hingewandt lebe) und Reinheit, so lange wie ich lebe!"

32. „Er machte mich gütig zu meiner Mutter, nicht zu einem Tyrannen!"

33. „Also ist Salaam auf mich am Tag, wo ich zur Welt kam, am Tag, wo ich den Tod koste und am Tag, wo ich als Unsterblicher wiederauferstanden bin."

34. Das war Jesus, der Sohn der Maria. Die Wahrheit, über die sie ins Zweifeln geraten!

35. Es ist nicht für Allah (der Ahad und Samad ist, außer ihm existiert nichts) **einen Sohn zu nehmen; Subhan** (erhaben davon) **ist Er! Falls Er eine Sache beschließt, dann sagt Er nur: „Sei" und es ist.**

36. Wahrlich ist Allah mein Rabb und euer Rabb! Erkennt eure Dienerschaft zu Ihm an... Dies ist der Gerade Weg.

37. Dann sind jene, die unterschiedliche Meinungen hatten (die blind waren vor der Einheit der Uluhiyyah) **in einer Argumentation verfallen** (hatten Allah verleumdet). **Wehe jenen, die das Wissen um die Wahrheit leugnen, während dieser schrecklichen Zeit!**

38. Sie werden hören und sehen (die Wahrheit) **am Tag, wo sie zu Uns kommen! Aber die „Zalims"** (jene, die grausam zu sich und andere sind, weil sie ihr ewiges Potenzial ablehnen) **sind heute im offensichtlichen Irrtum.**

39. Also warnt sie bezüglich der Periode des Sehnens, wenn sie mit den Konsequenzen der Angelegenheiten konfrontiert werden! (Ihre Angelegenheit wird beschlossen sein,) **während sie in ihren Kokons eingesponnen sind** (Ghaflet: sie leben die Unaufmerksamkeit und das Unbewusste aus) **und in einem Zustand des Unglaubens sind.**

40. Weder die Erde, noch irgendetwas auf ihr wird übrig bleiben! Sie alle werden zu Uns zurückgebracht werden (zu ihrer essentiellen Wahrheit).

41. Erinnere (dhikr) **an Abraham durch das Wissen, welches kam! Definitiv war er ein Siddik** (derjenige, der die Wahrheit über seine Essenz bestätigt ausgelebt hatte), **ein Nabi** (derjenige, der das System liest, erkennt und entschlüsselt).

42. (Abraham) **sagte zu seinem Vater: „Oh mein Vater... Warum betest du Dinge an, die dich nicht hören, sehen oder die dir in irgendeiner Weise einen Nutzen geben können?"**

43. „Oh mein Vater... In der Tat, das Wissen, welches sich nicht bei dir befindet, hat sich bei mir manifestiert! Also folge mir und ich werde dich zu einem geraden Weg ausrichten."

44. „Oh mein Vater... Diene nicht dem Satan! In der Tat rebellierte der Satan gegenüber dem Rahman."

45. „Oh mein Vater... Ich befürchte, dass eine Bestrafung dich vom Rahman berühren wird und du ein Freund des Satans sein wirst (im ewigen Leben innerhalb der Grenzen des physischen Körpers bleiben wirst)."

46. (Sein Vater) **sagte: „Drehst du dich weg von meinen Göttern, oh Abraham? Ich schwöre, falls du nicht aufhörst, dann werde ich dich zu Tode steinigen lassen. Bleib von mir fern für eine lange Zeit!"**

47. (Abraham) **sagte: „Salaam sei auf dir, ich werde meinen Rabb um Vergebung für dich bitten. In der Tat ist Er mir gegenüber sehr großzügig."**

48. „Ich werde mich von dir und von jenen entfernen, die neben Allah sich anderen Dingen zuwenden und zu meinem Rabb beten. Ich erwarte nicht, dass ich unglücklich sein werde aufgrund der Hinwendung zu meinem Rabb."

49. Als (Abraham) **sie verlassen hatte und jenen, die neben Allah sich anderen Dingen zuwenden, da haben Wir ihn mit Isaak und Jakob beschenkt. Wir haben sie alle zu Nabis gemacht!**

50. Wir beschenkten sie aus Unserer Gnade heraus und haben in ihnen die Kraft des hohen Verständnisses des Wissen vom „Siddikiyat" (die Bestätigung und Erfahrung, dass man die Wahrheit auslebt) **geformt.**

51. Und erinnere auch an Moses durch das Wissen, welches zu dir kam... In der Tat war er ein „Mukhlis" (auserwählt und sich seiner Dienerschaft zu demjenigen bewusst, der mit niemandem etwas teilt, d.h. dem grenzenlosen Allah) **und er war ein Rasul und Nabi.**

52. Wir haben ihn von der rechten Seite des Bergs (der rechten Seite seines Egos; von seiner essentiellen Wahrheit heraus) **gerufen und haben ihn die Stufe der Nähe gegeben** (eine Stufe, wo er fähig war, den Ruf der Wahrheit zu hören).

53. Und Wir gaben ihm von Unserer Gnade heraus seinen Bruder Aaron als Nabi.

54. Und erinnere an Ismail durch das Wissen, welches zu dir kam. In der Tat war er aufrecht zu seinem Versprechen (dass er sich nicht seiner Dienerschaft Allah gegenüber unaufmerksam und unbewusst ist) **und er war ein Rasul und Nabi.**

55. Er ordnete für seine Familie an, Reinheit und das Salaah zu erfahren. Aus der Sicht seines Rabbs befand er sich im Zustand von „Nafs al Mardiyya" (das Selbst, welches die „Zustimmung" auslebt, d.h. frei von Dualität jeglicher Form; in seinem Bewusstsein wird die Enthüllung der Attribute Allahs erlebt – Tadschalli-i Sifat).

56. Und erinnere an Enoch durch das Wissen, welches zu dir kam. In der Tat war er ein „Siddik", ein Nabi.

57. Wir erhöhten ihn zu einem erhabenen Rang!

58. Sie sind diejenigen, denen Allah unter den Nabis mit Segen bereicherte, die Nachfahren Adams und diejenigen, die Wir mit Noah getragen hatten (auf der Arche) **und diejenigen, die Wir zur Wahrheit geführt hatten von den Nachfahren Abrahams und Israel (Jakob) und die Wir auserwählt hatten** (vor der Entstehung der Zeit). **Wenn die Beweise der Existenz des Rahmans ihnen vorgelesen werden, dann werfen sie sich nieder** (mit dem Zustand der Bezeugung der Nähe) **und weinen.** (Dies ist ein Vers der Niederwerfung.)

59. Aber nach ihnen kamen Nachfahren, die das „Salaah" (die Hinwendung zu ihrer Essenz und Wahrheit) **sein ließen und die ihren Begierden nachgingen** (die Impulse, die einem annehmen lassen, nur der Körper aus Fleisch und Blut zu sein und die aus Gelüsten entstehen). **Sie werden sich bald schon in der Grube von „Gayya" befinden** (eine Grube der Hölle, von wo sie nicht mehr entkommen werden können).

60. Außer jene, die Reue zeigen, glauben und die Anforderungen ihres Glaubens erfüllen... Sie werden in das Paradies eintreten und ihnen wird in keinster Weise eine Ungerechtigkeit zuteil werden.

61. „Rahman" hat Seinen Dienern die unbekannten Paradiese des Edens versprochen (Tadschalli-i Sifat; die Enthüllung der Attribute des „Rahmans", d.h. das grenzenlose Potenzial). **Definitiv ist Sein Versprechen erfüllt worden.**

62. Dort werden sie kein leeres Geschwätz hören (keine Lästerei), **sondern nur „Salaam"** (die Bedeutung des Namens Salaam=Friede wird sich manifestieren und deshalb sprechen sie über die manifestierten Kräfte von ihrer eigenen Wahrheit und Essenz). **Und sie werden dort ihren Unterhalt haben, morgens und abends.**

63. **Dies ist das Paradies, welches Wir als Erbe Unseren Dienern geben, die sich selbst beschützen** (nicht nur durch Taten, sondern auch durch gedanklichen Verständnis)!

64. **Wir enthüllen nur** (dimensionaler Sprung) **mit dem Befehl deines Rabbs! Alles innerhalb und außerhalb und jenseits unseres Wissens gehört nur Ihm! Das Konzept der Vergesslichkeit ist für deinen Rabb ungültig!**

65. **Er ist der Rabb von allem zwischen den Himmeln und der Erde. Also werdet euch eurer Dienerschaft bewusst und seid andauernd in eurer Dienerschaft Ihm gegenüber. Habt ihr jemals von einem gehört oder die Bekanntschaft gemacht, der Ihm ähnelt?**

66. **Der Mensch sagt: „Werde ich, nachdem ich gestorben bin, als Unsterblicher auferstehen?"**

67. **Erinnert der Mensch sich nicht daran, dass Wir ihn vorher schon erschaffen hatten, wo er nichts war?**

68. **Bei deinem Rabb, Wir werden sie zusammen mit den Teufeln wieder auferstehen. Und Wir werden sie um die Hölle herum auf ihren Knien versammeln.**

69. **Dann werden Wir von jeder Gruppe jene herausnehmen** (für das Feuer), **die am vehementesten waren in der Leugnung des „Rahmans".**

70. **Denn Wir wissen nur zu gut, wer es verdient hat, im Feuer zu brennen.**

71. <u>**Und es gibt keinen unter euch, den Er nicht durch die Hölle durchlaufen lassen wird**</u> (erfahren lassen wird)! **Dies ist von deinem Rabb eine definitive Anordnung.**

72. **Dann werden Wir jene retten, die sich beschützt hatten** (die Besitzer von spirituellen Kräften, die ihnen Schutz geben werden, weil sie sich ihrer Essenz und Wahrheit hingewandt hatten) **und jene, die zu ihrem Selbst grausam waren, auf ihren Knien belassen!**

73. **Wenn Unsere Beweise ihnen deutlich vorgelesen werden und sie darüber informiert werden, dann sagen jene, die das Wissen um die Wahrheit leugnen, zu den Gläubigen: „Welche der beiden Fraktionen sind besser in Position und Versammlung?"**

74. **Wir haben viele Generationen vor ihnen zerstört, die besser waren an Wohlstand und Erscheinung.**

75. **Sag: „Wer auch immer auf dem falschen Weg sich befindet, dann lasst den Rahman seine Zeit verlängern! Bis sie das sehen, welches ihnen versprochen wurde, nämlich das Leiden oder jene Stunde** (des Todes oder Tag des jüngsten Gerichts), **dann werden sie verstehen, wer schlechter ist und schwächer ist anhand von einer Armee!"**

76. **Allah vermehrt an Wissen** (um die Wahrheit) **jene, die sich auf dem rechten Weg befinden! In der Sichtweise deines Rabbs sind die Taten des Glaubens besser an Gewinn und als Resultat!**

77. **Hast du denjenigen gesehen, der Unsere Zeichen geleugnet und gesagt hat: „Mir werden definitiv Reichtum und Kinder gegeben werden!?"**

78. Hat er Wissen vom Unbekannten erlangt oder hat er ein Versprechen vom Rahman bekommen?

79. Nein! Wir werden aufzeichnen, was er sagt und sein Leiden umfassend verlängern.

80. Er wird verlieren, was er sagt und Wir werden sein Erbe werden. Und er wird zu Uns ganz alleine kommen.

81. Sie haben Götter neben Allah angenommen als eine Quelle von Überlegenheit für sich selbst.

82. Nein! (Jene Gottheiten) werden ihre Anbetung leugnen und sich gegen sie stellen!

83. Habt ihr nicht gesehen, wie Wir jenen, die das Wissen um die Wahrheit leugnen, Teufel gesandt hatten, so dass sie mit ihnen spielen (sie werden mit Zweifel, Skepsis und grundloser Furcht aufgehetzt).

84. Also beeilt euch nicht ihretwegen. Wir zählen nur die Tage für sie.

85. In der Periode, wo Wir die Beschützten zum Rahman versammeln werden, damit sie Seine Darbringung erhalten!

86. Und damit die Schuldigen, um Wasser sich sehnend, zur Hölle abgefertigt werden!

87. Niemand aus der Sicht des Rahmans wird fähig sein, Fürbitte zu leisten außer jenen, denen ein Versprechen gegeben wurde (jene, aus denen ein Anteil der Kräfte der Namen von ihrer Essenz heraus manifestiert wurde)!

88. Sie sagten: „Der Rahman hat einen Sohn!"

89. Wahrlich habt ihr eine scheußliche Sache getan.

90. Aufgrund dessen sind die Himmel beinahe erschüttert, die Erde aufgebrochen und die Berge in Verwüstung kollabiert!

91. Weil sie dem Rahman einen Sohn zusprechen!

92. Solche Konzepte wie einen Sohn zu haben, sind für den Rahman nicht angemessen.

93. Wer auch immer in den Himmeln und auf der Erde ist, befindet sich in der Dienerschaft zum Rahman!

94. In der Tat kennt (der Rahman) sie in detaillierter Weise und durch viele Wege!

95. Am Tag der Auferstehung werden sie alle zu Ihm kommen als EINS.

96. Jene, die glauben und den Anforderungen ihres Glaubens erfüllen, für sie wird der Rahman Liebe produzieren.

97. Wir haben es durch deinen Ausdruck vereinfacht, so dass du frohe Botschaften jenen geben kannst, die sich selbst beschützen und damit du die Sturen warnen kannst.

98. Und Wir haben viele vor ihnen zerstört... Spürt ihr irgendeinen von ihnen oder hört ihr jetzt ihr Flüstern?

Mit demjenigen, der durch den Namen Allah erwähnt wird (der mein Wesen mit Seine Namen erschaffen hat im Anwendungsbereich des Buchstabens „B"), **der Rahman und Rahim ist.**

1. Oh Mensch (das reine „Muhammadi" Bewusstsein, das originale ICH metaphorisch beschrieben als die Gesamtheit aller Namen, die Adam gelehrt wurden und der Seele, welche in Adam eingehaucht wurde.)!

2. Wir haben den Koran nicht offenbart, damit du unglücklich bist.

3. Es (das offenbarte Wissen) **ist nur eine Erinnerung** (an ihrer Wahrheit) **zu einem Bewusstsein, welches offen ist für die Ehrfurcht** (die Allmacht und Gewaltigkeit Allahs zu spüren)!

4. Es wurde in Teile gesandt vom Schöpfer der Erde (Körpers) **und der hohen Himmel** (Bewusstseinsstufen, welche sich von den Dimensionen der Namen manifestieren).

5. Der Rahman ist etabliert auf dem Thron (Rahman etablierte Seine Souveränität, indem die Welten erschaffen wurden; die „scheinbar" existierende Welt, welche durch die Potenziale der Namen, also Asma ul Husna -eingebettet im Gehirn- erschaffen wurden. Im Quantum Potenzial observiert Er Sein Wissen mit Seinem Wissen).

6. Was es auch immer in den Himmeln (verschiedene Bewusstseinsstufen) **und auf der Erde** (manifestierte Tat) **und alles dazwischen** (Vorstellung und Zweifel eines jeden) **und unter der Erde** (Tiefen des Körpers) **gibt, ist für Ihn** (für die Manifestierungen Seiner Eigenschaften, d.h. Asma ul Husna).

7. Und falls du deine Gedanken aussprichst (oder sie für dich behältst), **wisse nur zu gut, dass Er das Geheime** (in deinem Bewusstsein) **kennt und sogar das, welches noch geheimer ist** (von der Dimension der Namen, welche die Gedanken überhaupt zustande bringen).

8. Es ist Allah! Es gibt keinen Gott, es gibt nur HU! Die Schönen Namen (Asma ul Husna) **gehören Ihm** (Er erschafft, was Er will mit diesen Eigenschaften)!

9. Hat dich das Ereignis von Moses erreicht?

10. Wie er (Moses) **ein Feuer sah und zu seinen Leuten sagte: „Bleibt hier, in der Tat habe ich ein Feuer gespürt. Vielleicht bringe ich euch davon eine Glut mit oder ich finde einen Führer in der Nähe dieses Feuers."**

11. Als er nah (zum Feuer) **kam, nahm er einen Ruf wahr: „Oh Moses."**

12. „Wahrlich bin ich dein Rabb! Zieh deine beiden Sandalen aus (befreie dich von deinen physischen und mentalen Konditionierungen; verbleibe als reines, universales Bewusstsein), **denn du bist in der Tat im heiligen Tal von Tuwa!"**

13. „Ich habe dich auserwählt! Also nimm das Wissen wahr, welches offenbart wird!"

14. „Wahrlich, ich bin Allah! Es gibt keinen Gott, nur Mich! Also diene Mir (indem die Eigenschaften Meiner Namen manifestiert werden)! **Und lebe das „Salaah"** (die Hinwendung) **aus, um an Mich zu erinnern!"**

15. „In der Tat wird die Stunde (Tod) kommen. Aber ich werde seine Zeit geheim halten, so dass alle die Konsequenzen ihrer eigenen Taten sehen und erfahren werden."

16. „Lass nicht zu, dass jene, die nicht glauben (am ewigen, zukünftigen Leben nach dem Tod) und die ihre eigenen grundlosen Illusionen befolgen, dich davon abhalten (von der Wahrheit, dass alle zu Allah zurückkehren werden), damit du nicht zugrunde gehst!"

17. „Was ist in deiner rechten Hand, Oh Moses?"

18. (Moses) sagte: „Es ist mein Stab... Ich stütze mich daran, ich bringe damit Blätter herunter für meine Schafe und es ist mir auch nützlich mit anderen Dingen."

19. „Lass es los, Oh Moses!"

20. Also hat er es hingeworfen. Und siehe da, es wurde zu einer bewegenden Schlange!

21. „Nimm es und hab keine Furcht! Wir werden es dir zurückgeben in seiner ursprünglichen Erscheinung!"

22. „Und jetzt tue deine Hand in deine Brust; als ein anderes Wunder wird es ganz weiß herauskommen ohne Makel oder Krankheit!"

23. „Und so zeigen Wir dir Unsere größten Wunder!"

24. „Geh zum Pharao! Definitiv hat er alle Grenzen überschritten!"

25. (Moses) sagte: „Mein Rabb, erweitere mein Bewusstsein (so dass ich diese verarbeiten und das Notwendige anwenden kann)."

26. „Erleichtere mir meine Aufgabe."

27. „Öffne den Knoten in meiner Zunge."

28. „So dass sie (die Feinheiten) meiner Worte verstehen."

29. „Und ernenne für mich einen Helfer unter meinen Leuten."

30. „Meinen Bruder Aaron."

31. „Gib mir durch ihn Kraft."

32. „Lass ihn mit mir die Aufgabe teilen."

33. „So dass wir Deine Erhabenheit (Tasbih) viel erwähnen mögen."

34. „Und uns an Dich sehr oft (Dhikr) erinnern mögen!"

35. „Wahrlich bist du Basiyr über uns!"

36. Er sagte: „Dir wurde deine Bitte gewährt, oh Moses!"

37. „In der Tat hatten Wir dir Unsere Gunst (davor) noch einmal gewährt."

38. „Wir hatten deiner Mutter jenes offenbart, was ihr offenbart wurde."

39. „Lege ihn (Moses) in einem Holzkasten und platziere es auf dem Fluss. Der Fluss wird ihn zum Ufer bringen, wo er von einem Feind von Mir und ihm aufgenommen wird! Ich habe Meine Liebe auf dich gelegt, so dass du direkt unter Meinem Auge aufwächst."

40. Erinnere dich als deine Schwester mitlief und sagte (zur Familie des Pharaos): „Soll ich dir jemanden zeigen, der ihn aufnehmen und sich um ihn kümmern wird?" ... Und so haben Wir dich zu deiner Mutter zurückkehren lassen, so dass sie glücklich sein möge und sich nicht mehr sorgt... Und du hast jemanden getötet und Wir haben dich von dieser Besorgnis befreit. Wir haben dich Prüfungen über Prüfungen bestehen lassen. Und erinnere dich, wie du beim Volk von Madian (mit Schuaib) für viele Jahre geblieben bist. Und dann, wie es bei deinem Schicksal angeordnet wurde, bist du hierher gekommen, oh Moses!"

41. „Ich habe dich für Mein Selbst auserwählt."

42. „Geht, du und dein Bruder, mit Meinen Wundern... Und zeigt keine Schwäche, wenn ihr euch an Mich erinnert!"

43. „Geht beide zum Pharao! Er hat wahrlich alle Grenzen überschritten."

44. „Aber sprecht sanft zu ihm! Vielleicht wird er nachdenken und es bewerten oder Ehrfurcht fühlen!"

45. „Unser Rabb! In der Tat befürchten wir, dass er zu viel Druck auf uns ausüben wird oder sogar darüber hinaus gehen wird."

46. „Fürchtet euch nicht! In der Tat höre Ich und sehe Ich durch euch." (Maiyyat Sirr: das Geheimnis, welches durch den Tod des Egos aufgedeckt wird; die Überlieferung, Hadith Kudsi: „.... Ich werde das Ohr sein, mit dem Mein Diener hört und die Augen, mit dem Mein Diener sieht...")

47. „Also geht zu ihm und sagt: Wir sind in der Tat die Rasule deines Rabbs! Entsende die Kinder Israels mit uns und foltere sie nicht! In der Tat sind wir zu dir als Wunder von deinem Rabb gekommen... Möge Salaam auf jenen sein, die der Führung folgen."

48. „Es wurde uns offenbart, dass Leid auf jenen sein wird, die leugnen und sich wegdrehen."

49. (Pharao) fragte: „Wer ist dein Rabb, oh Moses?"

50. (Moses) sagte: „Unser Rabb ist jener, der allen ihre Existenz und Eigenschaften gibt und dann ihren Weg erleichtert."

51. (Pharao) fragte: „Was ist mit den vergangenen Generationen? Was wird mit ihnen passieren (denn sie haben diese Wahrheit nicht gesehen)?"

52. (Moses) sagte: „Ihr Wissen ist das Wissen aus der Sichtweise meines Rabbs. Mein Rabb tut weder unrecht, noch vergisst Er."

53. Er ist es, der die Erde für euch als Krippe erschaffen hatte und Wege dort öffnete und Wasser vom Himmel herabstiegen ließ und Paare von verschiedenen Pflanzen damit produzierte.

54. Also esst und lasst eure Tiere dort grasen. In der Tat sind hiermit Zeichen gesetzt für jene mit gesundem Verstand.

55. Wir haben euch damit erschaffen! Und Wir werden euch dahin zurückkehren lassen! Und von dort werden Wir euch nochmals hervorbringen (wiederauferstehen).

56. In der Tat haben Wir ihn (Pharao) all Unsere Zeichen gezeigt. Aber er leugnete sie und weigerte sich, sie zu akzeptieren.

57. Er sagte: „Bist du gekommen, um uns aus unserem Land zu vertreiben anhand deiner Magie, Oh Moses?"

58. „Wir werden dir Magie bringen, um die deiner gleichwertig zu sein... Also nennt uns eine Zeit und lasst uns an einem geeigneten Ort treffen."

59. (Moses) sagte: „Der Tag des Treffpunkts ist der Tag des Festes. Lasst die Menschen zusammenkommen am späten Morgen."

60. Also wandte sich der Pharao ab (ging hinfort) und versammelte seine Illusionen (seine Hexer) und kam zurück.

61. Moses sagte ihnen: „Ihr seid zu bemitleiden. Erfindet keine Lügen bezüglich Allah, damit Er euch nicht durch Tortur und Leid zerstört. Derjenige, der verleumdet, hat definitiv verloren."

62. (Die Magier) argumentierten miteinander bezüglich ihres Ereignisses, indem sie heimlich miteinander flüsterten.

63. (Pharaos Magier) sagten: „Diese Zwei sind nichts weiteres als Magier. Sie wollen dich aus deinem Land vertreiben mit ihrer Magie und deinen beispielhaften Lebensstil zerstören."

64. „Also vereinigt eure Zauber und tretet heran in einer Linie. Wer auch immer heute dominiert, der hat sicherlich die Errettung erlangt."

65. Sie sagten: „Oh Moses! Entweder wirfst du zuerst oder wir werden es sein, die zuerst werfen."

66. (Moses) sagte: „Nein, werft ihr"... Und siehe da! Durch ihre Magie erschienen (in seiner Vorstellung) ihre Seile und Stöcke derart, als ob sie schnell auf ihn zu bewegten.

67. Moses fühlte Furcht im Inneren!

68. Wir sagten ihm: „Hab keine Furcht! Definitiv wirst du, ja du wirst dominieren."

69. „Lasse das, was in deiner rechten Hand sich befindet, es soll das verschlucken, was sie vollbracht haben. Denn sie haben nur den Zauber eines Magiers vollbracht. Ein Magier wird niemals erfolgreich sein, wo auch immer er hingeht."

70. Die Magier haben sich dann niedergeworfen und sagten: „Wir glauben (mit der Bedeutung des Buchstabens „B") an den Rabb von Aaron und Moses."

71. (Pharao) sagte: „Habt ihr an ihn geglaubt ohne meine Erlaubnis? In der Tat ist er euer Meister in der Lehre der Magie. Ich werde definitiv eure Hände und Füße auf gegensätzlichen Seiten abhacken und euch am Stamm der Palmen kreuzigen. Ihr werdet definitiv wissen, wessen Bestrafung weitaus strenger und andauernder ist!"

72. Sie sagten: „Nachdem das klare Zeichen uns erreicht hat, werden wir niemals dich über unseren Schöpfer vorziehen. Deshalb entscheide dich für was auch immer du willst! Deine Anordnung findet nur eine Anwendung im Leben dieser Welt."

73. „Wir haben definitiv an unseren Rabb geglaubt, so dass Er uns vergeben möge für unsere Fehler und Magie. Allah ist besser und ewig."

74. Die Wahrheit ist, dass derjenige, der zu seinem Rabb als der Schuldige kommt, für ihn die Hölle sein wird. Dort wird er weder sterben (und befreit sein), noch wird er das Leben erfahren!

75. Aber derjenige, der zu Ihm als Gläubiger kommt und als jemanden, der den Anforderungen seines Glaubens erfüllt, für ihn gibt es die höchsten Ränge.

76. Paradiese von Eden unter denen Flüsse fließen. Sie werden dort auf ewig sein. Dies ist die Gegenleistung für jene, die sich reinigen.

77. In der Tat offenbarten Wir an Moses: „Nimm Meine Diener und reist in der Nacht. Schlage mit deinem Stab für sie einen trockenen Weg durch das Meer! Lasst sie (hindurch laufen) ohne Furcht, gefangen zu werden oder aus Angst (zu ertrinken)!"

78. Pharao verfolgte sie mit seiner Armee und das Meer umfasste sie und ließ sie ertrinken.

79. Der Pharao führte seine Leute in die Irre; er führte sie nicht zum rechten Weg.

80. Oh Kinder Israels! Wahrlich haben Wir euch von eurem Feind befreit und hatten ein Abkommen mit euch auf der rechten Seite vom Berg Sinai. Wir haben Manna und Salwa auf euch enthüllt.

81. Deshalb esst von dem, was rein ist von den Gaben, womit Wir euch ernähren und begeht keinen Exzess. Es sei denn ihr manifestiert bei euch Meinen Zorn (als Resultat eurer Taten). Bei wem sich auch immer Mein Zorn manifestiert, der befindet sich sicherlich im ernstzunehmenden Untergang.

82. Definitiv bin Ich Ghaffar zu jenen, die Reue zeigen (die sich ihres Benehmens bewusst werden, welches nicht ihrer essentiellen Wahrheit angemessen erscheint und davon ablassen mit Reue) und glauben und die die Anforderungen ihres Glaubens erfüllen und die dann den rechten Weg finden.

83. „Was ist es, dass dafür sorgt, dass du dich hastig von deinem Volk distanzierst, oh Moses?"

84. (Moses) sagte: „Mein Rabb, ich eile, um dein Wohlgefallen zu erreichen. Sie folgen mir in meine Fußstapfen."

85. (Sein Rabb) sagte: Wir haben in der Tat dein Volk geprüft, nachdem du sie verlassen hast, damit sie ihr eigenes Niveau des Verständnisses sehen. Samiri (ein Mann, der aus dem Palast vom Pharao flieh und sich ihnen anschloss, der im Besitz von „Istidradsch" war; einer Art von Wunder, wie z.B. Gedankenlesen, die Vergangenheit eines Menschen zu kennen etc.) hat sie irregeleitet!"

86. Moses kehrte zu seinem Volk mit Wut und Kummer zurück. Er sagte: „Oh mein Volk. Hat nicht euer Rabb euch ein gutes Versprechen gegeben? Hat die Zeit des Versprechens zu lange für euch gedauert? Oder habt ihr es gewollt, dass der Zorn eures Rabbs sich manifestiert und deswegen habt ihr euer Versprechen nicht gehalten?"

87. Sie sagten: „Wir haben uns dir nicht bewusst widersetzt. Aber wir haben schwere Lasten von den Verzierungen des Volkes getragen und deswegen haben wir sie geworfen (in Samiris Feuer), denn so hat Samiri sie geworfen (also haben wir ihn imitiert)."

88. (Samiri) machte eine Statue eines Kalbes für sie, das ein tosendes Geräusch produzieren konnte. Daraufhin sagten sie: „Dies ist gleichzeitig euer Gott und auch der Gott von Moses, aber Moses hat dies vergessen!"

89. Sehen sie denn nicht, dass es (das Kalb) ihnen keinerlei Antwort geben kann und keine Kraft besitzt, sie zu verletzen oder von Nutzen zu sein!

90. In der Tat sagte Aaron zu ihnen: „Oh mein Volk. Ihr wurdet nur damit geprüft. Wahrlich ist euer Rabb derjenige, der Rahman ist. Also folgt mir und gehorcht meinem Befehl!"

91. Sie sagten: „Wir werden damit fortfahren, dieses (Kalb) anzubeten bis Moses zu uns zurückkehrt."

92. (Moses) sagte: „Oh Aaron! Warum hast du sie nicht davon abgehalten, als du gesehen hast, dass sie auf dem falschen Weg waren?"

93. „Warum bist du mir nicht gefolgt (und hast ihnen den rechten Weg gezeigt)? Hast du gegen meinen Befehl rebelliert?"

94. (Aaron) sagte: „Oh Sohn meiner Mutter! Halte ab davon, mich bei den Haaren und beim Bart zu packen! In der Tat habe ich befürchtet, dass du sagst: „Du hast Spaltung unter den Kindern Israels produziert und hast meinen Worten nicht Folge geleistet."

95. (Moses) sagte: „Was ist deine Absicht, oh Samiri?"

96. (Samiri) sagte: „Ich war mir bewusst, was sie nicht wahrnahmen! Also habe ich ein wenig vom Produkt des Rasuls genommen (indem die Kraft des Geheimnisses des Buchstabens „B" angewandt wird, über die der Rasul informiert) und habe es geworfen (in das Gemisch vom geschmolzenen Gold). Dies ist es, was mein Selbst (die Kraft, die von meiner Essenz heraus kommt), mich veranlasst hat zu tun."

97. (Moses) sagte: „Hinfort mit dir! In der Tat wirst du dein ganzes Leben sagen, dass die Menschen dich nicht anfassen sollen... Und du wirst mit einem Ende konfrontiert werden, von dem du niemals entkommen können wirst. Schau die Gottheit an, die du ständig anbetest! Wir werden sie definitiv verbrennen bis sie zu Staub wird und dann werden wir sie ins Meer verstreuen."

98. Der Besitzer der Uluhiyya ist Allah alleine. Es gibt keinen Gott, sondern nur HU! Er umfasst alles (in jedem Aspekt) mit Seinem Wissen!

99. Und so berichten Wir dir von einigen Nachrichten aus vergangenen Ereignissen. Die Wahrheit ist, dass Wir dir eine Erinnerung (Dhikr) von Unseren Ladun (das Wissen aus der Sichtweise von Allah) gegeben haben.

100. Deshalb wer auch immer sich davon abwendet (die Wahrheit, über die erinnert wird), der wird in der Tat eine schwere Last am Tag der Auferstehung tragen.

101. Sie werden die Konsequenzen ihrer Fehler auf ewig ausleben! Was für eine schlechte Last (ihre Schuld) es doch für sie sein wird, während des Tages der Auferstehung!

102. Der Tag an dem das Horn geblasen wird! Wir werden die Schuldigen wiederauferstehen lassen an diesem Tag; ihre Augen werden erfüllt sein mit Terror.

103. Sie werden untereinander sich zuflüstern: „Du hast (in der Welt) nur für zehn (Stunden) verweilt."

104. Wir (als ihre essentielle Wahrheit) wissen besser, was sie sagen werden; die Gelehrtesten unter ihnen werden sagen: „Ihr habt nur einen Tag verweilt."

105. Sie fragen dich bezüglich der Berge... Sag: „Mein Rabb wird sie zu Staub machen und sie verstreuen."

106. „Er wird ihre Stellen entblößt und flach belassen."

107. „Du wirst weder Gruben noch irgendwelche Wölbungen sehen."

108. Zu dieser Zeit werden sie dem Einladenden folgen, von dem es kein Entkommen gibt. Alle Stimmen werden verstummt werden mit der Ehrfurcht des Rahmans. Du wirst nichts hören außer einem Stöhnen, welches aus den Tiefen kommt.

109. Fürbitte wird nichts nutzen an diesem Tag. Außer jenem, den der Rahman Erlaubnis gibt und der mit Seinem Wort zufrieden ist (derjenige, der „nur Allah" sagt)!

110. Er weiß, was vor ihnen und was hinter ihnen liegt (ihre Vergangenheit und Zukunft). Sie können Sein Wissen nicht umfassen.

111. Alle Gesichter werden sich bescheiden verbeugen vor demjenigen, der Hayy und Kayyum ist. Derjenige, der eine Grausamkeit trägt (derjenige, der gestorben ist, ohne sich über seines Daseins als Stellvertreter bewusst zu werden), hat definitiv verloren.

112. Derjenige, der gute Taten als Gläubiger verrichtet, wird keine Ungerechtigkeit oder Unrechtes fürchten.

113. Und so haben Wir den Koran auf Arabisch enthüllen lassen und haben darin alle möglichen Warnungen und Konsequenzen erklärt. Es wird gehofft, dass sie sich selbst beschützen (reinigen) oder den Ratschlag (des Koran) befolgen werden.

114. Erhaben ist Allah, der Malik (der Souveräne Eine, der alle Dinge besitzt) und Hakk (die Wahrheit) ist. Beeile dich nicht damit, den Koran (vorzulesen) bevor seine Offenbarung dir nicht vervollständigt wurde und sag: „Mein Rabb, vermehre mein Wissen."

115. Wir hatten Adam vor diesem schon informiert. Aber er vergaß. Wir haben ihn nicht entschlossen vorgefunden (sich nach der Warnung zu richten).

116. Als Wir den Engeln sagten (den Kräften, die der Erde zugehörig sind): „Werft euch vor Adam nieder (zum Wesen mit Bewusstsein)", da warfen sich alle sofort nieder... Iblis hielt davon Abstand!

117. Wir sagten: „Oh Adam, wahrlich ist dies (Iblis: die illusorische Idee, dass man der Körper aus Fleisch und Blut ist) ein Feind für dich und deinen Partner (deinen Körper)! Lass nicht zu, dass es dich aus dem Paradies vertreibt (dich vom Daseinszustand aus reinem, universalem Bewusstsein [engelhafter Struktur;engelhafte, energetische Kräfte] zum verunreinigten, niederen Bewusstsein zu reduzieren, dass sich selbst nur aus Knochen und Fleisch bestehend wahrnimmt; individuelles Bewusstsein), es sei denn du wirst zu jemandem, der leidet (unglücklich damit, nur auf den Körper begrenzt zu sein und deshalb anhand der Konsequenzen dieser Begrenzung brennt)!"

Anmerkung:

Die Wahrheit, die hier beschrieben wird, gemäß meiner Beobachtungen, ist die Folgende: Während das Wesen, welches als Adam bezeichnet wird, nicht existiert, manifestiert es sich im Zustand von „reinem Bewusstsein" anhand des Vorgangs, der als „Einhauchen der Seele" bezeichnet wird. Dies ist eine metaphorische Beschreibung, die auf die Namen von Allah hindeutet. Diese Manifestierung findet im Gehirn statt, d.h. im physischen Körper. Die „Seele der Namen" oder mit anderen Worten, dieses bewusste, engelhafte Wesen, das aus reinen Daten besteht, ist im Grunde genommen ohne Geschlecht. Jedoch, wenn einmal das Gehirn programmiert wird, diese Manifestierung zu umfassen und wenn es durch unterschiedliche Stadien der Entwicklung voranschreitet, dann senden die Organe und eine Gruppe von Neuronen, die als „zweites Gehirn" im Darm bezeichnet werden, Signale zum Gehirn, um dort folgende Ansicht zu produzieren: „Ich bin dieser Körper." Dieser Gedanke wird dann von Iblis ausgenutzt und dadurch wird Adam zu einem Zustand reduziert, dass er sich selbst als den physischen Körper akzeptiert. Mit anderen Worten, eine Spezies der Dschinn *(ein außerhalb des elektromagnetischen Spektrums der fünf Sinne energetisch strahlendes Lichtwesen)*, Iblis genannt, sendet Impulse zum Gehirn, so dass die Idee provoziert wird, dass sie nur gänzlich aus dem physischen Körper bestehen (symbolisiert als „Partner") und dadurch wird die Wahrheit des Universalen Bewusstseins zugedeckt. Der Verstand mit der Kraft auszuwerten, lebt dann vollständig **INNERHALB SEINER EIGENEN ILLUSORISCHEN WELT!** Denn das Aufkommen des individuellen Bewusstseins im Gehirn ist gänzlich basierend auf den Ansammlungen der genetischen Informationen, der Konditionierungen, den Wertvorstellungen und den Emotionen und Ideen, die als Ergebnis dessen produziert werden; sie alle werden vom Gehirn empfangen, um dann damit, ihre Datenbank zu formen. Und der „Intellekt" wird dann im Lichte dieser Datenbank benutzt. Hiermit wird das Individuum oder die „Identität", welche als diese Person geformt wurde, aufgefordert an das Universale Bewusstsein (bestehend aus den Namen von Allah) zu „glauben" und anhand der Eigenschaften innerhalb seines **„Originalen Selbst"** zu leben, damit es sich bewusst wird der (engelhaften) Kräfte innewohnend innerhalb seiner Essenz. Und deshalb wird Wissen (in Form eines Buches) ihm gesandt, damit er sich daran erinnern kann! Die Absicht ist es, den Menschen sich seines „originalen Selbst" zu erinnern; reines, universales Bewusstsein, welches befreit ist von allen Formen und Konzepten; eine engelhafte Kraft (Nuur) basierend auf dem Wissen von Allah. Universales Bewusstsein wird auch als **„Fuad"** bezeichnet (die Spiegelung und Reflexion der Bedeutungen der Eigenschaften der Namen zum Gehirn – die Herzneuronen), da es das Herz reflektiert oder präziser gesagt die Wahrheit. Die Kapazität eines jeden, die Wahrheit, welche als **„Fuad"** bezeichnet wird, zu verstehen, ist in der Gebärmutter am 120. Tag nach der Empfängnis beschlossen worden. An diesem Tag ist das Gehirn entweder mit dieser Kapazität eingebettet worden, was dann bedeutet, dass diese Person als **„glückselig"** (sayyid) charakterisiert wird. Falls diese Kapazität nicht gegeben wird, dann wird diese Person als **„unglückselig"** (schaaki) bezeichnet. Nach diesem Vorgang führen die Neuronen weiterhin ihre Funktionen vom Gehirn aus, zu welchem sie kopiert wurden. Ich glaube, dass ein Aspekt der **„Spiegelneuronen"** zu diesem Ereignis in Bezug steht. Was den Körper betrifft, der als der Partner oder Form des Bewusstseins mit einer spezifischen Lebensspanne ausgestattet ist, wurde es auf unterschiedlicher Art und Weise ausgedrückt: Was seine materielle Struktur anbelangt, da wird es **„Dabbat ul Ard"** (das „Biest der Erde") genannt. Was seine gemeinsamen Eigenschaften mit anderen Tieren betrifft, da wird es **„Anam"** (Vieh oder Herdentier) genannt und Bezug nehmend darauf innerhalb des Gehirns begrenzende oder hinderliche Gedanken zu stimulieren, die im Gegensatz stehen zu den engelhaften Eigenschaften des Bewusstseins, da wird es **„Satan"** (Teufel) genannt. Ein Mensch ist essentiell gesehen Universales Bewusstsein. Jedoch, wenn das Bewusstsein seine Augen innerhalb des menschlichen Körpers öffnet, dann vergisst es seinen Ursprung. Aufgrund dessen werden „Dhikr" oder Erinnerungen gesandt. Das Wissen, welches im Koran beinhaltet ist, ist solch eine Erinnerung. Es ist hier, damit der Mensch sich seines essentiellen Selbst erinnert. Die Begrenzungen, welche im Gehirn aufkommen, dass man denkt *„Ich bin dieser Körper"* werden mit einem konditionierten, *höllen-ähnlichen* körperlichen Lebensstil symbolisiert. Auf der anderen Seite werden Beobachtungen, welche Bezug nehmen auf die engelhafte Welt des Bewusstseins, mit einem *paradiesisch-ähnlichen* Zustand des Lebens symbolisiert. All solche Konzepte und Beschreibungen, die im Koran angewendet werden, sind allegorische und metaphorische Ausdrucksweisen. Da das Paradies ein Leben bezeichnet, welches Bezug nimmt auf das Bewusstsein, worin die Eigenschaften der Namen manifestiert werden, ist der biologische Körper und alles was damit in Verbindung steht ungültig und unnötig in dieser Dimension. Deshalb wird gesagt, dass das Paradies ein Zustand des Lebens jenseits der Wahrnehmung ist. Die Details dieses Themas könnten ein eigenständiges Buch werden, aber ich spürte, dass es notwendig war, soviel hier mitzuteilen, damit die Wichtigkeit der richtigen Herleitung der Metaphern im Koran betont werden. Ich bitte um Vergebung für irgendwelche ungenauen oder falschen Beobachtungen, die ich haben möge, nur Allah kennt ihre Wahrheit.

118. „Du wirst dich darin weder hungrig (fühlen)**, noch nackt** (denn es gibt keinen biologischen, materiellen und tierischen Körper)**.“**

119. „In der Tat wirst du darin weder durstig sein (im neuen Körper)**, noch von der Sonne verbrannt werden** (aufgrund dessen, weil kein biologischer, materieller Körper vorhanden ist)**!“**

120. Dann flüsterte der Satan ihm zu: „Oh Adam, soll ich dir von dem Baum der Unsterblichkeit berichten und von einer Herrschaft, welche sich niemals verringern wird?“

121. Sie beide (das reine Bewusstsein und das körperliche Bewusstsein) **aßen davon** (vom Baum; von den Früchten des Körperlichen)**! Das SAWRAT** (ihre Körper) **wurden wahrgenommen und sie versuchten es mit den Blättern des Paradieses zu bedecken** (sie versuchten, ihre Wahrnehmung des Körperlichen mit der Bewusstheit ihrer körperlosen und ewigen Natur zu bedecken). **Und Adam gehorchte seinem Rabb nicht** (er unterlag seinem Ego) **und sein Weg des Lebens war beschädigt** (als Ergebnis, dass er verschleiert war über die Wahrheit der Namen, die seine Essenz ausmachen).

122. Dann wählte sein Rabb ihn aus und reinigte ihn. Er akzeptierte seine Vergebung und befähigte ihn, seine essentielle Wahrheit zu erreichen!

123. (Sein Rabb) **sagte: „Steigt herab ihr beide** (das reine Bewusstsein und sein körperlicher Partner, welches letztendlich zurückgelassen wird) **als Feinde zueinander! Wenn Rechtleitung** (Erinnerung eurer essentiellen Wahrheit) **zu euch von Mir kommt, wer auch immer Meiner Rechtleitung folgt** (die Wahrheit über die Ich erinnern lasse)**, der wird nicht erniedrigt werden, noch wird er unglücklich sein!“**

124. Und wer auch immer sich von Meiner Erinnerung (die absolute Wahrheit, über die Ich ihn habe erinnern lassen) **wegdreht, der wird definitiv ein begrenztes Leben haben** (begrenzt durch den Zustand des Körpers und des daraus resultierenden, nicht erweiterten Bewusstseins) **und Wir werden ihn als Blinden am Tag des jüngsten Gerichts auferstehen lassen.**

125. (Dann) **wird er sagen: „Mein Rabb, warum hast du mich als Blinden auferstehen lassen, wenn meine Augen doch sehen konnten** (in der Welt)**?“**

126. (Sein Rabb) **wird sagen: „Und so ist es... Genauso wie Unsere Zeichen zu dir gekommen sind und du es vergessen hast** (sie auszuwerten)**, so wirst du auch vergessen werden in dieser Periode** (entbehrt von den Dingen, an die du dich nicht erinnert hast)**!“**

127. Deshalb lebt derjenige, der sein Leben verschwendet (sein Potenzial des Stellvertreter-Daseins) **und die Zeichen seines Rabbs innerhalb seiner eigenen Essenz**

leugnet, dessen Konsequenzen aus! Und das Leiden, welches kommen wird, ist sogar noch intensiver und andauernder.

128. Obwohl sie auf das Hinterbliebene der Generationen laufen, die vor ihnen zerstört wurden, sehen sie nicht die Wahrheit? Es gibt in der Tat viele Beweise für jene, die genug Verstand besitzen, um eine Lehre daraus zu ziehen.

129. Wenn es nicht wegen einer Bestimmung und einer festgelegten Lebensspanne wäre, die schon von deinem Rabb entschieden wurde, dann wäre das Leiden (der sofortige Tod) etwas, welches nicht zu entrinnen sein würde!

130. Also sei geduldig darüber, was sie sagen... Erkläre die Erhabenheit (Tasbih) deines Rabbs anhand Seines Hamd (indem du den Einen spürst, der das Hamd in dir manifestiert) vor dem Aufgang der Sonne und bevor seinem Untergang! Und erkläre die Erhabenheit in Teilen der Nacht (Isha-Gebet) und auch am Mittag (Zuhur-Gebet), so dass du den Zustand des Wohlgefallens (der Beobachtung) erreichst.

131. Und richte deine Augen nicht zum vergänglichen Wohlstand, (denen manchen) gegeben wurde als Verschönerung dieses weltlichen Lebens, womit sie geprüft werden! Der Unterhalt und die Versorgung deines Rabbs ist besser und andauernder.

132. Ordne für deine Verwandten an, das „Salaah" zu erfahren (die Hinwendung zu dem Rabb) und sei auch beständig darin! Wir fragen nicht um irgendwelche Versorgung, (im Gegenteil) Wir sind es, die dir Versorgung spenden! Die Zukunft ist für jene, die sich beschützen.

133. Sie sagten: „Warum hat er nicht ein Zeichen von seinem Rabb gebracht!"... Sind nicht die klaren Zeichen des früheren Wissens an sie herangekommen!

134. Falls Wir sie mit einem Leiden vor diesem zerstört hätten, dann hätten sie gesagt: „Unser Rabb, warum hast du keinen Rasul enthüllt, so dass wir Deine Zeichen folgen könnten, bevor wir erniedrigt und gedemütigt wären!"

135. Sag: „Jeder wartet und beobachtet, also warte auch du! Du wirst bald wissen, wer die Leute des geraden Weges sind, die die Wahrheit erreichen!"

Mit demjenigen, der durch den Namen Allah erwähnt wird (der mein Wesen mit Seine Namen erschaffen hat im Anwendungsbereich des Buchstabens „B"), der Rahman und Rahim ist.

1. Die Zeit hat sich genähert, dass die Menschen die Konsequenzen ihrer Taten sehen! Trotz dessen befinden sie sich in einem achtlosen Zustand innerhalb ihrer Kokons!

2. Sie hören sich spottend jede Warnung ihres Rabbs an!

3. Ihr Verstand, ihre Gedanken amüsieren sich! Jene, die grausam zu ihrem Selbst sind, flüstern zu sich untereinander: „Nimmst du an, dass er nicht ein Mensch wie du ist? Wirst du seinen magischen Worten unterliegen, wenn du die Wahrheit darüber sehen kannst?"

4. (Rasulullah saw) sagt: „Mein Rabb weiß, was in den Himmeln und auf der Erde gesprochen wird... Er ist Sami und Aliym."

5. Und sie sagen: „Er spricht nur über trügerische Träume! Er erfindet sie wahrscheinlich... Nein, er ist ein Poet! (Wenn dies nicht der Fall ist, dann) lasst ihn sein Wunder zeigen, wie die Rasuls es vor ihm getan hatten!"

6. Keines der Völker der Städte, die Wir vor ihnen zerstört hatten, hatten geglaubt... Deshalb wie werden diese glauben?

7. Und Wir haben vor dir niemanden mit einer Offenbarung enthüllt, es sei denn als Männer. Falls ihr dies nicht wisst, dann befragt Personen, die im Besitz von Wissen über die Vergangenheit sind.

8. Und Wir haben sie (Rasuls und Nabis) nicht mit Körpern geformt, welche keine Nahrung benötigten! Auch sollten sie nicht ewig leben (auf der Erde)!

9. Dann erfüllten Wir Unser Versprechen ihnen gegenüber und Wir retteten sie und jene, die Wir retten wollten und hatten jene zerstört, die ihre Grenzen überschritten hatten.

10. In der Tat haben Wir dir Wissen enthüllt, worin für dich Erinnerung (deiner essentiellen Wahrheit) besteht! Werdet ihr nicht euren Verstand benutzen?

11. Wir haben sehr viele grausame Gesellschaften zerstört und haben neue Gesellschaften nach ihnen geformt.

12. Wenn sie Unsere Intensität spüren, siehe da, da fangen sie an zu fliehen!

13. „Flieht nicht, sondern kehrt zurück zu den Orten, worin ihr verwöhnt wurdet, so dass ihr befragt werden könnt."

14. Sie sagten: „Wehe uns! Wir sind in der Tat zu jenen geworden, die grausam zu sich selbst sind!"

15. Und sie fingen an, weiterhin zu argumentieren... Bis Wir sie zu gemähter Getreide und ausgelöschtem Feuer verwandelt hatten.

16. Und Wir haben nicht die Himmel und die Erde und alles dazwischen als ein Spiel erschaffen (sie haben sehr große Funktionen)!

17. Falls Wir es gewünscht hätten, Spiele und Unterhaltung zu erschaffen, dann hätten Wir dies definitiv innerhalb Unseres Laduns getan. Aber dies ist es nicht, was Wir tun!

18. Im Gegenteil, Wir lassen die Wahrheit (die Realität) **auf die Lüge** (Gedanken, die auf Zweifel und Skepsis aufgebaut sind) **herabfallen und zerreißen sein System des Denkens in Stücke... Und siehe da, es wird zerstört und verschwunden sein... Wehe euch wegen der Dinge, denen ihr Definitionen gibt!**

19. Und was auch immer sich in den Himmeln und auf der Erde befindet, gehört Ihm (um Seine Namen zu manifestieren)! Diejenigen, die sich bei Ihm befinden, werden weder egoistisch, noch voller Selbstherrlichkeit und auch nicht überdrüssig in ihrem Dienst zu Ihm!

20. Die Nacht und der Tag glorifizieren (Tasbih) Ihn (indem sie ihre Funktion erfüllen, für die sie erschaffen wurden) unaufhörlich!

21. Oder haben sie Götter auf der Erde angenommen, die jene, die tot in ihrem Grab liegen (Bewusstsein, welches sich unbewusst ist des Universalen Bewusstseins in ihren Körpern) **wieder zum Leben erwecken können** (derjenige, der sie an ihre essentielle Wahrheit erinnert und sie es ausleben lässt)?

22. Würde es in beiden (Himmel und Erde) **Götter geben neben Allah, dann hätte dieses System definitiv seine Ordnung verloren.** Allah, der Rabb des Thrones ist unabhängig von den Definitionen, die sie mit Ihm assoziieren.

23. Er wird nicht befragt für das, was Er tut! Aber sie werden befragt werden (die Konsequenzen der Handlungen werden ausgelebt werden)!

24. Oder haben sie **Götter neben Ihm angenommen? Sag: „Bringt eure Beweise hervor! Dieses** („La ilaha illa Allah") **ist das Dhikr** (die Wahrheit, über die erinnert wird) **für jene, die mit mir sind und das Dhikr** (die Wahrheit, über die erinnert wird) **derjenigen, die vor mir waren." Nein, die meisten von ihnen kennen die Wahrheit nicht und deshalb wenden sie sich ab.**

25. Und Wir haben keinen Rasul vor dir jemals enthüllt, dem Wir nicht offenbart haben: „Es gibt keinen Gott, es gibt nur Mich! Deshalb werde dir deiner Dienerschaft Mir gegenüber bewusst."

26. Sie sagten: „Der Rahman hat einen Sohn bekommen"! Subhan ist Er! Im Gegenteil, sie (Jesus und die Engel, von denen sie behaupteten, dass sie die Töchter von Allah seien) sind Seine ehrenvollen Diener.

27. Ihr Wort kann nicht Seinem Befehl vorausgehen! Sie erfüllen Seinen Befehl.

28. Er weiß, was sich vor ihnen und was sich hinter ihnen befindet. Sie legen nur die Fürbitte für jene dar, die Sein Wohlgefallen erreicht haben. Sie zittern in Ehrfurcht vor Ihm.

29. Wer auch immer unter ihnen sagt: „Ich bin ein Gott neben Ihm", dem werden Wir die Hölle als Konsequenz dessen ausleben lassen. Das ist das Resultat, zu welchem Wir die Zalims (diejenigen, die ihre essentielle Wahrheit leugnen und deshalb grausam zu sich selbst und ihrem ewigen Dasein sind) aussetzen werden.

30. Sehen jene, die das Wissen um die Wahrheit leugnen, denn nicht, dass die Himmel und die Erde zusammengeführt waren (auf der subatomaren Stufe) und Wir sie trennten (durch verdichtete Stufen der Wahrnehmung). Wir haben jedes lebendige Wesen aus Wasser erschaffen (H20). Glauben sie immer noch nicht?

31. Und Wir haben standfeste Berge auf der Erde etabliert (die Organe des Körpers). Und haben weite Wege zwischen den Bergen platziert, auf dass sie den richtigen Weg finden mögen.

32. Und Wir haben den Himmel zu einer beschützten Decke gemacht. Aber sie missachten Seine Zeichen.

33. Es ist HU, der die Nacht, den Tag, die Sonne und den Mond erschaffen hatte. Jedes schwimmt in seiner eigenen Umlaufbahn (im Ozean der Wellen und Energien)!

34. Und haben Wir vor dir irgendeinen Menschen nicht zu ewigem Leben erschaffen! Kann es möglich sein, dass du stirbst und sie für immer leben?

35. Jedes Selbst (Bewusstsein) wird <u>den Tod KOSTEN</u>! Wir prüfen euch mit dem Guten und mit dem Schlechten, auf dass ihr die Kräfte in eurem Selbst entdecken möget. Und zu Uns werdet ihr zurückkehren.

36. Wenn jene, die das Wissen um die Wahrheit leugnen, dich sehen, dann ist alles, was sie tun können, dich herabzusetzen, indem sie sagen: „Ist dies derjenige, der über eure Götter spricht?" Aber wenn sie über die Rahmaniyyah ihrer Essenz (A.d.Ü.: Die Gnade und Gunst, welche das Erinnern an das wahre Potenzial des Menschen darstellt) erinnert werden, dann leugnen sie es!

37. Der Mensch wurde als jemanden erschaffen, der schnelle Resultate haben will! Ich werde euch Meine Zeichen schon bald zeigen (und was sie bedeuten), aber seid nicht hastig (bezüglich ihrer Formierungen)!

38. Sie sagen: „Falls das, was du sagst wahr ist, wann wird dieses Versprechen denn erfüllt werden?"

39. Wenn doch nur diejenigen, die das Wissen um die Wahrheit leugnen, den Zeitpunkt wissen würden, wo sie nicht mehr das Feuer weder von ihren Gesichtern (ihre interne Welt), noch von ihren Rücken (ihre externe Welt) abwenden werden können; wenn sie doch nur den Zeitpunkt kennen würden, wo ihnen nicht mehr geholfen wird!

40. Stattdessen wird es (die Erfüllung des Versprechens durch den Tod; die Trennung, die durch den Verlust des Lebens im Körper verursacht wird) zu ihnen plötzlich kommen und sie verwirren! Und sie werden weder die Kraft haben es abzuwenden, noch werden sie begnadigt werden.

41. In der Tat sind die Rasuls, die vor dir gekommen sind, auch verspottet worden, aber jene, die gespottet hatten, wurden von allen Seiten durch das umgeben, was sie herabgesetzt hatten.

42. Sag: „Wer wird euch, in der Nacht und am Tag, vor dem Rahman beschützen (als Resultat dessen, dass ein leidender Zustand entsteht, weil innerhalb der Essenz die Voraussetzung nicht besteht, die Realität des Rahman-Daseins auszuleben)?" Nein, sie wenden sich ab von der Erinnerung (Dhikr) ihres Rabbs!

43. Oder haben sie Gottheiten neben Uns, die sie beschützen werden? Wo doch sie (ihre vermuteten Götter) weder die Kraft haben, sich selbst zu helfen, noch werden sie von Uns unterstützt.

44. Nein, Wir haben ihnen und ihre Vorfahren erlaubt, einen Nutzen zu ziehen (von den Segen dieser Welt). Bis zu solch einem Ausmaß, dass ihre Lebensspannen ihnen zu lange vorkamen (als ob es niemals enden würde)! Sehen sie denn nicht, dass Wir zur

Erde (zum physischen Körper) **kommen und es von seinen Grenzen vermindern** (so dass es alt wird und es den Tod kostet). **Sind sie die Siegreichen?**

45. Sag: „Ich warne euch nur durch die Offenbarung." Die Tauben können aber nicht den Ruf hören, wenn sie gewarnt werden!

46. Wahrlich, wenn doch nur ein Schwaden des Leidens sie von ihrem Rabb berühren würde, dann würden sie sagen: „Wehe uns! Wir waren definitiv Zalims (jene, die grausam zu ihrem eigenen, ewigen Daseins sind).**"**

47. Wir werden Waagschalen aufstellen gemäß den Berechnungen von Uluhiyyah am Tag der Auferstehung! Keinem Wesen (individuelles Bewusstsein; ein Selbst mit einem Ich-Gefühl) **wird in keinster Weise unrecht getan werden. Wir werden sogar eine Tat so klein wie ein Senfkorn abwiegen. Wir** (die Eigenschaft von Hasib innerhalb der Essenz eines jeden) **sind als Abrechnung ausreichend.**

48. In der Tat gaben Wir Moses und Aaron den Furkan (die Fähigkeit und das Wissen, das Richtige vom Falschen zu unterscheiden) **als Licht und als eine Erinnerung für jene, die beschützt sein wollen.**

49. Jene, die in Ehrfurcht vor ihrem Rabb als den Nicht-Wahrzunehmenden sind und vor dieser Stunde zittern.

50. Und dieses, was Wir enthüllen lassen, ist eine gesegnete Erinnerung! Seid ihr Leugner davon?

51. In der Tat gaben Wir auch die Reife (reife Gedanken – die Eigenschaft, ein Hanif zu sein) **an Abraham vor diesem. Und Wir kannten ihn gut.**

52. Als er (Abraham) **seinen Vater und sein Volk fragte: „Was sind dies für Götzen, die ihr anbetet?"**

53. Sie sagten: „Wir sahen, wie unsere Vorväter sie angebetet hatten (also imitieren wir sie einfach).**"**

54. (Abraham) **sagte: „Definitiv wurdet ihr und eure Vorväter ganz deutlich irregeleitet!"**

55. Sie sagten: „Bist du zu uns mit der Wahrheit gekommen oder spielst du mit uns?"

56. (Abraham) **sagte: „Nein** (dies ist kein Spiel)**! Euer Rabb ist der Rabb der Himmel und der Erde, der sie mit einer spezifischen Funktion und einem System erschaffen hatte! Und ich bin ein Zeuge dessen."**

57. „Bei Allah, wenn ihr euch abwendet und geht, dann werde ich definitiv eine Falle für eure Götzen entwerfen."

58. Also zerbrach (Abraham) **sie alle in kleine Stücke außer den Größten unter ihnen, falls sie zu ihm gehen würden, um ihn zu befragen.**

59. Sie sagten: „Wer auch immer dies unseren Göttern angetan hat, gehört definitiv zu den Zalims (Grausamen).**"**

60. Sie sagten: „Wir haben von einem jungen Mann gehört, der Abraham heißt, der über sie geredet hatte (bezüglich ihrer Ungültigkeit).**"**

61. Sie sagten: „Ergreift ihn und bringt ihn her vor allen Leuten, so dass jeder hiervon ein Zeuge sein kann."

62. Sie sagten: „Warst du es, oh Abraham, der dies unseren Göttern (Statuen, Götzen) **angetan hat?"**

63. (Abraham) sagte: „Nein! Es war der Größte unter ihnen, der es getan hatte. Fragt sie, falls sie wirklich sprechen können!"

64. Nachdem sie ein wenig nachgedacht hatten, sagten sie (zueinander): „In der Tat bist du es, ja du bist es, der falsch liegt."

65. Dann, nachdem sie verwirrt waren, fielen sie auf ihre früheren Gedanken zurück und bestanden darauf: „Aber du weist, dass sie nicht sprechen können!"

66. (Abraham) sagte: „Also betet ihr Dinge an neben Allah, die euch weder Nutzen noch Schaden geben können?"

67. „Wehe euch! Und wehe den Dingen, die ihr neben Allah anbetet! Benutzt ihr nicht euren Verstand?"

68. Sie sagten: „Verbrennt ihn (Abraham) und unterstützt eure Götter, falls ihr fähig seid, etwas zu tun (dann tut wenigstens so viel)."

69. Wir sagten: „Oh Feuer... Werde kühl und bringe Frieden (befähige den Zustand des Salaams auf Abraham) auf Abraham!"

70. Sie wollten ihn gefangen nehmen, aber Wir haben ihren Plan für ungültig erklärt!

71. Wir retteten ihn (Abraham) und Lot und brachten sie ins Land, welches Wir für die Menschen segensreich erschaffen hatten.

72. Wir gaben ihm Isaak und gaben ihm auch noch Jakob und Wir machten sie allesamt zu „Salih" genannten Dienern.

73. Wir machten sie zu Führern, die die Menschen zur Wahrheit Unserer Anordnung leiteten. Wir offenbarten ihnen, Gutes zu verrichten, Salaah zu etablieren und das Zakaat zu spenden. Sie waren sich ihrer Dienerschaft bewusst.

74. Was Lot anbelangte, Wir gaben ihm das Urteil und das Wissen. Und Wir retteten ihn vor dieser Stadt, worin verabscheuende Dinge praktiziert wurden. Wahrlich war es ein schlechtes Volk mit korruptem Glauben.

75. Wir ließen ihn zu Unserer Rahmat hinein. In der Tat gehörte er zu den Salih.

76. Und Noah... Er wandte sich zu Uns schon früher und Wir gaben ihm Antwort und retteten ihn und seine Leute vor dieser großen Bedrückung.

77. Wir haben ihn gegen das Volk geholfen, die Unsere Zeichen leugneten. Wahrlich waren sie ein schlechtes Volk. Also haben Wir sie allesamt ertrunken.

78. Und erinnert euch auch an David und Salomo... Wie die beiden ein Urteil fällten bezüglich des Feldes und wie die Schafe des Volkes ins Feld abirrte (und dort nachts graste). Wir waren Zeuge ihres Urteils.

79. Wir gaben Salomo das richtige Verständnis! Zu jedem gaben Wir Urteilskraft und Wissen. Während David sich mit Tasbih (glorifizieren und lobpreisen: Das Gehirn durch Introspektion und Zurückziehen vom Weltlichen darauf zu programmieren wer wirklich vorhanden ist.) zu Uns begab, gaben Wir ihm die Berge und die Vögel zu seinem Dienst. Wir waren die Ausführenden der Taten.

80. Wir lehrten (David) die Kunst, Schilder zu machen, damit ihr in der Schlacht beschützt seid. Zeigt ihr euch jetzt dankbar?

81. Und Wir unterwarfen den Sturm an Salomo, welcher mit seinem Befehl zum Land blies, welches Segen spendete! Denn Wir sind es, die Wissen haben über alle Dinge.

82. Und es befanden sich auch Satane in (Salomos) Diensten (Lebewesen, die ihm dienten), die zu den Tiefen des Meeres für ihn tauchten und auch andere Aufgaben erledigten. Wir waren ihre Bewacher.

83. Und erinnert euch an Hiob als er zu seinem Rabb sagte: „In der Tat hat mich diese Krankheit ermüdet und Du bist derjenige, der am meisten Rahim ist unter denen, die Rahim sind. (Der Eine und Einzige neben dem nichts anderes existiert, der die unendlichen Eigenschaften seiner Namen anhand Seiner Gnade manifestiert [Arhamur-Rahimeen])."

84. Also hatten Wir ihm geantwortet und retteten ihn von seiner Krankheit. Und als Gnade aus Unserer Sichtweise und als Erinnerung für diejenigen, die dienen (diejenigen, die die notwendigen Taten ausführen bis sie die Nähe erfahren), gaben Wir ihm sein Volk und jene, die ihnen ähnlich sind.

85. Ismael, Idris, Dhul Kifl... Sie waren alle jene, die geduldig waren.

86. Wir ließen sie zu Unserer Gnade hinein... Wahrlich gehörten sie zu den Salih genannten Dienern (Jene, die aufrecht sind in ihrem Glauben).

87. Und Jonas... Erinnert euch, wie er in Wut weglief und annahm, dass Wir ihn nicht prüfen würden! Dann schrie er in der Dunkelheit auf: „Es gibt keinen Gott (mein Ich existiert nicht), es gibt nur Dich (die Bedeutungen Deiner Namen, die meine Wahrheit formen)! Ich bin im Tasbih zu dir (Glorifizieren: Durch meine Funktion werden deine Namen manifestiert)! In der Tat gehörte ich zu den Zalims (grausam zum Selbst zu sein, weil die eigene Wahrheit vorenthalten wird)."

88. Also antworteten Wir ihm und retteten ihn vor der Bedrückung, welche ihn befallen hatte! Und so retten Wir die Gläubigen.

89. Und erwähne Zacharias als er seinen Rabb rief: „Mein Rabb...lasse mich nicht alleine im Leben (gewähre mir einen Erben)! Du bist der Beste derjenigen, die beerben."

90. Also gaben Wir ihm eine Antwort und haben ihm Johannes gegeben und haben seine Frau befähigt, ein Kind zu haben. Sie beeilten sich Gutes zu tun und beteten zu Uns in Hoffnung und in Furcht; sie standen in Ehrfurcht.

91. Und derjenige, der ihre Keuschheit (Maria) bewachte... Wir hauchten Unsere Seele in sie (dem Embryo in ihrer Gebärmutter – ähnlich der Schöpfung Adams) ein. (Wir erschufen Jesus [eine Existenz von universalem Bewusstsein], indem besondere Bedeutungen von einigen Unserer Namen manifestiert wurden) ... Wir machten sie und ihrem Sohn zu einem Zeichen aller Welten.

92. In der Tat ist diese Gemeinschaft von euch eine einzige Gemeinschaft! Und ich bin euer Rabb! Also werdet euch eurer Dienerschaft Mir gegenüber bewusst!

93. Aber sie haben ihre Angelegenheit (das Verständnis der Religion und des Systems) in Fraktionen unterteilt... Zu Uns werden sie alle zurückkehren.

94. Wer auch immer eine nützliche Tat als Gläubiger verrichtet, der wird die Gegenleistung seiner Tat erhalten! Wir halten alles fest!

95. Es gibt ein Verbot auf jede Stadt, die Wir zerstört hatten; sie werden nicht zurückkehren!

96. Aber wenn die Türen von Gog und Magog geöffnet werden, da werden sie schnell von jedem erhöhten Ort hinabsteigen (vielleicht auch von Raumschiffen)!

97. Wenn der Tod sich nähert, siehe da, diejenigen, die das Wissen um die Wahrheit geleugnet hatten, werden in Angst und Schrecken verharren! „Wehe uns! Wir hatten wahrlich uns in unsere Kokons eingesponnen (völlig unbewusst dieser Wahrheit und Realität)! Nein, wir waren definitiv Zalim (grausam zu unserem Selbst)."

98. In der Tat werdet ihr und die Dinge, die ihr neben Allah angebetet hattet, Brennstoff sein für das Feuer der Hölle! Ihr werdet dort ankommen!

99. Falls sie wirklich Götter wären, dann würden sie nicht dort eintreten! Aber sie werden allesamt dort auf ewig sein.

100. Es wird dort intensivstes, röchelndes Stöhnen für sie geben und sie werden nichts anderes hören (als Ergebnis ihrer Taubheit bezüglich der Wahrheit in der Welt)!

101. Was jene anbelangt, die Schönheit und Glückseligkeit von Uns gewährt wurden, sie werden weit entfernt von der Hölle gehalten werden.

102. Sie werden nicht das tosende Geräusch davon (Hölle) hören... Sei werden auf ewig unter jenes leben, was auch immer ihr Selbst sich wünscht.

103. Das große Schrecken wird sie nicht beängstigen (da das Konzept des Todes verschwunden ist) und die Engel werden sie begrüßen und sagen: „Dies ist der Tag, der dir versprochen wurde."

104. An diesem Tag werden Wir die Himmel aufrollen wie eine Schriftrolle! Und Wir werden es zurückkehren lassen zu einem Zustand, wie Wir es beim ersten Mal erschaffen hatten (die Erde und Himmel waren vereint)! Dies ist Unser Versprechen! Wir sind es, die es erfüllen werden!

105. Wahrlich hatten Wir schon nach der Erinnerung (Dhikr: das frühere Wissen, welches als Erinnerung kam) in den Psalmen geschrieben (Buch der Weisheit): „Meine aufrechten Diener (die Wahrheit über das Wilayat; das wahre Selbst zu kennen) werden die Erde einnehmen (die Autorität der Potenziale und Kräfte der Namen [Asma ul Husna] im irdischen Körper)!"

106. In der Tat gibt es erklärende Informationen hierin für diejenigen, die dienen (die sich in Praktiken begeben, das Selbst zu reinigen).

107. Und Wir haben dich nur enthüllt und entfalten lassen als Gnade zu den Welten (Menschen)!

108. Sag: „Es wurde mir offenbart, dass das, welches ihr als Gott bezeichnet, der Eine ist, der Besitzer der Uluhiyyah! Also, seid ihr Muslime (seid ihr euch eurer Ergebenheit bewusst)?"

109. Falls sie sich wegdrehen, dann sag: „Ich habe euch in aller Fairness informiert. Ich weiß nicht, ob das, welches euch versprochen wurde (der Tod), nah oder fern ist."

110. „Wahrlich ist Er wissend über die Gedanken, die ihr offenbart und die ihr geheim haltet."

111. „Ich weiß nicht, vielleicht ist ein Aufschub eine Prüfung für euch (so dass ihr es erfährt und die Wahrheit über euch selbst seht) und ein begrenzter Nutzen."

112. Er sagte: „Mein Rabb, urteile mit der Wahrheit! Entgegen eurer grundlosen Definitionen ist Unser Rabb der Rahman, d.h. derjenige, der „Mustaan" ist (den Helfer, den wir suchen).

Mit demjenigen, der durch den Namen Allah erwähnt wird (der mein Wesen mit Seine Namen erschaffen hat im Anwendungsbereich des Buchstabens „B"), der Rahman und Rahim ist.

1. Oh Menschheit! Beschützt euch vor eurem Rabb (vor dem, was Er auf euch auferlegen wird aufgrund der Konsequenzen eurer Taten)! Das Erdbeben dieser Stunde ist definitiv etwas sehr Gewaltiges.

2. Wenn diese Zeit kommt, wird jede Stillende (Ernährer) das Kind vergessen, welches sie gestillt hat und jede schwangere Frau wird ihre Last abwerfen! Die Menschen werden wie betrunken wirken, aber sie werden nicht betrunken sein. Der Zorn Allahs ist intensiv.

3. Und unter den Menschen gibt es einige, die über (denjenigen, der) Allah (genannt wird) argumentieren ohne jegliches Wissen und sie folgen jeden rebellischen Satan (jene mit korruptem Denken).

4. Über ihn (Satan – der Gedanke, nur aus dem Körper aus Fleisch und Blut zu bestehen) wurde geschrieben: „Wer auch immer ihn befolgt, den wird er definitiv irreleiten und ihn zum Feuer führen."

5. Oh Menschheit... Falls ihr über die Wiederauferstehung in Zweifel seid (dass das Leben weiter geht mit einer neuen Form nach dem Tod, dann nehmt dies in Betracht), dass Wir euch zuerst aus Staub, dann aus einem Tropfen Sperma und dann aus einer genetischen Struktur, einem Embryo und dann aus einem Klumpen Fleisch, halb geformt und halb ungeformt erschufen– dieses lassen Wir euch öffentlich und ganz klar wissen! Und Wir halten in der Gebärmutter, wen Wir wollen für eine spezifische Zeit und Wir bringen euch heraus als ein Kind und dann (versorgen Wir euch mit was auch immer nötig ist), damit ihr die Reife erlangt... Manche von euch werden (frühzeitig) mit dem Tod genommen und manche werden sein gelassen bis sie die höchste Altersschwäche erreichen, vergesslich darüber, was er einst wusste.... Du wirst die Erde leblos sehen, aber wenn Wir Wasser darüber herabsteigen lassen, dann wird es zucken und anschwellen und wird Pflanzen von jedem schönen Paar wachsen lassen (derjenige, der die leblose Erde belebt, wird auch euch nach eurem Tod beleben)!

6. So ist es. Denn Allah ist die Wahrheit (derjenige, der ganz offensichtlich vorhanden ist)! Definitiv wird Er die Erde beleben (mit dem Wissen über die Wahrheit) ... Denn Er ist Kaadir über alle Dinge.

7. Diese Stunde (Tod) wird definitiv kommen – darüber gibt es keinen Zweifel. Und Allah wird definitiv ihre Formen des Selbst (individuelle Formen des Bewusstseins) in ihren Gräbern (innerhalb ihrer Körper) wiederauferstehen lassen (mit neuen Körpern geformt, wird ihr Leben weitergeführt werden)!

8. Und unter den Menschen gibt es einige, die über (denjenigen, der) Allah (genannt wird) argumentieren ohne jegliches Wissen über Ihn und ohne jegliche wahre Rechtleitung und ohne Offenbarung (Wissen, welches von der Wahrheit der Namen, al Asma ul Husna, zum reinen, universalem Bewusstsein reflektiert wird).

9. Er wendet sich ab von der Wahrheit, um die Menschen vom Weg zu Allah fehlzuleiten! Für ihn gibt es in dieser Welt Erniedrigung! Und Wir werden ihn das Leiden des gefürchteten Feuers am Tag der Auferstehung kosten lassen!

10. Dies ist das Resultat dessen, was deine Hände produziert haben. In der Tat ist Allah niemals ungerecht zu Seinen Dienern.

11. Und es gibt einige unter den Menschen, die ihre Dienerschaft gegenüber Allah akzeptieren (gemäß den Dingen, die ihnen angenehm sind). Wenn ihnen Gutes befällt, dann erfreuen sie sich daran. Aber falls ihnen Bedrückungen befallen, dann drehen sie sich weg (und ihre Dienerschaft wird geleugnet). Solche sind jene, deren Leben in dieser und in der nächsten Welt verloren sind. Dies ist wahrlich ein klarer Verlust!

12. Er dreht sich neben Allah den Dingen zu, welche ihm weder Nutzen noch Schaden bringen. Dies ist ein echte Fehlleitung (von der Wahrheit)!

13. Er dreht sich zu Dingen, die mehr Schaden als Nutzen bringen. Wie elend der Beschützer und wie elend der Freund ist (den er vergöttert)!

14. Definitiv wird Allah jene, die glauben und den Anforderungen ihres Glaubens gerecht werden, in Paradiese einlassen unter denen Flüsse fließen. Wahrlich tut Allah, was Er will (mit Seiner Kraft wird das geformt, was Er durch Sein Wissen manifestiert haben will: Wissen – Willenskraft – Kraft).

15. Wer auch immer denkt, dass Allah (die Kräfte der Namen in seiner Essenz) ihm nicht helfen wird in dieser und in der nächsten, zukünftigen Welt, der soll sich (durch Nachdenken, Kontemplation) zum Himmel drehen (zu seinem Bewusstsein) und es unterbinden (seine körperliche Bindung zu seinem Bewusstsein) und soll schauen, ob die Falle, in die er getappt ist (die Annahme, dass er nur aus einem Körper aus Fleisch und Blut besteht), das aufheben kann, welches ihn erzürnt (die Wahrheit, dass er der Diener seines Rabbs ist).

16. Und so haben Wir ihm klare Zeichen enthüllt. Wem Allah will, dem wird Er zur Wahrheit sich drehen und rechtleiten lassen.

17. In der Tat wird Allah die Gläubigen (gemäß dem, was sie verdienen) von den Juden, den Sabäern (die nicht an Allah glauben, stattdessen beten und vergöttern sie die Sterne), den Christen, den Magiern (jene, die das Feuer anbeten) und den Dualisten am Tag der Auferstehung trennen. Definitiv ist Allah der Zeuge aller Dinge.

18. Seht ihr nicht, dass zu Allah (solch einer ist), dass sich alles zu Ihm niederwirft, was sich in den Himmeln und auf der Erde befindet; die Sonne, der Mond, die Sterne, die Berge, die Bäume, die beweglichen Kreaturen und viele von den Menschen werfen sich zu Ihm nieder. Aber auf vielen wurde das Leiden gerechtfertigt. Und für denjenigen, den Allah erniedrigt, gibt es keine Bescherung von Ehre. Definitiv tut Allah, was Er will. (Dies ist ein Vers der Niederwerfung.)

19. Dies zwei gegnerischen Gruppen stritten sich bezüglich ihres Rabbs. Und für jene, die das Wissen um die Wahrheit leugnen, für sie wurden Gewände aus Feuer geschneidert und vorbereitet und kochendes Wasser wird ihnen über ihre Köpfe gegossen werden.

20. Mit diesem kochenden Wasser werden ihr Inneres und ihr Äußeres weggeschmolzen werden.

21. Und es gibt Peitschen aus Eisen für sie.

22. Jedes Mal, wenn sie versuchen zu entkommen (aufgrund der nicht wiedergutzumachenden Konditionierungen in der sie sich befinden, nachdem sie sich der absoluten Wahrheit bewusst wurden), **da werden sie dorthin zurückgebracht werden und es wird ihnen gesagt: „Kostet den Schmerz des Brennens!"**

23. **Wahrlich wird Allah jene, die glauben und den Anforderungen ihres Glaubens gerecht werden in Paradiese einlassen, unter denen Flüsse fließen... Sie werden geschmückt werden mit Goldreifen und Perlen. Dort werden ihre Gewänder aus Seide sein.**

24. **Sie werden zu gesundem Denken geführt werden und zum Weg des Hamid** (die Bewertung dessen, was gegeben wurde).

25. **In der Tat hindern jene, die das Wissen um die Wahrheit leugnen, andere vom Weg zu Allah ab und vom Masdschid al Haram, welches gleichwertig gemacht wurde für seine Einwohner und für die Anreisenden... Wer auch immer Falsches tut, indem er entgegen den Anforderungen der Wahrheit strebt, dem werden Wir das große Leiden kosten lassen.**

26. **Wir hatten für Abraham den Ort des Hauses vorbereitet und sagten: „Assoziiere nichts mit Mir! Und reinige Mein Haus für jene, die darum umherlaufen, die** (mit ihren Ego-Identitäten) **aufrecht stehend, niederwerfend** (ohne ihre Ego-Identitäten) **und verbeugend sich dahin wenden!"**

27. **„Verkünde den Menschen, dass sie die Pilgerfahrt erfahren sollen** (lade sie zum Haus Allahs ein)**, damit sie zu dir kommen vom Nahen und vom Weiten und mittels jeder Art von Fortbewegungsmittel."**

28. **„Damit sie seinen Nutzen für sie bezeugen können...Und lass sie die Tiere opfern – Erinnert euch, dass Wir sie versorgten und erinnert euch mit dem Namen Allahs daran... Esst davon und nährt die Armen und die Bedürftigen davon."**

29. **Dann sollen sie den Schmutz** (ihres Zustands vom Bewusstsein) **beenden und ihre Versprechen erfüllen und um das Antike Haus** (ehrenhafte – freie Haus) **umherlaufen."**

30. **Und so ist es... Wer auch immer das achtet, welches bei Allah geachtet ist und dessen Anforderungen erfüllt, dies wird dann besser für ihn sein aus der Sichtweise seines Rabbs. Außer jenes, worüber ihr informiert wurdet, ist das Vieh** (Kamel, Rind, Schaf) **euch gesetzlich gemacht worden. Entfernt euch vom Schmutz der Götzen und von Erfundenem.**

31. **Assoziiert nichts mit Ihm, seid für Allah „Hanif"** (jene, die denken, dass es keinen Gott gibt neben Ihm)**! Wer auch immer Partner und Teilhaber zu Allah** (der die essentielle Wahrheit durch Seine Namen von jedem darstellt) **assoziiert, ist wie derjenige, der vom Himmel gefallen ist und von einem Vogel geschnappt wurde oder der zu einem entfernten Ort durch die Winde getragen wurde.**

32. **Und so ist es... Wer auch immer die Regeln Allahs achtet und gehorcht, dann ist dies in der Tat das Ergebnis dessen, dass das Bewusstsein auf Schutz bedacht ist.**

33. **Es gibt darin Nutzen für euch für eine spezifische Zeit. Dann werden sie das Antike Haus** (ehrenhaftes, freies Haus - das Haus Allahs - das Herz) **erreichen.**

34. **Und für jede Gemeinde haben Wir einen Ort** (der Andacht – gemäß den Anforderungen der Wahrheit und Realität des Rahman) **ernannt... Das, welches ihr als einen Gott annehmt, ist der Eine Besitzer der Uluhiyyah! Also werdet euch eurer**

Ergebenheit Ihm gegenüber bewusst! Und gebt gute Nachricht an jenen, die aufnahmefähig sind über die Bewusstheit zur Ergebenheit und zum Gehorsam!

35. Sie sind diejenigen, wenn der Name Allah erwähnt wird, zu dessen Bedeutung in ihren Bewusstsein Ehrfurcht generiert wird. Sie sind jene, die geduldig sind gegenüber das, was ihnen bedrückt und die das Salaah etablieren (die Hinwendung zu Allah). Sie geben anderen von den Versorgungen des Lebens, womit Wir sie ernährt haben.

36. Und Wir haben auch die Kamele nach den Regeln Allahs für euch gemacht; es gibt Gutes in ihnen für euch. Wenn sie stehen mit einem ihrer vorderen Beine angebunden, dann erinnert euch an Allah. Und wenn sie fallen, dann esst von ihnen und füttert jene, die dort gegenwärtig sind und wer auch immer danach fragt. So haben Wir sie für euch zur Verfügung gestellt, auf dass ihr dankbar sein möget.

37. Weder ihr Fleisch, noch ihr Blut wird jemals Allah erreichen, aber es ist euer Takwa (Nutzen, welches durch Gehorsam erworben wird), welches Ihn erreicht. Und so hat Allah sie euch zur Verfügung gestellt, auf dass ihr Allah glorifizieren möget (das Takbir sagen – die Grenzenlosigkeit Allahs anerkennen) bis zum Ausmaß, welches Er euch mit der Realisierung der Wahrheit beschert hat. Gebt gute Nachricht an jene, die Muhsin sind (die Perfektion im Glauben ausüben).

38. Definitiv wird Allah die Gläubigen beschützen! Definitiv liebt Allah keine Verräter (jene, die ein gegebenes Vertrauen verraten) und keine Undankbaren (die nicht das schätzen und auswerten, was gegeben wurde)!

39. Die Erlaubnis (Krieg zuführen) wurde jenen gegeben, die angegriffen wurden. Aufgrund dessen, weil ihnen Grausames widerfahren ist! Wahrlich hat Allah die Kraft, ihnen den Sieg zu geben.

40. Sie sind jene, die ungerechter Weise aus ihren Heimatländern vertrieben wurden, nur weil sie gesagt hatten: „Unser Rabb ist Allah." Wenn Allah nicht manche Menschen durch andere abgewiesen hätte, dann wären sicherlich die Kloster, Kirchen, Synagogen und Moscheen, worin der Name Allah oft erwähnt wird, zerstört worden. Allah hilft sicherlich jenen, die sich selbst helfen (anhand von Kontemplation, Ausübung von Abstinenz und durch mühsames Streben – die Kräfte und Energien Seiner Namen, Asma ul Husna, werden angewandt). Wahrlich ist Allah Kawwi, Aziz.

41. Wenn Wir ihnen einen Ort auf dem Land geben, dann werden sie das Salaah etablieren, die Almosen spenden, ganzheitlich urteilen und richten und schlechtes Benehmen verhindern. Das Ergebnis aller Ereignisse gehört Allah.

42. Falls sie dich leugnen, (wisse dass) das Volk von Noah, Aad und Samud auch geleugnet hatten.

43. Und (auch) das Volk von Abraham und das Volk von Lot (hatten geleugnet).

44. Und das Volk von Madian. Und Moses wurde auch geleugnet. Ich gebe Aufschub jenen, die das Wissen um die Wahrheit leugnen und dann habe Ich sie ergriffen. Wie erschreckend war Meine Abrechnung, weil sie Mich geleugnet hatten!

45. Es gab viele Nationen, die Grausames verrichtet hatten, die Wir zerstört hatten. Ihre Decken und Wände kollabierten auf sich selbst. Nur verlassene Brunnen und Ruinen von Burgen sind jetzt noch übrig geblieben.

46. Mangelte es ihnen an Bewusstsein, um auszuwerten und Ohren, um wahrzunehmen , dass sie nicht die Erde bereist hatten und eine Lehre nahmen? Die Wahrheit ist, es sind nicht ihre Augen, welche blind sind, aber das Herz in ihrem Inneren (die Daten in ihren Gehirnen) verblendet ihre Augen!

47. Sie fragen dich, dass du das Leiden beschleunigen sollst. Allah bricht niemals Sein Versprechen! Aus der Sicht deines Rabbs (die Wahrnehmung auf der Ebene eurer essentiellen Wahrheit, welche durch die Kräfte manifestiert werden, die euer Dasein ausmacht) ist ein Tag wie eintausend (irdische) Jahre! (Allah weiß es am besten, aber ich glaube, dass dieser Vers Bezug nimmt auf die Wahrnehmung zur Dimension des Lebens nach dem Tod, denn „dein Rabb" stellt den Zustand des Bewusstseins dar [die Wahrnehmung der Zeit im Gehirn oder der eingesponnenen Realität (Kokon)], welches das Resultat eines jeden individuellen Rabbs darstellt oder die Komposition der Namen. Dies nimmt nicht Bezug auf den „Rabb der Welten".)

48. Es gab viele Nationen, die Grausames verrichtet hatten, denen Ich Aufschub gewährte. Ich hatte alle ergriffen. Die Rückkehr ist nur zu Mir!

49. Sag: „Oh ihr Menschen. Ich bin definitiv jemand, der euch ganz klar warnt."

50. Für jene, die glauben und den Anforderungen des Glaubens gerecht werden, gibt es Vergebung und eine großzügige Versorgung des Lebens.

51. Was jene anbelangt, die danach bestrebt sind, Unsere Zeichen für ungültig zu erklären, sie sind die Gefährten der Hölle!

52. Und Wir haben vor dir keinen Rasul (derjenige, der über die Wahrheit und Realität des Selbst [Hakikat] und das tiefere gnostische Wissen [Marifat] berichtet) oder Nabi (derjenige, der die göttlichen Anordnungen über die Schöpfung überbringt; das System der Schöpfung liest) entfalten lassen, dessen Satan (Ego-Identität, welche seine Persönlichkeit formt) nicht eine Idee verursachte, wenn er übermittelt hatte (das notwendige Verständnis in seinem Bewusstsein)! Allah (während sich die Wahrheit der Namen Allahs zu einem Bewusstsein reflektieren) lässt die Vorschläge des Satans ungültig werden, dann etabliert Er standfest Seine eigenen Zeichen. Allah ist Aliym, Hakim!

53. Eine Idee, die durch Satan verursacht wird (vom Ego-Bewusstsein, welches von der Wirkungsweise der Amygdala im Gehirn produziert werden), ist ein Gegenstand der Versuchung für jene, die ohne jegliches gesundes Denken sind und dessen Bewusstsein verschleiert sind (engelhafte Kräfte; die heilige, reine Wahrheit ist verschleiert. Abhängig und verfallen zum körperlichen und niederen, tierischen Zustand des Selbst). Wahrlich sind die Zalims (blockiert und deshalb grausam zu sich und anderen) auf einem Pfad ohne Rückkehr!

54. Was jene betrifft, denen Wissen gegeben wurde, lasst sie wissen, dass (das, was zu ihren Bewusstsein reflektiert wird) die Wahrheit von ihrem Rabb ist und lasst sie daran glauben und lasst ihr Bewusstsein in Ehrfurcht vor Ihm sein. Definitiv wird Allah jene rechtleiten, die an die Wahrheit glauben.

55. Was jene anbelangt, die das Wissen um die Wahrheit leugnen, sie werden im Zweifel sein (bezüglich der Wahrheit der Einheit) bis der Tod zu ihnen plötzlich kommt oder das Leiden der Zeitepoche, worin alle Hoffnungen verloren sein werden.

56. Zu dieser Zeit wird die Herrschaft (der gesamten Existenz) für Allah sein; Er wird zwischen ihnen urteilen! Jene, die glauben und sich mit den erforderlichen Taten beschäftigen, werden in Paradiese voller Segen sein.

57. Aber jene, die das Wissen um die Wahrheit und Unsere Zeichen leugnen, für sie gibt das Ausleben einer erniedrigen und demütigen Strafe.

58. Was jene anbelangt, die auf dem Wege Allahs auswandern und dann getötet werden oder sterben, Allah wird sie mit einer schönen Versorgung des Lebens ernähren! Ja, wahrlich ist Allah HU! Er ist derjenige, der mit der besten Versorgung versorgt!

59. Er wird sie zu einem Leben eintreten lassen, womit sie sehr zufrieden sein werden. In der Tat ist Allah Aliym und Halim.

60. Und so ist es... Wer auch immer mit dem gleichen Maß, wie er leiden musste, zurückschlägt und dann wieder zum Objekt des Leidens wird, dem wird Allah sicherlich helfen. In der Tat ist Allah Afuw und Ghafur.

61. Und so ist es... Denn Allah wandelt die Nacht zum Tag und den Tag zur Nacht (die Dinge wechseln sich ständig mit dem Gegensätzlichen ab)! In der Tat ist Allah Sami und Basiyr.

62. Und so ist es... Denn Allah ist HU! Er ist die Wahrheit (die wahre Existenz)! Die Dinge, wozu sie sich neben Ihm hinwenden, sind nicht-existente, irreführende Dinge (es wird angenommen, dass sie existieren aufgrund der falschen Daten im individuellen Bewusstsein)! In der Tat ist Allah Aliy, Kabir.

63. Hast du nicht gesehen, wie Allah Wasser vom Himmel hat herabsteigen lassen und die Erde wurde grün. In der Tat ist Allah Latif und Khabir.

64. Alles in den Himmeln und auf der Erde ist für Ihn (für die Betrachtung der Eigenschaften Seiner Namen)! In der Tat ist Allah Ghani und Hamid.

65. Hast du nicht gesehen, wie Allah alles auf der Erde und die Schiffe, die auf dem Meer segeln, zu eurem Dienst unterstellte. Er beschützt den Himmel vor der Kollision (der Meteoriten). Außer jenes, welches sich mit Seiner Erlaubnis formt. Definitiv ist Allah Rauf und Rahim zu den Menschen.

66. Es ist HU, der euch Leben (mit Bewusstsein) gab. Dann verursacht Er, dass ihr sterbt (eure Ego-Identität) und dann werdet ihr wiederbelebt (das wahre und unsterbliche Leben). In der Tat hat der Mensch eine begrenzte Fähigkeit der Auswertung.

67. Wir haben für jede Gemeinde einen Weg (ein Verständnis und einen Stil) des Dienens ernannt. Deshalb lasst sie nicht mit dir bezüglich dieses Themas argumentieren, sondern lade sie nur zu deinem Rabb ein. Definitiv bist du auf einem Weg, der zur Wahrheit führt!

68. Falls sie mit dir argumentieren, dann sag: „Allah (als der Schöpfer aller Dinge) weiß am besten, was ihr tut."

69. Allah wird zwischen euch, worin ihr argumentiert hattet, am Tag der Auferstehung richten.

70. Begreift ihr denn nicht, dass Allah über alles, was sich in den Himmeln und auf der Erde befindet, Bescheid weiß (da Er die Essenz aller Dinge mit Seinen Namen umfasst). In der Tat sind sie alle innerhalb der Reichweite Seines Wissens. In der Tat ist dies sehr leicht für Allah.

71. Dennoch beten sie Dinge an neben Allah, welche keine Kräfte besitzen und worüber sie keinerlei Wissen verfügen! Es gibt keine Helfer für jene, die grausam sind (zu sich und anderen)!

72. Wenn Unsere Verse ihnen ganz klar rezitiert werden, dann wirst du die Leugnung und die Ablehnung auf den Gesichtern jener erkennen, die das Wissen um die Wahrheit leugnen! Es ist so, also ob sie beinahe jene, die sie über Unsere Beweise berichten, angreifen würden. Sag: „Soll ich euch über etwas informieren, welches schlimmer ist als jenes? Das Feuer (das, welches euch brennen lassen wird)! Allah hat es jenen versprochen, die das Wissen um die Wahrheit leugnen. Wie elend es ein Ort der Rückkehr doch ist!"

73. Oh ihr Menschen! Hier ist eine beispielhafte Lehre für euch, also hört sie euch an! Selbst, wenn die Dinge, zu der ihr euch neben Allah hinwendet, sich versammeln würden, könnten sie doch nicht einmal eine Fliege erschaffen! Und wenn eine Fliege ihnen irgendetwas wegnehmen könnte, dann könnten sie es nicht von der Fliege zurückbekommen. Hilflos ist der Sucher und das Gesuchte!

74. Sie haben nicht (denjenigen, der mit dem Namen) **Allah** (bezeichnet wird) **gebührend und rechtens bewertet.** In der Tat ist Allah Kawwi und Aziz (derjenige, der Kraft besitzt und dessen Anwendung der Kraft unanfechtbar ist, nichts entgegengestellt werden kann).

75. Allah wählt Rasuls aus von Engeln und Menschen. In der Tat ist Allah Sami und Basiyr.

76. Er kennt ihre Zukunft und ihre Vergangenheit. Alle Angelegenheiten kehren zu Allah zurück.

77. Oh ihr, die glaubt! Verbeugt euch (Ruku: mit der Bewusstheit Seiner Herrschaft überall über jedes kleinste Ding in der Existenz) **und werft euch nieder** (Sadschda: spürt und fühlt die „Nicht-Existenz" eurer egobasierten Identität) **und begreift eure Dienerschaft zu eurem Rabb; beschäftigt euch mit Gutem** (aufrechte Tat zur Wahrheit)**, so dass ihr Befreiung erreicht!**

78. Strebt für Allah, wie ihr für Seine Wahrheit streben solltet (nicht durch das Ego angetrieben)! Er hat euch auserwählt und auf euch keinerlei Schwierigkeiten bezüglich der Angelegenheiten der Religion auferlegt; das (religiöse Verständnis) des Volkes von eurem Vater Abraham. Vorher schon und auch heute hat Er euch den Namen „Muslime" gegeben (jene, die sich in Ergebenheit befinden), **so dass der Rasul** (Muhammad, saw; derjenige, der das System „liest" und die Einheit eröffnet) **über euch ein Zeuge sein kann und ihr ein Zeuge über die Menschheit sein könnt! Etabliert das Salaah** (die Hinwendung zu Allah) **und gebt Spenden** (Zakat: reinigt euch anhand des Weitergebens eurer Versorgungen) **und vereint euch gänzlich mit Allah, eurer essentiellen Realität anhand Seiner Namen! Er ist euer Beschützer** (euer Besitzer und derjenige, der all eure Taten formt). **Welch ein exzellenter Beschützer und ein exzellenter Helfer** (Er doch ist).

Mit demjenigen, der durch den Namen Allah erwähnt wird (der mein Wesen mit Seine Namen erschaffen hat im Anwendungsbereich des Buchstabens „B"), der Rahman und Rahim ist.

1. In der Tat sind diejenigen, die glauben, gerettet!

2. In ihrer Hinwendung zu Allah (Salaah) erfahren sie (die Gläubigen) „Khaschiyat" (Ehrfurcht: Sie erfahren, was es bedeutet, sich Allah gebührend hinzuwenden; Ihn, den Einen und Einzigen, zu spüren und zu erfahren. D.h. das Endresultat ist das, was Ehrfurcht genannt wird);

3. Sie wenden sich ab von nutzlosem Gerede und Beschäftigungen;

4. Sie tun, was auch immer notwendig ist, um sich zu reinigen - um ungetrübt und unverfälscht zu sein (Zakaat);

5. Sie beschützen ihre sexuellen Organe vor Beziehungen außerhalb der Ehe.

6. Außer vor ihren Ehepartnern oder was ihre rechten Hände besitzen... Denn sie sind nicht verurteilt.

7. Wer auch immer mehr als dieses verlangt (sexuelle Wünsche mit anderen), sie sind wahrhaftig jene, die über die Grenzen gehen.

8. Sie (die Gläubigen) sind vertrauensvoll mit dem, was ihnen anvertraut wurde und halten ihr gegebenes Versprechen.

9. Sie halten ihr „Salaah" ein (ihre Hinwendungen und Bezeugungen zu Allah sind konstant; sie sind sich ständig bewusst, wer wirklich vorhanden ist).

10. Sie sind die Erben!

11. Und jene, die das Paradies erben, werden dort auf ewig leben.

12. In der Tat haben Wir den Menschen aus einer Schicht (Sperma; genetische Formation) von feuchter Tonerde (eine Mischung aus Erde, Wasser und Mineralien) erschaffen.

13. Dann formten Wir ihn zu einem Tropfen in einem sicheren Ort.

14. Dann entwickelten Wir diesen Tropfen zu einem Embryo (eine genetische Form) und dann zu einem Klumpen aus Fleisch und dann entwickelten Wir sie zu Knochen und letztendlich umhüllten Wir die Knochen mit Fleisch... Dann erschufen Wir ihn mit etwas anderem (die Formierung der Seele). Erhaben ist Allah, der Schönste aller Schöpfer!

15. Nach diesem werdet ihr definitiv sterben (und zu einem Leben ohne den biologischen Körper voranschreiten).

16. Wahrlich, während des Tages der Auferstehung (nach eurem Tod) werdet ihr wieder auferstehen (mit einem neuen Körper in einer neuen Dimension des Lebens).

17. In der Tat haben Wir sieben Wege über euch erschaffen (der Lebensweg der sieben Bewusstseinszustände; alle Kreaturen im Universum leben eines dieser Bewusstseinszustände aus) ... Wir sind uns ihrer Schöpfung nicht unbewusst.

18. Wir ließen Wasser vom Himmel hinabsteigen in gebührendem Maß und ließen es in die Erde logieren (der Erde, d.h. dem Körper, wurde damit Leben gegeben). In der Tat haben Wir die Kraft, es wegzunehmen.

19. Mit ihnen haben Wir für euch Dattelpalme und Weingärten geformt (Paradiese – die schönen Erfahrungen der Dimension des Bewusstseins), worin es eine Vielzahl an Früchten gibt (Gnostik; Wissen über höhere Bewusstseinszustände) und davon esst ihr auch.

20. Auch (mit diesem Wasser) einen Baum geformt, der auf dem Berg Sinai (der Ort, wo Moses seinen Rabb gefunden hatte) sich befindet, welcher Öl und eine Zutat (Oliven) produziert für jene, die es essen. (Während die Feige die symbolische Bedeutung der Multiplizität in der Einheit andeutet, ist die Olive das direkte Symbol der Einheit im Sufismus).

21. Und definitiv gibt es auch für euch Lehren anhand des Viehs (Opfertiere; die animalischen Kräfte im Körper). Wir ernähren euch von dem, was sich in ihren Bäuchen befindet. Mit ihnen gibt es viele Vorteile für euch und ihr esst sie auch.

22. Und ihr reitet auf ihnen (die Tiere) und auf den Schiffen.

23. In der Tat enthüllten Wir Noah zu seinem Volk und er sagte zu ihnen: „Oh mein Volk! Dient Allah (werdet euch eurer Dienerschaft Allah gegenüber bewusst)! Ihr könnt nicht einen Gott haben neben HU! Werdet ihr immer noch nicht besorgt sein und euch beschützen?"

24. Die Anführer unter seinem Volk, die das Wissen um die Wahrheit leugneten, sagten: „Er ist nur ein Mensch wie ihr. Er möchte sich selbst über euch stellen. Wenn Allah es gewollt hätte (anstatt einen Menschen zu schicken), dann hätte Er Engel geschickt. Wir haben von unseren Vorfahren nicht so etwas gehört."

25. „Er ist ein Mensch, der besessen ist (von den Dschinn). Deshalb beobachtet ihn für eine Weile."

26. (Noah) sagte: „Mein Rabb! Hilf mir gegen ihre Leugnung."

27. Daraufhin offenbarten Wir (an Noah): „Baue das Schiff MIT Unseren Augen (unter unserer Aufsicht; dies ist ein Hinweis auf das „Maiyyet Sirr", das Geheimnis des Todes, das Sterben bevor man stirbt, Non-Dualität) und MIT Unserer Offenbarung. Wenn die Arbeit (das Wasser) anfängt (zu steigen) und der Ofen kocht (ganz offensichtlich wird hier nicht auf einen Dampfkessel hingewiesen), dann nimm an Bord zwei von jedem Paar und deine Familie, außer jene, dessen Entschluss schon feststeht. Sprich Mich nicht zugunsten jener an, die grausam sind! Sie werden selbstverständlich ertrinken!

28. „Wenn du und jene, die mit dir zusammen sind, auf das Schiff gehen, dann sag: „Hamd (die Bewertung der physischen Welten, wie Er es will) gehört gänzlich Allah, der uns von den Zalims (A.d.Ü.: Jene, die grausam zu sich und anderen sind, weil sie die Wahrheit über das wahre Dasein und ihre essentielle Beziehung dazu ablehnen) rettete."

29. „Und sag: „Mein Rabb, siedele mich an einem heiligen Ort an. Du bist der Beste derjenigen, die ansiedeln."

30. In der Tat sind hierin Zeichen. Sicherlich werden Wir euch prüfen („so dass die Person ihre eigene Kapazität sehen soll).

31. Dann erschufen Wir eine neue Generation nach ihnen.

32. Wir enthüllten unter ihnen einen Rasul, der sagte: „Dient Allah. Ihr habt keinen Gott neben Ihm. Werdet ihr euch immer noch nicht fürchten (die Konsequenzen eurer Taten) und euch beschützen?"

33. Die Anführer unter seinem Volk, die das Wissen um die Wahrheit und das ewige, zukünftige Leben leugneten und denen Wir die Bequemlichkeiten des weltlichen Lebens gewährten, sagten: „Er ist nicht mehr als ein Mensch (Sterblicher), wie ihr es seid. Er isst, was ihr esst und trinkt, was ihr trinkt."

34. „In der Tat, wenn ihr einen Menschen, der euch ähnelt, befolgt, dann werdet ihr definitiv zu den Verlierern gehören."

35. Verspricht er (der Rasul) euch, dass wenn ihr sterbt und zu Staub und Knochen werdet, dass ihr definitiv (zu einer neuen Dimension) hervorgebracht werdet?"

36. „Ach herrje, ach herrje das ist doch sehr weit hergeholt!"

37. „Es (das Leben) besteht nur aus dem weltlichen Leben! Unser Tod und Leben ist hier! Mit einer neuen Form nach dem Tod zu leben, kann nicht möglich sein!"

38. „Er (der Rasul) ist ein Lügner, der gegen Allah Verleumdungen ausspricht! Wir glauben nicht an ihn!"

39. (Der Rasul) sagte: „Mein Rabb! Hilf mir bezüglich ihrer Leugnung mir gegenüber!"

40. Ihm wurde geantwortet: „In einer kurzen Zeit werden sie es sehr bereuen."

41. In Wahrheit hat sie eine fürchterliche Tonwelle eingeholt und Wir veränderten sie zu dem, was am wertlosesten ist! Das Volk der Grausamen (zu sich selbst und anderen) wird aufgezwungen werden, die Konsequenzen ihrer Entfernung auszuleben!

42. Dann haben Wir nach ihnen neue Generationen geformt.

43. Keine Gemeinde kann ihren Zeitpunkt beschleunigen oder aufhalten!

44. Dann enthüllten Wir Unsere Rasuls nacheinander in Folge. Jedes Mal als ihr eigener Rasul zum Volk kam, da haben sie ihn abgelehnt. Also haben Wir sie nacheinander zerstört (Wir haben sie die Konsequenzen ihrer Taten ausleben lassen) und haben sie zu beispielhaften Geschichten verändert. Soll doch die Menge, welche nicht glaubt, die Konsequenzen ihrer Entfernung ausleben!

45. Dann hatten Wir Moses und Aaron zu ihnen gesandt mit Unseren Beweisen und unanfechtbarem Potenzial.

46. Zum Pharao und seinen obersten Führern... Aber sie zeigten nur Arroganz und waren ein eigensinniges Volk.

47. Sie sagten sogar: „Sollen wir an zwei Männer glauben, die wie wir sind, während ihr Volk unsere Diener sind?"

48. Sie lehnten die zwei ab und wurden so zu jenen, die umkamen.

49. In der Tat gaben Wir das Wissen um die Wahrheit an Moses, so dass sie (die Kinder Israels) die Wahrheit erreichen können.

50. Wir machten den Sohn Marias und seine Mutter zu einem Wunder. Und Wir siedelten die zwei auf einem hohen Grund mit einer frischen Quelle an.

51. Oh Rasuls... Esst von reiner Nahrung und engagiert euch mit nützlichen Taten. In der Tat bin Ich Aliym über das, was ihr tut (all eure Taten haben eine Konsequenz).

52. Und diese eine einzige Gemeinde ist eure Gemeinde. Und Ich bin euer Rabb, also beschützt euch (vor dem, was Ich euch ausleben lassen kann)!

53. (Während die Religion – das System eins ist), haben sie ihre Angelegenheiten unter einander fragmentiert anhand von unterschiedlichen Interpretationen. Jede Gruppe ist mit dem zufrieden, was sie akzeptiert hat.

54. Lasst sie in ihren Kokons für eine Weile!

55. Denken sie, dass indem Wir ihnen Reichtum und Söhne geben (die Verzierungen des weltlichen Lebens),

56. dass Wir auf ihr Wohltun drängen? Nein, sie sind sich nicht bewusst!

57. Diejenigen aber, die aus Ehrfurcht vor ihrem Rabb zittern (als Ergebnis der Betrachtung der Wahrheit).

58. Sie glauben an die Zeichen ihres Rabbs innerhalb ihres Wesens.

59. Sie sind jene, die keine Partner zu ihrem Rabb assoziieren (sie sind sich der Tatsache bewusst, dass das, was sich in ihnen manifestiert, die Namen und Eigenschaften ihres Rabbs sind– ihre Ego-Identitäten wurden mit der Bedeutung des NamensAllah aufgelöst [„Fanafillah": in Allah zerstört zu sein].).

60. Sie sind diejenigen, die etwas geben mit dem Gedanken, dass sie zu ihrem Rabb zurückkehren werden.

61. Sie beeilen sich, Gutes zu tun. Sie sind hervorragend darin, Gutes zu tun.

62. Niemals werden Wir einer individuellen Form von Bewusstsein das anbieten, was sich außerhalb ihrer Kapazität befindet. Es gibt Wissen über die Wahrheit (welches anzeigt, dass jedes Individuum das verdient, welches sich gemäß ihres Schöpfungsprogramms bildet). Sie werden nicht der Ungerechtigkeit unterworfen werden!

63. Aber ihr Bewusstsein befindet sich davon in einem Kokon. Und daneben gibt es auch noch die Taten, die sie kontinuierlich tun (getrieben durch animalische Impulse und körperliche Schwächen).

64. Wenn Wir sie letztendlich ergreifen im Leiden aus ihrer Reue heraus, da werden sie stöhnen und erflehen.

65. „Schreit heute nicht nach Hilfe! Definitiv könnt ihr keine Hilfe von Uns bekommen!"

66. „Meine Zeichen wurden euch gezeigt, aber trotz dessen habt ihr euch abgewandt."

67. „Voller Arroganz und entgegen jedem Sinn habt ihr in der Nacht gelebt!"

68. Haben sie nicht gebührend über dieses Wort nachgedacht? Oder ist etwas, welches vorher nicht zu ihren Vorvätern gekommen ist, zu ihnen das erste Mal gekommen?

69. Oder erkennen sie nicht den Rasul und leugnen ihn (deshalb)?

70. Oder behaupten sie: „Er ist besessen"! Im Gegenteil, er ist zu ihnen mit der Wahrheit gekommen! Aber die Mehrheit von ihnen mögen die Wahrheit nicht!

71. Falls die Wahrheit im Einklang mit ihren Begierden wäre, dann würden die Himmel, die Erde und alles, was sich zwischen ihnen befindet, zerstört worden sein. Nein, Wir gaben ihnen ihr Dhikr (das Wissen, damit sie sich ihrer essentiellen Wahrheit erinnern können). Aber sie haben sich abgewandt von ihrem Dhikr (das Wissen, welches zu ihrer eigenen Essenz hinweist).

72. Oder ist es, dass du von ihnen eine Gebühr verlangst? Die Gaben deines Rabbs sind besser. Er ist derjenige, der am besten nährt mit den Gaben des Lebens.

73. In der Tat lädst du sie ein zum „Geraden Weg" (Sirat ul Mustakim).

74. Jene, die nicht an ihrem ewigen, zukünftigen Leben glauben, werden von diesem „Weg" abweichen.

75. Falls Wir ihnen Gnade zeigen und die Bedrückungen von ihnen aufheben, dann werden sie sicherlich auf ihre Überschreitungen bestehen (die Rebellion gegen ihre essentielle Wahrheit) und blind umher wandern.

76. Wir haben sie in der Tat mit Leid ergriffen. Sie haben sich nicht ihrem Rabb gebeugt und haben nicht gefleht!

77. Bis Wir ihnen das Tor zur intensiven Strafe eröffnen, da werden sie plötzlich hoffnungslos in dieser Strafe gelassen.

78. Es ist HU, der für euch das Hören (Wahrnehmungskraft), die Sicht (Augen) und die Herzen (Fuad: die Reflexion der Bedeutung der Namen zum Bewusstsein; die Herzneuronen) formte... Wie wenig gebt ihr Dank!

79. Es ist HU, der euch auf der Erde (den Körper) erschuf und euch vermehrte... Ihr werdet zu Ihm versammelt werden!

80. Es ist HU, der Leben gibt und den Tod verursacht. Die Veränderung des Tages und der Nacht gehört Ihm... Benutzt ihr immer noch nicht euren Verstand?

81. Aber sie sagten das, was jene vor ihnen schon sagten.

82. Sie sagten: „Wenn wir gestorben und zu Staub und Knochen geworden sind, werden wir wirklich mit einer neuen Form anfangen zu leben?"

83. „In der Tat wurden wir und unsere Vorväter mit diesem schon vorher gewarnt. Dies sind nichts weiter als Märchen aus der Vergangenheit."

84. Sag: „Für wem ist die Erde und alles, was sich darin befindet? Falls du es weißt (dann sag es mir)."

85. Sie werden sagen: „Für Allah!" Sag: „Wirst du immer noch nicht tief nachdenken und auswerten?"

86. Sag: „Wer ist der Rabb der sieben Himmel und des Gewaltigen Throns?"

87. Sie werden sagen: „Es ist Allah!" Sag: „Also werdet ihr euch dann nicht fürchten und euch beschützen?"

88. Sag: „Wer ist derjenige, in dessen Hand (Wissen und Kraft) die Herrschaft (die Tiefen, die Essenz aller Dinge) liegt und der beschützt (alles mit Seiner eigenen Existenz), jedoch wird selbst kein Schutz benötigt? Sprecht, falls ihr Wissen besitzt!"

89. Sie werden sagen: „Allah!" Sag: „Also wie kommt es dann, dass ihr getäuscht seid (durch eure Welt)?"

90. Nein, Wir sind zu ihnen mit der Wahrheit gekommen. Sie sind wahrhaftig Lügner.

91. Allah nimmt keine Söhne an! Es gibt auch keinen Gott neben Ihn! Sonst würde jeder Gott mit dem weggelaufen sein mit was Er erschaffen hatte und manche wären anderen gegenüber höher gestellt! Erhaben (Subhan-jenseits davon) ist Allah gegenüber dem, was sie mit Ihm assoziieren."

92. Er kennt das Unbekannte und das Bezeugte... Er ist hoch erhaben über ihre Assoziation (Dualität)!

93. Sag: „Mein Rabb, falls du mir das zeigen würdest, womit ihnen gedroht wurde..."

94. „Dann lass mich nicht unter dem Volk der Zalims sein, mein Rabb!"

95. Wir haben definitiv die Kraft, dir jenes zu zeigen, womit Wir ihnen gedroht haben!

96. Weise Schlechtes (Aberglauben) ab anhand von jenem, was das Beste ist (die Wahrheit, das System des Bewusstseins)! Wir sind uns sicherlich bewusst, was sie sagen (über dich).

97. Und sag: „Mein Rabb (die schützenden Namen innerhalb meiner Essenz), ich suche Zuflucht in Dir von den Eingebungen des Satans (welcher zum Körperlichen einlädt)."

98. „Und ich suche Zuflucht in Dir (deine schützende Namen innerhalb meiner Essenz), mein Rabb, dass sie sich mir nicht nähern."

99. Wenn der Tod zu einen von ihnen kommt, dann sagt er: „Mein Rabb, schick mich zurück (zum irdischen Leben)."

100. „Auf dass ich rechtmäßige Dinge verrichte, worin ich nachlässig war (d.h. das Leben mit dem Glauben, das ich nicht beachtet oder als nicht wichtig erachtet hatte; das Potenzial, das ich nicht entfaltet und aktiviert hatte)." Nein! (Es ist unmöglich zurückzukehren!) Seine Worte haben keine Gültigkeit! (Seine Bitte wird im System nicht anerkannt) Und hinter ihnen ist eine Barriere (ein Isthmus; ein dimensionaler Unterschied) bis zum Tag, wo sie auferstehen werden (sie können nicht zurückkehren; Reinkarnation, also wiedergeboren werden für ein anderes irdisches Leben, existiert nicht!).

101. Wenn in das Horn also geblasen wird (wenn der Prozess der Auferstehung, d.h. ein neuer Anfang beginnt), dann wird es weder eine Beziehung (weltliche Interaktionen, menschliche, familiäre Beziehungen, Titel oder bekannte Gesichter) unter ihnen an diesem Tag geben, noch werden sie sich gegenseitig erkundigen (bezüglich ihrer irdischen Beziehungen).

102. Jene, dessen Waagschalen schwer wiegen, sind jene, die gerettet werden.

103. Und jene, dessen Waagschalen leicht sind, sind diejenigen, die die Verlierer sein werden. Sie werden im Ort des Brennens auf ewig verweilen!

104. Dieses Feuer wird ihre Gesichter verbrennen. Ihre Gesichter werden gezeichnet werden mit dem Leiden und ihre Zähne werden herausragen!

105. „Wurden ihr nicht über Meine Zeichen informiert? Habt ihr sie nicht geleugnet?"

106. Sie sagten: „Unser Rabb! Unsere Begierden überkamen uns und führten uns zum Unglück, wir wurden zu einem Volk, welches irregeleitet und verloren war."

107. „Unser Rabb... Nimm uns von hier heraus... Falls wir zurückkehren (und unsere Fehler wiederholen), dann würden wir sicherlich zu den Zalims gehören."

108. Er sagte: „Bleibt dort... Und wendet euch nicht zu Mir!"

109. In der Tat unter meinen Dienern gab es einige, die sagten: „Unser Rabb, wir haben geglaubt... Vergib uns und beschere Deine „Rahmat" (A.d.Ü.: Eröffne uns einen Weg zu dir, d.h. unsere essentielle Wahrheit kennenzulernen) auf uns. Du bist der Beste derjenigen, die Rahim sind."

110. Aber ihr habt euch über sie lustig gemacht! Tatsächlich hat dieser Zustand von euch mein Dhikr (euch an Meine Existenz innerhalb eurer Essenz zu erinnern) vergessen lassen! Ihr habt über sie gelacht."

111. Ich habe sie belohnt an diesem Tag aufgrund ihrer Geduld. Sie sind diejenigen, welche die wahre Befreiung und Errettung erreicht haben."

112. Er sagte: „Wie lange seid ihr auf der Erde verblieben (das Leben mit dem Körper aus Fleisch und Knochen)?"

113. Sie werden sagen: „Wir sind für einen Tag oder für einen Teil eines Tages verblieben; frag jene, die zählen!"

114. Er sagte: „Ihr seid dort nur für eine kurze Weile verblieben, wenn ihr doch nur wüsstet!"

115. „Habt ihr angenommen, dass Wir euch ohne einen Grund erschaffen hätten und dass ihr nicht zu Uns zurückgebracht werden würdet?"

116. Derjenige, der Malik und Hakk ist, ist der hoch erhabene Allah! Es gibt keinen Gott, es gibt nur HU! Er ist der Rabb des Großzügigen Throns.

117. Wer auch immer sich zu einem Gott - dessen Göttlichkeit niemals einen Beweis hervorbringen kann - hinwendet neben Allah, der wird die Konsequenzen zu spüren bekommen durch die Sichtweise seines Rabbs! Definitiv werden jene, die das Wissen um die Wahrheit leugnen, niemals errettet und befreit werden.

118. Sag: „Mein Rabb, bitte vergib und gewähre deine Rahmat! Du bist der Beste derjenigen, die Rahim sind!"

Mit demjenigen, der durch den Namen Allah erwähnt wird (der mein Wesen mit Seine Namen erschaffen hat im Anwendungsbereich des Buchstabens „B"), der Rahman und Rahim ist.

1. Dies ist eine Sure, welche Wir enthüllten und (dessen Regeln Wir) bindend gemacht haben. Wir haben eindeutige Zeichen darin enthüllt, so dass ihr euch erinnern möget und tief darüber nachdenkt.

2. Was denjenigen und diejenige angehen, die Zina (außerehelichen Sex) begehen, peitscht sie mit einhundert Schlägen! Lasst nicht zu, dass Mitleid für sie euch in der Religion (dem System) von Allah abhält, falls ihr an Allah geglaubt habt, eure essentielle Wahrheit anhand Seiner Namen und dem ewigen, zukünftigen Leben (denn diese Bestrafung entsteht aus Gnade und Liebe). Und lasst einige der Gläubigen ihre Bestrafung bezeugen.

3. Derjenige, der Zina (außerehelichen Sex) begeht, kann nur diejenige heiraten, die Zina begeht oder eine Frau, die sich im (offensichtlichen) Schirk (Dinge ganz offensichtlich mit Allah assoziiert) befindet. Und diejenige, die Zina begeht, kann nur denjenigen heiraten, der Zina begeht oder einen Mann, der sich im (offensichtlichen) Schirk (Dinge ganz offensichtlich mit Allah assoziiert) befindet. Für die Gläubigen wurde dies verboten.

4. Diejenigen, die keusche Frauen verleumden (sie des Ehebruchs beschuldigen), ohne vier Zeugen hervorzubringen, peitscht sie mit achtzig Schlägen und akzeptiert nie wieder ihre Zeugenaussage. Sie sind diejenigen, deren Glaube korrumpiert wurde.

5. Außer jenen, die um Vergebung bitten und sich selbst korrigieren. In der Tat ist Allah Ghafur und Rahim.

6. Jene, die ihre eigenen Frauen des Ehebruchs beschuldigen und keinen Zeugen haben außer sich selbst, sollen vier Mal „bei Allah" schwören, dass sie zu den „Sadik" (Aufrichtigen) genannten gehören.

7. Und beim fünften Mal, dass Allahs Fluch auf ihm sein soll, falls er zu den Lügnern gehört.

8. (Und die Frau soll sich auch selbst wehren und sagen): „Er ist definitiv ein Lügner" und sie soll die Bestrafung von sich selbst abwenden, indem sie vier Mal „bei Allah" schwört, dass er ein Lügner ist.

9. Und beim fünften Mal, dass Allahs Zorn auf ihr liegen soll, falls er zu den Sadik (Aufrechten) genannten gehört.

10. Was wäre, wenn Allahs Gunst und Seine Gnade nicht auf euch gewesen und Allah nicht derjenige wäre, der Tawwab und Hakim ist!

11. In der Tat, jene (die Heuchler), die zu dir gekommen sind mit dieser Verleumdung (bezüglich Hz. Aischa, r.a.) sind eine Gruppe unter euch, die nur deswegen zusammen gekommen sind, um zu beschuldigen. Nimm nicht an, dass (diese Verleumdung gegen dich) dir Schaden bringt! Im Gegenteil, sie ist für dich sehr gut. Jeder Einzelne von ihnen wird zur Rechenschaft gezogen werden für ihre eigenen Verbrechen. Und ihr

Anführer, der den größten Anteil am Verbrechen hat, wird zu großem Leiden herangezogen werden.

12. Sollten nicht die gläubigen Männer und Frauen gut übereinander gedacht haben und sollten sie nicht sagen: „Dies ist ganz klar eine Verleumdung?"

13. Hätten sie (die Verleumder) nicht vier Zeugen hervorbringen müssen? Da sie nicht die Zeugen hervorbringen konnten, sind sie aus der Sichtweise Allahs definitiv Lügner.

14. Falls Allahs Gunst und Seine Gnade nicht auf euch wäre in dieser Welt und im ewigen, zukünftigen Leben, dann hätte ein schreckliches Leiden euch befallen aufgrund eurer Verleumdung.

15. Ihr beschuldigt basierend auf Gerüchten und sprecht Dinge aus, worüber ihr kein definitives Wissen verfügt, als ob dies eine kleine und triviale Sache sei. Aber aus der Sichtweise Allahs ist dies eine gewaltige Sache!

16. Und wenn ihr (diese Lüge) gehört habt, hättet ihr dann nicht sagen sollen: „Es ist nicht unsere Angelegenheit über solche Dinge zu sprechen! Du bist Subhan (wir erkennen deine Erhabenheit an)! Dies ist eine gewaltige Verleumdung!"?

17. Allah warnt euch, dass ihr nie wieder so etwas Ähnliches wiederholt, falls ihr Gläubige seid!

18. Allah erklärt euch Seine Zeichen... Allah ist Aliym, Hakim.

19. Jene, denen es gefällt, unanständige Gerüchte unter den Gläubigen zu verbreiten, werden einem schrecklichen Leiden in dieser Welt und im zukünftigen, ewigen Leben unterworfen sein. Allah weiß und ihr seid unwissend.

20. Was wäre, wenn Allahs Gunst und Seine Gnade nicht auf euch wäre! Definitiv ist Allah Rauf und Rahim!

21. Oh ihr, die glaubt... Folgt nicht in die Fußstapfen vom Satan (den Impulsen des Körpers)! Wer auch immer die Fußstapfen des Satans befolgt, lasst ihn mit Gewissheit wissen, dass der Satan nur „Fahscha" (extremer Genuss am Körperlichen) und „Munker" (über die Grenzen zu schreiten) befiehlt. Wenn es nicht für Allahs Gunst und Seiner Gnade auf euch wäre, dann hätte keiner von euch voranschreiten und sich reinigen können. Aber Allah reinigt (vom illusorischen Selbst, Ego), wen Er will. Allah ist Sami, Aliym.

22. Lasst nicht zu, dass jene unter euch, die wohlhabend und begünstigt wurden, schwören, dass sie nicht ihren Verwandten, den Bedürftigen und jene, die auf dem Wege Allahs geflüchtet und ausgewandert sind, etwas geben werden. Würdet ihr nicht wollen, dass Allah euch vergibt? Allah ist Ghafur, Rahim.

23. Jene, die in ihren Kokons leben, entbehrt vom Wissen um die Wahrheit und die die gläubigen, keuschen Frauen beschuldigen, sind definitiv in beiden Welten, dem Diesseits und dem Jenseits, verflucht. Es gibt für sie ein gewaltiges Leiden.

24. In dieser Zeit werden ihre Zungen, Hände und Füße gegen sie aussagen bezüglich dessen, was sie getan hatten.

25. In dieser Zeit wird Allah (gemäß der Anforderung des Systems von Sunnatullah) sie die Konsequenzen ihrer Taten im vollen Umfang ausleben lassen und sie werden wissen, dass Allah selbst die absolute und klare Wahrheit darstellt.

26. Frauen mit korrupten und perversen Gedanken und Wegen sind für Männer mit korrupten und perversen Gedanken und Wegen; und Männer mit korrupten und perversen Gedanken und Wegen sind für Frauen mit korrupten und perversen Gedanken und Wegen. Frauen mit reinen und guten Gedanken sind für Männer mit reinen und guten Gedanken und Männer mit reinen Gedanken sind für Frauen mit reinen Gedanken. Sie sind weit entfernt von den Behauptungen (ihrer Verleumder) ... Es gibt für sie Vergebung und ein großzügiger Unterhalt des Lebens.

27. Oh ihr, die glaubt! Tretet nicht in Häuser ein, die nicht euch gehören, ohne Erlaubnis und ohne Gruß (Salaam) an ihre Bewohner! Dies ist besser für euch; vielleicht werdet ihr darüber nachdenken.

28. Falls keiner zu Hause ist, dann tretet nicht ein bis ihr Erlaubnis bekommen habt. Falls euch gesagt wird, dass ihr gehen sollt, dann geht auch. Dies ist reiner für euch. Allah (basierend auf der Realität, welche mit dem Buchstaben „B" ausgedrückt wird) ist Aliym über das, was ihr tut.

29. Es ist nichts Bedenkliches daran, wenn ihr in unbewohnte Häuser eintretet, worin es Dinge gibt, die euch gehören. Allah weiß, was ihr veröffentlicht und was ihr versteckt.

30. Sag den Gläubigen, dass sie ihren Blich senken sollen (sie sollen es unterlassen mit sexueller Begierde zu schauen) und ihre sexuellen Organe bewachen sollen. Dies ist reiner für sie. In der Tat weiß Allah (als ihr Schöpfer), was sie tun.

31. Sag den gläubigen Frauen, dass sie ihren Blick senken (nicht mit sexueller Begierde zu schauen), ihre sexuellen Organe bewachen und nicht ihre Verzierung zeigen sollen außer was offensichtlich normal ist. Und lasst sie ihre „Khimar" (eine Kopfbedeckung der damaligen Zeit; eine Art Schal, der auf den Kopf umwickelt wurde) benutzen, damit sie ihre Brüste bedecken. Lasst sie ihre Verzierung (welche Allah ihnen gab) nicht zeigen außer zu ihren Ehemännern, ihren Vätern oder den Vätern ihrer Ehemännern oder ihren Söhnen oder den Söhnen ihrer Ehemänner oder ihren Brüdern oder den Söhnen ihrer Brüder oder den Söhnen ihrer Schwestern oder den Mägden oder jenen, die ihre rechte Hand besitzen (Leibeigene) oder ihren männlichen Dienern, die keine sexuelle Begierde besitzen oder männlichen Kindern, die sich noch nicht bewusst sind bezüglich der Geschlechtsteile der Frauen. Noch sollen sie ihre Füße stampfen, während sie laufen, um Aufmerksamkeit auf ihre Brüste zu lenken und um Männer zu provozieren. Oh Gläubige, bittet alle zusammen Allah um Vergebung, so dass ihr Errettung erfahren könnt.

32. Heiratet jene unter euch, die ledig sind und jene unter euren männlichen und weiblichen Sklaven, die aufrichtig sind! Falls sie arm sind, dann wird Allah aus Seiner Gunst heraus sie reich machen. Allah ist Wasi, Aliym.

33. Jene, die es sich nicht leisten können zu heiraten, sollen sich keusch halten bis Allah ihnen die Mittel dafür aus Seiner Gunst heraus gibt... Unterzeichnet einen Vertrag mit euren Sklaven, die eine Urkunde der Freiheit erwünschen, falls ihr etwas Gutes in ihnen wisst und gebt ihnen vom Wohlstand, das Allah euch gab. Falls eure Leibeigene es sich wünschen, keusch zu bleiben, dann zwingt sie nicht zur Prostitution nur aufgrund von temporären, weltlichen Vorteilen. Aber falls irgendjemand sie zwingt, nachdem sie gezwungen wurden, dann wird Allah Ghafur und Rahim zu ihnen sein.

34. In der Tat haben Wir klare Zeichen der Wahrheit an euch enthüllt und Beispiele jener, die vor euch da waren und eine beispielhafte Warnung für jene gegeben, die sich beschützen wollen.

35. **Allah ist das Licht** (NUUR, d.h. Licht ist Wissen – Leben – Datei; die Essenz der Himmel und der Erde sind aus Wissen [Daten] zusammengesetzt) **der Himmel und der Erde...** Das Gleichnis Seines Lichtes (die Existenz und die Manifestierung Seines Wissens) ist wie eine Laterne (Gehirn), **worin sich eine Lampe befindet** (individuelles Bewusstsein) **und diese Lampe ist umgeben von einem Glas** (reines, universales Bewusstsein)! **Dieses Glas** (universales Bewusstsein) **ist wie ein Stern, der aus einer Perle besteht** (Namenskompositionen, denen Funktionen gegeben wurden gemäß der Absicht ihrer Schöpfung), **welches von einem gesegneten Olivenbaum** (das Bewusstsein der Einheit innerhalb der Essenz des Menschen) **angezündet wurde, welcher weder vom Osten noch vom Westen** (befreit von Zeit und Ort) **ist. Das Öl dieses Baumes** (die Betrachtung der Wahrheit im reinen, universalen Bewusstsein) **würde fast leuchten, selbst wenn es nicht vom Feuer berührt worden wäre** (aktive Reinigung) **... Es ist Licht auf Licht!** (Die individuelle Manifestierung des Wissens der Namen)... **Allah** (Die Namen [die verschiedenen Kompositionen der strukturellen Eigenschaften, welche die Existenz ausmacht innerhalb der Essenz des Menschen) **befähigt die Realisierung Seiner NUUR** (das Wissen Seiner Wahrheit), **wem Er es will. Allah gibt den Menschen Beispiele... Allah ist Aliym über alles** (da Er „alles" ist anhand der Eigenschaften Seiner Namen).

36. (Diese Nuur: Das Wissen um die Wahrheit) **ist in den Häusern** (Gehirn, individuelles Bewusstsein), **welche Allah es erlaubt hat, erhöht zu sein und in welche Er es erlaubt hat, an Seinem Namen** (worauf es hinweist) **sich zu erinnern** (beobachtet, basierend auf ihrer Kapazität)! **Morgens und abends** (externe und interne Beobachtung) **befinden sie sich in Erinnerung daran!**

37. **Sie sind Männer, denen weder Handel noch weltliche Dinge sie vom Dhikr Allahs ablenken kann** (sich an ihrer essentiellen Wahrheit zu erinnern) **und der Ausübung des Salaahs** (ihre essentielle Wahrheit zu erfahren) **und des Gebens von Zakaat** (Teilen, ohne eine Gegenleistung zu erwarten)! **Sie fürchten sich vor der Zeit der Veränderung aufgrund dessen, was ihre Augen** (die Beobachtung der externen Wahrheit) **in ihren Herzen** (die Wahrheit in ihrer Essenz, welche sich manifestieren wird im universalen Bewusstsein) **sehen werden.**

38. **Und so wird Allah ihnen die Konsequenzen ihrer Taten auf der besten Art und Weise ausleben lassen und Er wird ihnen sogar noch mehr aus Seiner Gunst bescheren. Allah versorgt mit Lebensunterhalt, wem Er will ohne Abrechnung!**

39. **Was jene betrifft, die das Wissen um die Wahrheit leugnen, ihre Arbeiten sind wie eine Luftspiegelung in der Wüste! Wenn er es letztendlich erreicht** (die Luftspiegelung: seine Arbeiten, während er den Tod kostet), **da findet er nichts vor! Er wird Allah mit ihm finden** (in seiner eigenen Essenz und er wird realisieren, dass Er seine essentielle Wahrheit ausmacht anhand Seiner Eigenschaften und Namen, aber er wird an einem Punkt ohne Rückkehr angelangt sein, um dies gebührend zu bewerten)! **Also wird Allah ihn die Konsequenzen seines vergangenen Lebens im vollen Umfang ausleben lassen! Allah ist schnell im Abrechnen** (Sariul Hisab)!

40. **Oder** (die Konsequenz seines Lebens) **wird wie die Dunkelheit innerhalb der Tiefe des Ozeans sein, verdeckt durch Wellen über Wellen und bedeckt mit Wolken! Dunkelheit über Dunkelheit! Wenn er** (derjenige, der davon umgeben ist) **seine Hand**

ausstreckt, dann wird er sie kaum sehen können. Wem auch immer Allah Seine Nuur (Wissen) vorenthält, der wird auf ewig von Nuur (Wissen) entzogen sein!

41. Habt ihr nicht gesehen, wie alles in den Himmeln und auf der Erde und die Reihen der Vögel Allah glorifizieren (Tasbih: indem sie ihre Funktionen der Dienerschaft ausführen). Jedes kennt sein eigenes Salaah (die Ausübung der Namen, welche die eigene Essenz ausmachen) und Tasbih (die Funktion, welche aus dem Ausüben des Salaahs resultiert). Allah ist Aliym über das, was sie tun (da Er ihre Wahrheit und Essenz darstellt anhand Seiner Namen).

42. Die Existenz der Himmel und der Erde gehört Allah (Er erschafft sie in Seinem Wissen, um die Bedeutungen, die Er manifestiert haben will, zu observieren) und zu Allah wird die Rückkehr sein!

43. Habt ihr nicht gesehen, wie Allah die Wolken (die Ideen) bewegt, dann sie vereint (sie mit Weisheit vereint), dann formt Er sie in Schichten (das System und die Ordnung)! Und so werdet ihr Regen (Gnade) aus sie herausströmen sehen... (Ein Wolkenstoß des Wissens um die Wahrheit) wird aus sie herausströmen von den bergigen Massen der Wolken (Quelle von Gnade) ... Er wird sie auf demjenigen strömen lassen, wem Er will und es von demjenigen abhalten, wem Er es will! Das intensive Aufleuchten Seines Blitzes (Tadschall-i Zati Barki: eine plötzliche und erleuchtende Beobachtung der Absoluten Essenz im eigenen Bewusstsein) wird beinahe das Sehende nicht sichtbar machen!

44. Allah verändert die Nacht und den Tag ineinander (der Wechsel zwischen interner und externer Beobachtung)! In der Tat gibt es hierin Weisheit für jene, die Einsicht besitzen.

45. Allah hat jede Kreatur (animiertes Wesen) aus Wasser erschaffen. Manche kriechen auf ihren Bäuchen; andere laufen auf zwei Beinen und andere auf vier. Allah erschafft, was Er will. In der Tat ist Allah Kaadir über alle Dinge.

46. Definitiv haben Wir erklärende Zeichen enthüllt. Allah führt wem Er will zum geraden Weg.

47. Sie sagen: „Wir haben an Allah geglaubt (der unsere essentielle Wahrheit anhand Seiner Namen darstellt) und dem Rasul (Seine Anordnung, welche sich als Seinen Rasul manifestiert)", aber nachdem sie dies gesagt hatten, wird eine Gruppe von ihnen sich abwenden! Sie sind keine Gläubige!

48. Und wenn sie zu Allah und Seinem Rasul gerufen werden, so dass sie unter ihnen richten sollen, da wirst du eine Gruppe unter ihnen sehen, die sich abwenden.

49. Aber falls die Wahrheit zu ihren Gunsten sich befindet, dann sind sie schnell darin, es zu akzeptieren und es zu befolgen!

50. Sind sie beraubt von gesundem Denken oder sind sie am Zweifeln? Oder befürchten sie, dass Allah und Sein Rasul ungerecht zu ihnen sein wird? Nein, sie sind wahrlich eben jene, die grausam sind.

51. Wenn sie zu Allah und Seinem Rasul eingeladen werden, so dass sie unter ihnen urteilen können, dann werden die Gläubigen sagen: „Wir hören und gehorchen". Sie sind jene, die die Errettung erfahren werden.

52. Wer auch immer Allah und Seinen Rasul gehorcht und die Ehrfurcht vor Allah erfährt und sich vor Ihm beschützt, sollen ihre Wünsche erreichen.

53. Sie (die Heuchler) schwören bei Allah, dass sie definitiv vorwärts gehen werden, falls du es ihnen befiehlst. Sag: „Schwört nicht! (Was von euch erwartet wird) ist die Gehorsam. In der Tat ist Allah Khabiyr über das, was ihr tut."

54. Sag: „Gehorcht Allah und Seinem Rasul!" Falls ihr euch abwendet, dann obliegt auf ihn nur das, womit er beauftragt wurde (die Pflicht zu informieren) und auf euch obliegt das, womit ihr beauftragt wurdet (die Pflicht zu gehorchen)! Falls ihr ihm gehorcht, dann werdet ihr Rechtleitung finden! Es gibt keine andere Verantwortung auf dem Rasul als die klare Benachrichtigung!

55. Allah hat jenen unter euch, die glauben und die Anforderungen ihres Glaubens erfüllen, versprochen, dass Er ihnen die Stellvertretung auf Erden geben wird, so wie Er es jenen, die vor ihnen waren auch gegeben hatte. Und dass Er für sie ihre Religion etablieren wird (Lebensstil basierend auf dem Glauben), welche Er für sie ausgewählt hatte und mit welchem Er zufrieden ist und ihre Ängste mit Sicherheit austauscht. Also lasst sie in Dienerschaft zu Mir sein und keine Partner mit Mir assoziieren! Und wer auch immer das Wissen um die Wahrheit nach diesem leugnet, dann sind sie diejenigen, die korrupt im Glauben sind.

56. Etabliert das Salaah, gebt Zakaat (Geben, ohne eine Gegenleistung zu erwarten) und gehorcht dem Rasul, so dass ihr Rahmat (Gnade: Für euch ein Weg geöffnet wird, so dass ihr eure essentielle Wahrheit kennenlernt) erreichen könnt.

57. Nehmt nicht an, dass jene, die das Wissen um die Wahrheit leugnen, die (Religion und das System) hilflos (und für ungültig) erscheinen lassen werden! Ihr Ort wird das Feuer sein! Welch ein elender Ort der Rückkehr!

58. Oh ihr, die glaubt! Lasst jene, die eure rechten Hände besitzen und die noch nicht die Pubertät erreicht haben, euch um Erlaubnis vor drei Dingen fragen: Vor dem Morgengebet, wenn ihr eure Kleidung zur Mittagszeit ausgezogen habt und nach dem Nachtgebet. Dies sind die drei Zeiten der Nacktheit. Es trifft euch und sie keine Schuld (abgesehen von diesen drei Zeiten), um euch herum zu sein. Und so erklärt Allah euch Seine Zeichen. Allah ist Aliym und Hakim.

59. Wenn eure Kinder die Pubertät erreichen, dann lasst sie um Erlaubnis fragen, wie ihre Älteren es auch tun. Und so erklärt Allah Seine Zeichen. Allah ist Aliym und Hakim.

60. Es trifft den Frauen keine Schuld, wenn sie das Alter der Heirat verlassen haben und sie nicht ihre äußere Bekleidung tragen, vorausgesetzt sie tun dies nicht mit der Absicht, um andere mit ihrer Verzierung zu provozieren. Es ist besser für sie, wenn sie keusch sind. Allah ist Sami, Aliym.

61. Es gibt keinen Schaden, wenn die Blinden, die Gelähmten, die Kranken oder ihr selbst in euren eigenen Häusern esst oder in den Häusern eurer Väter oder eurer Mütter oder Brüder oder Schwestern oder Onkel väterlicherseits oder Tanten väterlicherseits oder Onkel mütterlicherseits oder Tanten mütterlicherseits oder in Häusern, dessen Schlüssel ihr in eurer Obhut habt oder im Haus eines Freundes. Es trifft euch keine Schuld, wenn ihr zusammen oder alleine esst. Aber wenn ihr in Häuser eintretet, grüßt einander mit einem Gruß aus der Sichtweise Allahs, welche gesegnet und gut ist. Und so erklärt Allah euch Seine Zeichen, so dass ihr euren Verstand benutzen möget.

62. Die Gläubigen sind nur jene, die an Allah, der ihre essentielle Wahrheit anhand Seiner Namen darstellt und an den Rasul glauben. Wenn sie mit ihm zusammen sind

aufgrund einer Angelegenheit von einem gemeinsamen Anliegen, dann gehen sie nicht weg bis sie ihn um seine Erlaubnis gefragt haben. In der Tat sind jene, die dich um deine Erlaubnis fragen, diejenigen, die an Allah, der ihre essentielle Wahrheit darstellt anhand Seiner Namen und an Seinen Rasul, glauben. Wenn sie dich um deine Erlaubnis fragen bezüglich mancher ihrer Angelegenheiten, dann gib es zu wem du es auch immer geben möchtest und bitte Allah um Vergebung für sie. In der Tat ist Allah Ghafur und Rahim.

63. Behandelt nicht die Einladung des Rasuls wie das Rufen von einem von euch zu einem anderen. Allah kennt jene, die sich hinter anderen verstecken und heimlich sich davon schleichen. Also lasst jene, die sich Seinem Befehl widersetzen, sich bewusst sein von einem schmerzvollen Leiden oder einem Gebrechen getroffen zu sein!

64. Seid vorsichtig! Was auch immer sich in den Himmeln und auf der Erde befindet, ist für Allah (um Seine Namen zu manifestieren)! Er weiß sehr gut in welchem Zustand ihr euch befindet. In der Zeit, wo sie zu Ihm zurückkehren werden, da werden sie von Ihm informiert werden, was sie getan hatten. Allah (als die essentielle Wahrheit aller Dinge durch Seine Namen) ist derjenige, der alles weiß.

Mit demjenigen, der durch den Namen Allah erwähnt wird (der mein Wesen mit Seine Namen erschaffen hat im Anwendungsbereich des Buchstabens „B"), der Rahman und Rahim ist.

1. Erhaben ist Er, der den Furkan (das Kriterium, womit die Wahrheit von der Lüge unterschieden wird) zu Seinem Diener als Warnung zu den Welten (ganze Menschheit) enthüllen ließ.

2. Die Existenz der Himmel und der Erde ist für Ihn! Er ist jenseits vom Konzept, ein Kind zu zeugen! Er hat keinen Partner in der gesamten Existenz! Er ist es, der alle Dinge erschaffen hatte und Er hat sie geformt gemäß Seiner Bestimmung!

3. Dennoch haben sie Götter neben Ihm angenommen, die nichts erschaffen und selbst erschaffen sind, die keine Kraft haben weder Nutzen zu erzeugen oder Schaden zu ihnen selbst zu verursachen und die keine Eigenschaften haben Leben oder Tod oder Leben nach dem Tod zu formen.

4. Jene, die das Wissen um die Wahrheit leugnen, sagen: „Dieser (Koran) ist nur eine Lüge, die er erfunden hat. Und andere (die Juden) haben ihm damit geholfen." In Wahrheit haben sie eine große Ungerechtigkeit begangen und sich einen Meineid geleistet.

5. Sie sagten: „Dies sind nur Märchen aus vergangenen Tagen, die er aufgeschrieben hat, damit sie morgens und abends gelesen werden."

6. Sag: „Es ist enthüllt von demjenigen, der die Geheimnisse der Himmel und der Erde kennt! In der Tat ist Er Ghafur und Rahim."

7. Sie sagten: „Was für ein Rasul ist er denn? Er isst Nahrung und läuft im Markt herum... Sollte nicht ein Engel zu ihm gesandt worden sein, der ihn begleitet als jemanden, der warnt?"

8. „Oder sollte nicht er einen Schatz bekommen haben oder einen Garten mit exklusivem Erzeugnis?" Die Zalims sprachen (zueinander): „Ihr folgt einem Mann, der verhext ist."

9. Siehe, wie sie irregeleitet wurden aufgrund der Vergleiche (inkorrekte Evaluierungen), die sie mit dir begangen haben! Sie können nicht mehr einen Ausweg finden!

10. Erhaben ist derjenige, der, wenn Er es will, euch bessere Dinge als diese geben kann; derjenige, der Paradiese formen kann, unter denen Flüsse fließen und für euch Paläste bauen kann.

11. Aber sie haben die Stunde geleugnet (ihr ewiges Leben, welches nach dem Tode beginnt). Und Wir haben ein flammendes Feuer für diejenigen vorbereitet, die die Konsequenzen dieser Stunde leugnen.

12. Sie werden dessen Aufschrei der Rage und intensivem Stöhnen hören, bevor sie in die Hölle eintreten (während sie sich in der Dimension des Grabes befunden haben).

13. **Wenn sie gebunden sind** (hilflos) **und in einem engen Raum hinein geworfen werden, da werden sie um den Tod bitten** (sie werden realisieren, dass der Tod der einzige Ausweg ist von dem Leiden, welches sie befallen hat).

14. **„Wünscht euch heute nicht einen Tod, sondern viele Tode!** (Aber ihr werdet nicht sterben!)"

15. **Sag: „Ist dies besser oder das Paradies, welches jenen versprochen wurde, die sich selbst beschützen?** Dieses Paradies ist die Konsequenz (der Anforderungen ihres Lebens) **und ein Ort der Rückkehr** (zu ihrer Essenz und Wahrheit des Selbst)."

16. **Sie sollen auf ewig das vorfinden, was auch immer sie sich darin wünschen. Dies ist ein verbindliches Versprechen eures Rabbs!**

17. **Während der Zeit, wo Er sie und jene, die sie angebetet hatten neben Allah, versammeln und sagen wird: „Habt ihr meine Diener irregeführt oder sind sie vom Weg** (welcher zu ihre essentielle Wahrheit führt) **selbst abgewichen?"**

18. **Sie** (die Objekte/Götzen ihrer Anbetung) **werden sagen: „Du bist Subhan! Es ist nicht möglich für uns, neben Dir irgendwelche Wächter zu nehmen. Aber als Du ihnen und ihre Vätern Bequemlichkeiten bereitet hattest, da haben sie das Wissen um die Wahrheit vergessen und haben sich in körperliche Begierden begeben, welche letztendlich zu ihrem Ruin geführt hatte."**

19. (Zu jenen, die sie neben Allah angebetet hatten, wird Er sagen): **„Sie haben wahrlich die Dinge geleugnet, die ihr gesagt hattet. Ihr könnt weder die Kraft haben** (das Leiden) **von euch selbst abzuwenden, noch könnt ihr irgendwelche Hilfe finden! Wer auch immer unter euch Falsches tut, den werden Wir einem gewaltigen Leiden unterziehen."**

20. **Die Rasuls, die Wir vor euch enthüllt hatten, haben auch Nahrung gegessen und liefen in den Märkten herum! Wir haben euch zu Objekten der Prüfung füreinander gemacht... Werdet ihr geduldig sein? Dein Rabb ist derjenige, der Basiyr ist.**

21. **Jene, die nicht erwartet hatten, Uns zu begegnen** (die Manifestierungen Unserer Namen in ihrer Essenz zu erfahren), **sagten: „Sollte nicht ein Engel zu uns herunter gesandt worden sein oder sollten wir nicht fähig sein, unseren Rabb zu sehen** (mit unseren Augen)?" (Unfähig die intrinsische Wahrheit innerhalb ihrer Essenz zu begreifen und fortwährend einen externen Gott zu suchen!) **In der Tat waren sie voller Arroganz und Aufgeblasenheit und sie gingen über ihre Grenzen hinaus und waren ungehorsam.**

22. **Es gibt keine guten Nachrichten für jene, die schuldig sind, die Wahrheit geleugnet zu haben zu der Zeit, wenn sie die Engel sehen! Sie werden sagen: „Es** (die gute Nachricht und die Fähigkeit mit den Kräften der Namen zu administrieren) **wurde euch verboten!"**

23. **Wenn derjenige, der wahrhaftig die Tat begeht, offensichtlich wird, da werden sie begreifen, dass die Tat, die sie getan hatten, ihnen nicht gehört!** (All ihre Taten waren umsonst. Denn während du annimmst, dass du derjenige bist, der die Tat ausführt, ist eigentlich Allah derjenige, der die gute Tat durch dich ausführt!)

24. **Die Bewohner des Paradieses werden die beste Residenz und die feinste Unterkunft für ihre ewige Wohnung haben.**

25. Die Zeit, wo der Himmel (Bewusstsein) **offen geteilt wird mit ihren Wolken** (die Gnade, welche die Realisierung der Wahrheit befähigt) **und die engelhaften Kräfte** (die Realität der Namen) **eines nach dem anderen manifestiert werden!**

26. Die Zeit, wenn die Wahrheit erkannt wird, dass die Herrschaft dem ar-Rahman gehört (erfahren wird)! **Eine Zeit der großen Schwierigkeit für jene, die das Wissen um die Wahrheit leugnen** (die Wahrheit über die Kräfte der Namen innerhalb ihrer Essenz)!

27. Zu der Zeit wird derjenige, der zu sich selbst grausam war (indem er fehlschlug, die Wahrheit seines originalen Selbst zu erfahren) **seine Hände beißen und sagen: „Ich wünschte, ich wäre auf dem Weg des Rasuls gelaufen."**

28. „Wehe mir, ich wünschte, ich hätte mich nicht mit ihm befreundet (der körperliche Satan - die Idee „Ich bin dieser Körper", verursacht durch die Impulse des zweiten Gehirns im Darm)!"**

29. „In der Tat hat es mich weggeführt von der Erinnerung (des Wissens um die Wahrheit, welche mich an meine Essenz erinnern lässt). **Satan** (die Idee, dass man denkt man ist dieser materielle Körper) **ist des Menschen größter Deserteur** (die Kraft, die als Satan bezeichnet wird, d.h. die Illusion der körperlichen Kraft, verlässt letztendlich den Menschen und lässt ihn auf ewig kraftlos sein)."

30. Der Rasul (derjenige, der seine essentielle Wahrheit LIEST) **sagte: „Oh Rabb! In der Tat hat mein Volk den Koran verlassen** (anstatt die Anforderungen ihrer essentiellen Wahrheit zu erfahren und auszuleben, haben sie sich den körperlichen Begierden zugewandt)!"**

31. Und deshalb haben sich für jeden Nabi Feinde geformt unter den Leugnern der Wahrheit. Dein Rabb, welcher deine essentielle Wahrheit ausmacht, ist ausreichend als Hadi (derjenige, der die essentielle Wahrheit erreichen lässt) **und als Nasir** (derjenige, der damit behilflich ist, die Wahrheit zu erreichen; derjenige, der den Sieg erreichen lässt).

32. Diejenigen, die das Wissen um die Wahrheit leugnen, sagen: „Der Koran hätte zu ihm auf einmal enthüllt werden sollen (wie die Bücher, die zu den Kindern Israels gekommen sind)." (Wobei) **Wir** (es auf solch eine Weise enthüllt hatten), **damit es sich in deinem Herzen** (Fuad: die Spiegelung der Bedeutungen der Namen zum Bewusstsein; die Kapazitätserweiterung im Gehirn durch die Herzneuronen) **verankert und damit du es in Sektionen rezitierst** (so dass du jede genannte Eigenschaft innerhalb deiner eigenen Essenz findest).

33. Jedes Mal als sie zu dir kamen mit einem Problem, da sind Wir zu dir gekommen mit der besten Erklärung und als die Wahrheit.

34. Jene, die in der Hölle versammelt werden, deren Essenzen sich verdunkelt haben und dessen Gesichter herabgesenkt sind, sind diejenigen, die am schlechtesten im Rang und am meisten abgekommen sind vom Weg.

35. In der Tat gaben Wir Moses das Wissen um die Wahrheit und die Instruktionen der Anwendung und haben seinen Bruder Aaron als einen Assistenten ernannt.

36. Dann sagten Wir: „Geht beide zum Volk, welches Unsere Zeichen in ihrer Existenz leugneten!" Und Wir machten sie erbärmlich!

37. Und als das Volk Noahs ihren Rasul leugneten, da haben Wir sie ertrinken lassen und haben sie zu einer beispielhaften Lehre für die Menschen gemacht. Wir haben für die „Zalims" (A.d.Ü. Diejenigen, die grausam zu ihrem eigenen Selbst sind, weil sie sich aufgrund ihres Denkens die Rechte zur Glückseligkeit ihres ewigen Daseins berauben) **ein katastrophales Leiden vorbereitet.**

38. **Und Aad** (das Volk von Hiob) **und Samud** (das Volk von Methusalem) **und die Gefährten der „Rass"** (der instabile Brunnen) **und viele Generationen zwischen ihnen...**

39. **Wir haben jeden von ihnen Lehren erteilt.** (Am Ende) **haben Wir sie alle zerstört.**

40. **Wahrlich kamen sie zu der Stadt, worauf Wir den Zorn haben regnen lassen** (die zerstörte Stadt des Volkes von Lot). **Haben sie es nicht gesehen? Nein! Sie hatten es nicht erwartet, wiederaufzuerstehen und zu ihrer Essenz nach dem Tod zurückzukehren!**

41. **Wenn sie dich sehen, dann haben sie nur Spott für dich übrig: „Ist dies derjenige, den Allah als Rasul enthüllt hatte?"**

42. **„Wenn wir nicht uns** (an unsere Göttern) **beharrlich festgehalten hätten, dann würde er** (der Rasul) **uns definitiv von unseren Göttern weggeführt haben"... Wenn sie das Leiden sehen, dann werden sie wissen, wessen Weg irreleitet.**

43. **Habt ihr nicht denjenigen gesehen, der seine „Hawa"** (Leidenschaft: instinktive Begierden, grundlose Ängste, seine Körperlichkeit) **vergöttert! Wirst du sein Repräsentant sein?**

44. **Denkt ihr wirklich, dass die meisten unter ihnen hören oder ihren Intellekt benutzen können? Sie sind wie Vieh, nein, vielleicht sind sie sogar mehr irregeleitet auf ihrem Weg** (ein Mensch zu sein)!

45. **Habt ihr nicht gesehen, wie dein Rabb den Schatten** (das Ego) **verlängert hat** (wenn die Sonne der Wahrheit noch nicht vollständig aufgegangen ist)? **Hätte Er es gewollt, dann hätte Er es definitiv „Sakinah"** (die Ruhe/Stille: konstant und bewegungslos) **gegeben... Dann haben Wir die Sonne** (die Bewusstheit über die Wahrheit) **als Beweis für sie hervorgebracht.**

46. **Dann haben Wir es zu Uns zurückgezogen** (diesen verlängerten Schatten, also Ego ergriffen) **mit einem erleichterten Zug** (es seine Nichtigkeit spüren lassen mit der Bewusstheit der Wahrheit).

47. **Er ist es, der die Nacht als Bedeckung und den Schlaf als eine Form des Todes für euch bereit hat. Und den Tag als eine Zeit des Aufstehens** (Erwachen).

48. **Es ist HU, der die Winde als Botschaften Seiner Gnade** (Regen) **schickt. Wir lassen reines Wasser vom Himmel herabsteigen.**

49. **So dass Wir Leben zu einer toten Erde bringen und es mit zahlreichen Tieren und Menschen Unserer Schöpfung nähren mögen.**

50. **Wahrlich haben Wir es** (den Koran) **ihnen auf viele Weisen erklärt** (so dass sie sich daran erinnern mögen und darüber tief nachdenken können). **Aber die Mehrheit der Menschen leugnen die Wahrheit.**

51. **Wenn Wir es gewollt hätten, dann hätten Wir in jeder Stadt jemanden enthüllt, der warnt.**

52. **Folge nicht jenen, die das Wissen um die Wahrheit leugnen, sei mühsam bestrebt mittels diesem** (den Koran) **mit all deiner Kraft gegen sie zu sein!**

53. Es ist HU, der die zwei Körper des Ozeans herausgibt (reines, universales Bewusstsein und individuelles, körperliches Bewusstsein); **eines ist süß** (das Originale Ich – die Bedeutung des wahren Menschen) **und das andere salzig und bitter** (das geformte Ich, das Bewusstsein, welches annimmt, dass es selbst der tierische Körper ist)**! Und es wurde eine Barriere der Feindschaft (Opposition) zwischen ihnen geformt** (erinnert euch am Vers „steigt herab als Feinde zueinander")**!

54. Es ist HU, der einen Menschen (den biologischen Körper des Menschen) **aus Wasser erschuf und der den Bund des Blutes** (genetisch basiert) **und die Ehe formte! Dein Rabb ist derjenige, der Kaadir ist.**

55. Sie beten Dinge an (den Gott, den sie angenommen haben) **neben Allah, die ihnen weder Nutzen noch Schaden bringen können! Jemand, der das Wissen um die Wahrheit leugnet, unterstützt jenes, welches gegen seinen Rabb ist.**

56. Wir haben dich nur als Überbringer froher Nachrichten und als jemanden enthüllt, der warnt.

57. Sag: „Das Einzige, worum ich euch als Gegenleistung frage, ist, dass ihr euren Weg zu eurem Rabb findet!"

58. Setzt euer Vertrauen in denjenigen, der ewig lebt und niemals stirbt (der eure Essenz mit Seinen Eigenschaften umgibt) **und glorifiziert** (tasbih) **Ihn** (mit Seinem Hamd)**! Es ist ausreichend, dass Er Khabiyr** (bewusst) **ist über die Fehler Seiner Diener!**

59. Er ist es, der die Himmel, die Erde und alles dazwischen in sechs Phasen erschuf und dann Seine Souveränität auf dem Thron etablierte (die unterschiedlichsten Wellen von Daten im Wellenozean, welche mit den Eigenschaften der Namen Allahs erschaffen wurden). **Er ist derjenige, der Rahman ist! Fragt jemanden, der Khabiyr** (über die Wahrheit informiert ist) **über Ihn ist!**

60. Wenn ihnen gesagt wurde: „Werft euch zum Rahman nieder" (d.h. spürt eure Nichtigkeit aus der Sicht eurer Essenz, welche darauf basiert, dass ihr aus Namen und Eigenschaften [Asma ul Husna] besteht, die euch nicht gehören; d.h ihr habt darüber keinerlei Macht und Kontrolle.)**! Da sagen sie: „Was ist Rahman? Warum sollten wir uns zu etwas niederwerfen, wozu du uns befiehlst?" Diese** (Empfehlung) **vermehrt ihren Hass nur noch mehr.** (Dies ist ein Vers der Niederwerfung.)

61. So erhaben ist Er, der die Konstellationen (Sternzeichen) **im Himmel und der ein Objekt** (die Sonne – Energiequelle) **der Strahlung** (Nuur) **und eine erleuchtende Reflexion** (Mond- Reflexion von Licht) **formt!** (Jedes von ihnen hat seine Funktion.)

62. Es ist HU, der die Nacht und den Tag als Nachfolger zueinander macht für diejenigen, die die Wahrheit realisieren und bewerten möchten.

63. Die Diener des Rahmans (jene, die sich bewusst sind bezüglich ihrer Essenz basierend auf Seinen Namen) **leben auf der Erde** (im Körper) **bewusst und ohne Ego. Wenn die Ignoranten** (diejenigen, die von der Wahrheit verschleiert sind) **versuchen, sie zu provozieren, da sagen sie: „Salaam!"**

64. Sie verbringen ihre Nächte in der Niederwerfung (mit der Bewusstheit ihrer Nichtigkeit) **und im Stehen** (Kiyam: Sie stehen in der Beobachtung desjenigen, der innerhalb ihrer Essenz „Kayyum" ist) **vor ihrem Rabb.**

65. Sie sagen: „Unser Rabb... Halte das Leiden der Hölle von uns ab! Denn in der Tat ist sein Leiden eine Tortur für den Menschen!"

66. „Wahrlich dieser Zustand und Ort des Brennens ist grauenhaft!"

67. Sie sind jene, die weder verschwenden, wenn sie geben, noch geizig zurückhalten. Sie halten eine gerechtes Maß zwischen beiden.

68. Sie wenden sich nicht einem Gott zu neben Allah oder nehmen ein Leben, welches Allah verboten hat zu nehmen außer durch Recht (Vergeltung) und sie begehen nicht „Zina" (sexuelle Beziehung außerhalb der Ehe). Und wer auch immer dies tut, wird das Resultat ausleben!

69. Das Brennen wird für denjenigen multipliziert am Tag der Auferstehung und er wird auf ewig erniedrigt sein (verbannt, alleine).

70. Außer für denjenigen, der um Vergebung bittet, glaubt und die Anforderungen seines Glaubens erfüllt! Allah wird ihre schlechten Taten in gute umwandeln. Allah ist Ghafur und Rahim.

71. Und wer auch immer um Vergebung bittet und aufrechte Taten erfüllt, der wird zu Allah zurückkehren als jemanden, dem vergeben wurde.

72. Sie sind jene, die niemals falsches Zeugnis abgeben. Wenn sie mit Gerüchten und leerem Gerede konfrontiert werden, dann gehen sie weiter mit Ehre und Würde.

73. Wenn sie erinnert werden an die Zeichen der Existenz ihres Rabbs innerhalb ihres Wesens (Essenz), dann verweilen sie nicht taub und blind (zu dieser Wahrheit)!

74. Sie sagen: „Unser Rabb... Gewähre uns Partner (oder Körper) und Kinder (die Früchte unserer körperlichen Bemühungen), welche uns Freude (paradiesisches Leben) und uns zu Führern machen, die es wert sind, gefolgt zu werden für jene, die beschützt werden wollen."

75. Sie werden mit Villen (höhere Zustände des Lebens) belohnt werden, weil sie geduldig waren (wider den Bedingungen des weltlichen und körperlichen Lebens)! Dort werden sie mit Leben und Salaam (die Anwendungen der Kräfte der Namen) begrüßt werden.

76. Sie werden dort auf ewig sein. Welch eine gesegnete Station und Stufe!

77. Sag: „Wenn es nicht wegen eures Gebets wäre, dann würde mein Rabb euch nicht als wichtig erachten! Definitiv habt ihr geleugnet. Bald werdet ihr die unausweichliche Konsequenz ausleben!"

Mit demjenigen, der durch den Namen Allah erwähnt wird (der mein Wesen mit Seine Namen erschaffen hat im Anwendungsbereich des Buchstabens „B"), **der Rahman und Rahim ist.**

1. Ta, Sin, Meem.

2. Dies sind die Zeichen des klaren Wissens (Sunnatullah).

3. Wirst du dich selbst ruinieren, weil sie nicht glauben?

4. Wenn Wir es wollten, dann könnten Wir ein Wunder von den Himmeln auf ihnen herabsteigen lassen und sie würden gezwungen sein, ihren Hals zu beugen und den Befehl zu akzeptieren!

5. Aber wann immer eine neue Erinnerung vom ar-Rahman zu ihnen kommt, dann drehen sie sich weg.

6. In der Tat haben sie geleugnet! Aber die Nachricht bezüglich der Sache, die sie verspotten, wird zu ihnen bald kommen.

7. Haben sie nicht die Erde gesehen, wie viel Wir darin produziert und hochgezogen haben von jedem großzügigen Paar (Doppelhelix DNS)?

8. In der Tat ist hierin ein Zeichen. Aber die meisten von ihnen haben nicht geglaubt (an die Wahrheit, an ihrer eigenen Wahrheit).

9. In der Tat ist dein Rabb HU, Aziz und Rahim.

10. Und erinnert euch als euer Rabb zu Moses rief: „Geh zum Volk, welches grausam ist!"

11. „Zum Volk von Pharao. Werden sie keine Furcht zeigen und sich beschützen wollen?"

12. (Moses) sagte: „Mein Rabb, ich befürchte, dass sie mich leugnen werden!"

13. „Ich fühle mich beengt und sprachlos, ernenne Aaron (für diese Aufgabe stattdessen)!"

14. „Ich befürchte, dass sie mich töten werden, denn ich bin schuldig eines Verbrechens, worauf sie ein Anrecht haben!"

15. Er sagte: „Nein! Niemals!... Geht beide, als Unsere Zeichen und Beweismittel. In der Tat sind Wir EINS mit euch, Wir sind diejenigen, die hören."

16. „Geht beide zum Pharao und sagt: „In der Tat sind wir die Rasuls des Rabb der Welten (der Schöpfer aller Dinge in der Existenz durch die Eigenschaften Seiner Namen)."

17. „Entsende die Kinder Israels mit uns."

18. (Pharao) sagte: „Haben wir dich nicht erzogen und ernährt, während du unter uns noch ein Kind warst? Hast du nicht viele Jahre deines Lebens mit uns verbracht?"

19. „Und du hast diese Tat getan (jemanden vom Volk des Pharaos getötet)! Du gehörst zu den Undankbaren!"

20. (Moses) sagte: „Als ich diese Tat getan hatte, war ich mir nicht bewusst, was ich tat."

21. „Also bin von euch aus Furcht geflohen... Dann hat mir mein Rabb einen Befehl gegeben und mich zu einen von den Rasuls ernannt."

22. „Und diesen Gefallen, an dem du mich erinnerst, ist nichts weiter als das Resultat deiner Versklavung der Kinder Israels!"

23. Pharao sagte: „Und was ist der Rabb der Welten?"

24. (Moses) sagte: „Der Rabb (der Schöpfer anhand Seiner Namen) der Himmel, der Erde und alles, was sich dazwischen befindet, falls ihr zu denjenigen gehört, die die Nähe haben (dann werdet ihr es wissen)!"

25. (Pharao) sagte zu denjenigen um ihn herum: „Hört ihr ihn?"

26. (Moses) sagte: „Dein Rabb und der Rabb deiner Vorväter."

27. (Pharao) sagte: „Dieser Rasul, der zu euch enthüllt wurde, ist definitiv besessen." (Die Mehrheit der Rasuls wurden bezichtigt, besessen zu sein, nachdem sie die Wahrheit verkündet hatten.)

28. (Moses) sagte: „Der Rabb des Ostens, des Westens und alles, was sich dazwischen befindet, falls ihr euren Verstand benutzt!"

29. (Pharao) sagte: „In der Tat, falls du irgendetwas neben mir als Gott annimmst, dann werde ich dich definitiv einsperren!"

30. (Moses) sagte: „Selbst, wenn ich zu dir gekommen bin mit etwas Offensichtlichem (einem Beweis)?"

31. (Pharao) sagte: „Dann zeig es, falls du zu denen gehörst, die die Wahrheit sagen?"

32. (Moses) ließ seinen Stab los und plötzlich erschien es als eine Schlange!

33. (Moses) zog seine Hand (aus seinem Hemd heraus), die Betrachtenden sahen, dass es ganz weiß war!

34. (Pharao) sagte zu seinen Führern: „In der Tat ist er ein gelernter Magier."

35. „Er will euch aus eurem Land verbannen mit seiner Magie.... Was empfiehlt ihr?"

36. Sie sagten: „Ergreift ihn und seinen Bruder... Und entsendet Boten zu den Städten."

37. „Sie sollen alle gelernten Magier zu dir kommen lassen!"

38. Also haben sich die Magier zu einer spezifischen Zeit und an einem bestimmten Ort sich versammelt.

39. Es wurde den Menschen gesagt: „Habt ihr euch alle versammelt?"

40. „Falls sie siegreich sind, dann werden wir höchstwahrscheinlich den Magiern folgen," sagte das Volk.

41. Als die Magier ankamen, da sagten sie zum Pharao: „Und was ist, wenn wir siegen, werden wir dann belohnt?"

42. „Ja," (sagte der Pharao) ... „In diesem Fall würdet ihr zu jenen gehören, die mir ganz nah sind."

43. Moses sagte zu ihnen: „Werft (nieder), was sich in euren Händen befindet!"

44. Also warfen sie ihre Seile und Stäbe und sagten: „Mit der Ehre des Pharaos, wahrlich wir werden siegreich sein."

45. Dann warf Moses seinen Stab und sofort verschlang es jenes, was sie haben erscheinen lassen!

46. Als sie dies sahen, haben die Magier sich sofort vor Moses niedergeworfen!

47. Sie sagten: „Wir glauben an den Rabb der Welten."

48. „Den Rabb von Moses und Aaron!"

49. (Pharao) sagte: „Habt ihr an Ihn ohne meine Erlaubnis geglaubt? Zweifelsohne ist er euer Lehrer in der Magie... Bald werdet ihr es wissen... Ich werde eure Hände und Füße auf der gegenseitigen Stelle abschneiden und werde euch alle kreuzigen lassen."

50. (Die Magier, die jetzt geglaubt hatten) sagten: „Es gibt keinen Schaden! Zweifelsohne werden wir zu unserem Rabb zurückkehren."

51. „Als die ersten Gläubigen hoffen wir, dass unser Rabb uns unsere Fehler vergeben wird."

52. Wir offenbarten an Moses: „Brecht auf mit Unseren Dienern in der Nacht. Ihr werdet verfolgt werden."

53. Pharao hatte Boten zu den Städten entsandt...

54. „Sie (die Kinder Israels) sind eine unbedeutende Minderheit!"

55. „Aber sie erzürnen uns!"

56. „Zweifelsohne sind wir eine gut vorbereitete Gruppe," sagte der Pharao.

57. Und so haben Wir sie aus ihren Gärten und Quellen herausgenommen.

58. Aus ihren Schätzen und ihrem Wohlstand!

59. Und so war es... Und dann haben Wir die Kinder Israels zu ihren Erben ernannt (der Dynastie vom Pharao).

60. (Pharao und seine Armee) verfolgte sie als die Sonne aufging.

61. Als die zwei Gruppen sich ansahen, da sagte Moses Gefährten: „Sie haben uns eingeholt."

62. „Nein!" sagte Moses. „Mein Rabb ist mit mir, Er wird uns den Weg zeigen (zur Errettung)!"

63. Wir offenbarten an Moses: „Schlag auf dem Meer mit deinem Stab"... (Als er dies tat) teilte sich das Meer in zwei; jedes Teil war wie ein riesiger Berg.

64. Wir haben die anderen (die folgten) auch diesen Ort sich annähern lassen.

65. Dann retteten Wir Moses und alle anderen um ihn herum.

66. Dann ließen Wir die anderen ertrinken.

67. Zweifelsohne gibt es ein Wunder, eine Lektion hierin! Aber die Meisten von ihnen haben nicht geglaubt.

68. In der Tat ist dein Rabb HU, Aziyz und Rahim.

69. Erzähl ihnen auch über Abraham.

70. Wie er seinen Vater und seinem Volk gefragt hatte: „Was ist das, welches ihr dient?"

71. Sie sagten: „Wir dienen unseren Götzen; wir sind ständig damit beschäftigt."

72. (Abraham) sagte: „Hören sie euch, wenn ihr zu ihnen betet?"

73. „Oder helfen sie oder schaden sie euch?"

74. Sie sagten: „Nein!" Aber wir haben auch gesehen, wie unsere Vorväter das gleiche getan hatten (also imitieren wir sie)!"

75. (Abraham) sagte: „Denkt nach! Was dient ihr eigentlich...?"

76. „Ihr und eure Vorväter!"

77. „Sie sind definitiv meine Feinde... Nur der Rabb der Welten..."

78. „Der mich erschaffen hatte... Er ist es, der mich rechtleitet (zu meiner essentiellen Wahrheit)."

79. „Derjenige, der mir Essen und Trinken gibt."

80. „Er ist es, der mich heilt, wenn ich krank bin."

81. „Und der das Leben nimmt und Leben gibt."

82. „Und Er ist es, von dem ich hoffe, dass Er mir vergibt für meine Fehler während der Periode, wenn die Gesetze der Religion in Kraft treten."

83. „Mein Rabb, gib mir einen Urteil und schließe mich ein unter den Aufrechten!"

84. „Und erlaube mir, die Wahrheit zu verkünden an die Generationen, die nach mir kommen werden!"

85. „Mache aus mir einen der Erben Deines Paradieses des Segens!"

86. „Vergib meinem Vater! Zweifelsohne ist er einer von denen, die irregeleitet sind vom rechten Glauben!"

87. „Erniedrige mich nicht während des Tages der Auferstehung!"

88. „Die Zeit, wo weder Reichtum noch Söhne irgendeine Hilfe sind."

89. „Nur jemand, der zu Allah gekommen ist mit einem rechten Herzen (Kalb-i-Saliym: In dessen Bewusstsein sich die Wahrheit manifestiert hat)!"

90. Paradies (das paradiesische Leben) wurde denjenigen, die beschützt sind, nahe gebracht.

91. Und für diejenigen, die von der Wahrheit pervertiert wurden, die Hölle wurde vor ihnen hingestellt!

92. Sie sind gefragt worden: „Was sind die Dinge, die ihr angebetet habt?"

93. „Die Dinge, die ihr neben Allah angebetet habt... Können sie euch helfen oder können sie sogar sich selbst helfen?"

94. Sie (die Dinge, die ihr angebetet habt) und jene von euch, die von ihrer essentiellen Wahrheit pervertiert sind und Götzen angebetet haben, werden in die Hölle geworfen werden!

95. Und so werden auch die Armeen von Iblis (dort hineingeworfen werden).

96. Sie argumentieren darin und sagen:

97. „Bei Allah, wir befanden uns definitiv in offensichtlicher Korruption!"

98. „Wir haben dich mit dem Rabb der Welten gleichwertig gehalten."

99. „Es waren die Schuldigen (die die Wahrheit geleugnet hatten), die uns irregeleitet haben."

100. „Und so haben wir keinen, der für uns Fürbitte leistet."

101. „Und wir haben keinen vertrauenswürdigen Freund."

102. „Wenn wir doch nur zurückgehen könnten (zur Wahrheit) und die Ergebnisse des Glaubens erreichen könnten."

103. Es gibt hierin definitiv eine Lehre... Die Meisten von ihnen haben nicht geglaubt (an ihrer essentiellen Wahrheit).

104. Zweifelsohne ist dein Rabb HU, derjenige, der Aziz und Rahim ist.

105. Das Volk von Noah hat auch die Rasuls geleugnet.

106. Als ihr Bruder Noah zu ihnen sagte: „Habt ihr keine Furcht und lasst ihr keine Vorsicht walten?"

107. „Zweifelsohne bin ich ein vertrauenswürdiger Rasul für euch."

108. „Deshalb beschützt euch selbst vor Allah (denn Er wird euch definitiv die Resultate euer Taten ausleben lassen) und gehorcht mir!"

109. „Ich frage euch nicht um irgendeine Gegenleistung... Es ist der Rabb der Welten, der mir die Gegenleistung meiner Arbeit ausleben lassen wird!"

110. „Deshalb beschützt euch vor Allah (denn Er wird euch definitiv die Konsequenzen eurer Taten ausleben lassen) und gehorcht mir!"

111. Sie sagten: „Warum sollten wir an dich glauben, wenn dein Befolger jene sind, die zur untersten Klasse gehören?"

112. (Noah) sagte: „Ich habe kein Wissen bezüglich das, was sie tun..."

113. „Mein Rabb kennt die Resultate ihres Handelns... Wenn ihr doch nur darüber Bewusstheit erlangt hättet!"

114. „Ich bin nicht einer, der die Gläubigen hinfort jagt!"

115. „Ich bin nur jemand, der offensichtlich warnt!"

116. Sie sagten: „Zweifelsohne, oh Noah, wenn du nicht davon ablässt, dann wirst du zu Tode gesteinigt werden!"

117. (Noah) sagte: „Mein Rabb... Mein Volk hat mich definitiv abgelehnt!"

118. „Deshalb trenne mich von ihnen (so dass sie das bekommen, was sie verdienen, denn während ein Rasul noch unter ihnen weilt, kann das Leiden nicht kommen) **und rette mich und jene, die mit mir sind, die zu den Gläubigen gehören.**"

119. **Also retteten Wir ihn und die Arche, welches gefüllt war mit jenen, die mit ihm waren.**

120. **Dann haben Wir den Rest ertrinken lassen!**

121. **In der Tat gibt es hierin ein Wunder, eine Lehre... Aber die Mehrheit von ihnen glauben nicht!**

122. **In der Tat ist dein Rabb HU, derjenige, der Aziz ud Rahim ist.**

123. **Aad** (das Volk von Hiob) **hatten auch die Rasuls abgelehnt.**

124. **Als ihr Bruder Hiob sagte: „Fürchtet ihr euch nicht** (und beschützt ihr euch nicht)?"

125. **„Zweifelsohne bin ich ein vertrauenswürdiger Rasul für euch.**"

126. **„Deshalb beschützt euch selbst vor Allah** (denn Er wird euch definitiv die Resultate eurer Taten ausleben lassen) **und gehorcht mir!**"

127. **„Ich frage euch nicht um irgendeine Gegenleistung... Es ist der Rabb der Welten, der mir die Gegenleistung meiner Arbeit ausleben lassen wird!**"

128. **„Baut ihr nicht Häuser auf jedem Hügel und amüsiert ihr euch nicht?**"

129. **„Und baut ihr nicht schlossähnliche Häuser, als ob ihr ewig leben würdet?**"

130. **„Ihr vertraut auf eure Kraft und beseitigt alle Rechte und ergreift alles, was ihr könnt!**"

131. **„Deshalb beschützt euch selbst vor Allah** (denn Er wird euch definitiv die Resultate eurer Taten ausleben lassen) **und gehorcht mir!**"

132. **„Beschützt euch vor dem Einen, der euch mit allen Segen unterstützt, die ihr kennt.**"

133. **„Und der euch Vieh** (Opfertiere) **und Söhne gab.**"

134. **„Und Gärten und Quellen...**"

135. **„Zweifelsohne fürchte ich mich für euch, denn das Leiden einer gewaltigen Zeit lastet auf euch.**"

136. **Sie sagten: „Ob du uns warnst oder nicht, für uns spielt es keine Rolle!**"

137. **„Dies sind nur Märchen aus vergangenen Tagen!**"

138. **„Und wir werden nicht irgendwelchem Leiden unterworfen werden!**"

139. **Und so haben sie ihn abgelehnt und Wir hatten sie zerstört! In der Tat ist hierin ein Wunder, eine Lehre! Aber die Mehrheit von ihnen glauben nicht.**

140. **In der Tat ist dein Rabb HU, derjenige, der Aziz und Rahim ist.**

141. **Samud hatte auch die Rasuls abgelehnt.**

142. **Ihr Bruder Methusalem sagte zu ihnen: „Werdet ihr euch nicht fürchten und Bewusstheit erlangen?**"

143. „Ich bin zweifelsohne ein vertrauenswürdiger Rasul."

144. „Deshalb beschützt euch selbst vor Allah (denn Er wird euch definitiv die Resultate eurer Taten ausleben lassen) und gehorcht mir!"

145. „Ich frage euch nicht um irgendeine Gegenleistung... Es ist der Rabb der Welten, der mir die Gegenleistung meiner Arbeit ausleben lassen wird!"

146. „Denkt ihr, dass ihr auf ewig sicher sein werdet (gleichgültig, was ihr tut)?"

147. „Innerhalb von Paradiesen (Gärten) und Quellen..."

148. „Mit Ernte und Dattelpalmen mit Fruchtknospen!"

149. „Geschickt und freudig Häuser auf den Bergen bauend!"

150. „Deshalb beschützt euch selbst vor Allah (denn Er wird euch definitiv die Resultate euer Taten ausleben lassen) und gehorcht mir!"

151. „Befolgt nicht den Befehlen jener, die ihre Autorität ausnutzen!"

152. „Sie (jene, die ihre Autorität ausnutzen) richten die Menschen in der Welt zum Falschen aus, sie sind keine Verbesserer."

153. Sie sagten: „Du bist verhext worden (du stehst unter einer Beeinflussung)."

154. „Du bist nur ein Mensch wie wir (aber du denkst, dass du anders bist)! Dann zeig uns ein Wunder, falls du den „Sadik" genannten gehörst (jene, die die Wahrheit ausleben)."

155. (Methusalem) sagte: „Hier ist ein (unbeaufsichtigtes) weibliches Kamel... Sie hat eine Berechtigung Wasser zu trinken, wie eure Kamele es haben..."

156. „Tut ihr nichts Schlechtes an, (sonst) wird euch eine Periode eines gewaltigen Leidens überkommen."

157. (Ohne, die Warnung zu beachten) hatten sie es grausam geschlachtet; am Ende hatten sie es sehr bereut.

158. Und so hat das Leiden sie getroffen! In der Tat ist hierin ein Zeichen, eine Lehre... Aber die Mehrheit von ihnen haben nicht geglaubt!

159. In der Tat ist dein Rabb HU, derjenige, der Aziz und Rahim ist.

160. Das Volk von Lot hatte auch die Rasuls abgelehnt.

161. Als ihr Bruder Lot sie fragte: „Fürchtet ihr euch nicht und werdet ihr keine Bewusstheit erlangen?"

162. „Zweifelsohne bin ich ein vertrauenswürdiger Rasul für euch."

163. „Deshalb beschützt euch selbst vor Allah (denn Er wird euch definitiv die Resultate eurer Taten ausleben lassen) und gehorcht mir!"

164. „Ich frage euch nicht um irgendeine Gegenleistung... Es ist der Rabb der Welten, der mir die Gegenleistung meines Dienstes ausleben lassen wird!"

165. „Wünscht ihr es (die Frauen zu verlassen) und (stattdessen) mit Männern zu schlafen?"

166. „Ihr verlasst eure Frauen, welche euer Rabb für euch erschaffen hat! Nein, ihr seid in der Tat ein Volk, welches alle Grenzen überschreitet!"

167. Sie sagten: „Oh Lot, falls du nicht davon ablässt (von deinem Belehren), dann wirst du definitiv (von hier) verbannt werden!"

168. (Lot) sagte: „Wahrlich, diese Taten von euch sind bei mir verhasst!" (Bemerkt, dass der Hass, der geäußert wurde, die Tat meint, nicht den Täter.)

169. „Mein Rabb, rette mich und meine Leute von dem, was sie tun."

170. Also retteten Wir ihn und seine Leute.

171. Außer der alten Frau (die Ehefrau von Lot, die nicht geglaubt hatte), die es nicht gewünscht hatte, sich ihnen anzuschließen!

172. Dann haben Wir den Rest total zerstört!

173. Und Wir ließen solch ein Regen auf ihnen herab! Wie schlimm der Regen doch ist, welcher auf die Vorgewarnten herabfällt!

174. In der Tat ist hierin ein Zeichen, eine Lehre... Aber die Mehrheit von ihnen haben nicht geglaubt.

175. Zweifelsohne ist dein Rabb HU; derjenige, der Aziz und Rahim ist.

176. Die Bewohner des Waldes (das Volk von Schuaib) hatten auch die Rasuls abgelehnt!

177. Als Schuaib zu ihnen sagte: „Habt ihr keine Furcht und werdet ihr keine Bewusstheit erlangen?"

178. „Zweifelsohne bin ich ein vertrauenswürdiger Rasul für euch."

179. „Deshalb beschützt euch selbst vor Allah (denn Er wird euch definitiv die Resultate eurer Taten ausleben lassen) und gehorcht mir!"

180. „Ich frage euch nicht um irgendeine Gegenleistung... Es ist der Rabb der Welten, der mir die Gegenleistung meines Dienstes ausleben lassen wird!"

181. „Gebt volles Maß... Legt die Menschen nicht herein mit der Waage und verursacht für sie keinen Verlust!"

182. „Wiegt mit korrekten Waagen!"

183. „Beraubt die Menschen nicht ihrer Rechte und korrumpiert nicht die Ordnung; begeht im Lande keine Maßlosigkeit."

184. „Beschützt euch vor dem Einen, der euch und jene, die vor euch waren, erschaffen hatte (da ER euch die Resultate eurer Taten ausleben lassen wird, wie Er sie auch diejenigen hat ausleben lassen, die vor euch gelebt hatten)!"

185. „Sie sagten: „Du bist verhext (stehst unter einer Beeinflussung)!"

186. „Du bist ein Mensch, wie wir es sind! Wir glauben, dass du ein Lügner bist!"

187. „Falls du zu den „Sadik" genannten gehörst (jene, die die Wahrheit ausleben), dann veranlasse, dass Fragmente vom Himmel auf uns herabfallen."

188. (Shuaib) sagte: „Mein Rabb (als der Schöpfer) weiß viel besser, was ihr tut."

189. Und so haben sie ihn geleugnet und das intensive Leiden jenen schwarzen Tages holte sie ein. Zweifelsohne war es eine gewaltige Periode eines Leidens.

190. In der Tat ist hierin auch ein Zeichen, eine Lehre... Aber die Mehrheit von ihnen haben nicht geglaubt!

191. In der Tat ist dein Rabb HU; derjenige, der Aziz und Rahim ist.

192. Zweifelsohne ist (der Koran) eine Enthüllung vom Rabb der Welten (ein dimensionaler Übergang von deiner essentiellen Wahrheit, der Bewusstseinsstufe der Namen [Al Asma ul Husna] zu deinem Bewusstsein)!

193. Die „Vertrauenswürdige Seele" (das ausgelebte Wissen um die Namen, welche zu deinem Herz sich spiegelte) enthüllte sich mit Ihm (Gabriel)!

194. Zu deinem Herzen (Bewusstsein), so dass du zu denjenigen gehören kannst, die warnen (basierend auf diesem Wissen)!

195. In einer klaren arabischen Sprache!

196. Und zweifelsohne hat es (das Wissen um die Wahrheit) auch einen Teil der Weisheit jener geformt, die vor euch waren.

197. War es nicht ein Beweis für sie, dass es bei den Gelehrten der Kinder Israels bekannt war?

198. Wenn Wir es enthüllt hätten an jemanden, der kein arabisch könnte.

199. Und er es ihnen vorgelesen hätte, dann würden sie es trotzdem nicht geglaubt haben.

200. Und so geben Wir es ein in dem Verstand jener, die schuldig sind (der Leugnung der Wahrheit)!

201. Sie glauben nicht bis sie ein tragisches Leiden sehen.

202. Es (die Todesqual) kommt zu ihnen plötzlich, zu einer Zeit, wo sie es am geringsten erwarten! (Der Tod ist die größte Qual, das größte Leiden. Denn durch die Erfahrung des Todes beobachtet die Person ihre essentielle Wahrheit und begreift wie sehr sie fehlgeschlagen hatte, ihre essentielle Wahrheit das gebührende Recht zu geben und dass jetzt nicht mehr die Möglichkeit besteht dafür zu kompensieren und so verfällt sie in einem Leiden, welches tief in Innern ihren Ursprung nimmt.)

203. Und sie sagen: „Wird uns zusätzliche Zeit gegeben?"

204. Wollen sie, dass Wir die Manifestierung Unserer Strafe auf sie beschleunigen?

205. Und so siehst du... Wenn Wir ihnen Vergnügen für viele Jahre geben mit den unterschiedlichsten Segen,

206. Dann kommt das Ereignis, über welches sie gewarnt wurden, zu ihnen...

207. Weder ihre Besitztümer noch die Vergnügen, die sie genossen hatten, werden ihnen irgendwelche Nutzen geben!

208. Und so hatten Wir noch nie eine Stadt zerstört zu der keiner kam, der nicht gewarnt hatte.

209. (Zuerst) wird eine Erinnerung gegeben! Wir sind nicht ungerecht!

210. Es waren nicht die Satane, die (den Koran) geformt hatten!

211. Es ziemt sich nicht für sie, es zu tun! Noch haben sie die Kraft, es zu tun!

212. Sie sind zweifelsohne entbehrt der Kapazität wahrzunehmen!

213. Deshalb wende dich nicht zu irgendeinem Konzept eines Gottes oder Gottheit, wenn (die Wahrheit über) Allah (gänzlich offensichtlich ist)! Sonst wirst du zu jenen gehören, die dem Leiden unterstellt werden!

214. Fang an zu warnen mit denen, die dir am Nächsten sind!

215. Nimm diejenigen, die dir folgen unter den Gläubigen, unter deine Arme!

216. Falls sie nicht gehorchen, dann sag: „Ich bin frei (nicht damit zu assoziieren) von dem, was du tust!"

217. Setzt euer Vertrauen in demjenigen, der Aziz und Rahim ist (zu den Namen, die eure essentielle Wahrheit ausmachen)!

218. Der euch sieht, wenn ihr aufsteht (um eure Funktion zu erfüllen) ...

219. Und dass ihr zu jenen gehört, die sich niederwerfen!

220. In der Tat ist Er HU; derjenige, der Sami und Aliym ist.

221. Soll ich euch informieren auf wen die Satane herabsteigen?

222. Sie nehmen unter ihrem Einfluss jene, die dafür verantwortlich sind, sich selbst zu betrügen!

223. Jene, die sich selbst betrügen, geben (dem Satan – betrügerische Gedanken in ihrem Unterbewusstsein) Gehör und die meisten von ihnen sind Lügner.

224. Und die Dichter (die die Emotionen antreiben und die Menschen zu Dingen anstiften, die sie anbeten und als Gottheiten nehmen sollen); nur jene, die völlig irregeleitet sind, folgen ihnen.

225. Seht ihr nicht, wie sie in der Welt der Fantasie und Zweifel leben!

226. Sie sagen Dinge, die sie nicht tun können!

227. Außer jene, die glauben (an der Wahrheit) und die Anforderungen ihres Glaubens erfüllen, jene, die sich oft an Allah erinnern und die einen Sieg erreichen, nachdem ihnen Unrecht widerfahren ist... Die Zalims (jene, die sich selbst, d.h. ihrem Selbst schaden), werden bald begreifen, was für eine Veränderung sie unterworfen sein werden (aber wie dem auch sei, es wird zu spät sein)!

Mit demjenigen, der durch den Namen Allah erwähnt wird (der mein Wesen mit Seine Namen erschaffen hat im Anwendungsbereich des Buchstabens „B"), der Rahman und Rahim ist.

1. Taa, Siiiyn... Dies sind die Zeichen des Koran (das Wissen um die Wahrheit und der Sunnatullah; des Systems von Allah) und die Zeichen eines Klaren Buches (das deutliche und offensichtliche System und die Ordnung).

2. Als eine Führung zur Wahrheit und als gute Nachricht für die Gläubigen!

3. Jene, die das Salaah ausüben (jene, die „Miraadsch" [Aufstieg] ausleben, indem sie sich zu Allah hinwenden) und von ihrem Eigentum abgeben, um gereinigt und reformiert zu werden; sie sind es, die die Gewissheit erreichen werden bezüglich ihres ewigen Lebens, welches kommen wird.

4. Was jene betrifft, die nicht an ihren ewigen, zukünftigen Leben glauben; denen haben Wir ihre Taten als schön und gut erscheinen lassen, sie wandern umher geblendet (von der Wahrheit).

5. Sie sind diejenigen, die die schlimmste Qual erleiden werden! Und im ewigen, zukünftigen Leben werden sie die größten Verlierer sein!

6. Du (mit deinem Bewusstsein) hast definitiv diesen Koran vom „Ladun" (von der Ebene der Namen in deiner Essenz) desjenigen erhalten, der Hakiym und Aliym ist.

7. Als Moses zu seinem Volk sprach: „Ich habe ein Feuer wahrgenommen... Ich werde entweder Neuigkeiten davon erhalten oder etwas brennende Kohle mitbringen, womit ihr euch wärmen könnt."

8. Als (Moses) (dem Feuer) sich näherte, da nahm er eine Stimme wahr: „Gesegnet ist derjenige in diesem Feuer und derjenige, der es nahe ist! Allah, der Subhan ist, ist der Rabb der Welten!"

9. „Oh Moses! Zweifelsohne, Ich bin Allah, derjenige, der Aziz und Hakim ist!"

10. „Wirf deinen Stab nieder!"... Als Moses sah, dass sein Stab sich wie eine Schlange bewegte, da drehte er sich um und rannte weg, ohne sich umzudrehen... „Oh Moses, habe keine Furcht! Definitiv haben Rasuls keine Furcht in Meiner Nähe!"

11. „Außer jene, die Schaden (ihrem eigenen Selbst) zufügen! Was jenen betrifft, der schadet und dann sich aber korrigiert, da bin Ich Ghafur und Rahim."

12. „Platziere deine Hand in deinem Mantel... Es wird ganz weiß ohne Makel herauskommen. Dies gehört zu den neun Zeichen für den Pharao und seinem Volk (zu denen du als Rasul enthüllt wurdest)! Zweifelsohne sind sie im Glauben korrupt geworden!"

13. Als Unsere Wunder zu ihnen in all ihrer Deutlichkeit kamen, da sagten sie: „Dies ist ganz offensichtliche Magie."

14. Obwohl sie eine Nähe spürten (bezüglich der Wahrheit, über die Moses informiert hatte), hatten sie es absichtlich abgelehnt und fälschlicher Weise aus Arroganz geleugnet... Schaut und seht wie diejenigen, die korrupt sind, enden!

15. In der Tat gaben Wir das Wissen an David und Salomon. Sie beide sagten: „Das Hamd gehört Allah, der uns gegenüber viele Seiner gläubigen Diener erhoben hat."

16. Salomon war der Nachfolger Davids und sagte: „Oh Menschen, Uns wurde die Sprache der Vögel (die Fähigkeit mit anderen Kreaturen zu kommunizieren) gelehrt und (auf diese Weise) wurde uns von allem gegeben (Wissen über alle Dinge zu haben). Dies ist zweifelsohne eine klare Gunst!"

17. Eine Armee wurde für Salomon geformt bestehend aus Dschinn, Menschen und Vögeln. Sie wurden zusammen arrangiert, eingestellt und verwaltet (durch Salomon).

18. Als sie zum Tal der Ameisen kamen, da sagte eine weibliche Ameise: „Ameisen! Geht in eure Behausungen, sonst wird Salomon und seine Armee euch unbeabsichtigt zerquetschen."

19. (Salomon) lächelte aufgrund ihrer Worte und sagte: „Mein Rabb, befähige mich (mit dem Namen Rahim in meiner Essenz) dankbar zu sein für die Segen, die Du meinen Eltern und mir gegeben hast und aufrechte Taten zu erfüllen, die dir gefallen und schließe mich unter Deinen aufrechten Dienern anhand Deiner Gnade ein."

20. Dann (eines Tages) inspizierte (Salomon) die Vögel und sagte: „Warum kann ich nicht den Wiedehopf sehen... Ist er verloren gegangen?"

21. „Wenn er mir nicht eine gültige Ausrede gibt für sein Fehlen, dann werde ich ihn bestrafen oder exekutieren."

22. Dann kam (der Wiedehopf) kurz danach und sagte: „Ich habe alles außerhalb deines Wissens gesehen und ich komme zu dir mit vertrauenswürdigen Nachrichten aus Saba."

23. „Ich sah, wie eine Frau über sie herrschte (die Sabäer) und ihr wurde von allen Dingen gegeben und sie besitzt einen Thron der Souveränität."

24. „Ich habe gesehen, wie sie und ihr Volk anstatt sich vor Allah sich vor der Sonne niederwarfen... Der Satan hat sie ihre Taten als angenehm und rechtens erscheinen lassen und hat sie vom (rechten) Weg abgebracht! Und so können sie nicht den Weg zur Wahrheit finden."

25. „(Sie wurden durch ihre Illusionen getäuscht) sich nicht vor Allah niederzuwerfen, der das hervorbringt, welches versteckt ist in den Himmeln und auf der Erde und der derjenige ist, der weiß, was ihr versteckt und was ihr offenlegt." (Dies ist ein Vers der Niederwerfung.)

26. „Allah, es gibt keinen Gott, nur HU, der Rabb des gewaltigen Throns!"

27. (Salomon) sagte: „Lasst uns sehen, ob das, was du sagst die Wahrheit ist oder ob du zu den Lügnern gehörst."

28. „Nimm diesen Brief von mir und übergib es ihnen! Dann verlass sie und betrachte den Zustand ihres Verständnisses."

29. (Die Königin von Saba) sagte: „Oh meine Eminenten! Ein wichtiger und wertvoller Brief wurde mir überreicht."

30. „Der Brief ist von Salomon; in der Tat (ist sein Anfang) folgendermaßen: ‚Bei demjenigen, der mit dem Namen Allah bezeichnet wird (der mein Wesen mit Seinen Namen mit der Bedeutung des Buchstabens „B" erschaffen hat), der Rahman und Rahim ist.'"

31. (Und es steht im Brief): „Seid nicht mir gegenüber arrogant und kommt zu mir in Ergebenheit!"

32. „Oh Eminente. Was empfiehlt ihr mir? Ich wollte mich nicht entscheiden, ohne euch konsultiert zu haben."

33. Sie sagten: „Wir sind starke und mächtige Krieger zugleich. Die Entscheidung liegt bei euch! Entscheidet über euren Befehl."

34. (Die Königin von Saba) sagte: „Wenn Könige in ein Land eintreten, dann überrennen sie es und die Mächtigen werden machtlos gemacht. Dies ist es, was sie tun!"

35. „Also werde ich ihnen ein Geschenk geben und sehen mit welcher (Nachricht) meine Boten (welche die Geschenke tragen) zurückkehren werden."

36. Als (die Boten mit den Geschenken) zu Salomon kamen, sagte er: „Denkt ihr, ihr könnt mich stoppen mit euren Geschenken? Aber das, welches Allah mir gab, ist besser als das, welches Er euch gab! Nur jene wie euch werden sich an solchen Geschenken erfreuen!"

37. „Geht zurück (und sagt) ihnen: Ich schwöre, dass ich mit Armeen kommen werde, mit der sie es niemals aufnehmen können und sie hilflos und erniedrigt aus dem Land vertreiben werde!"

38. (Salomon sagte seinen Führern): „Oh Berater... Wer kann mir ihren Thron herbringen, bevor sie in Ergebenheit zu mir kommen?"

39. Ein Ifrit (die Stärksten unter ihrer Spezies) unter den Dschinn sagte: „Ich werde es dir bringen, bevor du von deinem Stuhl aufstehst. Du kannst mir vertrauen, dass ich diesbezüglich genug Kraft besitze."

40. Aber einer, der das Verständnis über das Wissen der Wahrheit hatte (der die Fähigkeit besaß mit den Kräften der Namen zu agieren; die Reflexion der göttlichen Eigenschaften), sagte: „Ich werde es dir bringen, bevor du mit deinen Augen blinzelst"... Als Salomon den Thron vor sich hin platziert sah, sagte er: „Dies ist von der Gunst meines Rabbs... Um zu sehen, ob ich entweder dankbar oder undankbar sein werde... Und wer auch immer dankbar ist, seine Dankbarkeit ist für sein eigenes Selbst... Und wer auch immer undankbar ist, dann ist mein Rabb zweifelsohne Ghani und Karim."

41. (Salomon) sagte: „Verkleidet ihren Thron und lasst uns sehen, ob sie die Wahrheit sehen kann oder ob sie zu jenen gehört, die nicht rechtgeleitet sind."

42. Als (die Königin von Saba) ankam, wurde sie gefragt: „Ist euer Thron wie dieses?" Sie sagte: „Es sieht danach aus..." (Salomon): „Uns wurde Wissen zuvor (schon) gegeben und wir wurden zu Muslimen (wir haben uns zu demjenigen, der Allah genannt wird, ergeben)."

43. Und jenes, welches sie neben Allah angebetet hatte, ließ sie einhalten... Zweifelsohne gehörte sie zu einem Volk, welches das Wissen um die Wahrheit leugnete.

44. Dann wurde ihr gesagt: „Tretet ein im Palast"... Als (die Königin von Saba) es sah, da dachte sie, dass es tiefes Wasser war und zog ihren Rock hoch. (Salomon) sagte: „Es ist nur ein Palast, welcher aus kristallklarem Glas gemacht ist"... (Die Königin) sagte: „Mein Rabb... Ich habe meinem Selbst unrecht angetan (indem ich eine externe Kraft angebetet habe; die Sonne), aber jetzt habe ich mich ergeben, zusammen mit Salomon zu Allah, dem Rabb der Welten!"

45. Zweifelsohne haben Wir an Samud ihren Bruder Methusalem enthüllt, der sagte: „Dient Allah!" Aber sie haben sich in zwei Gruppen geteilt, die gegeneinander waren.

46. (Methusalem) sagte: „Oh mein Volk! Warum seid ihr bestürzt, das Schlechte zu tun, anstatt das Gute? Wäre es nicht besser, dass ihr Allah um Vergebung bittet, so dass euch Gnade erwiesen wird?"

47. Sie sagten: „Wegen dir und deinen Gefolgsleuten wurden wir das Objekt eines schlechten Omen." (Methusalem) sagte: „Euer schlechtes Omen ist aus der Sichtweise Allahs... Nein, ihr seid ein Volk, welches geprüft wird."

48. Es gab in dieser Stadt eine Bande von neun Persönlichkeiten, die Korruption verursachten und rebellierten.

49. Mit dem Schwur „bei Allah" sagten sie: „Lasst uns ihn und seine Familie in der Nacht angreifen (und töten) und zu seinem Wächter werden wir sagen: „Wir sind uns nicht bewusst über den Tod von ihm und seiner Familie; zweifelsohne sagen wir die Wahrheit."

50. Und so haben sie ihren Plan geschmiedet, aber sie hatten auch gleichzeitig einen Plan geschmiedet, welcher ihnen nicht bewusst war.

51. Schaut auf das Resultat ihrer Pläne! Wir haben sie und ihr Volk gänzlich zerstört!

52. Hier sind ihre Häuser, demoliert und in Ruinen, aufgrund ihrer Fehlverhaltens. Zweifelsohne sind hierin Zeichen und Lehren für ein Volk mit Verstand.

53. Wir haben die Gläubigen und jene, die sich selbst beschützt hatten, gerettet.

54. Und zu Lot... wie er seinem Volk sagte: „Ihr begeht freiwillig diese schamlose Tat!"

55. „Verlasst ihr die Frauen und schläft ihr stattdessen wollüstig mit Männern? Nein, ihr seid ein ignorantes Volk."

56. Sein Volk antwortete: „Verbannt die Familie von Lot aus der Stadt! Sie sind Menschen, die gereinigt leben."

57. Also retteten Wir ihn und seine Leute außer seine Frau. Wir ordneten an, dass sie zu jenen gehört, die zurückblieben und zerstört wurden.

58. Und Wir regneten solch einen Regen auf ihnen! Furchtbar ist der Regen, welches auf die Vorgewarnten fällt!

59. Sag: „Das Hamd gehört (gänzlich) Allah... Salaam an Seine ausgewählten Diener, denen Er Reinheit gewährt. Ist Allah besser oder jene, die sie als Partner mit Ihm assoziieren?"

60. Oder derjenige, der die Himmel und die Erde erschaffen hatte und der für euch Wasser vom Himmel herabsteigen lässt? Damit haben Wir segensreiche Gärten geformt. Es ist euch nicht möglich, dass ihr einen einzelnen Baum darin wachsen lässt. Einen Gott neben Allah? Nein, sie sind ein Volk, welches von der Wahrheit abgewichen ist.

61. Oder ist derjenige (besser), der die Erde (den Körper) als feste Station und Flüsse (Gefäße) zwischen ihnen formte und darin Berge (Organe) fixiert hatte und eine Barriere zwischen den beiden Seen (Bewusstsein – Körper)? Einen Gott neben Allah? Nein, die Mehrheit von ihnen versteht nicht.

62. Oder ist derjenige besser zu dem ihr betet, wenn ihr Bedrückungen habt und der euch von eurem Leid errettet und der euch zu Stellvertretern auf der Erde ernennt? Einen Gott neben Allah? Wie wenig ihr euch daran erinnert und wie wenig denkt ihr nach...

63. Oder derjenige, der euch leitet (euch den Weg zur Wahrheit zeigt) **auf dem Lande** (Dimension der materiellen Welt) **und auf der See** (die Dimension des Wissens – der Ideen) **und der die Winde enthüllt** (die Rasuls) **als Boten Seiner Gnade? Einen Gott neben Allah? Erhaben ist Allah darüber, was sie mit Ihm assoziieren.**

64. **Oder derjenige, der die Kreaturen manifestiert und sie dann zurückkehren lässt** (zu ihrem ursprünglichen Zustand – ihrer essentiellen Wahrheit) **und euch mit Gaben aus dem Himmel und der Erde nährt? Einen Gott neben Allah?** Sag: „Bringt euren endgültigen Beweis dann, falls ihr zu jenen gehört, die aufrecht sind."

65. Sag: „Niemand in den Himmeln und auf der Erde kennt das „Ghaib" (das Nicht-Wahrzunehmende; außerhalb des elektromagnetischen Spektrums der fünf Sinne), **nur Allah...** Und sie sind sich darüber nicht bewusst, wann sie versammelt werden!"

66. Darüber hinaus haben sie eine Ansammlung an Wissen über das zukünftige, ewige Leben, welches kommen wird. Nein, sie sind sich darüber im Zweifeln... Nein, sie sind gänzlich blind diesbezüglich!

67. Jene, die das Wissen um die Wahrheit leugnen, sagen: „Wenn wir und unsere Vorväter zu Staub geworden sind, werden wir zurückgebracht werden?"

68. „Zweifelsohne wurden wir und unsere Vorväter damit vorher schon gewarnt! Dies sind nichts weiter als Märchen aus vergangenen Zeiten."

69. Sag: „Betrachtet die Erde und schaut wie das Ende der Schuldigen war."

70. Trauert ihnen nicht nach. Und fühlt euch nicht beunruhigt aufgrund ihrer Pläne!

71. Sie sagen: „Wenn du die Wahrheit sagst, wann wird es sich denn bewahrheiten?"

72. Sag: „Vielleicht ist ein Teil dessen, welcher ihr beschleunigt haben wollt, schon sehr nah hinter euch!"

73. **Zweifelsohne ist dein Rabb großzügig der Menschheit gegenüber. Aber die Mehrheit von ihnen ist undankbar.**

74. **Zweifelsohne weiß dein Rabb, was sie innerlich verbergen und was sie offenlegen.**

75. **Es gibt kein „Ghaib"** (das Nicht-Wahrzunehmende, Verborgene, alles außerhalb des elektromagnetischen Spektrums der fünf Sinne aus der Sichtweise des Menschen) **im Himmel und auf der Erde, welches nicht schon in einem Klaren Buch** (im „Buch" des Universums und offensichtlich in der Existenz) **festgehalten wurde!** (Das, welches verborgen ist, ist nur *gemäß* dem Betrachter! Falls Allah es wünscht, kann Er das, welches als Verborgen gilt, erscheinen lassen und so wird es gewusst.)

76. In der Tat erzählt und erklärt dieser Koran die meisten Dinge, über die sich die Kinder Israels uneinig waren.

77. **Zweifelsohne ist** (der Koran) **eine Führung zur Wahrheit und eine Gnade für die Gläubigen.**

78. In der Tat wird dein Rabb zwischen ihnen urteilen innerhalb von ihrer Essenz heraus. HU ist Aziz, Aliym.

79. **Deshalb setzt euer Vertrauen in Allah! Zweifelsohne seid ihr mit der eindeutigen Wahrheit zusammen.**

80. Zweifelsohne kannst du die Toten (jene, die unbewusst daher leben) **nicht hören lassen; wenn sie ihre Rücken drehen** (von der Wahrheit) **und weggehen, dann kannst du die Tauben nicht hören lassen!**

81. Du kannst nicht den Blinden den rechten Weg zeigen, um sie au ihrem Irrweg zu führen! Du kannst nur jene hören lassen, die an Unsere Zeichen innerhalb ihrer Essenz glauben als Resultat ihrer Ergebenheit.

82. Wenn die Anordnung (ihr eigenes jüngstes Gericht [der Tod] oder die Zeit, die vor dem generellen Jüngsten Gericht kommt) sie erreicht, dann werden Wir einen „Dabbah" aus der Erde produzieren (eine sprechende Form aus der Erde [der Körper] während der Erfahrung der Trennung vom Körper, d.h. der Tod), welcher ihnen sagen wird, dass der Mensch keine Gewissheit hatte über Unsere Zeichen (es war ihnen nicht möglich, die Eigenschaften der Namen, welche ihr Dasein ausmachen, zu observieren)!

83. Während dieser Zeit werden Wir als Gruppen jene aus jeder Gemeinde versammeln, die Unsere Zeichen geleugnet hatten. Sie werden alle zusammen abgefertigt werden.

84. Wenn sie kommen, wird Allah sagen: „Habt ihr versucht Meine Zeichen zu leugnen, obwohl sie außerhalb des Bereichs eures Wissens war? Was war es, dass ihr getan habt?"

85. Der Beschluss hat sie erreicht, weil sie (ihrem Selbst) geschadet hatten! Sie können nicht mehr sprechen!

86. Haben sie nicht gesehen, wie Wir die Nacht für sie erschaffen haben, damit sie Ruhe und Stille finden und den Tag, um zu betrachten. Zweifelsohne sind hierin Zeichen für ein Volk, welches glaubt.

87. Während dieser Zeit, wenn in das Horn geblasen wird (wenn die Seele aus dem Körper hinausbefördert wird, d.h. wenn der Tod erfahren wird oder wenn die Toten aus ihren Gräbern hinausbefördert werden, während der Zeit der Versammlung), dann wird jeder im Himmel (jene, die sich auf der Stufe des Bewusstseins gefunden haben) und jeder auf der Erde (auf dem körperlichen Zustand zu leben), außer jenen für die es Allah will, sich in der größten Panikattacke befinden! Alle werden zu Ihm kommen mit ihren Hälsen gebeugt (in totaler Erniedrigung).

88. Ihr seht die Berge (die Organe in euren Körpern) und denkt, dass sie stabil fixiert sind, aber sie bewegen sich und vergehen wie die Wolken (Ideen – Gedanken) sich bewegen und vergehen (indem sie sich in unterschiedliche Verständnisse verwandeln). (Das Blasen in das Horn und alles, was dazu gehört) ist solch eine Kunst von Allah, damit alle gelebten Dinge als eine unveränderliche Wahrheit erschaffen wurden. Zweifelsohne ist Er Khabiyr über das, was ihr tut (als ihr Schöpfer).

89. Wer auch immer mit guten Eigenschaften kommt, soll das bekommen, was sogar noch besser ist. Während dieser Zeit werden sie sicher sein vor jenem, welches sie fürchten.

90. Und wer auch immer mit Schlechtem kommt, ihre Gesichter werden im Feuer sich rotieren. „Ihr sollt nur die Konsequenzen eurer eigenen Taten erfahren!"

91. „Mir wurde nur befohlen, dem Rabb dieser Stadt zu dienen, welcher Er respektabel erschaffen hatte und alles gehört nur Ihm! Mir wurde befohlen zu jenen zu gehören, die sich ihrer Ergebenheit (bewusst sind)!"

92. „Und über den Koran zu informieren!" Deshalb wer auch immer die Wahrheit akzeptiert, wird auf diesem Pfad laufen, um die Wahrheit zu erfahren innerhalb seines Wesens. Und wer auch immer irregeht, sage: „Ich gehöre nur zu jenen, die warnen!"

93. Sag: „Hamd gehört zu Allah! Er wird euch Seine Zeichen zeigen und ihr werdet sie erfahren! Euer Rabb ist nicht unachtsam über das, was ihr tut."

Mit demjenigen, der durch den Namen Allah erwähnt wird (der mein Wesen mit Seine Namen erschaffen hat im Anwendungsbereich des Buchstabens „B"), der Rahman und Rahim ist.

1. Ta, Sin, Miim.

2. **Dies sind die Zeichen des Klaren Buches** (das offensichtliche und klare manifestierte System und die Ordnung).

3. **Wir werden einige der Nachrichten von Moses und dem Pharao anhand der Wirklichkeit erzählen für Menschen, die glauben.**

4. **Zweifelsohne hatte der Pharao Überlegenheit in diesem Land etabliert und hatte die Menschen in verschiedene Klassen unterteilt. Indem er eine Klasse erniedrigen und schwächen wollte, schlachtete er ihre Söhne ab und verschonte ihre Frauen. Zweifelsohne gehörte er zu jenen, die Korruption verursachten.**

5. **Also wünschten Wir jene zu begünstigen, die hilflos und erniedrigt geblieben sind und sie zu Führern und Erben zu machen.**

6. **Und sie in diesem Land in Sicherheit zu wiegen und dem Pharao und Haman** (seinem Hohepriester) **und ihre beiden Armeen jenem zu unterwerfen, was sie fürchten!**

7. **Wir offenbarten an der Mutter von Moses: „Stille ihn und wenn du dich um ihn ängstigst, dann lege ihn in den Fluss** (dem Nil). **Hab keine Furcht oder Sorge! Zweifelsohne werden Wir ihn dir zurückgeben und ihn zu einem der Rasuls machen!"**

8. **Dann hatte ihn die Familie des Pharaos als verlorenes Kind gefunden und nahm ihn auf, um später für sie als Quelle der Sorge und ihr Feind zu sein. In der Tat verrichteten Pharao und Haman und ihre Armeen falsches!**

9. **Die Frau des Pharaos sagte: „Er wird eine Quelle der Freude sein, für mich und dich. Töte ihn nicht! Vielleicht wird er uns nützlich sein oder wir können ihn als unseren Sohn adoptieren."** Sie waren sich nicht bewusst.

10. **Und das Herz der Mutter von Moses war gefüllt mit den Gedanken an ihrem Sohn. Hätten Wir ihr nicht ein Gefühl der Sicherheit gegeben, zu den Gläubigen zu gehören, hätte sie beinahe ihre Identität enthüllt.**

11. (Die Mutter von Moses sagte zu der Schwester von Moses): **„Schau nach ihm". Also schaute sie nach ihm von der Ferne aus, ohne dass sie es bemerkten.**

12. **Zuerst hatten Wir ihn Ammen verboten** (Moses ließ sich nicht von Ammen stillen), **dann sagte** (seine Schwester): **„Soll ich euch über eine Familie berichten, die ihn für euch aufziehen werden und die sich gut um ihn kümmern werden?"**

13. **Und so hatten Wir ihn seiner Mutter zurückgegeben, so dass sie getröstet und nicht mehr bekümmert sein möge und dass sie wissen möge, dass das Versprechen Allahs sich bewahrheitet. Aber die Meisten von ihnen sind unwissend.**

14. **Als** (Moses) **die Reife erlangte** (als er dreiunddreißig Jahre alt wurde) **und als er danach noch etwas mehr alterte** (vierzig wurde; mit diesem Alter ist jemand fähig, gebührend Ereignisse durch Reife zu bewerten), **da gaben Wir ihm das Gesetz und das Wissen. Und so belohnen Wir diejenigen, die „Muhsin" sind** (Perfektion ausüben).

15. (Moses) ging in die Stadt zu einer Stunde, wo alle sich in ihren Häusern zurückgezogen hatten. Er sah, wie zwei Männer versuchten, sich gegenseitig zu töten. Einer war von seinen eigenen Leuten und der andere gehörte zu seinen Feinden. Derjenige, der zu seinem Volk gehörte, fragte nach seiner Hilfe gegen den Feind. Also schlug Moses ihn mit seiner Faust und tötete ihn. Dann sagte er: „Dies ist das Handwerk von Satan (körperliche Beziehungen). Zweifelsohne ist er (Satan, d.h. der Gedanke, dass man sich selbst nur als Körper aus Fleisch und Blut akzeptiert) ein offener und erniedrigender Feind."

16. Er betete: „Mein Rabb! Ich habe definitiv meinem Selbst geschadet (meiner essentiellen Wahrheit, indem ich denke, dass ich zur Welt des Körpers gehöre), vergib mir!" ... Er (sein Rabb) vergab ihm. Zweifelsohne ist HU Ghafur und Rahim.

17. (Moses) sagte: „Mein Rabb, ich schwöre bei den Vorteilen, die Du mir beschert hast innerhalb meines Wesens, ich werde nicht (gefangen werden durch das Gefühl der Zugehörigkeit und) die Schuldigen helfen."

18. (Moses) wartete besorgt auf den Morgen in der Stadt und schaute umsichtig (auf seine Umgebung). Und dann, letztendlich, schreite der Mann, der nach seiner Hilfe gestern fragte (noch einmal) nach seiner Hilfe. Moses sagte zu ihm: „In der Tat bist du offensichtlich ein irregeleiteter Mann!"

19. Als (Moses) jenen fangen wollte, der einen Feind zu ihnen beiden darstellte, da sagte der Mann: „Oh Moses, willst du mich töten, genauso wie du einen Mann gestern getötet hast? Du willst nur zu einem Tyrann hier werden, du hast keinen Wunsch, die Dinge zu verbessern!"

20. Dann kam ein Mann rennend daher vom anderen Ende der Stadt und sagte: „Oh Moses! Die Führer dieser Stadt sprechen darüber, dich zu exekutieren. Fliehe von hier. Definitiv gehöre ich zu denen, die dir nur Gutes wünschen."

21. Daraufhin brach (Moses) von dort auf, besorgt und umsichtig (seiner Umgebung) und sagte: „Mein Rabb, rette mich vom Volk, welches grausam ist (und sich selbst schadet)!"

22. Als er auf seinem Weg Richtung Madian (der Stadt von Schuaib) war, sagte er: „Ich hoffe mein Rabb führt mich zum Weg, welcher korrekt ist!"

23. Als er die Brunnen von Madian erreichte, sah er eine Gruppe, die ihre Herde tränkte. Und er sah zwei Frauen, die darauf gewartet hatten, ihre Herde zu tränken, also sagte er: „Worauf wartet ihr?" Sie sagten: „Wir können (unsere Herde) nicht tränken bis die Hirten (ihre Herden) getränkt haben und gehen. Und unser Vater ist ein alter Mann, er kann dies nicht!"

24. Dann tränkte Moses (ihr Herde) für sie... Dann ging er zurück in den Schatten und sagte: „Mein Rabb, zweifelsohne, nachdem (ich geflohen bin vom) Guten, welches Du mir beschert hattest, bin ich sehr arm geworden!"

25. Einer der jungen Frauen kam zu Moses schüchtern und sagte: „Mein Vater lädt dich ein, damit er dich belohnen kann für das Tränken unserer Herde." Als (Moses) zu Schuaib kam und seine Geschichte ihm erzählte, sagte (Schuaib): „Habe keine Furcht! Du hast dich vom Volk gerettet, das sich selbst schadet!"

26. Einer von ihnen (der Frauen) sagte: „Oh Vater, stell ihn doch ein, zweifelsohne ist er der Beste, den du einstellen kannst; er ist stark und vertrauenswürdig."

27. (Schuaib sagte zu Moses): „Ich wünsche dich mit einen meiner Töchter zu verheiraten mit der Bedingung, dass du für mich acht Jahre lang arbeitest, aber falls du es für zehn Jahre vervollständigst, dann ist das die Gegenleistung aus deiner Sicht heraus! Ich wünsche nicht, dass du Schwierigkeiten hast... So Allah will, wirst du mich unter den Aufrechten finden."

28. (Moses) sagte: „Diese (Bedingung) ist zwischen dir und mir! Welches von den Bedingungen ich erfülle, es soll auf mich keine Schuld lasten... Allah ist der Wakiyl zu dem, was wir sagen."

29. Als Moses diese Bedingung erfüllt hatte, machte er sich mit seiner Familie auf dem Weg, dann nahm er aber ein Feuer wahr in Richtung des Berges Sinai. Er sagte zu seiner Familie: „Bleibt hier, zweifelsohne habe ich ein Feuer wahrgenommen. Vielleicht werde ich Nachrichten darüber zu euch bringen oder eine Feuerkohle mit der ihr euch wärmen könnt."

30. Als er dahin ankam, wurde er von einem Baum aus gerufen von der Seite des gesegneten Ortes, dem Tal des Ayman: „Oh Moses! In der Tat, Ich bin Allah, der Rabb der Welten!"

31. „Wirf deinen Stab nieder!" Als Moses sah, wie es sich als eine kleine, schmale Schlange bewegte, da drehte er sich weg und flüchtete, ohne sich umzudrehen. (Allah sagte): „Oh Moses, komm zurück und hab keine Furcht! Zweifelsohne gehörst du zu jenen, die sich in Sicherheit befinden!"

32. „Tue deine Hand in deinem Hemd hinein, es wird hellleuchtend herauskommen! Und nimm deine Arme herunter und entspanne dich! Dies sind Zeichen für Pharao und seine Führer, zwei Zeichen von deinem Rabb. Zweifelsohne sind sie ein Volk, welches korrupt im Glauben ist."

33. (Moses) sagte: „Mein Rabb, in der Tat habe ich jemanden unter ihnen getötet und ich befürchte, dass sie mich deswegen töten werden."

34. „Mein Bruder Aaron ist mehr eloquent als ich im Reden! Schicke ihn mit mir als meinen Unterstützer. Zweifelsohne befürchte ich, dass sie mich ablehnen werden."

35. (Allah) sagte: „Wir werden dich durch deinen Bruder stärken und Wir werden euch beide solch eine Kraft geben, dass sie an euch (als Unsere Zeichen) nicht herankommen werden! Ihr beide und jene, die euch folgen, werden siegreich sein."

36. Als Moses zu ihnen als Unsere evidente Zeichen kam, da sagten sie: „Dies ist gestellte Magie! Wir haben solche Dinge nicht von unseren Vorvätern gehört."

37. Moses sagte: „Mein Rabb weiß besser, wer von Seiner Sichtweise kommt als wahre Führung und was für ein Ort am Ende wer haben wird. Definitiv werden diejenigen, die grausam sind (zu ihrer essentiellen Wahrheit) nicht befreit werden."

38. Der Pharao sagte: „Oh verehrte Führer... Ich kenne keinen Gott für euch außer mir selbst! Oh Haman, brenne ein Feuer voller Steine und baue (mit den Steinen) einen hohen Turm für mich, vielleicht werde ich darauf klettern und den erhabenen Gott von Moses sehen! Aber in Wahrheit denke ich, dass er zu den Lügnern gehört!" (Der Pharao, der das antike Wissen der Wahrheit [des Selbst, d.h. des Bewusstseins] erlangte, wählte dies zu Gunsten seiner körperlichen Existenz und Wünschen zu benutzen, anstatt es für das Verständnis des Bewusstseins, die Existenz zu observieren und fiel deswegen auf den Zustand des „Nafs-al Ammarah" [die unterste Bewusstseinsstufe des Selbst]. Deswegen hat Moses anstelle der einfachen Übermittlung des Wissens um die Wahrheit, ihn nicht aufgerufen an Allah zu glauben, sondern den Pharao mit den Worten gewarnt, dass er an den „Rabb der Welten" glauben soll. Mit anderen Wörtern lädt er ihn dazu ein, an die Namen zu glauben, welche überall manifestiert werden und die gesamte Existenz verwalten, anstatt sein Verständnis der Einheit zu erfahren, welche durch die Energie des physischen Körpers dominiert wird.)

39. Er und seine Armeen waren in ungerechter Weise arrogant auf der Erde und dachten, dass sie nicht zu Uns zurückkehren würden!

40. Also ergriffen Wir ihn und seine Armeen und warfen sie in das Meer. Siehe das Ende derjenigen, die grausam sind (zu ihrer essentiellen Wahrheit)!

41. Wir machten sie zu Führern, die das Feuer herbeigerufen haben. Und ihnen wird nicht geholfen werden am Tag des jüngsten Gerichts.

42. Wir haben verursacht, dass ein Fluch sie in dieser Welt verfolgen wird. Und am Tag des jüngsten Gerichts wird auf ihnen mit Hass geschaut werden.

43. Zweifelsohne, nachdem die ersten Generationen zerstört waren, haben Wir das Wissen um die Wahrheit (Buch) Moses gegeben, um die Menschen zur Wahrheit zu leiten und als Gnade (Rahmat: um die Kräfte/Potenziale der Namen und Eigenschaften zu entdecken und auszuleben, die im Selbst innewohnend sind); **vielleicht werden sie sich erinnern und es bewerten.**

44. Du warst nicht auf der westlichen Seite als Wir den Befehl an Moses gaben... Noch warst du unter den Zeugen.

45. Wir hatten sehr viele Generationen geformt in der Zwischenzeit, die gelebt hatten und vergangen sind... Du warst auch nicht unter dem Volk von Madian, um sie über Unsere Zeichen zu informieren. Wir sind es, die die Rasuls enthüllen!

46. Du warst nicht auf der Seite des Berges Sinai als Wir (Moses) **angesprochen hatten... Aber Wir haben dich als Gnade von deinem Rabb gesandt, damit du die Menschen warnen kannst, die keinen bekommen haben, der warnt** (deswegen wurde dieses Wissen dir offenbart). **Vielleicht werden sie darüber nachdenken.**

47. Und wenn es nicht wegen eines Leidens wäre, welches ihnen befällt aufgrund ihres eigenen Handelns (gemäß des Systems, welches die „Sunnah von Allah" genannt wird), **da sagen sie: „Unser Rabb... Wenn du doch nur uns einen Rasul enthüllt hättest, dann hätten wir deine Zeichen verfolgen können und wären Gläubige geworden."** (Wir hätten keinen Rasul enthüllt).

48. Aber wenn die Wahrheit (Rasul) aus Unserer Sicht zu ihnen kommt, sagen sie: „Warum wurde ihm nicht jenes (an Wundern) **gegeben, welches Moses gegeben wurde?" Hatten sie nicht vorher jenes geleugnet, welches Moses gegeben wurde? Und sie hatten gesagt: „Es sind zwei Arbeiten der Magie, welche sich gegenseitig unterstützen und wir leugnen sie alle."**

49. Sag: „Falls ihr aufrichtig zu eurem Wort steht, dann bringt ein Wissen (Buch) aus Allahs Sichtweise hervor, welches einen besseren Weg aufzeigt als diese zwei (der Koran und die Tora), **so dass wir es befolgen können!"**

50. Falls sie dein Angebot nicht annehmen, dann wisse, dass sie nur ihre grundlosen Fantasien befolgen! Und wer ist mehr korrupt als derjenige, der Fantasien und Vorstellungen befolgt ohne (das Wissen um die Wahrheit, welche sich innerhalb von ihnen manifestiert) **Allah** (die Namen, die ihre Essenz ausmachen)**? Zweifelsohne leitet Allah nicht das grausame Volk** (zur ihrer essentiellen Wahrheit).

51. Definitiv haben Wir Unser Wort sie mehrmals erreichen lassen. Vielleicht werden sie sich erinnern und nachdenken!

52. Jenen, denen Wir das Wissen um die Wahrheit gaben (Buch) vor diesem, sind diejenigen, die daran glauben (an der Wahrheit ihrer Essenz).

53. Wenn sie darüber informiert werden, sagen sie: „Wir haben daran geglaubt. Zweifelsohne ist es die Wahrheit von unserem Rabb. Wir waren uns auch schon vor diesem unserer Ergebenheit Ihm gegenüber bewusst!"

54. Sie werden zweimal belohnt werden aufgrund ihrer Geduld. Sie tauschen das Schlechte mit dem Guten aus und geben, ohne eine Gegenleistung zu erwarten von der Versorgung, mit der Wir sie ernähren.

55. Wenn sie leeres Gerede und Gerüchte hören, dann drehen sie sich davon weg und sagen: „Für uns gibt es das Resultat unserer Taten und für euch gibt es das Resultat eurer Taten! Salaam sei auf euch! Wir werden nichts mit den Ignoranten zu tun haben! (Wir haben nichts zu besprechen mit jenen, die es verfehlen, die Wahrheit zu begreifen.)

56. Ihr könnt nicht denjenigen, den ihr liebt, zur Wahrheit leiten! Aber Allah kann leiten, wen Er will zur Wahrheit! HU weiß wer, die Wahrheit ausleben wird! (Denn Er hat sie anhand Seiner Namen mit einem spezifischen Potenzial und Fähigkeit erschaffen.)

57. Sie sagten: „Wenn wir die Wahrheit mit dir befolgen würden, dann würden wir entwurzelt und aus unserem Land vertrieben werden." Haben Wir sie nicht an einem sicheren Ort etabliert, wo es aus Unserer Sicht (aus Unserer Gunst heraus) alle möglichen Früchte heranwachsen als Lebensversorgung? Aber die Meisten von ihnen wissen nicht (ihren Wert).

58. Wir haben viele Städte zerstört, worin die Menschen verwöhnt wurden mit den Bequemlichkeiten der weltlichen Güter! Hier sind ihre Behausungen! Keiner hat sie nach ihnen behaust, außer ein paar Wenigen! Wir waren es, die geerbt haben.

59. Dein Rabb wird niemals eine Stadt zerstören, bis Er nicht darin einen Rasul enthüllt hatte unter dessen Führern! Wir haben nur Städte zerstört, dessen Bewohner „Zalims" waren (grausam und abgewandt von der Wahrheit).

60. Die Dinge, die euch gegeben wurden, sind nur die Güter des weltlichen Lebens und dessen Dekorationen (seine Hilfsmittel des Vergnügens)! Das, welches aus der Sichtweise Allahs ist, ist besser und ewig... Versteht ihr das nicht?

61. Kann jemand, dem Wir ein gnadenvolles Versprechen gegeben haben und der es sieht, wie es erfüllt wird mit jemanden verglichen werden, dem Wir die vergänglichen Güter des weltlichen Lebens erlaubt haben und der hervorgebracht wird mit Zwang während des jüngsten Gerichts?

62. Während dieser Zeit werden sie (jene, die behaupteten an Allah zu glauben, aber dann andere Dinge neben Ihm angebetet hatten) angesprochen werden: „Wo sind meine angeblichen „Partner"?

63. Jene, die die Anklage verdienen, werden sagen: „Unser Rabb... Dies sind diejenigen, die wir irregeführt hatten. Genauso wie wir uns selbst korrumpiert hatten, so hatten wir sie auch korrumpiert... Zu Dir haben Wir uns hingewandt, das Urteil gehört Dir... Sie hatten uns sowieso nicht angebetet."

64. Es wird gesagt werden: „Ruft eure Partner!" Und sie werden sie rufen... Aber sie (ihre Partner) werden ihnen nicht antworten und sie werden das Leiden sehen! Wenn sie doch nur den rechten Weg gefunden hätten!

65. Während dieser Zeit wird Er zu ihnen rufen: „Welche Antwort habt ihr den Rasuls gegeben?"

66. Aber zu dieser Zeit werden alle Nachrichten, die der Vergangenheit angehören von ihnen abgeschnitten werden! Sie werden auch nicht sich gegenseitig fragen können!

67. Aber wer auch immer sich vom Falschen mit Reue abwendet und glaubt und die Anforderungen seines Glaubens erfüllt, dann ist zu hoffen, dass er unter jenen sein wird, welche die Befreiung erfahren.

68. Dein Rabb erschafft, was Er will und wählt aus, wen Er will, sie haben keinen freien Willen (oder das Recht zu wählen)! Allah ist Subhan! Er ist hoch erhaben über dem, was sie mit Ihm assoziieren!

69. Dein Rabb weiß, was sie im Innern verheimlichen und was sie veröffentlichen.

70. HU ist Allah, es gibt keinen Gott, nur HU! Das „Hamd" (die Evaluierung von allem) gehört gänzlich Ihm und das Urteil gehört gänzlich Ihm; zu Ihm werdet ihr zurückkehren.

71. Sag: „Denkt nach... Wenn Allah die Nacht für euch andauernd machen würde bis zum Tag der Auferstehung, gibt es dann einen Gott neben Allah, der ein Licht für euch sein kann? Nehmt ihr nicht wahr?"

72. Sag: „Denkt nach... Wenn Allah den Tag für euch andauernd machen würde bis zum Tag der Auferstehung, gibt es dann einen Gott neben Allah, der für euch eine Nacht verrichten kann, worin ihr Ruhe und Stille findet? Sieht ihr dies nicht?"

73. Er formte die Nacht und den Tag für euch aus Seiner Gnade heraus, so dass ihr ruhen möget (in der Nacht) und nach Seiner Gunst (am Tag) fragt und damit ihr dankbar seid (es gebührend auswertet).

74. Und Er wird zu ihnen zu dieser Zeit ausrufen: „Wo sind diejenigen, die ihr angenommen habt, Meine Partner zu sein?"

75. Und Wir werden einen Zeugen (einen Rasul) von jeder Gemeinde herausnehmen und sagen: „Erbringt euren definitiven Beweis!" Und sie werden wissen, dass die Wahrheit Allah gehört! Und alle Dinge, die sie erfunden hatten, werden ihnen verloren gehen!

76. Zweifelsohne war Karun vom Volk Moses, aber er überschritt seine Grenzen und tat ihnen Schlimmes an. Wir hatten ihnen solche Schätze gegeben, so dass ihre Schlüssel sogar eine Gruppe von starken Männern belastet hätte. Und als seine Mitbürger ihm sagten: „Sei nicht überheblich, in der Tat liebt Allah nicht jene, die überheblich sind und zum Extremen gehen."

77. „Ersuche (Dinge, die dich) den Ort der Zukunft (erreichen lassen) von den Dingen, die Allah dir beschert hat und vergiss nicht deinen Anteil an der Welt! Und sei gut zu anderen, auf der gleichen Art, wie Allah dir Gutes tut! Verursache keine Korruption auf der Erde! Zweifelsohne liebt Allah nicht jene, die Korruption verursachen!"

78. (Karun) sagte: „Mir wurden (diese Schätze) gegeben aufgrund des Wissens, welches ich besitze!" Weiß er denn nicht, dass Allah in der Vergangenheit Generationen zerstört hatte, die viel stärker und reicher waren als er! Die Schuldigen werden nicht gefragt werden, ihre Fehler zu erklären (sie werden nur ihre Konsequenzen ausleben)!

79. Als (Karun) zu seinem Volk ging, um seinen Reichtum zu demonstrieren, haben jene, die sich nach dem weltlichen Leben sehnten (der unterste Zustand des Lebens und des Bewusstseins), gesagt: „Wenn wir doch nur das Gleiche bekommen hätten, welches Karun bekommen hatte... Er ist wirklich ein glücklicher Mann!"

80. Aber jenen, denen Wissen gegeben wurde, sagten: „Wehe euch! Die Belohnung Allahs ist besser für jene, die glauben und die Anforderungen ihres Glaubens erfüllen... Aber nur jene, die geduldig sind, werden es erreichen!"

81. Dann haben Wir die Erde (Karun und) seine Behausung verschlucken lassen! Und es gab niemanden neben Allah, der ihn hätte helfen können. Er gehörte nicht zu jenen, die sich selbst retteten!

82. Jene, die an seiner Stelle (von Karun) am Tag zuvor sein wollten, haben jetzt am Morgen gesagt: „Ach! Es ist also Allah, der die Lebensversorgung für Seine Diener erhöht für wen Er es auch will und sie auch verringert (für wen Er es auch will)! Wenn Allah uns nicht aus Seiner Gunst heraus beschützt hätte, dann wären wir definitiv auch verschluckt worden. Ach! (Es ist also wahr), dass jene, die da Wissen um die Wahrheit leugnen, nicht Erfolg haben werden!"

83. Das Land der Zukunft (die Dimension der Unsterblichkeit)! Wir formen es in der Welt (das Leben des Körpers) für jene, die sich nicht anderen gegenüber überlegen benehmen und sich nach der Anordnung ausrichten. Die gesegnete Zukunft ist für jene, die beschützt sind (um Allahs Willen)!

84. Wer auch immer mit Schönheit kommt (mit der Qualität der Namen, welche sie manifestiert haben) wird mit etwas belohnt werden, welches besser ist. Und wer auch immer mit Schlechtem kommt (Taten, die mit der Annahme verrichtet wurden, dass man nur aus dem Körper aus Fleisch und Blut besteht, welches letztendlich unter der Erde begraben wird), wird nichts anderes finden als die Konsequenzen seiner eigenen Taten!

85. Der Eine, der den Koran (ausgerichtet mit dem Wissen um die Wahrheit und der Sunnatullah, d.h. dem System der Ordnung) für euch zur Pflicht gemacht hat, wird euch sicherlich das letzte Ziel erreichen lassen! Sag: „Mein Rabb weiß besser, wer als Führung zur Wahrheit gekommen ist und wer offensichtlich korrumpiert im Glauben ist."

86. Du hast niemals angenommen, dass das Buch (das Wissen um die Wahrheit und der Sunnatullah) durch dich enthüllt sein würde; es war durch die Gnade deines Rabbs! Unterstütze niemals jene, die das Wissen um die Wahrheit leugnen!

87. Und lass nicht zu, dass sie dich daran hindern, die Anforderungen der Zeichen Allahs zu erfüllen, welche dir enthüllt wurden! Lade zu deinem Rabb ein und gehöre nicht zu den Dualisten (Polytheisten; jene die offensichtlich mit Allah etwas assoziieren).

88. Wende dich nicht zu einem Gott hin (externe Kraft) neben Allah. Denn es gibt keinen Gott, nur HU! Alles (gemäß seiner „Existenz" oder „Daseins") ist nicht existent, nur das Antlitz von HU (existiert)! Das Urteil gehört Ihm... Zu Ihm werdet ihr zurückkehren (zu der Bewusstheit, dass die Ebene der Namen eure Wahrheit ausmachen und darstellen)!

Mit demjenigen, der durch den Namen Allah erwähnt wird (der mein Wesen mit Seine Namen erschaffen hat im Anwendungsbereich des Buchstabens „B"), der **Rahman und Rahim ist.**

1. **Alif, Lam, Miim!** (Sein Wissen in Seinem Wissen anhand Seines Wissens!)

2. **Nehmen die Menschen an sie könnten einfach damit entkommen, indem sie nur sagen „wir glauben" und nicht mittels Prüfungen konfrontiert zu werden mit dem, was sie wirklich darstellen?**

3. **Zweifelsohne jene, die vor ihnen waren, wurden auch geprüft durch Gegenstände der Versuchung.** Allah (nicht ein externer Gott, sondern ihre essentielle Wahrheit) **weiß es definitiv und wird jene aufdecken, die aufrichtig sind** (zu ihrem Wort) **und jene, die lügen.**

4. **Oder denken jene, die schlechte Taten verrichten, dass sie Uns überrennen können? Was für ein schlechtes Urteil sie doch haben!**

5. **Wer auch immer darauf hofft, mit Allah zusammenzukommen** (die Manifestierung des Einen, der Allah genannt wird, im Bewusstsein auszuleben anhand Seiner Namen gemäß der natürlichen Veranlagung), **dann** (lasst sie wissen), **dass zweifelsohne die Dauer des körperlichen Lebens, welches auch Allahs Diskretion darstellt, ein Ende haben wird! HU ist Sami, Aliym.** (Dieses Definition am Ende des Verses deutet auf den Aspekt der „Unvergleichbarkeit" [Tanzih] von Allah hin anhand von dem hinweisenden Wort HU, und der Aspekt der „Vergleichbarkeit" [Taschbih] von Allah deutet auf die Eigenschaften der Namen, um eine non-duale einheitliche Sicht [Tawhid] für den Leser zu geben gemäß meines Verständnisses. A.H.)

6. **Deshalb wer auch immer mit Entschlossenheit mühsam bestrebt ist** (um seinen Glauben, also diese Wahrheit, auszuleben), **der strebt nur für sein eigenes Selbst** („Der größte Dschihad [Bemühung, Bestreben] ist jener, welcher gegen das eigene Selbst begangen wird!")! **Definitiv ist Allah Ghani von den Welten** (gemäß Seiner Absoluten Essenz ist Allah frei davon konditioniert oder begrenzt zu sein durch die manifestierten Kompositionen Seiner Namen)!

7. **Was jene anbelangt, die glauben und die den Anforderungen ihres Glaubens gerecht werden, ihnen werden Wir sicherlich ihre schlechten Taten** (die Eigenschaften ihres niederen Selbst) **löschen und sie mit dem Besten ihrer Taten belohnen!**

8. **Und Wir haben dem Menschen auferlegt, gütig zu seiner Mutter und seinem Vater zu sein. Aber falls sie euch bitten, mit Mir etwas zu assoziieren, was entgegen eures Wissens ist, dann gehorcht ihnen nicht! Zu Mir ist eure Rückkehr. Ich werde euch informieren** (über die Bedeutungen) **eurer Taten.**

9. **Was jene anbelangt, die glauben und die den Anforderungen ihres Glaubens gerecht werden, sie werden Wir definitiv unter den Aufrechten einschließen.**

10. **Und es gibt einige unter den Menschen, die sagen: „Wir glauben an Allah, unsere Essenz anhand Seiner Namen," aber wenn sie Schwierigkeiten erleben auf dem Wege Allahs, dann verwechseln sie die Zwietracht des Menschen mit der Strafe Allahs. Und**

falls der Sieg zu ihnen von ihrem Rabb kommt, dann sagen sie: „Wir waren wirklich mit euch." **Weiß Allah denn nicht besser** (als der Schöpfer durch Seine Namen), **was sich in den Brüsten** (den Gehirnen der Menschen) **befindet?**

11. Sicherlich kennt Allah jene, die glauben und jene, die Heuchler sind (die Hypokriten, die ihren Intellekt benutzen zugunsten ihres eigenen Interesses anstatt für die Wahrheit).

12. Jene, die das Wissen um die Wahrheit leugnen, sagen zu den Gläubigen: „Befolgt unser Verständnis und wir werden eure Fehler (Sünden) tragen!" Die Leugner können nicht die Verantwortung ihrer Fehler tragen. In der Tat sind sie Lügner.

13. Sie werden in der Tat ihre eigenen Lasten tragen und (andere) Lasten mit ihren eigenen zusammen. Und sie werden definitiv zur Verantwortung gezogen werden für ihre erfundenen Ideen während des Tages der Auferstehung.

14. Und Wir hatten Noah enthüllt zu seinem Volk und er blieb für eintausend Jahre ausgenommen fünfzig. Aber die Sintflut überkam sie aufgrund ihrer Grausamkeiten.

15. Wir hatten ihn und die Leute der Arche gerettet und machten es für die Menschen eine lehrreiche Lektion.

16. Und Abraham... Wie er zu seinem Volk sagte: „Dient Allah und beschützt euch vor Ihm! Dies ist besser für euch, falls ihr es versteht."

17. „Ihr betet Götzen neben Allah an und ihr erfindet Dinge! Die Dinge, die ihr neben Allah anbetet, können euch keine Versorgung des Lebens geben! Wünscht euch eure Lebensversorgung aus der Sichtweise Allahs (derjenige, der eure Essenz darstellt). Dient Ihm und seid Ihm gegenüber dankbar. Zu Ihm werdet ihr zurückkehren."

18. „Und falls ihr leugnet, (wisst nur zu gut), dass die Menschen vor euch schon geleugnet hatten. Dem Rasul obliegt nur (die Verantwortung) der klaren Übermittlung."

19. Haben sie nicht gesehen, wie Allah die Schöpfung entstehen lässt und dann sie zurückkehren lässt (zu ihrem Ursprung oder zu einer neuen Schöpfung für das zweite Mal). Zweifelsohne ist dies für Allah leicht.

20. Sag: „Erforscht die Erde (den Körper) und seht, wie Er die Schöpfung hat entstehen lassen. Nach diesem wird Allah euren zukünftigen Körper formen. Zweifelsohne ist Allah Kaadir über alle Dinge."

21. „Er gibt Leid zu wem Er will und verabreicht Gnade zu wem Er es will. Zu Ihm werdet ihr zurückgekehrt werden (ihr werdet realisieren, dass die Namen, d.h. Asma-ul Husna, eure Essenz ausmachen)!"

22. „Ihr könnt Ihn nicht hilflos erscheinen lassen, weder auf der Erde noch in den Himmeln! Ihr habt keinen Wächter oder Helfer neben Allah."

23. Jene, die die Zeichen Allahs in ihrem Dasein und das Zusammenkommen mit Ihm leugnen, sind diejenigen, die von der Hoffnung an Meiner Gnade abgeschnitten sind; für sie wird es ein intensives Leiden geben!

24. Aber die Antwort des Volkes (von Abraham) war: „Tötet ihn oder verbrennt ihn!" Aber Allah hatte ihn vom Feuer gerettet... In der Tat sind hierin Zeichen für ein Volk, das glaubt.

25. Und (Abraham) sagte: „Ihr habt Götzen angebetet neben Allah aufgrund eurer emotionalen Bindungen zueinander (zu euren Vorvätern) im weltlichen Leben. Deswegen werdet ihr euch gegenseitig verfluchen und verstoßen am Tag der Auferstehung! Euer Aufenthalt ist das Feuer und ihr habt keinen Helfer."

26. Nach diesem hatte Lot (seinen Neffen) an ihn geglaubt und sagte: „Ich werde zu meinem Rabb auswandern!" Zweifelsohne ist Er HU, derjenige, der Aziz und Hakim ist.

27. Und Wir gaben (Abraham) Isaak und Jakob. Und Wir formten „Nubuwwah" (das ganzheitliche Lesen des Systems) und Wissen in seinen Nachfahren. Wir gaben seine Belohnung in dieser Welt. Und im ewigen, zukünftigen Leben ist er definitiv unter den „Salih" genannten.

28. Und Lot... Wie er zu seinem Volk sagte: „Zweifelsohne begeht ihr eine Abscheulichkeit, die niemand vor euch begangen hatte!"

29. „Zweifelsohne schläft ihr mit Männer und brecht (den natürlichen Prozess der Fortpflanzung) und ihr tut dies in der Öffentlichkeit." Aber ihre Antwort war: „Dann bring doch die Bestrafung Allahs, falls du zu deinem Wort stehst!"

30. (Lot) sagte: „Mein Rabb, hilf mir gegen dieses korrupte Volk!"

31. Als Unsere Rasuls zu Abraham als frohe Botschaften kamen, sagten sie: „Zweifelsohne werden wir die Stadt dieser Region zerstören. Denn sie sind zu einem Volk geworden, welches zu ihrem Selbst grausam ist."

32. (Abraham) sagte: „Aber Lot befindet sich dort auch?" Sie sagten: „Wir wissen, wer dort sich befindet... Definitiv werden wir ihn und seine Familie retten. Nur seine Frau nicht, denn sie ist zu jenen geworden, die zurückbleiben."

33. Als Unsere Rasuls zu Lot kamen, fühlte er sich ihretwegen unwohl und ein großes Unbehagen (aufgrund dessen, was geschehen möge) kam über ihn... (Unsere Rasuls) sagten: „Fürchte oder sorge dich nicht! Zweifelsohne sind wir hier um dich und deine Familie zu retten. Nur deine Frau nicht, denn sie wurde zu jenen, die zurückbleiben."

34. „Zweifelsohne werden wir ein Leiden auf dem Volk dieser Region vom Himmel herabsteigen lassen aufgrund ihres korrupten Glaubens."

35. Und zweifelsohne haben Wir ein offensichtliches, beispielhaftes Zeichen (von dieser Region) übriggelassen für jene, die ihren Intellekt benutzen.

36. Und zu Madian (haben Wir) ihren Bruder Schuaib (enthüllt). Er sagte: „Oh meine Mitbürger. Dient Allah, glaubt an dem ewigen, zukünftigen Leben und verursacht keine Korruption auf der Erde."

37. Aber sie hatten ihn (Schuaib) abgelehnt. Und so hat das intensive Beben sie ergriffen und sie wurden in ihren Häusern fallend auf ihren Knien übriggelassen.

38. Und (wir taten das gleiche) mit Aad und Samud. Ihr hättet dies verstehen sollen vom Zustand ihrer Behausungen. Der Satan (ihr Ego) hat ihre Taten ihnen als angenehm erscheinen lassen und hat sie vom (wahren) Weg sich abwenden lassen. Obwohl sie mit der Fähigkeit ausgestattet waren, die Wahrheit wahrzunehmen!

39. Und (Wir taten das gleiche mit) Karun, Pharao und Haman... Zweifelsohne kam Moses zu ihnen mit offensichtlichen Beweisen, aber sie waren arrogant (voller Ego) auf der Erde. Aber sie konnten nicht (Unserer Kraft) entkommen!

40. Wir ergriffen jeden Einzelnen durch das Resultat ihrer eigenen Fehltaten. Auf manchen ließen Wir einen Zyklonen herabsteigen! Manche wurden durch die schreckliche Tonwelle ergriffen! Und manchen haben Wir verursacht, dass die Erde sie verschluckt... Und manche haben Wir ertränkt... Und Allah hat nicht verursacht, dass sie leiden, aber es war ihr Selbst, welches ihr eigenes Leiden verursacht.

41. Das Gleichnis jener, die Freunde neben Allah annehmen (indem sie sich gegenseitig vergöttern) ist wie die weibliche Spinne, die sich ein Haus nimmt. Zweifelsohne ist das schwächste Haus das Haus einer weiblichen Spinne! Wenn sie doch nur wüssten.

42. Zweifelsohne kennt Allah die Dinge, zu welchen ihr euch neben Ihm hinwendet. Und HU ist Aziz und Hakim.

43. Und so betonen Wir diese Beispiele für die Menschen! Aber niemand kann diese mit ihrem Intellekt gebührend bewerten, außer jene mit Wissen!

44. Allah hat die Himmel und die Erde mit der Wahrheit erschaffen (mit den Eigenschaften, die auf Seine Namen hinweisen)! In der Tat ist hierin ein Zeichen für jene, die glauben.

45. Lies und informiere über das Wissen (Buch), welches dir offenbart wurde und etabliere das „Salaah" (die Hinwendung zu Allah)... Zweifelsohne hält das „Salaah" Unsittlichkeit (Taten, die bewirken, dass man akzeptiert, nur aus dem materiellen Körper zu bestehen) **und schlechte Taten** (Dinge, die gegen die Sunnatullah verstoßen) **fern. Definitiv ist das Dhikr** (die Erinnerung) **über Allah „Akbar"** (befähigt einem, sich der Grenzenlosigkeit, d.h. „Akbariyyat", zu öffnen)! **Allah kennt den Zustand, in dem ihr euch befindet.**

46. Außer jenen unter ihnen, die unrechtes tun! Seid auf dem besten Wege bestrebt mit jenen zu sein, denen das Wissen in der Vergangenheit gegeben wurde und sagt: „Wir glauben an das, was uns offenbart wurde und was an euch offenbart wurde... Unser Gott und euer Gott ist EINS! Zu Ihm begeben wir uns in Ergebenheit."

47. Und so haben Wir das Buch (das Wissen um die Wahrheit und der Sunnatullah) **dir enthüllt.** Jenen, denen Wir ein Buch gegeben hatten, glauben an Ihm (dass HU ihre essentielle Wahrheit ausmacht). Und unter ihnen gibt es auch einige, die an Ihn glauben (als ihre Essenz). **Nur jene, die das Wissen um die Wahrheit leugnen** (dessen Herzen verschlossen sind) **leugnen Unsere Zeichen absichtlich.**

48. Und du hast zuvor **kein Buch** (vom Wissen, welches Wir enthüllen ließen) **gelesen** (wie die Tora und das Evangelium), **noch hast du es mit deiner rechten Hand geschrieben...** (Darauf lässt sich schließen, dass es sein kann, dass er doch im generellen Sinne fähig war zu schreiben, also kein üblicher Analphabet... siehe 25:5). **Sonst** (wenn du fähig wärst zu schreiben) **würden jene, die deine Wörter fälschen wollten sicherlich Zweifel gehabt haben.**

49. Im Gegenteil, es (der Koran) beinhaltet klare Zeichen innerhalb der Tiefe jener, denen das Wissen gegeben wurde. Nur jene, die ihrem Selbst unrechtes tun (dem Selbst, die Wahrheit vorzuenthalten), **leugnen Unsere Zeichen** (welche in ihrer Essenz innewohnend sind).

50. Sie sagten: „Ihm sollten Wunder gegeben werden von seinem Rabb!" ... Sag: „Wunder sind nur aus der Sichtweise Allahs... Ich bin nur einer, der ganz offensichtlich warnt."

51. Ist es nicht ausreichend für sie, dass Wir dir das Wissen enthüllt haben, worüber sie informiert werden? Zweifelsohne sind hierin Gnade und eine Empfehlung für Menschen, die glauben.

52. Sag: „Allah ist ausreichend für mich, der meine Essenz anhand Seiner Namen darstellt, als Zeuge zwischen dir und mir! Er weiß, was sich in den Himmeln und auf der Erde befindet! Jene, die an das Irrtümliche glauben (dass sie der Körper aus Fleisch und Blut sind, welcher verkommen wird) und Allah leugnen, die Essenz ihres Wesens mit Seinen Namen, sind die wahrlichen Verlierer!"

53. Sie wollen, dass du das Leiden (den Tod) für sie beschleunigst. Wenn ihre Lebensspanne nicht schon beschlossen wäre, dann wäre das Leiden definitiv schon zu ihnen gekommen! Aber es wird zweifelsohne zu ihnen kommen, plötzlich, wenn sie sich dessen nicht bewusst sind.

54. Sie wollen, dass du das Leiden (den Tod) für sie beschleunigst... Zweifelsohne hat die Hölle schon jene umschlossen, die das Wissen um die Wahrheit leugnen (in diesem Moment)!

55. Zu jener Zeit wird Leid sie bedecken von oben (ihr Bewusstsein) und von unten (ihre Körper) und es wird ihnen gesagt werden: „Kostet die Konsequenzen eurer Taten!"

56. Oh meine Diener, die glauben! Zweifelsohne ist meine Erde weit! (Die Kapazität deines Gehirns ist expansiv, d.h. erweiterbar! Beachte bitte, dass während der Körper und das Gehirn gemäß ihres materiellen Strukturaufbaus mit dem Wort „Erde" bezeichnet wird, ist die Funktion des Gehirns, seiner neuronalen Aktivität und seiner Manifestierung von Daten mit dem Wort „Himmel" bezeichnet. Der Grund warum „Himmel" im Plural benutzt wird, gemäß meines Verständnisses, ist aufgrund der verschiedenen Ebenen von manifestierten Daten und Wissen und deshalb, indem „meine Erde ist weit" gesagt wird, gibt es eine Indikation zur ungeheuren Weite der Kapazität des Gehirns und eine Empfehlung sie zu benutzen in ihrer höchsten Form der Anwendung, um Wissen zu erlangen. Denn das Hauptanliegen ist nicht, sich für Objekte zu interessieren, welche unter der Erde verkommen werden, sondern für die notwendigen Akquirierungen, die zum ewigen Leben zugehörig sind.) Dient nur Mir!

57. Jedes Selbst (individuelles Bewusstsein) wird den Tod kosten... Und dann werdet ihr zu Uns zurückkehren!

58. Was jene anbelangt, die glauben (an ihre essentielle Wahrheit) und den Anforderungen ihres Glaubens gerecht werden, für sie werden Wir definitiv erhabene Räume vorbereiten, unter denen Flüsse fließen. Sie werden dort auf ewig sein. Schön ist die Belohnung derer, die Taten produzieren!

59. Sie sind jene, die geduldig sind und ihr Vertrauen in ihrem Rabb setzen (sie glauben an die Eigenschaft des Namens „al Wakiyl" in der Essenz ihres Selbst und vertrauen auf diese Funktion)!

60. Und es gibt viele Kreaturen, die nicht ihre eigene Versorgung tragen. Allah gibt beides, nämlich ihre und auch eure Versorgung. HU ist Sami, Aliym.

61. Zweifelsohne, wenn du sie fragen würdest: „Wer hat die Himmel und die Erde erschaffen und wer hat der Sonne und dem Mond ihre Funktion gegeben?" Definitiv werden sie sagen: „Allah". Wie können sie sich dann abwenden (zur Dualität, d.h. dass sie trotzdem mit Allah etwas assoziieren, trotz der Wahrheit)?

62. Allah vermehrt die Lebensversorgung für wen Er will unter Seinen Dienern und verringert es (für wen Er will)! Zweifelsohne ist Allah „Aliym" über alle Dinge.

63. Und zweifelsohne, wenn du sie fragen würdest: „Wer lässt Wasser von den Himmeln herabsteigen (Wissen im Bewusstsein) und wer lässt die Erde (den Körper) nach seinem Tod zurück zum Leben erwecken (während ihr leblos und entbehrt der Wahrheit über das Bewusstsein gelebt habt)? Definitiv werden sie sagen: „Allah." Sag: „Hamd gehört Allah!" Nein, die Meisten von ihnen benutzen nicht ihren Verstand und werten nicht gebührend aus!

64. Und dieses offensichtliche und wahrgenommene, weltliche Leben (der unterste Zustand des Bewusstseins) ist nichts weiteres als ein Vergnügen (eine trügerische Ablenkung in Bezug auf das, was wirklich real ist) und ein Spiel (worin wir lediglich unsere Rollen wie in einem Drehbuch spielen)! Was das ewige Dasein anbelangt, dies ist der wahre Zustand des bewussten Lebens. Wenn sie doch nur begreifen könnten!

65. Wenn sie auf das Schiff gehen, dann übergeben sie ihren ganzen Glauben an Ihm und beten zu Allah. Aber wenn Er sie ans Land bringt, dann verfallen sie in die Dualität (in die Assoziation zu Allah)!

66. Also zeigen sie Undankbarkeit (wenden sich der Dualität hin) zu den Dingen, die Wir ihnen gegeben haben (die Kräfte und Eigenschaften innerhalb ihrer Essenz) und profitieren (von temporären, weltlichen Dingen)! Bald werden sie verstehen!

67. Haben sie nicht gesehen, wie Wir es zu einem sicheren Zufluchtsort (Harem) gemacht haben, während die Menschen um ihnen herum weggenommen wurden. Glauben sie immer noch am Aberglauben (dass sie nichts weiteres sind als der Körper, der daran gebunden ist nach dem Tod zu verkommen) und leugnen sie immer noch in undankbarer Weise den Segen Allahs (die Kräfte der Namen in ihrer Essenz)?

68. Wer macht Schlimmeres als jener, der eine Lüge über Allah erfindet oder der jenes leugnet, welches als die Wahrheit kam (der Rasul)? Ist die Hölle nicht der Aufenthaltsort jener, die das Wissen um die Wahrheit leugnen?

69. Und jene, die bemüht und bestrebt sind (gegen ihre Egos), Uns zu erreichen, Wir werden zweifelsohne ihnen ermöglichen, Unsere Wege zu erreichen (indem sie befähigt werden, ihre essentielle Wahrheit zu realisieren. Die Fähigkeit, die Manifestierungen von Allahs Namen allgegenwärtig zu beobachten). Zweifelsohne ist Allah mit jenen zusammen, die die Nähe haben (Jene, die „Ihsan" [jene, die zu Allah sich hinwenden, als ob sie ihn sehen würden] besitzen; Maiyet Sirr: das Geheimnis über den Tod).

Mit demjenigen, der durch den Namen Allah erwähnt wird (der mein Wesen mit Seine Namen erschaffen hat im Anwendungsbereich des Buchstabens „B"), der Rahman und Rahim ist.

1. Alif, Lam, Meem.

2. **Die Römer** (die Byzantiner) **wurden besiegt!**

3. **In einem nicht zu fernen Land... Sie** (die Byzantiner) **werden siegreich sein nach dieser Niederlage.**

4. **Innerhalb von ein paar Jahren... Das Urteil gehört Allah von Anfang an bis zum Ende! Jene, die geglaubt haben, werden sich erfreuen** (denn das Wort Allahs wird sich erfüllt haben).

5. **Mit der Hilfe von Allah... Er gibt den Sieg, wem Er will! HU ist Aziz, Rahim.**

6. (Dies ist) **das Versprechen von Allah; Er versagt nicht, Sein Versprechen zu halten! Aber die Mehrheit der Menschen wissen nicht.**

7. **In ihren Kokons lebend, sind sie sich unbewusst des ewigen, zukünftigen Lebens; sie wissen und erkennen nur den materiellen Aspekt des weltlichen Lebens!**

8. **Denken sie denn gar nicht über ihr Selbst** (ihre essentielle Wahrheit) **nach? Allah hat die Himmel, die Erde und alles zwischen den beiden nur als die Wahrheit erschaffen und mit einer definierten Lebensspanne! Zweifelsohne leugnen die meisten Menschen, dass sie mit ihrem Rabb zusammenkommen werden.**

9. **Bereisen sie denn nicht die Erde und sehen sie nicht das Ende, welches ihre Vorgänger ereilte? Sie** (die Vorgänger) **waren mächtiger als sie** (das gegenwärtige Volk) **... Sie kultivierten die Erde mehr und bauten darauf mehr als diese gebaut haben. Ihr Rasul kam auch zu ihnen mit klaren Beweisen. Also war es nicht Allah, der ihnen Grausames antat, sondern es waren sie, die grausam zu sich selbst waren.**

10. **Dann war das Ende derjenigen, die Grausames** (zu sich selbst) **verrichtet hatten, das Schlimmste! Denn sie hatten die Zeichen Allahs geleugnet und sie hatten darüber gespottet.**

11. **Allah verursacht die Schöpfung, dann wird Er sie wiederherstellen und zu Ihm werdet ihr zurückkehren.**

12. **Zu dieser Zeit werden die Schuldigen** (die Dualisten, gültig des Schirks, d.h. der Assoziation mit Allah) **still sein voller Hoffnungslosigkeit.**

13. **Es gab keine Fürbitte von den Partnern, die sie zugeschrieben hatten, denn sie hatten die Ungültigkeit dieser Partner gesehen!**

14. **Zur Zeit dieser Stunde** (Tod) **werden** (die Gläubigen und die Leute der Dualität) **aussortiert werden.**

15. **Jene, die glauben und die den Anforderungen ihres Glaubens gerecht wurden, werden sich an einer segensreichen Umgebung erfreuen.**

16. Und jene, die das Wissen um die Wahrheit, Unsere Zeichen in ihrer Essenz und das ewige, zukünftige Leben leugnen, werden gezwungenermaßen in diesem Leiden verweilen müssen.

17. „Subhan" ist Allah, an eurem Abend und an eurem Morgen!

18. Das „Hamd" gehört Ihm in den Himmeln und auf der Erde... Zu Mittagszeit, wenn die Sonne ihren höchsten Stand erreicht hat und am späten Nachmittag, wenn es anfängt, unterzugehen!

19. Er bringt das Leben aus dem Toten hervor und das Tote aus dem Lebenden und gibt der Erde leben nach ihrem Tod. Und so werdet ihr auch hervorgebracht werden.

20. Es ist von Seinen Wundern und Zeichen, dass Er euch vom Staub erschaffen hatte. Dann seid ihr als Menschen verteilt worden (denkend, dass ihr nur aus dem materiellen Körper aus Fleisch und Blut besteht, wobei ihr als Stellvertreter erschaffen wurdet)!

21. Es ist von Seinen Zeichen, dass Er Partner (Körper) von eurem Selbst (euer Bewusstsein, welches geformt wird aus einer Komposition der Namen) formt, so dass ihr darin Ruhe finden könnt und so dass Er zwischen euch Liebe und Gnade formt. Zweifelsohne sind hierin viele Zeichen für ein Volk, welches tief nachdenkt.

22. Es ist von Seinen Zeichen... Die Schöpfung der Himmel (die Stufen des Bewusstseins) und der Erde (Gehirn – Körper) und die Unterschiedlichkeit eurer Sprache und Hautfarbe. Definitiv sind in diesem Ereignis Zeichen für die Welten (Menschheit).

23. Es ist von Seinen Zeichen, dass ihr in der Nacht schläft und am Tage von Seiner Gunst erfragt. Zweifelsohne sind hierin Zeichen für ein Volk, welches wahrnimmt.

24. Es ist von Seinen Zeichen, dass Er euch einen Blitz zeigt (einen plötzlichen Einfall der Wirklichkeit), welcher beides, Furcht und Hoffnung, erweckt. Er lässt Wasser (Wissen) vom Himmel (die Dimension der Namen [Daten], welche die Essenz eures Gehirns darstellt) herab und bringt die Erde (die Idee, dass man nur der Körper ist) zum Leben nach ihren Tod (nach dem jemand sich unbewusst über die Wirklichkeit war). Zweifelsohne sind hierin Zeichen und Lehren für ein Volk, welches ihren Intellekt benutzen kann.

25. Es ist von Seinen Zeichen, dass die Himmel (Bewusstsein) und die Erde (Körper) weiterhin anhand Seiner Anordnung bestehen. Und dann, wenn Er euch von der Erde (euren Körper) aus ruft, dann werdet ihr herauskommen (mit der engelhaften Kraft des Azraels)!

26. Und Ihm gehört, was es auch immer in den Himmeln (bewusste Wesen) und auf der Erde (körperliche Wesen) existieren. Und so sind alle in einem Zustand der Gehorsamkeit Ihm gegenüber (indem die Eigenschaften Seiner Namen manifestiert werden) ...

27. Es ist HU, der die Schöpfung manifestiert und dann sie zurückkehren lässt! Und das ist leicht für Ihn (zu tun)! Und Ihm gehören die größten Beispiele in den Himmeln und auf der Erde. HU ist Aziz, Hakim.

28. Er gibt euch ein Beispiel von eurem Selbst: Würdet ihr akzeptieren, Partner zu sein in euren Versorgungen (Wohlstand) mit euren Dienern, so dass ihr mit ihnen gleichwertig seid im Wohlstand und sie fürchtet, wie ihr euch gegenseitig fürchten würdet? Und so verteilen Wir die Lehren für ein Volk, welches ihren Verstand benutzt.

29. Nein, die „Zalims" (diejenigen, die ihrem Selbst die Wahrheit verweigern und deshalb grausam zu sich selbst sind) **verfolgen ignoranter Weise ihre leeren Begierden und Vorstellungen. Wer kann denjenigen führen, den Allah irreleitet? Und sie haben keine Helfer.**

30. **Richtet euer Antlitz (Bewusstsein) als Hanif** (ohne das Konzept eines Gottes, ohne Schirk an Allah zu begehen, d.h. mit dem Bewusstsein der Non-Dualität) **zu der EINEN Religion** (das einzige System und die Anordnung), **die natürliche Disposition (Fitrah) von Allah** (d.h. das primäre System und die Arbeitsweise des Gehirns) **worauf Allah den Menschen erschaffen hatte. Es gibt keine Veränderung im System von Allah. Dies ist das unaufhörliche, gültige System (Din -i Kayyim), aber die meisten Menschen wissen dies nicht.**

31. **Was jene anbelangt, die sich zu Ihm gewandt haben, beschützt euch vor Ihm** (da Sein System und Seine Anordnung automatisch die Konsequenzen eurer Taten aufzwingen werden) **und etabliert das Salaah und gehört nicht zu jenen, die sich in der Dualität befinden!**

32. **Gehört nicht zu jenen, dessen religiöses Verständnis fragmentiert ist und die aufgeteilt sind in Sekten. Da jede Sekte sich an ihrem eigenen** (Religionsverständnis) **erfreut!**

33. **Wenn eine Bedrückung die Menschen erfasst, dann wenden sie sich ihrem Rabb im Gebet zu. Wenn Er sie dann Gnade von Ihm kosten lässt, dann beginnen manche von ihnen unverzüglich Partner mit ihrem Rabb zu zuschreiben.**

34. **So dass ihre Undankbarkeit gegenüber dem, was Er ihnen gab, offensichtlich wird. Genießt** (die vergänglichen Vergnügen), **bald werdet ihr es wissen.**

35. **Oder haben Wir ihnen einen kraftvollen Beweis enthüllt und deshalb befinden sie sich in der Dualität** (im Schirk)?

36. **Wenn Wir die Menschen Gnade kosten lassen, dann erfreuen sie sich daran. Aber wenn sie etwas Schlechtes ausleben aufgrund ihres eigenen Handelns, dann verfallen sie sofort in die Hoffnungslosigkeit!**

37. **Haben sie nicht gesehen, wie Allah die Lebensversorgung vermehrt oder verringert für wen Er es will. Zweifelsohne sind hierin Zeichen für ein Volk, welches glaubt.**

38. **Gebt euren Verwandten ihre gebührenden Rechte und auch den Bedürftigen und den Reisenden. Dies ist besser für jene, die das Antlitz Allahs für sich ersuchen! Sie sind diejenigen, die entgegen allen Behinderungen, die Befreiung und Errettung erreichen!**

39. **Was ihr an Zinsen gebt, um an Wert durch den Wohlstand anderer zu gewinnen, wird sich nicht vermehren aus der Sichtweise Allahs! Aber was ihr gebt an Spenden** (das arabische Wort Zakaat, d.h. Spende, kommt von Tazkiya, welche Reinigung bedeutet), **um das Antlitz Allahs zu ersuchen, wird sich vielfach multiplizieren!**

40. **Es ist Allah, der euch erschaffen hat und dann euch mit der Lebensversorgung ernährt hat, dann wird Er euch sterben lassen** (euch den Tod kosten lassen) **und dann euch wieder zum Leben erwecken** (in einer neuen Dimension der Existenz)! **Kann irgendeiner von euren „angeblichen" Partnern diese Dinge verrichten? Unabhängig ist HU und hoch erhaben von den Partnern, die sie Ihm zuschreiben.**

41. Korruption ist auf dem Lande und auf dem Meer entstanden, so dass (Allah) den Menschen die Konsequenzen über das, was sie tun, erfahren lassen kann! Vielleicht werden sie sich abwenden.

42. Sag: „Bereist die Erde und seht das Ende, welches jene, die vor euch waren, ereilt hatte! Die Meisten von ihnen befanden sich in der Dualität (waren im Schirk)!"

43. Wendet euer Antlitz (euer Bewusstsein) zur Rechten Religion (Islam; die Wahrheit, dass sich alles in einem Zustand der absoluten Ergebenheit und Gehorsamkeit gegenüber Allah befindet), bevor von Allah die Zeit (Tod) kommt, welche nicht zurückgewiesen werden kann; eine Zeit, wenn (die Menschen) in Gruppen unterteilt werden.

44. Wer auch immer leugnet, Seine Leugnung ist sein eigener Schaden... Und wer auch immer glaubt und die Anforderungen seines Glaubens erfüllt, der bereitet nur sein eigenes Selbst vor (die Gegenleistung seiner Taten).

45. Auf dass (Allah) jene aus Seiner Gunst heraus belohnt, die glauben und die Anforderungen ihres Glaubens erfüllen. Zweifelsohne liebt Er nicht jene, die das Wissen um die Wahrheit leugnen!

46. Es gehört zu seinen Zeichen, dass Er die Winde enthüllt als Botschafter von guten Nachrichten, dass Er euch von Seiner Gnade kosten lässt und dass die Schiffe gemäß Seiner Anordnung segeln. So dass ihr von Seiner Gunst erfragt, sie bewertet und dankbar seid.

47. Zweifelsohne haben Wir vor dir Rasuls an ihre Völker enthüllt, die zu ihnen kamen als klare Beweise. Und Wir nahmen Rache an den Schuldigen. Es ist Uns auferlegt, die Gläubigen zu helfen.

48. Es ist Allah, der die Winde enthüllt (die Gedanken, welche auf dem Wege der Inspirationen kommen) und die Wolken damit bewegt (die Gedanken in der Datenbank des Individuums) und sie im Himmel verteilt (Bewusstsein) und sie zerlegt (erlaubt, dass sie analysiert werden), so dass Regen (das aufgedeckte und herausgefundene Wissen) unter ihnen hervorkommt. Wenn Er es enthüllen lässt auf denjenigen Diener, von wem Er es will, dann erfreuen sie sich sofort an die gute Nachricht.

49. Wobei bevor dies (der Regen – Wissen) zu ihnen kam, da haben sie es natürlich durcheinandergeworfen (unfähig den Unterschied zwischen Wahrheit und Lüge zu unterscheiden).

50. Deshalb beobachtet die Arbeiten von Allahs Gnade, wie Er Leben zur Erde gibt (anhand von Wissen) nach ihrem Tod (während du akzeptierst, dass du der Körper oder aus „Materie" bestehst, wobei du als Unsterblicher erschaffen wurdest und als Stellvertreter, d.h. der höchste Zustand in der Existenz [Ahsanul Takwin]). Zweifelsohne ist Er derjenige, der Leben gibt (Unsterblichkeit) zu den Toten! HU ist Kaadir über alle Dinge.

51. Aber wenn Wir einen Wind enthüllen und sie sehen, dass es gelb (ihre Ackerfelder) wird, dann werden sie unverzüglich undankbar.

52. Zweifelsohne kannst du nicht die Toten (jene, die ignoranter Weise denken, dass sie zerfallen werden und nicht mehr vorhanden sein werden) hören lassen; noch kannst du die Tauben hören lassen, wenn sie ihre Rücken drehen (zur Wahrheit) und gehen!

53. Und du kannst nicht die Blinden aus ihrem korrupten Glauben herausholen und ihnen die Wahrheit zeigen! Du kannst nur die Muslime (jene, die sich ergeben haben zum Willen Allahs) **hören lassen; jene, die an Unsere Zeichen in ihrer Essenz geglaubt haben!**

54. **Es ist Allah, der euch mit Schwäche erschaffen hatte** (unbewusst der Wahrheit)! **Dann hat Er nach eurer Schwäche Kraft geformt** (hat euch eurer essentiellen Wahrheit, eures Rabbs, bewusst werden lassen)! **Dann, nach dieser Kraft, hat Er euch schwach gemacht** (aus der Sichtweise desjenigen, der Allah genannt wird, hat Er sich euch eurer Impotenz bewusst werden lassen – „Abd-i Adschiyz"... der nichts-könnende Diener) **und hat euch graue Haare gegeben** (Weisheit)... **Er erschafft, was Er will. HU ist Aliym, Kaadir.**

55. **Zu dieser Stunde** (Tod) **werden die Schuldigen schwören, dass sie nicht mehr als eine Stunde** (im körperlichen Leben) **verbracht hätten. Und so waren sie getäuscht** (ein Tag aus der Sicht eures Rabbs ist eintausend Jahre des irdischen Lebens).

56. **Und jenen, denen das Wissen und der Glaube gegeben wurde, sagten: „Zweifelsohne seid ihr in Allahs Buch** (das „LESbare" Buch oder der Zustand der Existenz, welches als das Klare Buch definiert ist) **geblieben bis zum Tag der Auferstehung** (wenn euch eine neue Form gegeben wird, um euer Leben weiterzuführen). **Und so ist dies die Zeit der Auferstehung. Aber ihr habt die Wahrheit nicht verstanden!"**

57. **Während dieser Zeit werden die Ausreden jener, die** (ihr Selbst) **geschadet haben, ihnen nicht helfen und sie werden auch nicht gefragt werden, ihren Zustand zu verbessern** (mit einer positiven Tat).

58. **Wir haben alle möglichen Beispiele in diesem Koran verdeutlicht! Zweifelsohne, wenn ihr ihnen ein Beweis liefert, dann werden jene, die das Wissen um die Wahrheit leugnen, sagen: „Ihr fabriziert dies alles nur!"**

59. **Und so versiegelt Allah das Bewusstsein der Ignoranten!**

60. **Also seid geduldig! Zweifelsohne ist das Versprechen Allahs wahr! Jene, die nicht den Zustand der Gewissheit erreicht haben, werden euch nicht leichtherzig nehmen** (wenn Unser Versprechen erfüllt ist)!

31 - LUKMAN

Mit demjenigen, der durch den Namen Allah erwähnt wird (der mein Wesen mit Seine Namen erschaffen hat im Anwendungsbereich des Buchstabens „B"), der Rahman und Rahim ist.

1. Alif, Lam, Meem.

2. Dies sind die Zeichen des Buches der Weisheit (des Wissens voller Weisheit).

3. Als Gnade und Führung zur Wahrheit für jene, die sich zu Allah hinwenden, als ob sie Ihn sehen würden (Anwendung von „Ihsan", d.h. Perfektion im Glauben, ist sich so zu benehmen, als ob man Allah sieht).

4. Sie sind jene, die „Salaah" etablieren und die „Zakaah" spenden und sie sind sich gewiss über ihr zukünftiges, ewiges Leben.

5. Sie sind sich über das Wissen der Wahrheit von ihrem Rabb bewusst und sie sind es, die befreit sind.

6. Und es gibt einige unter den Menschen, die sich mit leerem Gerede beschäftigen ohne irgendeinem Fundament, als Zeitvertreib und die (die Menschen) vom Wege Allahs irreleiten. Es gibt für sie ein erniedrigendes Leiden.

7. Und wenn er informiert wird über Unsere Zeichen, dann dreht er sich in arroganter Weise weg, als ob er es nicht gehört hat, als ob Taubheit in seinen Ohren besteht. Gib ihm die Nachricht eines intensiven Leidens!

8. Was jene anbelangt, die glauben und dessen Anforderungen erfüllen, für sie gibt es Paradiese des Segens (ein Leben, welches geschmückt ist mit den Rahim genannten Eigenschaften der Kräfte der Namen).

9. Sie werden dort auf ewig sein. Es ist das wahre Versprechen Allahs! HU ist Aziz, Hakim.

10. Er hat die Himmel ohne Säulen erschaffen (die Dimensionen des Wissens und des Bewusstseins bestehen automatisch und direkt aus den Bedeutungen der Namen), so dass (euer Bewusstsein sich entwickeln kann) und stabile Berge (Organe) sich auf der Erde (Körper) etablieren können, so dass ihr nicht gerüttelt werdet und Er hat jedes Lebewesen geformt (tierische Eigenschaften). Wir ließen Wasser (Wissen – das Bewusstsein, womit der Mensch sich bewusst werden kann seines essentiellen Selbst) vom Himmel (Universales Bewusstsein) enthüllen und haben darin jedes, großzügige Paar geformt (deine Seele – Persönlichkeit für dein ewiges, jenseitiges Leben).

11. Dies ist die Schöpfung Allahs. Also zeigt Mir, was jene abgesehen von Ihm, erschaffen haben? Nein, die „Zalims" (jene, die sich die Wahrheit ihres Selbst und die der anderen, vorenthalten) befinden sich im offensichtlichen Irrtum.

12. Zweifelsohne haben Wir Lukman Weisheit (ein Intellekt, welcher auf systematisches Denken basiert ist) gegeben, so dass er Allah gegenüber dankbar sein kann. Und wer auch immer dankbar ist, seine Dankbarkeit ist für sein eigenes Selbst. Und wer auch immer ablehnt (die Segen innerhalb seiner Essenz), zweifelsohne ist Allah Ghani, Hamid.

13. Und als Lukman seinem Sohn eine Empfehlung gab: „Oh mein Sohn! Assoziiere keinen Partner mit Allah (vergöttere nicht dein Selbst/Körper), der deine Essenz mit Seinen Namen darstellt! Definitiv ist die Assoziation (Dualität) eine gewaltige Grausamkeit!

14. Wir haben den Menschen seine Eltern auferlegt. Seine Mutter hat ihn voller Schwäche getragen... Und sein Stillen dauert zwei Jahre. „Sei Mir gegenüber dankbar und zu deinen Eltern; zu Mir ist die Rückkehr!"

15. Aber falls sie euch zwingen, etwas mit Mir zu assoziieren, welches in Opposition zu eurem Wissen steht, dann gehorcht ihnen nicht! Seid ihnen gegenüber gütig, was weltliche Beziehungen anbelangt, aber folgt denjenigen, der sich zu Mir hinwendet! Eure Rückkehr ist zu Mir. Ich werde euch bezüglich der Dinge, die ihr getan habt, unterrichten.

16. „Oh mein Sohn... Zweifelsohne, wenn die Sache, die du tust, das Gewicht eines Senfkorns hat und es sich innerhalb eines Felsens oder in den Himmeln oder unter der Erde sich befindet, dann wird es Allah hervorbringen (als das Resultat eurer Essenz). Zweifelsohne ist Allah Latif, Khabiyr."

17. „Oh mein Sohn... Etabliere das Salaah... Urteile basierend auf deinen Glauben; verzichte auf schlechtes Benehmen. Und sei geduldig mit dem, was dich bedrückt! In der Tat sind dies Dinge, welche Entschlossenheit benötigen."

18. „Dreh dich nicht in Arroganz von den Menschen weg und laufe nicht auf der Erde in einer prahlerischen Art und Weise! Zweifelsohne liebt Allah nicht jene, die arrogant und stolz auf ihre Besitztümer sind!"

19. „Kenne deine Grenzen im Leben, mit Gleichgewicht und senke deine Stimme! In der Tat ist der schrecklichste Ton die Stimme des Esels."

20. Habt ihr nicht gesehen wie Allah alles, was sich in den Himmeln und auf der Erde befindet, zu eurem Dienst unterworfen hat und Seine offensichtlichen und geheimen Segen auf euch verteilt hat... Und unter den Menschen gibt es einige, die bezüglich Allah argumentieren ohne irgendeinem Fundament an Wahrheit und erleuchtetem Wissen.

21. Wenn ihnen gesagt wird: „Folgt dem, was Allah enthüllt hat", dann sagen sie: „Nein, wir befolgen die Art unserer Ahnen." Selbst wenn Satan (körperliche Begierden) sie zu einem Leiden eines flammenden Feuers herbeiruft?

22. Und wer auch immer sein Antlitz (Bewusstsein) Allah als „Muhsin" (als denjenigen, der sich benimmt, als ob er Allah *sieht*) gegenüber in Ergebenheit zeigt, der hat sicherlich einen starken Hebel ergriffen... Alle Angelegenheiten kehren zu Allah zurück!

23. Und wer auch immer ablehnt, lass seine Ablehnung dich nicht aufregen! Ihre Rückkehr ist zu Uns; Wir werden sie informieren bezüglich der Dinge, die sie tun. Zweifelsohne ist Allah, als die Absolute Essenz der Namen, die eure Wesen ausmachen, „Aliym" über das, welches sich in eurem Innern befindet.

24. Sie werden das Vergnügen der Welt für eine kurze Weile kosten... Dann werden Wir sie einem intensiven Leiden unterwerfen.

25. Zweifelsohne, wenn du sie fragen würdest: „Wer hat die Himmel und die Erde erschaffen?" Dann werden sie sicherlich sagen: „Allah"... Sag: „Alhamdulillah – Hamd gehört Allah!" ... Aber nein, die Meisten von ihnen können nicht verstehen!

26. Was sich auch immer in den Himmel und auf der Erde befindet, ist für Allah (um die Manifestierungen der Eigenschaften Seiner Namen zu betrachten). In der Tat ist Allah HU, derjenige, der Ghani und Hamid ist.

27. Wenn alle Bäume auf der Erde Stifte wären und die Meere (Tinte sein würden) und sieben Meere wären dazu addiert worden, die Worte Allahs würden trotzdem nicht aufhören. Zweifelsohne ist Allah Aziz, Hakim.

28. Die Schöpfung und die Wiederauferstehung von euch allen mit einer neuen Form in einer neuen Dimension des Lebens ist wie jenes eines einzelnen Wesens... Zweifelsohne ist Allah Sami, Basiyr.

29. Habt ihr nicht gesehen, wie Allah die Nacht zum Tag und den Tag zur Nacht transformiert! Er hat Funktionen zur Sonne und zum Mond erlassen! Jedes von ihnen erfüllt ihre eigene Funktion für eine spezifische Zeit... Allah ist Khabiyr über das, was ihr tut (als dessen Schöpfer).

30. Dies kommt daher, weil Allah HU ist, die Wahrheit (die Absolute Realität) ... In der Tat sind die Dinge, zu denen ihr Namen abgesehen von Ihm gebt, leere grundlose Dinge! Zweifelsohne ist Allah Aliy, Kabiyr.

31. Habt ihr nicht gesehen, wie die Schiffe durch das Meer segeln als Segen von Allah, so dass Er euch auf Seine Zeichen hinweist? In der Tat sind hierin Lehren für jene, die geduldig und dankbar sind.

32. Und wenn Wellen sie bedecken wie dunkle Wolken, dann widmen sie ihren Glauben gänzlich Allah und beten... Aber wenn Wir sie ans Land führen, dann nehmen manche von ihnen den mittleren Weg. Und keiner von ihnen leugnen Unsere Zeichen absichtlich außer jene, die brutal und undankbar sind.

33. Oh Menschen! Beschützt euch vor eurem Rabb (denn Er wird definitiv die Konsequenzen eurer Taten euch aufzwingen) und fürchtet euch vor der Zeit, wo kein Vater seinem Sohn und kein Sohn seinem Vater helfen kann! Zweifelsohne ist das Versprechen Allahs wahr! Lasst nicht zu, dass das weltliche Leben euch täuscht. Und lasst nicht das Getäuschte (euer irregeleitetes Ego) euch bezüglich Allah täuschen (indem ihr von der Sunnatullah verschleiert seid und denkt, dass Er eure essentielle Wahrheit darstellt, also kann euch nichts passieren)!

34. In der Tat, das Wissen bezüglich dieser Stunde (Tod) befindet sich in der Sichtweise Allahs; Er lässt den Regen herabsteigen, Er weiß, was sich in den Gebärmüttern befindet; keiner weiß, was die Zukunft bringen wird und keiner weiß, wo sie sterben werden! Zweifelsohne ist Allah Aliym, Khabiyr.

Mit demjenigen, der durch den Namen Allah erwähnt wird (der mein Wesen mit Seine Namen erschaffen hat im Anwendungsbereich des Buchstabens „B"), der Rahman und Rahim ist.

1. **Alif, Lam, Meem.**

2. **Dies ist das Wissen** (Buch) **der Wahrheit und der Sunnatullah, welches vom Rabb der Welten** (der Rabb der „Menschen") **enthüllt wurde!** (An vielen Stellen im Koran wurde mit dem Wort „Welten" auf die „Menschen" hingewiesen. Man sollte dies näher betrachten und tief darüber nachdenken.)

3. **Oder sagen sie: „Er hat es erfunden!" Niemals! Es ist die Wahrheit von deinem Rabb, so dass du damit das Volk warnen kannst, welches vorher keinen bekommen hat, der gewarnt hatte. Vielleicht werden sie** (es bewerten und) **die Wahrheit erreichen.**

4. **Es ist Allah, der die Himmel** (die Ebenen des Selbst und des Bewusstseins) **und die Erde** (Körper – Gehirn) **erschaffen hatte und alles zwischen ihnen in sechs Stadien** (die sechs Stadien in Bezug auf die Schöpfung des Menschen sind: 1. Spermien/Ei, 2. Empfängnis [Zygote], 3. Zellteilung, 4. zelluläre Differenzierung, 5. Die Bildung der Organe und 6. Spezialisierung der Organe mit unterschiedlichen Funktionen und das Bilden des Bewusstseins und der Sinne) **und dann hat Er sich auf dem Thron etabliert** (mit den Namenseigenschaften hat Er begonnen in der Dimension der Taten, die Verwaltung zu übernehmen) ... **Ihr habt keinen Wächter oder jemanden, der Fürbitte leistet, neben Ihm. Werdet ihr dies immer noch nicht bewerten und darüber tief nachdenken?** (Es gibt meinem Verständnis nach zwei Arten wie man diesen Vers betrachten kann: in Bezug auf die externe Welt des Menschen und in Bezug auf die Existenz des Menschen.)

5. **Er verwaltet die Erde** (das Gehirn) **vom Himmel aus** (1. Die externe Sichtweise: Anhand von kosmischer, elektromagnetischer Energie, welche von den Eigenschaften der Namen ausstrahlt in Form von Konstellationen der Gestirne [Sternzeichen], welche das zweite Gehirn im Darm beeinflusst und deshalb das Bewusstsein eines Jeden oder 2. aus der internen Sichtweise: Durch die Namen, welche sich im Gehirn basierend auf der holografischen Realität manifestieren). **Dann wird es zu Ihm aufsteigen in einer Zeit, welche sich auf eintausend Jahre erstreckt** (der Aufstieg zum Leben des Seelenkörpers oder eine dimensionale Rückkehr zur eigenen Essenz.).

6. **Und so ist** (Allah) **der Wissende über das „Ghaib"** (das, welches nicht wahrzunehmen ist) **und über die „Schahadat"** (das, welches zu bezeugen ist). **Er ist Aziz, Rahiym.**

7. **Er ist es, der alles perfekt erschaffen hatte! Er begann die Schöpfung des Menschen aus Ton** (Ei).

8. **Dann machte Er seine Abstammung aus einer grundlegenden Flüssigkeit** (Spermien).

9. **Dann proportionierte Er ihn** (formte sein Gehirn, so dass die Neuronen die verschiedenen Wellenlängen auswerten, um die Bedeutungen der Namen zu manifestieren) **und hauchte in ihm Seine Seele hinein** (der Akt des Einhauchens in etwas geht von innen nach außen, d.h. die Manifestierungen der Namen innerhalb der Datenebene des Gehirns wird als „die Seele von Allah" in der Existenz beschrieben... Allah weiß es am besten). **Und**

Er machte für euch das Hören (Wahrnehmung), das Sehen (Vision) und die Herzen (die Reflexion der Bedeutungen der Namen an das Gehirn – Herzneuronen). Wie wenig gebt ihr Dank (bewertet ihr dies)!

10. Sie sagten: „Wenn wir zu nichts werden unter der Erde, werden wir dann das Leben fortführen mit einer neuen Form?" Nein, sie lehnen es ab über die Manifestierung (das Zusammenkommen) ihres Rabbs (mit Seinen Namen) in ihrer Existenz erleuchtet zu werden.

11. Sag: „Der Todesengel (die Kraft des Todes; die Kraft, die einen vom biologischen Körper zu einem Leben in der Domäne des Seelenkörpers zieht), der euch anvertraut wurde (eine Funktion, die schon in eurem System gegenwärtig ist), wird verursachen, dass ihr sterbt (wird euch von eurem Körper trennen)! Dann werdet ihr zu eurem Rabb zurückgekehrt werden (ihr werdet unterscheiden, was eure essentielle Wahrheit darstellt)."

12. Die Schuldigen (jene, die das Wissen um die Wahrheit leugnen) beugen ihre Köpfe anhand der Sichtweise ihres Rabbs und sagen: „Unser Rabb... Wir haben die Wahrheit gesehen und wahrgenommen! Lasse uns zurückkehren (zur Welt - zum Leben mit dem irdischen Körper), so dass wir die Anforderungen erfüllen können! Zweifelsohne haben wir (jetzt) Gewissheit erreicht."

13. Wenn Wir es gewollt hätten, dann könnten Wir jedes Selbst (egobasiertes Selbst; illusorisches Selbst) seine essentielle Wahrheit begreifen lassen, aber Mein Wort „Ich werde definitiv die Hölle allesamt mit Dschinn und Menschen füllen" tritt in Kraft.

14. Also kostet (das Leiden), weil das Zusammenkommen dieses Tages vergessen wurde! In Wahrheit haben Wir euch auch vergessen! Kostet das ewige Leiden aufgrund eurer Taten!

15. Nur jene glauben an Unsere Zeichen, die, wenn sie erinnert werden, dann werfen sie sich nieder und ohne Ego glorifizieren sie das „Hamd" ihres Rabbs (erfüllen ihre Funktionen). (Dies ist ein Vers der Niederwerfung.)

16. Sie stehen von ihren Betten auf (nachts) und beten zu ihrem Rabb mit Furcht und mit Hoffnung. Sie geben von ihrer Lebensversorgung, mit der Wir sie versorgt haben, ohne eine Gegenleistung zu erwarten!

17. Und kein Selbst kennt die Segen der Freude, welche für sie geheim gehalten werden als Resultat ihrer Taten!

18. Ist jemand, der glaubt, gleichwertig mit jemandem von korrupten Glauben? Sie sind nicht gleichwertig!

19. Jene, die glauben und die Anforderungen ihres Glaubens erfüllen, für sie gibt es Paradiese der Zuflucht als Resultat dessen, was sie getan hatten (eine Erfahrung, welche sich manifestieren wird innerhalb ihrer Essenz und deshalb ausgelebt wird).

20. Was jene mit korruptem Glauben betrifft, ihr Aufenthaltsort ist die Hölle! Jedes Mal, wenn sie davon flüchten wollen, werden sie dorthin zurückgeschickt werden und es wird ihnen gesagt: „Kostet das Leiden des Feuers, welches ihr geleugnet habt!"

21. Und Wir werden sie definitiv das Leiden, welches am nächsten ist (in ihrer Welt) vor dem größten (ewigen) Leiden kosten lassen, so dass sie vielleicht sich umdrehen.

22. Und wer begeht mehr falsches, als jemanden, der, wenn er an die Zeichen seines Rabbs innerhalb seiner Essenz erinnert wird, sich dann davon abwendet? Zweifelsohne werden Wir die Schuldigen die Resultate ihrer Taten kosten lassen!

23. Zweifelsohne gaben Wir das Wissen (Buch) an Moses. Also sei nicht (jetzt) im Zweifel darüber, dass (du) Es (das Wissen) bekommen hast! Wir machten es zur Führung für die Kinder Israels.

24. Und wenn sie geduldig waren, dann machten Wir sie zu Führern unter ihnen, unter Unserem Befehl, um sie zur Wahrheit zu leiten! Sie waren sich Unserer Zeichen gewiss!

25. Zweifelsohne ist euer Rabb HU und Er wird zwischen ihnen urteilen, während des Tages der Auferstehung hinsichtlich der Dinge, über die sie sich gestritten hatten.

26. Während sie auf deren Wohnstätten laufen, zeigt dies nicht ihnen die Wahrheit, dass Wir so viele Generationen vor ihnen zerstört hatten? Zweifelsohne sind hierin Lehren... Nehmen sie dennoch nicht wahr?

27. Haben sie nicht gesehen, wie Wir das Wasser zu einem trockenen Land kanalisieren und mit diesem bringen Wir Ernte hervor, womit sie ihr Selbst und ihre Tiere ernähren? Sehen sie immer noch nicht?

28. Sie sagen: „Wann wird die Eroberung sein (die absolute Eroberung [Fath], d.h. die vollständige Entschleierung der Wahrheit anhand der Erfahrung des Todes), falls ihr zu jenen gehört, die die Wahrheit sagen?"

29. Sag: „Während dieser Zeit, wenn die Eroberung erfahren wird, wird der Glaube jener, die sich in der Leugnung gegenüber der Wahrheit befunden hatten (vor der Erfahrung des Todes) ihnen nichts nützen und sie werden auch nicht begnadigt werden."

30. Also wende dich von ihnen ab und warte. Zweifelsohne warten sie auch!

Mit demjenigen, der durch den Namen Allah erwähnt wird (der mein Wesen mit Seine Namen erschaffen hat im Anwendungsbereich des Buchstabens „B"), der Rahman und Rahim ist.

1. Oh Nabi! Gehöre zu jenen, die sich vor Allah beschützen (da Er definitiv die Ergebnisse dessen, was ihr manifestiert, ausleben lassen wird)! Und gehorche nicht jenen, die das Wissen um die Wahrheit leugnen und die Heuchler sind! Zweifelsohne ist Allah Aliym, Hakim.

2. Befolge das, welches dir offenbart wurde von deinem Rabb. Zweifelsohne ist Allah Khabiyr über das, was ihr tut (als dessen Schöpfer).

3. Setzt euer Vertrauen in Allah! Ausreichend ist Allah für euch, eure essentielle Wahrheit anhand Seiner Namen, als Wakiyl.

4. Allah hat keine zwei Herzen in der Brusthöhle vom Menschen geformt! Und Er hat nicht eure Partner zu euren Müttern ernannt (die Araber hatten ihre Ehepartner Mütter genannt und dann für sie als verboten erklärt). Und Er hat nicht eure adoptierten Söhne zu euren echten Söhnen gemacht. Dies ist nur euer unbegründetes Geschwätz! Allah informiert über die Wahrheit und leitet zum rechten Weg!

5. Ruft sie (eure adoptierten Söhne) mit (den Namen) ihrer Väter. Dies ist gerechter aus der Sichtweise Allahs. Falls ihr ihre Väter nicht kennt, dann sind sie eure Brüder und Freunde in der Religion. Und es trifft euch keine Schuld für jenes, worin ihr euch geirrt habt. Außer für die Dinge, die ihr mit absichtlicher Intention begangen habt. Allah ist Ghafur, Rahim.

6. Der Nabi hat eine höhere Priorität für die Gläubigen als ihr eigenes Selbst! Seine Ehepartner sind ihre Mütter (für die Gläubigen)! Und Verwandte haben in Allahs Buch (gemäß dem Erbrecht) eine höhere Priorität als (andere) Gläubige und Auswanderer. Außer das Gute, welches ihr für Freunde begeht auf dem Weg der Religion. Dies ist ein Gesetz vom offenbarten Wissen.

7. Und Wir hatten einen Eid genommen von den Nabis; von dir, Noah, Abraham, Moses und Jesus, dem Sohn der Maria. Wir hatten mit ihnen ein ernst zu nehmendes Abkommen getroffen.

8. So dass die Wahrheitsliebenden bezüglich ihrer Wahrheit befragt werden (so dass sie geprüft werden mögen). Und Er hat ein strenges Leiden für jene vorbereitet, die das Wissen um die Wahrheit leugnen.

9. Oh ihr, die glaubt. Erinnert euch an den Segen Allahs auf euch. Als eine bewaffnete Armee (die Schlacht des Schützengrabens) zu euch kam und Wir einen Sturm und unsichtbare Armeen auf sie enthüllten. Allah ist Basiyr über das, was ihr tut (als dessen Schöpfer).

10. Und als sie zu euch kamen von über und unter euch. Und eure Augen drehten sich und eure Herzen erreichten eure Kehlen! Ihr hattet unterschiedlichste Annahmen bezüglich Allah.

11. Dort wurden die Gläubigen geprüft und auf strengste Weise erschüttert.

12. Und die Heuchler und jene, in dessen Herzen eine Krankheit (frei von gesundem Denken) sich befunden hatte, sagten: „Allah und Sein Rasul hatte uns nichts weiter versprochen als Täuschung."

13. Und eine Gruppe unter ihnen sagte: „Oh Volk von Yasrib (der alte Name von Medina)! Es gibt keinen Ort für euch zum Bleiben, kehrt zurück!" Und eine andere Gruppe fragte um Erlaubnis des Nabis und sagte: „In der Tat sind unsere Häuser unbeschützt." Aber sie (ihre Häuser) waren nicht unbeschützt. Sie wollten nichts anderes als fliehen.

14. Wenn man von ihrer Umgebung (der Stadt) in ihre Häuser gewaltsam eingedrungen worden wäre und sie gezwungen sein würden sich von ihrer Religion wegzudrehen, dann hätten sie (die Heuchler) dies mit Sicherheit getan.

15. In der Tat hatten sie Allah vorher schon versprochen, dass sie nicht ihre Rücken drehen und fliehen würden. Und ein Versprechen, welches Allah gegeben wurde, wird befragt werden (dessen Konsequenz wird unausweichlich ausgelebt und erfahren werden)!

16. Sag: „Falls ihr versucht vor dem Tod oder vor dem getötet zu werden zu fliehen, dann wird euch eure Flucht keinen Nutzen bringen. Selbst wenn ihr fliehen könntet, würde euer Gewinn sich verflüchtigen (da das Leben auf der Erde sehr kurz und flüchtig ist)!"

17. Sag: „Wer kann euch beschützen vor (dem Willen von) Allah, falls Er es wünscht, dass sich etwas Schlechtes oder Gnade auf euch (manifestiert)?" Sie können keinen Freund oder Helfer finden neben Allah.

18. Allah kennt schon jene unter euch, die Behinderungen verursachen und den Leuten sagen: „(Verlasst den Rasul) und kommt zu uns!" Ohnehin kommen nur sehr wenige von ihnen zur Schlacht.

19. Sie sind geizig (heuchlerisch) euch gegenüber! Wenn die Furcht vor der Schlacht (Tod) kommt, dann wirst du sehen, wie sie dich anschauen. Ihre Augen verwandeln sich wie zu jemanden, der durch die Angst vor dem Tod übermannt wurde. Und wenn ihre Furcht vorüber geht, werden sie gierig mit Anschuldigungen und sie werden dich mit ihren scharfen Zungen verletzen. Sie sind keine Gläubige! Und so hat Allah ihre Taten wertlos gemacht. Die ist für Allah sehr leicht.

20. Sie nehmen an, dass die Konföderierten (Ahzab – die unterstützenden Kräfte in der Schlacht) nicht gegangen sind. Falls die Konföderierten (vom neuen) kommen sollten, dann würden sie es vorziehen mit den Beduinen in der Wüste zu bleiben, sich selbst zufriedenstellend nur mit eurer Nachricht! Selbst wenn sie unter euch wären, dann würden sie nur sehr wenig am Kämpfen teilnehmen.

21. Zweifelsohne gibt es ein perfektes Beispiel anhand des Rasuls von Allah für jene, die auf Allah hoffen und dem ewigen, zukünftigen Leben und die sich an Allah oft erinnern!

22. Wenn die Gläubigen die Konföderierten sehen (Ahzab – Gruppe, welche als Unterstützung kam), dann sagen sie: „Dies ist das Versprechen Allahs und von Seinem Rasul. Allah und Sein Rasul haben die Wahrheit gesagt." Dies vermehrt sie nur an Glauben und Ergebenheit.

23. Unter den Gläubigen sind Männer, die ihr Wort Allah gegenüber gehalten haben. Sie haben ihr Leben versprochen und haben es gehalten (sie kosteten den Tod auf dem Wege zu Allah) und manche warten immer noch (um es zu erfüllen). Sie haben sich nicht verändert (ihren Standpunkt)!

24. Und so wird Allah die „Sadik" genannten (jene, die die Wahrheit bestätigen) belohnen aufgrund ihrer Aufrichtigkeit (ihr reiner und aufrichtiger Glaube) und die Heuchler zum Leiden unterwerfen, falls Er es will oder ihre Vergebung akzeptieren. In der Tat ist Allah Ghafur und Rahim.

25. Allah hat jene, die das Wissen um die Wahrheit leugnen, anhand ihrer eigenen Wut abgewiesen und so haben sie gar nichts an Gutem erreicht! Und ausreichend war Allah für die Gläubigen in der Schlacht. Allah ist Kawwi, Aziz.

26. Er ließ jene von ihren Burgen herabsteigen, die sie unterstützt hatten von den Leuten des Buches und hatte Sorge in ihren Herzen geschürt. Ihr hattet eine Gruppe von ihnen getötet und eine andere gefangen genommen.

27. Er machte euch zu Erben ihres Landes, ihrer Häuser, ihrer Besitztümer und einem Land, welches ihr niemals betreten hattet. Allah ist Kaadir über alle Dinge.

28. Oh Nabi... Sag deinen Frauen: „Falls ihr die Verzierungen des weltlichen Lebens haben wollt, dann kommt und lasst mich eure Entschädigung zahlen für die Trennung und euch auf großzügiger Weise freilassen."

29. „Aber falls ihr Allah und Seinen Rasul und die ewige, zukünftige Heimat euch erwünscht, dann hat Allah zweifelsohne für die „Muhsin" genannten unter den Frauen (jene, die sich zu Allah ausrichten, als ob sie Ihn sehen) eine gewaltige Belohnung vorbereitet."

30. Oh Frauen des Nabis... Wer auch immer unter euch eine offensichtliche Unsittlichkeit (einen Akt der Grenzüberschreitung) begeht, dem wird die Bestrafung zweifach zurückgezahlt werden! Dies ist für Allah leicht.

31. Und wer unter euch Allah und Seinen Rasul gehorcht und die Anforderungen ihres Glaubens erfüllt, dem werden Wir ihre Belohnung zweifach geben. Wir haben eine großzügige, vielfältige Lebensversorgung für sie vorbereitet.

32. Oh Frauen des Nabis... Ihr seid nicht wie irgendwelche andere Frauen! Falls ihr beschützt sein wollt, dann spricht nicht (mit Männern) in flirtender Weise! Nicht dass dem Unbedachten, in dessen Herzen sich eine Krankheit befindet, sich eine Hoffnung bildet! Sprecht mit angemessener Redeart, um Missverständnisse zu vermeiden!

33. Bleibt in euren Häusern. Läuft nicht (flirtend) wie die Frauen aus den vergangenen Zeiten der Ignoranz herum, euch entblößend (um zu provozieren und anzulocken). Etabliert das Salaah, gebt die Zakaah und gehorcht Allah und Seinem Rasul! Oh Leute des Haushalts (vom Rasul), Allah will nur, dass Unreinheiten (materielle Bindungen, sich anhand von körperlichen Dingen zu begrenzen) entfernt werden und euch reinigen!

34. Erinnert euch (rezitiert) an die Verse von Allah in euren Häusern und was an Weisheiten informiert wurde. In der Tat ist Allah Latif, Khabiyr.

35. Zweifelsohne für Männer, die den Islam akzeptiert haben und Frauen, die den Islam akzeptiert haben, für gläubige Männer und gläubige Frauen, für gehorchende Männer und gehorchende Frauen, für aufrichtige Männer und aufrichtige Frauen, für geduldige Männer und geduldige Frauen, für Männer in Ehrfurcht (der Zustand, der entsteht, wenn man sich der Wahrheit bewusst wird) und Frauen in Ehrfurcht, für spendende Männern und spendende Frauen, für Männer, die das Fasten erfahren und Frauen, die das Fasten erfahren, für Männer, die ihre Keuschheit beschützen und Frauen, die ihre Keuschheit beschützen, für Männer, die sich oft an Allah erinnern und Frauen, die sich oft an Allah erinnern – für sie hat Allah Vergebung und eine gewaltige Belohnung vorbereitet.

36. Wenn Allah und Sein Rasul sich bezüglich einer Sache ein Urteil bilden, dann haben gläubige Männer und Frauen bezüglich dieser Sache keine eigene Wahl! Wer

auch immer gegenüber Allah und Seinem Rasul ungehorsam ist, ist definitiv zu einem korrupten Glauben verfallen!

37. **Und erinnere dich, als du denjenigen erzähltest, den Allah und du Segen gaben** (der adoptierte Sohn vom Rasul, Zayd): **„Behalte deine Frau und beschützt euch vor Allah,"** aber du hattest innerhalb deiner Gedanken das verborgen, welches Allah **manifestieren wird und du befürchtetest, dass die Leute** (es missverstehen und sich von Allah abwenden würden)! (Wobei) **Allah mehr Recht hat, gefürchtet zu werden! Als Zayd sich von ihr scheiden ließ, haben Wir sie** (Zaynab) **dich heiraten lassen, so dass es keinen Unbehagen oder Behinderung geben möge unter den Gläubigen bezüglich der Heirat der Ex-Frauen ihrer adoptierten Söhne, sobald ihre Beziehung beendet ist. Der Befehl Allahs ist erfüllt worden!**

38. **Es obliegt dem Nabi keine Verantwortung über das, welches Allah ihn auferlegt hat! Dieses war auch die Sunnatullah für jene, die vor ihm gekommen sind. Der Befehl Allahs ist eine schicksalhafte** (geplante) **Fügung** (seine Erfüllung ist eindeutig)!

39. **Sie** (die Rasuls) **übermitteln die „Risalah"** (das Wissen um die Wahrheit) **von Allah, sie befinden sich vor keinem außer Ihm in Ehrfurcht. Ausreichend ist Allah als derjenige, der „Hasib" ist!**

40. **Mohammed ist nicht der Vater von irgendeinen unter euren Männern. Aber er ist der Rasul von Allah, der Letzte der Nabis** (der Höhepunkt der Perfektion – der Endgültige). **Allah ist Aliym über alle Dinge** (im Anwendungsbereich bezüglich des Geheimnisses um den Buchstaben „B").

41. **Oh Gläubige! Erinnert euch sehr oft an Allah!**

42. **Glorifiziert Ihn** (Tasbih- erinnert euch an Seine Erhabenheit) **morgens und abends** (konstant)!

43. **Es ist HU, der sich zu euch und Seinen Engeln** (die Kräfte Seiner Namen) **hinwendet** (reflektiert), **um euch aus der Dunkelheit** (eurer geformten illusorischen Identitäten) **zur „Nuur"** (das Leben basierend auf dem Wissen über die Wahrheit) **hervorzubringen! Und Er ist Rahiym zu jenen, die an ihre essentielle Wahrheit glauben.**

44. **Ihr Gruß, wenn sie mit Ihm sich vereinen** (durch den Tod), **ist „Salaam". Und Er hat eine großzügige, noble Belohnung für sie vorbereitet.**

45. **Oh Nabi... Zweifelsohne haben Wir dich als einen Zeugen, einen Überbringer von frohen Botschaften und als jemanden, der warnt, enthüllt;**

46. **Als eine Quelle des Lichts, der zu** (zur Wahrheit bzgl.) **Allah mit Seiner Erlaubnis ruft!**

47. **Deshalb gib den Gläubigen die frohe Botschaft, dass es eine große Gunst von Allah für sie geben wird!**

48. **Und befolgt nicht jene, die das Wissen um die Wahrheit leugnen und den Heuchlern! Gebt ihren Verfolgungen keine Beachtung! Setzt euer Vertrauen in Allah! Allah, eure essentielle Wahrheit anhand Seiner Namen, ist für euch ausreichend als der „Wakil".**

49. **Oh Gläubige! Wenn ihr gläubige Frauen heiratet und sie dann scheidet, ohne sie berührt zu haben, dann habt ihr kein Anrecht darauf über eine Warteperiode bezüglich ihnen zu entscheiden. Bezahlt unverzüglich ihre Trennungskompensation und entlasst sie mit Leichtigkeit.**

50. **Oh Nabi! Wir haben für dich exklusiv gesetzlich vorgeschrieben deine Frauen, denen du ihre Mitgift gegeben hast und auch das, welches deine rechte Hand besitzt**

(Dienerinnen) unter den Gefangenen des Krieges, welche Allah dir gegeben hat; und die Töchter deiner Onkel und Tanten väterlicherseits, die Töchter deiner Onkel und Tanten mütterlicherseits, die mit dir ausgewandert sind; und jede gläubige Frau, die sich selbst dem Nabi hergegeben hat, sofern es der Nabi auch wünscht, sie zu heiraten. Dies trifft keine Anwendung auf die anderen Gläubigen. Wir wissen genau, was Wir ihnen obligatorisch auferlegt haben bezüglich ihrer Frauen und ihrer Dienerinnen. (Wir erklären dies), damit dich keine Schuld trifft. Allah ist Ghafur und Rahiym.

51. Von ihnen magst du jene zur Seite stellen, wen du willst und magst auch für dich jene nehmen unter ihnen, wen du es willst... Und dich trifft keine Schuld, wenn du (wieder) eine nimmst, (dessen Zeit) du zur Seite gestellt hast. Dies ist am meisten angemessen, so dass sie erleichtert sein mögen und nicht bekümmert sind und dass sie zufrieden sind mit dem, was du ihnen gibst. Allah weiß, was sich in euren Herzen befindet. Allah ist Aliym, Halim.

52. Keine (anderen) Frauen sind nach diesem gesetzlich für dich... Du kannst sie nicht für andere Frauen austauschen, selbst wenn ihre Schönheiten dir gefallen! Ausgenommen sind deine Dienerinnen (jenes, was deine rechte Hand besitzt) ... Allah ist Rakib über alle Dinge.

53. Oh Gläubige... Tretet nicht ein in das Haus des Nabis außer ihr wurdet eingeladen für eine Mahlzeit. (Und nicht) ohne zu warten (, dass die Mahlzeit) vorbereitet sein sollte. Aber geht, wenn ihr eingeladen wurdet und nachdem ihr euer Mahl hattet, geht ohne in leerem Gerede zu verbleiben. Denn dieses (rücksichtslose Verhalten euererseits) bedrückt den Nabi, aber er ist zögerlich, euch dies mitzuteilen (denn er möchte euch nicht verletzen), aber Allah zögert nicht, die Wahrheit zu enthüllen! Und wenn ihr (seinen Ehefrauen) nach etwas fragt, dann tut dies, wenn sich dazwischen ein Schleier befindet. Dies ist reiner für eure Herzen und ihre Herzen. Es ist niemals denkbar für euch, den Nabi zu bedrücken (belästigen, peinigen) oder seine Ehefrauen nach ihm zu heiraten. Zweifelsohne ist dies aus der Sichtweise Allahs eine gewaltige Grausamkeit.

54. Ob ihr etwas veröffentlicht oder geheim haltet, Allah ist definitiv Aliym über alle Dinge (als dessen Schöpfer).

55. Es trifft sie keine Schuld, wenn sie vor ihren Vätern, Söhnen, Brüdern, Neffen, anderen gläubigen Frauen und ihren Dienerinnen erscheinen. Beschützt euch vor Allah. Zweifelsohne ist Allah ein Zeuge über alle Dinge!

56. Zweifelsohne wenden sich Allah und Seine Engel (die Kräfte Seiner Namen) dem Nabi zu und senden ihm Segen. Oh Gläubige, richtet ihm auch eure Segenswünsche (wendet euch zu ihm hin) und gebt ihm mit Gehorsam „Salaam"!

57. Was jene anbelangt, die Allah und Seinem Rasul Bedrückungen verursachen, Allah hat sie in dieser Welt und im ewigen, zukünftigen Leben verflucht und hat für sie eine erniedrigende Qual vorbereitet.

58. Was jene anbelangt, die gläubigen Männern und Frauen belästigen und Bedrückungen verursachen, indem man sie für Dinge anklagt, die sie nicht getan haben, sie haben in der Tat auf sich selbst (die Verantwortung der) Verleumdung und einen offensichtlichen Irrtum aufgenommen.

59. Oh Nabi! Sag deinen Ehefrauen, Töchtern und den Ehefrauen der Gläubigen, dass sie ihre „Dschilbabs" (äußere Kleidung) tragen sollen. Dies sorgt dafür, dass sie erkannt werden und so nicht belästigt werden. Allah ist Ghafur, Rahim.

60. Falls die Heuchler, jene mit kranken Gedanken und jene, die Gerüchte in Medina verbreiten, nicht darauf verzichten, dann werden Wir definitiv dich auf sie setzen und sie werden nur als deine Nachbarn für eine kurze Zeit sein.

61. Als Verfluchte, wo immer sie auch gefunden werden, werden sie ergriffen und getötet.

62. So war auch die Sunnatullah für jene, die vor ihnen waren. Und es gibt keine Veränderung in der Sunnatullah!

63. Die Menschen fragen dich bezüglich der Stunde (den Tod). Sag: „Sein Wissen befindet sich nur innerhalb der Sichtweise Allahs." Wer weiß es schon? Vielleicht ist die Stunde nah!

64. Zweifelsohne hat Allah jene verflucht, die das Wissen um die Wahrheit leugnen und für sie ein flammendes Feuer vorbereitet.

65. Sie werden dort auf ewig verbleiben. Und sie werden keinen Freund oder Helfer finden.

66. In der Zeit, wenn ihre Antlitze (Bewusstsein) in Feuer verwandelt werden (mit dem Feuer der Reue brennen), werden sie sagen: „Wehe uns! Wenn wir doch nur Allah gegenüber gehorsam gewesen wären; wenn wir doch nur dem Rasul gegenüber gehorsam gewesen wären."

67. Und sie werden sagen: „Unser Rabb... Zweifelsohne sind wir unseren Führern und Älteren gefolgt, aber sie haben uns vom Weg (der Wahrheit) irregeleitet."

68. „Unser Rabb, gib ihnen die doppelte Qual und verfluche sie mit einem mächtigen Fluch."

69. Oh Gläubige! Seid nicht wie jene, die Moses belästigt und bedrückt hatten! Allah hat Moses von ihren Beschuldigungen befreit. Aus der Sichtweise Allahs befand sich sein Antlitz in Ergebenheit.

70. Oh Gläubige! Beschützt euch vor Allah (Seinem System, in welchem Er euch die Konsequenzen eurer Taten ausleben lassen wird) und spricht nur die intakte Wahrheit aus!

71. (So dass Allah) eure Taten korrigieren und eure Fehler bedecken möge. Wer auch immer Allah und Seinem Rasul gehorcht, hat in der Tat einen gewaltigen Erfolg erreicht.

72. Zweifelsohne haben Wir das Vertrauen (bewusst die Namen auszuleben) den Himmeln (das Bewusstsein des Selbst, Ego) und der Erde (dem Körper) und den Bergen (Organen) angeboten und sie haben es abgelehnt, es zu tragen (ihre Namenskomposition hatte nicht die Kapazität, es zu manifestieren) und fürchteten sich davor; aber der Mensch (das Bewusstsein, welches die Namen manifestiert, welches die „Stellvertretung" bezeichnet) hat es auf sich genommen, es zu tragen. In der Tat ist er ungerecht (mangelhaft darin diese Wahrheit gebührend auszuleben) und ignorant (des Wissens um Seine grenzenlosen Namen und Eigenschaften).

73. Allah wird den heuchlerischen Männern und Frauen und den dualistischen Männern und Frauen Qualen geben und die Vergebung der gläubigen Männern und Frauen akzeptieren. Allah ist Ghafur und Rahim.

Mit demjenigen, der durch den Namen Allah erwähnt wird (der mein Wesen mit Seine Namen erschaffen hat im Anwendungsbereich des Buchstabens „B"), der Rahman und Rahim ist.

1. „Hamd" gehört zu Allah, dem alles in den Himmeln (Ebenen des Bewusstseins) und auf der Erde (Körper) gehört! Und „Hamd" gehört Ihm auch im ewigen, zukünftigen Leben! HU ist Hakim, Khabiyr.

2. Er weiß, was auch immer in die Erde hineingeht (Körper) und was auch immer aus der Erde heraustritt; und was auch immer vom Himmel enthüllt wurde (was vom Bewusstsein manifestiert wird) und was auch immer dahin aufsteigt (dimensionaler Aufstieg) ... HU ist Rahim, Ghafur.

3. Jene, die das Wissen um die Wahrheit leugnen, sagen: „Die Stunde (des Todes, wobei die Wahrheit ganz offensichtlich sein wird) wird nicht zu uns kommen." Sag: „Nein, ich schwöre bei meinem Rabb, dem Wissenden des Unbekannten (Ghaib; das, was die fünf Sinne des Menschen nicht wahrnehmen können), dass es in der Tat zu euch kommen wird! Nicht einmal das geringste Gewicht in den Himmeln und auf der Erde ist vor Ihm versteckt! (Im Grunde genommen) was sogar noch kleiner ist als jenes oder auch größer, sie sind alle im Klaren Buch festgehalten (die „Dimension der Taten", welche die manifestierte Welt darstellt).

4. (Dies ist so), damit Er jene, die glauben und den Anforderungen ihres Glaubens erfüllen, belohnen möge! Für sie gibt es Vergebung und eine großzügige Versorgung des Lebens.

5. Was jene anbelangt, die sich beeilen, Unsere Zeichen als ungültig zu erklären, für sie gibt es ein intensives Leiden (Unreinheit, Skepsis, Zweifel).

6. Jenen, denen das Wissen gegeben wurde, wissen, dass das, welches zu dir von deinem Rabb enthüllt wurde, die Wahrheit selbst ist, welche einem zur Wahrheit des Einen, der Aziz und Hamid ist, ausrichtet.

7. Jene, die das Wissen um die Wahrheit leugnen, sagen: „Sollen wir euch den Mann zeigen, der auf „Nubuwwah" Anspruch erhebt und dass ihr in einer neuen Schöpfung (wieder erschaffen werdet), nachdem ihr völlig zu Staub und Partikeln zerfallen seid?"

8. „Hat er eine Lüge bezüglich Allah erfunden oder ist er verrückt?" Im Gegenteil, jene, die nicht an ihrem ewigen, zukünftigen Leben glauben, befinden sich im Leiden und in einem Irrweg, welcher weit entfernt ist (von der Wahrheit).

9. Haben sie nicht gesehen, was sich vor und hinter ihnen befindet (Vergangenheit und Zukunft) der Himmel (Bewusstsein) und der Erde (Körper)? Wenn Wir es wollen würden, dann würden Wir verursachen, dass die Erde sie verschlingt (sie in der Körperlichkeit ertrinken lassen auf einer Weise durch die Manifestierung Unserer Namen) oder Fragmente vom Himmel auf sie fallen lassen (ihre Gedanken verdrehen)! Zweifelsohne gibt es hierin ein Zeichen für jeden Diener, der sich hinwendet (zu seiner eigenen Wahrheit und Essenz).

10. Zweifelsohne haben Wir auf David eine Gunst von Uns beschert. Wir sagten: „Oh Berge (Wesen mit einem Ego), wiederholt mein Tasbih mit ihm und den Vögeln (jene, die mit dem Wissen sich im „Zustand der Beobachtung" befinden)!" Und Wir erweichten für ihn jenes (der Glaube an die Wahrheit), welches scharf ist (die messerscharfe Wahrheit).

11. „Bilde ein perfektes Gedankensystem, um dich zu beschützen und erfülle die Anforderungen deines Glaubens! Zweifelsohne bin Ich Basiyr über das, was ihr tut."

12. Und zu Salomon haben Wir den Wind (jenes, welches sich wie der Wind bewegt) unterworfen, dessen Morgenkurs einen Monat betrug und auch dessen Abendkurs einen Monat betrug! Wir verursachten, dass eine Quelle von Kupfer für ihn floss! Und mit der Erlaubnis seines Rabbs haben manche (die Ifrit genannten) Dschinn (unsichtbare Wesen) für ihn gearbeitet. Und wer auch immer sich von Unserem Befehl abwendet, den werden Wir die Qual eines flammenden Feuers kosten lassen. (Wenn wir diese „Quelle von Kupfer" im Lichte des „geschmolzenen Kupfers", welches Dhul Karnain benutzt, um eine Wand zwischen Gog und Magog zu errichten, dann wird ziemlich offensichtlich, dass dies nicht in Bezug auf eine physisch, materielle Situation im generellen Sinne steht, sondern zu etwas gänzlich anderem. Wenn man auch beachtet, dass beide Dhul Karnain [wortwörtlich der Herr der zwei Hörner – vielleicht zwei Antennen??] und Salomon Autorität über die Dschinn, also die egobasierten, unsichtbaren Wesen, besessen hatten, dann wird es deutlich, dass man dies nicht als das Eisen- oder Kupferelement im eigentlichen Sinne verstehen sollte, sondern die Benutzung der Kraft in ihrer elementaren Komposition könnte uns erlauben unterschiedliche Perspektiven zu gewinnen. Ich möchte hier nicht tiefer eindringen.)

13. Sie machten für ihn (Salomon), was auch immer er sich gewünscht hatte; Tempel, Statuen, weite und große Bäche und stationäre Gefäße. „Arbeitet für Dankbarkeit (wahre Dankbarkeit ist das Ergebnis von gebührender Bewertung), oh Generation von David! So wenige Meiner Diener sind dankbar (fähig zu bewerten)."

14. Als Wir (das Kosten) des Todes für ihn (Salomon) befohlen hatten, da wurde diese Wahrheit für sie (die Dschinn) nur durch den Wurm erkenntlich gemacht, der seinen Stab abfraß! Als sein Stab letztendlich (sich zersetzte) und er herunterfiel, da begriffen die Dschinn (von der „Ifrit" genannten Art) (, dass er starb). Aber wenn sie das „Ghaib" gewusst hätten (das, welches sich außerhalb des elektromagnetischen Spektrums ihrer Sinne befindet), dann wären sie sicherlich nicht in solch einem erniedrigenden Leiden verweilt geblieben.

15. Zweifelsohne gibt es ein Zeichen für das Volk von Saba in ihren eigenen Behausungen (Körper)! Es ist von zwei Gärten umgeben, einer auf der rechten und einer auf der linken Seite. Ihnen wurde gesagt: „Ernährt euch von der Lebensversorgung eures Rabbs und seid Ihm gegenüber dankbar! Ihr habt ein gutes Land und einen Rabb, der Ghafur ist!

16. Aber sie drehten sich weg... Also hatten Wir die Flut des Dammes auf sie losgelassen und hatten ihre Gärten mit Bäumen, die bittere Früchte trugen, und mit einigen Zedern ersetzt.

17. Und so hatten Wir sie aufgrund ihrer Undankbarkeit heimgesucht. Dies ist die Konsequenz der Undankbarkeit!

18. Wir formten zwischen ihnen (die Sabäer) und den Städten, worin Wir Segen schufen, andere Städte innerhalb von überschaubarer Distanz zueinander und

arrangierten Reisen zwischen ihnen. Wir sagten: „Reist in Sicherheit darin bei Nacht und bei Tag."

19. Aber sie sagten: „Unser Rabb, verlängere – erweitere die Distanz unserer Reisen" und sie hatten ihrem Selbst geschadet... Also haben Wir sie zu beispielhaften Lehren gemacht und hatten sie zerstreut. Sicherlich sind hierin Zeichen für jene, die geduldig und dankbar sind.

20. Zweifelsohne hatte Iblis seine Annahme (bezüglich des Menschen) als richtig bewiesen, ausgenommen für einige der Gläubigen sind sie ihm alle gefolgt.

21. Und doch hatte er (Iblis) überhaupt keine einflussreiche Kraft über sie! Wir hatten dies nur getan, um zu offenbaren, wer wirklich an seinem ewigen, zukünftigen Leben glaubt und wer diesbezüglich sich im Zweifeln befindet. Euer Rabb ist Hafiz über alle Dinge.

22. Sag: „Ruf jene an, von denen ihr annimmt, dass sie neben Allah existieren!" Sie (die ihr mit Namen bezeichnet) haben keine Autorität über irgendetwas, nicht einmal über das Gewicht eines Atoms, weder in den Himmeln noch auf der Erde! Sie (die ihr mit Namen bezeichnet) haben darin auch keinen Anteil, noch hat Er unter ihnen irgendwelche Unterstützer."

23. Und die Fürbitte hat keinen Nutzen aus Seiner Sicht ausgenommen für jene, denen es erlaubt wurde! Wenn letztendlich der Faden von ihrem Bewusstsein entfernt wird, dann werden sie sagen: „Was ist der Befehl eures Rabbs?" „Die Wahrheit", werden sie sagen. HU ist Aliy, Kabir.

24. Sag: „Wer verabreicht eure Lebensversorgung von den Himmeln und auf der Erde (Ebenen des Bewusstseins und des Körpers)?" Sag: „Allah! Zweifelsohne ist einer von uns mit der Wahrheit und der andere in offensichtlicher Korruption!"

25. Sag: „Weder wirst du bezüglich unserer Verbrechen befragt werden, noch werden wir wegen deiner Taten befragt werden!"

26. Sag: „Unser Rabb wird uns versammeln und dann zwischen uns mit der Wahrheit urteilen (jene trennen, die sich im Rechten und jene, die sich im Unrechten befinden) ... HU ist Fattah, Aliym."

27. Sag: „Zeig mir jene Partner, von denen ihr annehmt, dass sie neben Ihm existieren! Nein, niemals! HU alleine ist Allah, derjenige, der Aziz ist, der Hakim ist."

28. Wir enthüllten dich als ein Überbringer von guten Nachrichten und als einen, der die ganze Menschheit warnt. Aber die Mehrheit der Menschen verstehen nicht (was dies bedeutet)!

29. „Wann wird dieses Versprechen (bezüglich dessen, was durch den Tod erfahren wird) erfüllt werden; sag es uns, falls du zu den „Sadik" (A.d.Ü.: Aufrechten; jene, die die Wahrheit sagen, weil sie die Wahrheit ausleben) genannten gehörst?"

30. Sag: „Es gibt eine spezifische Zeit für euch, welche ihr weder hinausschieben, noch beschleunigen könnt."

31. Jene, die das Wissen um die Wahrheit leugnen, sagen: „Niemals werden wir an diesem Koran glauben oder an jenem, welches uns vor diesem erreicht hatte." Aber wenn ihr doch bloß sehen könntet, wenn die „Zalim" genannten (A.d.Ü.: jene, die grausam zu ihrem eigenen Selbst und anderen Menschen sind) mit der Sichtweise ihres

Rabbs stehen werden (wenn sie im Zustand sich befinden, ihre essentielle Wahrheit begriffen und ihr Versagen, es gebührend bewertet zu haben)! **Während manche die anderen beschuldigen... Die schwachen Anhänger werden zu ihren arroganten Führern sagen: „Wenn es nicht euretwegen wäre, dann würden wir definitiv zu den Gläubigen gehören."**

32. **Und ihre arroganten Führer sagen zu ihren schwachen Anhängern: „Waren wir es, die euch von der Wahrheit abgebracht hatten, welche zu euch kam? Nein, ihr seid diejenigen, die schuldig sind!"**

33. **Und die schwachen Anhänger sagen zu ihren arroganten Führern: „Nein, ihr habt uns Tag und Nacht getäuscht! Ihr habt uns befohlen zu leugnen, dass Allah unsere essentielle Wahrheit darstellt anhand Seiner Namen und Ihm Partner zuzuschreiben."** Aber aufgrund des Leidens, welches sie sehen, versuchen sie ihre Reue zu verstecken! **Und Wir haben Ketten um die Nacken jener formiert, die das Wissen um die Wahrheit leugnen** (welche sie davon abhielt, sich von der Energie des Körpers abzuwenden, welche sie akzeptiert hatten)! **Sie leben die Konsequenzen ihrer eigenen Taten aus!**

34. **Zu welcher Stadt Wir auch jemanden schicken, der warnt, die verdorbenen Reichen unter ihnen sagten: „Zweifelsohne werden wir dieses Wissen um die Wahrheit nicht akzeptieren, welches durch deine Risalah enthüllt wurde."**

35. **Und: „Wir sind mächtiger als du, sowohl mit unserem Reichtum als auch mit unserem Nachkommen. Wir werden nicht des Leidens unterworfen werden!"**

36. **Sag: „Zweifelsohne mein Rabb erweitert die Lebensversorgung (Gabe) für wen Er es will und verringert es für wen Er es will** (Reichtum ist nicht erworben; es ist eine Gabe von Allah). **Aber die Mehrheit der Menschen wissen** (diese Wahrheit) **nicht."**

37. **Aus Unserer Sicht kann weder euer Reichtum noch eure Nachkommen euch näher zu Uns bringen** (die spirituelle „Stufe der Nähe" - die verifizierte Stufe bewusst mit den Eigenschaften und Namen von Allah zu leben), **es sei denn es wird geglaubt und die Anforderungen des Glaubens werden erfüllt... Für sie werden die Belohnungen ihrer Taten um ein vielfaches multipliziert werden. Sie sind in Sicherheit innerhalb erhöhten Stufen.**

38. **Was jene anbelangt, die darauf bedacht sind, eilig Unsere Zeichen** (Warnungen) **für ungültig zu erklären, sie werden in unaufhörlichem Leiden gehalten werden.**

39. **Sag: „Zweifelsohne erweitert mein Rabb die Lebensversorgung** (materielle und spirituelle Versorgung) **für wen Er es will unter Seinen Dienern und verringert es** (für wen Er es will)! **Falls ihr etwas gebt** (um Allahs Willen, ohne etwas zu erwarten), **dann wird Er es mit etwas anderem austauschen. HU ist Razzak, derjenige, der mit Seiner Lebensversorgung auf die perfekteste Art und Weise versorgt."**

40. **Zu dieser Zeit wird Er sie alle versammeln und zu Seinen Engeln sagen: „Waren es nur diese, die euch gedient haben?"**

41. **(Die Engel) werden sagen: „Du bist Subhan. Du bist es, der Unser Wächter ist, nicht sie... Im Gegenteil sie hatten die Dschinn angebetet; die meisten von ihnen hatten an sie geglaubt** (als ihre Götter)."

42. **Und dies ist die Zeit, worin keiner einem anderen irgendeinen Nutzen oder Schaden geben kann. Und zu jenen, die** (ihrem Selbst) **geschadet haben, werden Wir sagen: „Kostet das Leiden des Brennens, welches ihr geleugnet hattet!"**

43. Und als Unsere Verse ihnen offen vorgelesen wurden, da sagten sie (die Zalims; jene, die ihrem Selbst die Wahrheit vorenthalten und deshalb sich selbst schaden): „Dieser Mann beabsichtigt, dass ihr von jenes ablässt, welches eure Vorväter angebetet haben." Und: „Diese sind nichts weiter als Fabrikationen." Als die Wahrheit zu jenen kam, welche das Wissen um die Wahrheit leugnen, da sagten sie: „Dies ist nichts als offensichtliche Magie."

44. Wobei Wir ihnen keinerlei Informationen gaben (welche sie gegen dich verwenden könnten), womit ihnen etwas gelehrt wurde. Und Wir hatten zu ihnen auch keinen vor dir enthüllt, der gewarnt hatte.

45. Aber jene, die vor ihnen waren, hatten auch geleugnet (eine generelle Eigenschaft)! (Während) jene nicht einmal ein Zehntel von dem, welcher Wir ihnen gaben, erreicht hatten. (Trotz dessen) hatten sie Unsere Rasuls geleugnet. Also seht das Resultat Meines Leugnens ihnen gegenüber!

46. Sag: „Ich gebe euch nur eine Empfehlung: Denkt tief über Allah nach, entweder in Paaren oder individuell! Es gibt keine Verrücktheit in dem einen, der euch beschützt. Er ist nur für euch jemand, der euch vor einem intensiven Leiden warnt!"

47. Sag: „Falls ich euch um eine Gegenleistung gefragt habe, dann behaltet es. Meine Gegenleistung kommt nur von Allah. HU ist „Schahid" über alle Dinge."

48. Sag: „Zweifelsohne projiziert mein Rabb die Wahrheit in all seiner Macht! Er ist „Allamul Ghuyub" (derjenige, der alles Verborgene [alle Frequenzen jenseits der fünf Sinne] kennt)!"

49. Sag: „Die Wahrheit hat sich manifestiert! Die Unwahrheit kann weder etwas Neues formen, noch das Alte erneuern!"

50. Sag: „Falls ich (vom rechten Glauben) irreleite, dann ist diese Verirrung von (der Irreführung) meines Bewusstseins! Aber falls ich die Wahrheit erreiche, dann wird dies sein durch jenes, was mein Rabb mir offenbarte. Zweifelsohne ist Er Sami, Kariyb."

51. Du solltest sie sehen, wenn sie in Angst und Furcht sich befinden! Sie können nirgends wo hinrennen; sie werden von ganz nah ergriffen werden!

52. Sie sagten: „Wir haben an Ihm geglaubt (als der Eine in unserer Essenz)." (Aber falls dies wirklich der Fall wäre), wie konnten sie sich dann so weit entfernen!

53. Sie hatten die Wahrheit vorher schon geleugnet, sich hingebend in Vermutungen bezüglich ihrer Unkenntnis (Ghaib: Jenes, welches sich außerhalb ihrer Wahrnehmung befindet), weit entfernt von der Wahrheit.

54. Eine Behinderung wurde zwischen ihnen und das, was sie begehren, gelegt, wie es auch in der Vergangenheit mit ihresgleichen getan wurde! In der Tat befinden sie sich innerhalb eines Zweifelns, welches keinen Frieden bringt.

Mit demjenigen, der durch den Namen Allah erwähnt wird (der mein Wesen mit Seine Namen erschaffen hat im Anwendungsbereich des Buchstabens „B"), der Rahman und Rahim ist.

1. **Hamd gehört gänzlich Allah, derjenige, der „Fatir"** (derjenige, der alle Dinge erschafft, welche gemäß ihrer Funktionen programmiert worden sind) **der Himmel und der Erde ist und derjenige, der die Engel** (bewusste Kräfte, welche spezifische Funktionen antreiben) **als Rasuls manifestiert mit zwei, drei und vier Funktionen! Er fügt zu Seiner Schöpfung hinzu, was auch immer Er will. Zweifelsohne ist Allah „Kadir" über alle Dinge.**

2. **Falls Allah „Rahmat"** (A.d.Ü.: Gnade= die Menschen zu ihrer essentiellen Wahrheit hinführen) **den Menschen bescheren will, dann kann dies keiner aufhalten! Und falls Er es aufhält, dann kann keiner es danach manifestieren! HU ist Aziz, Hakim.**

3. **Oh Menschen... Zieht den Segen Allahs auf euch in Betracht! Gibt es neben Allah einen Schöpfer, der euch vom Himmel** (die Daten in eurem Gehirn) **und von der Erde aus** (das Gehirn-Körper) **versorgt? Es gibt keinen Gott, nur HU! Wie ihr** (von der Wahrheit) **abweicht!**

4. **Falls sie dich ablehnen,** (wisse dann) **dass sie auch alle Rasuls vor dir abgelehnt haben! Das Urteil bezüglich dessen, was sich herausstellen wird, gehört gänzlich Allah.**

5. **Oh Menschen! Zweifelsohne ist das Versprechen Allahs wahr! Lasst nicht das weltliche Leben** (die körperliche Lebensdimension) **euch betrügen. Und lasst nicht zu, dass der große Betrüger** (euer Bewusstsein) **euch Allah gegenüber arrogant macht!**

6. **Zweifelsohne ist der Satan** (die Annahme, welche im Gehirn geformt wird anhand der Impulse der Organe im Körper, dass die Existenz auf den Körper nur begrenzt ist) **für euch ein Feind** (es ist ein Faktor, welcher euch von Allah, eure essentielle Wahrheit, fernhält)**! Also nimmt ihn als euren Feind an! Es** (der Glaube, dass man nur der Körper ist) **lädt seine Anhänger dazu ein, Gefährten eines flammenden Feuers zu werden!**

7. **Es gibt ein strenges Leiden für jene, die das Wissen um die Wahrheit leugnen. Was jene anbelangt, die glauben und die Anforderungen ihres Glaubens erfüllen, für sie gibt es Vergebung und eine große Belohnung.**

8. (Wie kann) **der eine, dessen schlechte Taten ihm attraktiv erscheinen, so dass er denkt, dass er gut ist** (gleichwertig sein mit jenen, die wahrhaftig gut sind)**? Zweifelsohne lässt Allah irreleiten, wen Er will und führt zur Wahrheit, wen Er will. Deshalb verzweifelt nicht über jene, die sich im Verlust befinden! Zweifelsohne ist Allah „Aliym" über das, was sie tun** (als ihr Schöpfer).

9. **Es ist Allah, der die Winde enthüllt** (das „Rahmani" Wissen) **und so die Wolken antreibt** (die schwarzen Wolken, welche sich im reinen Bewusstsein formen anhand von Emotionen und Konditionierungen). **Dann haben Wir sie angetrieben** (das „Rahmani" Wissen) **zu einem toten Land** (Bewusstsein) **und gaben der Erde leben** (dem Körper), **während es tot war! So ist die Wiederauferstehung** (die Rückkehr zur Essenz)**!**

10. **Wer auch immer Ehre sich erwünscht** (der sollte zuerst wissen, dass) **die Ehre gänzlich Allah gehört** (jemand, der sich selbst als ein separates Wesen annimmt, kann keine Ehre haben aufgrund der Dualität, in der er sich befindet)! **Schöne und reine Geschöpfe erreichen Ihn und werden erhöht, indem die Anforderungen des Glaubens erfüllt werden.** Aber jene, die schlechte Dinge sich ausdenken und intrigieren, für sie gibt es ein strenges Leiden. Und ihre Intrigen werden zunichtegemacht!

11. **Allah hat euch vom Staub erschaffen, dann von einer befruchteten Zelle, dann formte Er euch als Paare** (Doppelhelix DNA). **Kein Weibchen** (Produzent) **kann weder schwanger werden** (produzieren), **noch Geburt geben** (eine neue Schöpfung kreieren) **außerhalb Seines Wissens** (was in der genetischen Helix gespeichert ist). **Die Lebensspanne jedes Lebewesens ist zweifelsohne in einem Buch festgehalten** (die schöpferischen, genetischen Codes)! **Dies ist definitiv leicht für Allah.**

12. **Nicht gleichwertig sind die zwei Meere! Einer ist süß und löscht den Durst, angenehm und leicht zu trinken. Der andere ist salzig und bitter. Von jedem esst ihr frisches Fleisch und holt für euch Kleidungsstücke heraus, um euch zu schmücken. Und ihr seht, wie Schiffe dadurch segeln, auf dass ihr Seine Gunst ersucht und dankbar seid.**

13. **Er transformiert die Nacht zum Tag und den Tag zur Nacht. Er hat der Sonne und dem Mond Funktionen gegeben. Jedes von ihnen durchläuft seinen Kurs für einen spezifischen Zeitraum. So ist Allah, euer Rabb! Die Herrschaft gehört Ihm** (für die Manifestierung und Betrachtung Seiner Namen)! **Diejenigen, zu denen ihr euch hinwendet neben Ihm** (annehmend, dass sie existieren), **haben nicht einmal die Herrschaft über die Membran eines Dattel-Steins.**

14. **Falls ihr sie herbeiruft, dann werden sie nicht euren Ruf hören! Und falls sie es tun, dann können sie euch nicht antworten!** (Des Weiteren) **werden sie am Tag der Auferstehung eure Vergötterungen ihnen bezüglich verleugnen. Keiner kann euch informieren, wie der Eine, der „Khabiyr" ist.**

15. **Oh Menschen! Ihr befindet euch in** (absolutem) **Bedürfnis nach Allah** (denn ihr existiert aufgrund Seiner Namen)! **Aber Allah ist Ghani, Hamid.**

16. **Falls Er es wünscht, dann kann Er euch abschaffen und eine gänzlich neue Schöpfung manifestieren** (mit einer Manifestierung anhand von ganz neuen Namen)!

17. **Dies ist** (kein Problem) **für Allah, der derjenige ist, der Aziz ist** (der Besitzer von solch einer Kraft, so dass keine Kraft entgegengestellt werden kann)!

18. **Kein Ego, welches eine Schuld trägt, kann die Schuld eines anderen auf sich nehmen. Und falls jemand, dessen Bürde schwer wiegt, ausruft, damit seine Bürde getragen werden kann, dann wird nichts davon getragen werden. Selbst wenn es sich um einen Verwandten handelt! Du kannst nur jene warnen, die sich in Ehrfurcht vor ihrem Rabb, vor ihrem „Ghaib" befinden** (das Verborgene; alles, was sich jenseits der fünf Sinne befindet bezüglich der Wahrnehmung des Selbst und der Umwelt) **und die das „Salaah" etablieren. Wer sich reinigt und sich selbst läutert, tut dies nur zum Nutzen für sein eigenes Selbst. Die Rückkehr ist zu Allah.**

19. **Nicht gleichwertig sind die Blinden und die Sehenden.**

20. **Auch nicht die Dunkelheit** (Ignoranz) **und das Licht** (Wissen)!

21. **Noch „Dhill"** (das reine Bewusstsein, welches sich ähnlich einem Schatten benimmt; die Kräfte der Namen) **und „Harur"** (die heißen Körper, welche brennen)!

22. Und nicht gleichwertig sind die Lebenden (anhand des Wissen um die Wahrheit) **und die Toten** (jene, die annehmen, dass sie durch den Tod ihres Körpers nicht mehr existieren werden)! **Zweifelsohne wird Allah jene befähigen zu hören, von wem Er es will. Aber du hast nicht die Funktion, jene hören zu lassen, die sich in ihren Gräbern befinden** (Kokons: Jene, die innerhalb ihrer Welt leben, welche durch das Gehirn projiziert wird und damit sich selbst einschließen)!

23. Du bist definitiv nur jemand, der warnt!

24. Zweifelsohne haben Wir dich als die Wahrheit enthüllt, als ein Überbringer von guten Nachrichten und als jemand, der warnt! Es gibt keine Gesellschaft, zu dem keiner gekommen ist, der nicht gewarnt hatte.

25. Falls sie dich leugnen, (dann wisse, dass) **jene, die vor ihnen waren, auch geleugnet hatten. Ihre Rasuls kamen zu ihnen als klare Beweise und mit „Zubur" und mit „Kitabun Muniyr"** (Informationen voller Weisheit und Erleuchtung).

26. Dann hatte Ich jene ergriffen, die das Wissen um die Wahrheit geleugnet hatten. Und wie meine Konsequenz doch war (als Ergebnis dafür, dass sie Mich geleugnet hatten)!

27. Habt ihr nicht gesehen, wie Allah vom Himmel Wasser (Wissen) **herabsteigen lässt. Damit haben Wir Früchte von unterschiedlichen Farben produziert** (Besitzer von unterschiedlichen Gedanken). **Und auf den Bergen** (Besitzer von Egos) **Spuren von weiß, rot von verschiedenen Schattierungen und schwarz** (unterschiedliche Lebensstile und Lebenswege).

28. Und es gibt auch unterschiedliche Farben unter den Geschöpfen (unterschiedliche Körper und Arten) **und Vieh** (tierische Eigenschaften)! **Unter Seinen Dienern spüren nur jene, die Wissen besitzen** (diejenigen, die unterscheiden können, auf was mit dem Namen „Allah" hingewiesen wird und die sich bewusst sind Seiner gewaltigen, grenzenlosen Macht) **Ehrfurcht vor Allah! Zweifelsohne ist Allah Aziz, Ghafur.**

29. Zweifelsohne jene, die das Buch Allahs „lesen", das Salaah etablieren und die von dem spenden, womit Wir sie versorgt hatten, ohne eine Gegenleistung zu erwarten, im Geheimen sowie im Öffentlichen, sie können sich sicher sein, dass sie eine Investition getätigt haben, welche niemals einen Verlust tragen wird!

30. Er gibt ihnen, was sie verdienen im vollen Maße und vermehrt es aus Seiner Gunst heraus noch. Zweifelsohne ist Er Ghafur, Schakur.

31. Jenes, welches Wir dir offenbart hatten vom Wissen (Buch) **um die Wahrheit und der „Sunnatullah" ist die gleiche Wahrheit, die das bestätigt, was davor kam! Allah, als die Präsenz aufgrund Seiner Namen in Seinen Dienern, ist derjenige, der Khabiyr und Basiyr ist.**

32. Dann machten Wir die Diener, die Wir ausgewählt hatten, zu Erben des Wissens um die Wahrheit und der Sunnatullah! Manche von ihnen fügen ihrem Selbst Schaden zu (Zalim) (dem Wissen um die Wahrheit wird nicht das gebührende Recht gegeben; es wird nicht ausgelebt) **und manche sind gemäßigt** (sie sind dazwischen; manchmal spüren sie ihre essentielle Wahrheit, manchmal fallen sie wieder in ihre körperliche Energie) **und manche, die mit der Erlaubnis von Allah** (Bi-iznillah; die Zulässigkeit der Namen, welche sich von der Essenz manifestieren) **schreiten voran mit dem Guten, das sie verrichten und mit ihrem Lebensstil. Dies ist definitiv die gewaltige Gunst, die Überlegenheit!**

Anmerkung:

Eine Überlieferung in Bezug auf diesen Vers: Berichtet von Abu Darda (ra): „Ich hörte, wie der Rasul von Allah (saw) diesen Vers vorlas (32. Vers), danach sagte er: „Derjenige, der mit seinen guten Taten voranschreitet, wird ins Paradies gelangen, ohne Rechenschaft abzulegen. Der Gemäßigte wird zu einer leichten Rechenschaft abgelegt werden. Aber derjenige, der seinem Selbst schadet, der wird gezwungen werden an einer Station zu bleiben bis Traurigkeit und Sorge ihn befällt. Danach wird er ins Paradies eingelassen werden." Danach las er diesen Vers vor: „Hamd gehört Allah (der Besitzer von allen Kräften), der von uns alle Sorgen entfernt hat. Zweifelsohne ist unser Rabb Ghafur, Schakur." (34. Vers) (Musnad-i Hanbal)

33. Sie werden in Paradiese von Eden eintreten (ein Leben, welches mit den Kräften der Namen verifiziert ist) **... Dann werden sie mit Armbändern aus Gold und Perlen geschmückt werden. Dort werden ihre Kleidungsstücke aus Seide sein.**

34. (Jene, die in das Leben vom Paradies von Eden eintreten) **sagen: „Hamd gehört Allah** (der Besitzer aller Kräfte)**, der von uns alle Sorgen entfernt hat. Zweifelsohne ist unser Rabb Ghafur, Schakur."**

35. Derjenige, der uns aus Seiner Gunst heraus an einem ewigen Ort angesiedelt hat (einen Körper oder eine Form, womit es uns möglich ist, das Leben des Paradieses zu erfahren) **... Darin wird weder Müdigkeit, noch Erschöpfung uns erreichen.**

36. Was jene anbelangt, die das Wissen um die Wahrheit leugnen, für sie gibt es ein höllisches Brennen. Der Tod wird nicht für sie verordnet werden, also können sie nicht sterben und auch wird nicht ihr Leiden verringert werden. So lassen Wir jeden die Konsequenzen spüren, die undankbar sind (des Wissens um die Wahrheit)**.**

37. Sie werden dort schreien: „Unser Rabb! Nimm uns hinfort (von unseren Konditionierungen)**, auf dass wir das tun können, welches notwendig ist, anstatt jenes zu tun, was wir getan hatten."** (Ihnen wird geantwortet werden): **„Haben Wir euch nicht lange genug wie jemanden leben lassen, so dass man die Kapazität nachzudenken besessen haben müsste? Und auch kam zu euch jemand, der gewarnt hatte! Also kostet** (was ihr für euch selbst vorbereitet hattet)! **Es gibt für die „Zalims" keine Helfer."**

38. Zweifelsohne kennt Allah das Verborgene (A.d.Ü: Ghaib=alle Frequenzen und Wellenlängen jenseits der fünf Sinne, welche das Gehirn normalerweise [ohne „Fadl" und „Rahmat"] nicht konvertieren kann) **der Himmel** (die Kapazität im Gehirn, welches aufgebaut ist auf die Realität der Namen) **und der Erde** (das, welches innerhalb des Gehirns enthalten ist)**. Zweifelsohne ist Er, als die Absolute Essenz dessen, was sich in euren Brüsten befindet** (eure tiefgründigen Inhalte)**, Aliym** (bezüglich der Realität)**.**

39. Es ist HU, der euch als Stellvertreter auf der Erde etabliert hat (die Eigenschaft des Khalifats: das „Stellvertreter-Dasein" wird etabliert, nicht erschaffen im Sinne wie die anderen Geschöpfe. Über diesen feinen Unterschied sollte man gut und tiefgründig nachdenken!) **Wer auch immer undankbar ist** (wer auch immer sein „Stellvertreter-Dasein" aufgrund von individuellen Werten und körperliche Vergnügen leugnet und abweist)**, leugnet** (die Wahrheit) **gegen sich selbst! Und die Leugnung jener, die das Wissen um die Wahrheit leugnen, vermehrt nur das Ausleben des Zorns aus der Sichtweise ihres Rabbs! Und die Leugnung jener, die das Wissen um die Wahrheit leugnen, fügen nichts weiter als Verlust hinzu.**

40. Sag: „Habt ihr eure angeblichen Partner – Freunde, die ihr neben Allah anbetet, gesehen? Zeigt mir, was haben sie denn auf der Erde erschaffen (was haben sie in euren Körpern bewirkt, welche Autorität haben sie über das, was sich in euren Körpern abspielt?)**?... Oder haben sie einen Anteil an den Himmeln** (haben sie eine neue Form des Verständnisses des Wissens um das Selbst in eurem Bewusstsein geformt, während ihr dachtet, dass ihr nur der Körper aus Fleisch und Blut wart?)? **Oder haben Wir ihnen das Wissen um die Wahrheit gegeben** (das Buch), **worauf sie sich anhand von Beweisen berufen?** Im Gegenteil, die „Zalims" versprechen sich selbst gegenseitig nichts weiter als Selbsttäuschung.

41. **Zweifelsohne hält Allah die Himmel und die Erde zusammen, ansonsten würden ihre Funktionen beendet sein! Denn wenn sie ihre Funktionen beenden würden, dann kann keiner sie aufrechterhalten außer Er. Zweifelsohne ist er Haliym, Ghafur.**

42. **Sie schworen im Namen Allahs** (indem sie „Billahi" sagten) **mit ihrer ganzen Kraft, dass falls jemand zu ihnen kam, der gewarnt hatte, dann wären sie mehr rechtgeleitet worden, als** (alle anderen; vergangene und zukünftige) **Gemeinden** (von welcher auch immer) **... Aber als ein Warner zu ihnen kam, dann hat** (diese Warnung) **nichts weiter als Hass in ihnen vermehrt!**

43. (Sie entfernten sich) **auf der Erde voller Arroganz** (mit dem Ego), **nur um das Schlechte des „Makr"** (ihre Täuschungen und Intrigen) **aufzustellen. Das Schlechte des „Makr" umfasst nur jene, die es formen! Warten sie auf jemanden, der einen Weg befolgt, der anders ist als die Sunnah** (das System und die Ordnung Allahs), **welche die Früheren befolgten? Man kann niemals eine Alternative für die Sunnatullah finden. Man kann niemals in der Sunnatullah eine Veränderung finden!**

44. **Haben sie nicht die Erde bereist und mit Einsicht gesehen, wie das Ende jener waren, die vor ihnen gelebt hatten? Sie** (das frühere Volk) **waren mächtiger als sie. Nichts in den Himmeln und auf der Erde kann Allah wirkungslos erscheinen lassen! Zweifelsohne ist Allah Aliym, Kadir.**

45. **Hätte Allah gewollt, dass die Menschen die Konsequenzen ihrer Taten unverzüglich unterworfen werden, dann würde es keine einzige Kreatur** (menschlicher Körper) **auf der Erde** (mehr) **übrig sein! Aber Er gibt eine Frist bis zum Ende der spezifizierten Zeit** (für ihr körperliches Leben). **Wenn ihr Tod kommt** (dann sind ihre Affären in der Welt beendet)! **Zweifelsohne ist Allah, anhand Seiner Namen, Basiyr innerhalb der Existenz Seiner Diener.**

Mit demjenigen, der durch den Namen Allah erwähnt wird (der mein Wesen mit Seine Namen erschaffen hat im Anwendungsbereich des Buchstabens „B"), der Rahman und Rahim ist.

1. Ya Siiin (Oh Mohammed)!

2. Und beim Koran-i-Hakiym (und beim Koran, welcher voller Weisheit wissen lässt.).

3. Mit Gewissheit gehörst du zu den Rasuls.

4. Du bist auf dem Weg des „Sirat-i-Mustakim" (A.d.Ü.: der „Gerade Weg"; der direkteste Weg zur essentiellen Wahrheit).

5. Mit dem Wissen, welches detailliert in dir mit Aziyz und Rahiym manifestiert wurde.

6. Um ein Volk, welches mit einem Kokon lebt (entfernt von ihrer Wahrheit, von der Sunnatullah) **zu warnen, weil ihre Vorfahren nicht gewarnt wurden.**

7. Die Aussage (die Aussage, dass die Hölle am meisten mit Menschen und Dschinn gefüllt werden wird) **ist mit Bestimmtheit für viele wahrhaftig geworden. Aus diesem Grund glauben sie nicht.**

8. Sicherlich haben wir bei ihnen Fesseln (Konditionierungen und Wertvorstellungen) **erschaffen, welche vom Hals bis zum Kinn reichen. Nun** (können sie ihre eigene Wahrheit nicht erkennen) **und deren Häupter sind nach oben gerichtet** (sie leben mit ihren Egos)!

9. Wir haben vor ihnen eine Mauer (somit können sie die Zukunft nicht sehen) **und hinter ihnen eine Mauer gebildet** (so lernen sie nicht aus der Vergangenheit) **und haben sie so eingehüllt.... Nun können sie nicht sehen.**

10. Es macht keinen Unterschied, ob du sie warnst oder nicht, sie glauben nicht.

11. Du kannst nur denjenigen warnen, der von der Erinnerung (die Wahrheit erinnernd) **abhängig ist und Ehrfurcht vor dem „Rahman" hat, der sein Verborgenes** (Ghaib) **darstellt. Gib ihm die Freudenbotschaft der Vergebung und des hohen Lohns.**

12. Mit Gewissheit sind wir die einzigen, die die Toten erwecken! Wir schreiben alles, was sie gemacht und hervorgebracht haben, auf. Wir haben alles im „Imam-i Mubiyn" (in ihren Gehirnen und Seelen) **verzeichnet** (mit allen Besonderheiten gespeichert)!

13. Gib ihnen die Stadtmenschen als Beispiel.... Da sind auch Rasuls gekommen.

14. Wir hatten bei ihnen doch zwei (Rasuls) **entfalten lassen und sie hatten beide verleugnet... Daraufhin haben wir dies mit einem Dritten verstärkt. Sie sagten: „Sicherlich sind wir diejenigen, die zu euch geschickt wurden** (damit wir die Wahrheit enthüllen)."

15. Sie sagten: „Ihr seid nichts anderes als Menschen wie wir.... Der „Rahman" ließ auch nichts entfalten .... Ihr sprecht nur Lügen."

16. (Die Rasul) sagten: „Unser Rabb weiß, wir sind mit Sicherheit diejenigen, die zu euch (Wissen über das wahre Selbst) enthüllen."

17. „Was uns ausmacht, ist nur die offene Empfehlung."

18. Sie sprachen: „Ohne Zweifel glauben wir, dass ihr Unglück bringt.... Wenn ihr nicht davon ablasst, werden wir euch steinigen, und sicherlich werdet ihr große Qualen erleiden."

19. Sie antworteten: „Euer Unglück ist mit euch selbst.... Liegt es daran (das Unglück), dass ihr (an eurer Wahrheit) erinnert werdet? Nein, ihr seid eine Gesellschaft, die verschwenderisch ist."

20. Ein Mann kam aus einem entfernten Ort der Stadt und sprach: „Mein Volk, vertraut auf die Rasuls."

21. „Jene, die keinen Gegenwert erwarten; hängt euch an diejenigen an, die der eigenen Wahrheit entsprechend leben."

22. „Wie kann ich nicht (so einer) Disposition und Veranlagung dienen? Ihr werdet zu HU zurückkehren."

23. „Soll ich mir neben „HU" Götter als Ersatz aneignen! Wenn der „Rahman" ein Leid hervorbringen möchte, werden mir deren Fürbitte weder nutzen, noch mich vor etwas schützen."

24. „Dann wäre ich offensichtlich irregeleitet!"

25. „Hört auf mich, ich glaube an den Rabb, welcher sich auch in euch manifestiert."

26. (Ihm wurde gesagt): „Sei gebunden an das Paradies!"... Er sagte: „Wenn mein Volk doch nur meinen Zustand wüsste! ...

27. ... dass mein „Rabb" mir vergeben hat und ich zu denen gehöre, die mit „Ikraam" (Darreichung zur Ewigkeit) versehen wurden..."

28. Weder haben wir danach zu seinem Volk eine Armee vom Himmel enthüllen lassen, noch wollten wir „Munziliyn" (diejenigen, die die dimensionale Enthüllung der Wahrheit ausleben) herabsenden.

29. Nur ein einziger Aufschrei; sie erloschen sofort!

30. Ein großer Schaden für diese Menschen! Obwohl ein Rasul zu ihnen kam, verspotteten sie ihn mit dem, was er mitteilte.

31. Sehen sie nicht, wie viele Generationen wir vor ihnen vernichtet hatten, keiner von denen wird zu ihnen zurückkehren.

32. Natürlich werden sie alle zusammen (gezwungenermaßen) vorbereitet vorgefunden werden.

33. Auch die tote Erde ist ihnen ein Zeichen! Wir beleben sie, bringen Erzeugnisse hervor, von denen sie essen.

34. Dort haben wir Gärten mit Dattelpalmen und Trauben erschaffen; dort ließen wir Quellen entspringen.

35. Auf dass sie von den Erträgen und dem, was ihre Hände erzeugen, essen. Sind sie immer noch nicht dankbar?

36. „HU" ist Subhan; der Erschaffer von allen Paaren (ihren Genspiralen), von den Formierungen der Erde (Körper), von ihrem Selbst (ihr Bewusstsein) und von dem, wovon sie nichts wissen.

37. Die Nacht ist auch ein Zeichen für sie! Wir entziehen ihr den Tag (das Licht) und sie sind sofort in der Dunkelheit.

38. Die Sonne folgt auch ihrer Umlaufbahn. Dies ist die Anordnung des Aziyz und Aliym.

39. Und dem Mond haben wir Rastplätze angeordnet. Letztendlich sieht er alt aus (wie ein ausgetrockneter Zweig einer Dattelpalme).

40. Weder kann die Sonne den Mond einholen, noch kann die Nacht den Tag überholen! Jeder Einzelne hat seine eigene Bahn.

41. Auch ist es ein Zeichen für sie, dass wir ihre Nachkommen in vollen Schiffen tragen.

42. Und dass wir für sie Ähnliches schufen, mit denen sie fahren.

43. Wenn wir wollten, könnten wir sie ertrinken lassen. Weder könnte ihnen jemand zur Hilfe eilen, noch sie retten.

44. Es sei denn aus unserer „Rahmat" heraus und zu einem Nutzen auf Zeit.

45. Und wenn Ihnen gesagt wird: „Achtet auf das, welches vor euch ist (was euch erwartet) und auf das, welches hinter euch liegt (auf die Konsequenzen eurer Taten), damit Ihr „Rahmat" findet (wenden sie sich ab)."

46. Und doch kommen keine Zeichen zu ihnen, von denen sie sich nicht abwenden.

47. Wenn ihnen gesagt wird: „Spendet für Allah von dem, was euch Allah gegeben hat, ohne etwas zu erwarten", sagten diejenigen, die das Wissen um die Wahrheit leugneten zu den Gläubigen: „Sollen wir die ernähren, die Allah ernähren könnte, wenn Allah es wollte?"... Ihr seid ganz offensichtlich auf dem Weg der Irreführung.

48. Sie fragen: „Wann trifft die Drohung ein (wann wird sie sich erfüllen), wenn ihr eurer Worte treu seid?"

49. Sie haben nichts anderes zu erwarten als einen einzigen Schrei (das Spielen der „Trompete" ihres Körpers), der sie ereilt, während sie sich streiten.

50. Dann werden sie keine Kraft haben, um ein Vermächtnis zu machen und können auch nicht zu ihren Familien zurückgehen.

51. Es wurde in die „Trompete" geblasen! Siehe da, sie eilen aus ihren Körpern, welche wie Gräber sind, zu ihrem Rabb (um den Rang ihrer essentiellen Wahrheit zu bemerken).

52. Dann sagten sie: „Wehe uns! Wer hat uns aus unserem (weltlichen) Schlaf in eine neue Lebensdimension gebracht? Das ist das, was der „Rahman" vorausgesagt hatte und die Rasuls hatten Recht." (Hadith: Die Menschen befinden sich im Schlaf, erst wenn sie den Tod erfahren, wachen sie auf.)

53. Nur ein einziger Aufschrei (Israfils Trompete), siehe da und alle sind vor Uns gebracht.

54. In diesem Verlauf wird keiner Seele das geringste Unrecht geschehen. Ihr werdet

mit nichts anderem bestraft außer durch eure Taten (ihr lebt die Resultate eurer Taten aus).

55. Mit Sicherheit werden die Bewohner des Paradieses sich mit den Segen des Paradieses vergnügen und erfreuen.

56. Sie und ihre Partner lehnen sich auf Throne, welche sich in Schatten befinden.

57. Für sie gibt es da Früchte... Für sie gibt es dort Sachen des Vergnügens.

58. Das Wort „Salaam" erreicht sie von ihrem Rabb, der Rahiym ist. (Sie leben die Salaam-Eigenschaft aus!)

59. „Oh ihr Schuldigen! Trennt euch heute!"

60. „Habe ich euch nicht auferlegt (habe ich euch nicht informiert), ihr Kinder Adams, dass ihr nicht dem Satan (dem Körper- dem Bewusstsein, welches von seiner essentiellen Wahrheit nichts weiß) dienen sollt, er ist euch ein ganz offensichtlicher Feind."

61. „Dient Mir (spürt die Notwendigkeit der Wahrheit und lebt danach)! Das ist „Sirat-i Mustakim."

62. „Und doch hat er (die Vermutung ein vergänglicher Körper zu sein und aufzuhören zu existieren) viele Gemeinden in die Irre geführt. Warum benutzt ihr nicht euren Verstand?"

63. „Dies ist die Hölle, die euch versprochen wurde!"

64. „Jetzt ist dies das Resultat eines Lebens als Antwort auf die Verleumdung der Wahrheit."

65. Dort werden wir Ihre Münder versiegeln, Ihre Hände werden uns ihre Taten erzählen und Ihre Füße werden dies bezeugen.

66. Wenn wir gewollt hätten, hätten wir Ihnen das Augenlicht genommen und sie wären so herumgelaufen... Aber wie können sie (diese Realität) dann sehen?

67. Und wenn wir gewollt hätten, hätten wir sie an ihren Plätzen verwurzelt (sie hätten in ihrem Verständnis stagniert), so dass sie weder die Kraft hätten sich nach vorne zu bewegen, noch könnten sie zu Ihrem alten Zustand zurückkehren.

68. Und wem wir ein langes Leben geben, dessen Schöpfung haben wir geschwächt. Wollt ihr euren Verstand immer noch nicht benutzen?

69. Wir haben ihm nicht das Dichten gelehrt! Das passt auch nicht zu ihm! Es ist nur eine Erinnerung und ein offensichtlicher Koran (Lesung)!

70. Damit die Lebenden gewarnt werden sollen und das Urteil über die Leugner um das Wissen der Wahrheit sich bewahrheiten soll.

71. Sehen sie nicht, dass wir unter all unseren Zeichen für sie Tiere zur Opferung geschaffen haben... Sie sind deren Eigentümer.

72. Wir haben sie (An`am- das Vieh) ihnen gefügig gemacht... Sie nutzen sie zum Reiten und auch ernähren sie sich von einigen.

73. Sie haben von ihnen Vorteile und Trank. Wollen sie immer noch nicht dankbar sein?

74. Sie eignen sich Götter an neben Allah mit der Hoffnung auf Hilfe.

75. (Die Götter) **können ihnen nicht helfen.** (Im Gegenteil) **sie sind aufgestellt als Armee,** (um) **die Götter** (zu dienen).

76. In diesem Zustand sollen dich ihre Worte nicht betrüben... Sicher wissen wir alles, **was sie offenkundig tun und verbergen.**

77. Sieht der Mensch nicht, dass wir ihn aus einem Spermium geschaffen haben. Trotz dieser Wahrheit ist er jetzt ein offensichtlicher Gegner.

78. Er bringt uns Vergleiche und vergisst dabei seine eigene Schöpfung: Er sagt: „Wer wird in diese verwesenden Knochen wieder Leben einhauchen?"

79. Sag: „Derjenige, der sie vorher erschaffen hatte, wird ihnen Leben geben! „HU" ist mit seinem Namen über jede Schöpfung Aliym."

80. Derjenige, der für euch aus dem grünen Baum Feuer erschuf. Seht, damit zündet ihr an.

81. Ist derjenige, der die Himmel und die Erde erschaffen hat, nicht Kaadir darüber Ähnliches zu erschaffen? Doch! „HU" ist Khallak und Aliym.

82. Wenn etwas gewollt wird, dann ist Seine Entscheidung aus „Kun" (= Sei!) **zusammengesetzt** (nur der Wunsch, es zu wollen, ist ausreichend) **und es wird** (mit Leichtigkeit) **geschehen.**

83. Derjenige, in dessen Hand (ein Zeichen, dass die Administration aller Aktionen in dieser Ebene geformt wird) **das ganze „Malakut"** (die Dimension des energetischen Potenzials und Kräfte der Namen) **liegt, ist SUBHAN** (das Wissen ist in jedem Moment in einem neuen Zustand und von diesem Moment ist Er unabhängig und nicht zu beschränken) **und zu „HU" kehrt ihr zurück.**

Mit demjenigen, der durch den Namen Allah erwähnt wird (der mein Wesen mit Seine Namen erschaffen hat im Anwendungsbereich des Buchstabens „B"), der Rahman und Rahim ist.

1. **Bei jenen** (Kräften, welche die unterschiedlichsten Dimensionen formen)**, welche in Rängen aufgereiht sind.**

2. **Und jenen, die mit Intensität forttreiben** (die Dinge, welche einen von Allah behindern und blenden).

3. **Und jene, die das Dhikr** (Erinnerung an die essentielle Wahrheit) **rezitieren.**

4. **Wahrlich** (das, welches ihr als) **euren Gott annimmt, ist EINS** (derjenige, der „Wahid" ist)**!**

5. **Er ist der Rabb** (derjenige, der mit Seinen Namen manifestiert) **der Himmel und der Erde und alles dazwischen und auch der Rabb der** (vielen) **Osten** (der Ursprung; jenes, welches manifestiert wird)**!**

6. **Zweifelsohne haben Wir den Himmel der Erde** (das Gehirn des Menschen) **mit Planeten geschmückt** (mit astrologischen Daten konfiguriert).

7. **Und es beschützt** (den Himmel der Erde) **vor jedem rebellischen Satan.**

8. **Und so können sie** (jene Satane) **nicht der <u>Höchsten Versammlung</u>** („Mala-i Alaa") **zuhören und werden von jeder Seite stark beworfen.**

9. **Abgewiesen... Für sie gibt es ein unaufhörliches Leiden.**

10. **Es sei denn einer von ihnen schnappt sich ein Wort, dann wird ein flammendes Feuer ihn verfolgen.**

11. **Also fragt sie** (jene, die dich ablehnen)**, was sie denken. Sind sie mächtiger in Bezug auf ihre Schöpfung oder** (jene)**, die Wir erschaffen hatten? Zweifelsohne haben Wir den Menschen von „Tiyn-i Lazib"** (einer Art klebrigen Ton) **erschaffen.**

12. **Nein, du bist von ihrem Spott überrascht.**

13. **Selbst, wenn sie erinnert werden, dann erinnern sie sich nicht und denken auch nicht nach!**

14. **Wenn sie ein Zeichen sehen, dann verspotten sie es.**

15. **Sie sagen: „Dies ist nur eine Auswirkung von Magie."**

16. **„Werden wir wirklich wiederauferstehen, nachdem wir gestorben sind und zu Staub und Knochen wurden?"**

17. **„Mit unseren Vorvätern zusammen?"**

18. **Sag: „Ja, in der Tat!** (Ihr sollt wiederauferstehen) **mit euren Häuptern gesenkt und im Elend."**

19. **Ein einziger Aufschrei und sie werden zuschauen!**

20. **„Wehe uns! Dies ist der Tag der Religion", werden sie sagen.**

21. „Dies ist die Zeit der Unterscheidung, welche ihr geleugnet hattet!"

22. Versammelt jene „Zalims" (individuelles Bewusstsein, welches sich selbst schadet) und ihre Partner (die Körper) und die Dinge, die sie vergöttert und gedient hatten...

23. Neben Allah (Dunillah)! Und schickt sie auf dem Weg zur Hölle!

24. Haltet sie! Zweifelsohne sind sie verantwortlich!

25. Was ist mit euch (heute) los, dass ihr euch nicht gegenseitig helft?

26. Stattdessen, sind sie heute erlegen und haben sich unterworfen!

27. Sie werden sich gegenseitig befragen und beschuldigen!

28. „Zweifelsohne kamt ihr zu uns von der rechten Seite (als ob ihr uns über die Wahrheit informiert)?"

29. „Nein, stattdessen habt ihr selbst nicht geglaubt (an das, worin ihr informiert wurdet)!"

30. „Und wir hatten keine Autorität über euch. Aber ihr wart ein Volk, welches über die Grenzen hinaus ging."

31. „Aber jetzt ist das Wort unseres Rabbs eingetreten! Jetzt sind wir daran gebunden (das Leiden) zu kosten."

32. „Wir hatten euch irregeführt, aber zweifelsohne waren wir irregeführt!"

33. Definitiv werden sie Partner im Leiden sein.

34. Auf diese Weise kümmern Wir uns um jene, die die Schuld der Dualität (Schirks) manifestieren!

35. Als ihnen gesagt wurde, die Wahrheit „Es gibt keinen Gott, sondern nur Allah (existiert)" zu akzeptieren, da haben sie ihre Egos vorgezogen!

36. Sie sagten: „Sollen wir unsere Götter verlassen wegen eines Dichters, der besessen ist?"

37. Nein, er ist mit der Wahrheit gekommen und bestätigte die Rasuls.

38. Zweifelsohne werdet ihr dieses schmerzhafte Leiden kosten!

39. Und ihr werdet nichts ausleben außer das Ergebnis dessen, was ihr getan hattet!

40. Außer (ausgeschlossen vom Leiden sind) Allahs Diener, die zum „Ikhlas" (Aufrichtigkeit, Reinheit) geleitet wurden.

41. Dies ist eine bekannte (vom Schicksal beschlossene) Versorgung für sie.

42. Früchte (die Erzeugnisse der Kräfte, die sie erreicht haben) ... Sie werden Begünstigte von Großzügigkeit (vom Namen „Karim") sein.

43. In Paradiese voller Segen.

44. Auf Throne sich gegenüber sitzend.

45. Becher (Kräfte) von einer fließenden Quelle (vom Essenz der Namen heraus) werden herumgereicht.

46. Weiße (mit dem Licht des Wissens um das wahre Selbst) **Becher** (Kräfte) **und angenehm für die Trinker** (ihre Benutzer).

47. In ihnen gibt es keine abweichenden Nebenwirkungen... Auch werden sie davon **nicht betrunken sein** (sie werden niemals das Bewusstsein -das Wissen um das Sein- verlieren)!

48. Neben ihnen werden jene sein, dessen Glanz auf sie gerichtet werden und (ihr Leben) **so erleuchten.**

49. Als ob sie Eier wären, die streng bewacht werden (Hilfsmittel in der Manifestierung von Kräften).

50. Sie (jene im Paradies) **werden sich gegenseitig annähern und sich fragen.**

51. Einer unter ihnen wird sagen: „In der Tat hatte ich einen Freund."

52. Der gesagt hatte: „Gehörst du wirklich zu jenen, die „Sadik" sind (die dieses Wissen bestätigen)?**"**

53. „Werden wir wirklich die Konsequenzen tragen, wenn wir sterben und zu Staub und Knochen werden?"

54. Er wird sagen: „Habt ihr (dieses Ereignis, worüber ihr spricht) **bezeugt, dass es sich bewahrheiten wird?"**

55. Jetzt haben sie dies erfahren, darüber hinaus haben sie ihn in der Mitte der Hölle gesehen.

56. Er sagte: „Bei Allah, du hast mich beinahe in dieser Grube hineingerollt."

57. „Wenn es nicht aufgrund des Segens meines Rabbs wäre, dann würde ich definitiv zu jenen gehören, die gezwungenermaßen vor dem Tor (der Hölle) **gebracht werden."**

58. „Gehören wir nicht zu jenen, die befreit sind von den Konditionen (Beschränkungen) **des Körpers?"**

59. „Abgesehen von unserer ersten Erfahrung des Todes (jetzt kann man auch nicht von einer anderen Erfahrung des Todes sprechen)! **Und wir werden auch nicht bestraft werden."**

60. „Zweifelsohne ist dies der große Erfolg."

61. Jene, die arbeiten, sollen deshalb dafür arbeiten!

62. Ist dies besser gemäß der (dimensionalen) **Enthüllung oder ist es der Baum aus „Zakkum"** (der Körper der Person)? (Bis hierher war das Thema über die Erfahrung des paradiesischen Zustands der Existenz betreffend, welcher durch die Kräfte der Namen zustande kommt, die die Person anhand von Glauben manifestiert. Nach diesem hat sich das Thema geändert anhand von unterschiedlichen Beispielen und Gleichnissen zur höllischen Erfahrung der Existenz, welche durch den Glauben „Ich bin dieser Körper" und das Verfolgen von körperlichen Begierden entsteht.)

63. Definitiv haben Wir es (den „Zakkum" Baum – den Körper) **als ein Objekt der Prüfung erschaffen** (um zu sehen, ob sie sich an ihre essentielle Wahrheit erinnern werden oder ob sie so leben würden, dass sie nur aus dem Körper bestehen).

64. Zweifelsohne ist es ein Baum (der biologische Körper)**, der aus einer höllischen Quelle geformt wurde** (das Gefühl des Brennens wird geformt).

65. **Seine Früchte** (das Resultat dessen, dass der Mensch denkt, er sei der Körper) **sind wie die Köpfe der Satane** (die instinktiven Impulse des Bewusstseins).

66. **Zweifelsohne werden sie davon essen** (ihr ganzes weltliches Leben lang) **und ihre Bäuche damit füllen.**

67. **Danach wird es brühendes Wasser** (das Ego-Gefühl) **für sie geben.**

68. **Dann wird zweifelsohne ihr Ort der Rückkehr die Hölle sein.**

69. **Denn sie haben ihre Vorväter irregeleitet** (von der Wahrheit) **vorgefunden.**

70. **Also sind sie unaufhörlich in ihre Fußstapfen gefolgt.**

71. **Zweifelsohne waren die meisten der früheren Generationen vor ihnen auch irregeleitet** (von der Wahrheit)!

72. **Und zweifelsohne hatten Wir jene innerhalb von ihnen enthüllt, die gewarnt hatten.**

73. **Seht her wie das Ende jener waren, die gewarnt wurden!**

74. **Nur die Diener Allahs, die zum „Ikhlas"** (Reinheit) **geleitet wurden, waren davon ausgeschlossen.**

75. **In der Tat hat sich Noah zu Uns gewandt. Und Wir sind die Besten unter jenen, die Antwort geben.**

76. **Wir retteten ihn und seine Familie vor einem großen Leid.**

77. **Und Wir ließen seine Nachkommen fortfahren.**

78. **Und stellten sicher, dass er erinnert wurde durch spätere Generationen.**

79. **Unter den Menschen soll „Salaam" an Noah sein.**

80. **Und so belohnen Wir die „Muhsin"** (jene, die in ihrer Beobachtung nichts anderes als die Wahrheit betrachten)!

81. **Zweifelsohne gehört er zu Unseren gläubigen Dienern.**

82. **Dann ließen Wir den Rest** (die Dualisten) **ertrinken.**

83. **Definitiv hatte Abraham das gleiche Verständnis.**

84. **Er wandte sich zu seinem Rabb mit einem reinen Herzen** (als jemand, der in seinem Bewusstsein die Wahrheit der Namen auslebte)!

85. **Als** (Abraham) **seinen Vater und sein Volk befragte: „Was betet ihr an?"**

86. **„Nehmt ihr Götter neben Allah an, indem ihr grundlose Dinge erfindet?"**

87. **„Was glaubt ihr denn, was der Rabb der Welten sei?"**

88. **Dann betrachtete** (Abraham) **die Sterne** (anhand seines Intellekts) **und dachte nach...**

89. **Er sagte: „Ich werde krank** (durch das, was ihr tut)!"

90. **Und sie wandten sich von ihm weg und gingen fort.**

91. **Also näherte sich** (Abraham) **ihren Göttern und sagte: „Werdet ihr nicht essen?"**

92. **„Warum sprecht ihr nicht?"**

93. Dann, während er sich ihnen näherte, schlug er die Götzen mit seiner rechten Hand!

94. Diejenigen, die dies gesehen hatten, sind unverzüglich zurückgekommen.

95. (Abraham) sagte: „Betet ihr Götzen an, die ihr als Gott annehmt, welche ihr mit euren eigenen Händen geschnitzt habt?"

96. „Während es Allah ist, der euch und all eure Taten erschaffen hatte!"

97. Sie sagten: „Baut einen Ofen und werft ihn ins brennende (Feuer)!"

98. Sie hatten vor, eine Falle für ihn zu stellen... Aber Wir hatten sie erniedrigt zum Niedrigsten der Niedrigen.

99. (Abraham) sagte: „Zweifelsohne werde ich zu meinem Rabb gehen... Er wird mich rechtleiten."

100. (Abraham) sagte: „Mein Rabb, mache mich zu jenen, die „Salih" (aufrecht-den Anforderungen gerecht werden) sind!"

101. Also gaben Wir ihm die gute Nachricht eines Sohnes, der „Halim" ist.

102. Als (sein Sohn Ismail) das Alter erreichte, wo er mit ihm laufen konnte, da sagte (Abraham): „Oh mein Sohn! Zweifelsohne sah ich in meinem Traum, dass ich dich geopfert hatte... Was sagst du diesbezüglich?" (Sein Sohn) sagte: „Oh mein Vater... Tue, wie es dir befohlen wurde! „Inscha Allah" wirst du sehen, dass ich zu den Geduldigen gehöre."

103. Und als die beiden sich in Ergebenheit gezeigt hatten und er ihn (Ismail) auf seine Stirn niederlegte...

104. Da riefen Wir ihm zu: „Oh Abraham!"

105. „Du hast in der Tat deinen Traum erfüllt. Und so entlohnen (lassen die Konsequenzen ausleben) Wir die „Muhsin" (jene, die nichts anderes als die Wahrheit und die Essenz von allem betrachten)."

106. In der Tat ist dies ein offensichtliches Unheil (eine lehrreiche Erfahrung, welche zum Verständnis und Achtsamkeit führt)!

107. Und Wir lösten ihn mit einem gewaltigen Opfer aus.

108. Und stellten sicher, dass er durch zukünftige Generationen erinnert wurde.

109. Salaam sei mit Abraham.

110. Und so entlohnen Wir die „Muhsin" (jene, die ihre Dienerschaft ausführen, als ob sie Allah sehen würden).

111. Zweifelsohne gehört er zu unseren gläubigen Dienern.

112. Und Wir gaben ihm die frohe Botschaft von Isaak, einem „Nabi", der „Salih" ist.

113. Und Wir segneten ihn und Isaak. Es gibt unter den Nachkommen von beiden jene, die „Muhsin" sind und auch jene, die offensichtlich ihrem eigenen Selbst Schaden zufügen (Zalim).

114. Und Wir bescherten Unser Wohlwollen auf Moses und Aaron!

115. Wir retteten diese beiden und ihr Volk vor einem großen Leid.

116. Wir haben ihnen geholfen und sie siegten.

117. Wir gaben diesen beiden (Moses und Aaron) das explizite Wissen.

118. Und leiteten sie zum „Geraden Weg".

119. Und stellten sicher, dass sie durch spätere Generationen erinnert wurden.

120. Salaam sei auf Moses und Aaron!

121. Und so belohnen Wir die „Muhsin" (jene, die Allah dienen, als ob sie Ihn sehen würden)!

122. Zweifelsohne gehörten beide zu unseren gläubigen Dienern.

123. In der Tat gehörte Elias auch zu jenen, die „Mursal" (jene, die das Wissen um die Wahrheit über das Selbst enthüllt bekommen) sind.

124. Als er seinem Volk sagte: „Werdet ihr euch nicht beschützen wollen?"

125. „Werdet ihr Baal anbeten (eine Statue, welche mit vier Gesichtern aus Gold bestand) und den Schönsten aller Schöpfern verlassen?"

126. „Euer Rabb ist Allah, der Rabb euer Vorväter!"

127. Aber sie verleugneten ihn (Elias)! Zweifelsohne wurden sie gezwungenermaßen zur Gegenwart gebracht!

128. Ausgenommen jene Diener Allahs, die zum „Ikhlas" (Reinheit) geführt wurden.

129. Und Wir stellten sicher, dass er durch spätere Generationen erinnert wurde.

130. Salaam sei auf jene, die den Weg Elias folgen!

131. Und so belohnen Wir die „Muhsin" (jene, die Allah dienen, als ob sie Ihn sehen würden).

132. Zweifelsohne gehörte er zu Unseren gläubigen Dienern.

133. In der Tat gehörte Lot auch zu jenen, die „Mursal" (jene, die das Wissen um die Wahrheit über das Selbst enthüllt bekommen) sind.

134. Als Wir ihn und jene, die ihm nahe waren, allesamt gerettet hatten.

135. Außer der alten Frau (die Ehefrau von Lot, die nicht geglaubt hatte), sie gehörte zu jenen, die zurückblieben.

136. Dann zerstörten Wir die anderen!

137. In der Tat geht ihr an ihren Häusern morgens vorbei...

138. Und auch nachts... Benutzt ihr immer noch nicht euren Verstand?

139. Zweifelsohne gehörte Jonas auch zu jenen, die „Mursal" sind (eine Manifestierung über das Wissen um die Wahrheit).

140. Als er weglief zum Schiff (zu seinem gewöhnlichen Leben zurückgekehrt, trotz des Wissens um die Wahrheit, weil er dachte, dass er seinem Volk keinen Nutzen geben konnte).

141. (Jonas) zog einen Los (traf eine Entscheidung) und gehörte zu jenen, dessen Beweis ungültig war (seine Entscheidung führte ihn vom Weg ab) ...

142. Dann verschlang ihn (Jonas) **der Fisch, während er sich im Zustand der Reue befand** (in einem Zustand vermischt mit Gefühlen der Reue, Fisch= das weltliche Leben verschlang ihn);

143. Wäre (Jonas) **nicht von jenen gewesen, die sich erinnern** (an ihre essentielle Funktion; wenn er sich nicht zu Allahs Antlitz anhand von Erinnerung hingewandt hätte [Dhikr, Tasbih], um seine Essenz und Wahrheit zu spüren);

144. Dann würde er im Bauch des Fisches bis zum Tag der Auferstehung bleiben (er wäre in seiner Welt des Physischen/Materiellen geblieben bis zu seinem Tod).

145. Aber Wir brachten ihn ans Land (an einem Ort, wo die Kräfte nicht bekannt sind), **während er krank war** (und ermattet).

146. Und veranlassten, dass ein Baum von der Spezies des Kürbisses (eine Pflanze, welche keinen Stamm hat) **über ihn wuchs** (Früchte von göttlichem Wissen manifestierten sich in ihm).

147. Und enthüllten ihn (Jonas) **zu Hunderttausend** (Menschen) **oder noch mehr.**

148. Sie glaubten, also ließen Wir sie für eine Weile glücklich leben.

149. Also frag sie (die Ungläubigen): **„Sind Töchter für euren Rabb, während Söhne für sie sind?"**

150. Oder haben Wir die Engel weiblich erschaffen, während sie zugeschaut haben?

151. Sei vorsichtig, sie verleumden und sagen:

152. „Allah hat Kinder bekommen (Allah hat einen Sohn)! **Zweifelsohne sind sie Lügner!"**

153. Hat (Allah) **Töchter über Söhne vorgezogen?**

154. Was ist mit euch los? Wie kommt ihr zu solchen Urteilen?

155. Erinnert ihr euch nicht und denkt nach?

156. Oder habt ihr einen klaren Beweis?

157. Falls ihr aufrecht seid, dann präsentiert, was ihr wisst!

158. Und sie haben zwischen Ihm (Allah) **und die Dschinn** (bewusste Wesen, die nicht wahrzunehmen sind mit dem normalen menschlichen Wahrnehmungsspektrum der fünf Sinne) **eine Verbindung vermutet** (d.h. sie haben ihnen neben Allah Göttlichkeit assoziiert), **aber die Dschinn wissen sehr gut, dass sie definitiv „Muhdarin" sind** (die Dschinn werden notgedrungen bereit sein müssen)!

159. Allah ist jenseits und weit erhaben über dem, was sie mit Ihm assoziieren!

160. Ausgenommen jene Diener Allahs, die zum „Ikhlas" (Reinheit) **geleitet wurden** (der Rest sind jene, die „Muhdarin" sind).

161. Wahrlich, weder ihr noch das, was ihr anbetet,

162. Kann niemals (jemanden) **von Ihm trennen und wegführen!**

163. Nur jene, die in der Hölle brennen sollen.

164. (Alle manifestierten, engelhaften Kräfte der Namen werden sagen): **„Es gibt keinen unter uns, der nicht eine zugeschriebene Funktion hat!"**

165. „Wahrlich wir sind es, ja wir sind es, die aufgereiht sind in Rängen (welche, die Dimensionen der Existenz formen und alles, was sich innerhalb davon beinhaltet)."

166. „Wahrlich wir sind es, ja wir sind es, die sich im „Tasbih" befinden (ihre Dienerschaft wird erzielt, indem ihre Funktionen ausgeführt werden)."

167. Zweifelsohne sagten sie (die Dualisten):

168. „Wenn uns doch nur das Wissen unserer Vorväter weitergereicht worden wäre..."

169. „Dann würden wir sicherlich auch zu den Dienern Allahs gehören, die zum „Ikhlas" (Reinheit) geleitet worden wären."

170. Aber jetzt haben sie das Wissen um die Wahrheit geleugnet. Bald werden sie verstehen!

171. Und Unser Wort hat sich erfüllt für Unsere Diener, die „Mursal" sind:

172. Dass ihnen definitiv der Sieg gegeben wird.

173. Und sicherlich ist Unsere Armee siegreich!

174. Deshalb lasst sie für eine Weile!

175. Und beobachtet sie. Bald werden sie sehen!

176. Wollen sie die Manifestierung Unserer Tortur (Tod) beschleunigen? (Der Tod ist der Anfang des Leidens für jene, die ihre essentielle Wahrheit leugnen, während es für die Gläubigen Gnade darstellt).

177. Wie elendig ist die Erweckung für jene, die gewarnt wurden, wenn sie erweckt werden!

178. Deshalb lasst sie für eine Weile.

179. Beobachtet sie. Bald werden sie sehen.

180. Dein Rabb, der Besitzer von Ehre, ist weit erhaben über das, was sie Ihm zuschreiben!

181. Salaam sei auf jene, die „Mursal" (jene, die das Wissen um die Wahrheit über das wahre Selbst enthüllt bekommen haben) sind!

182. Das „Hamd" gehört dem Rabb der Welten.

Mit demjenigen, der durch den Namen Allah erwähnt wird (der mein Wesen mit Seine Namen erschaffen hat im Anwendungsbereich des Buchstabens „B"), der Rahman und Rahim ist.

1. Saad... Der Koran, der die Erinnerung eurer essentiellen Wahrheit darstellt!

2. Schaue jene an, die das Wissen um die Wahrheit leugnen, aber dennoch denken, dass sie angesehen sind, obwohl sie ein Leben abgeschnitten von ihrer Wahrheit ausleben!

3. Wie viele Generationen haben Wir vor ihnen zerstört, während sie vor Schmerzen geschrien hatten! Aber es war ihnen nicht möglich zu entkommen!

4. Jene, die das Wissen um die Wahrheit leugnen, sind überrascht, dass jemand zu ihnen kommt, der von ihnen ist und warnt und sagen: „Dies ist ein Magier und ein Lügner."

5. „Hat er unsere Götter zu einem Gott verringert? Dies ist definitiv eine merkwürdige Sache!"

6. Ihre Anführer bestanden darauf: „Führt fort und seid beständig zu euren Göttern! Denn so ist es, wie es sein soll!"

7. „Wir haben dies nicht von den vergangenen Nationen gehört! Dies (das Konzept und Verständnis der EINHEIT) ist nichts weiter als eine Fabrikation!"

8. „Von uns allen ist die Erinnerung (Dhikr- Erinnerung an die essentielle Wahrheit des Selbst) zu ihm enthüllt worden?" Nein! Sie befinden sich im Zweifel bezüglich Meiner Erinnerung (Meiner Erinnerung bzgl. ihrer essentiellen Wahrheit)! Nein, sie haben bis jetzt nicht Mein Leiden gekostet (der Tod, der die Wahrheit unterscheiden lässt)!

9. Oder befinden sich die gnadenvollen Schätze (Segen) deines Rabbs, der Aziz und Wahhab ist, in ihrer Sichtweise?

10. Oder gehören die Herrschaft der Himmel, der Erde und alles, was sich dazwischen befindet, ihnen? Falls sie dies denken, dann sollen sie die Ursachen formen und sie vermehren (und sie sollen sehen, was sie gewinnen werden)!

11. Sie sind nichts weiter als besiegte Soldaten, Übriggebliebene von jenen, die sich in ablehnenden Gedanken vereint hatten.

12. Vor ihnen hatte das Volk von Noah, Aad (das Volk von Hiob) und der Pharao, der der Besitzer von (Palästen gebaut auf) Säulen war, geleugnet.

13. Und Samud (das Volk von Methusalem), das Volk von Lot (jene, die zerstört wurden aufgrund ihrer körperlichen Begierden) und das Volk des Waldes (das Volk von Schuaib) ... Sie waren Völker, die sich in ablehnenden Gedanken vereint hatten!

14. Sie hatten alle die Rasuls abgelehnt... Und so verdienten sie die elende Konsequenz ihrer Taten!

15. Auf sie wartet nur ein einziger Aufschrei (Tod), für den es niemals eine Verzögerung gibt.

16. Sie sagten (spöttisch): „Unser Rabb! Beschleunige für uns unseren Anteil, bevor die Zeit kommen wird, worin die Konsequenzen aller Taten ganz klar konfrontiert werden wird!"

17. Sei geduldig mit dem, was sie sagen und erinnere dich an David, dem Besitzer von Kraft. Zweifelsohne war er jemand, der „Awwab" war (derjenige, der sich zu seiner Wahrheit und Essenz hinwendet).

18. Zweifelsohne unterwarfen Wir die Berge (jene mit Egos), damit sie ihre Funktionen erfüllen (Tasbih) am Abend und wenn die Sonne aufgeht.

19. Und die versammelten Vögel (jene, die an ihm geglaubt haben). Alle von ihnen waren jene, die „Awwab" sind (die sich zu ihrer Wahrheit und Essenz oft hinwenden).

20. Wir stärkten seine Herrschaft und gaben ihm Weisheit (das Wissen bezüglich der Ursachen aller Dinge) und „Fasl-ul Hitab" (die Fähigkeit in logischer Weise, das Falsche vom Richtigen zu unterscheiden).

21. Hat dich die Nachricht ihres Arguments erreicht? Wie sie die Wand hochgeklettert sind und den Gebetsraum erreicht hatten?

22. Wie sie zu David eingetreten sind und er durch sie alarmiert wurde. Sie sagten: „Hab keine Angst, wir sind zwei Gegner, welche zu dem anderen jeweils grausam waren. Deshalb richte zwischen uns mit der Wahrheit; sei nicht ungerecht und leite uns zum mittleren und ausgeglichenen (korrektesten) Weg."

23. Zweifelsohne hat dies, mein Bruder, neunundneunzig Mutterschafe und ich habe einen Mutterschaf, also sagte er 'gib sie mir' und ließ mich dies tun!"

24. (David) sagte: „Er hat dich sicherlich unrecht behandelt, indem er deinen einzigen Mutterschaf zu seinen Mutterschafen addiert hatte. In der Tat unterdrücken sich sehr viele enge Gefährten in ähnlicher Weise. Nur jene, die glauben und die Anforderungen ihres Glaubens erfüllen, sind unterschiedlich. Aber sie sind so wenig an der Zahl!" David dachte, dass Wir ihn geprüft hatten und fragte seinen Rabb um Vergebung und wandte sich zu Ihm niederwerfend! (Dies ist ein Vers der Niederwerfung.)

25. Also vergaben Wir ihm... Für ihn gibt es aus Unserer Sichtweise die Nähe und eine gute Rückkehr.

26. Oh David! Wir machten dich zu einem Stellvertreter auf der Erde! Deshalb urteile zwischen den Leuten mit der Wahrheit und befolge nicht deinen Begierden (Gedanken und Gefühle, die nicht auf der Wahrheit basiert sind)! Denn dies würde dich vom Wege Allahs irreleiten lassen... Was jene anbelangt, die vom Wege Allahs irregeleitet werden, sie werden einem intensiven Leiden unterworfen werden, weil sie die Zeit vergessen haben, wenn Konsequenzen konfrontiert werden.

27. Und Wir haben nicht die Himmel und die Erde und alles, was sich dazwischen befindet, ohne Funktion erschaffen! Dies ist die Annahme (zu denken, dass es keine Funktion hat) derjenigen, die das Wissen um die Wahrheit leugnen! Wehe denen, die das Wissen um die Wahrheit bezüglich ihres Brennens (brennende Welt) leugnen!

28. Oder sollen Wir jene, die glauben (an ihre essentielle Wahrheit) und den Anforderungen ihres Glaubens gerecht werden wie jene behandeln, die auf der Erde leben (angetrieben durch ihre körperlichen Begierden) mit korruptem Glauben? Oder sollen Wir jene, die sich für Allah beschützen wie die „Fudjaar" (jene, die entgegen ihrer natürlichen Veranlagung leben) **behandeln?**

29. **Dieses gesegnete Wissen, welches Wir dir enthüllen ließen, ist, damit sie über seine Zeichen gebührend nachdenken und für die Intelligenten, welche die Essenz erreicht haben, um zu erinnern** (an die Wahrheit)!

30. **Und David gaben Wir Salomo; ein schöner Diener war er! Zweifelsohne war er „Awwab"** (derjenige, der seine Wahrheit erfahren hatte).

31. **Als vor ihm am Abend** (glamouröse) **hervorragend gezüchtete Rennpferde erschienen sind.**

32. (Als er sie betrachtete, dachte Salomo): „**Ich wandte mich weg von der Erinnerung** (Beobachtung) **meines Rabbs aufgrund meiner Liebe zu Pferden." Und die Pferde verschwanden aus den Augen!"**

33. „**Bringe sie mir zurück"**, (sagte Salomo). **Und er begann ihre Beine und Nacken zu streichen** (dieses Mal mit bewusster Betrachtung/Beobachtung).

34. **In der Tat hatten Wir Salomo geprüft und hatten einen leblosen Körper auf seinem Thron platziert** (ein Erbe ohne Glauben) ... **Dann wandte er sich hin mit Reue und um Vergebung bittend.**

35. „**Mein Rabb, vergib mir** (bedecke meine Identität) **und segne mich mit einer Eigenschaft, welche niemand nach mir je gebrauchen wird** (eine Eigenschaft, die für mich spezifisch ist). **Zweifelsohne bist Du Wahhab."**

36. **Also unterwarfen Wir** (das, welches sich wie) **die Winde** (bewegen) **zu seinen Diensten; mit seinem Befehl reiste er, wo auch immer er wollte, ohne irgendetwas Schaden zuzufügen.**

37. **Und Wir unterwarfen die Satane zu seinen Diensten; die Erbauer und die Taucher!**

38. **Und andere, welche zusammmen gekettet sind mit Fesseln...**

39. „**Dieses** (Herrschaft, worüber du befehligen kannst) **ist Unser Geschenk an dich; deshalb gebe oder vorenthalte, benutze es ohne Grenzen!"**

40. **Zweifelsohne gibt es für ihn aus Unserer Sichtweise die Nähe und eine gute Rückkehr.**

41. **Und erinnere dich an Unseren Diener Hiob, als er zu seinem Rabb ausrief: „Zweifelsohne hat der Satan** (das Gefühl, dass man der Körper ist) **mir Schwierigkeiten und Qualen gegeben."**

42. **Also sagten Wir: „Stampfe auf dem Boden mit deinem Fuß** (mit der Kraft, welche aus deiner Wahrheit quellt)! **Dies ist die kühlende Quelle** (das Wissen der Wahrheit), **welche du trinken und worin du baden kannst."**

43. **Und Wir bescherten ihm seine Familie und jene, die ihm gleichen als eine Gnade von Uns und als eine Erinnerung für diejenigen, die ihren Verstand benutzen und tief nachdenken.**

44. „**Nimm in deine Hand ein Bündel und schlage damit, so dass dein Versprechen erfüllt werden möge!" Wir hatten ihn als geduldig vorgefunden. Ein schöner Diener war er! Zweifelsohne war er einer, der „Awwab" war** (beständig sich zu Allah hingewandt... seine essentielle Wahrheit hatte er sehr oft ausgelebt und erfahren).

45. Und erinnere dich auch an Unsere kraftvollen und einsichtigen Diener Abraham, Isaak und Jakob!

46. Zweifelsohne gaben Wir ihnen ein reines Leben mit der Erinnerung ihres wahren Heimatlandes (die Dimension der Wahrheit).

47. Sie sind definitiv in Unserer Sichtweise „Mustafa" (erwählt, edel und gereinigt).

48. Und erinnere dich an Ismail, Elias und Dhul-Kifl! Sie waren alle unter den Besten.

49. Dies ist eine Erinnerung! Zweifelsohne gibt es einen guten Ort der Rückkehr für jene, die beschützt sind.

50. Paradiese von Eden, dessen Tore für sie geöffnet werden.

51. Sie werden es sich selbst angenehm bereiten und nach Früchten und Getränken darin im Überfluss fragen.

52. Und es gibt für sie (das Bewusstsein, das sein Selbst, also seinen Rabb mit den Kräften der Namen kennengelernt hat) **gleichaltrige Gefährten (Körper), dessen Blicke zu ihnen gewandt sein werden** (zu dem, welches sie manifestieren werden). (Die Körper des Paradieses, die mit der essentiellen Realität der Namen ihr Selbst kennengelernt haben - die die Nähe zu ihrem Rabb erreicht hatten – und die Bedeutungen, die sie manifestieren anhand der Gefährten, die auf sie vorbereitend warten [mit der Eigenschaft angemessen zu ihrer erweiterten Kapazität].)

53. Dies ist es! Dies ist die Zeit, wo die Konsequenzen eurer Taten konfrontiert werden, welche euch versprochen wurde!

54. Zweifelsohne ist dies Unsere Lebensprovision, welche niemals ausgeschöpft wird!

55. Dies ist es! Definitiv ist es ein elender Ort der Rückkehr für jene, die über ihre Grenzen gehen.

56. Die Hölle, worauf sie sich anlehnen werden! Ein elender Ort ist es!

57. Dies ist es! Lasst es sie kosten! **Verbrennendes Wasser** (Gedanken zugehörig zur Ego-Identität, welche einen brennen lassen) **und Eiter** (Situationen resultierend aus Aktionen, welche auf die Idee basieren, dass man der Körper ist)!

58. Und auf die gleiche Art die Anderen mit ihren Partnern (beides, sowohl das Ego-Bewusstsein als auch ein dazugehöriger Körper)!

59. Dies ist eine Gruppe, welche (die Hölle) mit euch aushaltet. Sie (jene, die sie irregeleitet hatten) werden sagen: „Es nutzt nichts, ihnen Willkommen (eine Bestätigung für die Beruhigung) zu sagen. Zweifelsohne sind sie des Brennens unterworfen."

60. Sie (jene, die solchen Anführern gefolgt sind) werden sagen: „Nein, im Grunde genommen seid ihr es, die nicht willkommen sind (es gibt für euch keine Beruhigung). Denn ihr wart es, die uns zu diesem (Hölle) geleitet habt! Was für eine elende Niederlassung!

61. Sie sagten: „Unser Rabb! Wer auch immer uns dies angetan hat, verdopple sein Leiden des Brennens."

62. Sie sagten: „Warum können wir nicht die Männer sehen, von denen wir angenommen hatten, dass sie schlecht sind?"

63. „Wir hatten sie verspottet. Oder sind unsere Blicke nicht fähig, sie hier zu sehen?"

64. In der Tat wird dies verwirklicht werden. Das Streiten derjenigen, die brennen werden!

65. Sag: „Zweifelsohne bin ich jemand, der warnt! Es gibt keinen Gott und das Konzept der Gottheit ist ungültig; es gibt nur Allah, derjenige, der Wahid und Kahhar ist."

66. „Der Rabb der Himmel und der Erde und alles, was sich dazwischen befindet, derjenige, der Aziz (dessen Macht nicht herausgefordert oder dem nichts entgegengesetzt werden kann) **und Gaffar ist."**

67. Sag: „(Die Wahrheit über) HU ist eine gewaltige Nachricht!" (Falls ihr die Bedeutung und den Wert dieser Nachricht begreifen könnt!)

68. „Aber ihr wendet euch davon ab (von dem, was ihr gewinnen könntet von der Wahrheit, welche durch diese gewaltige Nachricht informiert wird)!"

69. „Ich habe kein Wissen bezüglich der Sitzung der „Mala-i Alaa" (die Hohe Versammlung der Engel)."

70. „Es wurde mir nur offenbart, dass ich jemand bin, der ganz offen warnt!"

71. Und als dein Rabb zu den Engeln sagte: „In der Tat werde ich einen Menschen aus Tonerde (Wasser und Mineralien) **erschaffen."**

72. Wenn ich ihn also proportioniert habe (sein Gehirn geformt habe) **und in ihn hinein gehaucht habe** (durch ihn manifestiert habe; das Wort „nafh" im Arabischen bedeutet wortwörtlich ausatmen, d.h. projizieren, manifestieren, materialisieren von innen nach außen) **von Meiner Seele** (Meine Namen), **dann werft euch zu ihm nieder** (akzeptiert seine Souveränität und Administration).

73. Also warfen sich die Engel gänzlich alle nieder.

74. Außer Iblis; er (auf sein Bewusstsein vertrauend) **war arrogant und wurde zu jenen, die das Wissen um die Wahrheit leugneten** (Jene, die nicht die essentielle Wahrheit der anderen erkennen können aufgrund ihrer Egos).

75. Er sagte: „Oh Iblis (derjenige, der sich in der Dualität befindet)! **Was hat dich davon abgehalten sich dem niederzuwerfen, dem Ich mit Meinen zwei Händen** (Wissen und Kraft) **erschaffen hatte? Hat dein Ego dich davon abgehalten oder hast du angenommen, dass du zu den „Alun" gehörtest** (hohe [engelhafte] Energien, die nicht daran gebunden waren, sich zu Adam niederzuwerfen)?"

76. (Iblis) sagte:" Ich bin besser als er; Du hast mich aus Feuer (Radiation, verbrennende Wellen – das Wort „Naar" im Arabischen ist das gleiche Wort, welches benutzt wird im Zusammenhang mit dem Höllenfeuer) **und ihn aus der Tonerde** (ein Körper auf der Basis von Zelle und Materie) **erschaffen."**

77. (Allah) sagte: „Hinfort mit dir, denn du bist „radschiym" (gesteinigt, d.h. weit entfernt von deiner essentiellen Wahrheit gefallen)!"

78. Und definitiv lastet auf dir Mein Fluch (von Mir getrennt zu sein; die Unfähigkeit deine essentielle Wahrheit zu erfahren, gefangen nur mit deinem Ego) **bis zum Tag der Religion** (des Systems; die Zeitperiode, wo die Realität des Systems offensichtlich sein wird und deshalb auch erfahren wird).

79. (Iblis) **sagte: „Mein Rabb! Gewähre mir ein Frist bis zur Zeit** (ihres Todes) **der Auferstehung** (so dass ich meine Kräfte gegen sie verwenden kann).**"**

80. (Allah) **sagte: „In der Tat gehörst du zu jenen, denen eine Frist gewährt wurde!"**

81. „Bis zur festgesetzten Zeit!"

82. (Iblis) **sagte: „Ich schwöre bei deiner Ehre** (Deiner Kraft, die keiner etwas entgegenzusetzen vermag), **ich werde sie gänzlich allesamt irreleiten** (sie vom spirituellen Leben abbringen, indem sie ihre Existenz nur an ihrem physischen Körper gebunden ansehen und sie nur ihren körperlichen Begierden nachgehen).

83. „Außer jenen von Deinen Dienern, die „Ikhlas" erreicht haben (Deine Diener, die ihre Wahrheit ausleben).**"**

84. (Allah) **sagte: „Du hast die Wahrheit ausgesprochen** (bezüglich Meiner aufrichtigen und reinen Dienern) **und lass Mich auch dich über eine Realität berichten...''**

85. „Ich werde definitiv die Hölle mit dir und allesamt jenen füllen, die dir folgen.''

86. Sag: „Ich frage euch nicht um irgendeine Gegenleistung bezüglich dessen, worüber ich euch informiere und ich bin nicht zu euch mit grundlosen Behauptungen gekommen.''

87. „Es ist nichts anderes als eine Erinnerung für die Welten (Menschen).**''**

88. „Ihr werdet schon nach einer Weile verstehen, was es ist (beim Zeitpunkt des Todes)!**''**

Mit demjenigen, der durch den Namen Allah erwähnt wird (der mein Wesen mit Seine Namen erschaffen hat im Anwendungsbereich des Buchstabens „B"), der Rahman und Rahim ist.

1. Dieses Wissen ist deinem Bewusstsein von Allah, der Aziz und Hakim ist, enthüllt worden!

2. Zweifelsohne haben Wir das Wissen dir mit der Wahrheit (Wir haben es von der Dimension der Namen manifestiert, welche deine Essenz darstellt) enthüllt! Deshalb lebe die Religion mit der Bewusstheit deiner Dienerschaft zu Allah aus (der absolute Richter und Herrscher des Systems und der Ordnung innerhalb der Existenz)!

3. Gebt acht, die unverfälschte Religion (das wahre System und die Ordnung) ist für (die Manifestierung der Namen von) Allah! Jene, die andere neben Ihn befreunden (annehmen, dass sie göttliche Kräfte besitzen) sagen: „Wir beten sie nur an, damit sie uns näher zu Allah bringen können." Zweifelsohne wird Allah über sie urteilen bezüglich dessen, worüber sie argumentiert hatten. Zweifelsohne gibt Allah nicht jenen Rechtleitung, die lügen und die Wahrheit leugnen.

4. Falls Allah es gewollt hätte, ein Kind zu bekommen, dann würde er sicherlich von Seiner Schöpfung auswählen... Er ist Subhan! „HU", also Allah, ist Wahid und Kahhar!

5. Er brachte zur Existenz die Himmel und die Erde mit der Wahrheit (mit den Eigenschaften Seiner Namen), während sie nicht existierten! Er wandelt die Nacht zum Tag und den Tag zur Nacht. Er ist es, der der Sonne und dem Mond Funktionen zugeteilt hat. Jedes von ihnen umkreist seine eigene Umlaufbahn für eine festgelegte Zeit. Gebt acht, HU ist Aziz, Gaffar.

6. Er erschuf euch aus einem einzigen Selbst (Nafs-i wahid/Nafs-i kull: das gesamte Selbst, auch kosmisches Bewusstsein genannt; Universales Selbst; die Realität von Mohammed; der Engel, der Seele genannt wird)! Dann (basierend auf den holografischen Prinzipien) formte Er von ihm (Bewusstsein) seinen Partner (Körper); Er manifestierte für euch vom Vieh acht Gefährten (kontrollierbare tierische Gefühle). Er erschuf euch in der Gebärmutter eurer Mütter innerhalb von drei Arten der Dunkelheit, indem er euch von einer Schöpfung zur (anderen) Schöpfung (veränderte). Dies ist Allah, euer Rabb; Ihm gehört die Herrschaft (die Manifestierungen der Eigenschaften, welche durch die Namen Allahs [Asma ul Husna] ausgedrückt werden)! Es gibt keinen Gott, sondern nur „HU"! Wie könnt ihr die Wahrheit nicht sehen!

7. Aber falls ihr die Wahrheit bedeckt (nicht gebührend bewertet und undankbar seid, d.h. nicht eure Menschlichkeit – auf der Erde [in eurem Körper], euer Stellvertreter-Dasein [„Khilafat"-die Kraft der Autorität, welche mit den Kräften der Namen bezeichnet wird, kurz auch „Billah" genannt, also mit Allah etwas zu verrichten] nicht auswertet... dann werdet ihr verschleiert sein vor eurer essentiellen Wahrheit), dann ist definitiv Allah „Ghani" (unabhängig von euch)! (Allah) ist nicht zufrieden mit Seinen Dienern, die bedecken (ihre essentielle Wahrheit und zur dieser Wahrheit undankbar zu sein)! Falls ihr dankbar seid (und den Wert messt), dann wird Er euch annehmen. Keiner kann die Bürde eines anderen tragen! Dann ist zu eurem Rabb eure Rückkehr! Er wird euch die Ergebnisse

eurer Taten manifestieren. Zweifelsohne ist Allah „Aliym" über das, welches ihr in eurem Inneren (euer Bewusstsein) trägt als dessen Absolute Essenz (Er weiß gänzlich alles, was ihr offenlegt oder auch verheimlicht).

8. Und wenn „Durr" (Schaden, Krankheit, Bedrückung) den Menschen befällt (als Gnade, damit er gereinigt werden kann und sich entwickelt), dann wendet er sich Ihm zu und betet zu seinem Rabb. Dann, wenn (sein Rabb) auf ihm einen Segen von sich selbst gewährt, vergisst er, dass er zu Ihm vorher gebetet hatte und assoziiert Dinge mit Allah (Existenzen, die gleichzusetzen sind), um von Seinem Weg irrezuleiten. Sag: „Lebe ein bisschen in deiner Leugnung. Zweifelsohne gehörst du zu den Gefährten des Feuers!"

9. (Ist dies besser oder) ist es jemand, der die Niederwerfung in einem Teil der Nacht erfährt und steht (mit der Existenz des „Kayyum") vorbereitend für die Anforderungen des ewigen, zukünftigen Lebens (in einem Zustand der völligen Ergebenheit), in der Hoffnung auf die Gnade (um verschiedene Eigenschaften zu manifestieren) seines Rabbs (der Kräfte der Namen in seiner essentiellen Wahrheit)? Sag: „Kann jemand, der wissend ist mit jemanden, der unwissend ist, gleichgesetzt werden? Nur jene mit einem Intellekt, welche tief nachdenken, können dies unterscheiden."

10. Sag: „Oh meine Diener, die geglaubt haben, beschützt euch vor eurem Rabb (denn Er wird euch definitiv die Konsequenzen all eurer Taten ausleben lassen)! Diese Welt ist für diejenigen, die Gutes verrichten (es macht keinen Unterschied ob gläubig oder ungläubig). Die Erde von Allah ist weiträumig (die Kapazität, um die Eigenschaften der Namen im Gehirn zu manifestieren). Die Belohnung dessen wird ohne Gegenmaß nur denjenigen gegeben werden, die geduldig sind."

11. Sag: „Mir wurde definitiv befohlen, Allah zu dienen, ohne irgendwelche anderen Faktoren im System und in der Anordnung neben Ihm zu sehen."

12. „Mir wurde befohlen, der Erste zu sein unter denjenigen, die die Bewusstheit ihrer Ergebenheit erfahren!"

13. Sag: „Zweifelsohne befürchte ich das Leiden einer gewaltigen Zeit, falls ich gegen meinen Rabb rebelliere (falls ich Seine absolute Administration innerhalb meiner Existenz ignoriere)!"

14. Sag: „Also lass mich Allah dienen, ohne irgendeinen anderen Faktor neben Ihm zu sehen innerhalb Seines Systems und Seiner Anordnung..."

15. „Und ihr betet neben Ihn an, was auch immer ihr wollt!" Sag: „Die Wahrheit ist, dass die Verlierer am Tag der Auferstehung jene sind, die ihr Selbst (ihr eigenes Bewusstsein) und ihre Leute (ihre Körper) irregeleitet haben! Seid vorsichtig! Dies ist der wahre Verlust!"

16. Es gibt Schatten (Schichten, Ebenen) des Feuers über sie (in Bezug auf die Dimension des Bewusstseins) und Schatten (Schichten, Ebenen) unter ihnen (in Bezug auf ihre Körper). Dies ist (die Wahrheit); Allah manifestiert in Seinen Dienern ihre Ängste! Oh meine Diener, beschützt euch vor Mir (denn ich werde euch unterwerfen, basierend auf der Funktionsweise des Systems [Sunnatullah], an die Konsequenzen all eurer Taten)!

17. Für diejenigen, die sich davor zurückhalten, ihre Körper („Taghut" - Götzen) zu vergöttern und anzubeten und sich zu Allah (ihrer Essenz) hinzuwenden, für sie gibt es gute Nachrichten... Gib den Dienern die guten Nachrichten!

18. Sie sind (Meine Diener), **die dem Wort der Wahrheit zuhören und das Beste davon befolgen** (am meisten beschützend sind diesbezüglich). **Sie sind jene, die Allah zur Wahrheit geleitet hat und sie sind jene mit Intellekt, welche fähig sind nachzudenken!**

19. Kannst du den („Schaki"-Unglücklichen) **retten, der erschaffen wurde, durch das Brennen zu leiden?**

20. Aber für jene, die sich vor ihrem Rabb beschützen, für sie sind Kammern (Ränge im Paradies) **über sie gebaut worden** (in der Dimension des Bewusstseins), **unter denen Flüsse fließen** („Marifat": gnostisches Wissen, d.h. höheres Wissen über das Selbst, resultierend aus dem Wissen, welches durch sie manifestiert wird). **Dies ist das Versprechen von Allah. Es gibt niemals eine Veränderung im Versprechen von Allah!**

21. Habt ihr nicht gesehen, dass Allah Wasser (Wissen) **vom Himmel** (vom Bewusstsein, welches die Bedeutungen der Namen manifestiert) **enthüllt und es in Quellen** (Gehirne) **auf der Erde** (Körper) **hat fließen lassen... Dann produzierte Er Ernten unterschiedlichster Farben** (Veranlagungen, Dispositionen) **mit deren Kräften... Dann trocknen sie aus und ihr seht, wie sie sich gelb verfärben** (alle Dinge, die ihr an wert schätzt während ihrer Entstehung, verlieren ihren Wert nach der Entstehung und sind verloren) **... Dann macht Er sie zu Schutt, welcher verstreut wird! Zweifelsohne ist hierin eine Lehre für Intellektuelle, die nachdenken können!**

22. Ist derjenige, dessen Herz (Essenz) **Allah zum Begreifen des Islams hat erweitern lassen, nicht eine „Nuur"** (Licht, d.h. Wissen) **von seinem Rabb enthüllt worden? Wehe denjenigen, dessen Herzen verengt worden sind von der Erinnerung an Allah! Sie erfahren ganz eindeutig eine klare Irreführung** (von der Wahrheit)!

23. Allah hat das beste Wissen (in detaillierter Weise), **metaphorisch und wiederholend** (mit dualen Erklärungen und Bedeutungen) **enthüllt. Diejenigen, die Ehrfurcht vor Allah besitzen, bekommen Gänsehaut. Dann werden ihr Bewusstsein und ihre Herzen weich** (werden aufnahmebereit) **für die Erinnerung an Allah. Dies ist die Führung von Allah, womit Er leitet, wen Er auch will zur Wahrheit! Aber jemand, den Allah irreleiten lässt, diesen kann keiner mehr führen** (zur Wahrheit).

24. Wer ist derjenige, der (vergeblich) **versuchen wird sich selbst mit seinem Antlitz vor der schlimmsten Bestrafung am Tag der Auferstehung zu schützen? Den „Zalims"** **wird gesagt werden: „Kostet, was ihr verdient habt!"**

25. Jene vor ihnen haben geleugnet und die Strafe kam zu ihnen von einem Ort, von wo sie es nicht vermutet hatten.

26. Allah hat sie im weltlichen Leben Erniedrigung erfahren lassen. Aber das Leiden des ewigen, zukünftigen Lebens ist sicherlich größer! Wenn sie es nur wüssten!

27. Und Wir haben definitiv in diesem Koran für die Menschen jede Art von Beispiel benutzt, damit sie nachdenken mögen (sich an ihre vergessene essentielle Wahrheit erinnern)!

28. Als einen arabischen Koran, fehlerfrei und ohne Komplikationen, (offenbarten Wir es), **so dass sie es vielleicht verstehen werden und sich beschützen.**

29. Allah präsentiert ein Beispiel: Ein Mann im Dienste von streitenden Partnern und einen Mann, der sich nur an einem Meister ergeben hat... Können sie gleichwertig im Zustand sein? „Hamd" gehört Allah! Nein, die Mehrheit von ihnen wissen nicht!

30. Zweifelsohne wirst du den Tod kosten und zweifelsohne werden sie den Tod kosten!

31. Dann werdet ihr während des Tages der Auferstehung definitiv mit der Sichtweise eures Rabbs konfrontiert und hervorgebracht werden.

32. Wer kann schlimmer sein als derjenige, der bezüglich Allah lügt und die Wahrheit in seinem Dasein leugnet, wenn es zu ihm kommt! Ist die Hölle nicht der Aufenthaltsort für diejenigen, die das Wissen um die Wahrheit leugnen?

33. Was diejenigen anbelangt, die „Sidk" (absolute Aufrichtigkeit zur Wahrheit, dass man ein Diener Allahs ist und zur Wahrheit des Stellvertreter-Daseins, welches in einem menschlichen Körper erfahren wird) **mit sich bringen und es bestätigen** (Hz. Abu Bakr), sie sind diejenigen, die beschützt sind!

34. Für sie gibt es alles, was sie sich aus der Sichtweise ihres Rabbs erwünschen! Dies ist die Belohnung für die „Muhsin" (diejenigen, die Allah dienen, als ob sie Ihn sehen können)!

35. Auf das Allah sogar die schlimmsten ihrer vergangenen Taten löschen und sie mit den Besten ihrer Taten belohnen möge.

36. Ist Allah nicht ausreichend für Seine Diener, die Er anhand Seiner Namen erschaffen hatte? Trotzdem bedrohen sie euch mit Dingen neben Ihm (duniHi)! Und wem auch immer Allah irreleiten lässt, für ihn gibt es dann keinen, der ihn führen kann.

37. Derjenige, den Allah führt (die Beobachtung seiner innersten essentiellen Wahrheit zulässt), **kann niemals irregeleitet werden!** Ist Allah nicht Aziz (derjenige, der auf seine Diener das manifestiert, welches mit der Eigenschaft dieses Namens hingewiesen wird) und Zuntikam (derjenige, der die Konsequenzen aller Taten ohne irgendwelcher emotionalen Beeinflussung ausleben lässt)?

38. Zweifelsohne, wenn du sie fragen würdest: „Wer hat die Himmel und die Erde erschaffen?" Dann werden sie sicherlich sagen: „Allah." Sag: „Habt ihr dann (den Ort von) jenen gesehen, die ihr neben Allah erwähnt? Falls Allah für mich eine Beschwerde erwünscht, können sie dann diese Beschwerde aufheben? Oder falls Allah für mich Gnade erwünscht, können sie dann diese Gnade für mich verhindern?" Sag: „Für mich ist Allah ausreichend! Jene, die vertrauen, platzieren ihr Vertrauen in Ihm als ihr Wakiyl!"

39. Sag: „Oh mein Volk! Tut, was auch immer ihr könnt gemäß eures Verständnisses, da ich dies auch tue... Bald werdet ihr es wissen."

40. „Zu wem kommt das erniedrigende Leid (Tod) und zu wem kommt das andauernde Leid (Hölle)?"

41. Zweifelsohne haben Wir dieses Wissen als die Wahrheit zu dir enthüllen lassen für das Volk! Deshalb wer sich auch immer zur Wahrheit hinwendet, tut dies für sein eigenes Selbst (Bewusstsein/Daseinsform)! Und wer auch immer abweicht (von der Wahrheit), weicht von seinem eigenen Selbst ab! Du bist nicht deren Wakiyl!

42. Allah verursacht, dass Menschen sterben (ihre Körper werden außer Funktion gesetzt), wenn die Zeit kommt, dass sie den Tod kosten sollen. Und diejenigen, die noch nicht gestorben sind, (sie nimmt Er zur Welt des Bewusstseins) während sie schlafen... Dann behält Er jene, für die Er den Tod beschlossen hat und lässt die

anderen frei für eine bestimmte Zeit... Zweifelsohne sind hierin Zeichen für ein Volk, welches nachdenkt.

43. Oder haben sie neben Allah jene angenommen, die Fürbitte leisten? Sag: „Was ist, wenn sie gar nichts besitzen und keinen Verstand haben?"

44. Sag: „Fürbitte gehört gänzlich Allah! (Denn) die Herrschaft der Himmel und der Erde gehören Ihm! Dann werdet ihr zu Ihm zurückkehren."

45. Wenn sie erinnert werden über die Einheit Allahs, dann werden jene, die nicht an ihrem ewigen, zukünftigen Leben glauben, nicht zufrieden sein! Aber wenn jene neben Ihm erwähnt werden, dann erfreuen sie sich unverzüglich als ob ihnen gute Nachrichten gegeben wurden!

46. Sag: „Oh mein Allah, der „Fatir" der Himmel und der Erde, derjenige, der „Aliym" ist über das Verborgene (Ghaib) und das, welches bezeugt wird; Du urteilst unter Deinen Dienern bezüglich dessen, worüber sie argumentieren!"

47. Falls diese „Zalims" alles auf der Erde haben würden und Ähnliches, dann würden sie es hergeben für sich selbst als Lösegeld, um sich vom schlimmsten Leid am Tag der Auferstehung freikaufen zu können! (Denn) sie wurden von Allah mit etwas konfrontiert, womit sie überhaupt nicht gerechnet hatten!

48. Die schlechten (Konsequenzen) ihrer Taten wurde ihnen offensichtlich; sie wurden durch das, was sie verspottet hatten, umgeben!

49. Wenn der Mensch durch „Durr" (Schaden, Bedrückung, Krankheit) befallen ist, dann ruft er Uns um Hilfe... Dann, wenn Wir Unseren Segen auf ihn legen, sagt er: „Es wurde mir gegeben aufgrund meines Wissens." Nein, es (der Segen) ist ein Objekt der Prüfung! Aber die Mehrheit von ihnen wissen dies nicht.

50. Jene vor ihnen hatten dies auch gesagt... Aber ihr Verdienst hatte ihnen keinen Nutzen erbracht.

51. Am Ende hatte das Schlechte von jenem, was sie verdient hatten, sie ergriffen... Und jene, die Schlechtes getan hatten, werden durch das Schlechte, das sie (dadurch) verdienen, ergriffen... Sie können (Uns) nicht hilflos erscheinen lassen!

52. Wissen sie denn nicht, dass Allah die Lebensversorgung vermehrt und erweitert (materielle und spirituelle Nahrung) für wen Er es will und es verringert (für wen Er es will)! Zweifelsohne sind hierin Zeichen für ein Volk, welches glaubt.

53. Sag: „Oh meine Diener, die ihrem Selbst nicht die gebührenden Rechte geben (die ihr Leben verschwendet haben, indem sie körperliche Vergnügen nachgegangen sind und nicht ihre essentielle Wahrheit erfahren haben)! Verliert keine Hoffnung auf die Gnade Allahs! Zweifelsohne vergibt Allah alle Fehler (jener, die um Vergebung bitten) ... In der Tat ist HU Ghafur und Rahim."

54. Wendet euch zu eurem Rabb (anhand von Vergebung) hin und ergebt euch zu Ihm, bevor das Leiden (Tod) kommt... Euch wird daraufhin dann nicht geholfen werden!

55. Bevor das Leiden (Tod) zu euch plötzlich kommt, während ihr euch dessen nicht bewusst seid, befolgt das Beste von dem, was zu euch von eurem Rabb enthüllt wurde!

56. Ein Selbst (während dieser Zeit) wird sagen: „Schau zur Sehnsucht (der Verlust), in der ich gefallen bin aufgrund meines unzureichenden Wissens um Allah!

Zweifelsohne gehörte ich zu jenen, die verspotteten!" (Ich war mir der Ernsthaftigkeit und Wichtigkeit der Thematik nicht bewusst!)

57. Oder wird er sagen: „Hätte Allah mich rechtgeleitet, dann wäre ich definitiv unter denjenigen gewesen, die beschützt sind."

58. Oder wenn er das Leiden sieht, wird er sagen: „Wenn ich doch nur noch eine Chance hätte (zum Leben mit einem Körper – mit einem Gehirn), so dass ich unter den „Muhsin" sein könnte."

59. „Nein, Meine Zeichen kamen zu euch, aber ihr habt sie abgelehnt und geleugnet, ihr wart arrogant und ihr gehörtet zu jenen, die das Wissen um die Wahrheit leugneten!"

60. Während des Tages der Auferstehung werdet ihr die Gesichter jener sehen, die bezüglich Allah gelogen hatten, verdunkelt. Ist die Hölle nicht der Aufenthaltsort für jene, die arrogant waren?

61. Allah leitet jene, die sich beschützen, zur Freiheit anhand ihres manifestierten Erfolgs! Schlechtes berührt sie nicht, auch werden sie nicht trauern.

62. Allah ist der „Khalik" aller Dinge... HU ist der „Wakiyl" über alle Dinge.

63. Die Schlüssel der Himmel und der Erde gehören Ihm! Was jene anbelangt, die die Existenz Allahs in Seinen Zeichen leugnen, sie sind die wahren Verlierer!

64. Sag: „Befiehlt ihr mir Dinge anzubeten neben Allah, oh ihr Ignoranten!"

65. Ich schwöre, dass es euch und auch jenen vor euch offenbart wurde: „Zweifelsohne, wenn ihr irgendetwas mit Allah assoziiert (falls ihr in einem Zustand der Dualität, Schirk lebt), dann wird eure ganze Arbeit wertlos werden und ihr werdet definitiv zu den Verlierern gehören!"

66. Nein, dient nur Allah und gehört zu jenen, die dankbar sind (bewertet gebührend, was es bedeutet, ein Diener zu sein)!

67. Sie konnten nicht Allah gebührend bewerten! Während des Tages der Auferstehung wird die Erde innerhalb Seines Griffes sein und die Himmel werden mit Seiner rechten Hand gefaltet werden... Er ist „Subhan" und „Aliy" über dem, was sie mit Ihm assoziieren.

68. Und das Horn wird geblasen! Und wer auch immer sich in den Himmeln und auf der Erde befindet, wird davon getroffen und wird ohnmächtig, ausgenommen jene, von denen es Allah nicht will... Dann wird es erneut geblasen und sie stehen alle und schauen zu.

69. Und die Erde wird mit dem Licht (Nuur) eures Rabbs erleuchten, die Nabis und die, die bezeugen, werden gebracht werden und es wird zwischen ihnen geurteilt werden mit der Wahrheit, ohne irgendjemanden ungerecht zu behandeln.

70. Jedem Selbst wird gänzlich das gegeben werden, was die Gegenleistung seines Tuns entspricht. Er weiß am besten, was sie tun (als der Schöpfer ihrer Taten).

71. Jene, die das Wissen um die Wahrheit leugnen, werden zur Hölle in Gruppen getrieben werden... Wenn sie es letztendlich erreichen, werden seine Tore geöffnet werden und seine Torhüter werden sagen: „Sind nicht innerhalb von euch Rasuls zu euch gekommen, die euch informierten bezüglich der Zeichen eures Rabbs und die

euch bezüglich des Zusammenkommens dieses Tages gewarnt hatten? Sie werden sagen: „Ja."... Aber wie dem auch sei, das Versprechen des Leidens wird sich erfüllt haben auf jene, die das Wissen um die Wahrheit leugnen.

72. Es wird gesagt werden: „Tretet ein durch die Tore der Hölle; ihr werdet dort auf ewig sein. Elendig ist der Ort für die Arroganten, die nicht ihr Ego loslassen konnten!"

73. Aber jene, die sich vor ihrem Rabb beschützen (die sich davor beschützen, ein Leben zu leben, welches nur auf dem physischen Körper basiert) werden zum Paradies in Gruppen getrieben werden. Wenn sie es erreichen und ihre Tore geöffnet werden, werden ihre Torhüter sagen: „Salaam auf euch! Wie zufrieden ihr seid... Tretet ein, um ewig darin zu sein!"

74. (Jene, die sich im Paradies befinden) werden sagen: „Das „Hamd" gehört Allah, der Sein Versprechen erfüllt hat und uns diese Erde (mit diesem Ort) beerbt hat. Wir leben im Paradies in welchem Zustand wir es uns auch wünschen. Wie schön ist die Gegenleistung jener, die den Anforderungen ihres Glaubens erfüllen!"

75. Und ihr werdet die Engel sehen, wie sie den Thron (den Thron der Herrschaft: der Zustand der Manifestierung und der Beobachtung der Eigenschaften der Namen) von jeder Seite umgeben und das „Hamd" ihres Rabb und das „Tasbih" ihres Rabbs ausdrücken. Alle werden mit der Wahrheit geurteilt werden und es wird gesagt werden: „Das „Hamd" gehört gänzlich Allah, dem Rabb der Welten."

40 - AL-MU'MIN

Mit demjenigen, der durch den Namen Allah erwähnt wird (der mein Wesen mit Seine Namen erschaffen hat im Anwendungsbereich des Buchstabens „B"), der Rahman und Rahim ist.

1. Ha Miiim!

2. Die Enthüllung dieses Wissens (über die Wahrheit und der Sunnatullah) **ist von Allah, der Aziz und Hakim ist.**

3. Derjenige, der „Gafiriz Zanb" (Vergeber von Fehlern) **ist und der „Kabilit Tawb"** (derjenige, der die Vergebung akzeptiert; derjenige, der zur Wahrheit drehen lässt) **ist, derjenige, der Schadid ul Ikab ist** (derjenige, der die gebührenden Konsequenzen eines Verbrechens streng bestraft), **der „Zut Tawl" ist** (derjenige, dessen Gunst und Segen reichhaltig sind) ... **Es gibt keinen Gott, sondern nur HU! Die Rückkehr ist zu Ihm.**

4. Niemand wird über die Zeichen Allahs argumentieren und streiten außer jene, die das Wissen um die Wahrheit leugnen! Deshalb lasst nicht ihre (ungehinderte und erfreute) **Aktivität im Lande hindurch euch täuschen.**

5. Das Volk Noahs hatten auch vor ihnen geleugnet und alle Gemeinden, die entgegen der Wahrheit waren, hatten auch nach ihnen geleugnet. Jede Nation hatte die Absicht ihren Rasul zu ergreifen (umbringen, funktionslos erscheinen lassen). **Sie kämpften darum, um die Wahrheit für ungültig zu erklären, indem Lügen verbreitet wurden. Also habe Ich sie ergriffen. Und wie habe Ich die Gegenleistung des Verbrechens ausleben lassen?**

6. Und so wurde das Wort eures Rabbs „Sie sind die Leute des Naar (Feuer – Ort der Radiation)", **bezüglich der Leugner um das Wissen der Wahrheit, erfüllt.**

7. Die Träger des Throns und der (bewussten) **Kräfte, die es umgeben** (die Orte der Manifestierung von Allahs Kraft) **glorifizieren** (Tasbih) **ihren Rabb durch Seinen Hamd** (der Name „Hamid" wird manifestiert); **sie glauben an Ihm** (als ihre essentielle Wahrheit) **und fragen um Vergebung für die Gläubigen** (für ihren Mangel, den Anforderungen ihrer essentiellen Wahrheit nicht gebührend ausleben zu können), **indem sie sagen: „Unser Rabb, Du umfasst alle Dinge mit Deiner Gnade und Deinem Wissen. Vergib jene, die um Vergebung bitten und Deinen Weg befolgen und beschütze sie vom Leiden des Brennens!"**

8. „Unser Rabb... Gewähre ihnen die Gärten Edens, welche Du ihnen versprochen hast und wer auch immer unter ihren Vätern, Partnern und Nachkommen die Reinheit erlangt hat... Zweifelsohne bist Du, ja Du, derjenige, der „Aziz" und „Hakim" ist."

9. „Beschütze sie von schlechten Taten, welche aus der Arroganz (aus der körperlichen Energie) **resultiert. Und derjenige, den Du beschützt hast, ist derjenige, den Du definitiv Deine Gnade** (Rahmet) **gegeben hast. Dies ist der gewaltige Erfolg!"**

10. Zweifelsohne wird jenen, die das Wissen um die Wahrheit leugnen, gesagt werden: „Der Zorn Allahs ist größer als der Zorn eures Selbst... Erinnert euch, ihr wurdet zum Glauben eingeladen, aber ihr habt abgelehnt anhand von Leugnung!"

11. Sie sagten: „Unser Rabb, Du hast veranlasst, dass wir zweimal sterben (die Erfahrung der Trennung vom Körper und der Zustand der Existenz ohne einem Ego, während der Periode des „Mahschar" [siehe 6:94, sie werden als „Fard" daherkommen]) **und zweimal leben** (mit einer neuen Identität, einem neuen Ego) **und wir haben unsere Unzulänglichkeiten zugegeben! Gibt es einen Weg, um aus diesem Zustand herauszukommen?"**

12. **Der Grund warum ihr in diesem Zustand seid, ist Folgender: Als Allah euch zur Seiner Einheit eingeladen hatte** (als euch angeboten wurde, euch von euren illusorischen Identitäten und Ich-Gefühlen zu reinigen)**, da habt ihr es bedeckt (geleugnet)! Falls es die Dualität wäre** (zu welchem ihr eingeladen worden wärt)**, dann hättet ihr definitiv daran geglaubt... Das Urteil gehört einzig Allah, der Aliy und Kabir ist** (derjenige, dessen Urteil Seiner manifestierten Kräfte ihr nicht ablehnen könnt)**!**

13. **Es ist HU, der euch Seine Zeichen zeigt und Versorgung enthüllen lässt** (Wissen bezüglich eurer Essenz) **von den Himmeln** (zu eurem Bewusstsein). **Aber niemand kann sich danach erinnern und daran tief nachdenken außer jemand, der sich hinwendet** (zu seiner essentiellen Wahrheit)**!**

14. **Deshalb, selbst wenn jene, die das Wissen um die Wahrheit leugnen, die Religion verabscheuen, dann wende dich zu Allah hin mit dem Wissen, dass Er die essentielle Wahrheit des Systems darstellt!**

15. **Er ist derjenige, der die Ränge erhöht, der Besitzer des Throns. Er schickt die Seele** (das Verständnis der Namen zum Bewusstsein) **anhand Seines Befehls, um über eine Zeit zu warnen, wo die Wahrheit unterschieden wird!**

16. **Zu dieser Zeit werden sie in jedem Sinne bloßgestellt werden! Sie können vor Allah nichts verheimlichen. Wem gehört die ganze Herrschaft an diesem Tag** (gemäß der Sichtweise Allahs gibt es nur „DEN MOMENT", ein einziger Augenblick)**? Es gehört Allah, der Wahid und Kahhar ist** (derjenige, dessen absolute Anordnung jenseits der Konzepte von Raum und Zeit eine Anwendung findet).

17. **Während dieser Zeitperiode wird jedes individuelle Bewusstsein das bekommen, was es getan hatte** (konfrontiert mit den Konsequenzen der Taten)**! In dieser Zeit wird keine Ungerechtigkeit entstehen! Zweifelsohne ist Allah schnell im Abrechnen** (Sariul Hisab: Unverzüglich werden die Konsequenzen einer Tat ausgeführt werden).

18. **Warne sie anhand der nähernden Zeit des Todes! Zu dieser Zeit werden ihre Herzen, voller Sorge, zu ihren Kehlen hochkommen! Die „Zalims"** (jene, die ihrem Selbst die Wahrheit verweigern) **werden weder einen Freund, noch einen Anführer haben, den sie befolgen können** (um sich zu retten).

19. **Er kennt den Verrat der Augen** (etwas anderes zu sehen) **und was das Herz verbirgt.**

20. **Allah urteilt mit der Wahrheit. Jene, von denen sie Hilfe ersuchen neben Ihm, besitzen kein Urteil über irgendetwas! Zweifelsohne ist Allah Sami und Basir.**

21. **Haben sie die Erde nicht bereist und das Ende jener gesehen, die vor ihnen waren? Jene** (vor ihnen) **waren mächtiger als sie an Kraft und fortschrittlicher mit dem, was sie auf der Erde geformt hatten. Aber Allah ergriff sie mit dem Produkt ihrer eigenen Fehler. Und es gab keinen, der sie beschützen konnte vor Allah** (ihrer essentiellen Wahrheit).

22. **Der Grund dafür war Folgender: Ihre Rasuls kamen zu ihnen mit festen und klaren Beweisen, aber sie leugneten sie. Also ergriff Allah sie. Zweifelsohne ist er „Kawwi"**

und „Schadid ul Ikab" (die Konsequenz eines Verbrechens wird strengstens ausgeführt werden).

23. Zweifelsohne enthüllten Wir Moses mit Unseren Zeichen und mit einem festen und klaren Beweis.

24. An Pharao, Haman und Karun. Aber sie sagten: „Er ist ein großartiger und verlogener Magier."

25. Als (Moses) ihnen die Wahrheit aus Unserer Sichtweise brachte, sagten sie: „Schlachtet die Söhne jener ab, die an ihm glauben und lasst ihre Frauen am Leben." Aber die Pläne jener, die das Wissen um die Wahrheit leugnen, werden vergeblich sein!

26. Pharao sagte: „Lasst mich, ich werde Moses töten. Und lasst ihn seinen Rabb (zur Hilfe) rufen. Zweifelsohne befürchte ich, dass (Moses) euer Verständnis der Religion verändern wird oder Grund für Ärger im Lande sein wird."

27. Moses sagte: „Wahrlich suche in meinem Rabb und in eurem Rabb Zuflucht vor den Arroganten, die nicht an jene Zeit glauben, wo sie mit den Konsequenzen all ihrer Taten konfrontiert werden."

28. Ein Man unter der Familie des Pharaos, der geglaubt hatte, es aber nicht veröffentlichte bis zu jener Zeit, sagte: „Tötet ihr einen Mann, nur weil er sagt, dass sein Rabb Allah ist, wobei er doch zu euch gekommen ist mit eindeutigen Beweisen von eurem Rabb? Falls er lügt, dann sind seine Lügen gegen ihn selbst gerichtet. Aber falls er die Wahrheit sagt, dann wird das Leiden, über welches er warnt, euch treffen! In der Tat führt Allah nicht jene (zur Wahrheit), die verschwenderisch sind (bezüglich ihrer Ressourcen innerhalb ihrer Essenz) und die lügen."

29. (Dieser Mann sagte): „Oh mein Volk! Als Meister auf der Erde gehört heute euch der Reichtum. Aber falls es uns bedrücken sollte, wer kann uns dann gegen den Zorn Allahs helfen und retten?" Pharao sagte: „Ich biete dir keine Meinungen an außer der meinen und ich führe euch nirgends wohin, es sei denn nur zum Ausweg."

30. Dann sagte der Mann, der glaubte: „Oh mein Volk! Zweifelsohne befürchte ich für euch etwas, welches jenen anheimfiel, die sich gegen die Wahrheit vereint hatten."

31. „Das, welches dem Volk Noahs, Ad (Volk von Hiob) und Samud (Volk von Methusalem) anheimfiel und jenen, die nach ihnen kamen. Allah will keine Grausamkeit für Seine Diener haben."

32. (Der gläubige Mann sagt): „Oh mein Volk... Ich fürchte für euch definitiv eine Zeit, wo es trauerndes Klagen geben wird."

33. Während dieser Zeit, wenn ihr euch drehen und versucht zu entkommen, wird es keinen geben, der euch vor Allah beschützen wird! Und wem Allah auch immer irreleitet, für ihn gibt es keinen, der ihn führen kann (zur Wahrheit).

34. Vorher kam zu euch Josef mit eindeutigen Beweisen... Und als er starb, sagtet ihr: „Allah wird nie wieder einen Rasul nach ihm enthüllen." Und so verdreht Allah (die Gedanken) jener, die zweifeln und verschwenderisch sind.

35. Sie sind jene, die die Zeichen Allahs ablehnen, ohne irgendwelche festen Beweise erhalten zu haben. Dieser (Standpunkt) ist strengstens verhasst in der Sichtweise

Allahs und in der Sichtweise der Gläubigen. Und so versiegelt Allah jedes arrogante und tyrannische Bewusstsein.

36. Pharao sagte: „Oh Hamam! Baue für mich einen hohen Turm, so dass ich die Ursachen erreiche."

37. „Die Ursachen der Himmel... So dass ich den Gott von Moses verstehen kann! Denn ich denke definitiv, dass er ein Lügner ist!"... Und so erschienen dem Pharao seine schlechten Taten als attraktiv und wurde deshalb gehindert vom Weg (zu seiner essentiellen Wahrheit). Aus dem Plan vom Pharao ist nichts weiter als Verlust entstanden!

38. Der Gläubige (aus der Familie des Pharaos) sagte: „Oh mein Volk. Folgt mir, so dass ich euch führen kann auf dem Weg zur Reife."

39. „Oh mein Volk... Dieses weltliche Leben ist nur eine zeitlich begrenzte Freude von vergänglichen Vergnügen! Das ewige, zukünftige Leben ist zweifelsohne die Behausung der permanenten Besiedlung!"

40. „Wer auch immer eine schlechte Tat begeht, wird nur mit jenem vergolten, aber wer auch immer, männlich oder weiblich, die Anforderungen ihres Glaubens erfüllen, sie werden ins Paradies eingelassen werden. Ein Leben, womit sie mit den unterschiedlichsten Arten von ewiger Versorgung ernährt werden!"

41. „Oh mein Volk... Wie seltsam ist es, dass ich euch zur Erlösung einlade und ihr mich zum Feuer einladet!"

42. „Ihr ladet mich dazu ein, Allah zu leugnen, der meine Essenz anhand Seiner Namen darstellt und mit Ihm Dinge zu assoziieren, worüber ich kein Wissen habe! Wobei ich euch zu dem Einen, der Aziz und Ghaffar ist, einlade."

43. „Die Wahrheit ist Folgende: Das, worin ihr mich einladet, hat keinen Platz in dieser Welt oder dem ewigen, zukünftigen Leben. Zweifelsohne ist unsere Rückkehr zu Allah. Und sicherlich sind jene, die (ihr Leben) verschwenden die Gefährten des Feuers!"

44. „Ihr werdet euch bald erinnern, was ich euch gesagt habe! Ich überlasse meine Angelegenheit an Allah! Zweifelsohne ist Allah „Basir" über Seine Diener."

45. Und so hatte Allah ihn (der gläubige Mann aus der Familie des Pharaos) beschützt vor dem üblen Plan (des Pharaos). Und die Familie des Pharaos wurde umgeben von der schlimmsten Tortur.

46. (Diese schlimmste Tortur) ist das Feuer! Sie werden dahin geführt werden morgens und abends. Und wenn diese Zeit kommt, wird gesagt werden: „Versetzt die Familie des Pharaos ins schlimmste Leiden!"

47. Wenn sie miteinander argumentieren im Feuer, dann werden die Schwachen zu jenen, die arrogant waren, sagen: „Wir sind euch gefolgt. Könnt ihr uns jetzt ein wenig von diesem Feuer erlösen?"

48. Aber die Arroganten werden sagen: „Die Wahrheit ist, dass wir uns alle zusammen darin befinden. In der Tat hat Allah unter Seinen Dienern gerichtet!"

49. Jene im Feuer (einem Ozean der Radiation) werden zu den Torhütern der Hölle sagen: „Bittet euren Rabb darum, dass Er uns wenigstens von diesem Leiden für einen Tag erlöst!"

50. (Die Torhüter) werden sagen: „Sind eure Rasuls nicht zu euch gekommen als eindeutige Beweise? „Ja", werden sie sagen. „Dann betet selber," werden die Torhüter sagen. Das Gebet jener, die das Wissen um die Wahrheit leugnen, ist nichts weiter als ein grundloser Versuch.

51. Zweifelsohne werden Wir Unsere Rasuls und die Gläubigen sowohl in dieser Welt als auch während der Zeit, wenn die Zeugen stehen werden, helfen.

52. Während dieser Zeit werden ihre Ausreden den „Zalims" keinerlei Nutzen geben. Der Fluch (weit gefallen und deshalb entfernt von den Kräften der Namen Allahs) liegt auf ihnen und sie haben die schlimmste Heimat!

53. Zweifelsohne gaben Wir Moses die Rechtleitung (das Wissen um die Wahrheit) und sorgten dafür, dass die Kinder Israels das Wissen erben!

54. Als Führung zur Wahrheit und als Erinnerung für jene, die mit einem Verstand nachdenken können!

55. Habt Geduld! Definitiv stellt das Versprechen Allahs die Wahrheit dar! Fragt um Vergebung für eure Fehler! Glorifiziert (Tasbih; erfährt eure essentielle Wahrheit) euren Rabb mit Seinem Hamd (indem ihr den Einen spürt, der „Hamd" in euch manifestiert) morgens und abends!

56. Jene, die die Zeichen Allahs bekämpfen, ohne irgendwelche festen Beweise erhalten zu haben, tragen in sich selbst nichts weiter als eine unerreichbare Arroganz (d.h. sie können niemals Erleuchtung erlangen bezüglich der Wahrheit von wahrem Stolz)! Deshalb ersucht Zuflucht in Allah, eure essentielle Wahrheit anhand Seiner Namen. In der Tat ist Er „HU", derjenige, der „Sami" und „Basir" ist.

57. Definitiv sind die Schöpfung der Himmel und der Erde viel größer als die des Menschen! Aber die Mehrheit der Menschen ist unwissend.

58. Der Blinde und der Sehende, der Gläubige, der die Anforderungen seines Glaubens erfüllt und derjenige, der leugnet und schlechte Taten begeht, sind nicht gleichwertig! Wie wenig ihr euch erinnert und nachdenkt!

59. Diese Stunde wird definitiv kommen; darüber gibt es keinen Zweifel. Aber die Mehrheit der Menschen glauben nicht!

60. Euer Rabb sagte: „Betet zu Mir, so dass Ich euch antworten kann! Zweifelsohne jene, die aufgrund ihrer Arroganz nicht beten, werden in die Hölle eintreten mit ihren Nacken nieder gebeugt."

61. Es ist Allah, der die Nacht erschaffen hatte, so dass ihr Ruhe und Stille darin findet und den Tag, so dass ihr sehen und bewerten könnt! Zweifelsohne ist Allah voller Gunst für die Menschen. Aber die Mehrheit der Menschen ist undankbar.

62. Dies ist euer Rabb Allah, der Schöpfer von allem! Es gibt keinen Gott, nur HU! Wie ihr doch (von der Wahrheit) abgewandt seid!

63. Jene, die absichtlich die Zeichen Allahs leugnen, sind deshalb abgewandt!

64. Es ist Allah, der für euch die Erde als einen Ort des Aufenthalts erschuf und die Himmel als eure Bauwerke (jenes, welches die Erde schmückt [oder den menschlichen Körper] mit dem, welche es beinhaltet). Er gestaltete euch (euch spezifische Eigenschaften verliehen) und verschönerte eure Formen (der Bedeutung) und ernährte euch mit guter

Versorgung (des Wissens und der Gnostik)! So ist Allah, euer Rabb! Wie erhaben ist der Rabb der Welten (der Menschen)!

65. HU ist „Hayy"! Es gibt keinen Gott, nur HU! Wendet euch endlich zu Ihm hin, weil Er die essentielle Wahrheit des Systems darstellt. Das „Hamd" gehört Allah, dem Rabb der Welten (Menschheit).

66. Sag: „Mir wurde verboten jene anzubeten, die ihr vergöttert neben Allah, sobald Beweise zu mir gekommen sind von meinem Rabb und mir wurde befohlen mich dem Rabb der Welten zu ergeben."

67. Es ist HU, der euch vom Staub, dann von Spermien, dann von einem Klumpen (Embryo) erschaffen hatte. Dann brachte Er euch hervor als Kind; dann gab Er euch Leben, welches euch erlaubte, reif zu werden und ein hohes Alter zu erreichen... Und manche von euch werden mit dem Tod davor schon genommen... Alles damit ihr den spezifischen Zeitpunkt erreicht und euren Verstand benutzt.

68. Es ist HU, der Leben gibt und es auch nimmt! Wenn Er über eine Angelegenheit entscheidet, sagt Er nur „Sei" (will, dass es geschieht); und es wird!

69. Habt ihr nicht jene gesehen, die die Zeichen Allahs bekämpfen! Wie sie (von der Wahrheit) abgewandt sind?

70. Sie sind jene, die das Wissen zugehörig zu ihrer Essenz und die Rasuls, die Wir enthüllt haben, leugnen! Aber bald werden sie schon wissen!

71. Wenn die Fesseln (Konditionierungen und Wertvorstellungen ihrer Identitäten) und Ketten (süchtige Tendenzen) um ihre Nacken sind, werden sie gezogen werden!

72. Hinein ins kochende Wasser (innerhalb von brennenden Gedanken) ... Und dann in das Feuer (Ozean von Radiation) werden sie verbrannt werden!

73. Dann wird ihnen gesagt werden: „Wo sind diejenigen, die ihr als Teilhaber zugeschrieben habt?"

74. „Neben Allah!" Sie werden sagen: „Sie sind von uns fortgegangen. Nein, in der Tat haben wir uns früher zu Dingen gewandt, die gar nicht existieren!" Und so wendet Allah jene ab, die das Wissen um die Wahrheit leugnen.

75. Dies kommt daher, weil sie auf der Erde ohne Recht es mit der Arroganz übertrieben hatten.

76. Tretet durch die Tore der Hölle ein, um darin auf ewig zu sein. Elendig ist der Aufenthaltsort der Arroganten (Egozentrischen)!

77. Habt Geduld! Zweifelsohne stellt das Versprechen Allahs die Wahrheit dar! Ob Wir einiges von dem, welches Wir dir versprochen hatten, ihnen zeigen oder ob Wir bewirken, dass du stirbst (ohne es dir zu zeigen, es macht keinen Unterschied, denn), sie werden zu Uns zurückkehren.

78. In der Tat hatten Wir auch Rasuls vor dir enthüllt... Unter ihnen gibt es einige, deren Geschichten Wir euch erzählt haben und einige, deren Geschichten Wir nicht erzählt hatten. Es ist einem Rasul nicht möglich ein Wunder zu vollbringen, ohne die Erlaubnis von Allah zu haben! Wenn der Befehl Allahs kommt, dann wird es mit der Wahrheit geurteilt werden und jene, die der Lüge hinterhergehen, werden im Verlust sein!

79. Es ist Allah, der das Vieh für euch erschaffen hatte, auf einigen reitet ihr und einige sind für euch Nahrung.

80. Es gibt (andere) Nutzen in ihnen für euch. Um euer Ziel auf ihnen zu erreichen. Und ihr werdet auf ihnen und auf den Schiffen getragen.

81. (Allah) zeigt euch Seine Zeichen... Welche von Allahs Zeichen leugnet ihr!

82. Haben sie die Erde nicht bereist und das Ende jener gesehen, die vor ihnen waren? Jene (vor ihnen) waren mehr als sie an der Zahl, mächtiger an Kraft und fortschrittlicher mit dem, was sie auf der Erde geformt hatten. Das, was sie gewonnen hatten, hat sie nicht gerettet!

83. Als ihre Rasuls zu ihnen kamen als eindeutige Beweise hatten sie sich auf ihr eigenes Wissen berufen und waren verzogen! Das, worüber sie gespottet hatten, hat sie umfasst!

84. Als sie Unseren Zorn gesehen hatten, sagten sie: „Wir glauben, dass Allah, der Eine, der unsere Essenz anhand Seiner Namen darstellt, EINS ist; und glauben nicht an jenem, welches wir Ihm zugeschrieben (mit Ihm assoziiert) hatten."

85. Aber der Glaube, der sich entwickelt hatte, nachdem sie Unseren Zorn gesehen hatten, hatte ihnen keinen Nutzen gegeben! Dies ist die „Sunnatullah" (das System Allahs), welches seit Jahrhunderten bei Seinen Dienern etabliert wurde! Deshalb befinden sich jene, die das Wissen um die Wahrheit leugneten (ihre essentielle Wahrheit; jene, die verschleiert sind vor dem System Allahs) im Verlust!

Mit demjenigen, der durch den Namen Allah erwähnt wird (der mein Wesen mit Seine Namen erschaffen hat im Anwendungsbereich des Buchstabens „B"), der **Rahman und Rahim ist.**

1. **Ha, Miim.**

2. **Dies ist die Enthüllung** (eine Erklärung) **von demjenigen, der „Rahman" und „Rahim" ist!**

3. **Für ein Volk, welches versteht, ist es das detaillierte Wissen, dessen Zeichen anhand eines „arabischen Koran" ausführlich erklärt wurde!**

4. **Als ein Überbringer von guten Nachrichten und als eine Warnung... Aber die Mehrheit von ihnen haben sich abgewandt** (von dieser Wahrheit)! **Sie hören einfach nicht!**

5. **Sie sagen: „Unser Bewusstsein befindet sich in einem Kokon und nimmt nicht wahr, wozu du uns einlädst, es gibt eine Schwere in unseren Ohren und es gibt einen Schleier zwischen dir und uns! Deshalb tue, was auch immer du magst, wir tun auch was."**

6. (Mein Rasul) **sag: „Ich bin ein Mensch, wie ihr es seid; jedoch wurde mir offenbart: Das, welches ihr annehmt, Gott zu sein, ist EINS, der Besitzer der „Uluhiyyah"! Deshalb wendet euch zu Ihm hin und bittet Ihn um Vergebung. Wehe jenen, die sich in der Dualität befinden** (jene, die versagen, die Einheit der Existenz zu verstehen und Partner mit Allah assoziieren)!**"**

7. **Jene** (Dualisten) **geben nicht für Allah, ohne eine Gegenleistung zu erwarten und sie leugnen ihr ewiges, zukünftiges Leben.**

8. **Aber jene, die glauben und die Anforderungen des Glaubens erfüllen, für sie gibt es eine unaufhörliche Belohnung.**

9. **Sag: „Leugnet ihr wirklich den Einen, der die Erde erschaffen hatte in zwei Perioden** (in Bezug auf den Planeten Erde weist dies auf die Formierung der Erde und seinen Lebewesen; in Bezug auf den menschlichen Körper weist dies auf die Zeitperiode zwischen der Empfängnis bis zum 120. Tag und der Zeitpunkt der Geburt. Allah weiß es am besten.) **Vergleicht ihr andere Götter** (nehmt ihr an, dass sie in eurer Vorstellung existieren) **mit Ihm? Er ist der Rabb der Welten** (Der eine, der mit dem Namen von Allah jeden Moment den Prozess der Schöpfung formt – vom Punkt an wird es gewollt und seine Formierung wird bis zum Ende seiner Existenz mit allen passenden und relevanten Eigenschaften, welche für seine Anwendung benötigt wird, geformt)!**"**

10. **Und Er formte feste und stabile Berge** (Egos) **auf der Erde** (im Körper) **und gab darin Segen und beschloss die Versorgung für den Fortbestand der Lebewesen in vier Perioden, ohne Unterscheidung, für jene, die fragen** (gemäß ihrer Kapazität).

11. **Dann etablierte Er sich selbst im Himmel** (um einige Seiner Namen zu manifestieren), **während es in Form vom Rauch war** (natürliches, nicht-geformtes Ego) **und sagte zu es** (zum Bewusstsein) **und zu der Erde** (dem Körper): **„Kommt willentlich oder durch Zwang** (um Meine Namen zu manifestieren)!**" Sie beide sagten: „Wir kommen**

willentlich, um zu gehorchen!" (Himmel ist das, welches sich im Gehirn durch die Eigenschaften der Namen formt=gedankliche Dimension und die Erde=körperliche Organe. Beide manifestieren willentlich die Eigenschaften der Namen.)

12. Und so beschloss Er, dass es sieben Himmel gibt (die sieben Zustände des Bewusstseins, des Selbst) **und offenbarte an jedem Himmel seine Funktion! Und Er schmückte den am nächsten gelegenen Himmel** (der Erde) **mit Lampen** (erleuchtende Ideen) **und beschützte es. Dies ist der Beschluss desjenigen, der „Aziz" und „Aliym" ist!**

13. Aber falls sie sich wegdrehen, dann sage: „Ich warne euch anhand des Donnerschlags wie jener Donnerschlag von Aad und Samud!"

14. Als ihre Rasuls zu ihnen kamen mit jenem, welches sich vor ihnen (mit dem, was sie wussten) **und jenem, welches sich hinter ihnen befunden hatte** (mit dem, was sie nicht wussten) **und zu ihnen sagten: „Betet andere nicht an; dient einzig und allein Allah!" Da sagten sie: „Hätte unser Rabb es gewollt, dann würde Er definitiv Engel herabsteigen lassen... Wir leugnen jenes** (das Wissen um die Wahrheit), **was dir enthüllt wurde."**

15. Was Aad anbelangt (das Volk von Hiob), **sie waren arrogant auf der Erde ohne Recht und sagten: „Wer ist mächtiger als wir an Kraft?" Haben sie denn nicht gesehen, dass Allah, der sie erschaffen hatte, mächtiger ist als sie an Kraft! Sie leugneten bewusst** (und voller Absicht) **Unsere Zeichen!** (Sie nahmen an, dass die Kräfte der Namen ihren illusorischen Ich-Gefühlen angehörten.)

16. Also enthüllten Wir einen eisigen Wind auf ihnen während Tage des Unglücks, so dass sie das Leiden der Erniedrigung in diesem weltlichen Leben kosten! Aber zweifelsohne ist das Leiden des ewigen, zukünftigen Lebens viel mehr erniedrigend. Und sie werden gar keine Hilfe finden!

17. Was Samud anbelangt (das Volk von Methusalem), **Wir hatten sie geführt, aber sie bevorzugten Blindheit über Führung** (zur Wahrheit). **Deshalb hat aufgrund des Resultats ihres Benehmens der Donnerschlag des erniedrigenden Leidens sie ergriffen.**

18. Wir retteten jene, die glaubten und sich selbst beschützt hatten.

19. Wenn diese Zeit kommt, werden die Feinde Allahs versammelt und zum Feuer geführt werden.

20. Wenn sie (Bewusstseinsarten, welche Feinde von Allah darstellen) **dort ankommen, werden ihre Ohren** (besondere Eigenschaft der Wahrnehmung), **Augen** (besondere Eigenschaft des Sehens) **und ihre Haut** (ihr gänzlich darunter befindlicher Körper) **sich gegen sie bezeugen und das aussagen, was sie getan hatten.**

21. Sie werden ihre Körper fragen: „Warum hast du gegen uns ausgesagt?" Sie werden sagen: „Allah, der alles sprechen lässt, hat uns sprechen lassen. Er schuf euch das erste Mal. Und jetzt wurdet ihr zu Ihm zurückgekehrt."

22. Und ihr hattet nicht erwartet, dass euer Gehör, eure Sicht und eure Körper sich gegen euch aussagen würden (also habt ihr gelebt, wie ihr wolltet) **... Ihr dachtet, dass Allah unbewusst war bezüglich der meisten Dinge, die ihr getan hattet!**

23. Eure fehlerhafte Annahme bezüglich eures Rabbs hat euch zum Verderben geführt und ihr wurdet so zu Verlierern.

24. **Selbst wenn sie es geduldig aushalten** (denkend, dass es irgendwann aufhören wird), **ist das Feuer ihr Aufenthaltsort! Wenn sie versuchen** (ihren Rabb) **zu befriedigen** (indem sie Ausreden präsentieren), **dann gehören sie nicht zu jenen, deren Ausreden akzeptiert und angenommen werden.**

25. **Und Wir haben für sie Gefährten ernannt** (jene mit satanischen Gedanken unter den Dschinn und Menschen), **die ihnen ihre Taten und Wünsche haben attraktiv erscheinen lassen. Und die Strafe betreffend den Dschinn und der Menschen, die vor ihnen waren, ist jetzt in Erscheinung getreten. Zweifelsohne waren sie alle Verlierer.**

26. **Jene, die das Wissen um die Wahrheit geleugnet hatten, sagten** (zu jenen, die dem RasulAllah zugehört hatten): **„Hört nicht dem Koran zu, redet grundloses Zeug in Bezug darauf, vielleicht werdet ihr es nutzlos erscheinen lassen!"**

27. **Zweifelsohne werden Wir jene, die das Wissen um die Wahrheit leugnen, zu einem intensiven Leiden unterwerfen und Wir werden sie definitiv mit den Konsequenzen ihrer Taten konfrontieren!**

28. **Das Feuer ist das Ergebnis der Taten von Allahs Feinden! Für sie gibt es dort das Haus der Ewigkeit! Aufgrund dessen, weil sie bewusst Unsere Zeichen geleugnet hatten** (sie hatten sich geweigert, ihren Rabb anzuerkennen)**!**

29. **Jene, die das Wissen um die Wahrheit leugnen, sagen: „Unser Rabb... Zeig uns die beiden unter den Dschinn und den Menschen, die uns irregeführt hatten, so dass wir sie unter unsere Füße stellen können, damit sie so zu den Niedrigsten gehören!"**

30. **Definitiv werden Engel enthüllt werden an jene, die sagen: „Mein Rabb ist Allah", und die ihr Leben gemäß diesem leben!** (Die „Dschamal" genannten Kräfte der göttlichen Attribute - Asma ul Husna genannt- werden sich manifestieren, d.h.): **„Habt keine Furcht und keinen Kummer, aber seid glücklich mit eurem Paradies, welches euch versprochen wurde..."**

31. **„Wir sind eure Verbündete** (Awliya) **in diesem weltlichen Leben und im ewigen, zukünftigen Leben! Ihr werdet dort alles haben, was auch immer euer Bewusstsein sich wünscht. Und was immer ihr darin begehrt, werdet ihr bekommen!"**

32. **Als die Enthüllung** (Manifestierung) **desjenigen, der „Rahim" und „Ghafur" ist** (von den Attributen, die „Dschamal" genannt werden)**."**

33. **Wer ist besser in der Rede als jemand, der zu Allah einlädt und den Anforderungen des Glaubens erfüllt und der sagt: „In der Tat gehöre ich zu jenen, die ihre absolute Ergebenheit erfahren."**

34. **Die gute Tat und die schlechte Tat sind nicht gleichwertig! Entferne** (das Schlechte) **mit dem, welches das Beste darstellt... Dann wirst du sehen, dass die Person, die feindselig dir gegenüber war, sich so benehmen wird, als ob er ein treuer Freund war!**

35. **Nur jene, die geduldig sind, wird diese** (Eigenschaft) **gewährt. Nur jene, denen eine gewaltige Gewährung gegeben wurde, sind erlaubt worden** (diese Geduld zu haben).

36. **Falls ein Impuls vom Satan euch verführt, dann sucht unverzüglich Zuflucht bei Allah, der derjenige ist, der eure Essenz anhand Seiner Namen darstellt** (aktiviert die Kräfte der Namen, die sich in eurem Innern befinden)**! Zweifelsohne ist Er „HU", derjenige, der „Sami" und „Aliym" ist.**

37. Die Nacht (innere Eigenschaften), **der Tag** (externe Eigenschaften), **die Sonne** (der Intellekt) **und der Mond** (Emotionen) **gehören alle zu Seinen Zeichen! Werft euch nicht vor der Sonne oder dem Mond nieder** (anbeten), **aber werft euch vor** (deren Schöpfer) **Allah nieder** (hört auf eure Intuition, welche durch die Namen inspiriert wird, denn es gibt immer eine innere Stimme, die euch zu dem führt, welches richtig ist, bevor ihr eine Tat begeht), **falls ihr euch eurer Dienerschaft zu Ihm bewusst seid!** (Dies ist ein Vers der Niederwerfung.)

38. Falls sie weiterhin arrogant sind (egozentrisch), **dann** (lasst sie wissen), **dass jene, die sich mit der Sichtweise ihres Rabbs befinden** (im Bewusstsein der essentiellen Wahrheit des Selbst) **„Tasbih"** (mit der Bewusstheit ihrer Dienerschaft zu ihrem Rabb leben) **zu Ihm machen in der Nacht und am Tag, ohne müde zu werden!**

39. Es gehört zu Seinen Zeichen, dass ihr die Erde (den menschlichen Körper) **in einem Zustand der Ehrfurcht seht. Wenn Wir Wasser** (Wissen um die Wahrheit) **darauf herabsteigen lassen, dann zittert es und erwacht! Zweifelsohne ist der Eine, der es Leben gegeben hat** (jemand, der ohne Wissen ist), **derjenige, der Leben** (Muhyi) **den Toten gibt! In der Tat ist Er „Kaadir" über alle Dinge.**

40. Jene, die Unsere Zeichen von ihrem beabsichtigten Grund pervertieren, sind nicht vor Uns versteckt. Deshalb ist derjenige, der ins Feuer geworfen wird besser oder jener, der während des Jüngsten Gerichts sich in Sicherheit befindet? Tut, was ihr auch immer wünscht! Zweifelsohne ist Er „Basiyr" über das, was ihr tut (als dessen Schöpfer).

41. In der Tat leugnen sie das Wissen, welches sie an ihre essentielle Wahrheit erinnert! Zweifelsohne ist es ein Wissen (die Erinnerung an ihre essentielle Wahrheit – Dhikr), **welches „Aziyz" ist!**

42. Die Lüge kann es nicht erreichen, weder von vorne (direkt) **oder von hinten** (indirekt)! **Es ist eine Enthüllung** (dimensionale Manifestierung) **von dem Einen, der „Hakim" und „Hamid" ist.**

43. (Oh Rasul von Allah!) Dir wurde nichts anderes gesagt als jenes, welches auch den früheren Rasuls gesagt wurde! Zweifelsohne ist dein Rabb sowohl der Vergebende, als auch derjenige, der zum intensiven Leiden unterwirft.

44. Hätten Wir es zu einem Koran gemacht, welcher nicht auf Arabisch wäre, dann hätten sie sicherlich gesagt: „Diese Verse hätten verständlich gemacht werden sollen! Ein nicht-arabischer (Koran) zu einem arabisch sprechenden (Rasul? Wie kann das sein?)." ... Sag: „Es ist Rechtleitung und eine Heilung (lässt gesunde Gedanken entstehen) **für die Gläubigen!" Was jene anbelangt, die nicht glauben, für sie gibt es Schwere in den Ohren; es ist ein nicht-wahrnehmbares Objekt für sie!** (Es ist so, als ob) **sie von einem entfernten Ort aus gerufen werden.**

45. In der Tat gaben Wir das Wissen (Buch) an Moses, aber sie unterschieden sich diesbezüglich... Und wenn es nicht für den Entschluss deines Rabbs wäre, dann wäre definitiv zwischen ihnen geurteilt worden sein. Definitiv befinden sie sich im Zweifel darüber.

46. Wer auch immer die Anforderungen des Glaubens erfüllt, der tut dies für sein eigenes Selbst! Und wer auch immer Schlechtes tut, der tut dies gegen sich selbst. Dein Rabb ist nicht ungerecht zu Seinen Dienern.

47. Das Wissen über die Stunde (der Tod) gehört nur Ihm! Außerhalb Seines Wissen können weder Früchte aus ihren Knospen hervorkommen, noch ein Weibchen empfangen oder Geburt geben! Der Tag, wenn Er (Allah) ausruft: „Wo sind meine Partner?" Sie sagen dann: „Keiner hat solche Partner bezeugt; das bezeugen wir!"

48. Das, welches sie früher erwähnt hatten, ist von ihnen verloren gegangen und sie realisieren, dass sie keinen Ort des Entkommens haben.

49. Der Mensch wird nicht müde, um für gute Dinge zu bitten.... Aber falls Schlechtes ihn ergreift, dann verliert er plötzlich die Hoffnung und fällt in die Verzweiflung.

50. Zweifelsohne wenn Wir ihn von Unserer Gnade kosten lassen, nachdem eine Bedrückung ihn befallen hatte, dann sagt er sicherlich: „Dies ist mein Recht... Ich denke nicht, dass diese Stunde (Jüngstes Gericht) kommen wird... Zweifelsohne wenn ich zu meinem Rabb zurückkehre, werde ich das Beste haben aus Seiner Sicht!" Definitiv werden Wir jene, die das Wissen um die Wahrheit leugnen, über ihre Taten informieren. Definitiv werden Wir sie ein intensives Leiden kosten lassen.

51. Wenn Wir einen Segen den Menschen bescheren, dann dreht er sich weg und distanziert sich! Aber wenn etwas Schlechtes ihn ergreift, dann ist er plötzlich jemand, der viel betet.

52. Sag: „Denk nach, falls (dieses Wissen) die Sichtweise Allahs darstellt und du Ihn geleugnet hast, wer kann denn sich mehr (von der Wahrheit) entfernt haben und korrupter sein!"

53. Wir werden ihnen Unsere Zeichen am Horizont (extern) und in ihrem Selbst (Bewusstsein) zeigen bis es ihnen klar wird, dass es die Wahrheit darstellt! Ist es nicht ausreichend, dass euer Rabb ein Zeuge ist über alle Dinge?

54. Passt auf! Zweifelsohne befinden sie sich im Zweifeln darüber bezüglich des Treffens mit ihrem Rabb (von der Erfahrung der Manifestierung ihres Rabbs innerhalb ihrer Essenz)! Seid vorsichtig! In der Tat ist Er umfassend über alle Dinge (alle Dinge bekommen mit den Eigenschaften und Kräften Seiner Namen ihre Existenz)!

Mit demjenigen, der durch den Namen Allah erwähnt wird (der mein Wesen mit Seine Namen erschaffen hat im Anwendungsbereich des Buchstabens „B"), der Rahman und Rahim ist.

1. Ha, Miim.

2. Ayn, Siin, Kaf.

3. Und so offenbart Allah, der „Aziz" und „Hakim" ist, an euch und an jenen, die vor euch waren!

4. Was es auch immer in den Himmeln und auf der Erde gibt, gehört gänzlich Ihm... Er ist „Aliy", „Aziym".

5. Die Himmel über ihnen brechen fast auseinander (was wird von innen herauskommen?)! Die Engel glorifizieren (Tasbih) ihren Rabb anhand Seines „Hamds" (sie erfüllen ihre Funktionen) und fragen um Vergebung für jene, die sich auf der Erde befinden. Seid vorsichtig, Allah ist derjenige, der „Ghafur" und „Rahim" ist.

6. Allah beobachtet jene, die Freunde angenommen haben neben Ihm. Du bist nicht verantwortlich für ihre Taten.

7. Und so offenbaren Wir an dir es als einen arabischen Koran, so dass du das Volk von Mekka damit warnen und sie über die Intensität dieser Zeit der Versammlung informieren kannst, worüber es keinen Zweifel gibt! Eine Gruppe (von ihnen) wird im Paradies und eine Gruppe (von ihnen) wird in den Flammen des Feuers sein.

8. Hätte Allah es gewollt, dann hätte er definitiv sie als „Ummat-i-Wahida" (eine Gruppe eines einzigen Glaubens) erschaffen... Aber Allah bezieht ein zu Seiner Gnade, wen Er will! Was die „Zalims" (jene, die ihrem Selbst die Rechte des wahren Daseins vorenthalten) anbelangt, sie haben weder einen wachenden Freund, noch einen Helfer!

9. Oder haben sie Freunde angenommen neben Ihm? Allah ist HU, derjenige, der „Al Wali" ist und HU gibt den Toten das Leben! HU ist „Kaadir" über alle Dinge.

10. Wann immer ihr über etwas nicht übereinstimmt, dann gehört das Urteil Allah! So ist Allah, mein Rabb! Ich habe mein Vertrauen in Ihm gesetzt. Und zu Ihm kehre ich zurück!

11. Er ist der „Fatir" der Himmel und der Erde! Er hat für euch Partner geformt von eurem Selbst (das originale „Ich" und das geformte „Ich") und vom Vieh (der tierische Körper) Partner (biologischer Körper und strahlender, seelischer Körper) ... Und so vermehrt Er euch! Es gibt nichts, was Ihm ähnelt! Er ist „Sami" und „Basiyr".

12. Die Schlüssel (die Kräfte, um die Eigenschaften zu manifestieren) der Himmel und der Erde gehören Ihm! Er vermehrt und erweitert die Versorgung für wen Er will oder verengt es auch! Zweifelsohne ist Er der „Aliym" (Wissende) über alle Dinge (als dessen Schöpfer anhand Seiner Namen).

13. Er hat für euch die Einzige Religion auferlegt (das absolut gültige System und die Anordnung von Allah), welche Er auch Noah auferlegt hatte, was Wir dir offenbart haben und was Wir auch an Abraham, Moses und Jesus auferlegt hatten... Dass die Religion etabliert wird und darin nicht geteilt zu sein! Dieses, wozu du sie einlädst (die Wahrheit über „La ilaha illAllah" - die Realität über das System) ist zu groß für die Dualisten (um begriffen zu werden)! Allah wählt für sich selbst aus wen Er will und

führt jene, die sich zu ihm hinwenden zur **Wahrheit** (lässt sie ihre innere, essentielle Wahrheit erreichen)!

14. **Und sie verfielen in die Zerspaltung, nachdem das Wissen** (um die Wahrheit) **zu ihnen kam aufgrund der Eifersucht untereinander! Wenn ihre Lebensspanne nicht schon durch ihren Rabb beschlossen wäre, dann würde die Angelegenheit zwischen ihnen zweifelsohne schon abgeschlossen sein! Was jene anbelangt, denen das Erbe des Wissens** (die Leute des Buches) **nach ihnen gegeben wurde, sie befinden sich in einem Zweifel bezüglich dessen** (über den Koran).

15. **Deshalb lade sie ein aus diesem Grund! Bleibe auf dem rechten Kurs deiner natürlichen Veranlagung, wie dir auch befohlen wurde! Folge nicht ihrer Leidenschaft** (leere Wünsche und Gedanken)! **Sag: „Ich glaube an das Wissen, welches durch Allah enthüllt wurde! Mir wurde befohlen, gerecht zu sein! Allah ist sowohl unser Rabb und auch euer Rabb. Unsere Taten sind für uns und eure Taten sind für euch. Es gibt keinen Grund für einen Krieg von Beweisen zwischen uns! Allah wird uns zusammenbringen! Zu Ihm ist die Rückkehr."**

16. **Die Beweise jener, die immer noch argumentieren bezüglich Allah, nachdem Er geantwortet hatte, sind ungültig aus der Sichtweise ihres Rabbs. Auf ihnen liegt der Zorn und das intensive Leiden.**

17. **Es ist Allah, der das Wissen der Wahrheit und der „Sunnatullah" und das „Midhaan"** (Urteilskraft) **hat enthüllen lassen. Wer weiß, vielleicht ist die Stunde** (des Todes) **schon nah!**

18. **Jene, die nicht daran glauben, dass sie es erleben werden, wollen, dass es eiligst geschieht! Aber jene, die glauben, zittern aus Frucht davor, denn sie wissen, dass es definitiv die Wahrheit darstellt! Seid vorsichtig, denn jene, die bezüglich der Stunde argumentieren** (Zweifel darüber haben, dass sie ein Leben in einer neuen Dimension nach dem Tod erfahren werden), **sind in der Tat vom Kern der Wahrheit sehr irregeleitet worden!**

19. **Allah ist „Latif" zu Seinen Dienern, Er gibt Versorgung, wen Er will. Er ist „Kawwi" und „Aziz".**

20. **Und wer immer auch die Segen des zukünftigen, ewigen Lebens haben möchte, für den werden Wir sie vermehren! Und wer immer auch die Segen des weltlichen Lebens haben möchte, dem werden Wir sie geben, aber er wird keinen Anteil am ewigen Leben haben!**

21. **Oder haben sie Partner in der Religion, die für sie die Dinge für gültig erklären, die Allah für verboten erklärt hat? Wenn es nicht für das Wort bezüglich der Trennung an einer spezifischen Zeit wäre, wäre es unter ihnen schon beschlossen worden. Was die „Zalims" betrifft, für sie gibt es ein intensives Leiden.**

22. **Du wirst sehen, wie die „Zalims" aus Furcht heraus zittern, wenn es sie befällt, was sie verdient haben** (die Resultate ihrer Taten)! **Während jene, die glauben und die Anforderungen des Glaubens erfüllen, sich im besten Teil des Paradieses befinden. Sie haben, was sie auch immer sich wünschen in der Gegenwart** (mit der Sichtweise) **ihres Rabbs. Dies ist es! Dies ist die große Gunst!**

23. **Dies ist es, was Allah an guten Nachricht an jenen gibt, die glauben und die, die Anforderungen des Glaubens erfüllen. Sag: „Ich möchte nichts als Gegenleistung haben für diese Botschaft außer der Nächstenliebe." Wer auch immer etwas Schönes tut, dem werden Wir dessen Schönheit vermehren! Zweifelsohne ist Allah „Ghafur" und „Schakur".**

24. Oder sagen sie: „Er hat bezüglich Allahs gelogen?" Falls es Allah will, kann Er euer Herz (Bewusstsein) verschließen! Allah zerstört die Lüge und etabliert die Wahrheit anhand Seiner Wörter! In der Tat ist Er, als eure absolute Essenz anhand Seiner Namen, derjenige, der „Aliym" ist.

25. Er ist es, der die Vergebung Seiner Diener annimmt und schlechte Taten vergibt und der Eine, der weiß, was ihr tut.

26. Und Er antwortet den Gläubigen, die den Anforderungen des Glaubens gerecht werden und vermehrt (Seine Segen für sie) mit Seiner Gunst! Was jene anbelangt, die das Wissen um die Wahrheit leugnen, für sie gibt es ein intensives und strenges Leiden.

27. Hätte Allah die Versorgung für Seine Diener vermehrt und erweitert, dann würden sie sicherlich auf der Erde Chaos verbreitet haben! Aber Er lässt enthüllen, was Er will mit Maß. Zweifelsohne ist Er „Khabiyr" und „Basiyr" zu Seinen Dienern.

28. Er ist der Eine, der Regen herabsteigen lässt und Gnade verbreitet, wenn sie (Seine Diener) hoffnungslos sind. Er ist „Wali", „Hamid".

29. Es gehört zu Seinen Zeichen, dass Er die Himmel, die Erde und dazwischen die Lebewesen (biologische Formen) erschafft und sie vermehrt und verteilt. HU ist „Kaadir" sie zu versammeln, wann auch immer Er es will.

30. Und was euch an Unheil trifft, ist das Ergebnis dessen, was eure Hände verrichtet haben! Aber (Allah) vergibt vieles davon.

31. Ihr könnt nicht (Allah) unfähig auf der Erde erscheinen lassen! Ihr habt keinen Freund und auch keinen Helfer neben Allah.

32. Die (Schiffe), die auf dem Meer wie Berge segeln, gehören auch zu Seinen Zeichen.

33. Falls Er es will, dann kann Er die Winde still sein lassen und sie (die segelnden Schiffe) würden bewegungslos sein. In der Tat sind hierin Zeichen für jene, die geduldig und dankbar sind.

34. Oder Er könnte sie zerstören aufgrund dessen, was sie verdient haben. Aber (Allah) vergibt vieles davon.

35. So dass jene, die bezüglich Unserer Zeichen argumentieren, wissen können, dass sie keinen Ort des Entkommens haben.

36. Die Dinge, die euch gegeben wurde, sind nichts weiter als der Reichtum des weltlichen Lebens (Leben auf der Erde=die niedrigste Form der Existenz)! Aber jenes, welches aus der Sichtweise Allahs ist, ist besser und ewig haltend für jene, die glauben und ihr Vertrauen in ihren Rabb setzen.

37. Sie halten sich vor der größten Schuld (Schirk, Verleumdung) und offenen Unsittlichkeiten zurück und sie vergeben, wenn sie wütend werden.

38. Und sie antworten ihren Rabb und etablieren das „Salaah" (die Hinwendung zu Allah) und konsultieren einander, damit ihre Angelegenheiten gelöst werden. Und sie geben von den Dingen, mit denen Wir sie versorgt haben, ohne eine Gegenleitung zu erwarten.

39. Sie sind jene, die, selbst wenn sie mit Tyrannei konfrontiert werden, in Einheit streben und gewinnen!

40. Die Vergeltung einer schlechten Tat ist eine schlechte Tat! Aber wer auch immer vergibt und versöhnt, dann ist seine Belohnung mit Allah. Sicherlich liebt Er nicht die „Zalims".

41. Und wer sich rächt, nachdem man ihm geschadet hat, auf ihm lastet keine Schuld!

42. Schuld lastet auf jenen, die den Menschen schaden und Korruption auf der Erde ohne Recht verbreiten! Für sie gibt es ein intensives und strenges Leiden.

43. Und wer auch immer geduldig ist und vergibt, dies ist dann sicherlich eine Angelegenheit, welches Entschlossenheit benötigt.

44. Wen auch Allah irreleitet, für ihn gibt es keinen Freund (Wali). Wenn sie ihre Strafe (Tod) sehen, werden die „Zalims" sagen: „Gibt es irgendeinen Weg der Rückkehr (zum Leben mit dem biologischen Körper)?"

45. Du wirst sehen, wie sie (dem Feuer) ausgesetzt sind, sie schauen in Ehrfurcht aufgrund der Erniedrigung (mit ihren Häuptern gebeugt) ... Die Gläubigen werden sagen: „Sie sind die wahren Verlierer; sie haben am Tag der Auferstehung Verlust auf ihr eigenes Selbst und ihren Nächsten erbracht! Gebt acht! Zweifelsohne befinden sich die „Zalims" innerhalb eines andauernden Leidens."

46. Und sie werden keine schützenden Freunde haben, die ihnen neben Allah helfen könnten. Denn wen auch immer Allah irreleitet, für ihn gibt es dann keinen Weg.

47. Deshalb antwortet euren Rabb bevor die Zeit von Allah kommt, wovor es keine Zurückweisung gibt. Zu dieser Zeit werdet ihr weder irgendwo Zuflucht suchen können, noch wird eure Leugnung (eurer Taten) für euch hilfreich sein!

48. Falls sie sich wegdrehen (dann lass sie), Wir haben dich nicht als ihren Aufseher enthüllt! Deine einzige Verantwortung liegt im Informieren! Zweifelsohne, wenn Wir den Menschen eine Gnade von Uns kosten lassen, dann erfreut er sich damit. Aber falls die schlechten Konsequenzen seiner Taten ihn belasten, dann ist der Mensch in der Tat sehr undankbar!

49. Die Herrschaft der Himmel und der Erde gehört Allah (der sie erschaffen hatte mit Seinen Namen, während sie gar nicht existiert hatten)! Er erschafft, was auch immer Er will; Er gibt das Weibliche, wem Er will und gibt das Männliche, wem Er will.

50. Oder Er macht sie beide männlich und weiblich... Und lässt unfruchtbar sein, wen Er will... In der Tat ist Er „Aliym und „Kaadir".

51. Es ist nicht möglich, dass Allah zu einem Menschen spricht! Außer durch Offenbarung oder hinter einem Schleier oder indem ein Rasul (Engel) enthüllt wird, um zu offenbaren mit Seiner Erlaubnis, was Er will! Zweifelsohne ist Er „Aliy" und „Hakim".

52. Und so haben Wir dir die Seele (das Spüren der Bedeutungen der Namen in deinem Bewusstsein) anhand Unseres Befehls offenbart. Und du wusstest nicht, was das Wissen um die Wahrheit und der „Sunnatullah" war oder was der Glaube bedeutete! Aber Wir formten es (die Seele) als „Nuur" (Licht=Wissen), womit Wir zur Wahrheit führen, wen Wir wollen von Unseren Dienern! Und definitiv führst du zur Wahrheit (zum geraden Weg).

53. Der Weg Allahs, dem alles in den Himmeln und auf der Erde gehört, ist für Ihm selbst! Gebt acht, denn alle Angelegenheiten kehren zu Allah zurück!

Mit demjenigen, der durch den Namen Allah erwähnt wird (der mein Wesen mit Seine Namen erschaffen hat im Anwendungsbereich des Buchstabens „B"), der Rahman und Rahim ist.

1. Ha, Miim.

2. Bei dem Wissen, welches ganz eindeutig die Wahrheit eröffnet...

3. In der Tat haben Wir es zu einem arabischen Koran gemacht, so dass ihr euren Verstand benutzen könnt (um es zu verstehen und zu bewerten)!

4. Und zweifelsohne ist es in der Mutter der Bücher (das Wissen von Allah) in Unserer Gegenwart, hoch erhaben an Würde (Aliy) und voller Weisheit (Hakim).

5. Sollen Wir davon absehen, euch zu warnen, weil ihr ein Volk seid, welches verschwenderisch ist (bezüglich der Kräfte in eurer Essenz)?

6. Und viele Nabis hatten Wir enthüllt innerhalb früheren Völkern.

7. Aber wann immer ein Nabi zu ihnen kam, da hatten sie über das, was er gebracht hatte, gespottet.

8. Also zerstörten Wir deshalb viele Nationen, welche mächtiger waren als sie. Die früheren Völker wurden zu Geschichten voll von lehrreichen Lektionen!

9. Zweifelsohne, wenn du sie fragen würdest: „Wer hat die Himmel und die Erde erschaffen?" Dann würden sie definitiv sagen: „Der Eine, der „Aziz" und „Aliym" ist."

10. Er ist es, der die Erde (den Körper) als eine Krippe für euch gemacht hatte (damit ihr euch darin entwickelt) und darin Wege formte (des Gedankenflusses), so dass ihr zur Wahrheit geführt werdet.

11. Er ist es, der das Wasser (Wissen) vom Himmel herabstiegen ließ in gemessenen Größen. Und damit haben Wir ein totes Land (Bewusstsein) belebt! Und so werdet ihr herausgebracht werden (von euren Gräbern – Körpern).

12. Er ist es, der die Paare (Doppelhelix DNS) erschaffen hatte und die Schiffe (Bewusstsein) und die Tiere (biologische Körper) formte, auf denen ihr reitet.

13. So dass ihr euch auf ihren Rücken niederlasst und wenn ihr auf ihnen euch niedergelassen habt, dann erinnert euch an den Segen eures Rabbs und sagt: „Derjenige, der uns dies benutzen lässt, ist Subhan (hoch erhaben)! (Ansonsten) hätten wir dies nicht bewerten können."

14. „Wir werden definitiv unseren Rabb erreichen (anhand von unaufhörlicher Veränderung)!"

15. Aber sie assoziierten mit Ihm einen Teil Seiner Diener (Seine Absolute Einheit wurde geleugnet und es wurde angenommen, dass Er geteilt werden kann; es wurde behauptet, er hätte ein Kind) .... In der Tat ist der Mensch ganz eindeutig undankbar!

16. Oder hat Er die Töchter aus Seiner Schöpfung für sich selbst genommen und die Söhne wurden euch überlassen?

17. Wenn einer von ihnen die Nachricht einer Tochter bekommt, welche er dem Rahman zuschreibt, dann wird sein Gesicht mit Sorge verdunkelt!

18. Oder schreibt ihr jenes (Ihm) zu, welche mit Verzierungen aufwächst (Töchter), von denen ihr annehmt, dass sie unfähig sind, ein Argument zu führen (mit Allah)!

19. Sie definierten Allahs dienende Engel als weiblich! Waren sie Zeuge ihrer Schöpfung? Ihre Bezeugung ist aufgeschrieben worden; sie werden befragt werden!

20. Sie sagten: „Hätte es der Rahman gewollt, dann würden wir ihnen nicht gedient haben"... Sie haben kein Wissen (Beweis, Gewissheit) darüber. Sie sprechen nur leeres Geschwätz basierend auf reinen Vermutungen aus.

21. Oder haben Wir ihnen das Wissen (Buch) vor diesem gegeben, worauf sie ihre Behauptungen basieren?

22. Sie sagten ganz im Gegenteil: „Wir haben unsere Vorväter mit diesem religiösen Verständnis vorgefunden und wir werden durch ihre Fußstapfen (Konditionierungen – Genetik) zur Wahrheit geführt werden."

23. Und so ist es... Welcher Stadt Wir auch vor dir einen Warner enthüllt haben, dessen reiche Anführer sagten immer: „Wir haben unsere Vorväter mit diesem religiösen Verständnis vorgefunden und wir befolgen ihr Werk (Konditionierungen, Genetik)."

24. (Der Rasul von Allah) sagte: „Selbst, wenn ich sogar euch etwas gebracht habe, welches besser ist als das, welches ihr bei euren Vorvätern vorgefunden habt? Sie sagten: „Wir lehnen das Wissen ab, womit du enthüllt wurdest!"

25. Also nahmen Wir Rache an ihnen... Schau das Ende jener an, die geleugnet hatten!

26. Und (erwähne) als Abraham zu seinem Vater und seinem Volk sagte: „Zweifelsohne bin ich nicht assoziiert mit dem, was ihr anbetet."

27. „Nur mit Ihm, der mich erschuf (mit meiner natürlichen Veranlagung – Programm zur Existenz)! Definitiv ist Er es, der mich zur Wahrheit führt!"

28. Er machte dieses Wort zu einem andauernden Gedanken für die späteren Generationen, so dass sie vielleicht zurück zur Wahrheit sich wenden.

29. Ich ließ sie und ihre Vorväter sich am weltlichen Leben erfreuen bis zu ihnen die Wahrheit und ein eindeutiger Rasul kam.

30. Aber als die Wahrheit zu ihnen kam, das sagten sie: „Dies ist Magie... Wir akzeptieren dies nicht!"

31. Sie sagten: „Warum wurde dieser Koran nicht zu einem der großen Männer dieser zwei Städte gesandt?"

32. Verteilen sie die Gnade deines Rabbs? Wir sind es, welche ihren Lebensunterhalt verteilt haben im Leben dieser Welt. Wir erhöhten einige über andere (bezüglich Wohlstand und Rang), so dass manche andere unterwerfen mögen. Die Gnade deines Rabbs ist besser als die Dinge, die sie anhäufen (des Reichtums).

33. Und wenn es nicht dafür wäre, dass die Menschen eine einzige Gemeinde von nur einem Verständnis werden würde (anhand von Reichtum, da Reichtum das Erleben von externen Dingen hervorhebt und inneren Reichtum vorenthält), dann würden Wir definitiv für jene, die ablehnen, dass der Rahman ihre Essenz ausmacht, Häuser mit silbernen Dächern und silbernen Treppen erschaffen, worauf sie klettern können.

34. Und für ihre Häuser, (silberne) Türen und Sitze, worauf sie sich lehnen können.

35. Und Verzierungen aus Gold! Aber all jenes ist nichts weiter als die vergänglichen Vergnügen dieser Welt! Und das ewige, zukünftige Leben ist für jene, die beschützt sind aus der Sichtweise ihres Rabbs.

36. Und wer auch immer verblendet ist (durch externe Dinge) **von der Erinnerung an dem Rahman** (daran sich nicht zu erinnern, dass seine essentielle Wahrheit aus den Namen von Allah komponiert sind und deshalb nicht die Anforderungen von diesem ausgelebt werden), **für den stellen Wir einen Satan zur Seite** (eine Illusion; der Gedanke, dass er/sie nur aus dem biologischen Körper besteht und dass das Leben nur durch das besteht, welches dem Körper Vergnügen bereitet) **und dieses** (dieser Glaube) **wird seine** (neue) **Persönlichkeit sein!**

37. **Und in der Tat wird dieses sie vom Weg** (zur Wahrheit) **abweichen lassen, während sie denken, dass sie auf dem richtigen Weg sich befinden!**

38. **Als er letztendlich zu Uns ankam, sagte er** (zu seinem Gefährten): **„Ich wünschte, es gäbe zwischen dir und mir die Distanz der beiden Osten** (eine Distanz, die nicht zu erreichen ist). **Was für ein elender Gefährte du doch bist!"**

39. **Und niemals werden sie** (Gefühle des Bedauerns, Ausreden, der Wunsch der Kompensation) **euch in dieser Zeit Nutzen geben! Denn ihr habt Grausames begangen! Ihr seid Teilhaber** (Bewusstsein und der spirituelle Körper) **im Leiden!**

40. **Werdet ihr die Schwerhörigen hören lassen? Oder werdet ihr die Blinden führen und jene, die eindeutig irregeleitet sind?**

41. **Selbst, wenn Wir dich** (von dieser Welt) **nehmen würden, Wir werden definitiv Rache an sie nehmen.**

42. **Oder Wir werden dir zeigen, was Wir ihnen versprochen haben. Wir haben die Kraft mit ihnen zu machen, was auch immer Wir wollen!**

43. **Deshalb halte dich an jenem, welches Wir dir offenbart haben! Definitiv bist du auf dem „Geraden Weg".**

44. **Zweifelsohne ist es eine Erinnerung für dich und deinem Volk! Bald werdet ihr befragt werden für was ihr verantwortlich seid!**

45. **Und befrage jene unter Unseren Rasuls, die Wir vor dir enthüllt hatten** (studiere das Wissen, welches ihnen gegeben wurde)! **Hatten Wir Götter geformt, die neben dem Rahman gedient werden sollen?**

46. **In der Tat enthüllten Wir Moses mit Unseren Zeichen zum Pharao und seinen Anführern und** (Moses) **sagte: „Ich bin der Rasul vom Rabb der Welten."**

47. **Aber als er zu ihnen mit Unseren Zeichen kam, da lachten sie unverzüglich darüber!**

48. **Jedes Wunder, welches Wir zeigten, war größer als das vorherige. Und Wir ergriffen sie mit einem Leiden, so dass sie eventuell sich zu Uns hinwenden.**

49. **Sie sagten: „Oh Magier! Betet zu eurem Rabb anhand eures Vertrages mit Ihm! Lass uns auf dem rechten Weg sein!"**

50. **Aber als Wir das Leiden von ihnen nahmen, da hatten sie ihr Wort unverzüglich gebrochen!**

51. **Pharao rief zu seinem Volk: „Oh mein Volk! Ist nicht das Königreich von Ägypten meins und auch diese Flüsse, die unter mir fließen? Seht ihr dies nicht?"**

52. **„Oder bin ich nicht besser als dieser Unbedeutende, der kaum ausdrücken kann, was er will?"**

53. (Falls Moses wirklich das ist, was er behauptet zu sein scheint) **sollten nicht auf ihm Goldreifen platziert worden sein und Engel, die ihm zur Seite stehen?"**

54. (Pharao) legte sein Volk herein und sie gehorchten ihm. Sicherlich waren sie ein Volk, welches korrupt ist im Glauben!

55. Und als sie Uns erzürnten, da ließen Wir sie die Konsequenzen ihrer Taten ausleben; Wir ließen sie alle ertrinken.

56. Wir machten sie zu einem lehrreichen Beispiel für spätere Generationen!

57. Als der Sohn der Maria als lehrreiches Beispiel vorgestellt wurde, da wandte sich unverzüglich dein Volk ab.

58. Sie sagten: „Sind unsere Götter besser oder ist er es?" Sie präsentierten dies nur, um mit dir zu argumentieren! Sie sind ein Volk, welches die Argumentation liebt!

59. Er war ein Diener, auf dem Wir Segen bescherten und Wir machten ihn zu einem Beispiel für die Kinder Israels, so dass sie eine Lehre annehmen.

60. Wenn Wir es gewollt hätten, würden Wir Engel aus euch formen, um auf der Erde Stellvertreter zu sein (aber Wir machten euch zu Menschen stattdessen, welche engelhafte Eigenschaften innehaben)!

61. In der Tat kennt Er das Wissen der Stunde. Deshalb seid darüber nicht im Zweifeln und folgt mir! Dies ist der „Gerade Weg"!

62. Lasst nicht zu, dass Satan euch abhält! Zweifelsohne ist er für euch ein eindeutiger Feind!

63. Als Jesus herauskam mit klaren Beweisen sagte er: „Ich habe in der Tat Weisheit (die Wahrheit über das System und der Ordnung) euch gebracht und (kam) um einiges darüber zu erklären, worin ihr euch gespalten habt... Deshalb beschützt euch vor Allah (da Er euch zu den Konsequenzen eurer Taten unterwerfen wird) und folgt mir."

64. Zweifelsohne ist Allah, HU, mein Rabb und euer Rabb! Also dient Ihm! Dies ist der „Gerade Weg"!"

65. Aber jene, die sich im Verständnis gespalten haben, sind in Opposition zueinander gefallen. Wehe jenen, die grausam zu sich selbst (ihrem Selbst; ihrem ewigen Dasein) sind aufgrund des Leidens einer strengen Zeit!

66. Warten sie, dass etwas anderes als die Stunde (des Todes – jüngste Gericht) auf sie plötzlich hereinbricht, während sie in einem Zustand der Unachtsamkeit sich befinden!

67. Gute Freunde (des weltlichen Vergnügens) zu dieser Zeit werden Feinde zueinander sein! Nur jene nicht, die sich beschützen!

68. „Oh meine Diener. Es gibt für euch keine Furcht in dieser Zeit. Noch werdet ihr Kummer haben!"

69. Sie glaubten an Unsere Zeichen innerhalb ihres Daseins und wurden zu jenen, die akzeptiert hatten, dass sie sich in absoluter Ergebenheit befinden.

70. Deshalb tretet in das Paradies ein, ihr und eure Partner (Bewusstsein und spiritueller Körper) mit Freude und Vergnügen!

71. Teller und Krüge aus Gold werden über ihnen gereicht werden. Und darin befindet sich, was auch immer ihr Selbst (der Wunsch, die reine Dimension des Bewusstseins auszuleben) sich wünscht und woran ihre Augen (die Einsicht, welche ihnen Freude bereitet, die Kräfte der Namen zu beobachten) sich erfreuen! Ihr werdet dort auf ewig sein!

72. Dies ist das Paradies, welches ihr als Erbe bekommt aufgrund der Resultate eurer Taten!

73. Es gibt sehr viele Arten von Früchten („Marifat": Wissen über das höhere Selbst) darin, von denen ihr essen werdet.

74. Zweifelsohne werden die Schuldigen (Dualisten) im Leiden der Hölle auf ewig bleiben.

75. Ihr Leiden wird nicht erleichtert werden! Dort haben sie jede Hoffnung über die Zukunft verloren!

76. Und Wir waren nicht grausam zu ihnen... Sie waren es selbst, die grausam zu ihrem Selbst waren!

77. Sie werden ausrufen: „Oh Malik (der Torhüter der Hölle)! Lass deinen Rabb gegen uns ein Urteil fällen (töte uns)!" (Der Torhüter) wird sagen: „Definitiv gehört ihr zu jenen, die leben sollen (hier in diesem Zustand)!"

78. Zweifelsohne kamen Wir zu euch als die Wahrheit! Aber bei den Meisten von euch war die Wahrheit verhasst!

79. Oder werden sie sich darüber entscheiden, was die Wahrheit darstellt! Wir sind es, die die Wahrheit beschließen!

80. Oder hatten sie gedacht, dass Wir nicht hören können, was sie verstecken und flüstern? Ja (Wir hören)! Und Unsere Rasuls unter ihnen schreiben auf.

81. Sag: „Falls der Rahman ein Kind hätte, dann wäre ich der Erste, der ihn anbeten würde!"

82. Aber der Rabb der Himmel und der Erde, der Rabb des Throns, ist jenseits ihrer Definitionen über Ihn!

83. Also lasst sie hineintauchen (in ihren Welten) und sich selbst amüsieren bis sie zur versprochenen Zeit ankommen!

84. Es ist HU, (an dem gedacht wird), dass Er der Gott der Himmel (mit Seinen Namen) und der Gott der Erde ist! HU, der Hakim und Aliym ist.

85. Wie hoch erhaben und gesegnet ist Er, dem alle Herrschaft der Himmel und der Erde und alles, was sich dazwischen befindet, gehört! Das Wissen um die Stunde (des Todes – jüngste Gericht) befindet sich in Seiner Sichtweise. Zu Ihm werdet ihr zurückkehren!

86. Jene, zu denen sie sich hinwenden neben Ihm, haben keine (Kraft der) Fürbitte, außer jene, die bewusst mit der Wahrheit bezeugen!

87. Sicherlich, wenn du sie fragen würdest, wer sie erschaffen hatte, dann werden sie definitiv sagen: „Allah." Wie können sie dann (von der Wahrheit) fehlgeleitet sein?

88. Sein Wort ist: „Mein Rabb, dies ist ein Volk, welches nicht glaubt!"

89. (Mein Rasul!) Achte nicht auf sie und sag: „Salaam!" Sie werden es bald wissen (was der Kern der Wahrheit ist)!

Mit demjenigen, der durch den Namen Allah erwähnt wird (der mein Wesen mit Seine Namen erschaffen hat im Anwendungsbereich des Buchstabens „B"), der Rahman und Rahim ist.

1. **Ha** (Hayat: Leben), **Miim** (Wissen – die Wahrheit, die Muhammad erfahren hat [Hakikat-i Muhammadi];

2. **Das Eindeutige und Klare Buch** (die offensichtliche „Sunnatullah", d.h. das System und das Wissen um die Wahrheit, d.h. die Realität des Menschen).

3. **Wir ließen es während einer gesegneten Nacht enthüllen** (in einem Moment als der Zustand der „Nichtigkeit" ausgelebt wurde)! **Wir sind es, welche die Warnenden sind!**

4. **Die Weisheit, welche allen Angelegenheiten angehören, wird darin unterschieden** (in diesem Zustand der „Nicht-Existenz" und „Nichtigkeit");

5. **Anhand eines Befehls aus Unserer Sicht! Wir sind die Enthüller** (der Rasuls)!

6. **Als Gnade vom Rabb** (derjenigen, die enthüllt wurden)! **Zweifelsohne ist Er HU, derjenige, der „Sami" und „Aliym" ist.**

7. **Der Rabb der Himmel, der Erde und alles, was sich dazwischen befindet. Falls du zu jenen gehörst, welche die Nähe erreicht haben!**

8. **Es gibt keinen Gott, nur HU, der Leben gibt und Leben nimmt! Er ist euer Rabb und der Rabb eurer Vorväter!**

9. **Aber nein, sie befinden sich im Zweifeln, sich selbst amüsierend** (mit dem weltlichen Leben).

10. **Schaut nach dem Tag** (die Zeit, wenn die Wahrheit des Menschen unterschieden wird), **wenn der Himmel einen sichtbaren Rauch** (Dukhan) **hervorbringen wird.**

11. **Es wird die Menschen umgeben! Es ist ein strenges Leiden** (weil die Wahrheit nicht begriffen wurde und die Anforderungen, die diese Wahrheit mit sich bringt, nicht erfüllt wurden)!

12. **„Unser Rabb! Nimm uns aus diesem Zustand des Leidens heraus; wir sind definitiv** (jetzt) **Gläubige geworden!"**

13. **Wie ist es denn jetzt für sie möglich, eine Lektion zu erlernen und tief nachzudenken? Wo doch ein eindeutiger Rasul schon zu ihnen kam...**

14. **Aber sie wandten sich weg von ihm und sagten: „Er ist ein gut gelehrter Verrückter** (besessen)."

15. **Zweifelsohne werden Wir das Leiden ein wenig erleichtern... (Aber) ihr werdet zu eurem alten Zustand zurückkehren.**

16. **Zu dieser Zeit** (wenn der Himmel den sichtbaren Rauch bringt) **werden Wir mit dem größten Griff ergreifen. Definitiv lassen Wir das Resultat aller begangenen Verbrechen ausleben!**

17. In der Tat hatten Wir das Volk von Pharao vor ihnen anhand von Schwierigkeiten geprüft. Ein nobler und großzügiger Rasul kam zu ihnen.

18. (Er sagte): „Gebt mir die Diener Allahs. In der Tat bin ich ein vertrauenswürdiger Rasul...“

19. „Seid Allah gegenüber nicht arrogant (rebelliert nicht gegen den Rasul) ... Ich habe euch einen eindeutigen und nicht anzuzweifelnden Beweis präsentiert.“

20. „Und ich habe Zuflucht in meinem Rabb (die Kräfte der Namen, die meine Essenz ausmachen) und eurem Rabb (eure Essenz) ersucht vor eurem Wunsch, mich zu Tode zu steinigen.“

21. „Falls ihr mir nicht glaubt, dann entfernt euch wenigstens von mir!“

22. (Moses) wandte sich zu seinem Rabb: „Dieses ist ein schuldiges (mit Dualismus/Schirk behaftetes) Volk!“

23. (Sein Rabb sagte): „Brich auf mit Meinen Dienern in der Nacht (nimm sie hinfort) ... Definitiv wirst du verfolgt werden.“

24. „Lass das Meer in seinem offenen Zustand sein... Zweifelsohne sind sie eine Armee, welche ertrinken wird.“

25. Sie ließen hinter sich viele Gärten und Quellen.

26. Und viele Felder und schöne Orte...

27. Und die vielen Segen, mit denen sie Komfort und Vergnügen gefunden hatten!

28. Und so ist es... Und Wir ließen es als ein Erbe für ein anderes Volk.

29. Und der Himmel und die Erde haben für sie nicht geweint (für jene, die in der Körperlichkeit „ertrunken“ sind) und es wurde auch nicht auf sie geschaut (nicht anerkannt).

30. In der Tat haben Wir die Kinder Israels vor diesem erniedrigenden Leiden gerettet...

31. Vom Pharao (der das Ego symbolisiert)! Zweifelsohne war er arrogant und ein Verschwender (der seine innerlichen, essentiellen Kräfte verschwendet hatte).

32. Definitiv hatten Wir sie (die Kinder Israels) über (die Völker) der ganzen Welt auserwählt mit einem WISSEN!

33. Und Wir gaben ihnen Zeichen, worin es ganz eindeutig eine Prüfung gab.

34. In der Tat sagten sie:

35. „Es gibt nichts nach dem ersten Tod; wir werden nicht nach dem Tod wiederauferstehen!“

36. „Dann bring uns unsere Vorväter zurück, falls du aufrichtig bist!“

37. Sind sie besser oder das Volk von Tubba (der Herrscher von Jemen) und jenen, die vor ihnen waren? Wir zerstörten sie! Zweifelsohne waren sie schuldig (des Dualismus/Schirk).

38. Und Wir erschufen nicht die Himmel, die Erde und alles dazwischen aus Vergnügen heraus.

39. Wir erschufen nur mit der Wahrheit (mit der Manifestierung der Eigenschaften Unserer Namen)! Aber die Mehrheit von ihnen wissen nicht (diese Wahrheit).

40. Sie werde allesamt versammelt werden in der spezifischen Zeit der Unterscheidung.

41. Das ist die Zeit, wo kein Freund einen Freund zur Seite stehen kann! Auch wird ihnen nicht geholfen werden...

42. Außer jenen, denen Allah Seine Gnade gegeben hat... In der Tat ist Er „HU", derjenige, der „Aziz" und „Rahim" ist.

43. Zweifelsohne der Baum des Zakkums,

44. ist Nahrung für den Leugner (der seine essentielle Wahrheit leugnet)!

45. Es ist wie geschmolzenes Metall, es kocht in ihren Bäuchen.

46. Wie das Kochen von heißem Wasser.

47. „Ergreift ihn und zerrt ihn mitten ins Feuer..."

48. „Dann gießt das Leiden von diesem kochenden Wasser über seinen Kopf!"

49. „Kostet es! Ihr habt euch selbst als „Aziz" und „Karim" angesehen!"

50. „Dies ist das, welches ihr angezweifelt (und nicht geglaubt) habt!"

51. Definitiv sind jene, die sich beschützt hatten, in Sicherheit.

52. In Paradiese und unter Quellen!

53. Angezogen in feiner Seide und Brokate, sich selbst gegenüber stehend.

54. Und so ist es... Wir gaben ihnen Partner (der Mensch, der sich selbst als reines universales Bewusstsein wahrnimmt, welcher die Kräfte der Namen manifestiert) mit „Houris" (Besitzer von Körper, welche die Eigenschaften von überlegener und klarer Sicht [FUAD: die Augen des Herzens] haben)!

55. Sie werden darin nach allen möglichen Früchten nachfragen (ihr Bewusstsein des höheren Selbst wird sich manifestieren und ausdrücken) – in völliger Sicherheit.

56. Außer dem ersten Tod werden sie nicht den Tod kosten (sie sind unsterblich)! Und Er wird sie beschützt haben vom Leiden des Brennens.

57. Als Gunst von deinem Rabb! Dies ist die gewaltige Errungenschaft!

58. Und Wir erleichterten den Koran in deiner Sprache, so dass sie vielleicht darüber reflektieren.

59. Deshalb beobachte und warte! In der Tat warten sie auch.

Mit demjenigen, der durch den Namen Allah erwähnt wird (der mein Wesen mit Seine Namen erschaffen hat im Anwendungsbereich des Buchstabens „B"), der Rahman und Rahim ist.

1. Ha, Miim.

2. Die (dimensionale) **Enthüllung des Wissens** (seine detaillierte Erklärung) **ist von Allah, der „Aziz" und „Hakim" ist!**

3. **Es gibt Zeichen in den Himmeln und auf der Erde für jene, die glauben.**

4. **Und in eurer Schöpfung** (Menschen – Bewusstsein) **und den unterschiedlichen Tieren** (Rassen) **sind Zeichen für jenes Volk, welches die Nähe erreicht hat.**

5. **Im Wechsel von Tag und Nacht und darin, dass Allah Versorgung** (Wissen) **vom Himmel beschert, womit Er Leben gibt zur Erde** (der Körper, der mit reinem Bewusstsein lebt) **nach dessen Tod** (unbewusster Zustand – denkend, dass man nur aus dem Körper besteht) **und darin, wie Er die Winde ihre Richtungen gibt** (unaufhörliche Gedanken und Ideen) **sind Zeichen für ein Volk, welches seinen Verstand benutzen kann.**

6. **Dies sind die Zeichen von Allah... Wir informieren euch darüber mit der Wahrheit. Welche Aussage werden sie glauben nach Allah und Seinen Zeichen?**

7. **Wehe jedem selbst-betrügerischen Lügner** (der seine eigene essentielle Wahrheit leugnet und sich selbst betrügt, weil er mit Impulsen und Instinkten lebt, die von seiner konstruierten, illusorischen Identität herrührt, d.h. von seinem geformten Ich-Gefühl.).

8. **Er hört die Zeichen Allahs, wenn er darüber informiert wird, wird aber dennoch arrogant, als ob er sie nicht gehört hatte und beharrt** (auf sein dualistisches Denken, d.h. auf den Zustand des „Schirks"). **Gebt ihm die Nachricht eines intensiven Leidens.**

9. **Wenn irgendwelche Unserer Zeichen ihn erreichen, verspottet er sie! Und deshalb gibt es für sie das erniedrigende Leiden.**

10. **Hinter ihnen ist die Hölle! Und weder was sie verdient hatten, noch die Freunde, die sie neben Allah angenommen hatten, können ihnen zur Seite stehen bei irgendeinem Leiden! Für sie gibt es ein strenges Leiden.**

11. **Dies ist die Führung zur Wahrheit! Was jene betrifft, die die Zeichen ihres Rabbs innerhalb ihres Wesens leugnen, für sie gibt es das schlimmste aller Leiden.**

12. **Es ist Allah, der für euch** (Bewusstsein) **das Meer** (Wissen) **delegierte, so dass die Schiffe** (Gehirne) **auf es zu segeln vermögen mit Seinem Befehl** (Sunnatullah), **auf dass ihr Seine Gunst ersucht und dankbar seid!**

13. **Was es auch immer in den Himmeln** (die Ebenen des Bewusstseins im Gehirn) **und auf der Erde** (körperliches Leben) **gibt, Er hat sie alle zu eurem Dienst** (eurem Bewusstsein) **delegiert! In der Tat sind hierin** (wichtige) **Zeichen für ein Volk, welches tief nachdenkt.**

14. Sag den Gläubigen, dass sie jenen vergeben sollen, welche nicht die „Tage Allahs" (wenn das enthüllte Wissen erfahren wird) **erwarten, so dass Er** (Allah) **ihnen mit den Konsequenzen ihrer Taten entschädigen möge!**

15. **Wer auch immer eine Tat des Glaubens verrichtet, der tut dies für sein eigenes Selbst! Und wer auch immer eine schlechte Tat verrichtet, der tut dies gegen sein eigenes Selbst! Zu eurem Rabb werdet ihr am Ende zurückgekehrt werden!**

16. **Zweifelsohne gaben Wir das Wissen um die Wahrheit und der Sunnatullah, die Weisheit und die „Nubuwwah" den Kindern Israels und nährten sie mit sauberer Versorgung und bevorzugten sie über die Welten** (Menschen, die von diesen entbehrt sind).

17. **Wir gaben ihnen eindeutige Beweise** (das Wissen der Sunnatullah) **anhand Unseres Befehls.** Aber nachdem das Wissen zu ihnen gekommen war, da verfielen sie in die Spaltung aus Eifersucht (Ego) zueinander! **Dein Rabb wird unter ihnen richten am Tag der Auferstehung, worin sie sich unterschieden hatten.**

18. **Es ist anhand der Konditionen unter Unserem Befehl, dass Wir dich informieren! Deshalb befolgt es** (die Wahrheit, die Religion) **und folgt nicht grundlosen Begierden** (Gedanken, Ideen und Wünsche, welche durch den Körper angetrieben werden) **derjenigen, die nicht wissen!**

19. **Zweifelsohne werden jene** (Gedanken, welche nicht auf die Wahrheit und Realität basiert sind) **dir** (deinem Bewusstsein) **gar keinen Nutzen geben bezüglich Allah** (Seine Namen, die deine Essenz ausmachen)! **Die „Zalims"** (die grausam zu ihrem Selbst sind) **sind Freunde („Wali") zueinander! Aber Allah ist der Freund („Wali") derjenigen, die sich beschützen!**

20. **Dies** (Koran) **ist eine Wahrheit, welche begriffen werden muss und eine Führung und eine Gnade für jene, die die Nähe erreicht haben.**

21. **Oder haben jene, die schlechte Taten verrichtet haben, gedacht, dass Wir sie gleichwertig machen würden, im Leben als auch im Tod, mit jenen, die geglaubt und die Anforderungen ihres Glaubens erfüllt haben? Was für ein schlechtes Urteil!**

22. **Allah hat die Himmel** (Bewusstsein) **und die Erde** (Körper) **mit der Wahrheit** (mit Seinen Namen) **erschaffen, so dass jede Person die Konsequenzen, die sie verdient hatten, erfahren mögen und ihnen wird nichts Ungerechtes angetan werden!**

23. **Hast du denjenigen gesehen, der seine grundlosen Begierden vergöttert hat und deshalb von Allah irregeleitet wird anhand seines Wissens** (seiner Annahme) **und der seine Fähigkeit, die Wahrheit wahrzunehmen und seine Sicht verschleiert hat? Also wer kann ihn zur Wahrheit führen nach** (dieser Anwendung von) **Allah! Denkt ihr immer noch nicht nach und bewertet?**

24. **Sie sagten: „Das Leben besteht nur aus der Welt! Tod und Leben, das alles besteht nur hier! Nur die Zeit zerstört uns!" Sie haben keine Beweise diesbezüglich! Sie nehmen nur an!**

25. **Und wenn Unsere Zeichen ihnen ganz deutlich erklärt werden, haben sie nichts zu sagen außer: „Falls ihr aufrecht seid, dann bringt unsere Vorfahren zurück."**

26. **Sag: „Allah gibt euch Leben! Dann wird Er euch den Tod erfahren lassen! Dann wird Er euch versammeln am Tag der Auferstehung, worin es keinen Zweifel gibt! Aber die Mehrheit der Menschen wissen** (diese Wahrheiten) **nicht!"**

27. Die Herrschaft der Himmel und der Erde (um die Eigenschaften Seiner Namen zu manifestieren, der sie erschaffen hatte aus der Nicht-Existenz für diese spezifische Funktion) gehört gänzlich Allah! Wenn diese Stunde kommt, werden jene, die versuchen, diese Wahrheit als ungültig zu erklären, im Verlust sein!

28. Du wirst jede Glaubensgruppe auf ihren Knien sehen! Jede Glaubensgruppe wird gerufen werden gemäß ihres Wissens. Und es wird gesagt werden: „Dies ist die Zeit, die Konsequenzen eurer Taten zu erfahren!"

29. Dies ist Unser Wissen! Es spricht zu dir mit der Wahrheit. Wir schreiben eure Taten auf! (Die universale Erinnerung in der Existenz.)

30. Was jene anbelangt, die glauben und die den Anforderungen ihres Glaubens gerecht werden, ihr Rabb wird sie in Seiner Gnade einbeziehen! Dies ist der gewaltige Erfolg!

31. Aber jene, die das Wissen um die Wahrheit leugnen, zu denen wird gesagt werden: „Wurdet ihr über Meine Zeichen nicht informiert? Aber ihr wart arrogant und wurdet zu jenen, die schuldig waren (Zustand des Schirks, Dualismus)!"

32. Und als euch gesagt wurde: „Das Versprechen von Allah ist wahr und über diese Stunde (wenn die Wahrheit ganz eindeutig wird) gibt es keinen Zweifel." Da sagtet ihr: „Wir wussten nicht, was diese Stunde ist. Wir dachten, dass es sich nur um Annahme handelt; wir sind uns darüber nicht gewiss!"

33. Aber das Schlechte ihrer Taten wurde offensichtlich und das, worüber sie gespottet hatten, hat sie umgeben!

34. Ihnen wird gesagt: „Genauso, wie ihr das Treffen dieser Zeit vergessen habt, haben Wir euch jetzt auch vergessen! Euer Aufenthaltsort ist das Feuer und es gibt auch niemanden, der euch hilft!"

35. Der Grund dafür ist Folgender: Ihr habt nicht die Zeichen Allahs ernsthaft genommen und die Vergnügen dieser Welt haben euch getäuscht!" Heute werdet ihr nicht entfernt werden (vom Feuer) und ihre Entschuldigungen werden nicht akzeptiert werden!

36. Das „Hamd" gehört Allah, der Rabb der Himmel, der Rabb der Erde, der Rabb der Welten (Er ist derjenige, der „Hamd" gibt)!

37. Der Stolz (das wahre und absolute „ICH") gehört Ihm in den Himmeln und auf der Erde! Er ist „Aziz" und „Hakim".

Mit demjenigen, der durch den Namen Allah erwähnt wird (der mein Wesen mit Seine Namen erschaffen hat im Anwendungsbereich des Buchstabens „B"), der Rahman und Rahim ist.

1. Ha, Miim.

2. Die (dimensionale) Enthüllung des Wissens (detaillierte Erklärung) ist von Allah, der „Aziz" und „Hakim" ist.

3. Wir haben die Himmel und die Erde und alles dazwischen mit der Wahrheit erschaffen und nur für eine spezifische Zeit. Aber jene, die das Wissen um die Wahrheit leugnen, drehen sich weg von dem, worüber sie gewarnt wurden.

4. Sag: „(Zieht dies in Erwägung), habt ihr jemals jene gesehen, neben denen ihr euch hinwendet neben Allah? Zeigt mir, was sie erschaffen haben bezüglich der Erde? Oder haben sie einen Anteil an der Schöpfung des Himmels? Falls ihr aufrecht seid, dann bringt mir diesbezüglich ein Überbleibsel an Wissen oder ein Schriftstück aus der Vergangenheit."

5. Und wer ist mehr irregeleitet als jemand, der zu Dingen neben Allah betet, welche ihm nicht antworten können bis zum Jüngsten Gericht, welche nicht einmal sich bewusst sind bezüglich ihrer Gebete?

6. Wenn die Menschen versammelt werden, (jenen, denen sie sich hingewendet haben neben Allah) werden Feinde zueinander sein und sie werden ihre Anbetung leugnen.

7. Unsere Zeichen wurden ihnen ganz eindeutig erklärt, aber jene, die das Wissen um die Wahrheit leugneten, sagten als die Wahrheit zu ihnen kam: „Dies ist ganz eindeutig Magie."

8. Oder sagen sie: „Er hat es erfunden?" Sag: „Falls ich es erfunden habe, dann besitzt ihr nicht die Kraft, mich vor Allah zu beschützen. HU weiß genau, dass ihr bezüglich Ihm zu weit geht. Er ist ausreichend als Zeuge zwischen mir und euch. Er ist „Ghafur" und „Rahim"."

9. Sag: „Ich forme nicht etwas Neues, welches sich nicht unter den Rasuls manifestiert hatte. Ich weiß nicht, was sich in euch und in mir manifestieren wird. Ich befolge nichts anderes, als was sich in mir offenbart. Ich bin nur jemand, der ganz eindeutig und offensichtlich warnt."

10. Sag: „Habt ihr gesehen (in Erwägung gezogen), was ist, wenn (der Koran) aus der Sichtweise Allahs ist und ihr es abgelehnt habt (was wird euer Zustand sein)? Ein Zeuge von den Kindern Israels hat zu etwas Ähnlichem bezeugt und geglaubt, aber ihr wart arrogant (diesbezüglich)! Zweifelsohne führt Allah das Volk der „Zalims" (jene, die grausam zu ihrem ewigen Selbst sind) (nicht zur Wahrheit)."

11. Jene, die das Wissen um die Wahrheit leugnen, sagten zu den Gläubigen: „Falls es etwa Gutes wäre, dann könnten sie uns nicht darin überholen, es zu erreichen." Nur weil sie damit keine Führung (zur Wahrheit) finden können, sagen sie: „Dies ist eine alte Lüge."

12. Davor war (der Koran) das Buch (Wissen) von Moses, um zu führen und als Gnade. Dies (Koran) ist eine Quelle des Wissens, bestätigend für jenes, welches davor kam, in der arabischen Sprache, um jene zu warnen, die „Zalims" sind (A.d.Ü.: Ihrem Selbst die Rechte zur Glückseligkeit des essentiellen Daseins entzogen haben, d.h. grausam zu sich selbst zu sein, weil die Realität des Selbst, welches „näher zu ihnen ist als die eigene Halsschlagader" abgelehnt wird)) und als Überbringer froher Botschaften zu jenen, die „Ihsan" ausüben (A.d.Ü.: Perfektion im Glauben zu haben, d.h. am ewigen und einzigen Selbst zu glauben, welches näher ist als die Halsschlagader, d.h. Allah ist derjenige, der mit deinen Augen sieht).

13. Sicherlich jene, die sagen: „Unser Rabb ist Allah", und ihr Leben gemäß diesem leben, werden keine Furcht haben, noch werden sie Kummer spüren.

14. Sie sind die Gefährten des Paradieses. Sie werden dort auf ewig sein als Resultat ihrer Taten!

15. Und Wir empfahlen den Menschen, gütig zu seinen Eltern zu sein. Seine Mutter trug ihn mit Schwierigkeiten und gab ihm Geburt mit Schmerzen. Sein Reifeprozess und sein Stillen beträgt dreißig Monate. Wenn er Reife und das Alter von vierzig Jahren erlangt, sagt er: „Mein Rabb, ermögliche, dass ich und meine Eltern die Dankbarkeit erlangen für die Segen, die Du uns beschert hast aus Deiner Gunst heraus und dass wir in Taten uns begeben, die Dich zufrieden stellen. Und lass Meine Nachkommen aufrichtig sein. Ich habe Dich um Vergebung gebeten und in der Tat gehöre ich zu denen, die „Muslime" sind (jene, die sich ihrer Ergebenheit bewusst sind)!"

16. Sie sind jene, denen Wir die Schönheiten ihrer Taten für gültig erklärt haben und ihre schlechten Taten übersehen. Gegenüber dieses Versprechen steht die Belohnung von „Siddik" (die Wahrheit wird ausgelebt, weil sie die Bestätigung erlangen).

17. Aber es gibt einen, der zu seinen Eltern sagt: „Wehe euch! Droht ihr mir mit dem Hervorbringen (Wiederauferstehung), wo doch so viele Generationen vor mir vorangeschritten sind?" Während seine Eltern Allah um Hilfe bitten und sagen: „Wehe dir! Glaube! Zweifelsohne ist das Versprechen Allahs wahr." Aber er besteht darauf und sagt: „Dies sind nichts weiter als Märchen vergangener Tage!"

18. Sie sind diejenigen, unter den Dschinn und den Menschen, auf denen das Leiden der vergangenen Generationen auch zur Anwendung kommen wird. Definitiv gehörten sie zu den Verlierern.

19. Sie alle haben (geformte) Graduierungen als Resultat dessen, was sie getan hatten, so dass sie für ihre Taten vollständig kompensiert werden mögen ohne irgendwelche Ungerechtigkeiten.

20. Zur Zeit, wenn jene, die das Wissen um die Wahrheit leugnen zum Feuer gebracht werden (dann wird gesagt werden): „Ihr habt eure Vergnügen im weltlichen Leben verausgabt und euer Leben mit vergänglichen Genüssen verschwendet! Deshalb wird es euch heute vergolten werden, dass ihr auf der Erde arrogant wart ohne Recht und weil ihr mit einem korrupten Glauben gelebt habt!"

21. Und erwähne den Bruder von Aad (Hud)... Als er, nachdem zuvor und danach viele vorangegangen sind, die gewarnt hatten, sein Volk in den Sanddünen gewarnt hatte: „Betet nichts an neben Allah. Ich fürchte für euch das Leiden einer mächtigen Zeit."

22. Sie sagten: „Bist du gekommen, um uns von unseren Göttern abzubringen? Dann bring uns das, womit du uns drohst, falls du zu den Aufrichtigen gehörst!"

23. (Hud) sagte: „Dieses Wissen besteht aus der Sichtweise Allahs! (Ich) informiere euch (nur) darüber, was mir selbst enthüllt wurde. Aber ich sehe euch als ein Volk an, welches ignorant ist!"

24. Und als sie die enorme Wolke sahen (das Leiden, über welches sie gewarnt wurden), dass sich ihrem Tal näherte, da sagten sie: „Diese Wolke bringt uns Regen." Nein, dies ist es, worüber ihr ungeduldig wart! Es ist der Wind, der strenges Leiden beinhaltet.

25. (Dieser Wind) zerstört vollständig alles mit dem Befehl seines Rabbs! Und aus ihnen blieb nichts mehr übrig außer ihren Behausungen! Und so lassen Wir das schuldige Volk leben aufgrund der Resultate ihrer Taten!

26. Zweifelsohne gaben Wir ihnen Gelegenheiten, welche Wir euch nicht gegeben hatten. Wir formten Ohren und Augen für sie und Herzen, womit sie die Wahrheit verstehen konnten. Aber weil sie bewusst die Zeichen Allahs geleugnet hatten, hatten weder ihre Ohren, noch ihre Augen, noch ihre Herzen (FUAD: die Bedeutungen der Eigenschaften der Namen, welche sich zum Bewusstsein reflektieren; die Herzneuronen, welche sich zum Gehirn übertragen) ihnen etwas gebracht! Sie wurden umgeben durch das, was sie verspottet hatten!

27. In der Tat zerstörten Wir die Städte, die um euch herum waren. Wir hatten ihnen die Zeichen immer wieder durch unterschiedlichste Arten erklärt, so dass sie vielleicht zurückkehren!

28. Waren die Götter, die sie neben Allah angenommen hatten, annehmend, dass sie sie näher bringen könnten, ihnen irgendeine Hilfe? Im Gegenteil (ihre Götter) sind von ihnen verschwunden! Dies (ihre Annahme eines Gottes) ist eine Lüge und etwas, was sie erfunden haben.

29. Und Wir verwiesen dich zu einer Gruppe von Dschinn (A.d.Ü.: Wesen, welches sich außerhalb des elektromagnetischen Spektrums der fünf Sinne des Menschen befinden), so dass sie dem Koran zuhören können. Als sie dafür bereit waren, sagten sie: „Seid ruhig!" Und als es beendet war, da sind sie zurück zu ihrem Volk gegangen und hatten gewarnt.

30. Sie sagten: „Oh unser Volk, in der Tat hatten wir ein Wissen gehört, welches nach Moses offenbart wurde und welches bestätigt, was davor kam, welches zur Wahrheit führt und zu einem Geraden Weg. (Tarihk al-Mustakim: Wissen, welches zur Realisierung der Dienerschaft zu Allah führt, mit oder ohne deren Einwilligung).

31. „Oh unser Volk, antwortet dem **DAI ALLAH** (derjenige, der zu Allah einlädt) (DAI ALLAH: Die Dschinn haben ihn als den „Dai Allah" gesehen und bewertet, nicht als den „Rasulallah". Übersetzte Wörter des Wortes „Rasul" wie Gesandter-Postbote sind deshalb entstanden. A.d.Ü.: Für die Dschinn war es klar, dass er nicht von oben nach unten irgendein Träger oder Postbote oder Überbringer von Informationen war) **und glaubt an ihm; Allah wird euch für ein paar eurer Sünden vergeben und euch vor einem großen Leiden beschützen...**"

32. Und wer auch immer nicht der Einladung des Dai Allahs folgt, der kann (Allah) nicht auf der Erde hilflos erscheinen lassen! Und sie werden keine Freunde neben Allah haben. Sie befinden sich auf dem eindeutigen Irrweg.

33. Sehen sie denn nicht, dass Allah, der die Himmel und die Erde erschaffen hatte, ohne dass sie in ihrer Schöpfung fehlschlagen, „Kaadir" ist, den Toten das Leben zu geben... Ja! Definitiv ist Er „Kaadir" über alle Dinge.

34. Zu dieser Zeit, wenn jene, die das Wissen um die Wahrheit leugnen zum Feuer gebracht werden, wird es gesagt werden: „Also war es nicht die Wahrheit?" Und sie werden sagen: „In der Tat, bei unserem Rabb, ja!" „Dann kostet das Leiden aufgrund des Leugnens um das Wissen der Wahrheit!"

35. Seid geduldig, wie jene der Rasuls, die „Ulul Azm" (Menschen, die gleichzeitig „Rasul" von Allah und „Nabi" von Allah waren) waren; und seid ihretwillen nicht hastig! Wenn sie jenes sehen, worüber sie gewarnt wurden (wenn sie den Tod kosten), dann wird es so sein, als ob sie (auf der Welt) nicht einmal für mehr als eine Stunde eines Tages verweilt sind! Dies genügt (als Empfehlung, Notifizierung)! Und wird (jemand) zerstört werden außer jene mit korruptem Glauben?

Mit demjenigen, der durch den Namen Allah erwähnt wird (der mein Wesen mit Seine Namen erschaffen hat im Anwendungsbereich des Buchstabens „B"), der Rahman und Rahim ist.

1. Jene, die das Wissen um die Wahrheit leugnen und vom Weg zu Allah hindern, sind jene, dessen Taten verloren sind!

2. Jene, die glauben und die Anforderungen ihres Glaubens erfüllen und daran glauben, was an Mohammad enthüllt wurde, welches die Wahrheit von ihrem Rabb darstellt, für sie hat (Allah) ihre schlechten Taten vor ihnen bedeckt; Er hat ihre Zustände verbessert.

3. Dies kommt daher, weil jene, die das Wissen um die Wahrheit leugnen, ungültige Gedanken verfolgten! Aber jene, die glaubten, sind der Wahrheit von ihrem Rabb gefolgt. Und so gibt Allah das Beispiel (von den zwei Gruppen) den Menschen.

4. Wenn ihr jene, die das Wissen um die Wahrheit leugnen (in der Schlacht) antrefft, schlagt sie auf ihre Nacken! Und wenn ihr sie besiegt habt, sichert ihre Fesseln (nehmt sie als Gefangene). Danach befreit sie aufgrund eines Gefallens heraus oder nimmt sie als Lösegeld. Bis die Schlacht vorbei ist. Und so ist es! Hätte Allah es gewollt, dann würde Er sie definitiv die Konsequenzen ihrer Verbrechen ausleben lassen (Leiden lassen). Aber Er hat manche von euch anhand einiger von ihnen geprüft (durch den Krieg). Was jene anbelangt, die auf dem Wege Allahs getötet wurden, ihre Werke werden niemals verloren sein.

5. Er wird sie die Wahrheit erreichen lassen und ihre Zustände verbessern!

6. Er wird sie ins Paradies mit einschließen, über welches Er sie in Kenntnis gesetzt hat (am Ende der Schlacht)!

7. Oh Gläubige! Falls ihr Allah hilft, dann wird Er euch helfen; Er wird eure Füße standhaft sein lassen.

8. Was jene anbelangt, die das Wissen um die Wahrheit leugnen, was sie verdienen ist auf ihren Gesichtern in völliger Zerstörung zu fallen! (Allah) hat ihre Taten zunichte werden lassen!

9. Dies kommt daher, weil es ihnen missfällt, was Allah enthüllen ließ... Also hat (Allah auch) ihre Taten zunichte werden lassen.

10. Haben sie nicht die Erde betrachtet (die Erde bereist) und das Ende jener gesehen, die vor ihnen waren? Lasst sie betrachten (mit dem Auge des Verstandes und sie sollen eine Lektion erlernen). Allah hat sie zerstört! Und etwas Ähnliches erwartet diesen Leugnern der Wahrheit.

11. Dies ist es (der Kern der Wahrheit)! Allah ist der Beschützer der Gläubigen. Aber jene, die das Wissen um die Wahrheit leugnen, haben keinen Beschützer!

12. Zweifelsohne wird Allah jene, die glauben und die Anforderungen ihres Glaubens erfüllen in Paradiese unter denen Flüsse fließen mit einschließen. Aber jene, die das Wissen um die Wahrheit leugnen, werden Nutzen ziehen (nur von der Welt anhand ihres Körpers) und wie das Vieh (Tiere) essen! Das Feuer ist der Ort, wo sie sich aufhalten werden.

13. Es gab viele Städte (Völker), welche stärker waren als deine Stadt, welche dich vertrieben hat! Und (stell dir vor) **Wir zerstörten sie!** Und es gab niemanden, der ihnen helfen konnte.

14. Sind jene, die einen eindeutigen Beweis von ihrem Rabb bekommen haben wie jene, denen schlechte Taten attraktiv erscheinen (ihnen Vergnügen bereiten) **und die ihren grundlosen Begierden und Amüsements nachgehen?**

15. Die **ALLEGORISCHE BESCHREIBUNG** (Metaphern anhand von Beispielen) des Paradieses, welche jenen versprochen wurde, die sich beschützen, ist wie folgt: Es gibt Flüsse von frischem **WASSER**, welches niemals zum Stehen kommt und Flüsse von **MILCH**, von welchem der Geschmack niemals schlecht wird und Flüsse von **WEIN**, sehr geschmackvoll für seine Trinker und Flüsse von reinem **HONIG!** Dort werden sie alle Arten von **FRÜCHTEN** haben und Vergebung (Bedeckung) von ihrem **Rabb! Können jene** (die mit solch einem metaphorischen Segen leben) **wie jene sein, die ewig in der Hölle leben werden** in einem Zustand des Brennens und denen ein Getränk von kochendem Wasser gegeben wird, welches ihre Eingeweide zerreißt?

16. Und einige von ihnen werden (kommen und) **dir zuhören. Und wenn sie gehen, werden sie zu jenen sagen, denen das Wissen gegeben wurde: „Was hat er gerade gesagt?"** (Sie werden es nicht verstehen! Gemäß dem Sprichwort: Regen, welches auf einem Stein fällt und nach außen herunterfließt. Es penetriert nicht!) **Sie sind diejenigen, deren Herzen Allah verschlossen hatte** (ihr Bewusstsein ist verschleiert und nicht aufnahmefähig) **und die ihren grundlosen Begierden und Amüsements nachgehen.**

17. Aber zu jenen, die die Wahrheit erreichen, denen erweitert Er ihre Fähigkeit, die Wahrheit zu erfahren und befähigt sie, dass sie sich selbst beschützen (vor Zuständen, welche entgegen das Ausleben der Wahrheit geht).

18. Warten sie darauf, dass die Stunde (des Todes) **auf sie plötzlich hereinbricht? Seine Zeichen sind schon gekommen! Aber was können sie schon tun, wenn** (diese Stunde) **eigentlich zu ihnen kommt?**

19. Deshalb wisst sehr wohl, dass es keinen Gott gibt, sondern nur Allah (existiert); **und wünsche um Vergebung für deine eigenen Sünden** (Fehler, die ihren Ursprung haben aufgrund der Verschleierung des Menschen vor seiner Wahrheit und Essenz) **und für die gläubigen Männer und Frauen** (um Vergebung zu erlangen, versuche die Wahrheit zu verstehen)! **Allah weiß über eure Bewegungen** (Zustände) **und den Ort eures ewigen Aufenthalts Bescheid!**

20. Die Gläubigen sagen: „Warum ist eine Sure (ein Kapitel) **nicht enthüllt worden** (bezüglich der Regeln im Krieg)?" **Aber wenn eine Sure mit eindeutigen Regeln enthüllt wurde und darin der Krieg erwähnt wird, dann wirst du sehen, dass jene, in dessen Herzen sich eine Krankheit befindet** (Dualität, Schirk) **dich anschauen werden wie jene, die aus Furcht vor dem Tod ohnmächtig werden!** (Wo doch) **das für sie das Gute darstellt!**

21. (Ihre Pflicht hier ist) **Gehorsamkeit und ein gutes Wort! Und wenn die Angelegenheit geklärt wurde und falls sie loyal zu Allah gewesen wären, dann wäre dies definitiv für sie besser gewesen.**

22. Und falls ihr euch abwendet, würdet ihr dann nicht Korruption auf der Erde verursachen und eure Beziehungen zur Verwandtschaft trennen?

23. Sie sind diejenigen, die Allah verflucht hat, taub werden ließ und deren Sicht verblendet hat.

24. Denken sie nicht bezüglich des Koran systematisch und tief nach? Oder befinden sich Schlösser (mit falschen Wertvorstellungen) auf ihre Herzen (in ihrem Bewusstsein)?

25. Was jene anbelangt (Heuchler), die sich abwenden, nachdem die Wahrheit sich eindeutig manifestiert hat, der Satan (korrupte und pervertierte Gedanken) hat dies für sie lieblich gemacht und ihnen leere Hoffnungen vorgespielt.

26. Der Grund, warum sie sich in diesem Zustand befinden ist, weil sie zu jenen, die nicht mit dem zufrieden waren, was Allah enthüllen ließ, gesagt haben: „Wir werden dir (nur) in einem Teil der Angelegenheit befolgen." (Wobei) Allah weiß, was sie verbergen.

27. Und wie wird es sein, wenn die Engel sie im Tod nehmen (ihre Verbindungen zu ihren Körpern trennen) und dabei ihre Gesichter und Rücken schlagen?

28. So ist es! Dies kommt daher, weil sie Dingen gefolgt sind, welche Allah erzürnt hatte; sie mochten nicht (den Weg) Seiner Zufriedenheit und Allah machte ihre Taten wertlos!

29. Oder dachten jene mit schlechten Gedanken, dass Allah nicht ihren (verborgenen) Hass entlarven würde?

30. Falls Wir es gewollt hätten, dann hätten Wir sie dir gezeigt und du hättest sie erkannt an ihren Gesichtern! Zweifelsohne wirst du sie erkennen anhand des Tones ihrer Sprache. Allah weiß, was ihr tut!

31. Zweifelsohne werden Wir euch prüfen (anhand von Unheil) bis die „Mudschahids" (jene, die auf dem Wege Allahs bemüht sind) und die Geduldigen unter euch bekannt werden. Und Wir werden eure Nachrichten verbreiten!

32. Zweifelsohne jene, die das Wissen um die Wahrheit leugnen, vom Weg zu Allah hindern und sich gegen den Rasul (von Allah) stellen, nachdem das Wissen um die Wahrheit ihnen erklärt wurde, können niemals Allah irgendeinen Schaden zufügen! Aber ihre Taten werden wertlos sein.

33. Oh Gläubige! Gehorcht Allah und dem Rasul, lasst eure Taten nicht wertlos sein!

34. Zweifelsohne jene, die das Wissen um die Wahrheit leugnen und die Menschen vom Wege zu Allah hindern (anhand von äußeren und inneren Mitteln) und die mit ihrer Leugnung sterben, denen wird Allah niemals vergeben!

35. Schwächt euch nicht und ruft zum Frieden auf, während ihr die Oberhand habt (vermischt nicht die Wahrheit mit der Lüge)! Allah ist „Eins" mit euch! Er wird niemals eure Taten minderwertig erscheinen lassen.

36. Das Leben dieser Welt ist nur Spiel und Amüsement! Falls ihr glaubt und euch beschützt, dann wird Er euch Belohnungen geben und nicht von euch verlangen (für diese Sache), euren ganzen Besitz (herzugeben)!

37. Falls Er euch darum gebeten (für den ganzen Besitz) und bei euch Druck ausgeübt hätte, dann wärt ihr geizig gewesen und (so) hätte Er euren Hass manifestiert.

38. Hier seid ihr nun eingeladen auf dem Wege Allahs zu teilen, ohne irgendeine Gegenleistung zu erwarten! Aber unter euch gibt es einige, die geizig sind! Und wer auch immer geizig ist, ist nur geizig zu seinem eigenen Selbst! Allah ist „Ghani"; ihr seid diejenigen, die bedürftig sind! Falls ihr euch wegdreht, dann werden Wir euch mit einem anderen Volk ersetzen und sie werden nicht wie ihr sein!

Mit demjenigen, der durch den Namen Allah erwähnt wird (der mein Wesen mit Seine Namen erschaffen hat im Anwendungsbereich des Buchstabens „B"), der Rahman und Rahim ist.

1. Zweifelsfrei haben wir dir eine „Eroberung" (Eröffnung der Sichtweise) gegeben, so dass es ein „Fath-i Mubiyn" (die Bezeugung der eindeutigen Wahrheit und des Systems) darstellt!

2. Auf das Allah deine vergangenen und (auch mit der klaren und wahrhaftigen Betrachtungsweise geformten) zukünftigen Sünden (die durch die körperlichen Einschränkungen entstandenen Schleier) vergibt (verhüllt) und dir Seine Segen vervollständigt; und dich auf dem Weg der Wahrheit voranschreiten lässt.

3. Auf das Allah dir zu einem unvergleichlichen und mächtigen Sieg verhilft!

4. „HU" ist derjenige, der die „Sakinah" (die Stille, Ruhe; das Gefühl der Sicherheit) in den Herzen der Gläubigen enthüllen lässt, auf dass ihr Glaube sich vervielfache! Die Heerscharen der Himmel und der Erde sind für Allah! Allah ist Aliym, Hakiym.

5. Auf dass die gläubigen Männer und Frauen für immer dort verweilen und sie zu den Paradiesen geführt werden, wo unter ihnen fließende Flüsse sie vor ihren schlechten Zuständen reinigen... Das ist aus der Sicht von Allah eine gewaltige Befreiung!

6. Und dann hegen sie über Allah, der mit seinen Namen die Wahrheit über sie darstellt, üble Vermutungen (Allah sei eine Gottheit), so dass die Männer und Frauen gültig der Heuchelei und die Männer und Frauen gültig des „Schirks" (Dualität) Leid ausleben werden. Wegen ihrer Vermutungen soll das Unheil der Welt in ihren Köpfen platzen. Allahs Zorn ist auf ihnen und sie sind ausgestoßen (das Resultat ihrer Verleugnung ist, dass sie vom Ausleben der Wahrheit ferngehalten sind); für sie ist die Hölle vorbereitet. Was für ein übler Ort der Rückkehr.

7. Die Heerscharen (Kräfte) der Himmel und Erde sind Allahs... Allah ist Aziyz, Hakiym.

8. Wahrlich haben wir dich als Zeuge, Überbringer einer frohen Botschaft und als jemanden, der warnt, enthüllt.

9. Nun, glaubt an Allah, der mit seinem Namen die Wahrheit eurer Existenz darstellt und an Seinen Rasul; damit ihr Ihn vertritt, damit ihr Ihn ehrt und damit ihr zu Ihm morgens und abends Tasbih (A.d.Ü: lobpreisen, d.h. Seele stärken; das Gehirn darauf programmieren, wer eigentlich vorhanden ist) macht.

10. Es ist eine Tatsache, dass diejenigen, die sich dir (meinem Rasul) verpflichtet haben (diejenigen, die durch Handschlag einen Eid geleistet haben) Allah verpflichtet haben und Allahs HAND ist auf deren Hand! (Allahs Hand regiert über die Hände, die den Eid geleistet haben!) Wer sein Versprechen bricht, handelt nur gegen sein eigenes Selbst; wer sich an Allahs Eid gebunden fühlt, dem wird ein großer Lohn zuteil.

11. Die zurückgelassenen Beduinen werden sagen: „Uns haben unsere Besitztümer und Kinder in Anspruch genommen; bitte um Vergebung für uns..." In Wahrheit sprechen sie nicht aus, was sich in ihren Herzen befindet! Sag: „Wenn „HU" einen

Schaden bei euch haben will oder einen Nutzen bei euch haben will; wer kann sich gegen Allahs Willen stellen?... Nein, Allah weiß über eure Taten (als Schöpfer) Bescheid.

12. Eigentlich habt ihr vermutet, dass der Rasul und die Gläubigen nie zu ihren Familien zurückkehren werden. An diesem Gedanken hat euer Bewusstsein Gefallen gefunden, so dass ihr in üble Vermutungen gefallen seid; so seid ihr ein Volk geworden, welches der Vernichtung geweiht ist.

13. Wer nicht an Allah, der mit seinem Namen die Wahrheit der Existenz darstellt und an Seinen Rasul glaubt, soll wissen, dass für diejenigen, die das Wissen um die Wahrheit leugnen, „Sairi" (flammendes Feuer – Wellen der Radiation) vorbereitet ist.

14. Das „Mulk" (Dimension der Taten) der Himmel und der Erde ist für Allah. Er vergibt, wen Er will (verschleiert die Schuld) und wen Er will, dem gibt Er Qualen (überlässt sie mit der körperlichen Beschaffenheit)! Allah ist Ghafur, Rahiym.

15. Die Zurückgelassenen sagen euch, wenn ihr eure Kriegsbeute holen wollt: „Lasst uns mit euch kommen." Sie wollen nur das Wort Allahs verändern! Sag: „Ihr könnt euch niemals nach uns richten; Allah hat dies so vorher befohlen (entschieden)" ... Dann sprechen sie: „Nein, ihr seid eifersüchtig auf uns"... Ganz im Gegenteil, sie sind Leute mit eingeschränkter Sicht.

16. Sag zu den zurückgelassenen Beduinen: „Ihr werdet zu einem Kampf mit einem starken und kriegerischen Volk eingeladen. Mit ihnen werdet ihr kämpfen oder sie werden den Islam annehmen. Wenn ihr Allah gehorcht, werdet ihr einen schönen Lohn erhalten... Doch wenn ihr wieder euer Gesicht abkehrt und euer Wort brecht, werdet ihr fürchterliche Qualen erleiden."

17. Für Blinde, Verkrüppelte und Kranke gibt es keinen Zwang! Wer Allah und Seinem Rasul gehorcht, dem wird „HU" zu Paradiesen führen unter denen Flüsse fließen... Doch diejenigen, die ihr Gesicht abwenden, die werden (von Allah) mit fürchterlichen Qualen gequält werden.

18. Als sie dir unter dem Baum den Eid leisteten, ist Allah mit den Gläubigen zufrieden gewesen und wusste, was sich in ihren Herzen befunden hatte und ließ (dimensional gesehen) bei ihnen „Sakinah" (Frieden, Ruhe) enthüllen und gab ihnen den „Fath-i Kariyb" (die Nähe wurde geöffnet).

19. Und vielerlei Kriegsbeute werden sie bekommen. Allah ist „Aziyz" und „Hakiym".

20. Allah hat euch viel Kriegsbeute, die ihr bekommen werdet, versprochen... Diese wurden euch sehr schnell gegeben und dass die Hände der Menschen von euch ferngehalten wurden, soll für die Gläubigen ein Zeichen sein und euch auf den „Geraden Weg" Rechtleitung bringen.

21. Und noch andere Dinge, wozu ihre Kraft nicht ausreicht, wurden ihnen versprochen, womit Allah (von innen wie außen) sie umgeben hat. (Ohnehin) ist Allah über alles Kaadir.

22. Wenn die, die das Wissen um die Wahrheit leugnen, euch bekriegen würden, würden sie sicherlich kehrt machen und weglaufen... Dann würden sie auch keinen Beschützer und Helfer finden.

23. Dies ist die „Sunnatullah" (kosmisches System), welches gleich bleibt! In der „Sunnatullah" gibt es auf gar keinen Fall eine Änderung.

24. „HU" ist derjenige, der ihre Hände von euch und eure Hände von ihnen fernhielt,

nachdem „HU" euch mitten in Mekka die Eroberung über sie gegeben hatte. Allah ist (als der Schöpfer) über eure Taten „Basiyr".

25. Sie sind diejenigen, die das Wissen um die Wahrheit leugnen, die euch vom Masdschid-i-Haram fernhalten und die Opfergaben daran hindern, ihren Bestimmungsort zu erreichen. Und wenn dort (unter ihnen) keine gläubigen Männer und Frauen gewesen wären, die ihr nicht kanntet und unwissentlich niedergetreten hättet und die ihr unwissentlich traurig gemacht hättet, (dann hätte Allah den Krieg nicht verhindert). Wem Er will, gibt Er Segen. Wenn sie voneinander (die Gläubigen – die Ungläubigen) getrennt gewesen wären, dann hätten wir diejenigen, die leugnen, sicherlich mit großen Qualen gequält. (Der mächtige Zorn hält sich fern von dem Ort, wo Würdige und Aufrechte leben.... 8.Anfal: 33 und 29. Ankabut: 32)

26. Als diejenigen, die das Wissen um die Wahrheit leugnen, in ihren Herzen „Hamiyat" (Dörflichkeit – Stolz über Ignoranz), Ignoranz und Konservatismus (dem Neuen verschlossen) etablierten, ließ Allah auf Seinen Rasul und den Gläubigen Sakinah (innere Ruhe/Stille) enthüllen und festigte ihr Verständnis mit dem Wort des „Takwa" (Schutzes: die Bedeutung des Glaubens, d.h. „la ilaha illAllah"; es gibt keinen Gott, nur Allah ist das Bewusstsein, welches existiert). Durch das Ausleben dieses Wortes haben sie Rechte darauf erlangt und sind „Ahl" (Leute Allahs, d.h. jene, die Erkenntnis über Allah erlangt haben) geworden. Allah ist über alles „Aliym".

27. Wahrlich hat Allah, den Traum von Seinem Rasul als Wahrheit bestätigt. So Allah will, werdet ihr (einige von euch) euch den Kopf rasieren und (einige von euch die Haare) nur kürzen, in Sicherheit (und an dem Tag sicher) ohne Angst den Masdschid-i-Haram betreten! Während (Allah) wusste, was ihr nicht wusstet, hat Er euch vorher den Fath-i Kariyb (Eroberung der „Nähe" zu Allah) erleichtert.

28. „HU" hat Sein Rasul als das Wort der Wahrheit und mit der wahren Religion (das Verständnis über die Realität, welche „Sunnatullah" genannt wird, welche das kosmische System und die Ordnung darstellt und die Manifestierung der Namen darstellt) enthüllt, damit „HU" über alle Religionsverständnisse gestellt sein soll. (In ihrer Existenz und Dasein) reicht Allah als „Schahiyd" aus.

29. Mohammed ist der Rasulallah. Diejenigen, die mit ihm sind, sind gegen jene sehr streng, die das Wissen um die Wahrheit leugnen, aber untereinander sind sie sehr barmherzig. Sie machen den „Ruku" (Verbeugung: sind im Zustand von Ehrfurcht, d.h. Khaschiyat, da jeder Moment im Leben von den Namen Allahs regiert wird), sie machen die „Sadschda" (Niederwerfung: da die Existenz nur durch die Eigenschaften der Namen Allahs entsteht, bezeugen sie, dass sie keine eigenständige und unabhängige Körperform haben und spüren somit ihre eigene „Nichtigkeit") und du wirst sie im Zustand sehen von Allah FADL (Gunst, Nutzen: die Bewusstheit der Potenziale und Kräfte der Namen) und RIDWAAN (die Eigenschaft dieser Schlussfolgerung ist mit der Kraft der Bewusstheit ihrer Realität, Taten auszuleben) zu wünschen und in ihrem Antlitz (derjenige, der das Verständnis seiner „Nichtigkeit" im reinen universalen Bewusstsein erlebt) gibt es Zeichen der „Sadschda". Dies sind die Beschreibungen durch Beispiele aus der Tora (die Bestimmungen, die das Selbst betreffen). Kommen wir zu den Ausführungen der Bibel (Taschbih: das Ähnlichkeitsprinzip): Ein Saatgut, dessen Keim durchbricht, dann diesen stärkt, um breiter zu werden und fest auf seinem Halm zu stehen; dies erfreut die Ackerbauern... Es wird so gemacht, damit jene, die das Wissen um die Wahrheit leugnen, mit ihnen (mit dem, was sich durch Seine Namen manifestieren) wütend werden. Allah verspricht denjenigen, die gläubig sind und dementsprechend handeln, Vergebung und eine große Gegenleistung ausleben zu lassen.

Mit demjenigen, der durch den Namen Allah erwähnt wird (der mein Wesen mit Seine Namen erschaffen hat im Anwendungsbereich des Buchstabens „B"), der Rahman und Rahim ist.

1. Oh Gläubige.... Stellt euch nicht vor Allah und Seinem Rasul (mit euren individuellen Gedanken, Kommentaren und Interpretationen) und beschützt euch vor Allah (denn Er wird euch definitiv die Resultate eurer konditionierten Wertvorstellungen ausleben lassen)! Zweifelsohne ist Allah „Sami", „Aliym".

2. Oh Gläubige... Erhebt nicht eure Stimmen (Ideen und Gedanken) über die Stimme (der Lehren) des Nabi! Sprecht ihn nicht mit lauter Stimme an, so wie ihr euch selbst ansprecht (respektlos)! Sonst werden eure Taten wertlos, ohne dass ihr es bemerkt!

3. Jene, die ihre Stimmen in der Gegenwart des Rasuls von Allah vermindern, sind diejenigen, dessen Grad des Verständnisses Allah offengelegt hat. Es gibt für sie Vergebung und eine sehr große Gegenleistung.

4. Was jene anbelangt, die dich von außerhalb deines Hauses (von draußen) ansprechen, die Meisten von ihnen benutzen ihren Verstand nicht! (Das Rufen zu sich, wird als Nichtnutzung des Verstandes angesehen. Ein Thema, welches Beachtung verlangt!)

5. Wenn sie geduldig gewesen wären, bis du zu ihnen herausgekommen wärst, dann wäre dies definitiv besser für sie gewesen. Allah ist „Ghafur", „Rahim".

6. Oh Gläubige... Wenn jemand mit korruptem Glauben zu euch Informationen heranträgt, dann recherchiert darüber reichlich. Damit ihr nicht ein Volk schlecht behandelt, ohne den Kern der Wahrheit zu wissen und es dann später bereut, was ihr getan habt!

7. Versteht sehr wohl, dass der Rasul von Allah sich in eurem Inneren befindet! Wenn er euch befolgen würde in den meisten Arbeiten, dann wärt ihr definitiv bedrückt! Aber Allah hat den Glauben (eure Essenz zu spüren) bei euch beliebt gemacht und es für euer Verständnis angenehm erscheinen lassen und machte Leugnung (der Wahrheit), Missachtung (Taten, die entgegen dem Glauben sind und welche das Bewusstsein erblinden lassen) und Rebellion (Ambitionen des niederen Selbst) unangenehm für euch. Sie sind diejenigen, welche die Reife erreicht haben!

8. Als Gunst und als Segen von Allah. Allah ist „Aliym" und „Hakim".

9. Und falls die zwei Gruppen unter den Gläubigen sich bekämpfen, dann sorgt dafür, dass Frieden unter ihnen geschlossen wird.... Falls eine zum Extremen geht und den anderen unterdrückt, dann bekämpft die Unterdrücker bis sie zurückkehren zur Anordnung Allahs! Falls sie zurückkehren, dann sorgt für Versöhnung unter ihnen anhand von Gerechtigkeit. In der Tat liebt Allah jene, die allen Dingen ihr gebührendes Recht geben.

10. Zweifelsohne sind die Gläubigen Brüder zueinander! Deshalb schließt Frieden unter den zwei Brüdern und beschützt euch vor Allah, auf dass ihr Gnade erreicht.

11. Oh Gläubige... Lasst nicht zu, dass eine Gruppe die andere verspottet! Sie (jene, über die sie spotten) könnten besser sein als sie! Und lasst nicht zu, dass die Frauen (sich lustig machen über andere) Frauen! Vielleicht sind sie (die anderen) besser als sie!

Und kritisiert nicht einander und gebt einander keine (beleidigenden) Spitznamen! Was für ein fürchterliches Etikett es ist, wenn der Glaube dem Nicht-Glauben den Weg ebnet. Und wer auch immer nicht um Vergebung gebeten hat, sie sind die wahren „Zalims" (grausam zu ihrem essentiellen Selbst)!

12. Oh Gläubige, vermeidet die meisten Vermutungen (über Dinge, worüber ihr kein absolutes Wissen verfügt). Definitiv sind manche Vermutungen ein Verbrechen (sie führen dazu oder sind ein Ergebnis von Schirk, d.h. resultieren von einem Gehirn, welches das Ergebnis von dualistischem Denken ist). Und spioniert nicht über andere (recherchiert nicht über das Privatleben der anderen aus Neugierde) und redet nicht hinter den Rücken der anderen. Würde der eine von euch das Fleisch seines toten Bruders essen wollen? Ihr würdet es verabscheuen! Deshalb beschützt euch vor Allah, der „Tawwab" und „Rahim" ist.

13. Oh Menschen... In der Tat haben Wir euch (immer auf die gleiche Art) von einem Mann und einer Frau heraus erschaffen (eine Ausnahme von Adam wird hier nicht erwähnt); und machten euch zu Rassen und Nationen und Gemeinden, so dass ihr euch gegenseitig kennenlernen könnt (und unterschiedliche Eigenschaften und Tugenden voneinander aneignen könnt). Zweifelsohne ist der Großzügigste (der mit der meisten Ehre) von euch aus der Sichtweise Allahs jener, der aufrichtig zu sich selbst ist (seiner essentiellen Wahrheit)! In der Tat ist Allah „Aliym" und „Khabiyr".

14. Die Beduinen (jene, die in Ignoranz lebten im Zustand von Konditionierungen als Stämme und Klans) sagten: „Wir haben geglaubt!" Sag: „Ihr habt nicht geglaubt! Sagt (stattdessen): „Wir sind Moslems geworden (A.d.Ü.: Was der Glaube beinhaltet, ist immer noch nicht klar, aber man hat sich hingegeben und macht imitierend die religiösen Handlungen nach, die der „Nabi" von Allah verlangt)! Denn der Glaube hat in eurem Bewusstsein immer noch nichts eröffnet und hat immer noch keinen Platz eingenommen! Falls ihr Allah und Seinem Rasul gehorcht, dann wird (Allah) nichts von euren Praktiken vermindern. Zweifelsohne ist Allah „Ghafur" und „Rahim"."

15. Die Gläubigen sind jene, die an Allah geglaubt haben, der ihre Existenz anhand Seiner Namen erschaffen hatte und an Seinem Rasul und die nicht ins Zweifeln geraten sind diesbezüglich und die auf dem Wege Allahs mit ihrer Existenz und ihrem Selbst (ihr Leben) gekämpft haben! Sie sind jene, welche „Sadik" sind (jene, die die Wahrheit anhand ihres Lebens bestätigen)!

16. Sag: „Versucht ihr euer Verständnis der Religion, Allah beizubringen? Allah weiß, was sich in den Himmeln und auf der Erde befindet... Allah ist „Aliym" über alle Dinge."

17. Nehmen sie etwa an, dass sie dir einen Gefallen tun, indem sie „Moslems" werden (den Islam annehmen)! Sag: „Nimmt nicht an, dass eure Annahme des Islams einen Gefallen für mich darstellt (es ist für euer eigenes Wohl)! Im Gegenteil, Allah hat euch einen Gefallen getan, indem Er euch zum Glauben geführt hat! Falls ihr „Sadik" seid (aufrecht zu eurem Glauben, dann werdet ihr wissen, dass dies wahr ist)."

18. Zweifelsohne kennt Allah das „Ghaib" (jenes, welches nicht wahrzunehmen ist) innerhalb der Himmel und der Erde. Allah (als jener innerhalb eures absoluten Wesens) ist „Basiyr" über das, was ihr tut.

Mit demjenigen, der durch den Namen Allah erwähnt wird (der mein Wesen mit Seine Namen erschaffen hat im Anwendungsbereich des Buchstabens „B"), der Rahman und Rahim ist.

1. Kaaf! (Der arabische Buchstabe „Kaaf" symbolisiert das ICH. Von den drei Stufen der menschlichen Essenz [Ahadiyat=Allahs Einheit; Eniyet= das Ich und Huwiyat= wie Er mit sich selbst ist] ist die erste Offenbarung die Manifestierung des Ich [arab. Eniyet, Ego, Ich-heit]. Im Sufismus wird der Berg Kaaf als Symbol für das Ego betrachtet. Der Berg ist das Symbol des Egos.). Der glorreiche Koran (das hervorragende Wissen, welches kundgegeben wurde)!

2. Diejenigen, die das Wissen um die Wahrheit leugneten, waren vielmehr überrascht, dass derjenige, der warnt, jemand war, der zu ihnen gehörte: „Dies ist eine sehr merkwürdige Sache..."

3. „Werden wir (auferstehen), nachdem wir gestorben sind und zu Staub wurden? Dies ist eine sehr ferne Rückkehr (eine weit hergeholte Behauptung)."

4. Wir wissen sehr wohl, was die Erde bei ihnen entziehen lässt (was verloren geht mit hohem Alter). Bei Uns ist das Buch der Speicherung (das universale Gedächtnis, welches innerhalb der Seele der Existenz gespeichert wird).

5. Nein, sie leugneten ihre essentielle Wahrheit als es zu ihnen kam! Sie befinden sich in einem verwirrten Zustand.

6. (Annehmend, dass sie der Körper sind) schauten sie denn nicht zum Himmel über ihnen (Bewusstsein), um zu sehen, wie Wir es geformt und ausgestattet hatten (anhand von Sinnen)! Es hat keinen Makel!

7. Wir entwickelten die Erde (den menschlichen Körper) und formten darin beständige Berge (Organe)! Und produzierten von jedem schönen Paar (Doppelhelix DNS) die vegetativen Eigenschaften des Körpers.

8. Um jedem Diener (der sich zu seiner Essenz hinwendet) Einsicht gewinnen zu lassen, um zu erinnern und um Rat zu geben.

9. Wir ließen gesegnetes Wasser (Wissen) vom Himmel herabsteigen, womit Wir Gärten haben wachsen lassen (Wir haben sie die Schönheit der Kräfte in ihrer essentiellen Wahrheit spüren lassen) und Getreide, welches geerntet wird (unterschiedliches Wissen vom höheren Selbst).

10. Und hohe Dattelpalmen mit blühenden Früchten...

11. Als Lebensunterhalt für die Diener. Wir gaben damit einem toten Land Leben. Und so ist die Wiederauferstehung (herauskommen aus dem eigenen Kokon, d.h. die eigene Welt, die jeder sich zurecht gesponnen hat).

12. Und vor ihnen leugneten das Volk von Noah, das Volk des Brunnens und auch Samud (das ewige Leben, welches nach dem Tod kommen wird).

13. Und auch Aad, der Pharao und die Brüder von Lot (haben es geleugnet).

14. Und das Volk vom Wald und das Volk von Tubba (haben es geleugnet). Sie hatten alle die Rasuls geleugnet und deshalb wurde Meine Bestrafung, welche Ich bekannt gegeben hatte, verwirklicht.

15. Waren Wir ungenügend in der ersten Schöpfung? Nein, sie befinden sich im Zweifel bezüglich der neuen Schöpfung.

16. Zweifelsohne sind Wir es, die den Menschen erschaffen hatten. Wir wissen, was sein Selbst ihm zuflüstert (der Gedanke, dass er/sie nur der Körper ist, der aus Fleisch und Blut besteht). Wir sind ihm näher (innerhalb der Dimensionen des Gehirns) als seine Halsschlagader!

17. Von seiner Rechten und Linken speichern zwei mit dem Speichern beauftragte Kräfte!

18. Der (Mensch) hat einen Beobachter, der jeden seiner Gedanken beobachtet (speichert)!

19. Und „Sakaratul Mawt" (die Berauschung des Todes) ist gekommen, welcher die Wahrheit offenbart! Dies ist wahrlich das Ding, wovor ihr versucht habt zu entkommen!

20. Und das Horn (Körper) wurde geblasen (der Vorgang des Blasens geschieht von innen nach außen, d.h. die Seele hat den Körper verlassen)! Dies ist die Zeit, wovor ihr gewarnt wurdet!

21. Jedes Selbst (Bewusstsein) ist mit einem Begleiter (seine konstruierte Persönlichkeit anhand der Natur des physischen und materiellen Körpers) und mit einem Zeugen (der Ruf seines Gewissens, welches die Wahrheit äußert) gekommen!

22. (Es wird gesagt werden): „Du warst dir gänzlich darüber nicht bewusst (du hast in deinem Kokon gelebt) und Wir haben dir deinen Schleier entfernt, so dass deine Sicht, von heute an, genau ist."

23. Sein Gefährte (der materielle Körper; sein Freund, der von den „Dschinn" ist) wird sagen: „Hier, der neben mir ist bereit."

24. (Es wird gesagt werden): „Werft in die Hölle jeden hartnäckigen, undankbaren Leugner der Wahrheit!"

25. „Den Unterdrücker von jedem Guten (welches zur Wahrheit gehört) und Zweifler."

26. „Der neben Allah einen anderen Gott sich erschaffen hat! Werft ihn ins intensive Leiden!"

27. Sein Gefährte (während das Wort „Mensch" auf das Bewusstsein hingewiesen wird, weist das Wort „Kariyn=Gefährte" auf den Körper oder den Freund unter den Dschinn [über den man sich nicht unbedingt bewusst sein muss]) sagte: „Mein Rabb, ich war es nicht, der ihn hat über die Grenzen schreiten lassen, er selber war es, der sich im extremen Irrtum befunden hatte."

28. (Allah) sagte: „Streitet nicht in Meiner Gegenwart (es ergibt keinen Sinn in Meiner Gegenwart zu argumentieren)! Ich habe euch schon darüber gewarnt, was kommen würde!"

29. „Und mein Urteil wird nicht geändert werden! Ich bin zu den Dienern nicht ungerecht!"

30. Zu dieser Zeit werden Wir die Hölle fragen: „Bist du nun voll?" (Die Hölle wird sagen): „Gibt es noch mehr?"

31. Und das Paradies wird nah gebracht werden zu jenen, die sich beschützt hatten. Es war sowieso nicht weit von ihnen entfernt.

32. „Dies ist es, was euch versprochen wurde," wird zu jenen, die sich zu ihrer Essenz hingewandt haben und sich selbst beschützt hatten, gesagt werden.

33. Derjenige, der sich in Ehrfurcht vor dem „Rahman" als sein „Ghaib" befindet (A.d.Ü: das, welches näher ist als die Halsschlagader, welches nicht wahrzunehmen ist) und der in einem Zustand des Bewusstseins kommt, welches sich (zu seiner Essenz) hingewandt hat.

34. Tritt dort mit „Salaam" ein (indem ihr die Bedeutung des Namens „Salaam" erfährt) ... Dies ist das ewige Leben!

35. Sie werden dort haben, was auch immer sie sich wünschen und darüber hinaus aus Unserer Sicht sogar noch mehr!

36. Viele Generationen haben Wir vor ihnen zerstört, die noch mächtiger an Kraft waren als sie! Und sie suchten einen Ort (der Zuflucht) aufgrund dessen. Gibt es irgendeinen Ort des Entkommens und der Zuflucht?

37. Zweifelsohne ist diese Erinnerung für denjenigen, der sich bewusst ist oder für denjenigen, der aufmerksam zuhört!

38. In der Tat haben Wir die Himmel, die Erde und alles, was sich dazwischen befindet in sechs Phasen erschaffen! Und Wir wurden deswegen nicht müde!

39. Deshalb seid geduldig bezüglich dessen, was sie sagen! Und glorifiziert (Tasbih) euren Rabb anhand Seines Hamds (erfüllt eure Funktionen) vor den Sonnenaufgang und Sonnenuntergang!

40. Und glorifiziert Ihn in der Nacht und nach der Niederwerfung!

41. Und hört zu, in dieser Zeit, wenn der Ausrufer von innen rufen wird!

42. Die Zeit, wenn sie die Ausbreitung der Wahrheit hören werden! Dies ist die Zeit des Erkennens (zur Wahrheit und Realität außerhalb des Kokons aufzuwachen)!

43. Zweifelsohne sind Wir es, ja Wir sind es, die das Leben geben und das Leben nehmen! Und zu Uns ist die Rückkehr!

44. Zu dieser Zeit wird die Erde (der Körper) sich schnell von ihnen lösen! Dies ist für Uns ein leichtes Versammeln.

45. Da Wir innerhalb von ihnen gegenwärtig sind, wissen Wir besser, was sie sagen! Du kannst sie zu nichts zwingen! Erinnere (an die Wahrheit) anhand des Koran jene, die sich Meiner Warnung bezüglich des Leidens fürchten.

Mit demjenigen, der durch den Namen Allah erwähnt wird (der mein Wesen mit Seine Namen erschaffen hat im Anwendungsbereich des Buchstabens „B"), der Rahman und Rahim ist.

1. Bei den wirbelnden und davon wehenden (Winden).

2. Und den Trägern von der Last.

3. Und jene, die mit Leichtigkeit fließen.

4. Und jene, die das Urteil aufteilen!

5. Was euch versprochen wurde, ist definitiv wahr!

6. Zweifelsohne ist die Religion (das System) eine absolute Realität!

7. Der Himmel (das Bewusstsein) voller Wege (mit unterschiedlichen Gedanken)!

8. Zweifelsohne habt ihr unterschiedliche Sichtweisen!

9. Derjenige, der davon abgewandt ist, ist davon abgewandt!

10. Mögen die Leugner untergehen!

11. Die mit Ignoranz und Blindheit nicht wissen, was sie tun!

12. „Wann ist die Zeit der Religion (Vergeltung)," fragen sie.

13. Zu dieser Zeit werden sie sich im Feuer winden!

14. (Ihnen wird durch die Kreaturen der Hölle gesagt werden): „Kostet euer Leiden! Dies ist es, weswegen ihr ungeduldig wart!"

15. Zweifelsohne sind diejenigen, die sich beschützt hatten, in Paradiesen und Quellen.

16. Als Empfänger des Segens von ihrem Rabb (es wird von innen nach außen empfangen). Zweifelsohne waren sie zuvor „Muhsin" (Perfektion im Glauben haben).

17. Sie schliefen einen kurzen Teil der Nacht.

18. Und fragten nach Vergebung vor dem Sonnenaufgang.

19. Und es gab einen Anteil unter ihrem Eigentum, welcher für die Bedürftigen und den Bedrückten war.

20. Es gibt Zeichen auf der Erde (im Körper) für diejenigen, die die Nähe besitzen!

21. In eurem Selbst (der Essenz eures Ich-Gefühls). Seht (bemerkt) ihr es immer noch nicht?

22. Sowohl eure Versorgung als auch das, welches euch versprochen wurde, befindet sich im Himmel (es wird vom Bewusstsein erfahren)!

23. Beim Rabb des Himmels und der Erde, es (worüber ihr informiert werdet bezüglich der Zukunft) ist wahr. So natürlich und wahr, wie eure Fähigkeit zu sprechen.

24. Hast du die Nachricht von Abrahams ehrenhaften Gästen erhalten?

25. Als sie zu ihm kamen, sagten sie: „Salaam." (Und Abraham erwiderte): „Salaam." ... Und er dachte: „Welch seltsames Volk..."

26. Dann wandte er sich zu seiner Familie und brachte ein (gegrilltes) Kalb.

27. Und er bot es ihnen an und sagte: „Werdet ihr nicht essen?"

28. (Als er sah, dass sie nicht gegessen hatten) verspürte er Furcht. „Fürchte dich nicht," sagten sie und gaben ihm die erfreuliche Nachricht eines gelehrten Sohnes.

29. Und seine Frau weinte und wandte sich zu den Gästen, ihr Gesicht mit den Händen bedeckt, und sagte: „Aber ich bin eine alte unfruchtbare Frau!"

30. (Abrahams Gäste, d.h. die Engel) sagten: „Und so wird es sein! Es ist, was dein Rabb gesagt hat... Zweifelsohne ist Er „Hakim", „Aliym"."

31. (Abraham) sagte: „Oh jene, die enthüllt wurden... Was ist eure (wahre) Absicht (Ziel)?"

32. Sie sagten: „In der Tat wurden wir enthüllt wegen eines schuldigen Volkes!"

33. „So dass wir Steine aus Ton (Lava) auf sie herabregnen lassen können."

34. „Markierte (Steine) aus der Sichtweise eures Rabbs für diejenigen, die die Grenzen überschritten haben (diejenigen, welche die gegebenen Kräfte für die Erreichung der Wahrheit verschwenden)!"

35. Also nahmen Wir alle Gläubigen von dort heraus.

36. Außer einem Haushalt haben Wir sowieso niemanden vorgefunden, die sich ergeben haben (Muslime)!

37. Und Wir ließen ein Zeichen übrig für diejenigen, die sich vor diesem starken Leiden fürchteten.

38. Wie jenes bei Moses... Als Wir ihn enthüllt hatten als einen eindeutigen Beweis für den Pharao.

39. Aber er wandte sich ab mit seinen Anführern und sagte: „Ein Magier oder ein Wahnsinniger!"

40. Deshalb ergriffen Wir ihn und seine Armee und ertranken sie im Meer... Und er schlug sich selbst mit Reue!

41. Und in Aad... Wie Wir diesen Wind auf sie enthüllt hatten, worin es keine Güte oder Segen gab (Zyklon)...

42. Es ließ nichts stehen, womit es in Kontakt trat; es wurde zerstückelt in kleinste Teile!

43. Und in Samud... Wie ihnen gesagt wurde: „Macht euch das zunutze bis zu einer Zeit."

44. Aber sie wurden den Befehlen ihres Rabbs ungehorsam! Also ergriff ein Blitz sie, während sie zuschauten.

45. Und es war ihnen weder möglich auf den Beinen zu stehen, noch haben sie Hilfe erhalten!

46. Und das Volk von Noah vor ihnen... Zweifelsohne waren sie ein Volk mit korruptem Glauben!

47. Was den Himmel anbelangt (das Universum und die Kapazität des Gehirns), **Wir haben ihn mit Unserer Hand erbaut und Wir sind es, die es erweitern** (anhand von dimensionalen Formierungen und Wesen – die Erweiterung des benutzten Bereichs innerhalb des Gehirns durch die Erweiterung von Verständnis)!

48. Und Wir statteten die Erde aus (Energielinien – mit dem Nervensystem des Körpers). **Was für exzellente Ausstatter Wir doch sind!**

49. Und Wir erschufen alles in Paaren (positive und negative Energie; die Doppelhelix DNS) ... **Auf dass ihr euch vielleicht daran erinnert und darüber nachdenkt.**

50. „<u>Flüchtet euch zu Allah</u> (von eurer Welt des Körperlichen/Physischen)!" **Gewiss bin ich für euch ein offensichtlicher Warner von Ihm!**

51. „Nehmt nicht an, dass es einen Gott neben Allah gibt! Gewiss bin ich für euch ein offensichtlicher Warner von Ihm!"

52. Dies ist (der Kern der Wahrheit)! **Als zu denjenigen vor ihnen auch ein Rasul kam** (der sie zu Allah einlädt, ihrer essentiellen Wahrheit), **sagten sie unbedingt: „Ein Magier oder ein Wahnsinniger."**

53. Haben sie sich dies (genetisch gesehen) **gegenseitig empfohlen? Nein, sie sind ein Volk, welches die Grenzen überschreitet!**

54. Wende dich von ihnen ab! Du wirst (dafür) **nicht beschuldigt werden.**

55. Und erinnere sie! Zweifelsohne profitieren die Gläubigen von der Erinnerung.

56. Ich habe Dschinn und Menschen nur erschaffen, damit sie Mir dienen (indem sie die Eigenschaften Meiner Namen manifestieren).

57. Ich frage sie nicht um Lebensunterhalt, noch will ich, dass sie Mich ernähren.

58. Zweifelsohne ist Allah HU, derjenige, der „Razzak" und „Zul Kuwwatil Matin" ist (der Besitzer von unendlicher Kraft).

59. In der Tat werden die „Zalims" ihren Anteil von diesem (Leiden), welches ihre Freunde (jene, die vor ihnen gelebt hatten) **befallen hatte, erhalten! Sie sollen nicht hastig sein.**

60. Wehe denjenigen, die die Wahrheit leugnen, von dem Leiden zu dieser Zeit (wovor sie vorgewarnt wurden)!

Mit demjenigen, der durch den Namen Allah erwähnt wird (der mein Wesen mit Seine Namen erschaffen hat im Anwendungsbereich des Buchstabens „B"), der **Rahman und Rahim ist.**

1. **Beim „Tur"** (der Berg Sinai, wo Moses seiner bzw. der Wahrheit begegnet ist).

2. **Und bei dem** (Zeile für Zeile) **geschriebenen Wissen** (welches jedes Detail umfasst)!

3. **In einem aufgerollten** (manifestierten) **Pergament** (die wahrnehmbare Dimension der Taten).

4. **Und bei dem wohlhabenden Haus** (die Dimension der Namen, welche aus dem Wissen der Absoluten Essenz besteht, die Wahrheit des Mohammed, das perfekt konstruierte Haus – das menschliche Bewusstsein, welches die Eigenschaft des Stellvertreter-Daseins erfährt, welches generiert wird aus den Namen von Allah);

5. **Und bei der erhöhten Decke** (das Wissen, welches die Dimension der Taten übertrifft),

6. **Und bei dem Ozean, welcher überläuft** (Wellen von Wissen)!

7. **Zweifelsohne wird das Leiden deines Rabbs verwirklicht werden!**

8. **Es gibt keine Kraft, um es abzuweisen!**

9. **In dieser Zeit wird der Himmel** (Bewusstsein) **völlig durcheinander** (verwundert) **sein!**

10. **Und die Berge** (Egos) **werden davongehen!** (Dein Rabb ist derjenige, der „Baki" ist!)

11. **Wehe diejenigen, die diese Zeit leugnen!**

12. (Diese Leugner), **die sich jetzt amüsieren anhand von Luxus** (die ihre eigene Welt haben mit ihren illusorischen Wertvorstellungen)!

13. **Zu dieser Zeit werden sie schonungslos zum Höllenfeuer geschleppt werden!**

14. (Und es wird gesagt werden): **„Dies ist das Feuer, welches ihr geleugnet habt!"**

15. **„Ist das Magie oder könnt ihr es nicht sehen?"**

16. **„Lebt im Feuer! Seid geduldig oder ungeduldig; es macht für euch keinen Unterschied! Ihr lebt die Konsequenzen eurer Taten aus!"**

17. **Zweifelsohne befinden sich die „Muttakin"** (jene, die sich beschützt hatten) **in Paradiesen und im Segen.**

18. **Sie erfreuen sich darüber, was sich ihr Rabb durch sie manifestiert! Ihr Rabb** (die Namen, die ihr Wesen ausmachen) **hat sie beschützt vor dem Leiden der Hölle.**

19. **„Esst und trinkt die Ergebnisse eurer Taten zum Wohl!"**

20. **Auf Liegen ausruhend, welche in Reihen aufgestellt sind... Wir haben sie** (die bewussten Menschen, welche die Kräfte der Namen manifestieren) **zusammengeführt mit „Huris"** (Besitzer von Körpern mit überlegener und klarer Sicht [Herzen])! (Alle Ausdrücke im Koran bezüglich der weiblichen „Huris" sind symbolischer Natur. Es sind Allegorien genauso wie die anderen Metapher über das Leben im Paradies. Das Statement „Masalul Dschannatillatiy..." [die Metapher, das Beispiel des Paradieses...] [13:35] oder „die allegorische

Beschreibung des Paradieses" [47:15] sind Hinweise auf diese Wahrheit. [Es gibt auch eine Überlieferung von Mohammed [saw], welche Folgendes besagt: „Allah sagt: Ich habe für Meine aufrechten Diener Dinge vorbereitet, welche kein Auge jemals gesehen, kein Ohr jemals gehört und kein Verstand jemals begriffen hat!" Sahih Bukhari, Muslim, Tirmizi])

21. Jene, die geglaubt haben und deren Nachkommen, die auch ihrem Glauben gefolgt sind. Wir haben sie vereint mit ihren Nachkommen und Vorfahren. Und Wir haben nichts verringert von ihren Verdiensten. Jede Person ist gebunden an die Konsequenzen ihrer Taten!

22. Wir haben sie reichlich mit Früchten (Marifat: höheres Wissen über das Selbst) **und Fleisch** (körperliche Eigenschaften, womit diese Eigenschaften manifestiert werden) **versorgt, wie sie es wünschten.**

23. Sie werden dort Bechern von Getränken sich teilen, welche keine Berauschung verursachen wird (sie bekommen nicht den Zustand der Betrunkenheit)!

24. In ihrer Umgebung wird es jugendliche Diener (energetische Kräfte) **geben, als ob sie geheime Perlen wären!**

25. Und sie werden sich einander zuwenden und ihre vorherigen Zustände besprechen.

26. Sie werden sagen: „Zweifelsohne waren wir vorher jene, die unter unseren Leuten Angst verspürt hatten."

27. „Also hat Allah uns Seine Gunst beschert und uns vom Leiden des „Samums" (des Höllenfeuers; rauchloses Feuer, Strahlung von Mikrowellen) **errettet!"**

28. „Zweifelsohne haben wir uns schon vorher Ihm zugewandt! In der Tat ist Er „Barr", „Rahim"."

29. Deshalb erinnere sie (Mein Rasul)! **Bei dem Segen deines Rabbs, du wurdest weder manifestiert als ein Wahrsager, noch als jemand, der besessen ist!**

30. Oder sagen sie: „Er ist ein Dichter. Lasst uns warten und zuschauen, wie sein Ende mit der Zeit sein wird!"

31. Sag: „Dann wartet! Zweifelsohne gehöre ich auch zu jenen, die warten!"

32. Ist es ihr Verstand, welcher ihnen dies befiehlt oder sind sie eine unverschämte Gemeinschaft?

33. Oder sagen sie: „Er hat dies erfunden?" Nein, sie glauben nicht!

34. Falls sie zu ihrem Wort stehen, dann lasst sie ein Wort wie dieses hervorbringen!

35. Oder wurden sie erschaffen ohne eine Wirkung? Oder sind sie die Schöpfer?

36. Oder haben sie die Himmel und die Erde erschaffen? Nein, sie sind nicht die Besitzer der Nähe.

37. Oder befinden sich die Schätze deines Rabbs in ihrer Sichtweise? Oder sind sie die Herrscher über alle Dinge?

38. Oder haben sie eine Treppe, worauf sie steigen und zuhören können (bezüglich der göttlichen Geheimnisse)? (Falls dies der Fall ist), **dann lasst sie einen eindeutigen und nicht zu leugnenden Beweis hervorbringen.**

39. Oder gehören Ihm die Töchter und euch die Söhne?

40. Oder verlangst du von ihnen eine Gegenleistung, wodurch sie sich stark verschuldet haben?

41. Oder befindet sich das Nicht-Wahrzunehmende (Ghaib) in ihrer Sichtweise, so dass sie schreiben (was entstehen soll)?

42. Oder beabsichtigen sie eine Falle zu planen? Wobei diejenigen selbst in die Falle tappen, die das Wissen um die Wahrheit leugnen!

43. Oder haben sie Götter neben Allah? Allah ist „Subhan" darüber, was sie mit Ihm assoziieren!

44. Falls sie ein Objekt vom Himmel fallen sehen, sagen sie: „Es sind nichts als Schichten von Wolken."

45. Lasst sie bis sie den Tag (Tod) erreichen, an dem sie den Schrecken erleben werden!

46. An diesem Tag werden weder ihre Fallen irgendetwas von ihnen abweisen, noch wird es irgendjemanden geben, der ihnen helfen kann!

47. Zweifelsohne gibt es für die „Zalims" auch vor diesem ein Leiden! Aber die Mehrheit unter ihnen weiß das nicht.

48. Sei geduldig um den Befehl deines Rabbs! Sicher befindest du dich unter Unserer Aufsicht! Und glorifiziere (Tasbih) deinen Rabb anhand Seines „Hamds", wenn du aufstehst (während der Nacht) ...

49. Und glorfiziere (Tasbih) deinen Rabb in einem Teil der Nacht, während die Sterne verschwinden!

53 - AN-NADSCHM

Mit demjenigen, der durch den Namen Allah erwähnt wird (der mein Wesen mit Seine Namen erschaffen hat im Anwendungsbereich des Buchstabens „B"), der Rahman und Rahim ist.

1. Beim Stern (welcher die ganze Wahrheit erklärt, indem Er es Stück für Stück manifestiert),

2. Euer Freund ist weder vom Weg abgekommen, noch schlägt er über die Stränge!

3. (Er) spricht nicht aus seiner Begierde heraus (Dinge, die er sich vorstellt)!

4. Es ist nur eine offenbarte Offenbarung!

5. Gelehrt von demjenigen, dessen Kräfte gewaltig sind!

6. Diese (Kraft) wurde ihm selbst bewusst und so wurde er empfänglich (um die Offenbarung zu erhalten)!

7. Während er am höchsten Punkt am Horizont war (und die ganze Äußerlichkeit umfasst wurde)!

8. Dann näherte er sich und stieg herab (seine Beobachtung hat sich vom Äußerlichen zum Innerlichen transformiert).

9. Und war (so nah wie) die Distanz zwischen zwei Bogenlängen („kabi kawsayn") oder sogar noch näher („aw adna")!

10. Und so offenbarte Er Seinem Diener, was Er offenbarte.

11. Das Herz (FUAD) hat das, was es gesehen hatte, nicht dementiert (die eintretenden Informationen, welche anhand der Herzneuronen innerhalb des Gehirns offenbart wurden, vereinten sich mit der Wahrheit)!

12. Diskutierst du mit ihm darüber, was er gesehen hat?

13. Und in der Tat hat er Ihn noch einmal gesehen (er wurde sich dessen bewusst als die Wahrheit in seinem Bewusstsein herabstieg).

14. In der Gegenwart des Sidr-Baumes (das Spüren des unendlichen Lebens als reines universales Bewusstsein).

15. Das Paradies von Mawa wird aus dieser Sichtweise heraus (des Sidr-Baums) ausgelebt!

16. In dem Moment bedeckte (das Licht der Wahrheit) den Sidr-Baum (seine Existenz), so dass er ihn bedeckte (ein Zustand, wo die Wahrnehmung des Körpers verloren geht)!

17. Seine Sicht ist weder abgewichen (zum Konzept eines „Anderen"), noch ging es über die Grenzen hinaus (die Beobachtung der Wahrheit hat ihn nicht dazu verführt, wie der Pharao zu werden und sich deshalb selbst für Gott zu halten)!

18. Zweifelsohne sah er die größten Zeichen seines Rabbs (die Namen, die seine Essenz ausmachen)!

19. Hast du den Lat und den Uzza gesehen?

20. Und Manat, den Dritten (können sie dir solch einen Aufstieg [Miradsch] erfahren lassen)?

21. Gehört das Männliche euch und Ihm das Weibliche?

22. Falls dies so ist, dann ist es eine ungerechte Aufteilung!

23. **Sie bestehen nur aus einfachen Namen, welche ihr und eure Vorfahren ausdachten, und für die Allah nicht irgendeinen Beweis enthüllt hatte** (Namen ohne einen Hintergrund, ohne einen Hinweis auf das tatsächlich Existierende)! **Sie befolgen nur Vermutungen und den illusorischen Wünschen ihres Egos,** (obwohl) **das Wissen um die Wahrheit zu ihnen von ihrem Rabb** (die Wahrheit der Namen, welche ihre Essenz ausmachen) **gekommen ist.**

24. Oder gibt es eine Regel, die besagt, dass jeder Wunsch des Menschen erfüllt wird?

25. Beides, das ewige Leben, welches kommen wird und die Welt sind für Allah (die Manifestierungen der Eigenschaften Seiner Namen)!

26. Und wie viele Engel gibt es in den Himmeln, deren Fürbitte keinen Nutzen haben wird; außer für diejenigen, denen es Allah erlaubt, für die Er es will und mit denen Er zufrieden ist?

27. Zweifelsohne definieren diejenigen, die nicht an ihre ewige Zukunft glauben, die Engel als weiblich.

28. Dabei haben sie diesbezüglich kein Wissen (Beweis). Sie befolgen nur ihre nicht-verifizierten Vermutungen. In der Tat kann niemals eine Vermutung die Wahrheit reflektieren!

29. Deshalb wende dich ab von denjenigen, die sich von Unserem Dhikr abwenden (von der Wahrheit, an die Wir sie erinnern) und die sich nichts anderes wünschen als das Vergnügen dieser Welt!

30. **Dies ist der höchste Punkt, den sie durch ihr Wissen erreichen werden** (mit weltlichem Vergnügen leben und sterben; sie können nichts anderes denken)! **Zweifelsohne, dein Rabb, HU, weiß besser, wer von Seinem Weg abweicht! Und HU weiß besser, wer zur Wahrheit geführt wird!**

31. **Was es auch immer in den Himmeln und auf der Erde gibt, ist für** (für die Manifestierungen der Eigenschaften der Namen, auf die mit den Namen von) **Allah** (hingewiesen wird)! **Dies ist damit Er jene, die schlechte Taten begehen, die Konsequenzen ihrer Taten erleben lässt und jene, die gute Taten begehen mit der besten Belohnung vergüten kann.**

32. **Sie sind jene, die von großen Fehlern** (Dualität [mit Allah etwas zu assoziieren], Verleumdung, Mord etc.) **und der Unmoral** (Ehebruch, außerehelichen Sex etc.) **fernbleiben außer den kleinen Fehlern, welche aus ihrer menschlichen Natur heraus resultieren. Zweifelsohne ist die Vergebung deines Rabbs enorm! Er kennt euch besser, da Er euer Wesen anhand Seiner Namen umfasst; als Er euch aus der Erde bildete** (euren Körper) **und ihr ein Fötus in der Gebärmutter eurer Mütter wart! Deshalb versucht nicht euer Selbst** (euer Ego) **von etwas freizusprechen! Er weiß besser, wer sich selbst beschützt** (da Er euer Schöpfer anhand Seiner Namen darstellt)!

33. Hast du denjenigen gesehen, der sich abwandte und wieder zurückkehrte?

34. Der wenig gab, dann (das Geben beendete) und ganz festhielt!

35. Hat er etwa das Wissen um das „Ghaib" (das Nicht-Wahrzunehmende), so dass er sieht?

36. Oder wurde er nicht über die Seiten (Wissen – Gesetz) von Moses informiert?

37. Und (das, was in den Seiten von) **Abraham, dem Treuen** (vorhanden ist)?

38. Kein Träger von Lasten (ein Schuldiger) **kann die Last** (die Schuld) **eines anderen auf sich nehmen!**

39. Für den Menschen wird nur das Resultat seiner Arbeiten geformt werden (das, was sich durch ihn manifestiert; seine Gedanken und Taten)!

40. Und die Resultate seiner Mühen werden bald gesehen werden!

41. Dann wird man ihm die ganzen Konsequenzen (seiner Taten) **ausleben lassen!**

42. Zweifelsohne führen alle Dinge am Ende zu deinem Rabb!

43. Zweifelsohne ist es HU, der einen lachen und weinen lässt!

44. Zweifelsohne ist es HU, der den Tod kosten lässt und das Leben gibt (derjenige, der mit Wissen und Erleuchtung auferstehen lässt)!

45. Zweifelsohne ist es HU, der die beiden Geschlechter erschafft, das Männliche und das Weibliche...

46. Aus einem Tropfen Sperma, welches ausgestoßen wird (zur Gebärmutter)!

47. Und zweifelsohne lastet auf Ihm „Nascha-i Ukhra" (das zweite Leben)!

48. Und zweifelsohne ist es HU, der sowohl bereichert als auch vorenthält.

49. Und zweifelsohne ist es HU, der der Rabb von Sirius ist (dem Stern)!

50. Und zweifelsohne ist es HU, der das frühere (Volk von) **Aad zerstört hatte.**

51. Und Samud... (Von denen) **Er keinen übrig ließ!**

52. Und vor ihnen das Volk von Noah... In der Tat waren sie, ja sie, ungerechter und noch schlimmer im egozentrischen Leben.

53. Und Er zerstörte die Städte (Sodom und Gomorrah)!

54. Und bedeckte sie so mit Seinen Bedeckungen (als Gegenleistung ihrer Schuld)!

55. Welche Segen deines Rabbs bezweifelst du also jetzt!

56. Dies ist ein Warner, wie die Warner vor ihm!

57. Das, welches sich annähert (Tod), **hat sich angenähert!**

58. Neben Allah gibt es keinen, der es aufheben kann (die Bedrückung des Todes).

59. Findet ihr das Ereignis (der Beginn des ewigen Lebens durch den Tod) **jetzt merkwürdig?**

60. Und ihr lacht lieber, anstatt zu weinen!

61. Ihr amüsiert euch und vergeudet eure Zeit!

62. Werft euch nieder (erfährt eure Nichtigkeit) **zu Allah** (unterscheidet und seid euch eurer Nichtigkeit in Seiner Sichtweise bewusst) **und führt eure Dienerschaft fort.** (Dies ist ein Vers der Niederwerfung.)

Mit demjenigen, der durch den Namen Allah erwähnt wird (der mein Wesen mit Seine Namen erschaffen hat im Anwendungsbereich des Buchstabens „B"), der **Rahman und Rahim ist.**

1. **Die Stunde hat sich genähert und der Mond hat sich geteilt!**

2. **Dennoch, wenn sie ein Wunder sehen, dann drehen sie sich weg und sagen: „Gewöhnliche Magie!"**

3. **Sie haben es geleugnet und haben ihre eigenen, grundlosen Begierden befolgt** (alles, was ihr Ego erfreut)! **Aber jede Angelegenheit wird erledigt werden!**

4. **Zweifelsohne kamen zu ihnen Nachrichten, welche abschreckende Eigenschaften hatten.**

5. **Weisheit** (lehrreiches Wissen mit einer genauen Erklärung des Zieles) **wurde gegeben! Trotz allem nützen keine Warnungen** (jene, die intellektuell unfähig sind)!

6. **Deshalb wende dich von ihnen ab! Zu jener Zeit, wenn der Rufer zum schrecklichen Ereignis ruft...**

7. **Ihre Augen werden vor Schreck nach unten gesenkt sein, sie werden aus ihren Gräbern** (Kokons) **herauskommen als ob sie Heuschrecken wären, die ausschwärmen.**

8. **Jene, die das Wissen um die Wahrheit leugnen, werden zum Rufer rennen und sagen: „Dies ist ein heftiger Tag!"**

9. **Vor ihnen hatte auch das Volk von Noah geleugnet. Sie leugneten Unseren Diener und sagten: „Er ist besessen," und hinderten ihn** (von seiner Mission).

10. **Also betete** (Noah) **zu seinem Rabb: „In der Tat bin ich besiegt worden, hilf mir."**

11. **Und Wir öffneten die Tore des Himmels mit stark strömendem Regen!**

12. **Und verursachten, dass die Erde mit ihren Quellen herausströmt und die Gewässer sich aus einem Grund trafen, welcher beschlossen wurde!**

13. **Wir trugen ihn** (Noah) **auf** (der Arche), **welche aus Nägeln und Brettern gemacht wurde.**

14. (Die Arche) **segelte unter Unserer Aufsicht. Um denjenigen zu entlasten, dem Undankbarkeit gezeigt wurde** (Noah)!

15. **Zweifelsohne ließen Wir es** (die Arche) **zurück als ein Zeichen** (für die Menschen)! **Gibt es keinen, der nachdenkt?**

16. **Seht her, wie Meine Bestrafung und Warnung eingetreten ist!**

17. **In der Tat vereinfachten Wir den Koran, so dass man sich an die Wahrheit erinnert und darüber tief nachdenkt! Gibt es keinen, der nachdenkt?**

18. **Aad hatte es auch geleugnet! Und wie ist Meine Bestrafung und Warnung eingetreten?**

19. Zweifelsohne entsandten Wir auf ihnen an einem unglückseligen Tag einen fortwährend zerstörerischen Wirbelsturm.

20. Die Menschen herausziehend als ob sie entwurzelte Stämme von Dattelpalmen wären.

21. Und Meine Bestrafung und Warnungen sind eingetreten!

22. In der Tat vereinfachten Wir den Koran, so dass man sich an die Wahrheit erinnert und darüber nachdenkt! Gibt es keinen, der nachdenkt?

23. Und Samud leugnete auch die Warner.

24. Sie sagten: „Sollen wir einen Menschen unter uns befolgen? In der Tat wären wir dann von unserem Glauben abgefallen und würden töricht sein."

25. „Wurde das Dhikr (die Erinnerung des Wissens um die Wahrheit) unter uns allen nur ihm gesandt? Im Grunde genommen ist er doch ein unverschämter Lügner!"

26. Sie werden bald wissen, wer der unverschämte Lügner ist!

27. Zweifelsohne enthüllten Wir Ihnen ein weibliches Kamel als ein Objekt der Prüfung. Deshalb beobachte sie und sei geduldig.

28. Und gib ihnen die Nachricht, dass das Wasser unter ihnen aufgeteilt wurde. Jede Gruppe soll der Reihe nach ihren Anteil nehmen.

29. Sie riefen nach ihren Freunden. Sie nahmen auch ihren Anteil und erhängten das Kamel auf brutalste Weise!

30. Und seht wie Meine Bestrafung und Warnung eingetreten ist!

31. In der Tat enthüllten Wir auf ihnen einen einzigen Schlag (ein intensives, vibrierendes Geräusch) und sie wurden zu Trümmern aus Müll (welche sie ihrem Vieh geben).

32. In der Tat vereinfachten Wir den Koran, so dass man sich an die Wahrheit erinnert und darüber nachdenkt! Gibt es keinen, der nachdenkt?

33. Das Volk von Lot hat auch den Warner geleugnet.

34. Zweifelsohne entsandten Wir auf ihnen einen Sturm aus Steinen. Ausgenommen die Familie von Lot. Wir haben sie in der Morgendämmerung gerettet.

35. Als einen Segen aus Unserer Sichtweise heraus... Und so entlohnen Wir die Dankbaren!

36. Zweifelsohne warnte er (Lot) sie bezüglich Unserem intensiven Eingriff, aber sie begegneten den Warnern mit Zweifel!

37. In der Tat wollten sie die Gäste (von Lot) ausnutzen (wollüstig), also haben Wir ihre Sicht geblendet und sagten: „Kostet nun Meine Bestrafung und Warnungen!"

38. Und in der Tat erreichte sie am Morgen die verdiente Bestrafung.

39. Deshalb kostet jetzt Meine Bestrafung und Meine Warnungen!

40. In der Tat vereinfachten Wir den Koran, so dass man sich an die Wahrheit erinnert und darüber nachdenkt! Gibt es keinen, der nachdenkt?

41. Zweifelsohne kamen jene, die gewarnt hatten, auch zur Familie des Pharaos.

42. Aber sie leugneten all Unsere Zeichen! Also ergriffen Wir sie mit der nichts entgegenzusetzenden Macht!

43. Sind eure Leugner des Wissens um die Wahrheit besser als diese? Oder wurde euch eine Nachricht der Errettung in den Schriften (das Wissen der Weisheit) gegeben?

44. Oder sagen sie: „Wir sind eine Gesellschaft, die sich gegenseitig unterstützt!"?

45. Bald wird diese Gesellschaft (in Badr) besiegt werden und sie werden sich umdrehen und fliehen!

46. Nein, die Stunde (Tod) ist, wenn sie mit ihrem Leiden zusammenkommen! Diese Stunde ist intensiver und schmerzvoller (als im Krieg besiegt zu werden).

47. Zweifelsohne befinden sich die Schuldigen in einem Irrtum und in einer Torheit.

48. Sie werden an diesem Tag auf ihren Gesichtern in das Feuer geschleppt werden! Und es wird gesagt werden: „Kostet das brennende „Sakkar" (Hölle)!"

49. Zweifelsohne haben Wir alles mit seinem Schicksal (Programm) erschaffen.

50. Unser Befehl (die Anordnung und Exekution) ist das Einzige; wie das Zwinkern des Auges (alles entsteht in einem „einzigen Moment" aus der Sichtweise Allahs)!

51. Zweifelsohne zerstörten Wir viele von eurer Sorte. Gibt es niemanden, der darüber nachdenkt?

52. Das Wissen von allem, was sie tun, ist gespeichert im „Zabur" (in Texten, die voller Weisheit sind).

53. Ob klein oder groß, alles ist Zeile für Zeile festgehalten!

54. Zweifelsohne befinden sich die Beschützten in Paradiesen und am Ufer von Flüssen.

55. Die Wahrheit auslebend anhand der Kräfte von „Malik" und „Muktadir"!

Mit demjenigen, der durch den Namen Allah erwähnt wird (der mein Wesen mit Seine Namen erschaffen hat im Anwendungsbereich des Buchstabens „B"), der Rahman und Rahim ist.

1. **Ar-Rahman** (der Besitzer aller Eigenschaften, worauf die Bezeichnung von „Asma ul Husna" [die Schönen Namen] hingewiesen wird),

2. **lehrte den Koran** (formte die Eigenschaften in der Dimension der Namen).

3. **Erschuf den MENSCHEN,**

4. **und lehrte ihm die Eloquenz** (manifestierte die Eigenschaften der Namen beim Menschen; wie Hazrat Ali gesagt hatte: „Der Mensch wurde zum sprechenden Koran.");

5. **Die Sonne** (Begreifen) **und der Mond** (Emotion - Gespür) **sind mit einer Berechnung** (mit der Bedeutung des Buchstabens „B"; sie bestehen aus Bewusstseinsstufen).

6. **Der Stern** (Gedanken) **und der Baum** (Körper) **befinden sich bei der Niederwerfung** (in einem Zustand der Nichtigkeit aus der Sichtweise der Namen).

7. **Er erhöhte den Himmel** (Bewusstsein; von der Bewusstseinsstufe des „Lawwama"[das Selbst, welches sich selbst beschuldigt] zur Bewusstseinsstufe des „Mardiyya" [das Selbst, welches mit jeder Manifestierung zufriedenstellend ist]) **und etablierte ein Gleichgewicht** (Midhaan: die Fähigkeit im Gleichgewicht von Einheit und Multiplizität zu leben).

8. **So dass ihr diesem Gleichgewicht kein Unrecht tut** (so dass ihr nicht bei dem einen zum Extremen geht und so vom anderen entbehrt seid).

9. **Lebt, indem ihr gerecht bewertet** (gemäß den Gesetzen der Uluhiyyah) **und werdet nicht zu Verlierern, indem ihr Fehler macht beim Ausleben des Gleichgewichts!**

10. **Und auf der Erde** (Körper) **formte Er die Kreaturen** (Mikro-Universum)!

11. **Dort** (auf der Erde) **gibt es eine Frucht** (Mensch), **wie die Dattelbäume** (Gehirn) **voller Knospen** (bereit zur Öffnung)!

12. **Und aufgekeimte Samenkörner** (blühende Gedanken der Wahrheit) **und wohlriechende Pflanzen** (Verhaltensweisen als Ergebnis der menschlichen Wahrheit).

13. **Während das die Wahrheit ist, welche Segen eures Rabbs** (die Namen, welche eure Essenz ausmachen – eures Bewusstseins und Körpers) **leugnet ihr dann?**

14. **Er erschuf den Menschen** (seinen biologischen Körper) **aus verarbeitetem, trockenen Ton** (Elemente).

15. **Und Er erschuf die Dschinn** (unsichtbare, egobasierte Wesen) **aus einem rauchlosen Feuer** (Strahlung, Strahlungsenergie, elektromagnetischer Wellenkörper).

16. **Während das die Wahrheit ist, welche Segen eures Rabbs** (die Namen, welche eure Essenz ausmachen – eures Bewusstseins und Körpers) **leugnet ihr dann?**

17. **Er ist der Rabb der beiden Orte des Aufgangs** (die Welt und das ewige Leben nach dem Tod) **und der Rabb der beiden Orte des Untergangs** (die Welt und die Dimension des Grabes).

18. Während das die Wahrheit ist, welche Segen eures Rabbs (die Namen, welche eure Essenz ausmachen – eures Bewusstseins und Körpers) **leugnet ihr dann?**

19. Er ließ die beiden Meere frei (engelhafte und tierische Tendenzen; das universale Bewusstsein und das individuelle Bewusstsein)**; sie kommen zusammen.**

20. Aber zwischen ihnen ist eine Barriere, über deren Grenze sie nicht hinausschreiten können (beide leben das Entsprechende jeweils in ihrer eigenen Dimension aus).

21. Während das die Wahrheit ist, welche Segen eures Rabbs (die Namen, welche eure Essenz ausmachen – eures Bewusstseins und Körpers) **leugnet ihr dann?**

22. Von ihnen kommt die Perle und die Koralle (verschiedene Eigenschaften).

23. Während das die Wahrheit ist, welche Segen eures Rabbs (die Namen, welche eure Essenz ausmachen – eures Bewusstseins und Körpers) **leugnet ihr dann?**

24. Ihm gehören die konstruierten Schiffe (Körper)**, welche wie Berge** (im Leben mit den konstruierten Egos) **auf dem Meer** (das Wissen um die Wahrheit) **segeln!**

25. Während das die Wahrheit ist, welche Segen eures Rabbs (die Namen, welche eure Essenz ausmachen – eures Bewusstseins und Körpers) **leugnet ihr dann?**

26. Wer auch immer sich auf der Erde (im materiellen Leben) **befindet, ist vergänglich** (jedes Selbst, d.h. die Identität oder das inidviduelle Bewusstsein wird den Tod kosten).

27. „Baki" (ewig, ohne dem Konzept der Zeit unterworfen zu sein) **ist das Antlitz deines Rabbs** (die Bedeutungen der Namen, welche deine Essenz ausmachen)**, der „Zul Dschalaali wal Ikram" ist.**

28. Während das die Wahrheit ist, welche Segen eures Rabbs (die Namen, welche eure Essenz ausmachen – eures Bewusstseins und Körpers) **leugnet ihr dann?**

29. Alles, was es in den Himmeln und auf der Erde gibt, verlangt nach Ihm; in jedem Moment manifestiert HU auf neueste Art und Weise!

30. Während das die Wahrheit ist, welche Segen eures Rabbs (die Namen, welche eure Essenz ausmachen – eures Bewusstseins und Körpers) **leugnet ihr dann?**

31. Morgen werden Wir mit euch sein (bezüglich der Abrechnung)**, oh ihr mit großer Schuld beladende Gesellschaft von Menschen und Dschinn!**

32. Während das die Wahrheit ist, welche Segen eures Rabbs (die Namen, welche eure Essenz ausmachen – eures Bewusstseins und Körpers) **leugnet ihr dann?**

33. Oh Gesellschaft von Dschinn und Menschen, falls ihr jenseits der Regionen der Himmel und der Erde passieren könnt (die Anziehungskraft eurer Körper)**, dann passiert** (lebt körperlos)**! Aber ihr könnt nicht passieren, es sei denn ihr besitzt die Kraft dafür** (die Manifestierung von Allahs Eigenschaft der Kraft [der Name „Kadir"] in euch).

34. Während das die Wahrheit ist, welche Segen eures Rabbs (die Namen, welche eure Essenz ausmachen – eures Bewusstseins und Körpers) **leugnet ihr dann?**

35. Es wird auf euch (beide) **eine Flamme des Feuers und Rauches** (Zweideutigkeit und Verwirrung in eurem Bewusstsein) **gesandt werden und ihr werdet nicht erfolgreich sein!**

36. Während das die Wahrheit ist, welche Segen eures Rabbs (die Namen, welche eure Essenz ausmachen – eures Bewusstseins und Körpers) **leugnet ihr dann?**

37. Und wenn (während des Todes) **der Himmel** (das Ego-Bewusstsein) **in Stücke zerteilt und zu gebranntem Öl wird, gefärbt wie eine Rose** (die Wahrheit wird dann observiert werden)**!**

38. Während das die Wahrheit ist, welche Segen eures Rabbs (die Namen, welche eure Essenz ausmachen – eures Bewusstseins und Körpers) leugnet ihr dann?

39. Zu dieser Zeit werden weder die Menschen noch die Dschinn über ihre Verbrechen befragt werden (sie werden natürlich beginnen, die Konsequenzen ihrer Taten auszuleben)!

40. Während das die Wahrheit ist, welche Segen eures Rabbs (die Namen, welche eure Essenz ausmachen – eures Bewusstseins und Körpers) leugnet ihr dann?

41. Die Schuldigen werden an ihren Markierungen erkannt werden (durch das Aussehen, das die Veranlagungen erzeugen) und an ihren Stirnen und Füßen gepackt werden.

42. Während das die Wahrheit ist, welche Segen eures Rabbs (die Namen, welche eure Essenz ausmachen – eures Bewusstseins und Körpers) leugnet ihr dann?

43. Dies ist die Hölle, welche die Schuldigen geleugnet hatten!

44. Sie werden darin zwischen es (der Hölle) und dem kochendem Wasser gehen (die quälenden Wertvorstellungen, welche durch soziale Konditionierungen entstehen, d.h. unrealistisches, gespeichertes Wissen wird sie peinigen).

45. Während das die Wahrheit ist, welche Segen eures Rabbs (die Namen, welche eure Essenz ausmachen – eures Bewusstseins und Körpers) leugnet ihr dann?

46. Es gibt zwei Paradiese für denjenigen, der den Rang Seines Rabb fürchtet (Taten und Spüren – Paradiese der Bedeutung).

47. Während das die Wahrheit ist, welche Segen eures Rabbs (die Namen, welche eure Essenz ausmachen – eures Bewusstseins und Körpers) leugnet ihr dann?

48. (In beiden Paradiesen) besitzt Er unterschiedliche Äste (Lebenseigenschaften).

49. Während das die Wahrheit ist, welche Segen eures Rabbs (die Namen, welche eure Essenz ausmachen – eures Bewusstseins und Körpers) leugnet ihr dann?

50. In beiden von ihnen sind zwei Quellen, welche davon fließen!

51. Während das die Wahrheit ist, welche Segen eures Rabbs (die Namen, welche eure Essenz ausmachen – eures Bewusstseins und Körpers) leugnet ihr dann?

52. In beiden (von diesen Paradiesen) gibt es zwei Arten von Früchten (Marifat: höheres Wissen des Selbst) von beiden Arten (Zatin und Batin = äußerlich und innerlich)!

53. Während das die Wahrheit ist, welche Segen eures Rabbs (die Namen, welche eure Essenz ausmachen – eures Bewusstseins und Körpers) leugnet ihr dann?

54. Sie werden in Betten ruhen, dessen Bettbezüge aus Seidenbrokat bestehen... Die Früchte der zwei Paradiese werden leicht zu pflücken sein!

55. Während das die Wahrheit ist, welche Segen eures Rabbs (die Namen, welche eure Essenz ausmachen – eures Bewusstseins und Körpers) leugnet ihr dann?

56. Es gibt jene, deren Blicke nur an ihre Partner gerichtet sind, unberührt von irgendwelchen Menschen oder Dschinn vor ihnen (keine Unreinheiten, welche durch körperliche oder satanische [egozentrische] Gedanken und Emotionen entstehen)!

57. Während das die Wahrheit ist, welche Segen eures Rabbs (die Namen, welche eure Essenz ausmachen – eures Bewusstseins und Körpers) leugnet ihr dann?

58. Als ob sie Rubinen und Korallen wären.

59. Während das die Wahrheit ist, welche Segen eures Rabbs (die Namen, welche eure Essenz ausmachen – eures Bewusstseins und Körpers) leugnet ihr dann?

60. Ist denn nicht die Konsequenz von „Ihsan" (das Dienen, während die Wahrheit beobachtet wird), das „Ihsan"?

61. Während das die Wahrheit ist, welche Segen eures Rabbs (die Namen, welche eure Essenz ausmachen – eures Bewusstseins und Körpers) leugnet ihr dann?

62. Und neben diesen zwei Paradiesen gibt es noch zwei weitere Paradiese.

63. Während das die Wahrheit ist, welche Segen eures Rabbs (die Namen, welche eure Essenz ausmachen – eures Bewusstseins und Körpers) leugnet ihr dann?

64. Sie sind ganz grün!

65. Während das die Wahrheit ist, welche Segen eures Rabbs (die Namen, welche eure Essenz ausmachen – eures Bewusstseins und Körpers) leugnet ihr dann?

66. In beiden von ihnen befinden sich zwei Quellen (Reflexionen des Rahman), die fortwährend strömen!

67. Während das die Wahrheit ist, welche Segen eures Rabbs (die Namen, welche eure Essenz ausmachen – eures Bewusstseins und Körpers) leugnet ihr dann?

68. In beiden von ihnen befinden sich Früchte; Datteln (symbolisch dafür, dass im Bewusstsein die Eigenschaften der Wahrheit manifestiert werden) und Granatäpfel (symbolisch dafür, dass das einzige Bewusstsein das Leben von vielen Körpern verwaltet)!

69. Während das die Wahrheit ist, welche Segen eures Rabbs (die Namen, welche eure Essenz ausmachen – eures Bewusstseins und Körpers) leugnet ihr dann?

70. In (diesen Paradiesen) befinden sich die Wundervollsten, die Schönsten.

71. Während das die Wahrheit ist, welche Segen eures Rabbs (die Namen, welche eure Essenz ausmachen – eures Bewusstseins und Körpers) leugnet ihr dann?

72. „Huris", die nur für ihre Partner reserviert sind (Partner, d.h. Körper, welche mit der Kapazität und Möglichkeit ausgestattet sind, alle Wünsche der Formen des Bewusstseins zu erfüllen, die die Eigenschaften der Wahrheit manifestieren. Siehe auch Verse 13:35, 47:15)!

73. Während das die Wahrheit ist, welche Segen eures Rabbs (die Namen, welche eure Essenz ausmachen – eures Bewusstseins und Körpers) leugnet ihr dann?

74. Unberührt durch einen Menschen oder Dschinn vor ihnen (keine Unreinheiten, welche durch körperliche oder satanischen [egozentrische] Gedanken und Emotionen entstehen)!

75. Während das die Wahrheit ist, welche Segen eures Rabbs (die Namen, welche eure Essenz ausmachen – eures Bewusstseins und Körpers) leugnet ihr dann?

76. Sie ruhen sich auf grünen Kissen und schön bestickten, glänzenden Teppichen aus.

77. Während das die Wahrheit ist, welche Segen eures Rabbs (die Namen, welche eure Essenz ausmachen – eures Bewusstseins und Körpers) leugnet ihr dann?

78. Wie gesegnet und hoch erhaben ist der Name deines Rabbs, der „Zul Dschalali wal Ikram" ist!

56 - AL-WAKIA

Mit demjenigen, der durch den Namen Allah erwähnt wird (der mein Wesen mit Seine Namen erschaffen hat im Anwendungsbereich des Buchstabens „B"), der Rahman und Rahim ist.

1. Nachdem sich diese Wirklichkeit ereignet hat (das zweite Leben nach dem Kosten des Todes).

2. Es wird niemanden mehr geben, der seine Realität dementiert!

3. (Einige) **werden erniedrigt,** (einige) **werden erhöht!**

4. Wenn die Erde (der Körper) **mit einem starken Beben erschüttert wird,**

5. Die Berge (die Organe im Körper) **zertrümmert werden,**

6. (Und schließlich) **zu zerstreutem Staub werden.**

7. Während ihr in drei Arten aufgeteilt werdet:

8. „Ashab-i Maymana" (Gefährten des Rechten; jene, die die Wahrheit gefunden haben), **was für eine „Ashab-i Maymana" das doch ist!**

9. „Ashab-i Maschama" (Gefährten des Linken; jene, die sich von der Wahrheit in ihrem Kokon abgekapselt haben), **was für eine „Ashab-i Maschama" das doch ist!**

10. „As Sabikun" (die durch den Zustand der Nähe den höchsten Stand haben), **sie sind Sabikun.**

11. Nun, sie sind „Mukarrabun" (jene, die die Stufe des „Kurbiyets" [Nähe] ausleben)

12. Sie sind in Paradiesen des Segens.

13. Die Meisten sind aus früheren Epochen.

14. Die Minderheit ist aus der nachfolgenden Zeit.

15. Sie befinden sich auf Throne, welche mit Juwelen verarbeitet sind. (Die Warnung, die mit der Beschreibung des „Masalul Djannatillatiy" beginnt = das BEISPIEL – die REPRÄSENTATIONEN des Paradieses. Die Verse 13:35 und 47:15, die die Vorstellung über das Paradies definieren und betonen, dürfen nicht ignoriert werden. Die Beschreibung gilt als Metapher/Beispiel. A.H.)

16. Sie haben sich gegenseitig hingesetzt.

17. In ihrer Umgebung sind sie mit ihrer ewigen Jugend Diener...

18. Mit Kannen, Karaffen und Schalen, welche aus der Quelle gefüllt sind...

19. Sie kriegen weder Kopfschmerzen davon, noch wird ihr Bewusstsein trüb,

20. Die bevorzugte Frucht;

21. Das Vogelfleisch, welches sie sich wünschen;

22. Und „Hur-i Iyn" (Paare (ein paar Körper) mit klarem Blick (jener, der nicht mit dem biologischen Auge eingeschränkt ist); die Körper, welche die Eigenschaften des „wahren" Menschen ausleben lassen werden, die aus reinem universalen Bewusstsein bestehen; Körper, die aus mehreren Paaren bestehen. Der Prozess unter der Autorität eines einzigen

Bewusstseins mit vielen Körpern zu leben. A.H.)

23. **Wie das Beispiel der verborgenen** (aus Perlmutt heranwachsenden) **Perlen** (geformt durch die Essenz der Namen und die aus reinem universalen Bewusstsein existierenden Körper, die von Allah erschaffen wurden als Manifestierung dieser Eigenschaften).

24. **Die Konsequenz** (das Ergebnis) **ihrer Taten!**

25. **Dort hören sie weder leeres Gerede, noch den Begriff der Schuld!**

26. **Es wird nur „Salaam, Salaam" gesagt** (in dem Sinne, dass die Eigenschaft, auf die mit dem Namen Salaam hingewiesen wird, ewig anhält.)

27. **Ashab-i Yamiyn** (die zur rechten Seite Stehenden; jene, die glauben) **was für ein Ashab-i Yamiyn das doch ist!**

28. **Mit Früchten innerhalb des Sidr-Baums,**

29. **Der Bananenbaum, dessen Früchte schön aufgereiht sind...**

30. **Im ausgebreiteten** (unendlichen) **Schatten,**

31. **In einem strömend, fließenden Wasser,**

32. **Innerhalb ganz vieler Früchte** (Arten),

33. (Diese Früchte) **werden weder verbraucht werden, noch werden diese verboten sein!**

34. **Sie sind innerhalb erhöhten Diwanen.**

35. **Gewiss haben wir sie** (die Körper, die als Partner des reinen Bewusstseins gelten) **mit einer neuen Konstruktion gestaltet.**

36. **Wir haben sie aus einer vorher noch nie verwendeten Art erschaffen!**

37. (Körper, die vorher nicht gesehen und benutzt wurden) **verliebt in ihre Partner** (diejenigen, die auf der Welt zueinander als Feinde abgestiegen sind; der Mensch, der sich gegen den materiell ausgerichteten tierischen Körper stellt und dem Bewusstsein, welches ein reines menschliches Bewusstsein besitzt, ohne Einwand seine Eigenschaften ausleben lässt. A.H.) **und die Gleichaltrigen** (mit dem Bewusstsein zusammen entstanden)!

38. (Sie sind) **für die Ashab-i Yamiyn** (diejenigen, die „Sayyid" [glückselig; mit „Glauben" geboren wurden] sind).

39. **Ein Teil** (der Ashab-i Yamiyn) **gehört zu den Vorherigen.**

40. **Und ein Teil gehört zu den Späteren.**

41. **Schimal** (diejenigen, die „Schaki" sind; die die Realität leugnen und mit einem Kokon leben), **was ist das für ein Ashab-i Schimal** (Gefährten der linken Seite)!

42. **Innerhalb von „Samum"** (vergiftendes Feuer; [radioaktive] Strahlung) **und „Hamim"** (kochendes Wasser; unrealistisches Wissen und Konditionierungen),

43. **Innerhalb eines Schattens aus pechschwarzem Rauch** (ein Zustand, in dem er die Kräfte in seiner Essenz nicht sehen und ausleben kann),

44. (Dieser Schatten) **ist weder kühl, noch großzügig** (jemand, der großzügiges mit sich bringt)!

45. **Gewiss sind es diejenigen, die vor diesem** (Ereignis) **im Überfluss der weltlichen und wollüstigen Genüsse verwöhnt waren!**

46. **Bei dieser großen Schuld** (während sie ihre eigene Wahrheit geleugnet haben, konnten

sie es auf diesem Weg nicht ausleben) **haben sie beharrt.**

47. Sie sagten: „Werden wir das Leben tatsächlich mit einem neuen Körper fortsetzen, nachdem wir sterben und zu Erde und einem Haufen Knochen werden?" (= „werden wir wieder auferstehen?")

48. „Auch unsere Vorfahren?" sagten sie.

49. Sprich: „Gewiss, sowohl die Vorfahren, als auch die Nachfahren,"

50. „Sie werden sich gewiss im Laufe des bekannten Prozesses versammeln!"

51. Wahrlich, oh ihr dementierenden Leugner (der Wahrheit) ...

52. Sicher werdet ihr von den Zakkum-Bäumen (von Früchten, die das Ergebnis davon sind, dass sie sich ausschließlich als Körper annahmen) **essen.**

53. Eure Bäuche werdet ihr mit diesen Bäumen auffüllen.

54. Obendrein werdet ihr kochendes Wasser trinken.

55. Ihr werdet es trinken, wie die Kamele, die aufgrund ihrer Krankheit nicht wissen, wie man genug vom Wasser bekommt.

56. Am Tage der Religion (an dem die Wahrheit des Systems, d.h. von der Sunnatullah unterschieden wird) **wird das ihr „Nuzul"** (=Herabstieg, Enthüllung; das, was sich in ihnen manifestieren wird) **sein!**

57. Wir haben euch erschaffen! Werdet ihr es nicht bestätigen?

58. Habt ihr das Sperma, welches ihr abgelassen habt, gesehen?

59. Seid ihr diejenigen, die es erschaffen oder sind wir es, die erschaffen?

60. Wir haben den Tod unter euch auferlegt und man kann nicht an uns vorbeigehen!

61. Damit Wir als Austausch euch Ähnelnde (eure neuen Körper) **hervorbringen und euch auf einer Art** (vom neuen) **konstruieren, welche ihr nicht wissen könnt** (haben wir den Tod vorgesehen).

62. Wahrlich habt ihr die erste Schöpfung gewusst... Nun, erfordert es nicht, dass ihr tiefgründig nachdenkt?

63. Habt ihr gesehen, was ihr sät?

64. Seid ihr es, die das Gesäte grünen lassen oder wir?

65. Wenn wir gewollt hätten, hätten wir gewiss trockene und leblose Pflanzen wachsen lassen können, woraufhin ihr euch gewundert hättet!

66. „Gewiss sind wir im Verlust!"

67. „Nein, wir sind entbehrt worden von einem guten Auskommen" (hättet ihr gesagt).

68. Habt ihr das Wasser gesehen, das ihr trinkt?

69. Seid ihr es, die das Wasser aus den weißen Wolken herabsteigen lassen oder sind Wir diejenigen, die herabsteigen lassen?

70. Wenn wir gewollt hätten, hätten wir es bitter gemacht... Erfordert dies keine Dankbarkeit?

71. Habt ihr das Feuer gesehen, das ihr anzündet (aus dem Baum)?

72. Seid ihr es, die den Baum entstehen lassen habt oder sind wir es, die ihn erschaffen

haben?

73. Wir haben ihn als Erinnerung und als Nutzen für die Unwissenden erschaffen, die so wie in der Wüste leben!

74. Also, glorifiziere (Tasbih) **im Namen desjenigen, der der Aziym Rabb ist!**

75. Ich schwöre bei den sich im Universum befindenden Sternen (wo die Namen sich manifestieren)!

76. Wenn ihr wüsstet, wie erhaben dieser Schwur ist!

77. Zweifellos ist dies (das Universum) **das „Koran-i Karim"** (für den, der LESEN kann, ein sehr wertvolles LESBARES).

78. Es ist in einem Wissen, welches nicht gesehen wird! (universale Datei, die der Wellenozean {Wave} ist und die Datei, die sich gemäß dem holografischen Fundament im Gehirn befindet.)

79. Es (das Wissen) **kann keiner, außer jene berühren, die** (von der Verunreinigung des Schirks/Dualität - vom Tierischen) **geläutert und rein sind.**

80. Enthüllt durch den „Rabb der Welten" (im menschlichen Bewusstsein detailliert erklärt).

81. Nehmt ihr nun unser Ereignis auf die leichte Schulter und haltet es nicht für wichtig?

82. Ist eure Dementierung eure Lebensversorgung geworden?

83. Nun, wenn es (die Seele) **zum Hals kommt!**

84. Dann würdet ihr hilflos (ohne Ausweg) **starren!**

85. Wir sind ihm näher als ihr, jedoch könnt ihr es nicht sehen.

86. Wenn ihr die Resultate eurer Taten nicht leben werdet;

87. Wenn ihr eurem Versprechen treu seid, weist ihn (den Tod) **zurück** (wenn es die Sunnatullah nicht gibt [universale Gesetze in der Schöpfung], dann tut dies)!

88. (Jeder wird den Tod kosten), **aber wenn dieser von den „Mukarrabun"** (Menschen, welche die Nähe zu Allah ausleben) **ist;**

89. Dann gibt es „Rawh" (das Leben mit der Rahman-Offenbarung), **„Rayhan"** (das Beobachten der Offenbarungen der Namen) **und das Paradies der Segen.**

90. Wenn dieser doch vom Ashab-i Yamin ist;

91. (Wenn dies so ist): **„Vom Ashab-i-Yamin gibt es für dich ein Salaam"** (wird gesagt).

92. Wenn (dieses Leben) **mit perversem Glauben zu den Leugnern** (der Wahrheit) **gehört;**

93. (Diesem) **wird vom Kopf bis Fuß kochendes Wasser übergossen werden!**

94. Er wird den (Bedingungen des Brennens) **von Dschahim ausgesetzt sein!**

95. Ganz gewiss ist dies „Hakk-al Yakin" (die Wahrheit wird mit der Tat ausgelebt)!

96. Also mach Tasbih im Namen desjenigen, der der Aziym Rabb ist!

Mit demjenigen, der durch den Namen Allah erwähnt wird (der mein Wesen mit Seine Namen erschaffen hat im Anwendungsbereich des Buchstabens „B"), der Rahman und Rahim ist.

1. Alles in den Himmeln und auf der Erde glorifiziert (Tasbih) Allah (indem sie ihre Funktionen erfüllen). HU ist derjenige, der „Aziz", „Hakim" ist.

2. Ihm gehört die Herrschaft über die Himmel und der Erde. Er gibt Leben und nimmt Leben! Er ist „Kadir" über alle Dinge.

3. HU ist „Awwal" (der erste und beginnende Zustand der Existenz) und „Akhir" (der unendliche, nachfolgende Eine; zu allen Manifestierungen), „Zahir" (die explizite, offensichtliche und wahrnehmbare Manifestation; die absolute Realität jenseits der Illusion) und „Batin" (die nicht-wahrnehmbare Realität innerhalb der wahrnehmbaren Manifestation, die Quelle des Unbekannten; das Absolute Selbst jenseits der illusorischen Formen des Selbst. D.h. Awwal, Akhir, Zatin, Batin= außerhalb von „HU", existiert nichts)! Er ist „Aliym" über alle Dinge (der Wissende von allen Dingen, da Er durch Seine Namen ihr Schöpfer darstellt)!

4. Er erschuf die Himmel und die Erde in sechs Perioden und dann etablierte Er sich selbst auf dem Thron! Er weiß, was in die Erde hineingeht und was aus ihr herauskommt; was vom Himmel herabsteigt und zum Himmel hinaufsteigt. Und Er ist mit euch, wo auch immer ihr euch befindet (das Resultat eures Daseins anhand der „Asma ul Husna", Seiner Schönen Namen). (Dies deutet auf das „Geheimnis des Todes" [Maiyyat Sirr] hin; wenn das Ego aufhört zu sein, also stirbt, dann zeigt sich das wahre „Ich".) Allah ist „Basir" über das, was ihr tut (da Er ihr Schöpfer ist).

5. Ihm gehört die Herrschaft über die Himmel und der Erde! Alle Angelegenheiten werden zu Allah zurückkehren.

6. Er transformiert die Nacht zum Tag und den Tag zur Nacht! Er, als ihre absolute Essenz (anhand Seiner Namen), weiß, was sich in ihrem Inneren befindet!

7. Glaubt an Allah (anhand der Bedeutung des Buchstabens „B") und an Seinen Rasul, eure essentielle Wahrheit anhand Seiner Namen. Gebt (um Seines Willens) von jenem, womit Er euch zu Stellvertretern gemacht hatte! Jene unter euch, die glauben und geben, für sie gibt es eine sehr große Belohnung.

8. Wieso glaubt ihr nicht an Allah, der eure essentielle Wahrheit anhand seiner Namen darstellt? Während der Rasul euch einlädt, an euren Rabb zu glauben, der euch mit Seinen Namen von der Nicht-Existenz zur Existenz brachte und sogar von euch euer Wort nahm! Falls ihr wahre Gläubige seid!

9. Er enthüllt eindeutige (detaillierte) Zeichen an Seinen Diener, damit dieser aus der Dunkelheit (der Ignoranz) zum Licht (des Wissens) geführt wird. Zweifelsohne ist Allah Ra'uf und Rahim zu euch.

10. Was ist mit euch los, dass ihr nicht gebt auf dem Wege Allahs, ohne eine Gegenleistung zu erwarten, wo doch das Erbe der Himmel und der Erde Allah gehört (ihr werdet letztendlich all eure scheinbaren Besitztümer hinter euch in dieser Welt lassen müssen)? Jene von euch, die gegeben haben, ohne eine Gegenleistung zu erwarten

und gekämpft hatten vor der Eroberung (Fath) sind nicht gleichwertig (mit jenen, die dies nicht getan hatten)! **Sie sind hochgradiger als jene, die nach** (der Eroberung) **gegeben und gekämpft hatten!** Allah hat all ihnen das Schönste versprochen. Allah ist „Khabir" über das, was ihr tut.

11. **Derjenige, der Allah ein gutes Darlehen leiht, für den wird es Allah vervielfachen und für ihn eine großzügige Rückkehr bereiten.**

12. **An diesem Tag wirst du die gläubigen Männer und Frauen mit ihrem Licht (Nuur) vor ihnen und auf ihrer rechten Seite, laufen sehen.** (Und es wird gesagt werden): „**Eure gute Nachricht heute sind die Paradiese, worunter Flüsse fließen werden, dort werdet ihr auf ewig leben! Dies ist die größte Errungenschaft überhaupt!**"

13. **An diesem Tag werden die heuchlerischen Männer und Frauen zu jenen, die geglaubt haben, sagen:** „**Wartet auf uns, so dass wir uns euer Licht zunutze machen können** (Nuur; das Wissen um die Wahrheit)." **Es wurde ihnen gesagt:** „**Geht zurück und eignet euch Licht an.**" **Und in diesem Augenblick wird zwischen ihnen ein Schleier mit einer Tür versehen sein, in seinem Inneren** (innere Welt) **wird Gnade sein, aber sein Äußeres besteht aus Leid und Qualen.**

14. **Sie** (die Heuchler) **werden sagen** (zu den Gläubigen): „**Waren wir nicht mit euch zusammen?**" **Sie werden sagen:** „**Ja, aber euer Selbst unterlag der Provokation** (ihr habt den Glauben nicht ausgelebt) **bis der Befehl von Allah** (der Tod) **kam und ihr habt gezweifelt und eure Einbildungen täuschten euch und die große Täuschung** (die konditionierten Gedanken in eurem Bewusstsein) **täuschte euch mit Allah** (täuschte euch mit der folgenden Einbildung: Da ihr durch Allah existiert, passiert nichts mit euch, was immer ihr auch tut.)**!**"

15. **Deshalb wird heute weder von euch** (den Heuchlern), **noch von den Leugnern der Wahrheit ein Lösegeld akzeptiert werden! Euer Zufluchtsort ist das Feuer... Dieses** (Feuer) **ist euer Meister... Was für ein elender Ort der Rückkehr das doch ist!**

16. **Ist nicht die Zeit für die Gläubigen gekommen, um in Ehrfurcht zu sein bei der Erinnerung an Allah und mit dem, welches mit der Wahrheit enthüllt wurde?** So dass sie nicht so wie jene werden, die vor ihnen ein Buch bekommen hatten (dass ihre Andacht nicht zur Tradition verkommen lassen und die spirituellen Übungen ausführen, indem sie nachdenken und spüren)! **Eine lange Periode ist über ihnen gekommen** (die Kinder Israels; ihre Spiritualität verfiel zu traditionellen Praktiken), **deshalb erhärteten sich ihre Herzen** (das, was sie taten, taten sie ohne nachzudenken und zu fühlen und verrichteten alles nur der Tradition wegen)! **Die meisten von ihnen** (die Juden) **sind korrupt im Glauben!**

17. **Ihr sollt genau wissen, dass Allah der Erde Leben geben wird, nach dessen Tod! Wir haben euch die Zeichen eindeutig erklärt, so dass ihr euren Verstand benutzen mögt.**

18. **Zweifelsohne wird es für Männer, die spenden und Frauen, die spenden und jene, die an Allah ein gutes Darlehen geben, multipliziert werden. Sie werden auch eine großzügige Belohnung erhalten.**

19. **Was jene anbelangt, die an Allah als ihre essentielle Wahrheit anhand Seiner Namen und an Seinen Rasul glauben, sie sind die Aufrichtigen** (Siddik) **und die wahren Märtyrer** (worauf in Surah 3:18 hingewiesen wird) **aus der Sichtweise ihres Rabbs!** Sie haben Belohnungen und „Nuur" (Erleuchtung durch Wissen. Sie haben sowohl an den Rasul als auch an den Nabi geglaubt). **Jene, die das Wissen um die Wahrheit leugnen**

und die Zeichen Unserer Namen in ihrer Essenz dementieren, sind die Gefährten der Hölle.

20. **Ihr sollt genau wissen, dass das Leben auf dieser Welt lediglich ein Vergnügen, eine Ablenkung, eine Verzierung ist; ein gegenseitiges Prahlen und ein Wettbewerb bei der Vermehrung des Vermögens und der Kinder ist.** Wie in dem Beispiel vom Regen: Mit der Ernte, welcher durch den Regen wächst, werden sie glücklich, aber danach trocknet das Grüne, färbt sich gelb und wird zu Staub! Und im ewigen, zukünftigen Leben gibt es entweder ein extremes Leiden oder Vergebung und die Zufriedenheit Allahs. **Die weltlichen Dinge sind nichts weiter als eine Selbsttäuschung.**

21. **Deshalb rennt um Vergebung zu eurem Rabb und zu einem Paradies, dessen Weite so groß ist, wie der Himmel und die Erde, für jene vorbereitet, die an Allah** (als ihre essentielle Wahrheit anhand Seiner Namen) **und an Seinem Rasul glauben!** Und das ist die Gunst Allahs, welche Er gibt, wem Er will. Allah ist „Dhul Fazlul Aziym" (der Besitzer von gewaltiger Gunst).

22. **Kein Elend befällt euch auf der Erde** (in euren physischen Körper und in eurer Außenwelt) **oder in eurem Selbst** (eure innere Welt), **welches nicht schon in einem Buch aufgeschrieben worden wäre** (geformt in der Dimension des Wissens), **bevor Wir es erschaffen!** Zweifelsohne ist dies für Allah leicht.

23. **Wir informieren euch darüber, damit ihr nicht über eure Verluste traurig seid oder** (voller Stolz) **jubelt über jenes, welches Wir euch gegeben haben.** Allah liebt keine Personen, die prahlen oder arrogant sind!

24. **Das sind jene, die geizen und dem Volk das Geizen auferlegen!** Wer auch immer sich (von Allah) abwendet, wahrlich ist Allah „Ghani" und „Hamid".

25. **Zweifelsohne haben Wir Unsere Rasuls als eindeutige Zeichen, das Wissen um die Wahrheit und auch der Sunnatullah und das Gleichgewicht** (Urteilsvermögen) **enthüllt, so dass die Menschen die Gerechtigkeit aufrecht erhalten. Und Wir ließen das Eisen** (Hadid) **enthüllen, worin sich eine gewaltige Kraft befindet und Nutzen für die Menschen hat** (vorhanden im Blut; Magma - die Beziehung des Eisens im menschlichen Körper?), **so dass Allah wissen möge, wer Ihm und Seine Rasuls im „Ghaib"** (das Nicht-Wahrzunehmende; Frequenzen jenseits des elektromagnetischen Spektrums der fünf Sinne) **behilflich ist. Definitiv ist Allah „Kawwi", „Aziz".**

26. **Zweifelsohne haben Wir auch Noah und Abraham enthüllt. Wir formten „Nubuwwah" und das Buch** (das Wissen um die Wahrheit und Sunnatullah) **auch für ihre Nachkommen!** Es gibt welche unter ihnen, die die Wahrheit erreicht haben. Aber die Mehrheit von ihnen sind Personen mit korruptem Glauben!

27. **Dann verstärkten Wir ihre Werke durch Unsere Rasuls und mit Jesus und gaben ihm das Evangelium** (das Wissen, welches erfreuliche Nachrichten enthielt). **In den Herzen jener, die sich Ihm ergeben hatten, formten wir Mitleid, grenzenlose Toleranz und Gnade und das Klosterleben** (das Erreichen von Allah), **jedoch haben sie die Übungen der Priesterschaft, welche sie zu diesem Zwecke praktiziert haben, erfunden** (aus Furcht veränderten sie es zum Mönchtum). **Wobei Wir ihnen nicht** (das Klosterleben) **als Pflicht auferlegt hatten.** Aber sie führten dies nur ein, um die Zufriedenheit Allahs (die Segen des Paradieses) zu erlangen. Aber sie haben sich nicht gebührend danach gerichtet! Wir gaben den Gläubigen unter ihnen Belohnungen. Aber die Mehrheit von ihnen (die Priester) sind korrupt im Glauben!

28. Oh Gläubige! Beschützt euch vor Allah und glaubt an die Enthüllung Seiner Namen durch Seinen Rasul, so dass Er euch einen doppelten Anteil von Seiner Gnade geben möge und für euch ein „Nuur" (Licht: Erleuchtung durch Wissen) formen möge, womit ihr läuft und euch vergeben werden möge. Allah ist „Ghafur", „Rahim".

29. Dies ist so, damit die Leute des Buches (jene, denen die Religion, also das Wissen um die Wahrheit, gegeben wurde) wissen, dass sie nichts von der Gunst Allahs erreichen können. Es soll bekannt werden, dass die Gunst sicherlich durch die Hand Allahs erfolgt (nicht anhand ihres eigenen Erwerbs) und Er gibt es, wem Er will. Allah ist „Dhul-Fadhlul Azim" (der Besitzer von gewaltiger Gunst).

58 - AL-MUDSCHADILA

Mit demjenigen, der durch den Namen Allah erwähnt wird (der mein Wesen mit Seine Namen erschaffen hat im Anwendungsbereich des Buchstabens „B"), der **Rahman** und **Rahim** ist.

1. **Allah hat definitiv die Wörter derjenigen gehört, die mit dir bezüglich ihres Ehemannes streitet und ihre Beschwerde an Allah richtet.** Allah hört die Diskussion der beiden; zweifelsohne ist Allah „Sami", „Basir".

2. **Jene unter euch, die sich von ihren Ehefrauen trennen, indem sie sagen: „Du bist für mich wie meine Mutter** (eine arabische, heidnische Praxis)," **sollten wissen, dass** (ihre Frauen) **nicht ihre Mütter sind! Ihre Mütter sind nur jene, die sie gebären! Zweifelsohne äußern sie ein grundloses und abscheuliches Wort! In der Tat ist Allah „Afuw"** (der grenzenlos Vergebende) **und „Ghafur".**

3. **Und jene, die solche Dinge äußern** (und sich von ihren Frauen trennen) **und zurückkehren zu dem, was sie für sich beanspruchen** (sich mit ihren Frauen wieder vereinen möchten), **müssen zuerst einen Sklaven befreien, bevor sie eine Beziehung mit ihren Frauen haben können! Dies ist es, was euch empfohlen wurde... Allah ist „Khabiyr" über das, was ihr tut** (weil Er derjenige ist, der sie erschaffen hat).

4. **Derjenige, der keinen Sklaven zum Befreien finden kann, muss zwei aufeinanderfolgende Monate fasten, bevor er eine Beziehung mit seiner Frau haben kann. Und wem dies nicht möglich ist** (als Sühne für zwei Monate zu fasten), **der muss sechzig bedürftigen Menschen Nahrung geben. Diese** (Gesetze) **sind für euch, damit ihr euren Glauben an Allah, welcher eure essentielle Wahrheit darstellt und Seinem Rasul erfährt; dies sind Grenzen, die Allah auferlegt hat. Und für jene, die das Wissen um die Wahrheit leugnen, gibt es ein tragisches Leiden.**

5. **Zweifelsohne wurden jene, die sich Allah und Seinem Rasul entgegenstellten, erniedrigt wie jene, die vor ihnen erniedrigt wurden. Wobei Wir wirklich eindeutige Zeichen enthüllen ließen. Es gibt ein erniedrigendes, in eine schändliche Lage versetzendes Leiden für jene, die das Wissen um die Wahrheit leugnen.**

6. **Der Tag wird kommen an dem Allah sie alle auferstehen lassen wird** (sie in einer neuen Dimension mit einer neuen Eigenschaft zum Leben zu erwecken) **und sie darüber zu informieren, was sie getan hatten. Allah hat es gespeichert** (was sich durch sie manifestiert hatte), **aber sie hatten es vergessen. Allah ist „Schahid" über alle Dinge.**

7. **Verstehst du denn nicht, dass Allah alles weiß, was es in den Himmeln und der Erde gibt! Es gibt kein Geflüster, welches zwischen drei** (Menschen) **erfolgt, wo Er nicht der Vierte unter ihnen ist. Falls es fünf von ihnen gäbe** (die untereinander flüstern), **dann wäre er der Sechste unter ihnen. Egal ob sie weniger als das oder mehr wären, wo auch immer sie sich befinden, Er ist mit ihnen zusammen** (denn Er umfasst ihr Wesen anhand Seiner Namen – als sie ein Nichts waren, hat Er sie erschaffen... aus dem Nichts erschaffen und wieder zu Nichts zu werden anhand der Einheit der Existenz – Non-Dualität- „Maiyyat Sirr"=das Geheimnis bzgl. des Todes)! **Dann wird Allah am Tag der Auferstehung ihnen mitteilen, was sie getan hatten! Zweifelsohne weiß Allah alle Dinge** (denn Er umfasst ihre Essenz anhand Seiner Namen).

8. Hast du nicht jene gesehen, denen das Flüstern verboten war (Heuchelei, Doppelzüngigkeit), **aber dennoch zu dem zurückgekehrt sind, was ihnen verboten wurde? Sie flüstern untereinander über Böses, Feindschaft und Aufruhr gegenüber dem Rasul. Wenn sie** (die Juden) **zu dir kommen, dann begrüßen sie dich mit dem, womit Allah dich nicht grüßt, aber in ihrem Inneren sagen sie:** „Falls das, was wir gesagt haben, falsch wäre, dann hätte uns Allah bestraft." **Die Hölle ist ausreichend für sie! Sie werden dem ausgesetzt sein. Was für ein elender Ort der Rückkehr!**

Anmerkung:

Aufgrund der phonetischen Ähnlichkeit in ihrer Sprache hatten die Juden mit Absicht bestimmte Wörter und Ausdrücke falsch ausgesprochen. Z.B. anstatt „as Salaamu alaikum" (Friede sei mit dir) hatten sie „as Samu alaikum" gesagt, welches „der Tod sei mit dir" bedeutet. Zu solchen Begrüßungen hatte der Rasul nur erwidert „alaikum (zu dir)" anstatt „wa alaikum" (zu dir auch), hinweisend darauf, dass er solch einen bösen Fluch nicht auf sich nahm. Als Hz. Aischa (r.a.) einmal zu solch einem Gruß Folgendes antwortete: „Der Tod soll mit euch sein, möge der Fluch und der Zorn Allahs auf euch sein," da warnte der Rasul sie, dass Allah nicht jene liebt, die mehr sagen als nötig ist. Daran kann man erkennen, dass die Reaktion von ihr nicht angemessen ist zu dem, was vorher erfolgte. Sie wurde vor einer übertriebenen Reaktion ermahnt (reaktives Verhalten soll verhindert werden).

9. Oh Gläubige... Wenn ihr untereinander flüstert, dann flüstert nicht über Böses, Feindschaft und Aufruhr gegenüber dem Rasul. Flüstert über Verhaltensweisen, die euch Nähe (zu Allah) **ermöglichen und Schutz geben** (Al Birr und Takwa). **Beschützt euch vor Allah, zu dem ihr versammelt werdet** (und der euch der Konsequenzen eurer falschen Taten aussetzen wird)!

10. Das Flüstern (welches eine Schuld mit sich bringt) **kommt vom Satan** (Gedanken, welche ihren Ursprung vom Ego nehmen; das Unterbewusstsein, welches auf den niedrigsten Bewusstseinszustand programmiert ist, d.h. man sieht sich nur als einen Körper aus Fleisch und Blut), **um den Gläubigen Kummer zu geben! Außer mit der Erlaubnis von Allah, kann er in ihnen** (den Gläubigen) **keinen Schaden manifestieren. Lasst die Gläubigen ihr Vertrauen in Allah setzen.**

11. Oh Gläubige... Wenn euch gesagt wird, dass ihr Platz machen sollt an Orten der Versammlung, dann macht Platz, damit Allah euren Platz erweitern möge! Und wenn euch gesagt wird, dass ihr aufstehen sollt, dann steht auf, damit Allah diejenigen unter euch, die glauben und denen das Wissen gegeben wurde, anhand von Rängen erhöhen möge. Allah ist „Khabiyr" über das, was ihr tut. (Khabiyr: Derjenige, der alles anhand der Eigenschaften Seiner Namen aus dem Nichts existieren lässt (hervorbringt); Er ist von ihren Zuständen jenseits der Zeit und des Raumes informiert. Allah weiß Bescheid. A.H.)

12. Oh Gläubige! Wenn ihr mit dem Rasul privat (unter vier Augen) **sprecht, spendet vor diesem privaten Gespräch. Dies ist besser und reiner für euch. Aber falls ihr nicht die Möglichkeit habt, dann ist Allah definitiv „Ghafur", „Rahim".**

13. Ihr habt euch davor gefürchtet vor dem Gespräch (mit dem Rasul), **Spenden zu geben. Obwohl ihr dies nicht getan habt** (aufgrund eures Geizes), **hatte Allah eure Reue akzeptiert. Etabliert endlich das „Salaah"** (die Hinwendung zu Allah) **und spendet; gehorcht Allah und Seinem Rasul! Allah ist „Khabiyr" über das, was ihr tut.**

14. Hast du nicht jene gesehen, die sich mit Gemeinden befreundet hatten, welche den Zorn von Allah auf sich genommen hatten? Sie gehören weder zu euch, noch zu ihnen; und obwohl sie dies wissen, schwören sie auf eine Lüge.

15. Allah hat ein strenges Leiden für sie vorbereitet. Elend ist das, was sie tun!

16. Sie nahmen ihren Schwur als Schutz und verhinderten den Weg zu Allah. Es gibt für sie ein erniedrigendes Leiden.

17. Weder ihr Wohlstand, noch ihre Kinder werden sie retten können vor dem, was von Allah zu ihnen kommen wird! Sie sind die Gefährten des Feuers. Und sie werden auf ewig dort sein.

18. Der Tag wird kommen und Allah wird sie alle auferstehen lassen und sie werden zu Allah schwören, wie sie zu dir geschworen hatten, in der Annahme, dass sie richtig gedacht haben. Nehmt acht, sie sind die Lügner schlechthin!

19. Satan (der Gedanke nur aus dem physischen Körper zu bestehen) hat sie übermannt und ihnen die Erinnerung an Allah vergessen lassen (ihre eigene Wahrheit, an die sie erinnert wurden und dass sie ihre Körper verlassen werden und ewig leben werden als „reines Bewusstsein" bestehend aus den Namen von Allah!). Jene (die empfänglich von satanischen Impulsen sind und sich nur aus einem Körper aus Fleisch und Blut bestehend akzeptieren) gehören der Partei Satans an. Nehmt acht, definitiv gehört die Partei Satans zu den wahren Verlierern!

20. Zweifelsohne gehören jene, die sich Allah und Seinem Rasul entgegenstellen, zu denen, die am meisten erniedrigt wurden!

21. Allah hat geschrieben: „Ich und Meine Rasuls sind unfehlbare Sieger!" Zweifelsohne ist Allah „Kawwi", „Aziz".

22. Ihr könnt das Volk, welches an Allah als ihre essentielle Wahrheit und an das ewige Leben glaubt, nicht mit jenen befreundet vorfinden, die sich Allah und Seinem Rasul entgegenstellen. Selbst, wenn es sich um ihre Väter oder Söhne oder Brüder oder Stammesmitglieder handelt. Sie sind diejenigen, in dessen Herzen (Bewusstsein) Allah den Glauben eingraviert hat (das Ausleben des Glaubens befähigt hatte) und sie gestärkt hatte von seitens der Seele. Er wird sie mit einschließen in Paradiese unter denen Flüsse fließen, worin sie auf ewig bleiben werden. Allah ist mit ihnen zufrieden und sie sind mit Ihm zufrieden. Sie sind die Partei Allahs. Nehmt acht, gewiss ist die Partei Allahs, die eigentliche Errettung selbst!

Mit demjenigen, der durch den Namen Allah erwähnt wird (der mein Wesen mit Seine Namen erschaffen hat im Anwendungsbereich des Buchstabens „B"), **der Rahman und Rahim ist.**

1. **Was auch immer sich in den Himmeln und auf der Erde befindet, ist für das Glorifizieren von Allah da** (ihre Dienerschaft wird ausgeführt, indem für die jeweiligen angesehen Funktionen die Namen manifestiert werden). **Er ist „Aziz" und „Hakim".**

2. **Er ist es, der jene unter den Kennern des Buches aus ihrer Heimat vertrieben hatte, die das Wissen um die Wahrheit geleugnet hatten und als sie sich für den Krieg versammelt hatten** (bevor der Krieg begonnen hatte). **Ihr hattet niemals gedacht, dass sie** (ihre Heimat) **verlassen würden. Und sie dachten, dass ihre Burgen sie gegen Allah beschützen würde! Aber Allah kam zu ihnen von einer Seite, von wo sie es am wenigsten erwartet hatten und versetzte ihre Herzen in Angst! Mit ihren eigenen Händen und mit den Händen der Gläubigen rissen sie ihre Häuser nieder! Oh ihr, die Einsicht besitzt, zieht eine Lehre daraus!**

3. **Falls Allah nicht den Exil für sie vorgeschrieben hätte, dann würde Er sie definitiv mit Qualen in dieser Welt gepeinigt haben. Aber es gibt für sie im ewigen Leben die Qualen des Feuers.**

4. **Denn sie hatten sich getrennt von Allah und Seinem Rasul. Und wer auch immer seine Bindung zu Allah trennt** (derjenige, der die Namen, die seine Essenz, seine Seele und sein ewiges Leben ausmachen, leugnet und seine Existenz nur auf seinen sterblichen, physischen Körper begrenzt), **zweifelsohne ist Allah streng in der Bestrafung** (Schadid ul Ikab).

5. **Falls ihr** (jene, die zum Krieg gehen wollten) **von ihren Palmenbäumen abgeholzt habt oder ihr sie mit den Wurzeln gelassen habt, es war durch die Erlaubnis von Allah** (Biiznillah), **damit Er jene mit korruptem Glauben erniedrigen und entehren kann.**

6. **Was die Kriegsbeute von ihnen anbetrifft, die Allah Seinem Rasul gab... Ihr habt dafür weder einem Pferd die Sporen gegeben, noch ein Kamel geritten! Aber Allah lenkt Seine Rasuls auf jene aus, die Er will. Allah ist Kaadir über alle Dinge.**

7. **Und die Kriegsbeute, die Allah Seinem Rasul gab aus den eroberten Gebieten, wo kein Krieg geführt werden musste, sind für den Rasul, seine Verwandten, die Waisen, die Bedürftigen und die Reisenden.** (Und so wurde es beschlossen) **damit** (die Existenz) **nicht** (nur) **unter den Reichen von euch aufgeteilt wird! Nehmt was auch immer der Rasul euch gegeben hat und bleibt fern von den Dingen, die er euch verbietet. Beschützt euch vor Allah** (denn Er wird euch definitiv den Konsequenzen eurer Taten unterwerfen und sie euch ausleben lassen). **Zweifelsohne ist Allah streng in Bestrafung.**

8. (Diese Kriegsbeute) **ist für die bedürftigen Auswanderer, die aus ihren Häusern und von ihren Besitztümern vertrieben wurden, weil sie die Gunst und die Zufriedenheit Allahs wollten und weil sie Allah und Seinen Rasul unterstützt hatten. Sie sind die wahren Aufrichtigen** (Sadik)!

9. **Und diejenigen, die sich vor ihnen** (den Auswanderern) **in dieser Heimat** (Medina) **angesiedelt und den Glauben angenommen hatten, lieben jene, die zu ihnen auswandern. Sie hegen keinen Wunsch oder Begierde in ihren Herzen für das, was**

gegeben wurde (zu den Auswanderern). Selbst, wenn sie bedürftig wären, würden sie (den Auswanderern) den Vorzug gewähren. Wer sein Selbst (sein Bewusstsein) vor seinem eigenen Geiz und Ambitionen schützt, der gehört zu jenen, die die Rettung erfahren werden (Muflihun).

10. Jene, die nach ihnen kommen, werden sagen: „Unser Rabb, vergib uns und unseren Brüdern, die vor uns den Glauben angenommen hatten und lass in unseren Herzen für die Gläubigen keine fehlerhaften Gedanken oder Gefühle aufkommen. Unser Rabb, zweifelsohne bist Du „Rauf" und „Rahim"."

11. Hast du nicht jene Doppelzüngige (Heuchler unter den Juden) gesehen, die zu ihren ungläubigen Brüdern unter den Kennern des Buches (die Juden des Stammes Banu Nadir) sagten: „Falls ihr (aus eurer Heimat) vertrieben werdet, werden wir definitiv mit euch gehen! Und wir werden niemals irgendjemanden zuhören, die gegen euch sind! Und falls sie Krieg gegen euch führen, werden wir definitiv euch helfen." Allah ist Zeuge, dass sie definitiv Lügner sind!

12. Zweifelsohne, falls sie (aus ihrer Heimat) vertrieben werden, werden sie nicht mit ihnen gehen! Zweifelsohne, wenn Krieg gegen sie geführt wird, werden sie ihnen nicht helfen! Und wenn sie helfen würden, würden sie sich abwenden und fliehen! Dann wird ihnen nicht geholfen werden.

13. Gewiss ist ihre Furcht euch gegenüber größer als ihre Furcht zu Allah! Dies liegt daran, weil sie ein Volk ohne Verstand sind.

14. Sie werden mit euch nur in befestigten Gegenden (wie einkreisende Burgen) oder hinter Wänden kämpfen. Und sie haben gewaltige Probleme und Nöte unter sich selbst. Du denkst, sie wären vereint, obwohl sie unterschiedliche Meinungen besitzen. Dies kommt daher, weil sie eine Gemeinschaft sind, welche nicht ihren Verstand benutzen kann.

15. Das Gleichnis von ihnen (jene Juden) ist wie diejenigen, die kürzlich die Konsequenzen ihrer Taten gekostet hatten (bei der Schlacht von Badr) und für die es ein strenges Leiden geben wird (im ewigen, zukünftigen Leben).

16. (Der lehrreiche Zustand der heuchlerischen Juden ist) wie der lehrreiche Zustand vom Satan, der zum Menschen sagt: „Leugne (bedecke die Wahrheit und erfreue dich an den niedrigsten Zuständen des Physischen)!" Aber wenn der (Mensch) leugnet (seine essentielle Wahrheit und in diesem Zustand blockiert wird), dann sagt er: „Zweifelsohne assoziiere ich mich nicht mit dir! Zweifelsohne fürchte ich Allah, den Rabb der Welten."

17. Und so werden beide am Ende im Feuer sein, worin sie auf ewig leben werden! Dies ist die Konsequenz für diejenigen, die „Zalim" sind (ihre eigene Wahrheit und Essenz leugnen und zudecken).

18. Oh Gläubige, beschützt euch vor Allah! Und schaut, was jedes Selbst für morgen vorbereitet hat (das Leben nach dem Tod)! Beschützt euch vor Allah! Zweifelsohne ist Allah, als euer Schöpfer anhand Seiner Namen, „Khabiyr" über das, was ihr tut.

19. Und seid nicht wie jene, die Allah vergessen haben, wodurch ihnen Allah ihr Selbst (ihre eigene Wahrheit und Essenz) vergessen lassen hat. Sie sind korrupt im Glauben!

20. Nicht gleichwertig sind die Leute des Feuers und die Leute des Paradieses. Die Leute des Paradieses sind jene, die die wahre Errettung erzielen!

21. Wenn Wir diesen Koran (die Wahrheit, über die informiert wird) **an einem Berg** (das Ego-Bewusstein) **enthüllen ließen, würde er** (der Berg) **sicher vor Allah** (derjenige, der mit diesem Namen bezeichnet wird) **mit „Khaschyat"** (Ehrfurcht- aufgrund der Gewaltigkeit und Mächtigkeit des wahren „Ichs" entsteht die Nichtigkeit des Egos) **in Demut stehen, du würdest sehen, wie er sich zerspalten würde! So geben Wir diese BEISPIELE** (symbolische Erklärungen), **damit der Mensch sich in „Tafakkur"** (tiefes Nachdenken) **begibt!**

22. „Hu" Allah, es gibt keinen Gott, nur „Hu"! Derjenige, der ständig „Aliym" über das Ghaib (das Nicht-Wahrnehmbare) **und die Bezeugung dessen ist!** „Hu", ist Ar-Rahman (derjenige, der über alle Eigenschaften Seiner Namen verfügt), Ar-Rahiym (derjenige, der all seine Namen manifestiert- der mit diesen Eigenschaften die Betrachtung der Dimension der Taten auslebt).

23. „Hu" Allah, es gibt keinen Gott, nur „Hu"! Er ist „Malik" (derjenige, der die wahre Entscheidung in der Dimension der Taten trifft), **Er ist „Kuddus"** (unabhängig vom Begriff der Schöpfung), **Er ist „Salaam"** (derjenige, der in den Geschöpfen den Zustand der Nähe formt und das „Maiyyat" Geheimnis manifestiert), **Er ist „Mumin"** (derjenige, der Glauben manifestieren lässt und seine Wahrheit bezeugen lässt), **Er ist „Muhaymin"** (derjenige, der schützt und behütet; derjenige, der die Schöpfung in der Beobachtung seiner wundervollen Grenzenlosigkeit/Gewaltigkeit bestehen lässt), **Er ist „Aziyz"** (es ist unmöglich, Ihm etwas entgegenzustellen; derjenige, der tut, was Er will), **Er ist „Dschabbar"** (derjenige, der seinen Willen zwingend etabliert) **und „Mutakabbir"** (der wahre Einzige, Stolze {das wahre „ICH"})! Allâh ist „Subhan" von den Gottesbegriffen, die sie mit Ihm assoziieren (Subhan: „Glorreich und erhaben" dadurch, weil Er sich in jedem Moment in einem neuen Zustand befindet)!

24. Er ist Allah „Khaalik" (der wahre Schöpfer – der seine Eigenschaften der Namen zu Taten verwandelt), **„Bâri"** (derjenige, der jedes seiner Geschöpfe in Zeit und Eigenschaft gänzlich mit Harmonie in detaillierter Weise hervorbringt), **„Musawwir"** (derjenige, der unendliche Formen der Bedeutungen manifestiert), **die „Asma ul Husna"** (die schönen Namen) **gehören Ihm! Was es auch in den Himmeln und auf der Erde gibt, ist zum „Glorifizieren"** (Tasbih: mit der Funktion, die sie hervorbringen, manifestieren sie die Eigenschaften der Namen, wodurch sie Ihm dienen) **von Allah; „HU" ist „Aziyz" und „Hakiym".**

Mit demjenigen, der durch den Namen Allah erwähnt wird (der mein Wesen mit Seine Namen erschaffen hat im Anwendungsbereich des Buchstabens „B"), der **Rahman und Rahim ist.**

1. **Oh Gläubige! Befreundet** (alliiert) **euch nicht mit jenen, die Meine und eure Feinde sind! Ihr bietet ihnen Liebe an, obwohl sie das ablehnen, was zu euch als Wahrheit gekommen ist; sie hatten euch und den Rasul** (aus euren Häusern) **vertrieben, nur weil ihr an Allah glaubt, der der Rabb eurer Essenz darstellt anhand Seiner Namen. Falls ihr hinausgeht, um MEINETWEGEN** (nicht aufgrund des Egos) **zu kämpfen** (Dschihad= der Kampf/die Anstrengung gegen das Ego; auch im Falle des Krieges, welcher den „kleinen Dschihad" darstellt.) **und Meine Zufriedenheit ersucht** (dann nehmt sie nicht als Freunde an), **obwohl ihr eure Liebe für sie verheimlicht** (im Inneren). **Ich weiß, was ihr verheimlicht und was ihr veröffentlicht! Wer auch immer dies unter euch tut, ist in der Tat vom ausgeglichenen Weg abgewichen.**

2. **Falls sie über euch die Oberhand gewinnen, werden sie zu euren Feinden werden. Sie werden ihre Hände und Zungen** (ihre Sprachweise) **zu euch ausstrecken mit böser Absicht und sie werden sich sehnlichst wünschen, dass ihr das Wissen um die Wahrheit leugnet.**

3. **Weder eure Verwandten, noch eure Kinder werden euch keineswegs Nutzen bringen! Während des Tages der Auferstehung trennt Er euch! Allah ist Basiyr über das, was ihr tut.**

4. **Es gibt für euch ein wirklich gutes Beispiel anhand von Abraham und jenen, die ihm gefolgt sind. Als sie zu ihrem Volk sagten: „Sicherlich sind wir von euch und jenen, die ihr neben Allah dient, weit entfernt! Wir lehnen und weisen euch ab. Zwischen uns ist eine ewige Feindschaft bis ihr an die Einheit Allahs glaubt." Nur zu seinem Vater sagte Abraham: „Ich werde für dich auf jeden Fall um Vergebung bitten, aber ich besitze keine Kraft über Allahs Kraft hinaus** (außerhalb des Betens für dich)." **Dann betete er: „Unser Rabb, in Dir haben wir unser Vertrauen gesetzt und zu Dir haben wir uns gewendet, die Rückkehr ist zu Dir!"**

5. **„Unser Rabb! Mache aus uns nicht Objekte der Prüfungen für jene, die das Wissen um die Wahrheit leugnen. Vergib uns, unser Rabb! Zweifelsohne bist Du „Aziz", „Hakim"."**

6. **Sicherlich ist in ihnen** (Abraham und seine Gefährten) **ein gutes Beispiel für jene, die ihre Hoffnung auf Allah und** (der Erfahrung des) **ewigen, zukünftigen Lebens setzen. Wer auch immer sich abwendet von Allah, gewiss ist Allah „Ghani", „Hamid".**

7. **Vielleicht wird Allah Liebe zwischen euch und euren Feinden erzeugen. Allah ist „Kaadir". Allah ist „Ghafur", „Rahim".**

8. **Allah hindert euch nicht daran freundlich und gerecht zu jenen zu sein, die nicht aufgrund eurer Religion gegen euch gekämpft hatten und euch nicht aus euren Häusern vertrieben hatten. Zweifelsohne liebt Allah jene, die gerecht sind** (die allem und jedem das gebührende Recht zukommen lassen).

9. Allah verbietet euch nur mit jenen befreundet zu sein, die aufgrund eurer Religion gegen euch gekämpft hatten, die euch aus euren Häusern vertrieben hatten und auch anderen geholfen hatten, dies zu tun. Und wer auch immer sich mit ihnen befreundet, sind die wahren Grausamen!

10. Oh Gläubige... Wenn die gläubigen Frauen zu euch als Flüchtlinge kommen, befragt sie. Ihr Glaube ist Allah bestens bekannt. Aber falls ihr sie als wahre Gläubige anseht, dann lasst sie nicht zu den Leugnern der Wahrheit zurückkehren. Weder sind sie für sie (den Leugnern) erlaubt, noch sind sie für sie (die gläubigen Frauen) erlaubt. Gebt ihnen (den Leugnern) jenes zurück, was sie ihnen gegeben hatten (die Mitgift). Euch trifft keine Schuld, wenn ihr sie heiratet, angenommen ihr gebt ihnen ihre Mitgift. Aber haltet nicht eure Ehen aufrecht mit Frauen, die das Wissen um die Wahrheit leugnen... Verlangt danach, was ihr für sie ausgegeben habt und lasst sie auch danach verlangen, was sie ausgegeben hatten. Dies ist das Urteil von Allah. Er urteilt unter euch. Allah ist „Aliym", „Hakim".

11. Falls irgendeine eurer Frauen euch verlässt und zu den Leugnern geht und falls irgendwelche ihrer Frauen zu euch kommen oder ihr sie gefangen nehmt, dann gebt jenen, die von ihren Frauen verlassen wurden, den Gleichwert der Mitgift, welche sie ihnen gegeben hatten. Und beschützt euch vor Allah, denn ihr seid jene, die an Ihm glauben.

12. Oh Nabi! Wenn die gläubigen Frauen zu dir kommen und den Eid leisten, nichts mit Allah, ihrer essentiellen Wahrheit, zu assoziieren, und den Eid leisten, nicht zu stehlen, keinen Ehebruch zu begehen, ihre Kinder nicht zu töten oder keine Verleumdung auszusprechen zwischen ihren Armen und Beinen, welches sie erfunden hatten und sich nicht entgegenzustellen zwischen dem, was du ihnen auferlegt hast, dann akzeptiere ihren Eid und bitte Allah um Vergebung für sie. Zweifelsohne ist Allah „Ghafur", „Rahim".

13. Oh Gläubige! Befreundet euch nicht mit jenen, welche den Zorn Allahs auf sich gezogen haben, jene, die keine Hoffnung darauf haben am ewigen, zukünftigen Leben; genauso wie die Leugner der Wahrheit all ihre Hoffnung bezüglich des Volkes im Grabe aufgegeben haben.

Mit demjenigen, der durch den Namen Allah erwähnt wird (der mein Wesen mit Seine Namen erschaffen hat im Anwendungsbereich des Buchstabens „B"), der Rahman und Rahim ist.

1. Was auch immer sich in den Himmeln und auf der Erde befindet, glorifiziert (führen den Zweck ihrer Schöpfung aus, indem sie ihre Funktionen erfüllen) Allah! HU ist „Aziz", „Hakim".

2. Oh Gläubige... Warum sagt ihr Dinge, die ihr nicht tun werdet?

3. Dinge zu sagen, welche ihr nicht tun werdet, ist aus der Sichtweise Allahs abscheulich!

4. Allah liebt jene, die auf Seinem Wege kämpfen, aufgereiht wie ein einziger, fester Bau aus Stahl.

5. Und als Moses zu seinem Volk sagte: „Oh mein Volk... Warum schadet ihr mir, obwohl ihr wisst, dass ich der Rasul von Allah bin (enthüllt) für euch?" Aber als sie sich (von der Wahrheit) entfernt hatten, wandte Allah ihre Herzen ab (von der Wahrheit, so dass sie es nicht mehr wahrnehmen konnten)! Allah führt jene, die korrupt im Glauben sind, nicht zur Wahrheit.

6. Und als Jesus, der Sohn Marias, sagte: „Oh Kinder Israels... Zweifelsohne bin ich für euch ein Rasul von Allah! Um das zu bestätigen von der Tora, was vor mir kam und um euch die erfreuliche Nachricht von jenem Rasul namens AHMAD zu überbringen, der nach mir kommen wird." Aber als sie als Wunder kamen, sagten sie: „Ganz eindeutig ist dies eine Magie."

Anmerkung:

Der Rasulallah (saw) erläutert bezüglich des Verses: „Mein Name in der Tora ist „Ahyad" (derjenige, der distanziert), denn ich entferne mein Volk vom Feuer. Mein Name in den Psalmen ist „Al Mahi" (derjenige, der löscht), denn Allah hat mit mir jene gelöscht, die Götzen gedient hatten. Mein Name im Evangelium ist „Ahmad" (derjenige, der „Hamd" [bewertet] gibt als die Reflexion der Absoluten Essenz). Und mein Name im Koran ist „Mohammad" (derjenige, zu dem „Hamd" kontinuierlich gemacht wird), denn ich bin der „Mahmud" (derjenige, der bewertet wird) unter den Kennern der Himmel und der Erde."

7. Und wer ist grausamer als jemand, der bezüglich Allah verleumdet (die Existenz eines „anderen" annimmt neben Allah), obwohl er zum Islam eingeladen wurde? Allah führt das Volk, welches sich selbst schadet, nicht zur Wahrheit!

8. Sie wollen die „Nuur" (Licht des Wissens) von Allah mit ihren Mündern (leerem Gerede) auslöschen. Aber Allah ist derjenige, der Seine „Nuur" zur Vollkommenheit bringt. Selbst wenn diejenigen, die das Wissen um die Wahrheit leugnen, es nicht gefällt!

9. Er ist es, der Seinen Rasul enthüllt hatte anhand der Wahrheit und der Realität und mit der Religion der Wahrheit (das absolute Wissen des Systems und der Sunnatullah). Selbst wenn es den Dualisten nicht gefällt!

10. Oh Gläubige... Lasst mich euch einen Handel zeigen, welcher euch von einem gewaltigen Leiden retten wird.

11. Glaubt an Allah, der eure essentielle Wahrheit anhand Seiner Namen darstellt und an Seinen Rasul und bemüht euch auf dem Wege Allahs, ohne irgendeine Gegenleistung zu erwarten, anhand eurer Besitztümer und eures Seins! Dies ist besser für euch, wenn ihr es doch nur begreifen könntet!

12. (Dann) wird Er eure Fehler verdecken, die von eurem Ego stammen und Er wird euch in Paradiesen Eintritt gewähren, unter denen Flüsse fließen und zu reinen Behausungen in Paradiesen voller Segen einbeziehen. Dies ist die gewaltige Errettung!

13. Und es gibt mehr, welches ihr lieben werdet: „NasrulAllah" (Hilfe seitens Allah) und ein „Fath ul Kariyb" (die Eroberung der Nähe; die Erfahrung von göttlicher Nähe)! Deshalb gibt den Gläubigen die erfreulichen Nachrichten!

14. Oh Gläubige, seid die Unterstützer von Allah; auf die gleiche Weise als Jesus, der Sohn Marias, zu seinen Jüngern sagte: „Wer sind meine Unterstützer bezüglich Allah?" Und seine Jünger sagten: „Wir sind die Unterstützer Allahs!" Ein Teil der Kinder Israels glaubten und ein Teil leugnete (die Wahrheit). Also unterstützten Wir jene, die gegen ihre Feinde geglaubt hatten und sie wurden die Überlegenen.

Mit demjenigen, der durch den Namen Allah erwähnt wird (der mein Wesen mit Seine Namen erschaffen hat im Anwendungsbereich des Buchstabens „B"), der Rahman und Rahim ist.

1. Was auch immer sich in den Himmeln und auf der Erde befindet, glorifiziert (Tasbih: anhand ihrer einzigartigen Dispositionen führen sie ihre Funktionen aus) Allah, der „Malik", „Kuddus", „Aziz" und „Hakim" ist (damit die Bedeutungen, die Er sich wünscht, manifestiert werden).

2. Er ist derjenige, der unter den „Ummi" (nicht kundig des Lesens bzgl. des Wissens um die Wahrheit) einen Rasul unter ihresgleichen enthüllt hatte, so dass er ihnen Seine Zeichen vorlesen, sie reinigen und ihnen das Buch (das Wissen um die Wahrheit und der Sunnatullah) und die Weisheit (den eigentlichen Sinn der Entstehungen) lehren konnte. Wobei sie sich zuvor offensichtlich in einem korrupten Glaubenszustand befanden.

3. Und außer denen, die sich ihm noch nicht angeschlossen hatten (enthüllte Er diesen Rasul)! Er ist „Aziz", „Hakim".

4. Dies ist die Gunst Allahs, die gibt Er, wen Er will! Allah ist „Dhul Fazlil Aziym" (der Besitzer von gewaltiger Gunst).

5. Der Zustand jener, die mit der Tora anvertraut wurden, aber fehlschlugen es aufrechtzuerhalten, ähnelt dem eines Esels, welcher große Bücher trägt! Elendig ist der Zustand jener, die die Zeichen Allahs leugnen! Allah führt das grausame Volk nicht zur Wahrheit.

6. Sag: „Oh ihr, die Juden sind! Ihr denkt, ihr seid die einzigen (beschützten) Freunde Allahs! Dann wünscht für euch den Tod, falls ihr aufrichtig bezüglich eures Wortes seid!"

7. Aufgrund dessen, was sie mit ihren eigenen Händen getan haben, werden sie sich dies niemals wünschen. Allah ist „Aliym" über die „Zalims" (A.d.Ü.: Jemand, der vor allem seinem eigenen Bewusstsein die Wahrheit über seine Essenz vorenthält).

8. Sag: „Der Tod, von dem ihr versucht zu fliehen, wird euch definitiv erreichen! Dann werdet ihr zurückkehren zum Wissenden über das „Ghaib" (das, was nicht wahrgenommen werden kann) und zum ständig Bezeugenden und Er wird euch informieren über die Konsequenzen dessen, was ihr getan hattet."

9. Oh Gläubige... Wenn ihr zum Freitagsgebet (Salaah) gerufen werdet, dann verlasst den Handel und rennt zum Dhikr an Allah (zum Ruf, der an die eigene essentielle Wahrheit erinnert)! Dies ist besser für euch, wenn ihr dies nur verstehen könntet (den Kern der Wahrheit).

10. Und wenn die Hinwendung beendet ist, dann verbreitet euch auf der Erde und ersucht die Gunst Allahs (der eure Essenz anhand Seiner Namen darstellt) und macht sehr viel Dhikr an Allah. (Erinnert euch an Ihm), damit ihr Errettung erreichen möget!

11. Aber als sie eine Gelegenheit für den Handel oder für das Vergnügen gesehen hatten (anstatt sich Allah hinzuwenden und sich an ihre Essenz zu erinnern), rannten sie dahin und haben dich stehengelassen (als den Imam [Vorbeter] des Freitagsgebets, den Rasul Allahs)! Sag: „Jenes, welches sich mit Allah befindet, ist besser als das

Vergnügen und der Handel. Allah ist der Beste unter denjenigen, die mit Lebensunterhalt Versorgung geben!"

63 - AL-MUNAFIKUN

Mit demjenigen, der durch den Namen Allah erwähnt wird (der mein Wesen mit Seine Namen erschaffen hat im Anwendungsbereich des Buchstabens „B"), der Rahman und Rahim ist.

1. Als die Doppelzüngigen (Heuchler) zu dir kamen, sagten sie: „Wir bezeugen zweifelsohne, dass du der Rasul von Allah bist!" Und Allah weiß, dass du gewiss Sein Rasul bist. Und Allah bezeugt, dass die Heuchler gewiss Lügner sind.

2. Sie verstecken sich hinter falschen Schwüren und hinderten vom Wege Allahs. Wie elendig es doch ist, was sie tun!

3. Der Grund dafür ist folgender: Sie glaubten und dann leugneten sie (die Wahrheit, von dem sie behaupteten, dass sie daran glauben). Darum wurden ihre Herzen (Verständnis) verschlossen (aufgrund ihrer Leugnung). Deshalb können sie nicht verstehen (die Funktion des „Risalah" [die Entfaltung und Enthüllung bzgl. des „wahren Ichs" im menschlichen Gehirn])!

4. Wenn du sie siehst, dann gefallen dir ihre Körper (ihr Aussehen) ... Und wenn sie sprechen, dann hörst du zu, was sie sagen... Aber sie sind wie aneinander gestützte Holzstücke (Körper ohne Bewusstsein)! Sie denken, dass jeder laute Zuruf gegen sie gerichtet ist. Sie sind die Feinde, also beschütze dich vor ihnen! Möge Allah sie umbringen (so dass sie verstehen, was die Realität darstellt)! Wie sie doch getäuscht sind (von ihrer essentiellen Wahrheit)!

5. Wenn ihnen gesagt wird: „Kommt, lasst den Rasul von Allah für euch um Vergebung bitten," drehten sie ihre Köpfe weg; du wirst sehen können, wie sie ihre Gesichter als arrogante Besitzer eines Egos wegdrehen.

6. Ob du für sie um Vergebung bittest oder nicht, es ist das Gleiche! Allah wird ihnen niemals vergeben! Zweifelsohne führt Allah nicht jene zur Wahrheit, die korrupt im Glauben sind.

7. Sie sind diejenigen, die sagen: „Spendet nicht für jene, die sich bei dem RasulAllah befinden, damit sie auseinander geraten." Allah gehören die Schätze der Himmel und der Erde! Aber die Heuchler können dies nicht verstehen und begreifen.

8. (Er, der Heuchler) sagte: „Zweifelsohne, wenn wir nach Medina zurückkehren, dann wird der am meisten Geehrte definitiv den am meisten Erniedrigten verbannen!" Aber Ehre gehört Allah, Seinem Rasul und den Gläubigen. Aber die Heuchler können das nicht wissen.

9. Oh Gläubige! Lasst nicht zu, dass eure weltlichen Güter oder eure Kinder euch beschäftigen und euch von der Erinnerung Allahs abhalten (die Erinnerung an euer essentielles Selbst und die Erfüllung seiner Anforderungen). Und wer auch immer dies tut, dann sind sie es, welche die wahren Verlierer sind!

10. Und spendet auf dem Wege Allahs von dem, welches Wir euch gegeben haben, bevor der Tod zu euch kommt (und er sich der Wahrheit bewusst wird) und sagt: „Mein Rabb, wenn Du mir doch nur einen kurzen Aufschub gewährst, so dass ich meinen Wohlstand weggeben und die Anforderungen des Glaubens erfüllen kann."

11. Aber Allah gewährt keinem Selbst Aufschub, wenn der Todeszeitpunkt gekommen ist! Allah ist „Khabiyr" über das, was ihr tut (als ihr Schöpfer).

Mit demjenigen, der durch den Namen Allah erwähnt wird (der mein Wesen mit Seine Namen erschaffen hat im Anwendungsbereich des Buchstabens „B"), der Rahman und Rahim ist.

1. Alles, was in den Himmeln und auf der Erde (dadurch, dass sie durch die Namen Allahs erschaffen wurden) existiert, glorifiziert Allah (Tasbih: verwirklichen ihre Dienerschaft, indem sie ihre spezifischen Funktionen ausführen). Ihm gehört die Herrschaft, Ihm gehört das „Hamd". Er ist „Kaadir" über alle Dinge.

2. Es ist HU, der euch erschaffen hatte. Demnach sind manche von euch Leugner um das Wissen der Wahrheit und manche von euch sind Gläubige. Allah ist „Basiyr" über eure Handlungen.

3. Er erschuf die Himmel und die Erde mit der Wahrheit (als Manifestierungen der Wahrheit, mit den Eigenschaften Seiner Namen) und gab ihnen Formen (unterschiedliche Kompositionen der Namen) und gab euch die Schönste aller Formen. Zu Ihm ist die Rückkehr!

4. Er weiß, was sich auch immer in den Himmeln und auf der Erde befindet. Er weiß sowohl das, was ihr verheimlicht und was ihr veröffentlicht. Allah, als die absolute Essenz eures Inneren, ist „Aliym".

5. Habt ihr nicht die Nachrichten jener (des Volkes) vor euch erhalten, die das Wissen um die Wahrheit geleugnet und dessen Konsequenzen gekostet hatten? Für sie gibt es ein furchtbares Leiden.

6. Der Grund dafür war, dass ihre Rasuls zu ihnen kamen als eindeutige Beweise, aber sie sagten: „Wird ein Sterblicher uns zur Wahrheit leiten?" Deshalb leugneten sie das Wissen um die Wahrheit und wandten sich ab. Allah ist nicht bedürftig (ihres Glaubens)! Allah ist „Ghani", „Hamid".

7. Jene, die das Wissen um die Wahrheit leugnen, nahmen an, dass sie niemals auferstehen werden! Sag: „Nein (ihr irrt euch), bei meinem Rabb, ihr werdet definitiv auferstehen und dann wird das Wissen der Bedeutungen eurer Taten sich bei euch manifestieren! Dies ist leicht für Allah!"

8. Glaubt an Allah, der eure essentielle Wahrheit anhand Seiner Namen darstellt, an Seinen Rasul und an die „Nuur" (das Wissen um die Wahrheit), welches Wir enthüllen ließen! Allah (mit dem Geheimnis des Buchstabens „B") ist „Khabiyr" über das, was ihr tut.

9. Die Zeit, in der Er euch zusammengebracht hatte für die Zeit der Versammlung... Das ist die Zeit des „Taghabun" (die Selbsttäuschungen werden einem ganz eindeutig bewusst sein und die Konsequenzen dessen werden ausgelebt)! Wer auch immer an Allah glaubt (als seine essentielle Wahrheit anhand Seiner Namen) und die Anforderungen seines Glaubens erfüllt, dem wird Er seine schlechten Taten auslöschen und ihn in Paradiese hereinlassen, unter denen Flüsse fließen, um darin auf ewig zu leben. Dies ist die gewaltige Befreiung!

10. Was jene anbelangt, die Unsere Zeichen, welche sich in ihrem Wesen befinden, leugnen, sie sind die Gefährten des Feuers und sie werden dort auf ewig bleiben! Dies ist ein elender Ort der Rückkehr!

11. Kein Elend kann euch treffen, außer mit der Erlaubnis Allahs (solange die Namen, welche eure Essenz ausmachen, es nicht zulassen)! Wer auch immer daran glaubt, dass die Namen Allahs seine Essenz ausmachen, dem wird Er dessen Bewusstsein ermöglichen, die Wahrheit zu erfahren! Allah ist (mit Seiner Allgegenwärtigen Präsenz anhand Seiner Namen) über alle Dinge „Aliym".

12. Gehorcht Allah und gehorcht dem Rasul! Falls ihr euch abwendet, obliegt Unserem Rasul nur die Verantwortung zu übermitteln.

13. Allah, es gibt keinen Gott, nur HU! Lasst die Gläubigen ihr Vertrauen auf Allah setzen!

14. Oh Gläubige! In der Tat habt ihr Feinde unter euren Partnern und Kindern (aus ihrem Inneren), deshalb beschützt euch vor ihnen! Falls ihr vergebt, darüber hinwegseht und verzeiht, dann ist zweifelsohne Allah „Ghafur", „Rahim".

15. Euer Vermögen und eure Kinder sind nur Objekte der Prüfungen für euch! Und (was) Allah (anbelangt), mit Seiner Sichtweise ist die gewaltige Belohnung.

16. Deshalb beschützt euch vor Allah so viel ihr könnt (denn Er wird euch definitiv den Konsequenzen eurer Taten unterwerfen); nimmt wahr und gehorcht und gebt zum Wohle eures eigenen Willens, ohne eine Gegenleistung zu erwarten! Wer sich auch immer vor der Ambition und dem Geiz seines Egos beschützt, das sind diejenigen, die die wahre Errettung erreichen werden!

17. Falls ihr ein gutes Darlehen an Allah gebt (zu den Bedürftigen, die auch Manifestierungen der Namen Allahs darstellen), dann wird Er es für euch vervielfachen und erhöhen und euch vergeben. Allah ist „Schakur", „Halim".

18. Er ist der Wissende des „Ghaib" (das, welches nicht wahrgenommen werden kann) und von dem, was ständig bezeugt wird. Er ist „Aziz", „Hakim".

Mit demjenigen, der durch den Namen Allah erwähnt wird (der mein Wesen mit Seine Namen erschaffen hat im Anwendungsbereich des Buchstabens „B"), **der Rahman und Rahim ist.**

1. **Oh Nabi! Wenn ihr euch von den Frauen scheiden lassen möchtet, dann beachtet ihre Warteperioden** (wartet bis zum Ende des Menstruationszyklus), **scheidet euch dann und zählt die Warteperiode. Beschützt euch vor Allah, eurem Rabb.** Verbannt sie nicht aus ihren Häusern und lasst auch nicht zu, dass sie ihre Häuser verlassen, es sei denn sie begehen offensichtlichen Ehebruch. Dies ist die Grenze, die Allah auferlegt hat. Und wer auch immer über die Grenze schreitet, die Allah auferlegt hat, der hat in der Tat seinem Selbst geschadet. Ihr könnt es nicht wissen, vielleicht wird Allah eine andere Situation nach dieser hervorbringen.

2. Und wenn ihre Warteperiode beendet ist, dann behaltet sie entweder als Ehefrau gemäß der Tradition oder entlasst sie gemäß der Tradition. Und haltet zwei gerechte Menschen als Zeugen bereit und etabliert die Bezeugung für Allah. Dies ist es, was empfohlen wurde an jenen, die an Allah, der ihre essentielle Wahrheit anhand Seiner Namen darstellt, und an den ewigen, zukünftigen Leben glauben. Wer auch immer sich vor Allah beschützt, dem wird Er einen Ausweg ermöglichen.

3. Und Er wird Lebensversorgung für ihn gewähren, von wo er es sich nicht erhofft. Derjenige, der sein Vertrauen auf Allah setzt, für den ist Er ausreichend. Zweifelsohne wird Allah Sein Wort erfüllen! Und zweifelsohne hat Allah ein Schicksal für alle Dinge beschlossen.

4. Jene, dessen Ehefrauen nicht mehr menstruieren (nach den Wechseljahren), falls ihr Zweifel habt (bezüglich ihrer Warteperiode), dann beträgt ihre Warteperiode drei Monate. Und es ist das Gleiche für diejenigen, die noch nicht menstruiert haben. Was Schwangere anbelangt, ihre Warteperiode ist so lange bis sie gebären. Wer auch immer sich vor Allah beschützt, demjenigen wird Er seine Aufgaben erleichtern.

5. Diese (Anwendungen) sind die Befehle Allahs, welche Er an euch enthüllt hat. Wer auch immer sich vor Allah beschützt, dem wird Er seine schlechten Taten auslöschen und seine Belohnung vermehren.

6. Macht sie (eure Ex-Frauen), soweit es eure Mittel ermöglichen, wohnhaft in einem Bereich des Wohnortes, in dem ihr lebt. Belästigt sie nicht, damit ihr Leben nicht schwieriger wird. Falls sie schwanger sind, dann gebt ihnen Unterhalt (bis sie gebären). Falls sie (eure Kinder) stillen, dann bezahlt sie. Und diskutiert unter euch (bezüglich dieser Dinge) auf einer freundlichen Art und Weise. Aber falls ihr nicht zu einer Einigung kommt, dann lasst eine andere Frau (das Kind) stillen.

7. Lasst den vermögenden Mann Unterhalt geben gemäß seinem Wohlstand und lasst den Mann, dessen Mittel verringert sind gemäß dem geben, womit Allah ihn versorgt hat. Allah zieht niemanden jenseits dessen, was Er gegeben hat, zur Rechenschaft! Allah formt nach einer Schwierigkeit eine Erleichterung.

8. Wie viele Nationen haben gegen die Befehle deines Rabb und Seiner Rasuls rebelliert und Wir hatten sie zur heftigen Rechenschaft gezogen und sie zum ungewöhnlichen Leiden unterworfen.

9. Und somit kostete er die Konsequenzen seiner Taten und die Ergebnisse seiner Taten gingen verloren.

10. Allah hat für sie ein heftiges Leiden vorbereitet! Beschützt euch vor Allah, oh ihr, die glaubt und von den „Ulul Albab" sind (Gehirne, welche einen Verstand besitzen, tiefgründig nachzudenken)! Allah hat definitiv eine Erinnerung (Dhikr) an euch enthüllt!

11. Und ein Rasul, der euch über die Zeichen Allahs informiert, um diejenigen, die glauben und die Anforderungen des Glaubens erfüllen, aus der Dunkelheit ins Licht (Licht des Wissens) zu führen. Wer auch immer an Allah glaubt (die eigene essentielle Wahrheit anhand Seiner Namen), den wird Er in Paradiese hereinlassen, unter welche Flüsse fließen, um darin auf ewig zu sein. Allah hat definitiv für ihn eine Versorgung gewährt.

12. Es ist Allah, der die sieben Himmel und von der Erde dieselbe Anzahl erschaffen hatte. Sein Befehl manifestiert sich unaufhörlich (ohne Unterbrechung) zwischen ihnen (astrologische oder engelhafte Einflüsse, welche auch Manifestierungen von Allahs Namen sind und ihre Effekte auf die Schöpfung), so dass ihr wissen mögt, dass Allah „Kaadir" ist über alle Dinge und dass Er (als der Schöpfer) mit Seinem Wissen alles umfasst.

Anmerkung:

In Ghazalis „Ihya'u Ulumud'din" (die Wiederbelebung der religiösen Wissenschaften) wird berichtet, dass Ibn Abbas (r.a.) erzählt: „Falls ich den Vers Es ist Allah, der die sieben Himmel...interpretieren würde, dann würdet ihr mich sicherlich steinigen!" Und in einem anderen Bericht sagt er: „Ihr würdet mich als einen Ungläubigen bezeichnen!"

Mit demjenigen, der durch den Namen Allah erwähnt wird (der mein Wesen mit Seine Namen erschaffen hat im Anwendungsbereich des Buchstabens „B"), der Rahman und Rahim ist.

1. Oh Nabi! Warum verbietest du für dich jenes, was Allah dir erlaubt hat, nur um deine Frauen zufrieden zustellen? Allah ist „Ghafur", „Rahim".

2. Allah hat es euch als Pflicht angeordnet, dass ihr für eure Schwüre aufkommen sollt (indem Kompensationen gezahlt werden)! Allah ist euer Meister und Beschützer (Anm.d.Ü. Mawla: Die Eigenschaft, die dafür sorgt, dass es zu einem „Bündnis oder Allianz" mit Allah kommt). Er ist „Aliym", „Hakim".

3. Und erinnert euch daran als der (letzte und endgültige) Nabi ein Geheimnis an einen seiner Frauen (Hafsa) anvertraut hatte und sie die andere (Aischa) darüber informierte und Allah es ihm (den Rasulallah saw) zeigte, veröffentlichte er einen Teil davon und sah davon ab, einen anderen Teil zu erwähnen. Als er dies dann seiner Frau (Hafsa) erzählte, sagte sie: „Wer hat dir dies erzählt?" Und er sagte: „Derjenige, der „Aliym" und „Khabiyr" ist."

4. Falls ihr beide (Hafsa und Aischa) Allah um Vergebung bittet (dann ist dies am besten) andernfalls würden sich eure Herzen in einem irregeleiteten Zustand (von der Wahrheit) befinden. Aber falls ihr gemeinsam gegen ihn kooperiert, dann ist zweifelsohne Allah sein Beschützer und auch Gabriel, und auch die Aufrichtigen unter den Gläubigen (Aischas Vater Abu Bakr [r.a.], Hafsas Vater Omar [r.a.]). Danach sind die Engel auch seine Helfer.

5. Wenn er sich von euch scheiden lassen würde, dann kann es ein, dass sein Rabb euch durch bessere Frauen ersetzen würde, die Muslime (unterwürfig und in Ergebenheit zu Allah) sind, die glauben, gehorchen, um Vergebung bitten, „Ibadat" verrichten (den muslimischen, spirituellen Lebensstil haben), die fasten (von weltlichen Dingen fern bleiben), die sowohl verwitwet als auch Jungfrauen sind.

6. Oh Gläubige! Beschützt euer Selbst (euer Ego) und eure Nächsten (in der Zukunft das, welches eurem Körper entsprechen wird) vom Feuer, dessen Brennstoff Menschen und Steine (Götzen und andere leblose Objekte der Anbetung) sind. Da gibt es Engel (der Hölle), die sehr stark, heftig und erbarmungslos sind und die Allah nicht ungehorsam sind gegenüber Seiner Befehle, sondern das stets tun, was ihnen befohlen wurde.

7. (Die „Zabani" genannten Torhüter der Hölle werden sagen): „Oh ihr, die das Wissen um die Wahrheit geleugnet hattet! Heute gibt es keinen Platz für Entschuldigungen! Ihr lebt nur die Ergebnisse eures eigenen Handelns aus!"

8. Oh Gläubige! Bittet Allah um Vergebung mit einer aufrichtigen und wahren Reue. Vielleicht wird Allah eure schlechten Taten zudecken und euch zu Paradiesen einlassen, worunter Flüsse fließen. Allah wird in dieser Zeit den Nabi und jene, die mit ihm geglaubt hatten, nicht entehren. Ihre „Nuur" (Licht des Wissens) wird vor ihnen und zu ihrer Rechten vorauslaufen. Sie werden sagen: „Unser Rabb vervollständige unsere „Nuur" (vergrößere die Reichweite unserer Betrachtung) und vergib uns. Zweifelsohne bist du „Kaadir" über alle Dinge."

9. Oh Nabi! Sei bemüht gegen jene zu sein, die das Wissen um die Wahrheit leugnen und den Doppelzüngigen (Heuchlern) und sei standhaft und kompromisslos ihnen gegenüber. Ihr Ziel ist die Hölle. Was für ein elender Ort der Rückkehr dieser doch ist!

10. Allah gibt als Beispiel die Frauen von Lot und Noah zu jenen, die das Wissen um die Wahrheit leugnen... (Die Ehefrauen von beiden) befanden sich in (der Ehe) von zwei Unserer aufrechten Diener. Aber sie (die Ehefrauen) betrogen sie, also konnten sie (Lot und Noah) nichts, welches von Allah kam von ihnen (ihren Ehefrauen) abwenden. (Den Ehefrauen von beiden wurde gesagt): „Tretet gemeinsam mit den anderen in das Feuer ein!"

11. Und Allah gibt als Beispiel die Ehefrau des Pharaos (als Lehre). Sie (Asiya) sagte: „Mein Rabb, baue für mich aus Deiner Sichtweise ein Haus im Paradies! Errette mich vor dem Pharao und seinen Taten! Errette mich vor dem Volk, welches nur Schaden (Zalim) anrichtet!"

12. Und (das Beispiel von) Maria, der Tochter von Imran, die ihre Keuschheit bewahrte, also hauchten (manifestierten) Wir in sie hinein von Unserer Seele. Sie bestätigte die Existenz ihres Rabbs anhand der Wörter (Manifestierungen) und Bücher (Wissen) Seiner Namen und sie gehörte zu denen, die sich in Ergebenheit gezeigt und gehorcht hatten.

Mit demjenigen, der durch den Namen Allah erwähnt wird (der mein Wesen mit Seine Namen erschaffen hat im Anwendungsbereich des Buchstabens „B"), der Rahman und Rahim ist.

1. Wie erhaben ist derjenige, in dessen Hand (jener, der jeden Augenblick regiert, wie Er es wünscht) die Herrschaft (die Dimension der Taten) liegt! Er ist über alles „Kaadir".

2. HU ist derjenige, der den Tod und das Leben erschuf, um ausleben zu lassen, wer von euch hervorragende Taten zum Vorschein bringt. HU ist „Aziyz" und „Ghafur".

3. HU ist es, der die Himmel in sieben Dimensionen (Zustände) erschuf! Keine Disharmonie ist ersichtlich in der Schöpfung vom „Rahman"! Komm, wende deinen Blick und schau hin! Siehst du eine Unterbrechung – eine Disharmonie?

4. Andernfalls wende deinen Blick noch zweimal hin! Dein Blick kehrt völlig ermüdet (ohne den von dir aufgesuchten Fehler gefunden zu haben) zu dir als Erniedrigung zurück!

5. Wahrlich haben wir den Himmel der Welt (Gedankenwelt) als Erhellung (mit dem Wissen um die Wahrheit) versehen! Wir haben diese hervorgebracht gebracht, damit die Satane (teuflischen Gedanken) gesteinigt und ferngehalten werden! Für jene haben wir die Qual des flammenden Feuers vorbereitet.

6. Für jene, die den Rabb, der ihre Realität bildet, leugnet, besteht eine höllische Qual! Was für ein übler Ort der Rückkehr ist dieser!

7. Wenn sie sich da hineinstürzen, während dieser siedend aufkocht, hören sie dessen Getöse!

8. Aufgrund des stark überlaufenden Zustandes befindet es sich beinahe im Zustand des Zerplatzens! Deshalb werden die Wächter nach jeder hineingeworfenen Schar fragen: „Kam zu euch keiner, der euch gewarnt hatte?"

9. (Die Leute der Hölle) sagen: „Ja, tatsächlich kam zu uns jemand, der uns gewarnt hat, dem wir nicht glaubten und ablehnten! Wir sagten: „Allah hat nicht das Geringste enthüllt; das, was ihr tut, ist eine große Perversion."

10. Sie sagen: „Falls wir auf sie gehört und uns an unserem Verstand bedient hätten, wären wir nicht unter der sich im flammenden Feuer befindenden Bevölkerung!"

11. Auf diese Weise haben sie ihre Schuld eingestanden! Die Leute des ungeheuerlich flammenden Feuers sollen die Ferne ausleben!

12. Diejenigen, die ihren Rabb aus dem Verborgenen Ehrfurcht entgegenbringen, denen erwartet Vergebung und ein gutes Werk.

13. Ob ihr eure Gedanken verbergt oder offen verkündet! Gewiss ist Hu über das Individuum des „SADRS" (=Brust, also eures Inneren, eures Unterbewusstseins – eures Schu´urs [reines universale Bewusstsein] „Aliym".

14. Ist ihm sein Erschaffenes unbekannt? Hu ist „Latiyf" und „Khabiyr".

15. Hu hat die Erde (den Körper) zu eurer Unterwerfung für euch (für euer Bewusstsein) erschaffen! Wandert auf dessen Schultern und lasst euch von Ihm Lebensnahrung

zuteilwerden! Eure Existenz wird von Neuem auf Ihn ausgerichtet sein!

16. Fühlt ihr euch sicher vor demjenigen, der sich im Himmel befindet und euch nicht auf der Erde (in eurem Körper) versinken lässt? Plötzlich setzt sie sich in Bewegung und fängt an zu beben!

17. Oder fühlt ihr euch sicher vor demjenigen, der sich im Himmel befindet und auf euch keinen Wirbelsturm/Tornado herabschickt? Ihr werdet die Bedeutung meiner Warnung kennenlernen!

18. Wahrlich haben auch die Vorherigen geleugnet! Wie habe Ich jenen das Resultat ausleben lassen, die mich leugnen!

19. Sehen sie nicht die Vögel, die ihre Flügel ausbreiten und aufwärts steigen, dann zuklappen und hinunterfliegen! Sie schaffen es mit den Kräften des „Rahman"! Wahrlich ist Allah über alles (als die einzige Wahrheit) „Basiyr".

20. Oder habt ihr ein Heer, das euch gegen den „Rahman" unterstützen wird? Diejenigen, die das Wissen um die Wahrheit leugnen, befinden sich lediglich in einem Irrtum!

21. Wer ist es, der euch ernähren wird, falls HU jede Art von Lebensnahrung einstellt? Nein, sie setzen zügellos und mit Hass die Flucht trotzig fort!

22. Nun, geht derjenige, der als Blinder auf dem Bauch kriecht auf dem richtigen Weg oder ist derjenige, der gerade aufrecht mit der Sicht nach vorne läuft auf dem „Geraden Weg"?

23. Sprich: „Derjenige, der euch formt, der in euch die Wahrnehmungskraft und die Kraft des Begreifens und jenes formt, welches „FUAD" genannt wird (die Herzneuronen, die im Gehirn die Bedeutungen der Asma ul Husna Eigenschaften widerspiegeln), ist Hu! Wie wenig zeigt ihr euch dankbar (bewertet ihr gebührend).

24. Sprich: „Ihr wurdet durch HU auf der Erde erschaffen und verbreitet! Und zu HU werdet ihr versammelt zurückkehren!"

25. Sie sprechen: „Wenn ihr an eurem Wort festhaltet, wann wird eure Drohung sich verwirklichen?"

26. Sprich: „Sein Wissen ist aus der Sichtweise Allahs! Zweifellos bin ich eindeutig jener, der warnt!"

27. Als sie sahen, dass er (der Tod) sich näherte, wurden die Gesichter derjenigen, die das Wissen um die Wahrheit leugneten, aussichtslos (schwarz)! Zu ihnen wurde gesagt: „Nun, dies ist euer Wunsch, den ihr selbst vor einem Moment erleben wolltet!"

28. Sprich: „Denkt einmal nach! Wenn Allah mich und diejenigen, die mit mir zusammen sind, vernichtet oder sich gnädig zeigt, wer wird diejenigen, die das Wissen um die Wahrheit leugnen, aus einer furchtbaren Qual heraus retten?"

29. Sprich: „Er ist „Rahman"; wir glauben an Ihn als unsere Wahrheit und wir vertrauen auf Ihn! Ihr werdet bald erfahren, wer eine offensichtlich falsche Denkweise hat!"

30. Sprich: „Denkt einmal nach! Wenn euer Wasser versiegelt wird, wer lässt für euch eine Wasserquelle (Wissen) entstehen?"

Mit demjenigen, der durch den Namen Allah erwähnt wird (der mein Wesen mit Seine Namen erschaffen hat im Anwendungsbereich des Buchstabens „B"), der Rahman und Rahim ist.

1. Beim „Nuun" (das Wissen um „Uluhiyyah", d.h. des Daseins von demjenigen, der als Allah bezeichnet wird) und dem Stift (Kalam: derjenige, der das Wissen manifestiert) und bei allem, was es Zeile für Zeile schreibt (dem, der das Notwendige des Wissens mit all seinen Details als „Sunnatullah" erschaffen hat) ...

2. Du bist nicht, durch den Segen deines Rabbs, besessen (durch unsichtbare Wesen, d.h. Dschinn)!

3. Zweifelsohne gibt es für dich eine niemals endende Belohnung.

4. Und zweifelsohne hast du einen großartigen Charakter!

5. Bald wirst du sehen und sie werden es auch sehen;

6. Wer diejenigen sind, die besessen sind!

7. In der Tat weiß dein Rabb sehr wohl, wer fehlgeleitet (in seinem Dasein) von Seinem Weg ist. Und Er weiß sehr gut, wer die Wahrheit erreicht hat (in ihrem Dasein)!

8. Deshalb gehorche nicht den Dementierenden!

9. Sie wünschen sich, dass dein Benehmen weich wird (kompromissbereit), so dass sie (dir gegenüber) Toleranz zeigen können!

10. Folge nicht einfachen, gedankenlosen Personen, die sehr viel schwören (da sie von Allah und der „Sunnatullah" entfernt sind und wie in einem Kokon eingesponnen leben);

11. Jene, die spotten, bemängeln und tratschen;

12. Jene, die ständig die Erfahrung der (Wahrheit) verhindern und die der Überschreitung schuldig sind;

13. Jene, die konservativ, unwissend, und obendrein mit ihrer Leugnung gebrandmarkt sind.

14. (Wirst du ihm gehorchen), nur weil er reich ist und Söhne hat!

15. Als er über Unsere Verse informiert wurde, sagte er: „Märchen aus vergangenen Tagen."

16. Bald werden Wir ihn an der Nase brandmarken (es wird ihm nicht möglich sein, die Wahrheit zu übersehen)!

17. Zweifelsohne hatten Wir sie mit einem Unheil heimgesucht, so wie Wir die Gefährten des Gartens mit einem Unheil heimgesucht hatten. Als sie geschworen hatten am Morgen zu ernten.

18. Sie machten keine Ausnahme (indem sie „inschAllah" sagten, d.h. wenn Allah es will) ...

19. Also befiel dem Garten ein Unheil, während sie geschlafen hatten.

20. Und es (der Garten) trocknete aus und verdunkelte sich!

21. (Als sie aufwachten) am Morgen riefen sie sich einander zu:

22. „Geht früh zum Feld, falls ihr schneiden und pflücken wollt."

23. Also gingen sie und flüsterten unter sich:

24. „Es soll heute bloß keine arme Person (in den Garten) zu euch eintreten!"

25. Sie gingen hinaus (und nahmen an), dass sie die Macht haben, die Armen zu hindern.

26. Aber als sie den Garten (zerstört) sahen, sagten sie: „Wir sind scheinbar zum falschen Ort gekommen."

27. „Nein (dies ist der richtige Ort), aber wir haben einen Verlust erlitten!"

28. Der Vernünftigste unter ihnen sagte: „Hab ich euch nicht gesagt, dass ihr glorifizieren sollt (Tasbih: Eure Dienerschaft zu eurem Rabb zu erfüllen)?"

29. Sie sagten: „Unser Rabb ist „Subhan"! In der Tat sind wir zu jenen geworden, die das gebührende Recht nicht gegeben haben!"

30. Und sie wandten sich einander zu und begannen sich gegenseitig zu beschuldigen!

31. Sie sagten: „Wehe uns! In der Tat waren wir unverschämt!"

32. „Erhoffen wir, dass unser Rabb stattdessen etwas Besseres geben wird! Zweifelsohne gehören wir (jetzt) zu jenen, die sich zu ihrem Rabb hinwenden."

33. Und so ist das Leiden! Und das Leiden der grenzenlosen Zukunft ist „akbar" (unvorstellbar größer)! Wenn sie dies nur wüssten...

34. Zweifelsohne gibt es für jene, die sich beschützen, Paradiese voller Segen mit der Sichtweise ihres Rabbs.

35. Werden Wir jene, die sich ergeben hatten (die Muslime) wie jene behandeln, die des Leugnens schuldig waren?

36. Was ist mit euch los? Wie urteilt ihr?

37. Oder habt ihr ein Buch, aus dem ihr lernt?

38. Von dem ihr die Beschlüsse bekommt, die nach eurem Vergnügen sind (und in der Annahme, dass ihr in Übereinstimmung lebt mit der „Sunnatullah", dem funktionierenden System in der Schöpfung)!

39. Oder habt ihr ein Wort von Uns erhalten, welches Gültigkeit besitzt bis zum Tag der Auferstehung, dass ihr frei handeln könnt, wie es euch gefällt?

40. Frag sie, welcher von ihnen haftet für solch eine Sache (Behauptung)?

41. Oder haben sie Partner, welche sie mit Uns assoziieren? Lasst sie ihre Partner hervorbringen, falls sie zu ihrem Wort stehen!

42. Die Zeit, wenn die Wahrheit sich manifestiert und sie eingeladen werden, sich niederzuwerfen (die Nicht-Existenz ihrer angenommenen eigenständigen Existenz zuzugeben), werden sie nicht fähig sein, dies zu tun!

43. Ihre Augen nach unten versunken, im Zustand der Demütigung! Wobei sie eingeladen wurden, sich niederzuwerfen, während ihr Verstand noch funktionierte und sie auf der Welt noch waren.

44. (Mein Rasul) lass Mich mit jenen (alleine), die leugnen! Wir werden sie Schritt für Schritt zum Ruin treiben aus einer Richtung, die sie noch gar nicht kennen!

45. Und Ich gebe ihnen eine Frist... Aber wahrlich ist Meine Falle sehr stabil!

46. Oder willst du von ihnen eine Gegenleistung haben, wodurch sie sich stark belastet von einer Schuld fühlen?

47. Oder haben sie in ihrer Sichtweise das „Ghaib" (das Nicht-Wahrnehmbare), welches sie schreiben?

48. Sei geduldig um das Urteil deines Rabbs und sei nicht wie der Besitzer des Fisches (Jonas, der Nabi)! Wie er sich hingewandt hatte voller Kummer.

49. Falls der Segen seines Rabbs ihn nicht erreicht hätte, wäre er auf der nackten Küste geworfen worden, voller Erniedrigung!

50. Aber sein Rabb hat ihn ausgewählt und machte aus ihm einen von den „Salihs" (jene, die die Wahrheit erfahren und ausleben).

51. Zweifelsohne jene, die das Wissen um die Wahrheit leugnen, waren fast dabei dich mit ihren Blicken niederzuwerfen als sie die Erinnerung (ihrer essentiellen Wahrheit; Dhikr) gehört hatten, indem sie sagten: „In der Tat ist er besessen (unter der Kontrolle der Dschinn)."

52. Wobei Es nur ein Dhikr für die Menschen darstellt (die Erinnerung an ihre essentielle Wahrheit)!

Mit demjenigen, der durch den Namen Allah erwähnt wird (der mein Wesen mit Seine Namen erschaffen hat im Anwendungsbereich des Buchstabens „B"), der Rahman und Rahim ist.

1. Die absolute Realität (welche mit dem Tod zusammen offensichtlich sein wird)!

2. Was ist die absolute Realität?

3. Was ist das, was dir die absolute Realität vermittelt?

4. Samud und Aad dementierten das ewige Leben nach dem Tod.

5. Deshalb wurde Samud zerstört mit dem lauten Erdbeben!

6. Und Aad wurde zerstört anhand eines gewaltigen Wirbelsturms!

7. Er unterwarf sie (diesem Wirbelsturm) für sieben Nächte und acht Tage! Du wirst sie auf dem Boden gestürzt sehen wie hohle Baumstämme von Dattelpalmen!

8. Was siehst du bezüglich ihrer Überreste?

9. Der Pharao, jene vor ihm und die zerstörten Städte, sie alle hatten den gleichen Fehler begangen!

10. Sie waren dem Rasul ihres Rabbs gegenüber ungehorsam und deshalb ergriff (ihr Rabb) sie heftig!

11. Zweifelsohne waren Wir es, die euch getragen hatten im Segelschiff, als die Kontrolle über das Wasser verloren ging!

12. (Wir berichteten darüber) als Erinnerung für euch und damit ein gut wahrnehmendes Ohr es gut begreifen möge!

13. Wenn das Horn (den Gestalten – die Körper, die gegenwärtig sind zu jener Zeit) geblasen wird mit einem einzigen Hauch (wenn das individuelle Bewusstsein ihre essentielle Wahrheit unterscheidet anhand der Körperlosigkeit) ...

14. Wenn die Erde (Körper) und die Berge (Egos) zermalmt werden mit einem einzigen Aufschlag;

15. Zu dieser Zeit wird das Unausweichliche (al Wakia) stattgefunden haben (jeder wird die absolute Realität unterscheiden und ausleben)!

16. Und der Himmel (das Bewusstsein des Egos, der Persönlichkeit) wird durchbrochen sein, denn zu dieser Zeit wird es eingestürzt sein!

17. Und der Engel wird drumherum sein! Zu dieser Zeit werden acht (Kräfte) über sie (über der Schöpfung; dimensionale Tiefen sind hier gemeint) den Thron deines Rabbs tragen.

18. Und an diesem Tag werdet ihr hervorgebracht werden, ohne dass irgendwelche eurer Geheimnisse verschlossen bleiben (völlig entblößt werdet ihr sein)!

19. Derjenige, dessen (Lebensaufzeichnung) von seiner Rechten geformt wird, wird sagen: „Hier ist meine Aufzeichnung, lies meine Informationen."

20. „Zweifelsohne hab ich gedacht, dass ich die Resultate meiner Taten begegnen würde!"

21. Jetzt wird er in einem Zustand der Glückseligkeit sein;

22. Innerhalb eines hohen (erhabenen) **Paradieses!**

23. **Die resultierenden Früchte seiner Taten sind in seiner Reichweite!**

24. **Esst und trinkt mit Freude als Resultat eurer vergangenen Taten!**

25. **Was demjenigen anbelangt, dessen Lebensaufzeichnung** (Buch) **von seiner Linken geformt wurde, er wird sagen: „Ich wünschte meine Aufzeichnungen wären mir nie gegeben worden!"**

26. **„Hätte ich meine Abrechnung** (die Konsequenzen meiner Taten) **nie gewusst!"**

27. **„Wäre es doch zu Ende gegangen** (bevor es zu dieser Phase kommt)!"

28. **„Mein Vermögen hat mir gar nichts genützt!"**

29. **„Alle meine Kraft ist vergangen und verloren."**

30. **„Ergreift ihn und bindet ihn fest!"**

31. **„Dann werft ihn in die Hölle!"**

32. **„Dann setzt ihn in eine Kette hinein, welche siebzig Ellen lang ist."**

33. **„Denn er glaubte nicht an Allah, seine essentielle Wahrheit anhand Seiner Namen, der „Azim" ist!"**

34. **„Denn er bemühte sich überhaupt nicht, die Bedürftigen zu ernähren** (er war geizig)!"

35. **„Deshalb hatte er zu dieser Zeit keinen innigen Freund."**

36. **„Auch keine Nahrung für ihn außer Eiter."**

37. **„Und die Schuldigen werden nur dies essen!"**

38. **Deshalb schwöre ich bei dem, was ihr seht,**

39. **Und was ihr nicht seht!**

40. **In der Tat ist es das Wort eines großzügigen Rasuls.**

41. **Es ist nicht das Wort eines Dichters... Wie begrenzt ist euer Glaube!**

42. **Auch ist es nicht das Wort eines Wahrsagers... Wie begrenzt ist eure Erinnerung und euer Denken!**

43. **Es ist eine** (detaillierte) **Enthüllung von dem Rabb der Welten!**

44. **Hätte er es erfunden und es Uns zu gedichtet und auf Uns zurückgeführt;**

45. **Dann hätten Wir definitiv seine rechte Hand genommen** (Kraft).

46. **Dann hätten Wir seine Halsschlagader geschnitten!**

47. **Und keiner unter euch hätte dies verhindern können.**

48. **Zweifelsohne ist es** (der Koran) **eine zum Nachdenken anregende Erinnerung für jene, die sich beschützen möchten!**

49. **Natürlich wissen Wir, wer unter euch diejenigen sind, die dementieren.**

50. **Zweifelsohne wird es** (der Tag der Auferstehung) **eine Zeit bitteren Bereuens sein für jene, die das Wissen um die Wahrheit leugnen!**

51. **Zweifelsohne ist dieses** (die Periode der Auferstehung) **sicherlich „Hakk al Yakin"** (das offensichtliche Ausleben der Wahrheit)!

52. **Deshalb glorifiziere** (Tasbih) **deinen Rabb, indem du unaufhörlich deine Funktion ausübst** (in der Dienerschaft zu Seinen Namen zu sein), **dessen Name „Aziym" ist!**

Mit demjenigen, der durch den Namen Allah erwähnt wird (der mein Wesen mit Seine Namen erschaffen hat im Anwendungsbereich des Buchstabens „B"), der Rahman und Rahim ist.

1. Derjenige, der hinterfragt, fragte nach dem Leiden, welches stattfinden wird!

2. Es (der Tod, der das Leiden darstellt) ist für diejenigen, die das Wissen um die Wahrheit leugnen! Niemand kann dagegen ankämpfen.

3. Von Allah kommt das „Dhul Ma`aridsch" (derjenige, der sehr viel aufsteigen lässt)!

4. Die Engel und die Seele werden zu ihrer Essenz aufsteigen in einer Periode (welches sich anfühlen wird) wie fünfzig Tausend Jahre (die Zeit ihrer Hinwendung, um Allah in ihrer Essenz zu erreichen).

5. Deshalb sei geduldig anhand einer schönen Geduld.

6. In der Tat sehen sie es (der Tag des Leidens; der Tod) als weit entfernt!

7. Aber Wir sehen es als nah!

8. An diesem Tag wird der Himmel wie geschmolzenes Metall sein.

9. Und die Berge werden wie farbige Wolle sein.

10. Freunde werden nicht in dem Zustand sein, sich gegenseitig aufzusuchen!

11. Wenn sie sich gegenseitig gezeigt werden... Um sich selbst vor dem Leiden dieser Periode zu retten, wird der Schuldige seine Kinder (dem Feuer) anbieten wollen als Lösegeld...

12. Und seine Ehefrau und seinen Bruder;

13. Und all seine Mitmenschen, mit denen er lebt;

14. Wenn er doch all die, die auf der Erde gelebt haben (als Lösegeld) geben würde und sich retten könnte!

15. Nein, Niemals! Zweifelsohne ist es das „Laza" (rauchlose Flamme).

16. Welches die Häute verbrennt und abschält!

17. Es (das Laza) lädt denjenigen ein, der sich abwendete und weglief (als er zu seiner essentiellen Wahrheit eingeladen wurde)!

18. Und Reichtum ansammelte und hortete!

19. In der Tat ist in der Schöpfung des Menschen Gier und Unersättlichkeit vorhanden!

20. Wenn er etwas begegnet, was ihm nicht gefällt, fängt er an zu jammern und zu schreien (er kann es nicht aushalten)!

21. Aber wenn Gutes ihn befällt, dann ist er geizig und egoistisch!

22. Außer jene, die „Musallih" sind (jene, die das „Salaah", d.h. die Hinwendung zu Allah, ausleben)!

23. Sie befinden sich ständig im „Salaah" (sie behalten unaufhörlich ihre innerliche Hinwendung zu Allah, ihrer Essenz, bei)!

24. Sie sind jene, worin es in deren Wohlstand ein Anrecht gibt;

25. Für diejenigen, die nach Hilfe bitten und für jene, die benachteiligt sind.

26. Sie sind jene, die den „Tag der Religion" (dass man die Konsequenz der Taten ausleben wird) bestätigen!

27. Sie sind jene, die besorgt sind um die Bestrafung von ihrem Rabb.

28. In der Tat haben sie keine Zusicherung gegen die Bestrafung von ihrem Rabb!

29. Sie sind jene, die ihre sexuellen Organe vor Übermaß beschützen.

30. Außer vor ihren Frauen oder vor jenen, die sich in ihrem Besitz befinden! Weil sie (deshalb) nicht verurteilt werden.

31. Aber jene, die mehr als dieses begehren, sind die wahren Übertreter der Grenzen!

32. Sie sind jene, die treu sind zu dem, was ihnen anvertraut wurde (Amanat: das Vertrauen, dass der Mensch auf sich geladen hat) und zu ihren Versprechen (welches sie Allah gegeben hatten).

33. Und die zu ihrer Bezeugung stehen. (Ein Hinweis zum Vers 3:18)

34. Und sie sind jene, die standhaft sind in ihrem „Salaah" (sie beschützen unaufhörlich ihren Zustand der Hinwendung zu Allah).

35. Und sie sind jene, welche im Paradies geehrt werden.

36. Was ist los mit den Leugnern um das Wissen der Wahrheit, dass sie zu dir erstaunt und erschüttert eilen?

37. Von links und von rechts, in Gruppen!

38. Hoffen sie darauf in das Paradies des Segens einzutreten?

39. Nein, niemals! Zweifelsohne erschufen Wir sie von jenem, das sie kennen (Spermien)!

40. Bei dem Rabb des Ostens und des Westens, Wir sind in der Tat mächtig über alle Dinge!

41. Um sie zu ersetzen mit jenen, die besser sind als sie. Wir sind die unbezähmbare Kraft!

42. Deshalb lass sie sich amüsieren (in ihren Welten) bis sie die versprochene Zeit erlangen!

43. An diesem Tag werden sie schnell aus ihren Gräbern (Körpern) aufspringen! Als ob sie zu aufgestellten Götzen hinrennen.

44. Ihre Augen demütig aufgrund der Entsetzung, im Zustand der Bedeckung von schierer Erniedrigung. Dies ist die Zeit, die ihnen versprochen wurde!

Mit demjenigen, der durch den Namen **Allah** erwähnt wird (der mein Wesen mit Seine Namen erschaffen hat im Anwendungsbereich des Buchstabens „B"), **der Rahman und Rahim ist.**

1. **Zweifelsohne enthüllten Wir Noah zu seinem Volk und sagten ihm: „Warne dein Volk, bevor zu ihnen ein intensives Leiden kommt."**

2. (Noah) sagte: „Oh mein Volk, ich bin zweifelsohne für euch ein eindeutiger Warner!"

3. „Dient Allah (Ibadat: dienen mit allem, was dazu gehört), beschützt euch vor Ihm und gehorcht mir;"

4. „So dass Er manche eurer Fehler vergeben möge und euch am Leben lassen möge bis zum Ende eurer festgesetzten Lebensspanne. Wahrlich, wenn die Zeit kommt, die durch Allah festgesetzt wurde, dann wird es nicht aufgeschoben werden. Wenn ihr doch nur wüsstet!"

5. (Noah) sagte: „Mein Rabb... Definitiv habe ich mein Volk bei Tag und bei Nacht eingeladen."

6. „Aber meine Einladung hat außer die Flucht bei ihnen nichts anderes vermehrt."

7. „Umso mehr ich sie zu Deiner Vergebung eingeladen habe, desto mehr fingen sie an, mit ihren Fingern, die Ohren zu verschließen, umhüllten sich mit ihrer Kleidung und beharrten auf ihren Glauben und wurden mehr und mehr arrogant."

8. „Zweifelsohne lud ich sie dann ganz offensichtlich ein."

9. „Dann habe ich meine Einladung öffentlich kundgetan und ich erklärte es ihnen auch im Privaten."

10. Ich sagte: „Bittet euren Rabb um Vergebung... Zweifelsohne ist Er „Ghaffar".

11. „Er wird den Himmel (Wellenlängen von höheren Frequenzen) auf euch im Überfluss enthüllen."

12. „Und euch mit Reichtum und Söhnen unterstützen und für euch Gärten und Flüsse bilden."

13. „Was ist denn mit euch los, dass ihr an der Erhabenheit von Allah zweifelt?"

14. „Wo (Allah) euch doch phasenweise erschaffen hatte."

15. „Habt ihr nicht gesehen, wie Allah die Himmel in sieben Schichten erschaffen hatte?"

16. „Und den Mond darin zu „Nuur" etablierte und die Sonne als Quelle des Lichtes (Energie)."

17. „Und Allah veranlasst, dass ihr langsam aus der Erde wächst wie eine Pflanze."

18. „Dann wird Er euch darin zurückkehren lassen und euch von dort wieder herausholen."

19. „Und Allah machte für euch die Erde zu einer Ausstellung."

20. „So dass ihr darin durchqueren könnt, auf weiträumigen Wegen."

21. Noah sagte: „Mein Rabb... Zweifelsohne haben sie mir nicht gehorcht und sind jenem gefolgt, dessen Reichtum und Kinder für sie nichts weiter vermehrt hatte als Verlust."

22. „Und sie schmiedeten einen sehr großen Komplott („Makr")!"

23. Sie sagten: „Verlasst niemals eure Götter! Verlasst niemals Wadd, Suwa und auch nicht Yaghuth, Yauk und Nasr (die Namen ihrer Götter)!"

24. „Und so haben sie viele fehlgeleitet. Deshalb vermehre den Irrtum der „Zalims" (jene, die ihrem Selbst ihre essentielle Wahrheit vorenthalten)!"

25. Aufgrund ihrer Fehler sind sie ertrunken und wurden dem Feuer einbezogen und sie konnten für sich keinen Helfer finden neben Allah.

26. Und Noah sagte: „Mein Rabb... Lass auf der Erde keinen mehr übrig von jenen, die das Wissen um die Wahrheit leugnen!"

27. „Denn wenn Du sie hier sein lässt, werden sie Deine Diener fehlleiten und nur jene gebären, die das Wissen um die Wahrheit leugnen und die den Anordnungen gegenüber ungehorsam sind (ihre Gene werden nur ihresgleichen reproduzieren!)."

28. „Mein Rabb... Vergib mir, meinen Eltern, denjenigen, die mein Haus als Gläubige eintreten, den gläubigen Männern und Frauen! Und vermehre die „Zalims" mit nichts anderem als ihrem Untergang!"

72 - AL-DSCHINN

Mit demjenigen, der durch den Namen Allah erwähnt wird (der mein Wesen mit Seine Namen erschaffen hat im Anwendungsbereich des Buchstabens „B"), der **Rahman und Rahim ist.**

1. Sag: „Gemäß dem mir Offenbarten hatte eine Gruppe der Dschinn den Koran gehört und sagte: ‚In der Tat haben wir einen erstaunlichen Koran gehört.‘"

2. „Es lenkt einen zur Reife, aufgrund dessen haben wir daran geglaubt. Und wir werden niemals Partner mit unserem Rabb assoziieren!"

3. „Zweifelsohne ist die Größe (Pracht und Mächtigkeit) unseres Rabbs sehr erhaben; Ihm ziemt es nicht, eine Frau oder einen Sohn zu nehmen!"

4. „Unser inadäquates Verständnis hat dazu geführt, dass wir törichte Dinge bezüglich Allah behauptet hatten!"

5. „Wir dachten, dass die Menschheit und die Dschinn niemals eine Lüge bezüglich Allah aussprechen würden."

6. „Und dennoch gab es von der Menschenart Männer und Frauen, die Zuflucht gesucht hatten bei den Männern und Frauen der Dschinn. Aus diesem Grund vermehren sie ihr exzessives Verhalten (ihr tierisches Dasein)."

7. „Und sie dachten, wie ihr gedacht habt, dass nämlich Allah niemals irgendjemanden auferstehen lassen würde." (Dieser Vers indiziert, dass die Dschinn, wie die Menschen, keine Gewissheit haben bezüglich des Lebens nach dem Tod bzw. Wiederauferstehung.)

8. „Und wir berührten wirklich den Himmel und fanden es so vor, dass es gefüllt mit kraftvollen Wächtern (Kräften – Energien) und brennenden Flammen (Strahlen, welche unser Urteil behinderten) war."

9. „Um zu verstehen, haben wir darin Positionen eingenommen und dort gesessen. Aber wer auch immer jetzt zuhört, wird eine brennende Flamme vorfinden, die auf ihn wartet."

10. Und wir wissen nicht, ob Schlechtes für jene auf der Erde (im Körper) sich manifestieren wird oder ob ihr Rabb für sie einen rechten Kurs (Reife des Menschen) manifestiert. (ob der Mensch seine Wahrheit beobachten wird). (Dieser Vers ist ein klarer Beweis dafür, dass die Dschinn kein Wissen haben, wie die Menschen leben werden; wie ihre essentielle Kompositionen der Namen sich in ihren Leben manifestieren werden und was ihr Grund der Manifestierung ist aus der Sichtweise Allahs.)

11. „Und unter uns sind Aufrichtige (Salih) und unter uns gibt es jene, die sich darunter befinden (unter dem Zustand der Aufrichtigkeit); wir sind zu unterschiedlichsten Arten (unterschiedliche Spezies/Rassen; ein kosmopolitisches Volk von unterschiedlichem Verständnis und Aufbau) geworden."

12. „Und wir sind uns sicher, dass wir niemals die Anordnungen Allahs auf der Erde für ungültig erklären können und wir Seine Anordnungen nicht verhindern können, indem wir flüchten."

13. „Als wir der **Rechtleitung** (dem Koran) **zuhörten, glaubten wir daran, dass es die Wahrheit ist.** Und wer auch immer an seinen **Rabb** glaubt als seine eigene essentielle **Wahrheit, der wird keine Entbehrung** (seiner gebührenden Rechte) **oder Erniedrigung** befürchten."

14. „Und unter uns gibt es jene, die sich ergeben haben und unter uns gibt es jene, die gegen die Befehle rebellieren. Und jene, die sich ergeben haben, sind die Anwerber der Reife zur Wahrheit."

15. „Aber was jene anbelangt, die den Anordnungen nicht gehorchten und rebellierten, sie wurden zum Feuerholz der Hölle!"

16. Tatsache ist, wenn sie auf dem **Weg** (der zur Wahrheit führt) **gegangen wären, dann hätten Wir sie sicherlich mit dem Wasser** (des Wissens und der Gnostik) **bewässert.**

17. Wir hätten sie dann damit geprüft, damit sich ihre wahre Natur offenbart. Und wer sich auch immer abwendet von der **Erinnerung seines Rabbs** (von der Erinnerung seiner essentiellen Wahrheit), dem werden Wir einem intensiven Leiden aussetzen!

18. In der Tat sind die Orte der Niederwerfung für Allah. Deshalb wendet euch nicht (im Zustand der Niederwerfung) einem anderen neben Allah hin!

19. Wann immer der „Abdullah" (der Diener Allahs, d.h. Mohammad [saw]) aufsteht, um sich zu Ihm zu wenden, greift seine Umgebung ihn an!

20. Sag: „Ich wende mich nur meinem **Rabb** hin (und bitte auch nur um etwas von Ihm)! Niemals werde ich etwas anderes zu jenem assoziieren, das meine Essenz ausmacht!"

21. Sag: „Ich kann euch weder schaden, noch kann ich die Reife in euch erzeugen, so dass ihr die Wahrheit erfahren könnt (diese werden nur von Allah in euch manifestiert)!"

22. Sag: „Niemand kann mich vor Allah retten und es gibt nichts neben Ihm, was Zuflucht gewährt!"

23. Außer eine Mitteilung von Allah und Seine „Risalah" (das Wissen, welches enthüllt wird von Seinen Rasuls)! Deshalb, wer auch immer Allah und Seinem Rasul gegenüber ungehorsam ist, für ihn gibt es das Höllenfeuer, worin er auf ewig sein wird!

24. Wenn sie schließlich die Sache (den Tod) sehen, die ihnen versprochen wurde, werden sie verstehen, wer die Minderheit darstellt und hilflos ist!

25. Sag: „Ich weiß nicht, ob das, was dir versprochen wurde, nah ist oder ob mein **Rabb** dafür eine lange Zeit gewährt."

26. Er kennt das **Verborgene** (Ghaib: das Nicht-Wahrzunehmende)! Und er manifestiert Sein Verborgenes (Seine Absolute Essenz) bei niemandem;

27. Lediglich einem ausgewählten und gereinigten Rasul, der eine Ausnahme darstellt! Und in der Tat stellt er Wächter und Beschützer vor und hinter ihm (dem Rasul) auf!

28. So dass sie wissen mögen, dass sie das enthüllte Wissen ihres Rabbs übermittelt haben. Er umfasst, was auch immer mit ihnen ist und hat alles in detaillierter Art aufgeschrieben (gespeichert)!

Mit demjenigen, der durch den Namen Allah erwähnt wird (der mein Wesen mit Seine Namen erschaffen hat im Anwendungsbereich des Buchstabens „B"), der **Rahman und Rahim ist.**

1. Oh Muzammil (derjenige, der bedeckt ist)!

2. Ausgenommen von einer wenigen Zeit, stehe auf in der Nacht;

3. die Hälfte davon oder weniger,

4. oder vermehre es und lies und denke tief über den Koran nach!

5. Zweifelsohne werden Wir auf dir ein schweres Wort senden (in deinem Bewusstsein ausleben lassen)!

6. Nachts aufzustehen führt zu einer größeren Wahrnehmung und Klarheit in der Bewertung des Aufrufs!

7. Denn während des Tages bist du intensiv beschäftigt.

8. Erinnere dich an den Namen deines Rabbs (Dhikr) **und sonder dich von allem ab und wende dich nur Ihm hin.**

9. Er ist der Rabb des Ostens (welcher scheint und sich manifestiert) **und des Westens** (welcher erlischt und zu nichts werden lässt)! **Es gibt keinen Gott, nur HU! Deshalb nehmt nur Ihn als euren „Wakiyl" an** (der Verwalter und Anvertrauter eurer Angelegenheiten)!

10. Sei geduldig mit dem, was sie sagen und verabschiede dich von ihnen mit einem freundlichen Abschied!

11. Lass mich mit den Leugnern (alleine), **die sich in diesem Segen befinden! Gewähre ihnen Aufschub.**

12. Ohne Zweifel gibt es bei Uns „Ankal" (starke Fesseln, Ketten) **und „Dschahim"** (Hölle, brennendes Feuer).

Anmerkung:

Imam Razi, ein bekannter Kommentator und Interpret des Koran, sagte Folgendes über die Symbolik, welche benutzt wird in Bezug auf das Leiden in der Hölle: „Diese vier (höllischen) Zustände können als die spirituellen Ergebnisse angesehen werden, die sich eine Person in ihrem Leben angehäuft hatte. „Starke Fesseln/Ketten" sind symbolisch für die früheren materiellen Interessen der Person und die Fortsetzung ihrer Gefangenschaft aufgrund der körperlichen Begierden. Der Tag, an dem sie nicht mehr fähig sein wird, diese starken Fesseln und Ketten abzulegen, wird dann zum Mittel werden, die auferstandene Person (das Selbst) daran zu hindern, den Zustand der Reinheit und Erhabenheit zu erlangen. Danach bringen diese spirituellen Fesseln/Ketten „spirituelles Feuer" mit sich, denn wenn die Person ein starkes Bedürfnis für eine körperliche Begierde verspürt und unfähig ist, dies zu erreichen, dann setzt sich innerhalb ihres Wesens ein Gefühl des intensiven Brennens. Dies ist die Bedeutung des „brennenden Höllenfeuers" (Dschahim). Der Sünder, in seinem Zustand, verspürt in seiner Kehle den Schmerz der Trennung von den Dingen, die er begehrt und das erstickende Empfinden von diesen Dingen entzogen und beraubt zu sein. Dies ist die

Bedeutung des Ausdruckes „Nahrung, welche in ihren Kehlen steckenbleibt". Und letztendlich, aufgrund dieser Bedingungen, ist sie beraubt von der Gesellschaft jener, die erleuchtet und geheiligt sind mit der „Nuur" von Allah (dem Licht des Wissens um die Wahrheit ihres essentiellen Selbst); das ist die Bedeutung von „intensivem Leiden". Aber trotzdem sollt ihr wissen, dass ich die Bedeutungen dieser Ausdrücke im Koran nicht nur damit begrenze, was ich sage..."

13. Und Nahrung, welche steckenbleibt in ihren Kehlen und ein intensives Leiden!

14. Zu dieser Zeit werden die Erde (Körper) und die Berge (Ego-Identitäten) erschüttert werden... Und die Berge werden zu einem Haufen von Staub werden!

15. Zweifelsohne, genauso wie Wir dem Pharao einen Rasul (jemand, der reinigt; der die Wahrheit des essentiellen Selbst aufzeigt) **enthüllt hatten, haben Wir auch einen Rasul zu euch als Zeugen gesandt.**

16. Der Pharao gehorchte diesem Rasul nicht und Wir hielten ihn mit einem zerstörerischen Griff!

17. Falls ihr undankbar seid (zur offenbarten Wahrheit), **wie werdet ihr dann beschützt sein zu der Zeit, welche die Kinder grauhaarig und alt werden lässt?**

18. Der Himmel wird sich damit aufspalten; Sein Versprechen ist erfüllt worden!

19. In der Tat ist dies eine Erinnerung! Wer es auch immer will, möge den Weg nehmen, welcher zu seinem Rabb (führt)!

20. Dein Rabb weiß, dass du aufstehst während Zweidrittel der Nacht oder die Hälfte oder ein Drittel davon und auch tut dies eine Gruppe, die mit dir zusammen ist. Und es ist Allah, der die Nacht und den Tag bestimmt! (Allah) **weiß, dass ihr niemals fähig sein werdet, es zu bewerten und hat eure Vergebung akzeptiert. Deshalb, liest** (versteht und begreift) **aus dem Koran, was euch leichtfällt!** (Allah) **weiß, dass es unter euch jene geben wird, die krank sind und die das Land bereisen, um die Gunst Allahs zu ersuchen und jene, die auf dem Wege Allahs kämpfen. Deshalb liest davon, welches leicht ist und etabliert das „Salaah"** (um die Hinwendung mit der Beobachtung beizubehalten) **und gebt das „Zakaat"** (spendet ein Teil von dem, was ihr euch erarbeitet habt) **und gebt Allah ein gutes Darlehen... Was auch immer ihr an Gutem für euch selbst überreicht, ihr werdet es mit der Sichtweise Allahs als viel größer und besser vorfinden. Bittet Allah um Vergebung! Zweifelsohne ist Allah „Ghafur", „Rahim".**

Mit demjenigen, der durch den Namen Allah erwähnt wird (der mein Wesen mit Seine Namen erschaffen hat im Anwendungsbereich des Buchstabens „B"), der Rahman und Rahim ist.

1. Oh „Muddassir" (derjenige, der sich eingewickelt hat);

2. Steh auf und warne!

3. Und sei dir über die Grenzenlosigkeit (überragende Gewaltigkeit) deines Rabbs bewusst!

4. Reinige deine Kleidung (Bewusstsein - Gehirn)!

5. Bleib von der Unreinheit fern (von jeder Art von „Schirk", d.h. Dualismus; mit dem Grenzenlosen etwas zu assoziieren; von der falschen Bewertung)!

6. Und engagiere nicht in Gutem, nur um noch mehr (in Folge deines Ehrgeizes) anzueignen!

7. Sei geduldig für deinen Rabb!

8. Wenn das Horn geblasen wird (Tod, Auferstehung);

9. Dann wird es definitiv eine schwere Zeit sein!

10. Überhaupt nicht einfach für jene, die das Wissen um die Wahrheit leugnen (zudecken)!

11. Deshalb lass Mich mit demjenigen alleine (mich befassen), den ich erschaffen hatte;

12. Denjenigen, dem Ich Wohlstand gab;

13. Und demjenigen, dem Ich Söhne gab, die vor ihm laufen;

14. Und dem Ich expansiven Überfluss habe ausleben lassen!

15. Dennoch hofft er (voller Gier), dass Ich es für ihn vermehre!

16. Nein, Niemals! In der Tat ist er gegen Unsere Zeichen sehr stur.

17. Ich werde ihn zu einem steilen Berghang zwingen.

18. In der Tat hat er reflektiert und sich entschieden!

19. Möge er sterben und sehen, wie er entschieden hat (und die Wahrheit sehen)!

20. Nochmals, möge er sterben und sehen, wie er entschieden hat (und die Wahrheit sehen)!

21. Dann schaute er.

22. Dann missbilligte er und zog eine saure Miene!

23. Dann drehte er seinen Rücken zu und wurde arrogant!

24. Und er sagte: „Dies ist nichts anderes als die Magie der Erzählkunst!"

25. „Es sind nichts anderes als die Wörter eines Sterblichen!"

26. Ich werde ihn zum „Sakar" unterwerfen (Feuer, welches schmerzvoll foltert).

27. Und was lässt dich wissen, was „Sakar" ist?

28. („Sakar") lässt weder etwas beim gleichen Zustand, noch überlässt es etwas in seinem eigenen Zustand!

29. Es brennt und schwärzt das (Fleisch) der Sterblichen!

30. Darüber befinden sich neunzehn!

31. Wir haben nur (neunzehn) **Engel ernannt** (siehe 66:6), **um die Wächter des Feuers zu sein** (die Hölle, dass man sich als materiellen Körper wahrnimmt; nicht die Spezies der Menschen oder Dschinn) ... **Und Wir spezifizierten ihre Anzahl** (d.h. die Nummer 19 ist sehr bedeutend) **als** (ein Objekt) **der Prüfung für jene, die das Wissen um die Wahrheit leugnen. So dass jene, die ein Buch** (Wissen bzgl. der Wahrheit) **bekommen hatten mit Gewissheit wissen können** (worauf mit diesen Metaphern hingewiesen wird und so die Offenbarung von Mohammed [saw] bestätigen können) **und dass jene, die glauben** (an die Risalah und Nubuwwah von Rasulallah [saw]) **sich der Glauben vermehren soll** (das Wissen um die Gewissheit, Ilm al Yakin) **und dass jene, denen ein Buch gegeben wurde, nicht in Zweifel verfallen! Und dass jene, in dessen Herzen sich eine Krankheit befindet** (Skepsis; jene, die nicht fähig sind auf gesunde Art und Weise zu denken) **und jene, die nicht glauben** (die verschleiert sind von der Wahrheit und deshalb es zudecken) **sagen können: „Worauf wollte Allah anhand dieses Beispiels hinweisen? Und so leitet Allah in die Irre, wen Er will und führt zur Wahrheit, wen Er will. Nur HU kennt die Armeen** (Kräfte) **deines Rabbs! Dieses** („Sakar" und andere Metapher) **ist nur eine Erinnerung für den Menschen.**

32. Nein! Ich schwöre beim Mond,

33. Und der Nacht, wenn sie zurückkehrt,

34. Und dem Morgen, wenn es hell aufleuchtet.

35. Zweifelsohne ist es eines der größten Dinge!

36. Eine Warnung für den Menschen,

37. Für diejenigen von euch, die vorrücken oder zurückbleiben möchten.

38. Jedes Selbst ist gebunden an die Ergebnisse seiner eigenen Taten!

39. Außer die Gefährten der rechten Seite (Ashabal Yamin)!

40. Sie befinden sich in Paradiese... sie fragen;

41. Den Schuldigen:

42. „Was hat euch veranlasst im „Sakar" zu sein (das umschlingende Feuer mit immensen Flammen)?"

43. Sie sagen: „Wir gehörten zu jenen, die nicht das „Salaah" (die Hinwendung zu Allah nicht aktiv zu erfahren) etablierten!"

44. „Auch hatten wir nicht die Armen gespeist."

45. „Und wir begaben uns (in egoistische Vergnügen) des Genusses mit jenen, die gefrönt hatten!"

46. Und wir leugneten die Zeit der Religion (die Realität, dass die Resultate für jede begangene Tat definitiv ausgelebt und erfahren wird; das System, welches „Sunnatullah" genannt wird)!"

47. „Letztendlich entstand die Gewissheit (Konfrontation mit der Wahrheit)!"

48. Dann wird die Fürbitte derjenigen, die Fürbitte leisten, ihnen nichts nutzen.

49. Was ist mit ihnen los, dass sie sich abwenden von demjenigen, der sie erinnert?

50. Sie sind wie wilde Esel, die voller Furcht umherlaufen.

51. Als ob sie aus Angst vor einem Löwen fliehen!

52. Vielleicht wünscht sich jeder von ihnen, dass Seiten (der Offenbarungen) **ihnen gegeben werden!**

53. Nein! Sie haben keine Angst vor dem ewigen Leben, welches kommen wird!

54. Nein! Es ist in der Tat eine Erinnerung!

55. Wer es auch immer will, wird sich daran erinnern (und es gebührend evaluieren)!

56. Und sie können sich nicht erinnern (und es evaluieren), **es sei denn Allah will es...** **Er befähigt Schutz, wem Er will und vergibt, wem Er will.**

Mit demjenigen, der durch den Namen Allah erwähnt wird (der mein Wesen mit Seine Namen erschaffen hat im Anwendungsbereich des Buchstabens „B"), **der Rahman und Rahim ist.**

1. Ich schwöre bei der Realität des Tages der Auferstehung;

2. Und dem sich selbst beschuldigenden Selbst (Nafs-i Lawwama: das Bewusstsein, welches sich darüber bewusst ist, dass es entgegen seiner essentiellen Wahrheit lebt und deswegen Reue empfindet);

3. Denkt der Mensch, dass Wir seine Knochen keineswegs zusammenbringen werden?

4. Ja! Wir haben sogar die Kraft, seine Fingerspitzen wiederherzustellen (sogar seine Fingerabdrücke auf die gleiche Art wieder zu bilden)!

5. Aber nein! Der Mensch wird zügellos, als ob er das ihm Bevorstehende (das Leben, welches mit dem Tod beginnt) **dementieren würde.**

6. Er fragt: „Wann ist die Zeit der Auferstehung (die Erfahrung des Todes)?"

7. Wenn dein Blick geblendet ist,

8. Und der Mond sich verfinstert,

9. Und die Sonne und der Mond zusammenkommen!

10. Zu dieser Zeit wird der Mensch sagen: „Wohin können wir fliehen?"

11. Nein, es gibt (außerhalb) **keinen Ort der Zuflucht!**

12. Zu dieser Zeit ist die Zuflucht (jedes Individuums) **sein Rabb!**

13. Zu dieser Zeit werden sich beim Menschen die Information über die Dinge manifestieren, die er vollbracht hatte und die er hinter sich gelassen hatte (aufgeschoben, also versagt hatte zu tun).

14. (Die Wahrheit ist), dass der Mensch sein eigenes Selbst auswertet! (Erinnert euch an Vers 17:14 „Liest euer Buch [Wissen] des Lebens! Ausreichend für euch ist euer eigenes individuelles Bewusstsein zu diesem Zeitpunkt, um die Konsequenzen eurer Taten zu unterscheiden.")

15. Welche Ausrede er auch hervorbringt (es wird keinen Unterschied machen)!

16. Wiederhole es nicht mit deiner Zunge, um es zügig (auswendig) **zu lernen.**

17. Zweifelsohne gehört Uns seine Zusammensetzung und Lesung.

18. Wenn Wir es lesen, dann folgt Seiner Lesung!

19. Danach gehört Uns auch Seine Deutung (das, was es enthüllt).

20. Aber nein! Ihr liebt das Unmittelbare (das, welches zuerst da ist; die Welt);

21. Und lässt das ewige Leben, welches kommen wird, sein!

22. Zu dieser Zeit werden Gesichter strahlen.

23. Mit dem Blick zu ihrem Rabb.

24. Und viele Gesichter werden zu dieser Zeit finster schauen!

25. Sie (mit finsteren Blicken) werden spüren, wie ihre Rücken gebrochen werden...

26. Nein! Wenn das Leben die Schlüsselbeine erreicht;

27. „Wer wird sie vor dem Tod retten?"

28. Er wird mit absoluter Gewissheit wissen, dass es die Zeit der genannten Trennung ist!

29. Und die Füße werden ineinander verflochten sein!

30. Zu diesem Zeitpunkt wird zu eurem Rabb das Heranrücken sein!

31. Denn er hat weder es bestätigt, noch hat er das „Salaah" (die Hinwendung zu seinem Rabb) etabliert...

32. Sondern er hat es abgelehnt und sich abgewendet!

33. Und dann kehrte er (mit seinem Ego) zurück zu seinen Leuten.

34. Es ist notwendig für dich, es ist notwendig!

35. Und nochmals, es ist auf jeden Fall notwendig für dich, ja, notwendig!

36. Denkt der Mensch, dass ihm freien Lauf gelassen wird?

37. War er nicht einmal ein Tropfen aus Sperma?

38. Welches dann zu einem Klumpen wurde (genetische Struktur) und (Allah) erschuf ihn und proportionierte ihn (gemäß seines Schöpfungsprogramms).

39. Und formte ihn zu zwei Partnern, zum Männlichen (Bewusstsein – aktive Energie) und zum Weiblichen (der Körper – passive, empfangene Energie).

40. Ist dieses (das System und die Anordnung von Allah, der dies alles gemacht hatte) nicht „Kaadir", den Toten wieder auferstehen zu lassen?

Mit demjenigen, der durch den Namen Allah erwähnt wird (der mein Wesen mit Seine Namen erschaffen hat im Anwendungsbereich des Buchstabens „B"), der Rahman und Rahim ist.

1. Gab es denn nicht eine Zeit, in der der Mensch nicht einmal erwähnt wurde?

2. Zweifelsohne erschufen Wir den Menschen aus einer Mischung (genetischem Nachlass) von Sperma und erzeugten ihn zu jemanden, der wahrnimmt und auswertet.

3. Zweifelsohne zeigten Wir ihm den Weg (den Weg des Glaubens, indem der Verstand benutzt wird). Entweder wird er dankbar sein (und seinen Rabb gebührend bewerten) oder leugnen (die Wahrheit zudecken)!

4. Zweifelsohne haben Wir für jene, die das Wissen um die Wahrheit leugnen, Ketten (umweltbedingte Konditionierungen und Wertvorstellungen) und Fesseln (die Bindung zum Körper) und eine Flamme (des Feuers, d.h. das Brennen) vorbereitet.

5. Und in der Tat werden die „Abrar" (die Guten, Aufrichtigen) aus einer Schale trinken, deren Mischung aus „Kafur" besteht (ein Getränk, welches dem Herzen Kraft gibt).

6. (Dieses Getränk) ist eine unaufhörliche Quelle, welches die Diener Allahs (aus ihrem Inneren, ihrer Essenz) herausströmend fließen lassen und trinken.

7. Sie (die Abrar) halten ihre Versprechen und fürchten sich vor einem Tag, an dem sich Schlechtes weitreichend verteilt!

8. Sie ernähren die Bedürftigen, die Waisen und die Gefangenen aus ihrer Liebe zu Ihm heraus.

9. Sie sagen: „Wir ernähren euch nur um des Willens von Allahs Antlitz (Wadschullah)... Wir wollen von euch weder eine Gegenleistung, noch einen Dank."

10. „Zweifelsohne fürchten wir von unserem Rabb einer erzürnten und schwierigen Zeit."

11. Deshalb hat Allah sie vor dem Übel dieser Zeit beschützt und ihnen Helligkeit und Freude gegeben.

12. Und die Gegenleistung für ihre Geduld war das Paradies und die Seide.

13. Dort lehnen sie sich an Sesseln und dort sehen sie weder die (brennende) Sonne, noch die (frierende) Kälte (im Sinne von, dass es in dieser Lebensdimension keine körperliche Sinnesempfindung gibt.).

14. Seine Schatten sind über sie nah und deren Früchte (gnostisches Wissen) sind ihnen ergeben.

15. Silberne Becher und Kristallkrüge werden um sie herumgereicht werden.

16. Silber- und Kristallbecher, von denen sie die Anzahl bestimmt haben.

17. Und ihnen wird ein Becher zu trinken gegeben werden, dessen Mixtur aus Ingwer besteht.

18. Eine Quelle, welche „Salsabil" genannt wird.

19. In ihrer Umgebung werden junge, unsterbliche Diener sein... Wenn du sie siehst, wirst du denken, dass sie zerstreute Perlen wären!

20. Und wo auch immer du hinschaust, du wirst (nur) Segen und eine große Herrschaft sehen.

21. Und sie werden Kleidungen haben, welche aus feiner Seide und Brokat bestehen, geschmückt mit silbernen Armreifen... Und ihr Rabb hat sie einen reinen Wein trinken lassen (der euphorische Zustand verursacht durch die Aussetzung zur Wahrheit). (Bitte merken Sie an, dass die Beschreibungen bezüglich des Paradieses aus Metaphern und Parabeln bestehen, so wie sie auch bei folgenden Versen erwähnt wurden [13:35, 47:15]. Diese Tatsache sollte nicht vergessen werden.)

22. Zweifelsohne ist dies eure Belohnung (die Resultate eurer Taten)! Eure gläubigen Praktiken wurden gebührend wertgeschätzt!

23. Zweifelsohne sind Wir es, ja Wir, die den Koran offenbart hatten (anhand von dir haben Wir es manifestiert, einen Teil nach dem anderen)!

24. Deshalb sei geduldig um der Anordnung deines Rabbs und richte dich nicht nach jenen, die rebellieren oder die die Wahrheit mit hartnäckigem Leugnen bedecken.

25. Erinnere (Dhikr) dich morgens und abends an den Namen deines Rabbs!

26. Und werfe dich Ihm nieder in einem Teil der Nacht; glorifiziere (Tasbih) Ihn in der Nacht auf eine lange Art und Weise.

27. In der Tat lieben jene die Welt vor ihren Augen, ohne die danach kommende sehr schwierige Zeit in Betracht zu ziehen.

28. Wir erschufen sie und haben ihre Beziehungen gestärkt. Und Wir werden sie mit ihresgleichen ersetzen, wann immer Wir es wollen.

29. In der Tat ist dies eine Erinnerung (an die Wahrheit)! Deshalb, wer auch immer es will, möge den Weg zu seinem Rabb nehmen.

30. Ohne dass Allah es nicht will, könnt ihr nicht wollen! In der Tat ist Allah „Aliym", „Hakiym".

31. Er bezieht, wen Er will, zu Seiner Gnade ein. Was die „Zalims" (A.d.Ü.: Jene, die nicht daran interessiert sind, ihr Bewusstsein zu reinigen und deshalb grausam zu ihrer eigenen ewigen Existenz sind, weil sie unvorbereitet die Dimension wechseln) anbelangt, für sie hat Er ein intensives Leiden vorbereitet.

Mit demjenigen, der durch den Namen Allah erwähnt wird (der mein Wesen mit Seine Namen erschaffen hat im Anwendungsbereich des Buchstabens „B"), der Rahman und Rahim ist.

1. Anhand von jenen, welche einen nach dem anderen enthüllt wurden;

2. welche heftig angreifen;

3. die zum Leben aufwecken und verursachen aufzustehen;

4. die wählen und aufteilen;

5. Und jene, welche die Erinnerung enthüllen (die Kräfte, welche sich im Bewusstsein manifestieren; die Auserwählte Versammlung [Mala-i Ala]. Das arabische Wort, welches hier im Vers benutzt wurde [„ilka"oder „lika"] ist wie das Wort „nafh" [Atem], d.h. es geht etwas von innen nach außen; es ist eine explizite Projektion, welche einen Zustand darstellt, der im Bewusstsein geformt und erfahren wird. Die Reihenfolge ist Folgende: 1. „Akhfa – Khafi" [das Verborgene, die Reflexion der Attribute, „Tadschalli-i Sifat"], 2. „Sir" [das Geheimnis, Reflexion der Namen, „Tadschalli-i Asma"], 3. „Ruh" [„Fuad", die Reflexion der Bedeutungen der Namen vom Herzen], 4. „Kalb" [Herz, d.h. Bewusstsein] und 5. „Nafs" [das Selbst, individuelles Bewusstsein, das unterste Verständnis der Identität]. Es erklärt die Reflexionen von der Seele zum Bewusstsein. „Stellvertreter" [Khalifa] von Allah ist derjenige, der die Gesamtheit von all diesen Bewusstseinszuständen darstellt oder jemand, der all diese Zustände verkörpert; dieser wird als der „wahre Mensch" bezeichnet.)!

6. Um zu entschuldigen (schlechte Taten zu verzeihen) oder um zu warnen.

7. Was euch versprochen wurde (die Auferstehung), wird sich definitiv verwirklichen!

8. Wenn die Sterne ausgelöscht sind,

9. Und der Himmel gespalten wird,

10. Und die Berge weggefegt werden,

11. Und die Rasuls (nicht die Nabis!) ihre Positionen für ihre neuen Aufgaben einnehmen.

12. Für welchen Tag waren sie aufgeschoben worden?

13. Für die Zeit der Aussortierung!

14. Und weißt du, was die Zeit der Aussortierung ist?

15. Wehe jenen, die geleugnet hatten (das Leben nach dem Tod) zu dieser Zeit!

16. Hatten Wir nicht die Früheren zerstört?

17. Dann werden Wir die Späteren sie auch folgen lassen (sie werden auch zerstört werden).

18. Und so behandeln Wir die Schuldigen!

19. Wehe den Leugnern zu dieser Zeit!

20. Hatten Wir euch nicht aus einem einfachen Wasser erschaffen?

21. Wir bildeten es an einem sicheren Ort (in der Gebärmutter),

22. Bis zu einem festgelegten Schicksal!

23. Und so hatten wir es festgelegt! Und exzellente Festleger sind Wir!

24. Wehe den Leugnern zu dieser Zeit!

25. Hatten Wir nicht die Erde zu einem Ort der Versammlung gemacht?

26. Für die Lebenden und für die Toten!

27. **Wir formten darin erhabene** (große, majestätische) **Berge, welche stabil sind und haben euch süßes Wasser trinken lassen.**

28. Wehe den Leugnern zu dieser Zeit!

29. Los, schreitet voran zu dem, welches ihr geleugnet hattet!

30. **Schreitet voran zum Schatten des Dreizacks** (lasst euren Glauben an die Dreifaltigkeit [Vater, Sohn und Heiliger Geist] euch jetzt retten)!

31. **Es wird euch weder Schatten spenden** (vom Feuer), **noch euch vor der brennenden Flamme retten** (unterschiedliche Empfindungen des Brennens)!

32. Zweifelsohne schießt es Funken so groß wie Paläste!

33. Funken so groß wie gigantische, goldene Seile!

34. Wehe den Leugnern zu dieser Zeit!

35. Dies ist der Tag, an dem sie nicht sprechen sollen.

36. Auch wird ihnen keine Erlaubnis gegeben, Ausreden zu präsentieren.

37. Wehe den Leugnern zu dieser Zeit!

38. **Dies ist die Zeit der Aussortierung! Wir haben euch und die Früheren zusammengebracht.**

39. Falls ihr einen Trick habt, dann wendet euren Trick jetzt gegen Mich an!

40. Wehe den Leugnern zu dieser Zeit!

41. Zweifelsohne werden die Beschützten sich unter Schatten und Quellen befinden.

42. Mit jeder Frucht, die sie sich wünschen.

43. „Esst und trinkt zum Wohl als Resultat eurer Taten!"

44. **Und auf diese Weise belohnen Wir die „Muhsin"** (jene, in dessen Beobachtung nichts anderes existiert als die Wahrheit).

45. Wehe den Leugnern zu dieser Zeit!

46. **„Esst und vergnügt euch ein wenig** (in dieser Welt) **... Zweifelsohne seid ihr die Schuldigen!"**

47. Wehe den Leugnern zu dieser Zeit!

48. Und wenn ihnen gesagt wird: „Verbeugt euch", dann verbeugen sie sich nicht!

49. Wehe den Leugnern zu dieser Zeit!

50. **Welchem Wort werden sie jetzt danach** (der wichtigen Botschaft, die der Koran überbracht hat) **glauben?**

Mit demjenigen, der durch den Namen Allah erwähnt wird (der mein Wesen mit Seine Namen erschaffen hat im Anwendungsbereich des Buchstabens „B"), der Rahman und Rahim ist.

1. Wonach fragen sie?

2. [Etwa] Nach der gewaltigen Nachricht (die Fortsetzung des Lebens nach dem Tode)?

3. Doch sie sind sich in diesem Thema uneins!

4. Nein (es ist nicht so, wie sie es sich denken), bald (nach dem Sterben) werden sie es wissen!

5. Nochmals nein (es ist nicht so, wie sie es sich denken), bald werden sie es wissen!

6. Haben wir nicht die Erde (den Körper) zu einer Wiege (vorübergehendes Gebrauchsinstrument, in welchem ihr euch entwickeln werdet) gemacht?

7. Und die Berge (die Organe im Körper) je zu einem Pfahl!

8. Euch haben wir als Paare (Bewusstsein – Körper) erschaffen.

9. Euren Schlaf haben wir zur Erholung etabliert.

10. Die Nacht haben wir zu einer Decke etabliert.

11. Und den Tag haben wir zur Beschäftigung für den Lebensunterhalt etabliert.

12. Über euch (das System mit sieben Umlaufbahnen - in der Dimension eures Bewusstseins) haben wir sieben feste (Himmel) errichtet.

13. Und eine Licht abstrahlende Leuchte (die Sonne – der Verstand) hineingesetzt.

14. Aus den Regenwolken haben wir in Strömen reichlich Wasser herabgesandt.

15. Damit wir Körner und Pflanzen hervorbringen.

16. Ineinander verschachtelte Gärten!

17. Zweifelsohne steht das Intervall (die Unterscheidung durch Klassifizierung) zeitlich fest.

18. Bei diesem Prozess wird in die Posaune geblasen werden, so dass ihr gruppenweise kommt!

19. Der Himmel ist ebenfalls geöffnet, der voll von Pforten ist (das Bewusstsein öffnet sich dem Leben der Wahrnehmung ohne die Sinnesorgane).

20. Die Berge wurden bewegt, sind zu einer Luftspiegelung geworden (die Beschränkung der Organe ist aufgehoben).

21. Gewiss ist die Hölle zur Wegstrecke geworden (jeder passiert sie)!

22. Sie ist der Ansiedlungsraum für die Maßlosen (die Unbändigen; diejenigen, die grausam zu ihrem eigenen Selbst und den anderen sind; diejenigen, die keine Schutzmaßnahmen nach dem Gesetz des Systems [Sunnatullah] ergreifen)!

23. Als Bleibende für eine sehr lange Zeit!

24. Dort werden sie weder die Kühle, noch einen Trank kosten, welcher Vergnügen bereitet!

25. Nur „Hamim" (kochendes Wasser) und „Ghassak" (Eiter)!

26. Als komplette Konsequenz ihres Lebens!

27. Definitiv hatten sie keine Rechenschaft (Resultat ihrer Lebensweise) vermutet!

28. In ihrem Wesen leugneten sie Unsere Zeichen!

29. Dabei haben Wir alles bis aufs Detail registriert und niedergelegt!

30. Kostet es in diesem Zustand; außer der Qual werden Wir euch in nichts anderes erhöhen!

31. Wahrlich gibt es für diejenigen, die sich beschützen, eine Rettung.

32. Wasserreiche Gärten, Weinberge... (Es soll an die Warnung von „Mathalul Dschannatillatiy" erinnert werden. Die ganzen Aussagen, die das Paradies betreffen, werden anhand von Symbolen und Metaphern überliefert.)

33. Gleichaltrige und hervorragende Paare! (Diese von der Essenz der Eigenschaften der Namen manifestierte, hervorragende und reichhaltige Dimension voller Kapazität ohne einen Geschlechtsbegriff, in der Struktur des reinen Bewusstseins entstandene Körper. Ohne den Unterschied von weiblich und männlich! Allahu alem [Allah weiß es besser]. A.H.)

34. Gefüllte Kelche!

35. Sie hören dort weder leeres Gerede noch eine Lüge.

36. Die Konsequenz von deinem Rabb, (das heißt) als eine Gabe für die vollbrachten Taten!

37. Er ist der Rabb zwischen den Himmeln, der Erde und alles, was dazwischen existiert; Er ist der „Rahman"! Keiner ist der Eigentümer Seiner Anrede.

38. Während dieses Prozesses werden die SEELE (die einheitliche Bedeutung der Essenz der Namen manifestiert sich in der reinen universalen Bewusstseinsdimension aller Menschen) und die Engel aufgereiht sein (=im „Kiyaam" sein, zum Rahman ausgerichtet). Keiner ist im Sprechzustand (=im Zustand sein Bewusstsein auszudrücken), ausgenommen diejenigen, die die Erlaubnis des „Rahmans" dafür haben (in ihrer angeborenen Disposition)! Jene sagen die Wahrheit.

39. So, dies ist der Prozess der Realität! Nun wer es wünscht, der soll versuchen, seinen Rabb zu erreichen!

40. Wahrlich haben wir euch vor einer naheliegenden Qual (den Tod) gewarnt! An dem Tag betrachtet die Person, was ihre Hände (sich selbst) anbieten; diejenigen, die das Wissen um die Wahrheit leugnen, werden sagen: „Wenn ich doch nur Staub wäre!"

Mit demjenigen, der durch den Namen Allah erwähnt wird (der mein Wesen mit Seine Namen erschaffen hat im Anwendungsbereich des Buchstabens „B"), der Rahman und Rahim ist.

1. **Bei der intensiven Stärke** (Kraft; Mars),

2. **Und** (der Kraft), **welche mit Leichtigkeit wegnimmt** (Sonne),

3. **Und die** (Kräfte), **welche schwimmen** (in ihren Umlaufbahnen; Saturn und Jupiter),

4. **Und die** (Kräfte), **die wetteifern und überholen** (Merkur und Venus),

5. **Und die Administratoren des Befehls,** (die Kräfte, die manifestieren; der Mond). (Dass diese Verse auf die Planeten hinweisen, ist die Meinung von Hasan Al Basri und Imam Razi; eine Sichtweise, die ich auch teile. A.H.)

6. **Zu dieser Zeit wird die Erschütterung** (des Todes; Erdbeben) **erschüttern.**

7. **Gefolgt von einer weiteren** (Auferstehung; Beginn eines neuen Lebens mit dem neuen Körper bestehend aus „Seele").

8. **Zu dieser Zeit werden die Herzen** (Bewusstsein) (einiger) **geschockt sein!**

9. **Ihre Blicke bestürzt und gebrochen sein!**

10. **Aber dennoch sagen sie: „Werden wir wirklich zu unserem früheren Zustand zurückkehren** (zurück zum Leben, nachdem wir zu Staub wurden). **Werden wir wirklich wiederauferstehen?"**

11. **„Selbst nachdem wir zerfallen sind und zu verstreuten Knochen wurden?"**

12. **Sie sagten: „Das wird dann eine Rückkehr mit Verlust sein** (der Fortbestand des Lebens in diesem Zustand)."

13. **Dabei ist es nur ein Befehl!**

14. **Und siehe da, sie werden sich unverzüglich in einer ausgedehnten Fläche wiederfinden!**

15. **Hat dich das Ereignis von Moses erreicht?**

16. **Wie sein Rabb ihn im heiligen Tal von Tuwa ansprach:**

17. **„Geh zum Pharao! Zweifelsohne hat er die Grenze überschritten!"**

18. **Und sag: „Wärst du bereit, dich zu läutern, um gereinigt zu sein?"**

19. **„Wie wäre es, wenn ich dich zu deinem Rabb führe? Du wirst in Ehrfurcht stehen** (gegenüber Seiner Gewaltigkeit)!"

20. **Dann zeigte er ihm das große Wunder!**

21. **Aber** (der Pharao) **leugnete und rebellierte.**

22. **Dann drehte er sich weg und rannte.**

23. **Dann versammelte er seine Leute und rief aus:**

24. **„Ich bin der höchste Rabb für euch!"** (Der Pharao, der das alte Wissen bezüglich der Wahrheit des Selbst erreicht hatte, bevorzugte dieses Wissen zugunsten seiner körperlichen

Existenz und seiner Begierden, anstatt es dafür zu nutzen, um das Verständnis des reinen Bewusstseins in der Existenz zu beobachten und ist deshalb auf die niedrigste Stufe des Selbst gefallen [Nafs-al Ammarah]. Dies ist der Grund, weshalb Moses ihm nicht einfach das Wissen um die Wahrheit vermittelt hatte und ihn nicht dazu einlud an Allah zu glauben, sondern Moses warnte ihn damit, an den „Rabb der Welten" zu glauben. Mit anderen Worten lud er ihn dazu ein, an die Namen zu glauben, welche überall manifestiert werden und die gesamte Existenz verwalten, anstatt sein Verständnis von dieser Einheit mittels seiner körperlichen Begierden zu erfahren.)

25. Daraufhin ergriff ihn Allah anhand eines beispielhaften Leidens der unendlichen Lebensdimension und mit dem, was davor steht (das irdische Leben).

26. Zweifelsohne gibt es hierin eine Lehre für jene, die die Ehrfurcht erreicht haben!

27. Ist eure Schöpfung schwieriger oder die Schöpfung des Himmels? (Diese hat Allah auch) **konstruiert!**

28. Er erweiterte seine Grenzen und proportionierte es (formte es gemäß der Eigenschaften, die ihre Funktion erfüllen).

29. Er verdunkelte seine Nacht und erhellte seinen Tag.

30. Dann breitete Er die Erde aus und richtete sie ein.

31. Obwohl aus ihr das Wasser und das Weideland hervorgebracht wurden.

32. Und die Berge, die Er ganz stabil aufstellte, als ob sie verankert wären.

33. So dass ihr und euer Vieh (Tiere) davon Nutzen ziehen könnt.

34. Aber wenn die überwältigende Katastrophe (das Ereignis, welches nicht überwunden werden kann; den Tod zu kosten und ein neues Leben zu erfahren) **beginnt,**

35. Zu dieser Zeit wird der Mensch sich an die Resultate seiner Taten erinnern!

36. Und die Hölle wird (eindeutig) **entblößt sein zu jenen, die sehen** (ohne durch die Begrenzungen des Auges)!

37. Für jenen, der über die Stränge schlägt und keine Regeln kennt,

38. Und ausgesucht hatte, weltlichen Vergnügen nachzugehen;

39. Definitiv wird dann sein Aufenthaltsort die Umgebung (Zustand) **des Brennens sein!**

40. Aber was denjenigen betrifft, der die Position seines Rabbs gefürchtet hatte und sich vor den Dingen beschützt hatte, deren Ergebnisse nutzlos sein werden im ewigen Leben,

41. In der Tat wird das Paradies sein Aufenthaltsort sein.

42. Sie fragen dich bezüglich der Stunde. Wann ist ihre Ankunft?

43. Doch was hat dieses Wissen bei dir zu suchen?

44. Zu deinem Rabb gehört sein Ende.

45. Du bist nur ein Warner für diejenigen, die vor Ihm Ehrfurcht spüren!

46. An dem Tag, an dem sie es sehen, wird es so sein, als ob sie (in der Welt) **nie verweilt hätten, außer für die Zeit von „Aschiyya"** (Sonnenuntergang, Abenddämmerung).

Mit demjenigen, der durch den Namen Allah erwähnt wird (der mein Wesen mit Seine Namen erschaffen hat im Anwendungsbereich des Buchstabens „B"), der Rahman und Rahim ist.

1. Er verzog sein Gesicht und drehte sich weg!

2. Weil der Blinde sich ihm näherte!

3. Woher weißt du denn, vielleicht wird er gereinigt werden!

4. Oder vielleicht wird er über das Erinnerte nachdenken und diese Erinnerung wird ihm nützlich sein!

5. Was denjenigen betrifft, der denkt, dass er nicht bedürftig ist...

6. Ihm gibst du Aufmerksamkeit!

7. Was geht es dich an, wenn er nicht gereinigt wird!

8. Jedoch ist zu dir jemand gekommen, dem es nach Wissen dürstet!

9. Er spürt die Ehrfurcht!

10. Dennoch gibst du ihm nicht deine Aufmerksamkeit!

11. Nein, in der Tat, dies (der Koran) ist eine Erinnerung.

12. Wer möchte, erinnert sich daran!

13. Es ist aufgeschrieben in ehrenhaften Schriften,

14. Und erhaben und vollständig gereinigt!

15. Durch die Hände (Kräfte) der Schreiber (aufschreibende Engel).

16. Ehrenvoll (ehrwürdig, hoch erhaben) und pflichtbewusst,

17. Wehe dem Menschen! Möge er sterben (und die Wahrheit sehen)! Wie er doch leugnet!

18. Woraus hat Er ihn erschaffen?

19. Er erschuf ihn aus einem Tropfen Sperma und erzeugte seine Natur!

20. Dann hat Er ihm seinen Weg vereinfacht.

21. Dann hat Er ihn umgebracht und in das Grab (Körper) platziert.

22. Dann, wann Er es will, wird Er ihn wiederauferstehen lassen von seinem Grab (von seinem Körper).

23. Aber nein! Er hat noch nicht erfüllt, was Er ihm befohlen hatte (er hat nicht seinem Dasein als Stellvertreter die gebührenden Rechte gegeben).

24. Der Mensch soll auf das schauen, was er isst!

25. Eigentlich haben Wir dieses Wasser reichlich fließen lassen und haben es ausgegossen.

26. Und Wir gruben die Erde um (und so),

27. Haben Wir verursacht, dass dort Keime entsprossen.

28. Trauben und frischen Klee,

29. Oliven und Datteln,

30. Dichte Gärten von großen Bäumen,

31. Früchte und Weideland,

32. Zum Nutzen für euch und euer Vieh (Tiere).

33. Wenn diese furchterregende Explosion gehört wird,

34. Zu dieser Zeit wird der Mensch vor seinem Bruder fliehen,

35. Und vor seiner Mutter und seinem Vater,

36. Und vor seiner Frau und seinen Söhnen!

37. Zu dieser Zeit wird ein jeder mit seinen eigenen Sorgen sein!

38. (Manche) Gesichter werden an diesem Tag hell leuchtend sein,

39. Während sie lachen und sich freuen aufgrund der guten Nachrichten!

40. (Manche) Gesichter werden an diesem Tag staubbedeckt erscheinen,

41. Völlig umhüllt mit Düsterheit!

42. Sie, die Verfälscher (sie neigen zur Falschheit), sind die wahren Leugner des Wissens um die Wahrheit und der Realität!

Mit demjenigen, der durch den Namen Allah erwähnt wird (der mein Wesen mit Seine Namen erschaffen hat im Anwendungsbereich des Buchstabens „B"), der Rahman und Rahim ist.

1. **Wenn die Sonne zusammengerollt ist** (wenn der Verstand seine Kraft verliert im Angesicht der Wahrheit),

2. **Und die Sterne sich verdunkeln** (Gedankenprozesse hören auf – Ideen bringen keinen Einfall mehr),

3. **Und die Berge beseitigt sind** (die Organe hören auf zu arbeiten),

4. **Und wenn das weibliche Kamel** (Objekte von Wohlstand; Statussymbole) **vernachlässigt und** (weltliche Werte) **verlassen werden,**

5. **Und wenn die Bestien versammelt werden** (tierische Sinne verlieren ihre Kraft),

6. **Und die Meere anfangen zu kochen** (Informationen, welche durch Konditionierungen erworben wurden, kochen auf und verdunsten im Angesicht der Wahrheit),

7. **Und wenn die Formen des Selbst ihre Paare bekommen** (individuelles Bewusstsein wird mit seinem neuen Seelenkörper zusammengebracht),

8. **Und das weibliche Kind, welches lebendig begraben wurde, gefragt wird,**

9. **„Für welche Sünde es gestorben sei?"**

10. **Und wenn die gespeicherten Seiten veröffentlicht werden,**

11. **Und der Himmel auseinandergerissen wird** (wenn der Verstand seine Urteilskraft verliert),

12. **Und die Hölle angezündet wird und in Flammen gesetzt wird** (das Feuer der Reue entflammt),

Anmerkung:

Diese Interpretationen beziehen sich auf das Jüngste Gericht aus der Sichtweise der individuellen Erfahrung der Person, d.h. der eigene Tod der Person.

13. **Und das Paradies nahegebracht wird,**

14. **Jedes Selbst** (individuelles Bewusstsein) **wird wissen, was es vorbereitet hat** (wird die Konsequenzen der eigenen Taten in seinem Leben mit dem biologischen Körper einsehen).

15. **Ich schwöre bei „Al Hunnas"** (die Sterne, die am Tage nicht sichtbar sind aufgrund des Sonnenlichtes),

Anmerkung:

Hadhrat Ali (ra) sagt Folgendes in Bezug auf „Al Hunnas": „Diese sind die Sterne (Planeten), welche unsichtbar sind am Tag, aber sichtbar in der Nacht."

16. **Und bei al Dschawar und al Kunnas** (die Planeten, die während des Betrachtens auf ihren Umlaufbahnen gleichzeitig im Wirkungsspektrum der Konstellationen umkreisen),

17. Und bei der Nacht, wenn sie wieder hereinbricht,

18. Und beim Morgen, welcher ihr einatmet,

19. Zweifelsohne ist es das Wort (welches vermittelt wird anhand) eines ehrenhaften Rasuls;

20. Der Besitzer von Kraft (Rasul)! In Sicherheit aus der Sichtweise des Besitzers des gewaltigen Thrones!

21. Dort (im Himmel) ist man ihm gehorsam, er ist vertrauenswürdig.

22. Euer Gefährte (Muhammad [saw]) ist nicht besessen (von den Dschinn)!

23. In der Tat bezeugte er Ihn am klaren Horizont!

24. Er hält (das Wissen) des „Nicht-Wahrzunehmenden" (Ghaib) nicht zurück!

25. Und es ist nicht das Wort vom Satan, dem Verfluchten (gesteinigt, also entfernt von der Wahrheit)!

26. Deshalb, wohin geht ihr (indem ihr den Koran verlässt)?

27. Es ist nur eine Erinnerung für die Welten (Menschen)!

28. Für diejenigen, die tatsächlich mit der Wahrheit leben möchten!

29. Ohne dass Allah, der Rabb der Welten, es nicht will, könnt ihr nicht wollen!

Mit demjenigen, der durch den Namen Allah erwähnt wird (der mein Wesen mit Seine Namen erschaffen hat im Anwendungsbereich des Buchstabens „B"), **der Rahman und Rahim ist.**

1. **Und wenn der Himmel sich spaltet,**

2. **Und die Planeten verstreut werden und auseinandergehen,**

3. **Und die Meere aufkochen und heftig aufbrausen,**

4. **Und die Seelen von ihren Welten herausgenommen werden** (die universale Realität begreifen);

5. **Jedes Selbst wird wissen, was es vorbereitet hat** (was es früher getan hatte) **und was es fehlschlug, getan zu haben** (vernachlässigt, für später aufgeschoben hatte).

6. **Oh Mensch! Wie hast du es gewagt** (undankbar zu sein zu dem Wissen, welches über deine essentielle Wahrheit informiert) **zu deinem Rabb zu sein, der „Kariym" ist** (uneingeschränkt großzügig)?

7. **Der dich erschaffen hatte** (dich manifestiert hatte), **dich formte** (mit einem Gehirn, einem individuellen Bewusstsein und einer Seele) **und dir vollständige Ausgewogenheit gab!**

8. **Was für eine Form** (Manifestierungen der Namen) **Er für dich gewollt hatte, gemäß diesem hat Er deine Komposition gebildet.**

9. **Aber nein** (es ist nicht so, wie ihr denkt)! **Stattdessen leugnet ihr eure Religion** (das System, welches ihr befolgt)!

10. **Zweifelsohne befinden sich über euch Aufzeichnungen** (die all eure Gedanken von eurem Gehirn zu eurer Seele aufzeichnen),

11. **Prächtige, noble Schreiber** (Kräfte)!

12. **Sie wissen, was auch immer ihr tut.**

13. **Zweifelsohne werden die „Abrar"** (die Guten; Aufrichtigen) **sich in Paradiese voller Segen befinden.**

14. **Während die „Fudschar"** (die sich von der Wahrheit weggedreht haben) **sich im** (Feuer) **der Hölle befinden werden.**

15. **Zu es werden sie unterworfen werden in der Zeit, wo die Anordnungen der Religion angewendet werden!**

16. **Sie befinden sich in einem Zustand der andauernden Observation der Hölle!**

17. **Weißt du, was der Tag der Religion darstellt?**

18. **Also nochmal, weißt du, was der Tag der Religion darstellt?**

19. **In dieser Zeit kann keiner etwas für jemand anderem tun! In dieser Zeit gehört das Urteil gänzlich Allah** (es gibt nichts, was die Person tun kann, außer die Konsequenzen ihrer Taten auszuleben)!

Mit demjenigen, der durch den Namen Allah erwähnt wird (der mein Wesen mit Seine Namen erschaffen hat im Anwendungsbereich des Buchstabens „B"), der Rahman und Rahim ist.

1. Wehe jenen, die nicht in gerechter Weise messen und abwiegen!

2. Sie nehmen ihr gebührendes Recht von den Menschen im vollen Maß;

3. Aber (wenn es dazu kommt, das Recht anderen zukommen zu lassen), dann reduzieren sie das Maß!

4. Denken sie denn nicht daran, dass sie wiederauferstehen werden (unverzüglich nach dem Tod)?

5. Für eine gewaltige Zeit.

6. Eine Zeit, in der die Menschen vor dem Rabb der Welten stehen werden!

7. Nein (niemals)! Zweifelsohne ist die Aufzeichnung derjenigen, die verfälschen (die von der Wahrheit sich entfernt hatten) im „Sidschiyn" festgehalten!

8. Und was lässt dich wissen, was der „Sidschiyn" ist?

9. Es ist eine nicht zu löschende Aufzeichnung!

10. Wehe den Leugnern (der Sunnatullah) zu dieser Zeit!

11. Die ihre Zeit der Religion leugnen (die Zeit der Vergeltung/Abrechnung; wenn die Konsequenzen aller Taten automatisch erfahren werden)!

12. Nur die Schuldigen, die jede Grenze überschreiten, leugnen, dass sie es erleben werden!

13. Wenn er über Unsere Zeichen informiert wurde, sagte er: „Märchen aus vergangenen Tagen!"

14. Nein (niemals)! Stattdessen haben die Folgen ihrer Taten ihr Bewusstsein bedeckt (wie Rost).

15. Nein! Zweifelsohne sind sie an diesem Tag von ihrem Rabb verschleiert!

16. Dann werden sie in der Tat in das Feuer eintreten.

17. Dann wird ihnen gesagt werden: „Dies ist es, was ihr geleugnet hattet."

18. Nein... In der Tat ist das Buch der „Abrar" im „Illiyyin".

19. Und was lässt dich wissen, was der „Illiyyin" ist?

20. Es ist eine nicht zu löschende Aufzeichnung!

21. Bezeugt von den „Mukarribun" (jene, die den Zustand der göttlichen Nähe erreicht haben).

22. Zweifelsohne werden die „Abrar" sich in Paradiese voller Segen befinden.

23. Auf erhabenen Sesseln, beobachtend...

24. Ihr werdet die Strahlen des Segens auf ihre Antlitze sehen.

25. Ihnen wird ein versiegelter (beschützter) und reiner Wein zu trinken gegeben werden.

26. Der Letzte davon wird Moschus sein... Also sollen jene, die wetteifern, darum wetteifern!

27. Dessen Mischung besteht aus „Tasnim".

28. Eine Quelle, von der jene, die die göttliche Nähe erlangt haben (die Mukarribun), trinken!

29. Zweifelsohne lachten die Schuldigen über die Gläubigen.

30. Als sie (die Gläubigen) sahen, zwinkerten sie mit den Augen und hatten nur Spott übrig.

31. Und als sie zu ihren Leuten zurückkehrten (Familie und Freunde), kamen sie vergnügt und glücklich zurück.

32. Und als sie (die Gläubigen) sahen, sagten sie stets: „In der Tat befinden sich diese im Irrtum."

33. Wobei sie (die Gläubigen) nicht gesandt wurden, um über sie Wächter zu sein!

34. Auch in dieser Zeit lachen die Gläubigen über die Verschleierten, die die Wahrheit geleugnet hatten!

35. Auf erhabenen Sesseln, beobachtend...

36. Also leben die Leugner der Wahrheit nun die Konsequenzen ihrer Taten aus?

Mit demjenigen, der durch den Namen Allah erwähnt wird (der mein Wesen mit Seine Namen erschaffen hat im Anwendungsbereich des Buchstabens „B"), der Rahman und Rahim ist.

1. Wenn der Himmel sich spaltet,

2. Und auf seinen Rabb hört und sich unterwirft, ist dies die Wahrheit!

3. Und wenn die Erde erweitert wird und sich ausbreitet,

4. Und die Dinge auswirft, welche er in sich trägt und sich davon befreit.

5. Und nach der Wahrheit auf seinen Rabb hört und sich ergibt.

6. Oh Mensch! Zweifelsohne strebst du nach deinem Rabb! Du wirst Ihn am Ende erreichen!

7. Wem auch immer seine aus seiner rechten Seite entstandenen Informationen gegeben werden,

8. (Dieser) wird anhand einer einfachen Abrechnung zur Rechenschaft gezogen werden,

9. Und verwandelt sich glücklich in das Konstrukt eines Bewohners des Paradieses.

10. Aber jener, dessen Buch (entstandene Informationen) von hinten gegeben wird,

11. Wird ausrufen: „Möge der Tod meine Rettung sein!"

12. Und er wird dem (flammenden) Feuer ausgesetzt sein!

13. In der Tat war er früher glücklich unter seines Gleichen...

14. Zweifelsohne nahm er an, dass er niemals (zu seinem Rabb) zurückkehren würde (er lebte, wie es ihm gefiel).

15. Aber nein! Definitiv war sein Rabb bei ihm „Basiyr" (innerhalb seines Selbst)!

16. Ich schwöre bei der Abenddämmerung,

17. Und bei der Nacht und der Sache, die sie sammelt und trägt,

18. Und beim Vollmond,

19. Dass ihr definitiv die Dimensionen wechseln werdet und euch zu Körpern transformieren werdet, welche für diese Dimensionen angemessen sind!

20. Also, während das der Fall ist, was ist mit ihnen los, dass sie nicht glauben?

21. Und wenn der Koran ihnen vorgelesen wird, werfen sie sich nicht nieder (sie beugen sich nicht der Wahrheit und entfernen nicht ihre Ego-Identitäten)? (Dies ist ein Vers der Niederwerfung.)

22. Und obendrein lehnen das jene, die das Wissen um die Wahrheit leugnen, ab!

23. Aber Allah weiß besser, was sie für sich ansammeln und (in ihrem Inneren) behalten (ihre Gedanken und Überzeugungen).

24. Deshalb gib ihnen die Nachricht bezüglich ihres strengen Leidens!

25. Außer jene, die glauben und die Anforderungen ihres Glaubens erfüllen! Für sie gibt es eine unaufhörliche Belohnung.

85 - AL-BURUDSCH

Mit demjenigen, der durch den Namen Allah erwähnt wird (der mein Wesen mit Seine Namen erschaffen hat im Anwendungsbereich des Buchstabens „B"), der Rahman und Rahim ist.

1. Beim Weltall, welches die Sternzeichen beinhaltet!

2. Und der versprochenen Zeit!

3. Und beim Zeugen und dem Bezeugten!

4. Getötet wurden die Gefährten des Schützengrabens...

5. Im Feuer gefüllt mit Brennstoff.

6. Das waren doch diejenigen, die in der Umgebung des Feuers gesessen hatten...

7. Und sie waren Zeugen dessen, was sie den Gläubigen angetan hatten!

8. Und sie rächten sich (bei den Gläubigen), nur weil sie an Allah, der „Aziz" und „Hamid" ist, geglaubt hatten.

9. Er ist derjenige, dem die Herrschaft des Himmels und der Erde gehört! Allah ist der Zeuge von allem!

10. Definitiv gibt es für jene, die gläubige Männer und Frauen gefoltert haben und auch keine Reue gezeigt haben, die Qual der Hölle und für sie gibt es ein brennendes Leiden.

11. Zweifelsohne gibt es für diejenigen, die glauben und die den Anforderungen des Glaubens erfüllen, Paradiese unter denen Flüsse fließen. Dies ist die große Befreiung!

12. Definitiv ist die Ergreifung deines Rabbs sehr streng!

13. Sicher ist es HU, der entstehen lässt (manifestiert) und es danach zurückkehren lässt (wieder auf neue Weise manifestiert)!

14. Er ist derjenige, der „Ghafur" und „Wadud" ist.

15. Der Besitzer des Thrones, welches „Madschid" ist.

16. Derjenige, der tut, was Er will!

17. Hat dich die Nachricht dieser Armeen erreicht?

18. Jene, die Pharao und Samud (zerstört hatten)!

19. Nein! Diejenigen, die nicht an das Wissen um die Wahrheit glauben, befinden sich in der Leugnung.

20. Aber Allah umgibt sie (innerhalb ihrer Essenz/aus ihrer Tiefe heraus)!

21. In der Tat ist Es ein geehrter Koran.

22. In einer beschützten Tafel (Lawh-i Mahfuz; das nicht-manifestierte Wissen bezüglich der Wahrheit und des Systems)!

Mit demjenigen, der durch den Namen Allah erwähnt wird (der mein Wesen mit Seine Namen erschaffen hat im Anwendungsbereich des Buchstabens „B"), der Rahman und Rahim ist.

1. Beim Himmel und „Tarik",

2. Weißt du, was der „Tarik" ist?

3. Er ist der durchdringende Stern (Pulsar)!

4. Es gibt kein Selbst, über dem sich nicht ein Beschützer befindet (Wächter - Beobachter).

5. Also lasst den Menschen sehen, woraus er erschaffen wurde!

6. Er wurde aus einer Flüssigkeit erschaffen, die herausgeworfen wird (Sperma).

7. Welche zwischen der Hüfte (des Mannes) und dem Becken (der Frau) herauskommt.

8. Zweifelsohne ist Er „Kaadir", ihn zurückkehren zu lassen (zu seinem Ursprung)!

9. Zu dieser Zeit werden alle Geheimnisse entblößt und gewusst werden.

10. Dann wird es keine Kraft oder Helfer für ihn geben!

11. Und beim Himmel mit seinen Umlaufbahnen,

12. Und die Erde, welche gespalten wird,

13. In der Tat ist es (der Koran) ein Wort, welches die Lüge von der Wahrheit trennt;

14. Es ist nicht als ein Scherz gekommen!

15. Zweifelsohne planen sie eine Intrige.

16. Und Ich antworte auf ihre Intrige mit Meiner Intrige!

17. Deshalb gib jenen, die das Wissen um die Wahrheit leugnen, einen Aufschub; gib ihnen ein wenig Zeit.

Mit demjenigen, der durch den Namen Allah erwähnt wird (der mein Wesen mit Seine Namen erschaffen hat im Anwendungsbereich des Buchstabens „B"), der Rahman und Rahim ist.

1. Glorifiziere (Tasbih) den höchst erhabenen Namen deines Rabbs (Erfahre die Erhabenheit deines Rabbs, der mit seinen Namen deine Wahrheit ist, in den Tiefen deiner Essenz)!

2. Derjenige, der (den Körper) erschaffen hatte und es anordnete,

3. Und derjenige, der bestimmt und zur Wahrheit geführt hatte (um Seine Perfektion zu manifestieren),

4. Und der das Weideland gebildet hatte (als einen Ort des Nutzens für die Körper),

5. Und es dann zu schwarzem Stoppelfeld gemacht hatte (Leichen, die in die Erde gelegt werden).

6. Wir werden dich LESEN lassen und du wirst nicht vergessen!

7. Außer das, was Allah will... In der Tat weiß Er, was manifestiert ist und was verborgen ist.

8. Wir werden dir das Leichteste erleichtern!

9. Also erinnere, falls die Erinnerung nützlich ist!

10. Derjenige, der in Ehrfurcht ist, wird sich erinnern und nachdenken!

11. Während der höchst Unglückliche (Schaki) davon flüchten wird!

12. Er (Schaki: der höchst Unglückliche) wird dem größten Feuer ausgesetzt sein (für die Ewigkeit entfernt von Allah, von der Wahrheit seines Selbst weit entfernt zu sein)!

13. Dann wird er dort weder sterben (gerettet), noch wieder lebendig werden (mit dem Wissen der Wahrheit)!

14. Die Gereinigten und die Geläuterten sind wirklich befreit!

15. Und derjenige, der sich an den Namen seines Rabbs erinnert und das „Salaah" etabliert (erfährt), hat den wahren Erfolg (Errettung) erlangt!

16. Aber ihr bevorzugt das weltliche Leben (die niedrigste Ebene des Lebens)!

17. Dabei ist das Leben danach (die Dimension von Kraft und reines Bewusstsein) viel besser und hält länger an.

18. Zweifelsohne war dies (das Wissen um die Wahrheit) schon in den früheren, enthüllten Informationen vorhanden.

19. In den Informationen von Abraham und Moses!

Mit demjenigen, der durch den Namen Allah erwähnt wird (der mein Wesen mit Seine Namen erschaffen hat im Anwendungsbereich des Buchstabens „B"), **der Rahman und Rahim ist.**

1. **Hat dich die Nachricht des „Ghaschiya" erreicht** (die überwältigende Offenbarung, welche alle Menschen bedecken und umwickeln wird; der Tag der Auferstehung)?

2. **An diesem Tag gibt es Gesichter, welche erniedrigt und gesenkt sein werden!**

3. **Welche hart gearbeitet hatten** (gemäß Sitten, Gebräuchen und Traditionen ihre Anbetungen verrichtet hatten) **und sich vergeblich ermüdet hatten!**

4. **Sie** (jene Gesichter) **werden einem intensiven Feuer unterworfen werden!**

5. **Es wird ihnen aufgezwungen werden aus einer kochenden Quelle zu trinken!**

6. **Und es gibt für sie kein Essen, außer „Dari"** (eine giftige, mit Dornen versehene Pflanze?),

7. **Welche sie weder ernähren, noch ihren Hunger stillen wird.**

8. **Und viele Gesichter an diesem Tag werden Zeichen des Segens zeigen.**

9. **Sie werden zufrieden sein mit den Resultaten ihrer** (gebührend verrichteten) **Bemühungen!**

10. **In einem erhöhten Paradies!**

11. **Sie werden dort kein nutzloses Gerede hören.**

12. **Innerhalb einer** (unaufhörlichen) **fließenden Quelle** (von Wissen und Energie),

13. **Throne, die erhöht wurden,**

14. **Und platzierte Krüge,**

15. **Und aufgereihte Kissen** (hinter ihnen),

16. **Und ausgebreitete Teppiche** (unter ihnen),

17. **Schauen sie denn nicht wie „Al Ibil"** (wortwörtlich: Kamele; metaphorisch: Wolken, welche voller Regen sind) **erschaffen wurde?**

18. **Und** (schauen sie denn nicht) **zum Himmel, wie es erhöht wurde** (wie das Weltall geformt wurde)!

19. **Und** (schauen sie denn nicht) **zu den Bergen, wie sie platziert wurden!**

20. **Und** (schauen sie denn nicht) **zur Erde, wie sie ausgestattet ist!**

21. **Deshalb erinnere! Denn du bist lediglich jemand, der erinnert** (du wurdest enthüllt, damit du sie an ihre essentielle Wahrheit ihres Selbst erinnerst)!

22. **Du bist keiner, der über sie Kontrolle ausübt oder sich ihnen aufzwingt!**

23. **Aber wer auch immer sich wegdreht und zudeckt** (leugnet und ablehnt, die Wahrheit zu sehen),

24. **Allah wird ihn zum größten Leiden unterwerfen!**

25. **Zweifelsohne ist ihre Rückkehr zu Uns,**

26. **Und es obliegt Uns, dass sie die Konsequenzen ihrer Taten ausleben werden!**

Mit demjenigen, der durch den Namen Allah erwähnt wird (der mein Wesen mit Seine Namen erschaffen hat im Anwendungsbereich des Buchstabens „B"), der Rahman und Rahim ist.

1. Ich schwöre beim Sonnenaufgang,

2. Und bei zehn Nächten,

3. Bei dem Geraden und dem Ungeraden,

4. Und auf die Nacht, wenn sie vorübergeht...

5. Ist hierin nicht schon ein (ausreichender) Schwur für denjenigen enthalten, der im Besitz eines Verstandes ist?

6. Hast du denn nicht gesehen, was dein Rabb mit Aad (das Volk von Hiob) gemacht hat,

7. Und Iram, (der Stadt) voller prächtiger Säulen?

8. In den Städten wurde nichts ähnliches erschaffen!

9. (Was hat dein Rabb) mit Samud getan (dem Volk von Methusalem), die in den Tälern in Steine gehauen hatten?

10. Und dem Pharao, dem Besitzer der hohen Pfähle (Pyramide).

11. Sie sind jene, die egozentrisch innerhalb der Städte gelebt hatten,

12. Sie hatten dort die Unruhe erhöht!

13. Aus diesem Grund hat dein Rabb sie mit der Peitsche des Leidens geschlagen.

14. Zweifelsohne befindet sich dein Rabb in der vollständigen Beobachtung.

15. Aber was den Menschen angeht, wenn sein Rabb großzügig zu ihm ist und ihm Seinen Segen schenkt, um ihn zu prüfen, sagt er: „Mein Rabb hat mich geehrt und mich bevorzugt (und so wird er verwöhnt)."

16. Aber wenn Er ihn prüft anhand eines Unheils und seine Versorgung verringert, sagt er (rebellisch und ungeduldig): „Mein Rabb hat mich erniedrigt und gedemütigt."

17. Nein! Nein, ihr ehrt nicht den Waisen!

18. Und ihr ermutigt euch gegenseitig nicht dazu, die Bedürftigen zu versorgen.

19. Und ihr verbraucht das Erbe, alles auf einmal!

20. Und ihr liebt es zu besitzen und ihr sammelt und hortet.

21. Nein (tut dies nicht so)! Wenn die Erde (der Körper) erschüttert wird in Stücke,

22. Und sich (mit dem Tod) „Al Malaak" (Kräfte) in Reihen aufstellen (mit dem Befehl deines) Rabbs,

23. Im Verlaufe dessen wird die Hölle gebracht (um die Erde zu umgeben)! Zu dieser Zeit wird sich der Mensch erinnern und nachdenken, aber welchen Nutzen wird ihm

die **Erinnerung bringen** (wenn er nicht mehr länger einen Körper, also ein Gehirn hat, womit er seine Seele entwickeln kann)?

24. Er wird sagen: „Ich wünschte, ich hätte früher nützliche Dinge für mein Leben verrichtet."

25. Und nichts kann ihn zu dieser Zeit mehr leiden lassen, als das Leiden durch Ihn!

26. Und nichts kann so binden, wie Er ihn gebunden hat!

27. „Oh befriedigtes Selbst (Nafs-i Mutmainna; das Bewusstsein, welches zufrieden ist, weil es die Wahrheit auslebt)!"

28. Wende dich deinem Rabb hin (deiner Essenz) **als „Radhiyya"** (das Selbst, welches mit allem zufrieden ist) **und „Mardiyya"** (als diejenigen, die die Perfektion in der Beobachtungen der Namen erfahren und die Autorität über die Namen ausleben)!"

29. „Und tretet ein als diejenigen, die meine Diener sind (die ihre Funktionen fortführen, indem ihre Identitäten, ihre angenommenen und illusorischen Identitäten, nichtig wurden und so ihre Nicht-Existenz gekostet haben)!"

30. „Und tretet ein in Meinem Paradies!"

Mit demjenigen, der durch den Namen Allah erwähnt wird (der mein Wesen mit Seine Namen erschaffen hat im Anwendungsbereich des Buchstabens „B"), der Rahman und Rahim ist.

1. Ich schwöre bei dieser Stadt (auf die Welt in der ich lebe) ...

2. Dass du in dieser Stadt frei bist von Begrenzungen!

3. Und (ich schwöre) bei dem, der (den Menschen) gebärt und geboren hat,

4. Wahrlich haben Wir den Menschen in Phasen der Bedrückungen erschaffen!

5. Denkt er jetzt, dass niemand ihn besiegen kann?

6. Er sagt: „Ich habe viel Vermögen ausgegeben."

7. Denkt er, dass niemand ihn sehen kann?

8. Haben Wir nicht zwei Augen für ihn geformt?

9. Eine Zunge und zwei Lippen...

10. Und ihm die zwei Wege gezeigt (der Wahrheit und der Lüge)!

11. Aber er hatte nicht (den Mut), diesen steilen Hügel zu erklimmen!

12. Weißt du, was dieser steile Hügel bedeutet?

13. Es bedeutet, sich von der Versklavung zu befreien (das Bewusstsein von der Versklavung des Körpers zu befreien)!

14. Oder jemand anderen zu sättigen, obwohl man selber Hunger hat!

15. Einen Waisen der nahen Verwandtschaft (zu ernähren).

16. Oder dem Verarmten Essen zu geben und zu sättigen, der sich in Schwierigkeiten befindet.

17. Und dann zu jenen zu gehören, die glauben und sich gegenseitig die Geduld und Barmherzigkeit empfehlen.

18. Diese sind die Gefolgsleute der rechten Seite („Said", d.h. jene, die dazu erschaffen worden sind jenes auszuleben, welches Paradies genannt wird).

19. Aber jene, die Unsere Zeichen leugnen, diese sind die Gefolgsleute der linken Seite („Schaki", d.h. jene, die dazu erschaffen worden sind, jenes auszuleben, welches Hölle genannt wird.)

20. Sie sind vom Feuer umschlossen und dort gefangen!

Mit demjenigen, der durch den Namen Allah erwähnt wird (der mein Wesen mit Seine Namen erschaffen hat im Anwendungsbereich des Buchstabens „B"), **der Rahman und Rahim ist.**

1. Bei der Sonne und „Duha" (zu der Zeit, wenn die Sonne anfängt, die Erde zu erhellen);

2. Und bei dem Mond, wenn es ihr folgt,

3. Und bei dem Tag, welcher sie manifestieren lässt,

4. Und bei der Nacht, welche sie bedeckt,

5. Und beim Himmel und dem, der sie konstruiert hatte,

6. Und bei der Erde und dem, der es ausgebreitet hatte,

7. Bei dem Selbst (das individuelle Bewusstsein) **und dem, der es proportionierte** (das Gehirn formte);

8. Dann es (dem Bewusstsein) **zum „Fudschuru"** (von seiner Wahrheit und dem System irregeleitet zu sein) **inspirierte und wie es sich davor zu beschützen hat...**

9. Derjenige, der (sein Bewusstsein) **reinigt, ist gerettet.**

10. Und derjenige, der begräbt und versteckt (sein Bewusstsein, indem man unbewussten und instinktiven Impulsen nachgeht), **hat verloren.**

11. Samud (das Volk von Methusalem) **leugnete** (ihre Wahrheit und das System), **indem sie den „Nabi" ablehnten.**

12. Als die Unglücklichsten unter ihnen sich auflehnten,

13. Sagte der Rasul von Allah: „Beschützt das weibliche Kamel von Allah und ihr Recht auf das Trinken!"

14. Aber sie leugneten (den Rasul von Allah) **und brachten es** (das weibliche Kamel) **auf grausame Weise um. Daraufhin zerstörte ihr Rabb sie für ihre Sünden und machte ihre Stadt dem Erdboden gleich.**

15. Die Konsequenz dessen fürchtet Allah nicht!

Mit demjenigen, der durch den Namen Allah erwähnt wird (der mein Wesen mit Seine Namen erschaffen hat im Anwendungsbereich des Buchstabens „B"), der Rahman und Rahim ist.

1. Ich schwöre bei der Nacht, wenn sie bedeckt,

2. Und bei dem Tag, wenn es sich strahlend manifestiert,

3. Und bei dem Einen, der das Weibliche und das Männliche (aktive und passive Energien) erschaffen hatte,

4. Zweifelsohne haben eure Bemühungen unterschiedliche Absichten.

5. Derjenige, der gibt und sich beschützt,

6. Und mit „Al Husna" (als das Schönste an seiner essentiellen Wahrheit) bestätigt,

7. dem werden Wir so das Leichteste erleichtern.

8. Aber was denjenigen anbelangt, der geizig ist und annimmt, dass er nicht bedürftig ist (der Läuterung des Egos und des Schutzes),

9. Und „Al Husna" leugnet (dass es das Schönste an seiner essentiellen Wahrheit darstellt),

10. Dem werden Wir das Schwierigste (ein Leben, welches verschleiert ist von dem Wissen um die Wahrheit und der Sunnatullah) erleichtern!

11. Und wenn er fällt (in die Hölle), wird ihm sein Reichtum nicht nützlich sein.

12. Uns obliegt die Führung zur Wahrheit.

13. Und zweifelsohne gehört Uns sowohl das ewige, zukünftige als auch das gegenwärtige Leben!

14. Ich habe euch gewarnt bezüglich eines flammenden Feuers.

15. Nur die „Schaki" (die Unglückseligen) werden diesem ausgesetzt sein.

16. Jene, die geleugnet und sich abgewendet hatten (von ihrer Essenz)!

17. Jedoch derjenige, der sich am meisten schützt, wird davon entfernt werden.

18. Derjenige, der seinen Reichtum für andere ausgibt, um geläutert zu werden (anstatt anzusammeln),

19. Und er tut dies nicht aufgrund irgendeiner Gegenleistung (auch nicht um irgendetwas wiederzubekommen)!

20. Sondern nur weil er sich das Antlitz seines Rabbs, der der Höchste ist (al Ala), wünscht!

21. Und in der Tat wird er die Zufriedenheit erreichen!

Mit demjenigen, der durch den Namen Allah erwähnt wird (der mein Wesen mit Seine Namen erschaffen hat im Anwendungsbereich des Buchstabens „B"), der Rahman und Rahim ist.

1. Ich schwöre beim „Duha" (zu der Zeit, wenn die Sonne anfängt, die Erde zu erhellen),

2. Und bei der Nacht, in der Zeit der Stille und Ruhe.

3. Dein Rabb hat dich nicht verlassen, auch ist Er nicht unzufrieden mit dir!

4. Sicherlich ist das ewige Leben, welches kommen wird besser für dich als das gegenwärtige.

5. Gewiss wird dein Rabb dir geben und du wirst sehr zufrieden sein!

6. Hat Er dich nicht als Waisen vorgefunden und dir Zuflucht gewährt?

7. Hat Er dich nicht verirrt vorgefunden (unbewusst deiner essentiellen Wahrheit) und dich zur Wahrheit geführt?

8. Und hat Er dich nicht vorgefunden, als du nichts hattest („Fakr": in der Armut [das Selbst, welches absolut gar nichts besitzt, d.h. in der Nichtigkeit) und dich bereichert (anhand der Unendlichkeit, „Baka")? (Haben Wir dich nicht zum Diener desjenigen gemacht, der „Ghani" ist und dich die Bedeutung dessen ausleben lassen?)

9. Deshalb schau nicht herablassend auf den Waisen,

10. Und tadele nicht denjenigen, der Fragen stellt!

11. Bring den Segen deines Rabbs zur Sprache!

Mit demjenigen, der durch den Namen Allah erwähnt wird (der mein Wesen mit Seine Namen erschaffen hat im Anwendungsbereich des Buchstabens „B"), **der Rahman und Rahim ist.**

1. **Haben wir nicht deine Brust geweitet** (und somit deine Begrenztheit erweitert)?

2. **Und die Last** (deiner Identität) **von dir genommen** (indem die Wahrheit dir offenbart wurde)?

3. **Welche** (sehr schwer) **auf deinem Rücken lastete!**

4. **Haben Wir nicht dein Dhikr** (indem die Wahrheit, an der du dich erinnerst, erlebt wird) **erhöht?**

5. **Wahrlich, mit der Schwierigkeit kommt die Erleichterung zusammen.**

6. **Ja, wahrlich zusammen mit jeder Schwierigkeit kommt die Erleichterung.**

7. **Wenn du befreit bist** (von deinen Arbeiten), **dann bemühe dich** (um deine wahre Beschäftigung)!

8. **Beschäftige dich mit deinem Rabb** (Bewerte gebührend deinen Rabb)!

Mit demjenigen, der durch den Namen Allah erwähnt wird (der mein Wesen mit Seine Namen erschaffen hat im Anwendungsbereich des Buchstabens „B"), der Rahman und Rahim ist.

1. Bei der Feige und der Olive,

2. Und dem Berg Sinai,

3. Und bei dieser sicheren Stadt,

4. Wir haben tatsächlich den Menschen in der schönsten Form erschaffen (mit den Eigenschaften der Namen).

5. Danach haben Wir ihn zum Niedrigsten des Niedrigen (zur Welt/seiner Welt [der Konditionierungen]) verstoßen.

6. Außer jene, die (an ihre essentielle Wahrheit) glauben und den Anforderungen des Glaubens erfüllen! Für sie gibt es eine unaufhörliche Belohnung!

7. Also was kann dich von nun an die Religion leugnen lassen (wenn doch die Realität und die Sunnatullah so evident beobachtet werden kann)?

8. Ist Allah nicht der Richter aller Richter?

Mit demjenigen, der durch den Namen Allah erwähnt wird (der mein Wesen mit Seine Namen erschaffen hat im Anwendungsbereich des Buchstabens „B"), der **Rahman und Rahim ist.**

1. **LIES mit dem Namen deines Rabbs** (mit den Kräften, auf die mit deiner Wahrheit/Essenz hingewiesen wird), **der erschaffen hat.**

2. **Er hat den Menschen vom „Alak"** (Blutgerinnsel; genetische Komposition) **erschaffen.**

3. **LIES!** (Denn) **dein Rabb ist „Akram"** (sehr großzügig).

4. **Der mit dem Stift** (die Eigenschaften des Rabbs, sowie die Genetik des Menschen) **lehrte** (programmierte).

5. (Das heißt) **Er lehrte den Menschen, was er nicht wusste.**

6. **Nein** (es ist nicht so, wie man es vermutet; denkt nach)! **In der Tat überschreitet der Mensch die Grenzen** (er verfolgt und geht seinen Begierden nach, wenn er von seiner Essenz wie in einem Kokon eingesponnen lebt);

7. **Weil er sich selbst als nicht bedürftig ansieht** (der Schleier seines Egos lässt ihn denken, dass er nicht nach der Wahrheit seiner Essenz bedürftig ist).

8. **Zweifelsohne ist die Rückkehr zu deinem Rabb!**

9. **Hast du denjenigen gesehen, der hindert;**

10. **Einen Diener vom Gebet** (Salaah: bei der Hinwendung zu Allah)!

11. **Hast du gesehen** (denk einmal nach)! **Was ist, wenn er die Wahrheit auslebt?**

12. **Oder den Schutz befohlen hat!**

13. **Denk einmal nach! Was ist, wenn er** (seine Essenz) **geleugnet und sich abgewendet hat?**

14. **Weiß er denn nicht, dass Allah auf jeden Fall sieht?**

15. **Nein** (es ist nicht so, wie er es vermutet)! **In der Tat, wenn er nicht davon ablässt, dann werden Wir ihn an seiner Stirn** (an seinem Gehirn) **ziehen!**

16. **An der lügenden, fehlerhaften** (zum Körper, zum Äußeren ausgerichteten) **Stirn** (das Gehirn)!

17. **Los, lasst ihn seine Versammlung ausrufen!**

18. **Und Wir werden die Hüter der Hölle** (Zabani=die degenerierenden Kräfte des Feuers) **rufen!**

19. **Nein, tut dies bloß nicht! Gehorche ihm nicht! Wirf dich nieder und nähere dich!** (Dies ist ein Vers der Niederwerfung.)

Mit demjenigen, der durch den Namen Allah erwähnt wird (der mein Wesen mit Seine Namen erschaffen hat im Anwendungsbereich des Buchstabens „B"), **der Rahman und Rahim ist.**

1. Zweifelsohne haben Wir es (den Koran) **während der Nacht der Kraft** (von Hz. Mohammed, s.a.w.) (dimensional) **enthüllen lassen!**

2. Kennst du (den Wert, Ehre, Größe der) **Nacht der Kraft** (Kadr)**?**

3. Die Nacht der Kraft ist besser als eintausend Monate (eine Lebensspanne von ca. 80 Jahren).

4. Die Engel und die Seele werden enthüllt mit der Erlaubnis ihres Rabbs vor jeder Bestimmung. (Von der Essenz zum Bewusstsein des Individuums.)

5. „Salaam" (indem die Wahrheit ausgelebt wird)**; bis zum Beginn des Sonnenaufgangs** (bis mit der Erscheinung der Wahrheit das Antlitz des reinen, universalen Bewusstseins erkannt wird).

Mit demjenigen, der durch den Namen Allah erwähnt wird (der mein Wesen mit Seine Namen erschaffen hat im Anwendungsbereich des Buchstabens „B"), der Rahman und Rahim ist.

1. Jene Leugner des Wissens um die Wahrheit, unter den Leuten des Buches und den Dualisten, hatten sich nicht getrennt (von ihren pervertierten Wegen/geistiger Verirrung) bis zu ihnen ein eindeutiger Beweis kam.

2. Ein Rasul von Allah, der sie über die reinen Seiten (Wissen, welches die unverfälschte Wahrheit reflektiert und welches jene, die nicht gereinigt sind vom „Schirk" genannten Dualismus, nicht berühren können [d.h. sie können es nicht verstehen]) informiert.

3. In ihnen (in diesen Informationen) gibt es solide Bücher (die solidesten, am meisten fundierten, zuverlässigsten Bücher).

4. Aber jene, denen ein Buch gegeben wurde, haben sich gespalten nachdem der eindeutige Beweis zu ihnen gekommen war.

5. Dabei sind sie mit nichts anderem befohlen worden außer Allah zu dienen, indem sie ihren Glauben nur Ihm widmen als „Hanif" (ohne das Konzept der Dualität, d.h. eines Gottes), und um das „Salaah" (die Hinwendung und Konzentration auf Allah) und das „Zakaat" zu etablieren (vom eigenen Verdienst, einen Anteil abzugeben)... Dies ist die (gültige) Religion (das System)!

6. Zweifelsohne jene unter den Leuten des Buches und der Dualisten, die das Wissen um die Wahrheit leugnen, befinden sich im Höllenfeuer, um darin auf ewig zu sein! Sie sind die schlimmsten des Volkes!

7. Was jene anbelangt, die glauben und die den Anforderungen des Glaubens erfüllen, sie sind die Besten des Volkes!

8. Die Konsequenz ihrer Taten aus der Sicht ihres Rabbs ist das Paradies von Eden, unter dem Flüsse fließen, um darin auf ewig zu sein... Wohl zufrieden ist Allah mit ihnen und wohl zufrieden sind sie mit Ihm (die Offenbarung/das in Erscheinung treten der göttlichen Eigenschaften in ihrer Essenz wird ausgelebt) ... Dies ist für denjenigen, der sich in Ehrfurcht vor seinem Rabb befindet!

Mit demjenigen, der durch den Namen Allah erwähnt wird (der mein Wesen mit Seine Namen erschaffen hat im Anwendungsbereich des Buchstabens „B"), der Rahman und Rahim ist.

1. Wenn die Erde (der Körper) heftig von ihrem Beben erschüttert wird,

2. Und die Erde ihre Lasten hinauswirft,

3. Und der Mensch (indem das Bewusstsein auf den Körper schaut) sagt: „Was passiert mit ihr (in Panik geraten)?"

4. In dieser Zeit teilt sie ihre Nachrichten mit.

5. Mit der Offenbarung seines Rabbs.

6. An diesem Tag kommen die Menschen gruppenweise heraus, um die Ergebnisse ihrer Taten zu sehen.

7. Wer Gutes (auch nur) im Gewicht eines Staubkorns tut, wird es sehen.

8. Und wer Schlechtes (auch nur) im Gewicht eines Staubkorns tut, wird es sehen.

Mit demjenigen, der durch den Namen Allah erwähnt wird (der mein Wesen mit Seine Namen erschaffen hat im Anwendungsbereich des Buchstabens „B"), der Rahman und Rahim ist.

1. **Bei jenen, die rennen** (Menschen, die sich wie wilde Pferde benehmen und wetteifern) **und tief schnauben** (um sich weltlichen Wohlstand anzueignen),

2. **Jene, die Funken des Feuers schlagen** (aus ihrem Ehrgeiz und ihrer Wut heraus),

3. **Und jene, die in der Morgendämmerung aufstehen, um Überfälle zu begehen,**

4. **Und die mit ihrem Ehrgeiz Wolken voller Staub aufwirbeln,**

5. **Und so in diesem Zustand ihren Weg unter den Leuten** (wehe ihnen) **eingehen!**

6. **Zweifelsohne ist der Mensch sehr undankbar zu seinem Rabb!**

7. **Und zweifelsohne ist er selbst auch Zeuge davon!**

8. **Zweifelsohne ist in ihm die Liebe zum Reichtum gewaltig!**

9. **Weiß er** (der Mensch) **denn nicht, wenn jenes, welches sich im Grab befindet** (der Körper) **herausgeholt wird,**

10. **Und jenes, welches sich in den Herzen befindet, zur Manifestation gebracht wird,**

11. **Ihr Rabb, als die Namen, die ihre Essenz ausmachen, „Khabiyr" über sie ist.**

101 - AL-KARIA

Mit demjenigen, der durch den Namen Allah erwähnt wird (der mein Wesen mit Seine Namen erschaffen hat im Anwendungsbereich des Buchstabens „B"), **der Rahman und Rahim ist.**

1. **„Al Karia"!**

2. **Was für ein schreckliches Ereignis es ist, das „Karia"!**

3. **Weißt du, was „Al Karia" darstellt?**

4. **Es ist die Zeit, in der die Menschen wie Motten sein werden** (zum Feuer hingetrieben).

5. **Und die Berge** (Egos) **wie bunte sanfte Wolle** (schwach und aufgebraucht)!

6. **Nun, wessen Resultate schwer wiegen** (zu dieser Zeit),

7. **Der wird ein Leben haben, welches ihn zufrieden stellt!**

8. **Jedoch wessen Resultate gering bleiben,**

9. **Dessen Mutter** (Aufenthaltsort) **wird ein sehr tiefer Abgrund sein.**

10. **Weißt du, was dies ist?**

11. **Es ist ein Feuer, welches mit der stärksten Intensität verbrennt!**

Mit demjenigen, der durch den Namen Allah erwähnt wird (der mein Wesen mit Seine Namen erschaffen hat im Anwendungsbereich des Buchstabens „B"), der Rahman und Rahim ist.

1. „Al Takasur" (das Ansammeln von Reichtum und Nachkommenschaft) hat euch amüsiert und getäuscht!

2. Sogar als ihr die Gräber besucht hattet...

3. Aber nein! Bald (anhand des Todes) werdet ihr es wissen.

4. Nochmals nein! Bald werdet ihr es wissen.

5. Nein! Wenn ihr doch nur „Ilm al Yakin" (Wissen, das einem die Nähe zu der eigenen Essenz spüren lässt) etabliert hättet (vor dem Tod) ...

6. Zweifelsohne würdet ihr auf jeden Fall die Hölle sehen!

7. Zweifelsohne werdet ihr es auf jeden Fall sehen (die Hölle) anhand von „Ayn-al Yakin" (mit dem Auge der Gewissheit).

8. Dann werdet ihr im Zuge dessen selbstverständlich eurer Segen befragt werden.

Mit demjenigen, der durch den Namen Allah erwähnt wird (der mein Wesen mit Seine Namen erschaffen hat im Anwendungsbereich des Buchstabens „B"), **der Rahman und Rahim ist.**

1. Beim Zeitalter (innerhalb der Lebensspanne des Menschen)!

2. Zweifelsohne befindet sich der Mensch in einem Verlust.

3. Außer jene, die (an die Wahrheit ihrer Essenz) **glauben und die den Anforderungen ihres Glaubens gerecht werden erfüllen** (A.d.Ü.: „Salih Amal", d.h. aufrechte Tat: Taten, die einen veranlassen, die Nähe zur essentiellen Realität, Wahrheit und Wirklichkeit des Selbst immer mehr zu spüren.)**, diejenigen, die sich gegenseitig die Wahrheit und die sich gegenseitig die Geduld empfehlen.**

Mit demjenigen, der durch den Namen Allah erwähnt wird (der mein Wesen mit Seine Namen erschaffen hat im Anwendungsbereich des Buchstabens „B"), der Rahman und Rahim ist.

1. Wehe all den Lästerern und allen, die missbilligen!

2. Der, der sich Reichtum anhäufte und es zählte und es immer wieder nachzählte (der ständig auf seinem Bankkonto nachschaut, um zu sehen, wie viel er besitzt)!

3. Denkend, dass sein Reichtum ihn unsterblich machen wird!

4. Nein, (es ist nicht so, wie er es sich vorstellt)! Zweifelsohne wird er in „Hutama" hineingeworfen werden (eine Tortur, welche dem Zermalmen und Vermahlen gleich kommt).

5. Und was informiert dich bezüglich „Hutama"?

6. Es ist das entflammte Feuer von Allah (im Bewusstsein entfacht, aus der Veranlagung resultierend)!

7. Die Herzen (Fuad: die Bedeutungen der Namen reflektieren die Eigenschaften ins Bewusstsein) bedeckend.

8. Definitiv nähert es sich ihnen (sie werden ewig darin gefangen sein),

9. Innerhalb von verlängerten Säulen.

Mit demjenigen, der durch den Namen Allah erwähnt wird (der mein Wesen mit Seine Namen erschaffen hat im Anwendungsbereich des Buchstabens „B"), der Rahman und Rahim ist.

1. Hast du nicht gesehen, wie dein Rabb mit den Gefährten des Elefanten verfuhr?

2. Hat HU nicht ihren Plan scheitern lassen?

3. Und Vögel in Scharen über sie geschickt (Mauersegler),

4. Die auf ihnen Steine aus hartem Ton warfen,

5. Bis sie wie zu gefressenem Heu wurden.

Mit demjenigen, der durch den Namen Allah erwähnt wird (der mein Wesen mit Seine Namen erschaffen hat im Anwendungsbereich des Buchstabens „B"), der Rahman und Rahim ist.

1. Damit den Kuraisch Bekanntheit und Respekt zuteil wird,

2. Für die Sicherheit und dem Komfort ihrer Winter- und Sommerkarawanen.

3. Sie sollen dem Rabb dieses Hauses dienen (als Kenner des Tawhid, d.h. als jene, die die Wahrheit der Non-Dualität erkennen, dass nur ALLAH existiert.)!

4. Der sie ernährte (sie vom Verhungern rettete) und ihnen Sicherheit gab vor Angst und Furcht.

Mit demjenigen, der durch den Namen Allah erwähnt wird (der mein Wesen mit Seine Namen erschaffen hat im Anwendungsbereich des Buchstabens „B"), der Rahman und Rahim ist.

1. Hast du denjenigen gesehen, der die Religion („Sunnatullah"- das kosmische System und die Ordnung in der Existenz) leugnet?

2. Er ist es, der den Waisen wegstößt und verachtet.

3. Und nicht zur Speisung der Armen anspornt (geizig, egoistisch).

4. Wehe denn diejenigen, die das „Salaah" (die Hinwendung zu Allah) verrichten (die es als „rituellen Ablauf" nur aufgrund der Tradition verrichten);

5. Die (sich im Kokon befinden) unachtsam (der Erfahrung der wahren Bedeutung) in ihrer Hinwendung zu Allah (Salaah) sind (da es einen Aufstieg [Miraadsch] darstellt zu ihrer innersten, essentiellen Realität, ihrem Rabb)!

6. Die nur dabei gesehen werden wollen.

7. Und das Gute verhindern.

Mit demjenigen, der durch den Namen Allah erwähnt wird (der mein Wesen mit Seine Namen erschaffen hat im Anwendungsbereich des Buchstabens „B"), der Rahman und Rahim ist.

1. Zweifelsohne haben Wir dir den „Kawsar" gegeben.

2. Darum wende dich zu deinem Rabb hin (erlebe das „Salaah") und opfere (dein Ego)!

3. Zweifelsohne wird derjenige, der dich hasst, abgeschnitten sein (von seiner Nachkommenschaft)!

Mit demjenigen, der durch den Namen Allah erwähnt wird (der mein Wesen mit Seine Namen erschaffen hat im Anwendungsbereich des Buchstabens „B"), **der Rahman und Rahim ist.**

1. Sag (erkenne, realisiere, begreife, erfahre): **„Oh ihr, die das Wissen um die Wahrheit leugnet!**

2. Was ihr anbetet („Nafs-i Ammarah", d.h. das Selbst, welches Befehle vom Körper erhält; das Ego, welches seinen Ursprung hat im Darmhirn, welches auch nach neuesten Erkenntnissen das zweite Gehirn genannt wird)**, das bete ich nicht an.**

3. Und ihr dient nicht dem, dem ich diene.

4. Und ich diene nicht dem, was ihr anbetet.

5. Und ihr seid keine Diener von dem, was ich diene.

6. Für euch ist (euer Verständnis der) **Religion und für mich ist** (mein Verständnis der) **Religion!"**

Mit demjenigen, der durch den Namen Allah erwähnt wird (der mein Wesen mit Seine Namen erschaffen hat im Anwendungsbereich des Buchstabens „B"), der Rahman und Rahim ist.

1. **Wenn Allahs Sieg und die Eroberung** („al Fath"- absolute Eröffnung und deshalb Klarheit, d.h. die Sichtweise mit dem reinen universalen Bewusstsein) **kommt,**

2. **Und wenn du die Menschen in Scharen in Allahs Religion eintreten** (sich nach dem System von Allah richtend) **siehst,**

3. **Dann glorifiziere** (Tasbih) **anhand von „Hamd" deinen Rabb** (bewerte dies gebührend) **und bitte Ihn um Vergebung! Zweifelsohne ist Er „Tawwab".**

Mit demjenigen, der durch den Namen Allah erwähnt wird (der mein Wesen mit Seine Namen erschaffen hat im Anwendungsbereich des Buchstabens „B"), **der Rahman und Rahim ist.**

1. **Zugrunde gehen sollen die Hände von Abu Lahab. Und sie sind auch zugrunde gegangen!**

2. **Weder sein Reichtum, noch sein Gewinn haben ihm genützt!**

3. **Er wird einem flammenden Feuer ausgesetzt werden!**

4. **Und sein Weib auch... Als Trägerin des Feuerholzes!**

5. **Obwohl ein Strick aus Palmfasern um ihren Hals gewickelt ist!**

Mit demjenigen, der durch den Namen Allah erwähnt wird (der mein Wesen mit Seine Namen erschaffen hat im Anwendungsbereich des Buchstabens „B"), der Rahman und Rahim ist.

1. Sag (erkenne, realisiere, begreife, erfahre): „HU Allah ist „Ahad"." (Allah ist der grenzenlose und unteilbare, non-duale, nicht zu begreifende EINE.)

2. „Allah ist „Samad"." (Derjenige, der absolut über gar nichts bedürftig ist und jenseits von jedem Mangel sich befindet, frei vom Konzept der Multiplizität und weit entfernt jeglicher Konzepte und Begrenzungen. Derjenige, worin nichts eintreten und von dem keine andere Form der Existenz herauskommen kann!)

3. „Er zeugt nicht (keine andere Form der Existenz hat je seinen Ursprung von Ihm genommen und deshalb existiert kein anderer), auch wurde Er nicht gezeugt." (Es gibt keine andere Form der Existenz von dem Er seinen Ursprung hätte nehmen können.)

4. „Nichts ist Ihm gleichwertig!" (Nichts, woran man denkt, können Eigenschaften manifestieren, die mit Ihm gleichzusetzen sind.)